经纬度·原典系列

资治通鉴

全本全注全译

第二十一册

唐纪

[宋]司马光 编著
张大可 韩兆琦 等 注译

浙江人民出版社

浙江省版权局
著作权合同登记章
图字:11-2023-344号

图书在版编目（CIP）数据

资治通鉴全本全注全译. 第二十一册 / （宋）司马光编著 ；张大可等注译. -- 杭州 ：浙江人民出版社，2024. 10（2025. 6重印）. -- ISBN 978-7-213-11686-5

Ⅰ. K204. 3

中国国家版本馆CIP数据核字第2024SA7561号

资治通鉴全本全注全译　第二十一册

ZIZHI TONGJIAN QUANBEN QUANZHU QUANYI

［宋］司马光　编著　　张大可　韩兆琦　等　注译

出版发行：浙江人民出版社（杭州市环城北路 177 号　邮编　310006）
市场部电话：（0571）85061682　85176516
选题策划：胡俊生
项目统筹：潘海林　魏　力
责任编辑：齐桃丽　魏　力　胡佳莹
特约编辑：孙汉果
营销编辑：杨谨瑞
责任校对：汪景芬　马　玉　何培玉　姚建国
责任印务：程　琳　幸天骄
封面设计：北京之江文化传媒有限公司
电脑制版：北京之江文化传媒有限公司
印　　刷：浙江新华数码印务有限公司
开　　本：710 毫米 ×1000 毫米　1/16　　印　　张：48.75
字　　数：952 千字　　插　　页：4
版　　次：2024 年 10 月第 1 版　　印　　次：2025 年 6 月第 2 次印刷
书　　号：ISBN 978-7-213-11686-5
定　　价：124.00 元

目　录

卷第二百三十七　唐纪五十三

起柔兆阉茂（丙戌，公元八〇六年），尽屠维赤奋若（己丑，公元八〇九年）六月，凡三年有奇。

【题解】

本卷记事起公元八〇六年，迄公元八〇九年六月，凡三年又六个月，当唐宪宗元和元年到元和四年六月。唐宪宗在唐代算是一位有为之君，他在位十五年，最大的贡献是削弱了藩镇的割据势力，朝廷一度收回了节度使的任免权力，振兴朝纲，出现了新气象。宪宗为皇太孙时，就对藩镇跋扈切齿于心。即位伊始就把注意力集中在如何削弱藩镇势力上。宪宗初即位，剑南西川节度使韦皋病死，支度副使刘辟自称留后，并要求兼领三川，朝廷拒绝，刘辟乃发兵攻打东川，反叛朝廷。宪宗采用宰相杜黄裳、翰林学士李吉甫的建议，坚定地用武力征讨，活

【原文】

宪宗昭文章武大圣至神孝皇帝[①]上之上

元和元年（丙戌，公元八〇六年）

春，正月丙寅朔[②]，上帅群臣诣兴庆宫上上皇尊号。

丁卯[③]，赦天下，改元。

辛未[④]，以鄂岳观察使韩皋[⑤]为奉义节度使。

癸酉[⑥]，以奉义留后伊宥为安州刺史兼安州留后。宥，慎之子也。

壬午[⑦]，加成德节度使王士真同平章事。

甲申[⑧]，上皇崩于兴庆宫。

刘辟既得旌节[⑨]，志益骄，求兼领三川[⑩]，上不许。辟遂发兵围东川节度使李康于梓州[⑪]，欲以同幕卢文若为东川节度使。推官[⑫]莆田林蕴[⑬]力谏辟举兵，辟怒，械系于狱[⑭]。引出[⑮]，将斩之，阴戒[⑯]行刑者使不杀，但数砺刃于其颈[⑰]，欲使屈服而赦之。蕴叱之曰：“竖子[⑱]，当斩即

捉了刘辟。接着讨平夏绥兵变，第二年又平定了镇海节度使李锜的叛乱。元和三年（公元八〇八年），又解决了山南东道节度使于頔的割据倾向，使其入朝，长留京师。这些成绩的取得是因为此时宪宗能纳谏用贤。杜黄裳为首辅，正气立于朝，翰林学士白居易、李吉甫等敢直言进谏。宪宗又举贤良言时政，牛僧孺、李宗闵等多有诤言。宪宗又因天旱，下诏降天下系囚，蠲租税，出宫人，绝进奉，禁掠卖，还推倒了宦官吐突承璀逢迎所立的圣德碑。禁边将邀功，结和吐蕃。沙陀人降唐，设置阴山都督府安置之。李师道抗拒朝命得节度，此为策略性姑息。

【语译】

宪宗昭文章武大圣至神孝皇帝上之上

元和元年（丙戌，公元八〇六年）

春，正月初一日丙寅，宪宗率领群臣前往兴庆宫给太上皇上尊号。

正月初二日丁卯，宪宗大赦天下，改年号。

正月初六日辛未，宪宗任命鄂岳观察使韩皋为奉义节度使。

正月初八日癸酉，宪宗任命奉义军留后伊宥为安州刺史，兼任安州留后。伊宥，是伊慎的儿子。

正月十七日壬午，宪宗加授成德节度使王士真为同平章事。

正月十九日甲申，太上皇在兴庆宫驾崩。

刘辟得到西川节度使之职后，态度越发骄横，要求兼领三川，宪宗没有答应。刘辟于是发兵包围东川节度使李康于梓州，想让幕僚卢文若担任东川节度使。推官莆田人林蕴极力劝阻刘辟出兵，刘辟大怒，将林蕴戴上械具关在监狱中。后把林蕴带出来，即将杀他时，暗中告诫行刑的人不要真的杀死林蕴，可在林蕴的脖子上用刀刃磨几下，打算让林蕴屈服后赦免他。林蕴呵斥道：“小子，该杀就杀，我的脖子

斩，我颈岂汝砥石邪！”辟顾左右曰：“真忠烈之士也！”乃黜为唐昌尉[19]。

上欲讨辟而重于用兵[20]，公卿议者亦以为蜀险固难取，杜黄裳独曰：“辟狂戆书生[21]，取之如拾芥[22]耳。臣知神策军使高崇文[23]勇略可用，愿陛下专以军事委之，勿置监军，辟必可擒。”上从之。翰林学士李吉甫亦劝上讨蜀，上由是器之。

戊子[24]，命左神策行营节度使高崇文将步骑五千为前军，神策京西行营兵马使李元奕将步骑二千为次军[25]，与山南西道节度使严砺[26]同讨辟。时宿将名位素重者甚众，皆自谓当征蜀之选。及诏用崇文，皆大惊。

上与杜黄裳论及藩镇，黄裳曰：“德宗自经忧患[27]，务为姑息，不生除节帅[28]。有物故者，先遣中使察军情所与则授之。中使或私受大将赂，归而誉之，即降旄钺，未尝有出朝廷之意者。陛下必欲振举纲纪[29]，宜稍以法度裁制藩镇[30]，则天下可得而理也。”上深以为然。于是始用兵讨蜀，以至威行两河，皆黄裳启之也。

【段旨】

以上为第一段，写唐宪宗振举朝纲，裁制藩镇，发兵讨西川。

【注释】

①宪宗昭文章武大圣至神孝皇帝：顺宗李诵长子，名淳，改名纯，唐朝第十一代帝王，公元八〇五至八二〇年在位。本谥为“圣神章武孝皇帝”，唐宣宗大中三年（公元八四九年）平河湟，追崇谥号为“昭文章武大圣至神孝皇帝”。②丙寅朔：正月初一日。③丁卯：正月初二日。④辛未：正月初六日。⑤韩皋：韩滉之子。历仕德、顺、宪、穆四朝，有政声。传见《旧唐书》卷一百二十九、《新唐书》卷一百二十六。⑥癸酉：正月初八日。⑦壬午：正月十七日。⑧甲申：正月十九日。⑨刘辟既得旌节：顺宗永贞元年（公元八〇五年），西川节度使韦皋在世时，刘辟就以剑南支度副使之职谋求都领剑南三川，未获成功。八月，韦皋去世，刘辟让诸将为他上表求节钺，朝廷未许。十二月，朝廷被迫任命刘辟为西川节度副使、知节度事。⑩三川：剑南东、西川及山南西道三镇，合称三川。⑪梓州：东川节度使治所，在今四川三台。⑫推官：节度使、观

难道是你的磨刀石吗!”刘辟看了看左右的人说:“真是忠烈之士啊!”于是把林蕴贬为唐昌县尉。

宪宗打算讨伐刘辟,但不想轻易用兵,王公卿相们商议后也认为蜀地险固,难以攻取,只有杜黄裳一个人说:“刘辟是一个狂妄蠢笨的书生,攻取他就像拾取草芥一样容易。我知道神策军使高崇文勇敢有谋略,可以任用,希望陛下把军事大权全部交给高崇文,不要设置监军,刘辟一定可以擒获。”宪宗听从了杜黄裳的建议。翰林学士李吉甫也劝宪宗讨伐蜀地,宪宗由此器重李吉甫。

正月二十三日戊子,宪宗命令左神策军行营节度使高崇文率领步兵、骑兵五千人为前锋,神策京西行营兵马使李元奕率领步兵、骑兵二千人为后续部队,与山南西道节度使严砺一起讨伐刘辟。当时朝廷老将中声名和地位一向很高的人有很多,都自认应是征蜀的人选。等到宪宗下诏任用高崇文,全都大吃一惊。

宪宗与杜黄裳讨论到藩镇的问题,杜黄裳说:“德宗皇帝自从经历了朱泚作乱的忧患之后,一味地姑息各军镇,不在节度使活着时任命新的节度使。节度使有去世的,先派中使察知军心所归之人,然后就把节度使授给他。中使有的接受了大将的贿赂,回朝廷后就称赞这个人,德宗皇帝就将节度使职务授给这个人,节度使选任,没有一个是出自朝廷心意的。陛下一定要振兴法纪,应该渐渐地用法度来控制各地军镇,那么天下可以太平了。”宪宗认为杜黄裳讲得非常正确,于是开始用兵伐蜀,终于使朝廷的威严遍及河北、河南各地,这都是从杜黄裳的建议开始的。

察使、团练使、防御使、采访处置使下皆置员一人,掌狱讼。⑬林蕴:字梦复,泉州莆田(今福建莆田)人,韦皋辟为推官。传见《新唐书》卷二百。⑭械系于狱:戴械具关进监狱。⑮引出:从狱中带出来。⑯阴戒:暗中告诫。戒,通“诫”。⑰数砺刃于其颈:用刀在颈上磨几下。砺,磨刀石。以颈为砺,喻刀加于颈而不真断颈的样子。⑱竖子:小子,骂人语。⑲唐昌尉:唐昌,县名,县治在今四川成都市郫都区西北。尉,县尉,为县中长吏,掌一县治安。⑳重于用兵:不想轻易用兵。重,看重、不轻易。㉑狂戆书生:狂妄而又愚笨无谋的书生。㉒拾芥:喻其容易。芥,细微之物。㉓高崇文(公元七四五至八〇九年):少籍平卢军,贞元中从韩全义镇长武城,以破吐蕃功升为都知兵马使。平蜀后为邠宁节度使兼京西诸军都统。传见《旧唐书》卷一百五十一、《新唐书》卷一百七十。㉔戊子:正月二十三日。㉕次军:后军。㉖严砺:伐蜀为东川节度使。为官贪赃,士民苦之。传见《旧唐书》卷一百十七、《新唐书》卷一百五十八。㉗忧患:指受朱泚之乱。㉘不生除节帅:不在节度使活着时任命新的节度使。㉙振举纲纪:振兴法纪。㉚宜稍以法度裁制藩镇:应该逐渐用法纪控制各地军镇。稍,逐渐。

【原文】

高崇文屯长武城㉛，练卒五千，常如寇至㉜，卯时受诏，辰时即行㉝，器械糗粮㉞，一无所阙。

甲午㉟，崇文出斜谷，李元奕出骆谷，同趣梓州。崇文军至兴元㊱，军士有食于逆旅折人匕箸者，崇文斩之以徇。

刘辟陷梓州，执李康。二月，严砺拔剑州㊲，斩其刺史文德昭。

奚王诲落可入朝。丁酉㊳，以诲落可为饶乐郡王，遣归。

癸丑㊴，加魏博节度使田季安同平章事。

戊午㊵，上与宰相论："自古帝王，或勤劳庶政，或端拱无为，互有得失，何为而可？"杜黄裳对曰："王者上承天地宗庙㊶，下抚百姓四夷，夙夜忧勤㊷，固不可自暇自逸㊸。然上下有分㊹，纪纲有叙㊺，苟慎选天下贤材而委任之，有功则赏，有罪则刑，选用以公㊻，赏刑以信㊼，则谁不尽力，何求不获哉！明主劳于求人㊽而逸于任人㊾，此虞舜所以能无为而治㊿者也。至于簿书[1]狱市(51)烦细之事，各有司存，非人主所宜亲也。昔秦始皇以衡石程书(52)，魏明帝自按行(53)尚书事，隋文帝卫士传餐(54)，皆无补于当时，取讥于后来。其耳目形神非不勤且劳也，所务非其道也。夫人主患不推诚(55)，人臣患不竭忠。苟上疑其下，下欺其上，将以求理(56)，不亦难乎！"上深然其言。

【段旨】

以上为第二段，写唐宪宗与杜黄裳论治国之道，人君有为不在劳逸，关键是任贤而不疑，人主推诚，人臣尽忠，国无不治。

【语译】

高崇文屯驻长武城，训练士卒五千人，经常像敌人来了一样，在卯时接受诏令，辰时就出发，武器干粮，一样都不缺少。

正月二十九日甲午，高崇文从斜谷出兵，李元奕从骆谷出兵，一同奔赴梓州城。高崇文的军队到了兴元府，将士有人在旅店吃饭，折断了主人的汤匙、筷子，高崇文就把这人斩首示众。

刘辟攻陷梓州，抓住了东川节度使李康。二月，严砺攻取剑州，杀了剑州刺史文德昭。

奚王诲落可进京朝见。二月初三日丁酉，宪宗封诲落可为饶乐郡王，遣送他回去了。

二月十九日癸丑，宪宗加授魏博节度使田季安为同平章事。

二月二十四日戊午，宪宗与宰相们讨论："自古以来的帝王，有的勤劳于国家大事，有的拱手无为，互有得失，应该怎么办才好呢？"杜黄裳回答说："君王对上承受着天地和宗庙赋予的使命，对下要安抚天下百姓和周边各族，朝夕忧心劳苦，本来就不可自求清闲、自求安逸。但是君王与臣下各有职分，纲常法纪有一定的秩序。如果君王能够慎重地选择天下的贤才而任用他们，有功劳的就奖赏，有罪过的就惩罚，选拔任用出于公心，奖赏惩罚都要有信用，那么谁又能不尽力地为朝廷效劳，朝廷有什么要求不能实现呢！圣明的君王辛劳于寻求贤才，而任用了贤才之后又是安逸的，这就是虞舜之所以能够清静无为而天下大治的缘故。至于簿籍、诉讼、交易之类的琐碎事情，各自有相关部门负责，不是君王应该亲自处理的。从前秦始皇每天用衡器称量一天要批阅的奏章，魏明帝亲自检查尚书省具体事务，隋文帝勤于政事，连吃饭都是卫士送来，但对当时全无补益，反而受后世的讥笑。他们的耳朵、眼睛、身体、精神并非不勤奋不辛苦，只是他们所致力的并不是他们应该做的。君王忧患的是不能对臣下推心置腹，人臣忧患的是不能对君王竭尽忠诚。如果君王怀疑臣下，臣下欺骗君王，以此来寻求天下太平，不是很难的吗！"宪宗对杜黄裳所说深表赞同。

【注释】

㉛屯长武城：高崇文为长武城都知兵马使，屯驻以防吐蕃。故城在今陕西长武西北。㉜常如寇至：经常保持着高度的戒备，如同寇至一样。㉝卯时受诏二句：早晨七八点钟接到命令，九十点钟就出发，是受命后立即出发。㉞糗粮：行军干粮。㉟甲午：正月二十九日。㊱兴元：府名，山南西道治所，在今陕西汉中。㊲剑州：州名，治所普安县，在今四川剑阁。㊳丁酉：二月初三日。㊴癸丑：二月十九日。㊵戊午：二月二十四日。㊶王

者上承天地宗庙：帝王对上承受着天地与宗庙赋予的使命。㊷夙夜忧勤：朝夕忧心劳苦。夙夜，早晚，指从早到晚。㊸固不可自暇自逸：本来就不可以自图清闲，自求安逸。固，本来、原本。暇，清闲。逸，安乐。㊹上下有分：在上位的君与在下位的臣各有自己的职分。分，本职事务。㊺纪纲有叙：纲常法纪有一定秩序。㊻选用以公：选拔任用出于公心。㊼赏刑以信：奖赏与惩罚要有信用。㊽劳于求人：辛劳于寻求人才。求人，寻求贤才。㊾逸于任人：但在任用了人才以后却是安逸的。谓任人得当，则君主安乐。㊿无为而治：古人提倡的一种治国理念和策略，指君主安闲，不要搞人为运动。这是道家的思想，老子曰："治大国若烹小鲜。"就是无为治国思想。传说虞舜垂拱无为而天下治，这只是一种理想的寄托。51狱市：诉讼与交易等细事。52衡石程书：衡，秤。石，重量单位，一石为一百二十斤。程，每日定量。书，文书。秦时簿书用简牍，体积大，量重，以致用重量计多少。指秦始皇亲自校阅簿书，每天阅读一百二十斤重的简牍文书。事详《史记·秦始皇本纪》。53按行：查验公文执行情况。魏明帝曹叡到尚书省去检查具体事务，被尚书令陈矫劝阻。事见本书卷七十二魏明帝太和六年。54卫士传餐：隋文帝临朝，日过中午还不退朝，仍旧坐着讨论政事，于是卫士给他们传递便餐。事见本书卷一百九十三唐太宗贞观四年，房玄龄、萧瑀对太宗问。55推诚：推心竭诚信任臣下。56求理：求治。

【原文】

三月丙寅57，以神策京西行营[2]节度使范希朝为右金吾大将军。

高崇文引兵自阆州58趣梓州，刘辟将邢泚引兵遁去，崇文入屯梓州。辟归李康于崇文以求自雪，崇文以康败军失守，斩之。

丙子59，严砺奏克梓州。

丁丑60，制削夺刘辟官爵。

初，韩全义入朝，以其甥杨惠琳知夏绥留后。杜黄裳以全义出征无功61，骄蹇不逊62，直令致仕63，以右骁卫将军李演为夏绥节度使。惠琳勒兵拒之，表称"将士逼臣为节度使"。河东节度使严绶表请讨之。诏河东、天德军合击惠琳，绶遣牙将阿跌光进及弟光颜64将兵赴之。光进本出河曲步落稽，兄弟在河东军，皆以勇敢闻。

辛巳65，夏州兵马使张承金斩惠琳，传首京师。

【校记】

［1］簿书：此二字原无。据章钰校，十二行本、乙十一行本、孔天胤本皆有此二字，张瑛《通鉴校勘记》同，今据补。

【语译】

三月初二日丙寅，宪宗任命神策军京西行营节度使范希朝为右金吾大将军。

高崇文率军从阆州奔赴梓州，刘辟的将领邢泚带兵逃走，高崇文进驻梓州城。刘辟向高崇文交还李康，以求为自己洗刷罪责，高崇文因为李康丧军失守城池，把李康杀了。

三月十二日丙子，严砺上奏朝廷说攻下了梓州。

三月十三日丁丑，宪宗下制书削夺了刘辟的官职和爵位。

当初，韩全义入朝，让他的外甥杨惠琳管理夏绥的留后事务。杜黄裳认为韩全义出征没有功绩，傲慢不恭，所以就直接让韩全义退休，任命右骁卫将军李演为夏绥节度使。杨惠琳布置军队拒绝李演，上表说“将士们逼迫我做节度使”。河东节度使严绶上表朝廷请求征讨杨惠琳。宪宗诏令河东军、天德军合击杨惠琳，严绶派遣牙将阿跌光进和他的弟弟阿跌光颜率军前去讨伐杨惠琳。阿跌光进原本出自河曲步落稽，兄弟俩在河东军中，都以勇敢闻名。

三月十七日辛巳，夏州兵马使张承金杀了杨惠琳，把杨惠琳的首级传到京城长安。

东川节度使韦丹⑯至汉中，表言“高崇文客军远斗，无所资，若与梓州，缀其士心，必能有功”。夏，四月丁酉⑰，以崇文为东川节度副使、知节度事。

潘孟阳所至⑱专事游晏，从仆三百人，多纳贿赂。上闻之，甲辰⑲，以孟阳为大理卿⑳，罢其度支、盐铁转运副使。

丙午㉑，策试制举之士㉒，于是校书郎㉓元稹㉔，监察御史独孤郁㉕，校书郎下邽白居易㉖，前进士㉗萧俛㉘、沈传师㉙出焉。郁，及之子。俛，华之孙。传师，既济之子也。

杜佑请解财赋之职，仍举兵部侍郎、度支使、盐铁转运副使李巽㉚自代。丁未㉛，加佑司徒，罢其盐铁转运使，以巽为度支、盐铁转运使。自刘晏之后，居财赋之职者，莫能继之。巽掌使一年㉜，征课所入，类晏之多，明年过之，又一年加一百八十万缗。

【段旨】

以上为第三段，写唐宪宗讨平夏绥军乱。写李巽善理财，比肩刘晏。

【注释】

㊲丙寅：三月初二日。㊳阆州：州名，治所在今四川阆中。㊴丙子：三月十二日。㊵丁丑：三月十三日。㊶出征无功：指讨淮西吴少诚，兵败而还。㊷骄蹇不逊：傲慢不恭。㊸直令致仕：唐制，节镇罢官归京，安置为六军都将。韩全义则直接令其致仕。韩全义入朝见本书上卷永贞元年。㊹阿跌光进及弟光颜：其先为河曲诸部，姓阿跌氏。兄弟二人历官节镇，兼御史大夫，军中呼为“大小大夫”，因功赐姓李以宠之。李光进加官至检校工部尚书，李光颜加官至同中书门下平章事。兄弟同传，见《旧唐书》卷一百六十一、《新唐书》卷一百七十一。㊺辛巳：三月十七日。㊻韦丹：代李康为东川节度使。传见《新唐书》卷一百九十七。㊼丁酉：四月初四日。㊽所至：所到之处。潘孟阳为度支、盐铁副使，奉命宣慰江、淮，巡视租赋情况，并察官吏好坏、百姓疾苦。事见本书上卷永贞元年八月。㊾甲辰：四月十一日。㊿大理卿：大理寺主管，掌刑狱。(71)丙午：四月十三日。(72)策试制举之士：宪宗亲自考试制举士人。策试，出题考试，多为议论政治得失称策试。制举，唐代科举取士的一种制度。除地方贡举之外，由皇帝亲自在殿廷诏试的称制科举，简称制举或制科。可参阅《新唐书·选举志》上。(73)校书郎：秘

东川节度使韦丹到了汉中，上表说“高崇文率领外地军队远战，没有什么可依靠，如果把梓州给他管辖，可以维系他的将士之心，这样一定可以立功”。夏，四月初四日丁酉，宪宗任命高崇文为东川节度副使，主管节度使的事务。

潘孟阳所到之处，一味地游玩，跟随他的仆人有三百人，接受了很多贿赂。宪宗听说这事之后，四月十一日甲辰，任命潘孟阳为大理卿，罢免了他的度支、盐铁转运副使的职务。

四月十三日丙午，宪宗亲自考试制举之士，在这次考试中，校书郎元稹、监察御史独孤郁、校书郎下邽人白居易、前进士萧俛和沈传师都脱颖而出。独孤郁，是独孤及的儿子。萧俛，是萧华的孙子。沈传师，是沈既济的儿子。

杜佑请求解除自己主管财赋的职务，还推荐兵部侍郎、度支使、盐铁转运副使李巽来代替自己主管财赋的职务。四月十四日丁未，宪宗加授杜佑为司徒，免除了他的盐铁转运使职务，任命李巽为度支、盐铁转运使。自从刘晏之后，担当主管财赋职务的人，没有一个人能继踵其后。李巽典掌度支、盐铁转运使一年，征收的赋税收入，数量有刘晏时那么多，第二年超过了刘晏，又一年后，比刘晏增多了一百八十万缗。

书省属官，典校图籍。⑭ 元稹（公元七七九至八一三年）：中唐大诗人，与白居易齐名。字微之，历官中书舍人、武昌节度使。传见《旧唐书》卷一百六十六、《新唐书》卷一百七十四。⑮ 独孤郁：中唐文学家、代宗朝太常博士独孤及之子，官至翰林学士。传见《旧唐书》卷一百六十八、《新唐书》卷一百六十二。⑯ 白居易（公元七七二至八四六年）：中唐大诗人，字乐天，太原（今山西太原）人，后迁下邽（今陕西渭南北），历仕宪、穆、敬、文四朝，历官中书舍人、刑部侍郎。传见《旧唐书》卷一百六十六、《新唐书》卷一百十九。⑰ 前进士：萧、沈二人为上年登科进士，故称前进士。⑱ 萧俛：字思谦，肃宗朝宰相萧华之孙。穆宗朝官至宰相。传见《旧唐书》卷一百七十二、《新唐书》卷一百一。⑲ 沈传师：字子言，德宗朝左拾遗、史馆修撰沈既济之子。宪宗朝官至中书舍人、翰林承旨，敬宗朝终官江西观察使。传见《旧唐书》卷一百四十九、《新唐书》卷一百三十二。⑳ 李巽：善理财，官至吏部尚书。传见《旧唐书》卷一百二十三、《新唐书》卷一百四十九。㉑ 丁未：四月十四日。㉒ 巽掌使一年：谓李巽典掌度支、盐铁转运使一年。

【校记】

［2］京西行营：原误倒为“行营京西”。据章钰校，十二行本、乙十一行本、孔天胤本皆作“京西行营”，今据校正。

【原文】

戊申[83]，加陇右经略使、秦州刺史刘澭[84]保义军节度使。

辛酉[85]，以元稹为左拾遗[3]，白居易为盩厔尉、集贤校理，萧俛为右拾遗，沈传师为校书郎。

稹上疏论谏职[86]，以为："昔太宗以王珪、魏徵[87]为谏官，宴游寝食未尝不在左右，又命三品以上入议大政，必遣谏官一人随之，以参得失[88]，故天下大理[89]。今之谏官，大不得豫[90]召见，次不得参时政[91]，排行就列，朝谒而已。近年以来，正牙不奏事[92]，庶官罢巡对[93]，谏官能举职者，独诰命有不便则上封事耳。君臣之际[94]，讽谕于未形[95]，筹画于至密[96]，尚不能回至尊之盛意[97]；况于既行之诰令，已命之除授，而欲以咫尺之书[98]收丝纶之诏[99]，诚亦难矣[100]。愿陛下时于延英召对，使尽所怀，岂可置于其位而屏弃疏贱之哉！"

顷之，复上疏，以为："理乱之始，必有萌象。开直言，广视听，理之萌[101]也。甘谄谀，蔽近习，乱之象也。自古人君即位之初，必有敢言之士。人君苟受而赏之[102]，则君子乐行其道[103]，竞为忠说[4]；小人亦贪得其利，不为回邪矣[104]。如是，则上下之志通[105]，幽远之情达[106]，欲无理得乎！苟拒而罪之[107]，则君子卷怀括囊以保其身[108]，小人阿意迎合[109]以窃其位矣。如是，则十步之事，皆可欺也，欲无乱得乎！昔太宗初即政，孙伏伽以小事谏，太宗喜，厚赏之[110]。故当是时，言事者惟患不深切，未尝以触忌讳为忧也。太宗岂好逆意而恶从欲哉[111]？诚以顺适之快小，而危亡之祸大故也[112]。陛下践阼[113]，今已[5]周岁[114]，未闻有受伏伽之赏者。臣等备位谏列，旷日弥年[115]，不得召见，每就列位，屏气鞠躬，不敢仰视，又安暇议得失，献可否哉！供奉官[116]尚尔，况疏远之臣乎！此盖群下因循之罪也。"因条奏请次对百官、复正牙奏

【语译】

四月十五日戊申，宪宗加授陇右经略使、秦州刺史刘澭为保义军节度使。

四月二十八日辛酉，宪宗任命元稹为左拾遗，白居易为盩厔县尉、集贤校理，萧俛为右拾遗，沈传师为校书郎。

元稹上疏讨论谏官职责，认为："从前太宗皇帝任命王珪、魏徵为谏官，宴会游玩、吃饭睡觉，未曾不在身边，又命令三品以上的大臣入朝讨论国家大事，一定派一名谏官跟着，以便检核得失，所以天下大治。现在的谏官，从大处上说，不能参与陛下的召见，从小的方面说，不能参验时政，平日只是排在百官的行列中，朝见参拜天子而已。近年来，陛下不在正殿陈奏事情，召见百官轮流问对的制度也停止了，谏官能奉行自己职责的地方，只有在诏命不太合适时，上密封的奏章劝谏而已。君臣之间，臣下在君王过失还没有显现时加以劝谏，即便是筹划得极为周密，还不能使君王回心转意；更何况是已经颁布的诏令，已经下令的官职委任，要想用谏官咫尺奏章，让君王收回诏书，也实在是太难了啊。希望陛下能经常在延英殿召见谏官问对，让他们把心中的意见都讲出来，怎么能把他们安置在谏官的职位上，却摒弃疏远他们呢！"

没过多久，元稹又上疏，认为："国家治理得好或动乱，一定有征兆。君王打开直言劝谏的通路，拓宽接纳意见的范围，这就是达到政治清明的征兆。君王喜欢听阿谀奉承的话，被周围亲信的人蒙蔽，是天下大乱的迹象。自古以来，君王继位初期，一定有敢于直言进谏的人士。君王如果接受了谏言而奖赏他，那么有德君子就乐意奉行他们的理想，争着进献忠诚正直之言，世俗小人也乐于进言得利，不做奸邪的事情了。这样一来，君王和臣下的心意相通，幽深的感情得以通达，能不政治清明吗！如果拒绝直言之士的意见，而且治他的罪，那么有德君子就会把意见藏起来，闭口不言，明哲保身了，世俗的小人便会阿谀奉承，迎合君意，窃居本该是有德君子的地位了。这样一来，近身之事，都可以欺瞒，要想不天下扰乱，能做得到吗！从前太宗皇帝刚即位时，孙伏伽因为小事情向皇上劝谏，太宗皇帝很高兴，重重地赏赐了孙伏伽。因此，在那个时候，进言政事的人只担心谈得不够深切，未曾以触犯忌讳担忧过。太宗皇帝难道是喜欢别人违忤自己的想法，厌恶人们顺从自己的心意吗？实在是认识到臣下顺适心意得到的快乐小，而国家危亡的祸患大的缘故啊。陛下继承皇位，现在已经一年了，没有听说有像孙伏伽那样受奖赏的人。我们身居谏官的位置，虚度时日已整年，没有得到陛下的召见，每次站在朝廷大臣的行列中，屏息鞠躬，不敢仰视，又哪里有时间来议论朝政的得失，向陛下进献自己的意见呢！像我们这些供奉官尚且如此，何况那些受疏远的臣子呢！这都是群臣因袭旧习惯的过失啊。"于是逐条地陈奏请求皇帝依次召见群臣问话、恢复正殿中奏事、

事、禁非时贡献[117]等十事。

稹又以贞元中王伾、王叔文以伎术[118]得幸东宫，永贞之际几乱天下，上书劝上早择修正之士[119]使辅导诸子，以为："太宗自为藩王，与文学清修之士十八人[120]居。后代太子、诸王，虽有僚属，日益疏贱。至于师傅之官[121]，非眊聩废疾[122]不任事者，则休戎罢帅不知书[123]者为之。其友、谕、赞、议[124]之徒，尤为冗散[125]之甚，搢绅[126]皆耻由之。就使时得僻老儒生[127]，越月逾时，仅获一见[128]，又何暇傅之德义，纳之法度哉！夫以匹士爱其子，犹知求明哲之师而教之，况万乘之嗣，系四海之命乎！"上颇嘉纳其言，时召见之。

壬戌[129]，邵王约[130]薨。

【段旨】

以上为第四段，写新科制举进士元稹任左拾遗，连上数奏言事，论谏臣职责，论皇子教育，唐宪宗嘉纳其言。

【注释】

⑧③戊申：四月十五日。⑧④刘澭：卢龙节度使刘怦之次子，归京师授陇右经略使。方士罗令则妄言废立事游说刘澭，澭不为所动，械送京师斩之，故加号保义军节度使。传见《旧唐书》卷一百四十三、《新唐书》卷一百四十八。⑧⑤辛酉：四月二十八日。⑧⑥上疏论谏职：上奏讨论谏官的职责。⑧⑦王珪、魏徵：两人为唐太宗时著名谏臣，同为谏议大夫。王珪传见《旧唐书》卷七十、《新唐书》卷九十八，魏徵传见《旧唐书》卷七十一、《新唐书》卷九十七。⑧⑧谏官一人随之二句：唐太宗令谏官随同中书、门下及三品官入阁办事，以检核各种议论的得失。参，检核。事见本书卷一百九十二唐太宗贞观元年。⑧⑨大理：大治。⑨⓪豫：参与。⑨①参时政：参验时政得失。⑨②正牙不奏事：皇帝不在正殿接纳朝官奏事。德宗贞元十八年（公元八〇二年）罢正牙奏事。正牙，正殿，指宫城中太极殿、大明宫中含元殿。⑨③庶官罢巡对：皇上召见百官轮流问对的制度也被宪宗停止了。庶官，众官、百官。巡对，德宗贞元十七年，令常参官每日引见二人，访以政事，谓之巡对。⑨④君臣之际：君臣之间的关系。⑨⑤讽谕于未形：臣下在君王过失还没有显现时加以劝谏。讽谕，劝谏。未形，不当之事还未显现。⑨⑥至密：极为周密。⑨⑦回

禁止臣下不按时间常例进献贡物等十件事。

元稹又因为贞元年间王伾、王叔文以小伎俩得到东宫太子的宠信，在永贞年间几乎祸乱天下，上奏疏劝宪宗尽早选择有修养的正直士人辅导各位王子，认为："太宗自从做了藩王，就与十八位博学雅文、德行清高的人相处在一起。后来各代的皇太子、诸王，虽然也有幕僚人员，但他们被日益疏远和轻视。至于担任师傅的官员，不是眼花耳聋身残不能干事的人，就是战事结束罢免帅职不识字的人。而各王府中的宾客、谕德、赞善、司议郎一班人，尤为闲散，士大夫们都耻于担任这些官职。即便是有时找到孤陋寡闻的老儒生来担任，也是历时数月，仅能召见一次，他们又哪有时间来用道德义理辅导诸王，使他们遵守国家的法令制度呢！即便是地位卑微的人士爱他们的儿子，还知道寻找通晓事理的老师来教导，何况天子的后嗣，事关国家前途命运呢！"宪宗对元稹的建议十分嘉许，采纳了不少意见，并且经常召见元稹。

四月二十九日壬戌，邵王李约去世。

至尊之盛意：扭转皇上的心意。⑱ 咫尺之书：指臣下奏章。在秦汉时奏章用八寸简书写，此以代奏章。⑲ 丝纶之诏：用丝帛书写的皇帝诏书。⑳ 诚亦难矣：真是困难啊。元稹之意，谏臣在皇上过失未显现之前劝谏，尚难回转己意，何况在诏书已颁、官吏任免已行之后，再上一道奏章来改变，那就更困难了。㉑ 理之萌：政治开明的征兆。㉒ 苟受而赏之：如果接受谏言并奖赏进言的人。㉓ 君子乐行其道：人君纳谏，则有德君子就乐意奉行他们的理想。㉔ 小人亦贪得其利二句：人君纳谏，世俗小人也乐于进言得利，不做奸邪的事了。回邪，奸邪。回，曲。㉕ 上下之志通：君臣上下的心意相通。㉖ 幽远之情达：幽深的感情得以通达。即隔阂之情得以消失。㉗ 苟拒而罪之：如果人君拒谏而又加罪于进言的人。苟，假如、如果。拒，拒谏。㉘ 则君子卷怀括囊以保其身：那么君子就把意见藏起来，闭上嘴巴明哲保身。卷怀，把意见埋藏在心里。括囊，即闭隐，闭口不言，没有灾祸。典出《易经·坤卦》："括囊，无咎无誉。"《周易正义》曰：括，结也。囊，隐也。《方言》云：结，闭也。㉙ 阿意迎合：阿谀奉承，迎合君意。㉚ 厚赏之：指贞观初唐太宗厚赏谏言者。孙伏伽谏元帅罪不当死，太宗赏以兰陵公主园，值百万。事见本书卷一百九十九唐太宗贞观十二年。㉛ 太宗岂好逆意而恶从欲哉：难道唐太宗喜欢别人违忤自己的想法而厌恶人们顺从自己的心意吗。逆意，违忤自己心意。从欲，顺随心意。㉜ 诚以顺适之快小二句：这实在是认识到顺心适意得到的快乐太小，而国家危亡的祸患太大的缘故啊。诚，真的、实在。以，以为、认识到。顺适，顺心适意。㉝ 践阼：即帝位。㉞ 周岁：已整年。㉟ 旷日弥年：虚度时日已整年。㊱ 供奉官：皇帝近侍

官。中书、门下两省拾遗、补阙以上官称供奉官。⑪禁非时贡献：禁止不按时间常例进献贡物。⑱伎术：方技权术，喻小小伎俩。⑲修正之士：道德学问有修养的正直士人。⑳文学清修之士十八人：唐太宗为秦王时，府中有清廉修养之士杜如晦、房玄龄等十八人为文学馆学士，号十八学士。事见本书卷一百八十九唐高祖武德四年。㉑师傅之官：指太子太师、太傅、太保、少师、少傅、少保等负责太子教育与生活的官员。㉒眊聩废疾：眼花、耳聋、身残。㉓休戎罢帅不知书：指战事结束免去帅职中不识字的武人。休戎，战事结束。㉔友、谕、赞、议：均指太子东宫闲散冗官。如太子宾客（友）、谕德（谕）、赞善大夫（赞）、司议郎（议）等。此外，诸王府有友、文学、谘议参军等闲散官。㉕冗散：清职；闲散之官。㉖搢绅：指代士大夫。㉗僻老儒生：孤陋寡闻的老儒生。僻，偏狭的知识。㉘越月逾时二句：历时数月，才能与太子见一次面。时，一季、三个月。㉙壬戌：四月二十九日。㉚邵王约：陛下之弟李约，封邵王。

【原文】

五月丙子[131]，以横海留后程执恭[132]为节度使。

庚辰[133]，尚书左丞、同平章事郑余庆罢为太子宾客。

辛卯[134]，尊太上皇后为皇太后。

刘辟城鹿头关[135]，连八栅，屯兵万余人以拒高崇文。六月丁酉[136]，崇文击败之。辟置栅于关东万胜堆。戊戌[137]，崇文遣骁将范阳高霞寓[138]攻夺之，下瞰关城。凡八战皆捷。

加卢龙节度使刘济兼侍中。

己亥[139]，加平卢节度使李师古兼侍中。

庚子[140]，高崇文破刘辟于德阳。癸卯[141]，又破之于汉州[142]。严砺遣其将严秦破辟众万余人于绵州[143]石碑谷[144]。

初，李师古有异母弟曰师道，常疏斥在外，不免贫窭。师古私谓所亲曰："吾非不友[145]于师道[146]也，吾年十五拥节旄，自恨不知稼穑之艰难。况师道复减吾数岁，吾欲使之知衣食之所自来，且以州县之务付之，计诸公必不察[147]也。"及师古疾笃[148]，师道时知密州[149]事，好画[150]及觱篥[151]。师古谓判官高沐[152]、李公度曰："迨吾之未乱也，欲有问于子，我死，子欲奉谁为帅乎？"二人相顾未对。师古曰："岂非师道

【校记】

［3］左拾遗：据章钰校，十二行本、乙十一行本、孔天胤本“左”作“右”，“遗”字下有“独孤郁为左拾遗”七字。〖按〗《旧唐书》卷一百六十六《元稹传》云稹“除右拾遗”，而《新唐书》卷一百七十四《元稹传》云稹“拜左拾遗”。［4］竞为忠说：此四字原无。据章钰校，十二行本、乙十一行本有，张瑛《通鉴校勘记》同，今据补。〖按〗此处上下文为对偶句，有此四字，才与下二句相偶。［5］已：原作“以”。据章钰校，乙十一行本、孔天胤本皆作“已”，今从改。

【语译】

五月十三日丙子，宪宗任命横海军留后程执恭为节度使。

五月十七日庚辰，尚书左丞、同平章事郑余庆被罢免宰相职务，担任太子宾客。

五月二十八日辛卯，尊奉太上皇后为皇太后。

刘辟在鹿头关筑城，连接八座营栅，屯驻兵力一万多人抵抗高崇文。六月初五日丁酉，高崇文打败了刘辟。刘辟在鹿头关东边的万胜堆修建营栅。初六日戊戌，高崇文派遣猛将范阳人高霞寓攻取了万胜堆，在万胜堆俯视鹿头关全城。总共交战八次，高崇文都打了胜仗。

宪宗加授卢龙节度使刘济兼任侍中。

六月初七日己亥，加授平卢节度使李师古兼任侍中。

六月初八日庚子，高崇文在德阳打败了刘辟。十一日癸卯，又在汉州打败了刘辟。严砺派遣将领严秦在绵州的石碑谷打败了刘辟的一万多人。

当初，李师古有个异母弟弟叫李师道，经常被疏远排斥在外面，免不了贫困潦倒。李师古私下对亲近的人说：“我不是不爱护我的弟弟师道，我十五岁做了节度使，恨自己不知道稼穑的艰难。何况师道又小我几岁，我想让他知道衣食是从哪里来的，将把州县城的事务交给他管理，我猜想各位一定不了解我的用心。”等到李师古病情加重，李师道当时主持密州政务，喜欢绘画和吹奏觱篥。李师古对判官高沐、李公度说：“乘我神志没有昏乱，我想询问你们，我死了，你们想拥立谁做主帅呢？”两人对视，没有回答。李师古说：“难道不是师道吗？人之常情，谁肯亏待自己的兄弟骨肉，而厚

乎？人情谁肯薄骨肉而厚他人。顾置帅不善，则非徒[153]败军政也，且覆吾族。师道为公侯子孙，不务训兵理人[154]，专习小人贱事以为己能，果堪为帅乎？幸诸公审图之[155]。”闰月，壬戌朔[156]，师古薨。沭、公度秘不发丧，潜逆[157]师道于密州，奉以为节度副使。

秋，七月癸丑[158]，高崇文破刘辟之众万人于玄武[159]。甲午[160]，诏凡西川继援之兵，悉取崇文处分[161]。

壬寅[162]，葬至德大圣大安孝皇帝于丰陵[163]，庙号顺宗。

八月壬戌[164]，以妃郭氏为贵妃。

丁卯[165]，立皇子宁为邓王，宽为澧王，宥为遂王，察为深王，寰为洋王，寮为绛王，审为建王。

李师道总军务，久之，朝命未至。师道谋于将佐，或请出兵掠四境。高沐固止之，请输两税，申官吏，行盐法[166]，遣使相继奉表诣京师。杜黄裳请乘其未定而分之[167]。上以刘辟未平，己巳[168]，以师道为平卢留后、知郓州事。

堂后主书[169]滑涣久在中书，与知枢密[170]刘光琦相结[171]。宰相议事有与光琦异者，令涣达意[172]，常得所欲，杜佑、郑絪等皆低意善视之[173]。郑余庆与诸相议事，涣从旁指陈是非[174]，余庆怒叱之。未几，罢相。四方赂遗无虚日[175]，中书舍人李吉甫言其专恣，请去之。上命宰相阖中书[176]四门搜掩[177]，尽得其奸状。九月辛丑[178]，贬涣雷州[179]司户，寻赐死，籍没家财凡数千万。

壬寅[180]，高崇文又败刘辟之众于鹿头关，严秦败刘辟之众于神泉[181]。河东将阿跌光颜将兵会高崇文于行营，愆期一日，惧诛，欲深入自赎，军于鹿头之西，断其粮道，城中忧惧。于是辟绵江栅将李文悦、鹿头守将仇良辅皆以城降于崇文，获辟婿苏强，士卒降者万计。崇文遂长驱直指成都，所向崩溃，军不留行[182]。辛亥[183]，克成都。刘辟、卢文若帅数十骑西奔吐蕃，崇文使高霞寓等追之，及于羊灌田[184]。辟赴江[185]不死，擒之。文若先杀妻子，乃系石自沉。崇文入成都，屯于通衢[186]，休息士卒，市肆不惊[187]，珍货山积[188]，秋毫不犯。槛

待其他人呢？只是主帅人选不好，不但败坏了军政，而且要倾覆我的全族。师道身为公侯子孙，不致力于训练士卒、治理百姓，专门学习小人们的卑贱之事，以此作为自己的才能，他果真能够胜任主帅的职务吗？希望你们审慎地考虑。”闰六月初一日壬戌，李师古去世。高沐、李公度将丧事封锁下来，暗中派人去密州迎接李师道，拥立他担任节度副使。

秋，七月二十二日癸丑，高崇文在玄武打败了刘辟的一万人。初三日甲午，宪宗下诏凡是相继增援西川的军队，都要听从高崇文指挥调遣。

七月十一日壬寅，下葬至德大圣大安孝皇帝于丰陵，庙号为顺宗。

八月初二日壬戌，宪宗册封妃子郭氏为贵妃。

八月初七日丁卯，宪宗册立皇子李宁为邓王，李宽为澧王，李宥为遂王，李察为深王，李寰为洋王，李寮为绛王，李审为建王。

李师道总揽军务，很长时间，朝廷的任命没有到来。李师道与将吏僚佐商量，有的人建议出兵抢掠四边邻境。高沐坚决劝阻，请求李师道向朝廷输纳两税，申报所用官吏，执行朝廷的盐业专卖法，相继遣使携表前往京城。杜黄裳请求皇帝乘李师道还没有稳定，把他的辖地分而治之。宪宗因为刘辟没有平定，八月初九日己巳，任命李师道为平卢留后，并掌管郓州事务。

堂后主书滑涣长期供职中书省，与知枢密刘光琦勾结。宰相们在议事中有与刘光琦意见不同的人，宰相就让滑涣去与刘光琦疏通，经常能够得到满足，杜佑、郑䌹等都低声下气且友好地对待滑涣。郑余庆与各位宰相商议政事，滑涣从旁指点是非，郑余庆愤怒地斥责他。不久，郑余庆被免除了宰相职务。各地给滑涣贿赠财物的没有一天停止过，中书舍人李吉甫上奏说滑涣肆意专权，请求撤掉他。宪宗命令宰相们关闭中书省四门进行突然搜查，获取了滑涣奸邪的全部罪状。九月十一日辛丑，把滑涣贬为雷州司户，不久赐死，抄没了滑涣的家产总共有数千万缗。

九月十二日壬寅，高崇文又在鹿头关打败了刘辟的军队，严秦在神泉打败了刘辟的军队。河东军的将领阿跌光颜率兵与高崇文在行营相会，误期一天，害怕被杀，想通过深入敌境来赎罪，率军驻扎在鹿头关的西边，断绝了刘辟军队的运粮通道，鹿头关城内的人又忧虑又害怕。于是，刘辟的绵江营栅的将领李文悦和鹿头关的守卫将领仇良辅都献城向高崇文投降了，活捉了刘辟的女婿苏强，士兵投降的人数以万计。高崇文于是长驱直入，直指成都，兵锋所向，敌军崩溃，一路上官军行进未受阻留。二十一日辛亥，攻下了成都。刘辟、卢文若率领几十个骑兵向西逃往吐蕃，高崇文派高霞寓等人追击，在羊灌田追上了。刘辟投岷江没有淹死，被活捉。卢文若先杀了妻儿老小，才把石头系在身上自沉江中。高崇文进入成都，把军队驻扎在大道上，休整士兵，集市店铺不受惊扰，珍奇的货物像山一样堆积着，但军队秋毫

刘辟送京师。斩辟大将邢泚、馆驿巡官沈衍，余无所问。军府事无巨细，命一遵韦南康[189]故事，从容指㧑[190]，一境皆平。

初，韦皋以西山运粮使崔从[191]知邛州[192]事，刘辟反，从以书谏辟。辟发兵攻之，从婴城固守。辟败，乃得免。从，融之曾孙也。

韦皋参佐房式[193]、韦乾度、独孤密、符载、郗士美[194]、段文昌[195]等素服麻屦，衔土请罪。崇文皆释而礼之，草表荐式等，厚赆[196]而遣之。目段文昌曰："君必为将相，未敢奉荐。"载，庐山人。式，琯之从子[197]。文昌，志玄之玄孙也。

辟有二妾，皆殊色，监军请献之。崇文曰："天子命我讨平凶竖，当以抚百姓为先，遽献妇人以求媚，岂天子之意邪！崇文义不为此。"乃以配将吏之无妻者。

杜黄裳建议征蜀及指受高崇文方略[198]，皆悬合事宜[199]。崇文素惮刘澭[200]，黄裳使谓之曰："若无功，当以刘澭相代。"故能得其死力。及蜀平，宰相入贺，上目黄裳曰："卿之功也。"

辛巳[201]，诏征少室山人李渤[202]为左拾遗，渤辞疾不至，然朝政有得失，渤辄附奏陈论。

冬，十月甲子[203]，易定节度使张茂昭入朝。

制割资、简、陵、荣、昌、泸六州隶东川。

房式等未至京师，皆除省寺官[204]。

丙寅[205]，以高崇文为西川节度使。

戊辰[206]，以严砺为东川节度使。

庚午[207]，以将作监[208]柳晟[209]为山南西道节度使。晟至汉中[210]，府兵[211]讨刘辟还，未至城[212]，诏复遣戍梓州[213]。军士怨怒，胁监军，谋作乱。晟闻之，疾驱入城慰劳之。既而问曰："汝曹何以得成功？"对曰："诛反者刘辟耳。"晟曰："辟以不受诏命，故汝曹得以立功，岂可复使他人诛汝以为功邪？"众皆拜谢，请诣戍所如诏书。军府由是获安。

壬申[214][6]，以平卢留后李师道为节度使。

未犯。高崇文把刘辟装进槛车送往京城。杀了刘辟的大将邢泚和馆驿巡官沈衍，其他的人不加追究。西川军府中的事情无论大小，高崇文下令一律遵循南康郡王韦皋时期的旧例，从容指挥，整个西川境内都平定下来了。

当初，韦皋任命西山运粮使崔从主持邛州事务，刘辟反叛，崔从写信劝阻刘辟。刘辟发兵攻打崔从，崔从环城坚守。刘辟失败，崔从才得以幸免。崔从，是崔融的曾孙。

韦皋的佐吏房式、韦乾度、独孤密、符载、郗士美、段文昌等人穿着白色衣服和麻鞋，口里含着土块请求服罪。高崇文全都释放了他们，以礼相待，草拟表章向朝廷推荐房式等人，送给他们丰厚的盘缠打发他们走了。高崇文看着段文昌说："你一定会做将领宰相，我不敢推荐你。"符载，是庐山人。房式，是房琯的侄儿。段文昌，是段志玄的玄孙。

刘辟有两个侍妾，都长得绝顶美艳，监军请求高崇文把她们进献给宫廷。高崇文说："天子命令我讨平凶恶的叛逆，我应当把安抚百姓放在首位，立即向宫廷进献妇人讨好天子，这难道是天子的意愿吗！我高崇文本着一个义字，不能这样做。"于是就把这两个美妾许配给将吏中还没有妻子的人。

杜黄裳建议讨伐蜀地的策略以及向高崇文授意的谋略，都与后来事情的发展完全符合。高崇文一向惧怕刘澭，杜黄裳派人对高崇文说："你如果没有战功，那就要让刘澭取代你。"所以，能够得到高崇文拼死力战。等到蜀地平定后，宰相们入朝祝贺，宪宗看着杜黄裳说："这是你的功劳。"

九月辛巳日，宪宗下诏征聘少室山人李渤担任左拾遗，李渤借口有病推辞了，没有来到朝廷，但是朝政有得失，李渤每每寄上奏疏陈述自己的意见。

冬，十月初五日甲子，易定节度使张茂昭进京朝见。

宪宗下制书划出资、简、陵、荣、昌、泸六州隶属于东川节度使管辖。

房式等人还没有到达京城，都被宪宗任命为省寺官。

十月初七日丙寅，宪宗任命高崇文为西川节度使。

十月初九日戊辰，宪宗任命严砺为东川节度使。

十月十一日庚午，宪宗任命将作监柳晟为山南西道节度使。柳晟到了汉中，汉中的士兵讨伐刘辟返回，还没有到达城中，宪宗又下诏派他们回去戍守梓州。将士们很怨愤，胁迫监军，筹划叛乱。柳晟听说此事后，飞快驱马进入城中，慰问犒劳将士，然后问他们说："你们为什么能取得成功呢？"将士们回答说："是因为诛杀反叛的刘辟。"柳晟说："刘辟因为不接受诏命，所以你们得以立功，怎么能又让别的人杀掉你们来作为他们的功劳呢？"将士们都向柳晟行礼谢罪，请求像诏书命令的那样去戍守梓州。军府因此得到了安定。

十月十三日壬申，宪宗任命平卢留后李师道为节度使。

戊子[215]，刘辟至长安，并族党诛之。

武宁[216]节度使张愔[217]有疾，上表请代。十一月戊申[218]，征愔为工部尚书，以东都留守王绍代之，复以濠、泗二州隶武宁军[219]。徐人喜得二州，故不为乱。

丙辰[220]，以内常侍吐突承璀[221]为左神策中尉。承璀事上于东宫，以干敏[222]得幸。

是岁，回鹘入贡，始以摩尼[223]偕来，于中国置寺处之。其法日晏乃食[224]，食荤而不食湩酪[225]。回鹘信奉之，可汗或与议国事。

【段旨】

以上为第五段，写平卢节度使李师道抗拒朝命得节度，为其失败张本。写高崇文平定西川。

【注释】

⑬¹ 丙子：五月十三日。⑬² 程执恭：横海节度使程怀信之子。初名程权，元和六年（公元八一一年）入朝，加检校尚书右仆射，改名执恭。终官邠宁节度使。传见《旧唐书》卷一百四十三、《新唐书》卷二百十三。⑬³ 庚辰：五月十七日。⑬⁴ 辛卯：五月二十八日。⑬⁵ 鹿头关：关名，因鹿头山得名。在今四川绵竹东南。⑬⁶ 丁酉：六月初五日。⑬⁷ 戊戌：六月初六日。⑬⁸ 高霞寓：代高崇文为长武城使，历镇唐邓随、振武、邠宁等节度使。传见《旧唐书》卷一百六十二、《新唐书》卷一百四十一。⑬⁹ 己亥：六月初七日。⑭⁰ 庚子：六月初八日。⑭¹ 癸卯：六月十一日。⑭² 汉州：州名，治所在今四川广汉。⑭³ 绵州：州名，治所在今四川绵阳。胡三省注据《九域志》“汉州绵竹县有石碑镇”之文，认为“州”字盖“竹”字之误。⑭⁴ 石碑谷：山谷名，在绵州西界与汉州东北界相交处。其地有石碑镇，在汉州属县绵竹之北。⑭⁵ 友：指兄弟相爱。⑭⁶ 师道：李纳次子，李师古异母弟。淄青诸将背师古之言拥为留后，反叛朝廷被诛。传见《旧唐书》卷一百二十四、《新唐书》卷二百十三。⑭⁷ 不察：不了解我的用心。指李师古斥逐师道体察下情的良苦用心。⑭⁸ 疾笃：病重。⑭⁹ 密州：州名，淄青巡属，治所在今山东诸城。⑮⁰ 好画：喜绘画。⑮¹ 觱篥：一名悲篥，唐名笳管。胡人所用竹管乐器。⑮² 高沐：后谏李师道归顺，受奸人所间被杀。传见《旧唐书》卷一百八十七下、《新唐书》卷一百九十三。⑮³ 非徒：不只是。⑮⁴ 训兵理人：训练士卒，治理百姓。⑮⁵ 审图之：审慎地考虑拥

十月二十九日戊子，刘辟被押到长安，和他的族人同党一起被杀。

武宁节度使张愔患有重病，上表朝廷请求派人代替自己。十一月十九日戊申，皇帝征召张愔担任工部尚书，用东都洛阳留守王绍去接任武宁节度使，又把濠州、泗州重新隶属于武宁军。徐州人很高兴得到这两个州，所以没有作乱。

十一月二十七日丙辰，宪宗任命内常侍吐突承璀为左神策军护军中尉。吐突承璀在东宫侍奉过太子，因办事干练敏捷得到宠信。

这一年，回鹘入京纳贡，开始带着摩尼教的僧人一起前来，朝廷在国内建立寺庙安排他们居住。摩尼教的教规规定，日暮时才进食，吃荤而不吃奶酪。回鹘人信奉摩尼教，可汗有时还与僧人一起商议国家大事。

立师道为节镇这件事。⑯壬戌朔：闰六月初一日。⑰潜逆：暗中迎接。⑱癸丑：七月二十二日。下文有甲午，疑癸丑为癸巳之误。癸巳，七月初二日。⑲玄武：县名，属梓州，县治在今四川中江。⑳甲午：七月初三日。㉑处分：处置分配，即指挥。㉒壬寅：七月十一日。㉓丰陵：顺宗陵，在今陕西富平东北。㉔壬戌：八月初二日。㉕丁卯：八月初七日。㉖输两税三句：向朝廷输纳两税，申报所用官吏，实行盐业专卖法。淄青近海产盐，盐政由盐铁使专管。㉗分之：将平卢分而治之。㉘己巳：八月初九日。㉙主书：中书省属官，定员四人。给事后堂者称堂后主书。㉚知枢密：官名，代宗永泰中置内枢密使，以宦官为之，掌表奏，时常干预中书政务。㉛相结：主书滑涣与宦官刘光琦相勾结。㉜达意：传达意图。此指宰相通过滑涣来疏通与刘光琦的关系。㉝低意善视之：低声下气友好地对待滑涣。低意，犹下意、屈意，虚心和顺。㉞指陈是非：指点是非。㉟四方赂遗无虚日：各地贿赂财物给滑涣，没有一天间断过。㊱阖中书：关闭中书省院门。㊲搜掩：突然搜查。㊳辛丑：九月十一日。㊴雷州：州名，治所在今广东雷州。㊵壬寅：九月十二日。㊶神泉：县名，属绵州，县治在今四川绵阳西。㊷军不留行：官军一路势如破竹，在行进中未受阻留。㊸辛亥：九月二十一日。㊹羊灌田：哨卡名，在彭州（治所在今四川彭州）境内。㊺赴江：投岷江。㊻通衢：四通八达的道路。㊼市肆不惊：集市店铺不受惊扰。㊽珍货山积：指市肆上的珍奇货物堆积如山。㊾韦南康：指西川节度使韦皋，封南康郡王。高崇文入蜀，军府事务，一切按韦皋时的旧例处置。㊿从容指㧑：从容不迫地指挥。⑲¹崔从（公元七六一至八三二年）：字子乂，武后时凤阁舍人崔融之曾孙。拒刘辟有功，入为殿中侍御史。历仕宪、穆、敬、文四朝，官至户部尚书。传见《旧唐书》卷一百七十七、《新唐书》卷一百十四。⑲²邛州：州名，治所在今四川邛崃。⑲³房式：肃宗朝宰相房琯侄子。蜀平，高崇文保荐入

朝，终官宣歙观察使。传见《旧唐书》卷一百十一、《新唐书》卷一百三十九。⑲④郗士美：据新、旧《唐书》本传，郗士美于贞元十八年（公元八〇二年）已为安黄节度使，未载入蜀经历。疑此为同名之人。⑲⑤段文昌（？至公元八三五年）：字墨卿，唐初开国功臣段志玄之玄孙。新、旧《唐书》皆载文昌由韦皋推荐入仕，不载为刘辟幕僚之事。文昌又为武元衡之子婿，穆宗时官至宰相。传见《旧唐书》卷一百六十七、《新唐书》卷八十九。⑲⑥厚赆：赠送丰厚的盘缠。以货财送行曰"赆"。⑲⑦从子：侄子。此从《旧唐书》。《新唐书·房式传》谓房式为房琯之从孙。⑲⑧指受高崇文方略：指授给高崇文谋略。受，通"授"。⑲⑨悬合事宜：杜黄裳所建议崇文征蜀及指授方略，与后来实际的进程完全符合，十分得宜。悬，远，此指后来。⑳⓪刘澭：卢龙节度使刘济之弟，时镇秦州，为保义军节度使。在京西诸将中，刘澭持军严整，高崇文敬惮之。传见《旧唐书》卷一百四十三、《新唐书》卷一百四十八。⑳①辛巳：九月辛卯朔，无辛巳。辛巳，十月二十二日。上文有辛亥，下文有甲子，之间有辛酉。疑辛巳当辛酉之误。辛酉，十月初二日。⑳②李渤：字濬之，隐居少室山（在今河南登封），虽处外而关心时政，上疏言事。穆宗时出仕考功员外郎。传见《旧唐书》卷一百七十一、《新唐书》卷一百十八。⑳③甲子：十月初五日。⑳④除省寺官：授予六省九寺之官。⑳⑤丙寅：十月初七日。⑳⑥戊辰：十月初九日。⑳⑦庚午：十月十一日。⑳⑧将作监：官署名，五监之一。长官亦称监，掌宫殿

【原文】

二年（丁亥，公元八〇七年）

春，正月辛卯[226]，上祀圜丘，赦天下。

上以杜佑高年重德，礼重之，常呼司徒而不名。佑以老疾请致仕，诏令佑每月入朝不过再三，因至中书议大政，他日听归樊川[227]。

门下侍郎、同平章事杜黄裳，有经济大略[228]而不修小节[229]，故不得久在相位。乙巳[230]，以黄裳同平章事，充河中、晋、绛、慈、隰节度使。

己酉[231]，以户部侍郎武元衡为门下侍郎，翰林学士李吉甫为中书侍郎，并同平章事。吉甫闻之感泣，谓中书舍人裴垍[232]曰："吉甫流落江、淮逾十五年[233]，一旦蒙恩至此。思所以报德，惟在进贤，而朝廷后进，罕所接识[234]，君有精鉴[235]，愿悉为我言之。"垍取笔疏[236]三十余人，数月

陵寝及官衙土木工程。㉙ 柳晟：官至山南西道节度使。传见《旧唐书》卷一百八十三、《新唐书》卷一百五十九。㉑⓪ 汉中：兴元府之古称，其地秦汉时为汉中郡，在今陕西汉中。㉑① 府兵：汉中之兵。唐以汉中为兴元府，故谓之府兵。随严砺征蜀。㉑② 未至城：征蜀还，尚未到达汉中城。㉑③ 诏复遣戍梓州：诏旨重派兴元府之兵去四川戍守梓州。梓州为东川节度使治所。㉑④ 壬申：十月十三日。㉑⑤ 戊子：十月二十九日。㉑⑥ 武宁：即徐州军，号武宁。㉑⑦ 张愔：张建封之子。贞元四年（公元七八八年），张建封为徐、泗、濠节度使，贞元十六年卒，建封旧属上表朝廷，请愔为留后，假旌节，帝不许。后来为了讨伐徐军之乱，乃授愔右骁卫将军、徐州刺史，知留后，不久进愔为武宁节度使。传见《旧唐书》卷一百四十、《新唐书》卷一百五十八。㉑⑧ 戊申：十一月十九日。㉑⑨ 复以濠、泗二州隶武宁军：张建封为镇帅时，辖徐、濠、泗三州，建封卒后，德宗将三州分治，武宁军只领本州徐州。至是三州复归于一镇。㉒⓪ 丙辰：十一月二十七日。㉒① 吐突承璀：宪宗朝擅权宦官。传见《旧唐书》卷一百八十四、《新唐书》卷二百七。㉒② 干敏：办事干练机敏。㉒③ 摩尼：指摩尼教徒众。㉒④ 日晏乃食：日暮时才进食。㉒⑤ 湩酪：奶酪。

【校记】

［6］壬申：据章钰校，十二行本、乙十一行本、孔天胤本“申”作“午”。

【语译】

二年（丁亥，公元八〇七年）

春，正月初三日辛卯，宪宗在圜丘祭祀，大赦天下。

宪宗因为杜佑年高德重，对他很尊重优礼，经常称为司徒而不叫名字。杜佑因为年老有病，请求退休。宪宗下诏让杜佑每月上朝不超过两三次，顺便到中书省商议国家大事，其余时间允许杜佑回樊川私宅。

门下侍郎、同平章事杜黄裳具有经国济世的大谋略，但不检点生活小节，因此不能久在相位。正月十七日乙巳，宪宗任命杜黄裳为同平章事，充任河中、晋、绛、慈、隰节度使。

正月二十一日己酉，宪宗任命户部侍郎武元衡为门下侍郎，翰林学士李吉甫为中书侍郎，一同担任同平章事。李吉甫听到任命的消息后，感动得哭了，对中书舍人裴垍说：“我李吉甫流落江、淮超过了十五年时间，现在突然承蒙皇帝的恩典到了这一地步。我考虑要报答皇帝的恩典，只有向皇上推荐贤才，但朝廷中的后起之秀，我很少接触认识，你对人才精明洞察，希望你把全部情况告诉我。”裴垍提笔给他开列了三十多人的名字，在几个月之内，李吉甫几乎把他们都选拔上

之间，选用略尽。当时翕然称吉甫为得人。

二月癸酉[237]，邕州[238]奏破黄贼，获其酋长黄承庆。

夏，四月甲子[239]，以右金吾大将军范希朝为朔方、灵、盐节度使，以右神策、盐州、定远兵隶焉，以革旧弊[240]，任边将也。

【段旨】

以上为第六段，写杜黄裳因不修小节而失相位，继任者李吉甫用人举贤。

【注释】

㉖辛卯：正月初三日。㉗樊川：地名，在唐长安城南三十五里，即今陕西长安韦曲、杜曲一带。唐代达官贵人多建别墅于樊川，杜佑亦于此置有亭观。㉘经济大略：经邦济世的大谋略。㉙不修小节：生活小节不加检点。㉚乙巳：正月十七日。㉛己酉：正

【原文】

秋，八月，刘济、王士真、张茂昭争私隙，迭相表请加罪[241]。戊寅[242]，以给事中房式为幽州、成德、义武[243]宣慰使，和解之。

九月乙酉[244]，密王绸[245]薨。

夏、蜀既平，藩镇惕息[246]，多求入朝。镇海节度使李锜亦不自安，求入朝。上许之，遣中使至京口慰抚，且劳其将士。锜虽署判官王澹为留后，实无行意，屡迁行期[247]，澹与敕使数劝谕[248]之。锜不悦，上表称疾，请至岁暮入朝。上以问宰相，武元衡曰："陛下初即政，锜求朝得朝，求止得止，可否在锜，将何以令四海！"上以为然，下诏征之[249]。锜诈穷[250]，遂谋反。

王澹既掌留务，于军府颇有制置[251]，锜益不平，密谕亲兵使杀之。会颁冬服，锜严兵[252]坐幄[253]中，澹与敕使入谒[254]，有军士数百噪于

来任用了。当时大家都纷纷议论说李吉甫能够选用贤能人才。

二月十五日癸酉，邕州奏报打败了西原黄洞蛮，抓住了他们的酋长黄承庆。

夏，四月初七日甲子，宪宗任命右金吾大将军范希朝为朔方、灵、盐节度使，把右神策军、盐州和定远的军队划归范希朝统辖，借以革除过去的弊端，由朝廷直接任命边疆将领。

月二十一日。㉜裴垍：字弘中，绛州闻喜（在今山西闻喜东北）人，官至宰相。传见《旧唐书》卷一百四十八、《新唐书》卷一百六十九。㉝逾十五年：德宗贞元八年（公元七九二年）三月贬窦参，陆贽为相。陆贽疑李吉甫为窦参同党，贬李吉甫为明州长史，后迁忠州长史，至是为相，李吉甫流落江、淮共十五年。㉞接识：接触认识。㉟精鉴：精明而洞察一切。㊱疏：开列上呈。㊲癸酉：二月十五日。㊳邕州：州名，治所在今广西南宁南。㊴甲子：四月初七日。㊵旧弊：指节镇由军中所推。现在朝廷用范希朝为朔方、灵、盐节度使，直接任命边将，革除旧弊。

【语译】

秋，八月，刘济、王士真、张茂昭因为私仇发生争端，多次交相向朝廷上表请求将对方治罪。二十三日戊寅，宪宗任命给事中房式为幽州、成德、义武宣慰使，调解他们的关系。

九月初一日乙酉，密王李绸去世。

夏州的杨惠琳、西川的刘辟被平定后，各地的军镇恐惧屏息，大多请求进京入朝。镇海节度使李锜也惴惴不安，要求进京入朝。宪宗同意了，派遣中使到京口抚慰他，而且犒劳他的将士。李锜虽然任命判官王澹为留后，但其实没有离开京口去京城的意思，多次迁延行期，王澹与朝廷的使者多次劝说晓谕他。李锜很不高兴，上表声称有病，请求到了年底入朝。宪宗就此事询问宰相们，武元衡说："陛下刚即位，李锜要求入朝就准许入朝，要求停止入朝就准许停止入朝，可否在于李锜，将怎么号令天下呢！"宪宗觉得武元衡说得对，便下诏征召李锜入朝。李锜欺诈的伎俩用尽，于是策划反叛朝廷。

王澹掌管留后事务后，对军府事务颇有规划更改，李锜心中更加不平，暗中指示亲兵杀死王澹。适逢给将士们发冬季服装，李锜兵卫森严地坐在帷幄中，王澹与朝廷的使者进去参见李锜，有几百名士兵在办事堂前鼓噪说："王澹是什么东西，竟

庭[255]曰："王澹何人，擅主军务！"曳下[256]，脔食之[257]。大将赵琦出慰止，又脔食之。注刃于敕使之颈[258]，诟詈[259]，将杀之。锜阳惊[260]，救之。

冬，十月己未[261]，诏征锜为左仆射，以御史大夫李元素为镇海节度使。庚申[262]，锜表言军变，杀留后、大将。先是锜选腹心五人为所部五州[263]镇将，姚志安处苏州，李深处常州，赵惟忠处湖州，丘自昌处杭州，高肃处睦州，各有兵数千，伺察刺史动静。至是，锜各使杀其刺史，遣牙将庾伯良将兵三千治石头城[264][7]。常州刺史颜防用客李云计，矫制[265]称招讨副使[266]，斩李深，传檄[267]苏、杭、湖、睦，请同进讨。湖州刺史辛秘潜募乡闾子弟数百，夜袭赵惟忠营，斩之。苏州刺史李素为姚志安所败，生致于锜[268]，具桎梏[269]钉于船舷。未及京口[270]，会锜败得免。

乙丑[271]，制削李锜官爵及属籍[272]。以淮南节度使王锷统诸道兵为招讨处置使，征宣武、义宁、武昌兵并淮南、宣歙兵俱出宣州，江西兵出信州，浙东兵出杭州以讨之。

高崇文在蜀期年，一旦谓监军曰："崇文，河朔一卒，幸有功，致位至此。西川乃宰相回翔[273]之地，崇文叨居[274]日久，岂敢自安！"屡上表称："蜀中安逸，无所陈力[275]，愿效死边陲。"上择可以代崇文者而难其人[276]。丁卯[277]，以门下侍郎、同平章事武元衡同平章事，充西川节度使。

李锜以宣州富饶，欲先取之，遣兵马使[278]张子良、李奉仙、田少卿将兵三千袭之。三人知锜必败，与牙将裴行立[279]同谋讨之。行立，锜之甥也，故悉知锜之密谋。三将营[280]于城外，将发[281]，召士卒谕之曰："仆射反逆，官军四集，常、湖二将[282]继死，其势已蹙[283]。今乃欲使吾辈远取宣城，吾辈何为随之族灭？岂若去逆效顺[284]，转祸为福乎！"众悦，许诺，即夜[285]，还趋城。行立举火鼓噪，应之于内，引兵趋牙门。锜闻子良等举兵，怒，闻行立应之，抚膺[286]曰："吾何望矣！"跣[287]走匿楼下。亲将李钧引挽强[288]三百趋山亭，欲战，行立伏兵邀[289]斩之。锜举家皆哭，左右执锜，裹之以幕[290]，缒[291]于城下，械

敢擅自主持军中事务!”把王澹拉下公堂，剁碎吃掉了。大将赵琦出来劝阻，士兵们又把他剁碎吃掉了。士兵们把刀刃架在朝廷使者的脖子上，辱骂朝廷使者，准备杀了使者。李锜假装大吃一惊，救了使者。

冬，十月初五日己未，宪宗下诏征召李锜担任左仆射，任命御史大夫李元素为镇海节度使。初六日庚申，李锜上表朝廷说军队发生了变乱，杀了留后和大将。在这之前，李锜挑选心腹亲信五人担任所辖五个州的镇守将领，姚志安在苏州，李深在常州，赵惟忠在湖州，丘自昌在杭州，高肃在睦州，各有士兵几千人，观察刺史们的动静。到这个时候，李锜分别让他们杀了本州刺史，派遣牙将庾伯良率兵三千人修建石头城。常州刺史颜防利用宾客李云的计策，假借诏旨自称为招讨副使，杀了李深，传檄苏州、杭州、湖州、睦州，请他们共同进兵讨伐李锜。湖州刺史辛秘暗中招募乡下子弟几百人，夜里偷袭赵惟忠的营地，杀了赵惟忠。苏州刺史李素被姚志安打败，姚志安要把李素活着送给李锜，给李素戴上刑具，把他钉在船舷上。船没有到达京口，正好李锜战败，李素得以免死。

十月十一日乙丑，宪宗下制书削除李锜的官职爵位和皇室的名籍。任命淮南节度使王锷统率各道军队，担任招讨处置使，征调宣武军、义宁军、武昌军的兵马以及淮南军、宣歙军从宣州出发，征调江西的军队从信州出发，浙东的军队从杭州出发，讨伐李锜。

高崇文在蜀地担任西川节度使已满一年，一天早晨对监军说:“我高崇文，是河朔地区的一个士兵，侥幸有功，得到了现在的职位。西川是宰相回旋翱翔的地方，我高崇文在此愧居时日太久，怎么敢心安理得呢!”多次向朝廷上表说:“蜀地平安无事，没有可以施展才力的地方，希望到边疆为国家拼死效力。”宪宗选择可以代替高崇文的人，感到很难找到合适的人选。十月十三日丁卯，宪宗任命门下侍郎、同平章事武元衡仍任同平章事，充任西川节度使。

李锜认为宣州物产丰富，想先攻取那里，便派遣兵马使张子良、李奉仙、田少卿率兵三千人袭击宣州。他们三人知道李锜肯定失败，就与牙将裴行立共同谋划讨伐李锜。裴行立是李锜的外甥，所以完全知道李锜的暗中策划。张子良等三个将领在城外扎营，在即将出发时，他们召集士兵告诉他们说:“李仆射反叛朝廷，朝廷的军队从四面聚集，常州、湖州两个将领相继被杀，李仆射已经处境穷迫。现今让我们去远处攻取宣城，我们为什么要追随他遭灭族?不如离开逆贼，归顺朝廷，转祸为福!”将士们很高兴，答应脱离李锜，当天晚上，军队又回到城下。裴行立举着火把呐喊，在城内响应，带兵直奔军府牙门。李锜听说张子良等人起兵反叛他，大怒，又听说裴行立起来响应，捶着胸脯说:“我还有什么指望呢!”赤着脚逃走，躲藏在楼下。李锜的亲信将领李钧带领三百名挽强弓箭手跑往山亭，打算应战，被裴行立设下的伏兵拦截斩杀了。李锜全家都哭泣起来，随从们抓住了李锜，用幕帐把李锜裹了，用绳子吊下城

送京师[292]。挽强、蕃落[293]争自杀，尸相枕藉[294]。癸酉[295]，本军[296]以闻。乙亥[297]，群臣贺于紫宸殿。上愀然[298]曰："朕之不德，致宇内数有干纪[299]者，朕之愧也，何贺之为[300]！"

宰相议诛锜大功以上亲[301]，兵部郎中蒋乂曰："锜大功亲，皆淮安靖王[302]之后也。淮安有佐命之功[303]，陪陵[304]享庙[305]，岂可以末孙[306]为恶而累之乎！"又欲诛其兄弟，乂曰："锜兄弟，故都统国贞[307]之子也。国贞死王事，岂可使之不祀乎！"宰相以为然。辛巳[308]，锜从父弟宋州刺史铦等皆贬官流放。

十一月甲申朔[309]，锜至长安，上御兴安门[310]，面诘之[311]。对曰："臣初不反，张子良等教臣耳。"上曰："卿为元帅，子良等谋反，何不斩之，然后入朝？"锜无以对，乃并其子师回腰斩[312]之。

有司[313]请毁锜祖考冢庙，中丞卢坦上言："李锜父子受诛，罪已塞[314]矣。昔汉诛霍禹[315]，不罪霍光；先朝诛房遗爱，不及房玄龄。《康诰》曰：'父子兄弟，罪不相及[316]。'况以锜为不善而罪及五代祖乎！"乃不毁。

有司籍[317]锜家财输京师，翰林学士裴垍、李绛[318]上言，以为："李锜僭侈[319]，割剥六州之人以富其家，或枉杀其身而取其财。陛下闵[320]百姓无告，故讨而诛之。今辇金帛以输上京，恐远近[321]失望。愿[322]以逆人资财赐浙西百姓，代今年租赋。"上嘉叹[323]久之，即从其言。

昭义[324]节度使卢从史内与王士真、刘济潜通[325]，而外献策请图山东[326]，擅引兵东出。上召令还[327][8]，从史托言[328]就食邢、洺，不时奉诏[329]。久之，乃还。

【段旨】

以上为第七段，写镇海节度使李锜叛乱，旋即被讨灭。

去，戴上刑具，送到京师。李锜组建的特种军挽强、蕃落都争相自杀，尸体互相叠压在一起。十月十九日癸酉，镇海军被平定的事上奏到朝廷。二十一日乙亥，朝廷群臣在紫宸殿向宪宗祝贺。宪宗凄怆地说："是朕的不德，以致国内屡有违犯国法的人，朕很惭愧啊，有什么可祝贺的呢！"

宰相们商议要杀掉李锜堂兄弟姐妹以上的亲属，兵部郎中蒋乂说："李锜堂兄弟姐妹以上的亲属，都是淮安靖王李神通的后代。淮安王有辅佐太祖、太宗创建国家的功勋，陪葬献陵，配祀高祖庙，怎么可以因为他后世一个子孙作恶而连累他的盛名呢！"宰相们又想要诛杀李锜的兄弟，蒋乂说："李锜的兄弟，是已故都统李国贞的儿子。李国贞死于国事，怎么能让李国贞没有后代来祭祀呢！"宰相们觉得蒋乂说得有道理。十月二十七日辛巳，李锜的堂兄弟宋州刺史李銛等人都被贬职流放。

十一月初一日甲申，李锜被押解到长安，宪宗来到兴安门，当面责问李锜。李锜回答说："臣最初没有造反，是张子良等人教臣这样做的。"宪宗说："卿是镇海军的元帅，张子良等人阴谋造反，为什么不杀了他们，然后进京入朝呢？"李锜无言以对，于是李锜连同他的儿子李师回被一起腰斩。

主管部门请求毁了李锜祖先的坟墓和家庙，中丞卢坦进言说："李锜父子受到诛杀，已经抵偿罪过了。从前汉代诛杀霍禹，不加罪于霍光；本朝先前诛杀房遗爱，不加罪于房玄龄。《康诰》说：'父子兄弟之间，有罪互相不牵连。'何况是李锜行为不善而罪及他的五代先祖呢！"李锜的祖坟和家庙这才没有被毁掉。

主管部门抄没了李锜的家财送往京城。翰林学士裴垍、李绛进言，认为："李锜逾越他的本分，奢侈靡费，盘剥六州的老百姓，让自己一家富有，或者滥杀其人，夺取他们的财产。陛下怜悯百姓告状无门，所以派兵讨伐并杀了李锜。现在用车把李锜的钱财送到京城长安，恐怕远近百姓失望。希望把叛逆之人的资财赏赐给浙西百姓，代替今年的田租赋税。"宪宗嘉许、感慨很长时间，随即就采纳了他们的意见。

昭义节度使卢从史私下与王士真和刘济暗中勾结，而表面上向朝廷献策，请求攻打太行山以东的军镇，擅自带兵东出太行山。宪宗召卢从史回京，卢从史借口到邢州、洺州就地解决军队口粮，不按规定时间接受诏令。很久，才率兵返回。

【注释】

㉔①迭相表请加罪：多次交相上表，请求朝廷给对方加罪。㉔②戊寅：八月二十三日。㉔③幽州、成德、义武：幽州，刘济所镇。成德，王士真所镇。义武，张茂昭所镇。㉔④乙酉：九月初一日。㉔⑤密王绸：宪宗弟李绸，封密王。㉔⑥惕息：恐惧屏息。㉔⑦屡迁行期：多次推迟进京上朝的行期。㉔⑧劝谕：劝李锜入朝，晓谕祸福。㉔⑨征之：征召李

锜入朝。㉕⓪诈穷：欺诈的伎俩用尽。㉕①制置：规划；处理。㉕②严兵：兵卫森严。㉕③幄：帷幄。此指军府办事堂。㉕④入谒：进帐参见。㉕⑤军士数百噪于庭：数百名士兵在办事堂前高声叫嚷。㉕⑥曳下：拉下公堂。㉕⑦脔食之：将人切块吞食。㉕⑧注刃于敕使之颈：军士把刀刃架在朝廷使者的脖子上。㉕⑨诟詈：辱骂。㉖⓪阳惊：佯惊；假意吃惊。㉖①己未：十月初五日。㉖②庚申：十月初六日。㉖③所部五州：镇海节度使领苏、常、湖、杭、睦、润六州，节镇在润州，故巡属为五州。部，统辖。㉖④石头城：在今江苏南京。㉖⑤矫制：假称奉有诏旨。㉖⑥称招讨副使：自称为招讨副使。㉖⑦传檄：传送檄文。檄，声讨文书。㉖⑧生致于锜：指李素被姚志安活捉送交李锜。㉖⑨具桎梏：戴上刑具。㉗⓪京口：县名，即润州治所，也是镇海节镇所在。在今江苏镇江。㉗①乙丑：十月十一日。㉗②削李锜官爵及属籍：李锜为唐宗室淮安王李神通之子，淄川王李孝同五世孙，故着于宗室族籍。今反叛，削除官爵，并从宗谱中除名。㉗③回翔：盘旋飞翔。喻西川多为宰相出镇之地。㉗④叨居：惭愧据有此位。㉗⑤陈力：施展才力。㉗⑥难其人：难以找到合适的人选。㉗⑦丁卯：十月十三日。㉗⑧兵马使：节镇所属执掌兵马的大将，位在都虞候之上。㉗⑨裴行立：李锜之甥。归朝后历官安南经略使、桂管观察使、安南都护。传见《新唐书》卷一百二十九。㉘⓪营：扎营。㉘①将发：将要发动攻打李锜。㉘②常、湖二将：指李锜心腹常州镇将李深、湖州镇将赵惟忠。㉘③蹙：穷迫。㉘④去逆效顺：离开逆贼，归顺朝廷。㉘⑤即夜：当夜。㉘⑥抚膺：用手捶胸口。㉘⑦跣：赤着脚。㉘⑧挽强：李锜所建亲卫军名，有才力，善射击。㉘⑨邀：拦截。㉙⓪裹之以幕：用幕帐包着李锜。㉙①縋：用绳索绑住身垂于下。㉙②械送京师：戴上刑具，送到长安。㉙③蕃落：李锜收养的胡、奚等少数民族俘虏，使之为亲卫军。㉙④尸相枕藉：尸体互相叠压，极言其多。㉙⑤癸酉：十月十九日。㉙⑥本军：指李锜所领镇海军。㉙⑦乙亥：十月二十一日。㉙⑧愀然：凄怆的样子。㉙⑨干纪：冒犯国法。㉚⓪何贺之为：有什么可庆贺呢。㉚①大功以上亲：大功，指从父兄、从父弟、从父姐、从父妹。大功以上亲为期亲，指长辈为祖父母、伯叔父母、在家姑等，平

【原文】

他日，上召李绛对于浴堂[330]，语之曰："事有极异者[331]，朕比[332]不欲言之。朕与郑䌹议敕从史归上党，续征入朝[333]。䌹乃泄之于从史，使称上党乏粮，就食山东。为人臣负朕乃尔[334]，将何以处之？"对曰："审如此[335]，灭族有余矣。然䌹、从史必不自言，陛下谁从得之[336]？"上曰："吉甫密奏。"绛曰："臣窃闻搢绅之论，称䌹为佳士[337]，恐必不然。或者同列欲专朝政，疾宠忌前，愿陛下更熟察之，勿使人谓陛下

辈为兄弟、姐妹、妻，小辈为侄、嫡孙等。㉒淮安靖王：李渊从父弟李神通，封淮安王，卒谥靖。传见《旧唐书》卷六十、《新唐书》卷八十二。㉓佐命之功：辅佐太祖、太宗创建国家的功劳。㉔陪陵：陪葬唐高祖献陵。㉕享庙：配祀唐高祖庙。㉖末孙：指李锜。㉗国贞：李国贞，字南华，李锜之父，拜剑南节度使，以户部尚书持节朔方、镇西、北庭、兴平、陈郑节度行营兵马使，治军严整，为王元振所杀。传见《旧唐书》卷一百十二、《新唐书》卷七十八。㉘辛巳：十月二十七日。㉙甲申朔：十一月初一日。㉚兴安门：唐大明宫南面有五门，西来第一门为兴安门。㉛面诘之：当面责问他。㉜腰斩：死刑的一种。㉝有司：主管的执行机关。宗庙礼仪属太常寺。㉞塞：抵偿。㉟汉诛霍禹：西汉霍光之子谋反，不株连霍光。事见本书卷二十五汉宣帝地节四年。㊱父子兄弟二句：今本《尚书·康诰》无此语。此转引《左传·昭公二十年》晋胥臣之言所引《康诰》逸文。㊲籍：籍没。将财产没收，登记簿册。㊳李绛（公元七六四至八三〇年）：字深之，赵州赞皇（今属河北）人，官至山南西道节度使。传见《旧唐书》卷一百六十四、《新唐书》卷一百五十二。㊴僭侈：违礼僭越，奢侈靡费。㊵闵：通"悯"，怜悯。㊶远近：指老百姓。㊷愿：希望。㊸嘉叹：嘉许、感叹。㊹昭义：方镇名，唐代宗大历元年（公元七六六年）相卫州六节度赐号昭义军，治所相州，在今河南安阳。㊺潜通：暗中勾结。㊻山东：地域名，泛指太行山以东之地。㊼上召令还：宪宗召卢从史还京。㊽托言：借口。㊾不时奉诏：不按时接受诏令。

【校记】

[7] 石头城："城"字原无。据章钰校，十二行本、乙十一行本有此字，张瑛《通鉴校勘记》同，今据补。[8] 还：据章钰校，十二行本、乙十一行本、孔天胤本"还"下有"上党"二字。

【语译】

有一天，宪宗在浴堂殿召见李绛问话，宪宗对李绛说："有件非常奇怪的事情，我一再不想说出来。朕与郑絪商议下诏命令卢从史回上党去，接着再征召入朝。郑絪却把此事泄露给了卢从史，让卢从史声称上党缺乏粮食，而就食于太行山东边。一个做人臣的竟然如此辜负朕，那将怎么处置呢？"李绛回答说："如果确实是这样的话，诛灭了郑絪的全族还有余罪。但是郑絪、卢从史一定不会自己把这件事说出来，陛下是从谁口中得到这一消息的呢？"宪宗说："这是李吉甫秘密上奏说的。"李绛说："臣私下听到士大夫们议论，称赞郑絪是品德优良之士，恐怕郑絪一定不会这样做的。可能是同僚想独揽朝政，嫉妒郑絪得到陛下宠信和位置排在自己的前面，希望陛下再

信谗也。"上良久曰:"诚然,绸必不至此。非卿言,朕几误处分㊳。"

上又尝从容问绛曰:"谏官多谤讪朝政,皆无事实。朕欲谪其尤者㊴一二人,以儆㊵其余,何如?"对曰:"此殆㊶非陛下之意,必有邪臣以壅蔽㊷陛下之聪明者。人臣死生,系人主喜怒,敢发口谏者有几?就有谏者,皆昼度夜思㊸,朝删暮减㊹,比㊺得上达,什无二三。故人主孜孜㊻求谏,犹惧不至,况罪之乎!如此,杜㊼天下之口,非社稷之福也。"上善其言而止。

群臣请上尊号曰睿圣文武皇帝,丙申㊽,许之。

盩厔㊾尉、集贤校理㊿白居易作乐府(351)及诗百余篇,规讽时事(352),流闻禁中(353)。上见而悦之,召入翰林为学士。

十二月丙辰(354),上谓宰相曰:"太宗以神圣之资,群臣进谏者犹往复数四(355),况朕寡昧(356),自今事有违(357),卿当十论,无但(358)一二而已。"

丙寅(359),以高崇文同平章事,充邠宁节度、京西诸军都统。

【段旨】

以上为第八段,写李绛善应对,劝宪宗纳谏,宪宗心悦而从之。

【注释】

㉚浴堂:大明宫便殿之一,位于紫宸殿之东。德宗以后君主常居于此。唐学士常召对浴堂殿。㉛事有极异者:有一件非常奇怪的事。㉜比:屡屡;一再。㉝续征入朝:接着下诏征召卢从史入朝。㉞乃尔:竟然这样。㉟审如此:确实这样。㊱谁从得之:从谁口中得到这消息。㊲佳士:品德优良之士。㊳几误处分:几乎做出错误的处分。㊴谪其

【原文】

山南东道节度使于頔惮上英威,为子季友(360)求尚主,上以皇女普宁公主妻之(361)。翰林学士李绛谏曰:"頔,虏族(362),季友,庶孽,不足以

仔细地考察一下，不要让人说陛下相信诬陷之词。”宪宗过了很久说：“确实如此，郑絪一定不至于这样做。如果不是你说出来，朕几乎要对郑絪做出错误的处分了。”

宪宗还曾闲谈时询问李绛说：“谏官往往毁谤朝廷的大政，全都没有事实根据。朕想把其中一两个最严重的人贬职流放，借以警戒其他人，你看怎么样？”李绛回答说：“这大概不是陛下的意思，一定有奸臣想堵塞和蒙蔽陛下的视听。人臣的生与死，在于人主的喜怒，敢于开口劝谏的人能有几个？即便是有劝谏的人，都是日夜思考，早上删改，晚上削减，等到要上达到君主时，内容已无十分之二三。所以君王努力不懈地寻求劝谏之言，谏官还是害怕，不敢劝谏，更何况要加罪于他们呢！这样一来，封住了天下人的嘴巴，这不是国家的福气。”宪宗认为李绛说得很好，此事就作罢了。

朝廷群臣请求为宪宗上尊号睿圣文武皇帝，十一月十三日丙申，宪宗同意了。

盩厔县尉、集贤校理白居易创作乐府和诗歌一百多篇，规劝和讽谕当时的政事，作品流传到了宫中。宪宗见了很喜欢，征召白居易到翰林院做了学士。

十二月初三日丙辰，宪宗对宰相们说：“太宗皇帝天资英明神圣，群臣中劝谏的人还再三再四地对事情反复劝谏，何况我孤陋寡闻、愚昧无知，从今以后，凡是事情有失误的，你们应当论说十次，不要只说一两次就算了。”

十二月十三日丙寅，宪宗任命高崇文为同平章事，充任邠宁节度使、京西诸军都统。

尤者：贬斥其中最严重的人。㉞⑩ 儆：儆戒；教训。㉞① 殆：大概；恐怕。㉞② 壅蔽：堵塞；蒙蔽。㉞③ 昼度夜思：日夜思考。㉞④ 朝删暮减：对奏章早上删削，晚上再修改削减。㉞⑤ 比：等到。㉞⑥ 孜孜：努力不懈的样子。㉞⑦ 杜：堵塞。㉞⑧ 丙申：十一月十三日。㉞⑨ 盩厔：县名，在今陕西周至。㉟⓪ 集贤校理：集贤殿书院属官，掌校理经籍，位在修撰下。㉟① 乐府：白居易依民歌体所作的新诗，称新乐府诗。㉟② 规讽时事：规劝讽谕时事。㉟③ 流闻禁中：流传到宫廷中。㉟④ 丙辰：十二月初三日。㉟⑤ 数四：再三再四。指次数甚多。㉟⑥ 寡昧：孤陋寡闻而愚昧无知。皇帝自谦的惯用套语。㉟⑦ 有违：有失误；有过错。㉟⑧ 但：只；仅。㉟⑨ 丙寅：十二月十三日。

【语译】

山南东道节度使于頔惧怕宪宗的英明和威势，为儿子于季友请求娶公主为妻，宪宗把女儿普宁公主下嫁于季友。翰林学士李绛劝谏皇帝说：“于頔是胡族人，于季

辱帝女，宜更择高门美才。”上曰：“此非卿所知。”己卯[363]，公主适季友，恩礼甚盛。頔出望外[364]，大喜。顷之，上使人讽[365]之入朝谢恩，頔遂奉诏。

是岁，李吉甫撰《元和国计簿》[366]上之，总计天下方镇四十八，州府二百九十五，县千四百五十三。其凤翔、鄜坊、邠宁、振武、泾原、银夏、灵盐、河东、易定、魏博、镇冀、范阳、沧景、淮西、淄青等十五道七十一州不申户口[367]外，每岁赋税倚办止于浙江东、西，宣歙，淮南，江西，鄂岳，福建，湖南八道四十九州，一百四十四万户，比天宝税户四分减三。天下兵仰给县官[368]者八十三万余人，比天宝三分增一，大率二户资[369]一兵。其水旱所伤，非时调发[370]，不在此数。

【段旨】

以上为第九段，写宪宗时，唐王朝户口减四分之三，而常备兵三分增一，大率两户养一兵，民不堪命。

【注释】

[360] 季友：于頔第四子。[361] 上以皇女普宁公主妻之：据《旧唐书》卷一百五十六《于

【原文】

三年（戊子，公元八〇八年）

春，正月癸巳[371]，群臣上尊号曰睿圣文武皇帝。赦天下。“自今长吏[372]诣阙，无得进奉。”知枢密[373]刘光琦奏分遣诸使赍赦诣诸道，意欲分其馈遗。翰林学士裴垍、李绛奏：“敕使所至烦扰，不若但附急递[374]。”上从之。光琦称旧例，上曰：“例是则从之，苟为非是，奈何不改。”

友是于頔庶出的儿子，不值得有辱陛下的女儿，应该为公主另外选择高门第的优秀人才。”宪宗说：“其中缘由不是你所能知道的。”十二月二十六日己卯，普宁公主下嫁于季友，宪宗对季友的恩典和礼遇十分隆重。于頔觉得出乎意料，大为高兴。不久，宪宗让人暗示于頔入朝谢恩，于頔于是奉诏入朝。

这一年，李吉甫编撰《元和国计簿》进呈给宪宗，书中总计天下军镇四十八个，州府二百九十五个，县一千四百五十三个。其中凤翔、鄜坊、邠宁、振武、泾原、银夏、灵盐、河东、易定、魏博、镇冀、范阳、沧景、淮西、淄青等十五道七十一个州没有申报户口外，每年的赋税征收只靠浙江东、浙江西、宣歙、淮南、江西、鄂岳、福建、湖南八个道四十九个州，一百四十四万编户，比天宝年间缴税的编户减少了四分之三。天下的军队仰赖国家供养的有八十三万多人，比天宝年间增加了三分之一，大概每两户人家要供养一个士兵。水灾、旱灾的损失，常赋外临时征调的税收，不包括在这些数量内。

頔传》，宪宗以长女永昌公主下嫁于季友。㊲㉒ 頔二句：于頔为后周太师于谨七世孙，谨之先人于栗磾，本姓万忸于氏，随从拓跋氏起于代北，所以李绛说于頔是胡族。㊲㉓ 己卯：十二月二十六日。㊲㉔ 望外：希望之外；意料之外。㊲㉕ 讽：暗示。㊲㉖《元和国计簿》：书名，记唐宪宗时户口、赋税、兵籍。㊲㉗ 不申户口：不申报户口。凤翔、鄜坊、邠宁、振武、泾原、银夏、灵盐、河东等八镇其时为唐边境地，而易定、魏博、镇冀、范阳、沧景、淮西、淄青等七镇为世袭藩镇，唐中央无力控制，故均不申户口，不纳赋税。㊲㉘ 县官：国家；政府。㊲㉙ 资：供养。㊲㉚ 非时调发：常赋之外的临时税收。

【语译】

三年（戊子，公元八〇八年）

春，正月十一日癸巳，朝廷群臣给宪宗上尊号为睿圣文武皇帝。大赦天下。宪宗宣布：“从今以后，地方长官到朝廷来，不准进献钱物。”知枢密刘光琦上奏分别派遣使者带着赦令前往各道，刘光琦心里是想分得各道的馈赠。翰林学士裴垍、李绛上奏说：“朝廷派出的使者所到之处烦扰，不如只交给驿站快速传递。”宪宗听从了他们的意见。刘光琦说这是以前的惯例，宪宗说：“惯例对的就依从，如果做得不对，为什么不改正。”

临泾[375]镇将郝玼[376]以临泾地险要，水草美，吐蕃将入寇，必屯其地。言于泾原节度使段祐[377]，奏而城之，自是泾原获安。

二月戊寅[378]，咸安大长公主[379]薨于回鹘。三月，回鹘腾里可汗卒。

癸巳[380]，郇王总[381]薨。

辛亥[382]，御史中丞卢坦奏弹前山南西道节度使柳晟[383]、前浙东观察使阎济美[384]违赦进奉。上召坦褒慰之，曰："朕已释其罪，不可失信。"坦曰："赦令宣布海内，陛下之大信也。晟等不畏陛下法，奈何存小信弃大信乎！"上乃命归所进于有司。

夏，四月，上策试贤良方正、直言极谏[385]举人，伊阙[386]尉牛僧孺[387]、陆浑[388]尉皇甫湜[389]、前进士李宗闵[390]皆指陈时政之失，无所避。吏部侍郎杨於陵[391]、吏部员外郎韦贯之[392]为考策官，贯之署为上第。上亦嘉之，乙丑[9]，诏中书优与处分[393]。李吉甫恶其言直，泣诉于上，且言："翰林学士裴垍、王涯[394]覆策[395]。湜，涯之甥也，涯不先言，垍无所异同[396]。"上不得已，罢垍、涯学士，垍为户部侍郎，涯为都官员外郎[397]，贯之为果州[398]刺史。后数日，贯之再贬巴州[399]刺史，涯贬虢州[400]司马。乙亥[401]，以杨於陵为岭南[402]节度使，亦坐考策无异同也。僧孺等久之不调，各从辟于藩府[403]。僧孺，弘[404]之七世孙。宗闵，元懿[405]之玄孙。贯之，福嗣[406]之六世孙。湜，睦州新安人也。

丁丑[407]，罢五月朔宣政殿朝贺[408]。

以荆南[409]节度使裴均为右仆射。均素附宦官得贵显，为仆射，自矜大[410]。尝入朝，逾位而立。中丞卢坦揖而退之[411]，均不从。坦曰："昔姚南仲[412]为仆射，位在此。"均曰："南仲何人？"坦曰："是守正不交权幸者。"坦寻改右庶子[413]。

五月，翰林学士、左拾遗[414]白居易上疏，以为："牛僧孺等直言时事，恩奖登科，而更遭斥逐，并出为关外官[415]。杨於陵等以考策敢收直言，裴垍等以覆策不退直言，皆坐谴谪[416]。卢坦以数举职事黜庶子。此数人皆今之人望[417]，天下视其进退以卜时之否臧[418]者也。一旦无罪悉疏弃之，上下杜口[419]，众心汹汹，陛下亦知之乎？且陛下既下诏征之

临泾镇将郝玼认为临泾地区地势险要，水草肥美，吐蕃要入侵，肯定屯驻在这里。郝玼把这一想法对泾原节度使段祐说了，段祐向宪宗上奏后在临泾修建城池，从此泾原得以平安无事。

二月二十六日戊寅，咸安大长公主在回鹘去世。三月，回鹘腾里可汗去世。

二月十一日癸巳，郇王李总去世。

三月二十九日辛亥，御史中丞卢坦上奏弹劾前山南西道节度使柳晟、前浙东观察使阎济美，违反宪宗赦令进献财物。宪宗召见卢坦，褒奖安慰他，说："朕已经免了他们的罪，不能失信。"卢坦说："赦令宣布天下，是陛下的最大信用。柳晟等人不畏惧陛下的法令，陛下为什么只讲小信用，丢弃大信用呢！"宪宗于是命令把他们进献的财物交给有关部门。

夏，四月，宪宗策试贤良方正、直言极谏，以此来选择人才，伊阙县尉牛僧孺、陆浑县尉皇甫湜、前进士李宗闵都陈述时政失误，无所回避。吏部侍郎杨於陵、吏部员外郎韦贯之是主考官，韦贯之把他们列为上等。宪宗也赞赏他们，十三日乙丑，诏令中书省从优安置他们的职务。李吉甫憎恨他们直言，在宪宗面前哭诉，并且说："翰林学士裴垍、王涯负责复试。皇甫湜是王涯的外甥，王涯事先没有说明，裴垍也没有提出不同意见。"宪宗迫不得已，罢免了裴垍、王涯的翰林学士职务，任命裴垍为户部侍郎，王涯为都官员外郎，韦贯之为果州刺史。后来过了几天，又把韦贯之贬为巴州刺史，把王涯贬为虢州司马。二十三日乙亥，宪宗任命杨於陵为岭南节度使，也是因为主持考试没有提出不同意见而受牵连。牛僧孺等人长时间得不到调用，各自应藩镇辟举为幕僚。牛僧孺，是牛弘的七世孙。李宗闵，是郑王李元懿的玄孙。韦贯之，是韦福嗣的六世孙。皇甫湜，是睦州新安人。

四月二十五日丁丑，停止五月初一日在宣政殿的群臣朝贺。

宪宗任命荆南节度使裴均为右仆射。裴均一向依附宦官得到显赫高位，担任了右仆射，骄矜自大。曾经上朝，在超越自己班位的地方站着。中丞卢坦向裴均行礼，让他退回班位，裴均不听从。卢坦说："从前姚南仲担任仆射时，姚南仲的位置就在这里。"裴均说："姚南仲是什么人？"卢坦说："是一个坚守正道，不结交有权势宠臣的人。"卢坦不久改任右庶子。

五月，翰林学士、左拾遗白居易上疏，认为："牛僧孺等人直言不讳地谈论时政，蒙陛下恩典而登上科第，却又受到斥逐，都在边远军镇中做官。杨於陵等人因为负责考试，敢于录取直言论事的人，裴垍等人因为复试没有斥退这些被录取的人，都获罪贬谪。卢坦以多次履行自己的职责而被降职为右庶子。这几个人都是现在众望所归之人，天下人是观察他们的进退来猜测朝政好坏的。他们无罪，一下子全都被疏远抛弃，使得上下闭口不言，人心惶惶，陛下对这种情况也知道吗？而且陛下

直言，索之极谏[420]，僧孺等所对如此，纵未能推而行之，又何忍罪而斥之乎！昔德宗初即位，亦征直言极谏之士，策问天旱，穆质[421]对云：‘两汉故事，三公当免。卜式[422]着议，弘羊可烹。’德宗深嘉之，自畿尉[423]擢为左补阙。今僧孺等所言未过于穆质而遽斥之，臣恐非嗣祖宗之道也。”质，宁[424]之子也。

【段旨】

以上为第十段，写牛僧孺、李宗闵等贤良之士，直言时政，宰臣李吉甫忌疑之。

【注释】

㉛371 癸巳：正月十一日。372 长吏：此处指节度使、观察使。373 知枢密：掌枢密使之职。知，主、掌管。枢密，枢密使之省称。代宗永泰年间始置内枢密使，由宦官充任，承受表奏，宣布诏命，介于宰相与皇帝之间的传达使职。后逐渐演变为枢密权在宰相之上，枢密成为皇帝的咨询顾问。374 急递：古代传递公文，急件驰驿兼程而行，称急递。375 临泾：县名，县治在今甘肃镇原。376 郝玼：宪宗时守边名将。传见《旧唐书》卷一百五十二、《新唐书》卷一百七十。377 段祐：又作段佐、段佑。以勇敢知名，少事郭子仪为牙将。终官右神策大将军。传见《旧唐书》卷一百五十二、《新唐书》卷一百七十。378 戊寅：二月二十六日。379 咸安大长公主：德宗之女，贞元四年（公元七八八年）十月下嫁回鹘。380 癸巳：三月十一日。381 郇王总：原名湜，后改名总。顺宗第七子。382 辛亥：三月二十九日。383 柳晟（？至公元八一八年）：肃宗皇后之甥，官至左金吾卫大将军。传见《旧唐书》卷一百八十三、《新唐书》卷一百五十九。384 阎济美：有长者之誉，简澹为理，官至秘书监。传见《旧唐书》卷一百八十五下、《新唐书》卷一百五十九。385 贤良方正、直言极谏：制科名称，意谓选取贤良人士和敢于直言极谏的人。386 伊阙：县名，治所在今河南洛阳南。387 牛僧孺（公元七八〇至八四八年）：字思黯，安定鹑觚（今甘肃灵台）人，贞元进士。穆宗、文宗时两度入相。唐代牛李党争中的牛派首领。传见《旧唐书》卷一百七十二、《新唐书》卷一百七十四。388 陆浑：县名，县治在今河南嵩县东北。389 皇甫湜：字持正，睦州新安（今浙江淳安）人，中唐文学家。传附《新唐书》卷一百七十六《韩愈传》。390 李宗闵（？至公元八四六年）：字损之，贞元进士。元和三年（公元八〇八年）对策，指陈时政，为宰相李吉甫所斥。李吉甫死，入朝为监察御史。与牛僧孺相结，排斥李吉甫之子李德裕，为牛李党争中的牛派主将。文宗朝入相。传见《旧唐书》卷一百七十六、《新唐书》卷一百七十四。391 杨於陵（公元七五三至八三〇年）：字达夫，弘农（今河南灵宝北）

既然下诏征召直言不讳之人，寻求极言切谏，牛僧孺等人所作的策对正是这样，即使他们的论议不能推广施行，又怎么能忍心加罪把他们斥逐呢！从前德宗刚刚即位时，也征召直言极谏的人士，策试天气干旱的问题，穆质回答说：'按照两汉旧制，应当罢免三公。根据卜式的说法，桑弘羊应当受烹刑。'德宗对穆质深加赞赏，把他从京城郊畿的县尉提升为左补阙。现在牛僧孺等人所论议的没有超过穆质，朝廷却马上斥逐了他们，我担心这不是继承祖宗之道。"穆质，是穆宁的儿子。

人，器度弘雅。穆宗时官至户部尚书。传见《旧唐书》卷一百六十四、《新唐书》卷一百六十三。㉜ 韦贯之（公元七六〇至八二一年）：本名纯，避宪宗李纯讳，以字行。官至宰相。传见《旧唐书》卷一百五十八、《新唐书》卷一百六十九。㉝ 诏中书优与处分：颁令中书省从优安置李宗闵等人之职。㉞ 王涯：字广津，太原人，时为主考官。官至宰相。传见《旧唐书》卷一百六十九、《新唐书》卷一百七十九。㉟ 覆策：复查对策。㊱ 无所异同：没有不同意见。李吉甫认为，韦贯之做主考官，取人不当；王涯、裴垍复查，王涯为皇甫湜之舅，应予回避，不先说明，裴垍也装聋作哑，一同作弊。㊲ 都官员外郎：官名，刑部第二司都官司次官。都官掌理官奴婢。㊳ 果州：州名，治所在今四川南充北。㊴ 巴州：州名，治所在今四川巴中。㊵ 虢州：州名，治所在今河南灵宝北。㊶ 乙亥：四月二十三日。㊷ 岭南：方镇名，唐肃宗至德元载（公元七五六年）升五府经略讨击使为岭南节度使，治所广州，在今广东广州。㊸ 各从辟于藩府：牛僧孺等各自应藩镇辟举为幕僚。㊹ 弘：牛弘，隋朝宰相。㊺ 元懿：唐高祖子，封郑王。㊻ 福嗣：韦福嗣，官至隋内史舍人。见《新唐书》卷七十四上《宰相世系表》。㊼ 丁丑：四月二十五日。㊽ 罢五月朔宣政殿朝贺：唐德宗贞元七年（公元七九一年），敕每年五月初一日在宣政殿与文武百官相见，至本年罢废。㊾ 荆南：方镇名，唐肃宗至德二载置荆南节度，治所荆州，在今湖北荆州市荆州区。㊿ 自矜大：骄矜自大。⑪ 揖而退之：向他打招呼，请他退回到自己的班位。⑫ 姚南仲（公元七三〇至八〇三年）：华州下邽（今陕西渭南）人，官至尚书右仆射。传见《旧唐书》卷一百五十三、《新唐书》卷一百六十二。⑬ 右庶子：官名，为东宫太子右春坊长官，掌东宫侍从、献纳、启奏之事。⑭ 左拾遗：官名，门下省属官，掌供奉讽谏，从八品上。⑮ 关外官：指边远的藩镇属官。⑯ 谴谪：贬谪。⑰ 人望：为人所景仰的人；众望所归的人。⑱ 否臧：坏和好。⑲ 杜口：闭口不言。⑳ 征之直言二句：征召直言不讳之人，寻找极言切谏之士。㉑ 穆质：德宗初即位，穆质因对策擢官左补阙，历官给事中。宪宗时奏劾宦官吐突承璀被贬太子左庶子。传见《旧唐书》卷一百五十五、《新唐书》卷一百六十三。㉒ 卜式：与桑弘羊均汉武帝时大臣。两人皆官至御史大夫。㉓ 畿尉：京兆府除两赤县外，其余皆为畿县。㉔ 宁：即穆宁，肃宗时与颜真卿同起兵讨安禄山，德宗朝官秘书少监、右庶子。

【校记】

[9]乙丑：原无此二字。据章钰校，十二行本、乙十一行本、孔天胤本皆有此二字，今据补。乙丑，四月十三日。

【原文】

丙午[425]，册回鹘新可汗为爱登里啰汨密施合毗伽保义可汗。

西原蛮[426]酋长黄少卿[427]请降。六月癸亥[428]，以为归顺州刺史。

沙陀劲勇[429]冠诸胡，吐蕃置之甘州[430]，每战，以为前锋。回鹘攻吐蕃，取凉州[431]。吐蕃疑沙陀贰于回鹘，欲迁之河外。沙陀惧，酋长朱邪尽忠[432]与其子执宜[433]谋复自归于唐，遂帅部落三万循乌德鞬山[434]而东。行三日，吐蕃追兵大至，自洮水[435]转战至石门[436]，凡数百合，尽忠死，士众死者太半。执宜帅其余众犹近万人，骑三千，诣灵州[437]降。灵盐节度使范希朝闻之，自帅众迎于塞上，置之盐州，为市牛羊，广其畜牧，善抚之。诏置阴山府[438]，以执宜为兵马使。未几，尽忠弟葛勒阿波又帅众七百诣希朝降，诏以为阴山府都督。自是灵盐每有征讨，用之所向皆捷[439]，灵盐军益强。

秋，七月辛巳朔[440]，日有食之。

以右庶子卢坦为宣歙观察使。苏强[441]之诛也，兄弘在晋州[442]幕府，自免归，人莫敢辟[443]。坦奏："弘有才行，不可以其弟故废之，请辟为判官。"上曰："向使苏强不死，果有才行，犹可用也，况其兄乎！"坦到官，值旱饥，谷价日增，或请抑其价。坦曰："宣、歙土狭谷少，所仰四方之来者。若价贱，则商船不复来，益困矣。"既而米斗二百，商旅辐凑[444]，民赖以生[10]。

九月庚寅[445]，以于頔为司空，同平章事如故。加右仆射裴均同平章事，为山南东道节度使。

淮南节度使王锷入朝。锷家巨富，厚进奉及赂宦官，求平章事。翰林学士白居易上言[11]，以为："宰相，人臣极位，非清望大功不应

【语译】

五月二十五日丙午，册封回鹘的新可汗为爱登里啰汨密施合毗伽保义可汗。

西原蛮族的酋长黄少卿请求投降朝廷。六月十二日癸亥，宪宗任命他为归顺州刺史。

沙陀族人在各胡族人中最为勇敢强悍，吐蕃把他们安置在甘州，每次作战，让沙陀人作为先锋。回鹘进攻吐蕃，夺取了凉州。吐蕃怀疑沙陀有二心，暗中支持回鹘，打算把沙陀人迁到黄河以西。沙陀人很害怕，酋长朱邪尽忠和他的儿子朱邪执宜商量再次主动归顺唐朝，于是带领部落三万人马，沿着乌德鞬山东进。走了三天，吐蕃的追兵大批到来，沙陀人从洮水转战到石门，总共交战几百次，朱邪尽忠战死，士兵和百姓死了一大半。朱邪执宜带领其余的部众，还有将近一万人，骑兵三千人，前往灵州向唐朝投降。灵盐节度使范希朝听说这件事后，亲自带领人马在边塞上迎接，把他们安置在盐州，为他们购买牛羊，扩大他们的畜牧范围，很好地安抚他们。宪宗下诏设置阴山府，任命朱邪执宜为兵马使。不久，朱邪尽忠的弟弟葛勒阿波又率领部众七百人前往范希朝这里投降，宪宗下诏任命葛勒阿波为阴山府都督。从此，灵盐每有征战，调用沙陀人，打到哪里都能取胜，灵盐的军力更加强大了。

秋，七月初一日辛巳，发生日食。

宪宗任命右庶子卢坦为宣歙观察使。刘辟的女婿苏强被杀时，苏强的哥哥苏弘在晋州幕府中任职，自己卸职回家，没有人敢聘用。卢坦上奏皇帝说："苏弘有才能，品行好，不能因为弟弟的缘故而荒废了他，请求聘用苏弘为判官。"宪宗说："假如以前苏强没有死，果真有才能和品行，也还可以任用，更何况是苏强的哥哥呢！"卢坦到任，适逢天旱闹饥荒，谷价每天上涨，有人请求抑制谷价。卢坦说："宣、歙地狭谷少，粮食依靠四方运来。如果谷价低了，那么商船不再来了，粮食就更加困难了。"不久每斗米二百钱，商旅四方云集，百姓赖以生存。

九月十一日庚寅，宪宗任命于頔为司空，同平章事一职仍然保留。宪宗加授右仆射裴均为同平章事，担任山南东道节度使。

淮南节度使王锷进京朝拜。王锷家巨富，对宫廷进奉丰厚，又贿赂宦官，寻求担任平章事。翰林学士白居易上言，认为："宰相职务是做臣子的最高职位，不是德高望

授。昨除裴均，外议已纷然，今又除锷，则如锷之辈皆生冀望[446]。若尽与之，则典章大坏，又不感恩。不与，则厚薄有殊，或生怨望。幸门[447]一启，无可奈何。且锷在镇五年[448]，百计诛求，货财既足，自入进奉。若除宰相，四方藩镇皆谓锷以进奉得之，竞为刻剥，则百姓何以堪[449]之。”事遂寝。

壬辰[450]，加宣武节度使韩弘同平章事。

丙申[451]，以户部侍郎裴垍为中书侍郎、同平章事。上虽以李吉甫故罢垍学士，然宠信弥厚[452]，故未几复擢为相。

初，德宗不任宰相，天下细务皆自决之，由是裴延龄辈得用事。上在藩邸[453]，心固非之。及即位，选擢宰相，推心委之。尝谓垍等曰：“以太宗、玄宗之明，犹借辅佐以成其理[454]，况如朕不及先圣万倍[455]者乎！”垍亦竭诚辅佐。上尝问垍：“为理之要何先？”对曰：“先正其心。”

旧制，民输税有三[456]：一曰上供，二曰送使，三曰留州。建中初定两税[457]，货重钱轻[458]。是后货轻钱重[459]，民所出已倍其初。其留州、送使者，所在又降省估就实估[460]，以重敛于民[461]。及垍为相，奏：“天下留州、送使物，请一切用省估。其观察使先税所理之州以自给，不足，然后许税于所属之州。”由是江、淮之民稍苏息[462]。

先是，执政多恶谏官言时政得失，垍独赏之。垍器局峻整[463]，人不敢干[464]以私。尝有故人自远诣之，垍资给优厚，从容款狎[465]。其人乘间求京兆判司[466]，垍曰：“公不称此官，不敢以故人之私伤朝廷至公。他日有盲宰相怜公者，不妨得之，垍则必不可。”

戊戌[467]，以中书侍郎、同平章事李吉甫同平章事，充淮南节度使。

河中[468]、晋绛[469]节度使邠宣公杜黄裳薨。

冬，十二月庚戌[470]，置行原州[471]于临泾，以镇将郝玼为刺史。

南诏王异牟寻卒，子寻阁劝立。

重和立有大功的人，不应该被授予这一职务。昨天任命裴均为宰相，外头已经议论纷纷，今天又要任命王锷为宰相，那么与王锷类似的人都要萌生非分之望。如果都给他们宰相职位，那么国家的法令规章就要受到严重破坏，他们也不会感恩戴德。如果不给他们宰相职位，那就有厚薄不同，有的人就生出怨恨。侥幸进身的门户一经打开，就没有办法了。而且王锷在军镇五年，千方百计地搜刮财物，钱财既然丰足了，自己就进献朝廷。如果任命他为宰相，四方藩镇都认为王锷是因为向宫廷进献财物得到官职的，就会竞相盘剥百姓，那么，老百姓怎么能忍受得了。”于是事情被搁置下来。

九月十三日壬辰，宪宗加授宣武节度使韩弘为同平章事。

九月十七日丙申，宪宗任命户部侍郎裴垍为中书侍郎、同平章事。宪宗虽然因为李吉甫的缘故罢免了裴垍的翰林学士职务，但是对裴垍的宠爱和信任更加深重，所以，没过多久又提升他为宰相。

当初，德宗不任用宰相理政，天下细小事情都亲自裁决，因此，像裴延龄这种人能独揽朝廷大权。宪宗在藩王府邸时，本来就从内心觉得这样做不对。等到即皇帝位之后，选拔宰相，推心置腹地委任他们。宪宗曾经对裴垍说：“凭太宗、玄宗那样英明，还要借助辅佐大臣来达到天下大治，何况我比先圣差一万倍呢！”裴垍也竭尽忠诚辅佐宪宗。宪宗曾问裴垍：“治理政务的关键，哪个放在前面？”裴垍回答说：“先端正自己的心术。”

以前的制度规定，百姓缴纳的赋税有三种：一是上供给朝廷，二是送交节度、观察使，三是留给州县。建中初年制定两税法，物贵价高，钱币贬值。此后物贱价低，钱币升值，农民上交的赋税已比当初增加了一倍。那些留给州县和送交节度、观察使的部分，不按官价而按市价要农民交钱，加重对老百姓的赋税征收。等到裴垍担任了宰相，他上奏说：“全国各地留给州县和送交节度、观察使的赋税，请一律按尚书省规定的价钱为标准征收。各观察使先在所管州内收税供应开支，不足的部分，允许在所属州收税。”因此，江、淮一带的百姓稍稍喘了一口气。

以前，执掌朝廷大政的人大多讨厌谏官议论时政得失，只有裴垍一个人赞赏。裴垍仪表威武庄重，别人不敢在他那里谋取私利。曾经有个老朋友从远地前来，裴垍大方地款待，显得很亲切。老朋友乘机向裴垍要求担任京兆府佐吏，裴垍说：“你不胜任这一官职，我不敢因为和你有老朋友的交情损害朝廷的公正无私。以后哪一天有哪位盲人宰相怜悯你，你不妨得到这个官职，我是一定不会给你的。”

九月十九日戊戌，宪宗任命中书侍郎、同平章事李吉甫仍然担任同平章事，充任淮南节度使。

河中、晋绛节度使邠宣公杜黄裳去世。

冬，十二月初三日庚戌，在临泾设置行原州，任命镇守将领郝玼为刺史。

南诏王异牟寻去世，儿子寻阁劝即王位。

【段旨】

以上为第十一段，写沙陀部众降唐，朝廷置阴山都督府以安置之。写翰林学士白居易、宰辅裴垍尽职直言，宪宗推心采纳。

【注释】

㊷㊵丙午：五月二十五日。426西原蛮：西原黄洞蛮，居于今广西钦州。427黄少卿：西原黄洞蛮酋长。德宗贞元十年（公元七九四年）反叛。428癸亥：六月十二日。429劲勇：勇敢强悍。430甘州：州名，治所在今甘肃张掖。431凉州：州名，治所在今甘肃武威。432朱邪尽忠（？至公元八〇八年）：沙陀酋长骨咄支子。骨咄支从肃宗平安禄山，朱邪尽忠累迁金吾卫大将军、酒泉县公。贞元年间附吐蕃。事见《新唐书》卷二百十八。433执宜：朱邪尽忠子，归唐，官阴山府都督、代北行营招抚使。事见《新唐书》卷二百十八。434乌德鞬山：回鹘语，即蒙古三音诺颜境内之杭爱山北山。435洮水：流经甘肃境内的黄河支流，在兰州西入河。436石门：关名，在石门水（今清水河）上。故址在今宁夏固原西北。437灵州：州名，为灵盐节度使治所，州城在今宁夏灵武西南。438阴山府：羁縻府，置于盐州境内，在今内蒙古乌审旗境内。439所向皆捷：灵盐军无往而不胜。440辛巳朔：七月初一日。441苏强：刘辟之婿，元和元年（公元八〇六年）坐逆党诛。442晋州：州名，治所在今山西临汾。443人莫敢辟：没有人敢聘用他。辟，征召、聘用。444商旅辐凑：商人四方云集。445庚寅：九月十一日。446冀望：非分之望。447幸门：侥幸进身的门户。448锷在镇五年：德宗贞元十九年（公元八〇三年）三月，任命王锷为淮南节度使，至此五年。449堪：忍受；承受。450壬辰：九月十三日。451丙申：九月十七日。452弥厚：更加深厚。453藩邸：藩王府邸。指宪宗为广陵王时之府第。454理：

【原文】

四年（己丑，公元八〇九年）

春，正月戊子472，简王遘473薨。

渤海康王嵩璘474卒，子元瑜立，改元永德。

南方旱饥，庚寅475，命左司郎中郑敬德[12]等为江、淮、二浙、荆、湖、襄、鄂等道宣慰使476，赈恤之。将行，上戒之曰："朕宫中用帛一匹，皆籍其数，惟赒救百姓，则不计费。卿辈宜识477此意，勿效潘孟阳饮酒游山而已。"

治。㊺⑤不及先圣万倍：不及先皇万分之一，差一万倍。先圣，指唐太宗、唐玄宗。㊺⑥输税有三：交税有三种。一为上供，送京师国库；二为送使，送给节度使、观察使；三为留州，留在本州、本县支用。㊺⑦建中初定两税：德宗建中元年（公元七八〇年）定两税法，农民纳租税要将实物折成钱计算，起初物贵钱轻，后来物轻（价贱）钱贵，农民交钱要多用一倍的货物来换钱交税，实际负担加重了一倍。㊺⑧货重钱轻：物贵价高，货币贬值。㊺⑨货轻钱重：物贱价低，货币升值。㊻⓪降省估就实估：指送使、留州的部分不按官价而按市价，又加重了盘剥。省估，朝廷所定的物价，即官价。省，指尚书省。实估，市场实价。㊻①重敛于民：加重对百姓的赋税征收。㊻②稍苏息：略有了生气；稍微喘了一口气。㊻③垍器局峻整：裴垍的仪表威武庄重。㊻④干：求取。㊻⑤从容款狎：大方地款待显得十分亲切。㊻⑥求京兆判司：请求任职京兆府的佐吏。凡州府诸曹参军佐吏，皆称判司。㊻⑦戊戌：九月十九日。㊻⑧河中：方镇名，唐肃宗至德二载（公元七五七年）升河中防御为河中节度，治所蒲州，在今山西永济。㊻⑨晋绛：方镇名，唐德宗兴元元年（公元七八四年）置晋慈隰节度使，治所晋州，在今山西临汾。㊼⓪庚戌：十二月初三日。㊼①行原州：行，置治所于他州。唐原州，本治平高县（在今宁夏固原），代宗广德元年（公元七六三年）没于吐蕃，后置行原州于灵台，贞元十九年（公元八〇三年）徙治平凉，今徙治临泾。临泾属泾州，在今甘肃镇原。

【校记】

［10］民赖以生：此四字原无。据章钰校，十二行本、乙十一行本、孔天胤本有，今据补。［11］上言：原无此二字。据章钰校，十二行本、乙十一行本、孔天胤本皆有此二字，今据补。

【语译】

四年（己丑，公元八〇九年）

春，正月十一日戊子，简王李遘去世。

渤海康王嵩璘去世，儿子元瑜继承王位，改年号为永德。

南方干旱闹饥荒，正月十三日庚寅，宪宗任命左司郎中郑敬德等人为江、淮、两浙、荆、湖、襄、鄂等道的宣慰使，赈济抚恤百姓。他们将要出发时，宪宗告诫他们说：“我在宫中用一匹绢帛，都要在账簿上记数，只要赈救百姓，就不计算花费。你们应该知道我的这一心意，不要效仿潘孟阳饮酒游山而已。”

给事中李藩[478]在门下，制敕有不可者，即于黄纸后批之。吏请更连素纸，藩曰："如此，乃状也，何名批敕！"裴垍荐藩有宰相器。上以门下侍郎、同平章事郑絪循默取容[479]，二月丁卯[480]，罢絪为太子宾客，擢藩为门下侍郎、同平章事。藩知无不言，上甚重之。

河东节度使严绶在镇九年[481]，军政补署一出监军李辅光，绶拱手而已。裴垍具奏其状，请以李鄘[482]代之。三月乙酉[483]，以绶为左仆射，以凤翔节度使李鄘为河东节度使。

成德节度使王士真薨，其子副大使承宗[484]自为留后。河北三镇相承各置副大使，以嫡长为之，父没则代领军务。

上以久旱，欲降德音[485]，翰林学士李绛、白居易上言，以为"欲令实惠及人，无如减其租税"。又言"宫人驱使之余，其数犹广，事宜省费，物贵徇情[486]"。又请"禁诸道横敛以充进奉"。又言"岭南、黔中、福建风俗，多掠良人卖为奴婢，乞严禁止"。闰月己酉[487]，制降天下系囚，蠲租税，出宫人，绝进奉，禁掠卖，皆如二人之请。己未[488]，雨。绛表贺曰："乃知忧先于事[489]，故能无忧；事至而忧，无救于事。"

初，王叔文之党既贬，有诏虽遇赦无得量移。吏部尚书、盐铁转运使李巽[490]奏："郴州[491]司马程异[492]，吏才明辨，请以为杨子留后[493]。"上许之。巽精于督察，吏人居千里之外，战栗如在巽前。异句检簿籍[494]，又精于巽，卒获其用。

魏徵玄孙稠贫甚，以故第[495]质[496]钱于人，平卢节度使李师道请以私财赎出之。上命白居易草诏，居易奏言："事关激劝[497]，宜出朝廷。师道何人，敢掠斯美！望敕有司以官钱赎还后嗣。"上从之，出内库钱二千缗赎赐魏稠，仍禁质卖。

给事中李藩在门下省任职，制书敕令中有不合适的，他就在写着制书敕令的黄纸后面加上批语。办事的官吏请李藩另外接续白纸，李藩说：“如果这样，那就是状文了，怎么能叫批敕呢！”裴垍向宪宗推荐李藩有宰相的气度。宪宗因为门下侍郎、同平章事郑絪循规无语，曲从讨好，二月二十一日丁卯，罢免了郑絪，改任太子宾客，提升李藩为门下侍郎、同平章事。李藩知无不言，宪宗非常器重他。

河东节度使严绶在军镇任主帅九年，军政大事、补官任职，完全由监军李辅光决定，严绶不过袖手表示同意罢了。裴垍把这个情况向宪宗奏报了，请求用李鄘来代替严绶。三月初九日乙酉，任命严绶为左仆射，任命凤翔节度使李鄘担任河东节度使。

成德节度使王士真去世，儿子副大使王承宗自任为留后。河北地区的三个军镇，各自父子承袭，设置副大使一职，由嫡长子担任，父亲去世后嫡长子就代理军中事务。

宪宗因为长期干旱，想颁布美德诏旨，翰林学士李绛、白居易进言，认为“要想让百姓得到实惠，不如减免他们的田租赋税”。又说“宫人们除了供驱使以外，数量还很多，办事应该减少费用，万物贵在顺乎情理”。又请求“禁止各道横征暴敛钱财以向宫中进献”。又说“岭南、黔中、福建的风俗，很多人抢劫良民，卖给人家做奴婢，请求严加禁止”。闰三月初三日己酉，宪宗下诏，减轻对全国囚犯的处罚，蠲免租税，放出宫女，杜绝向朝廷进献钱财，禁止掠卖人口，其内容完全是李绛、白居易所请求的。十三日己未，天下了雨。李绛上表向宪宗祝贺说：“这才知道事前忧心，所以能够没有忧患；事情到了眼前而忧心，就不能挽救了。”

当初，王叔文的同党被贬斥后，有诏令规定，即使遇到大赦也不能酌情向内地迁任。吏部尚书、盐铁转运使李巽上奏：“郴州司马程异，是做官吏的材料，明辨是非，请任命他为杨子巡院的留后。”宪宗同意了。李巽精于督察部属，下属官员处在千里之外，战战兢兢如同在李巽面前。程异检查核对财产账簿，又比李巽精明，最终得到了任用。

魏徵的玄孙魏稠极为贫困，拿祖传老宅向别人典押借钱，平卢节度使李师道请求朝廷允许他用私人财产为魏稠赎回老宅。宪宗命令白居易草拟诏书，白居易上奏说：“这件事关系到对臣下的激励和劝勉，应该由朝廷出面办理。李师道是什么人，敢于抢这一美名！希望陛下敕令有关部门用官府的钱赎回魏徵的老宅，交还魏徵的后人。”宪宗听从了这一建议，拿出内库的钱二千缗赎回老宅，赐予魏稠，还禁止典当出卖。

【段旨】

以上为第十二段，写宪宗因旱求直言，特诏降天下系囚，蠲租税，出宫人，绝进奉，禁掠卖。

【注释】

⑫ 戊子：正月十一日。⑬ 简王遘：代宗第八子李遘。德宗建中四年（公元七八三年）封简王。⑭ 嵩璘：渤海郡王钦茂子，德宗贞元十一年（公元七九五年）封嵩璘为渤海郡王。贞元十四年加银青光禄大夫、检校司空，进封渤海国王。谥康王。事见《旧唐书》卷一百九十九下、《新唐书》卷二百十九。⑮ 庚寅：正月十三日。⑯ 宣慰使：临时由中央派出执行赈济、慰抚等事的特使，事毕即罢。⑰ 识：知道。⑱ 李藩（公元七五五至八一二年）：字叔翰，性忠谨，直言无隐。传见《旧唐书》卷一百四十八、《新唐书》卷一百六十九。⑲ 循默取容：循常规缄默无语，曲从讨好于人。⑳ 丁卯：二月二十一日。㉑ 在镇九年：严绶贞元十七年出镇河东，事见本书上卷。至今凡九年。㉒ 李鄘：字建侯，强直无私，猛决少思。历官京兆尹、凤翔、陇右、淮南等镇节度使。传见《旧唐书》卷一百五十七、《新唐书》卷一百四十六。㉓ 乙酉：三月初九日。㉔ 承宗：王士真

【原文】

王承宗叔父士则以承宗擅自立，恐祸及宗[498]，与幕客刘栖楚俱自归京师，诏以士则为神策大将军。

翰林学士李绛等奏曰："陛下嗣膺大宝[499]，四年于兹，而储闱[500]未立，典册不行，是开窥觎之端，乖重慎之义，非所以承宗庙、重社稷也。伏望抑㧑谦之小节，行至公之大典。"丁卯[501]，制立长子邓王宁[502]为太子。宁，纪美人之子也。

辛未[503]，灵盐节度使范希朝奏以太原防秋[13]兵六百人衣粮给沙陀[504]，许之。

夏，四月，山南东道节度使裴均恃有中人之助[505]，于德音后进[506]银器千五百余两。翰林学士李绛、白居易等上言："均欲以此尝[507]陛下，愿却之[508]。"上遽命出银器付度支[509]。既而有旨谕进奏院[510]："自今诸道

子。继为成德节度使，叛服无常。传见《旧唐书》卷一百四十二、《新唐书》卷二百十一。㊽德音：诏旨。㊾物贵徇情：凡事要遵循情理。意谓简放宫女，令其择婿成家，既省费用，又顺物情。㊿己酉：闰三月初三日。⑱己未：闰三月十三日。⑱忧先于事：事前忧心，作周密考虑。⑲李巽（公元七四七至八〇九年）：字令叔，赵州赞皇（今属河北）人，长于吏事，忌刻强狠。传见《旧唐书》卷一百二十三、《新唐书》卷一百四十九。⑲郴州：州名，治所郴县，在今湖南郴州。⑲程异：永贞元年（公元七八五年）坐王叔文之党贬郴州司马。传见《旧唐书》卷一百三十五、《新唐书》卷一百六十八。⑲杨子留后：扬州杨子县，自唐代宗大历以来，盐铁转运使置巡院于此，故置留后。⑲句检簿籍：检查核对账簿。⑲故第：老屋；旧宅。魏徵宅在丹凤坊，直出南面永兴坊内。元和四年（公元八〇九年）宪宗嘉魏徵谏诤，诏访故第，已典卖数姓，析为九家。⑲质：典卖。⑲事关激劝：为忠臣赎房这件事，关系到对臣下的激励劝勉。

【校记】

［12］郑敬德：据《旧唐书》卷一百六十二与《新唐书》卷一百六十《潘孟阳传》，“德”字系衍文。《旧唐书》卷一百五十八《韦贯之传》，有“左司郎中郑敬”，亦无“德”字。

【语译】

王承宗的叔父王士则因为王承宗擅自置立自己的职务，担心祸患连及宗族，便与幕客刘栖楚一起回到京城，宪宗下诏任命王士则为神策大将军。

翰林学士李绛等人上奏宪宗说：“陛下继承皇位，到现在已经四年了，而太子还没有确立，没有颁行册命，这是形成某些人非分之想的开端，违背了对册立太子极为慎重的原则，不是承继祖宗、重视国家的做法。希望陛下抑制谦逊的小节，实施最公正的册封大典。”闰三月二十一日丁卯，宪宗颁布制书册立长子邓王李宁为太子。李宁，是纪美人所生的儿子。

闰三月二十五日辛未，灵盐节度使范希朝上奏皇帝，请求把太原防秋军队六百人的衣服粮食发给沙陀人，皇帝答应了。

夏，四月，山南东道节度使裴均依仗有宫中宦官相助，在宪宗颁布美诏之后向宫中进奉银器一千五百多两。翰林学士李绛、白居易等人进言：“裴均想用这些东西试探陛下，希望陛下拒绝。”宪宗立即下令把银器送出宫中交付度支司。不久宪宗又有旨意传给各军镇设在京城的进奏院：“从今以后各道向宫中进献钱物，不能告诉御

进奉，无得申[511]御史台。有访问者，辄以名闻。”白居易复以为言，上不听。

上欲革[512]河北诸镇世袭之弊，乘王士真死，欲自朝廷除人[513]，不从则兴师讨之。裴垍曰：“李纳[514]跋扈不恭[515]，王武俊有功于国[516]，陛下前许师道，今夺承宗，沮劝违理[517]，彼必不服。”由是议久不决。上以问诸学士，李绛等对曰：“河北不遵声教[518]，谁不愤叹[519]！然今日取之，或恐未能。成德自武俊以来，父子相承四十余年[520]，人情贯习[521]，不以为非。况承宗已总军务，一旦易之，恐未必奉诏。又范阳、魏博、易定、淄青以地相传，与成德同体。彼闻成德除人，必内不自安，阴相党助[522]。虽茂昭有请，亦恐非诚[523]。所以然者[14]，今国家除人代承宗，彼邻道劝成，进退有利。若所除之人得入，彼则自以为功；若诏令有所不行，彼因潜相交结。在于国体，岂可遽休，须兴师四面攻讨，彼将帅则加官爵，士卒则给衣粮，按兵玩寇，坐观胜负，而劳费之病尽归国家矣。今江、淮水，公私困竭，军旅之事，殆未可轻议也。”

左军中尉[524]吐突承璀欲希[525]上意夺裴垍权，自请将兵讨之。上疑未决[15]。宗正少卿[526]李拭[527]奏称：“承宗不可不讨。承璀亲近信臣，宜委以禁兵，使统诸军，谁敢不服！”上以拭状示诸学士曰：“此奸臣也。知朕欲将承璀，故上此奏。卿曹记之，自今勿令得进用。”

昭义节度使卢从史遭父丧，朝廷久未起复[528]。从史惧，因[529]承璀说上，请发本军讨承宗。壬辰[530]，起复从史左金吾大将军，余如故。

初，平凉之盟[531]，副元帅判官路泌[532]、会盟判官郑叔矩皆没于吐蕃。其后吐蕃请和，泌子随[533]三诣阙号泣上表[534]，乞从其请。德宗以吐蕃多诈，不许。至是，吐蕃复请和，随又五上表，诣执政泣请，裴垍、李藩亦言于上，请许其和。上从之。五月，命祠部郎中[535]徐复使吐蕃。

六月，以灵盐节度使范希朝为河东节度使。朝议[536]以沙陀在灵武，

史台。有查问的人，马上把他们的名字奏报上来。”白居易就这件事又一次进言，宪宗不采纳。

宪宗想革除河北各军镇主帅世袭的弊端，乘王士真之死，想从朝廷中除授主帅，如果成德军的人不服从，就兴兵讨伐。裴垍说：“李纳飞扬跋扈，不恭敬朝廷，王武俊对国家有功，陛下在前面已经许诺李师道承袭李师古的主帅职务，现在要剥夺王承宗的主帅职务，那就是有功的人被剥夺，跋扈的人得到奖励，有违情理，成德军一定不服。”因此，这一事情朝廷长时间讨论，没有决定下来。宪宗就此事询问各位翰林学士，李绛等人回答说：“河北各军镇不遵从诏令、教化，谁不为此而愤慨叹息呢！但是现在要攻下他们，恐怕不可能。成德军的主帅自从王武俊担任以来，父子相承四十多年，人心习以为常，不觉得这样做不对。何况王承宗已经总揽军务，一旦要改派别人，恐怕未必接受诏令。另外，范阳、魏博、易定、淄青等军镇都是父子以地相传，与成德军情况相同。他们听到朝廷除授成德军的主帅，一定会内心惶恐不安，暗中互相结党相助。虽然张茂昭请求朝廷派人去担任成德军主帅，但恐怕不是诚心诚意。之所以如此，现在朝廷任命主帅代替王承宗，他的相邻军镇劝朝廷办成这件事，或进或退都有利。如果朝廷任命的人得以进入成德军，那么这些邻道就认为是自己的功劳；如果诏令不能执行，他们乘机暗中互相勾结。朝廷为了国家的体统，岂能立即罢休，就要兴兵四面进攻，那些邻道的将帅就会加官晋爵，他们的士兵，朝廷就要供应衣服粮食，他们按兵不动，轻蔑敌人，坐观胜负，而劳师靡费之弊全归于朝廷。现在江、淮一带发大水，官府和百姓困窘，出兵打仗的事情，恐怕不能轻易地讨论决定。”

左神策军护军中尉吐突承璀想迎合宪宗的想法，剥夺了裴垍的权力，自己请求率兵征讨王承宗。宪宗迟疑不决。宗正少卿李拭上奏说：“王承宗不能不讨伐。吐突承璀是陛下的亲信近臣，应该把禁军交给他，让他统领各军，谁敢不服从！”宪宗把李拭的奏章拿给各位翰林学士看，并说：“这是个奸臣。知道我想让吐突承璀为统帅，所以上了这一道奏章。你们记住，从今以后不能进用李拭。”

昭义节度使卢从史遭遇父丧，朝廷长时间没有重新起用。卢从史很恐惧，通过吐突承璀劝说宪宗，请求调派昭义军讨伐王承宗。四月十七日壬辰，起用卢从史为左金吾大将军，其他职务一如从前。

当初，朝廷与吐蕃的平凉之盟，副元帅判官路泌、会盟判官郑叔矩都被吐蕃人捉去了。后来吐蕃向朝廷求和，路泌的儿子路随三次到皇宫前号哭上表，请求答应吐蕃人的请求。德宗认为吐蕃诡诈多端，没有答应。到这时，吐蕃又请求和好，路随又五次向宪宗上表，哭着到朝廷的当权者那里去请求，裴垍、李藩也向宪宗进言，请求答应吐蕃求和，宪宗同意了。五月，宪宗命令祠部郎中徐复出使吐蕃。

六月，宪宗任命灵盐节度使范希朝为河东节度使。朝廷中讨论认为沙陀人在灵

迫近吐蕃，虑其反复，又部落众多，恐长谷价㊳，乃命悉从希朝诣河东。希朝选其骁骑千二百，号沙陀军，置使以领之，而处其余众于定襄川㊳。于是朱邪执宜[16]始保神武川㊳之黄花堆㊵。

左军中尉㊶吐突承璀领功德使㊷，盛修安国寺㊸，奏立圣德碑，高大一准㊹华岳碑㊺，先构碑楼，请敕学士撰文，且言“臣已具钱万缗，欲酬之”。上命李绛为之。绛上言：“尧、舜、禹、汤未尝立碑自言圣德，惟秦始皇于巡游所过，刻石高自称述，未审陛下欲何所法㊻？且叙修寺之美，不过壮丽观游，岂所以光益圣德！”上览奏，承璀适在旁，上命曳倒碑楼。承璀言：“碑楼甚大，不可曳，请徐毁撤㊼。”冀得延引㊽，乘间再论。上厉声曰：“多用牛曳之！”承璀乃不敢言。凡用百牛曳之，乃倒。

【段旨】

以上为第十三段，写唐宪宗结和吐蕃，推倒圣德碑，显现明主风采。

【注释】

⑱恐祸及宗：恐怕祸患涉及宗族。⑲嗣膺大宝：继承皇位。⑳储闱：指太子。㉑丁卯：闰三月二十一日。㉒邓王宁（公元七九三至八一一年）：宪宗长子，纪美人所生。元和元年（公元八〇六年）进封邓王，后立为皇太子，元和六年十二月卒。传见《旧唐书》卷一百七十五、《新唐书》卷八十二。㉓辛未：闰三月二十五日。㉔以太原防秋兵六百人衣粮给沙陀：以太原防秋兵衣粮给沙陀人，即以沙陀人防秋，代太原之兵。㉕有中人之助：有宦官之助。裴均谄事宦官窦文场。㉖于德音后进：在禁绝进奉的诏令之后进奉。㉗尝：试探。㉘却之：退还给他。㉙上遽命出银器付度支：宪宗立即命令，将银器送出宫中交付给度支司。㉚进奏院：官署名，唐制，诸州以本州将吏为进奏官驻京城，置进奏院接纳其事，为地方在京所设办事机构。㉛申：申报。㉜革：革除。㉝除人：选择人授予官职。㉞李纳：李正己子，李师道之父，据淄青，自称齐王。兴元初年，归顺朝廷。传见《旧唐书》卷一百二十四、《新唐书》卷二百十三。㉟跋扈不恭：专横暴戾而不恭敬朝廷。㊱有功于国：指与李抱真破朱滔。㊲沮劝违理：谓有功的人被剥夺职务，

武，逼近吐蕃，担心他们反复无常，又因为他们部落众多，恐怕粮价上涨，于是就命令沙陀人全部跟随范希朝前往河东军。范希朝选出他们的勇猛骑兵一千二百人，号称沙陀军，设置军使统领他们，而把其余的沙陀人安置在定襄川。到这个时候，朱邪执宜才开始驻守神武川的黄花堆。

左神策军护军中尉吐突承璀兼任功德使，大肆修建安国寺，奏请竖立圣德碑，长、宽、高完全依据华岳碑的标准，先构建碑楼，请宪宗敕令翰林学士撰写碑文，而且说"臣已经备齐了一万缗钱，作为碑文的报酬"。宪宗下令李绛撰写碑文。李绛进言说："尧、舜、禹、汤，未曾立碑自述功德，只有秦始皇在巡游所过之处，高调地刻石自我赞扬述说，不知道陛下想要效法谁？而且叙述修建安国寺的美妙，不过是建构如何壮丽和供游人观览一类的话，怎么能光大和增进陛下圣明的德操呢！"宪宗看这份奏章时，吐突承璀正好在旁边，宪宗命令拉倒碑楼。吐突承璀说："碑楼很大，不能拉倒，请允许慢慢拆毁。"吐突承璀希望拖延时间，乘机再辩解。宪宗声音严厉地说："多用些牛拉倒碑楼！"吐突承璀这才不敢言语。总共使用了一百头牛，才拉倒了碑楼。

跋扈的人得到奖励，有违常理。沮，败坏，此指阻止王承宗袭成德节镇之位。劝，勉励，此指授李师道青淄节镇。⑱河北不遵声教：指范阳、魏博、易定、淄青等河北藩镇，不遵奉朝廷的诏令与教化。⑲愤叹：愤慨叹息。⑳四十余年：德宗建中三年（公元七八二年）置恒冀，王武俊始镇，王士真继之，至元和四年，父子相承实际二十八年。㉑贯习：习惯成俗。贯，通"惯"。㉒阴相党助：暗中结党相助。㉓虽茂昭有请二句：张茂昭与王武俊有隙，故请代王承宗。㉔左军中尉：左神策军护军中尉。㉕希：迎合。㉖宗正少卿：官名，宗正寺副贰，从四品上。㉗李拭：李鄘之子，历官宗正卿、京兆尹、河东、凤翔节度使。事附《新唐书》卷一百四十六《李鄘传》。㉘起复：臣下在守丧期被起用，称起复。㉙因：通过；依靠。㉚壬辰：四月十七日。㉛平凉之盟：浑瑊为唐使，与吐蕃盟于平凉，吐蕃背约劫盟。事见本书卷二百三十二德宗贞元二年。㉜路泌：副元帅浑瑊之判官，从盟平凉被吐蕃所劫，死于异域。㉝随：即路随，路泌之子。文宗时官至宰相。传见《旧唐书》卷一百五十九、《新唐书》卷一百四十二。路泌与子路随同传。㉞诣阙号泣上表：路随到宫阙哭泣上表请唐与吐蕃结和，以便讨回父亲尸骨。㉟祠部郎中：礼部第二司祠部司主官，职掌祭祀。㊱朝议：重大事件，百官集议称朝议。㊲恐长谷价：沙陀众多，聚居于灵盐，恐使谷价上涨。长，通"涨"，指谷价上涨。㊳定襄川：在今山西定襄。㊴神武川：在今山西山阴境。㊵黄花堆：故城在今山西山阴东北。㊶左军中

尉：左神策军护军中尉。㊷功德使：官名，贞元四年（公元七八八年）置，在京师为左、右街大功德使，东都为功德使，掌僧尼名籍及功役。㊸安国寺：在朱雀街东第四街长乐坊。原为睿宗在藩旧宅，景云元年（公元七一〇年）舍为寺，以其本封安国相王为寺名。㊹高大一准：指为宪宗所立圣德碑高宽完全以华岳碑为标准。㊺华岳碑：唐玄宗立华岳碑于华岳祠前，高五十余尺。㊻欲何所法：想要效法谁。意谓效法尧舜，还是效法秦始皇。㊼徐毁撤：慢慢地撤毁。㊽延引：拖延时间。

【校记】

[13] 防秋：此二字原无。据章钰校，十二行本、乙十一行本皆有此二字，今据补。[14] 所以然者：此四字原无。据章钰校，十二行本、乙十一行本、孔天胤本皆有此四字，张敦仁《通鉴刊本识误》、张瑛《通鉴校勘记》同，今据补。[15] 上疑未决：此四字原无。据章钰校，十二行本、乙十一行本、孔天胤本皆有此四字，张敦仁《通鉴刊本识误》、张瑛《通鉴校勘记》同，今据补。[16] 朱邪执宜：原无"朱邪"二字。据章钰校，十二行本、乙十一行本、孔天胤本有此二字，今据补。

【研析】

本卷研析五事：高崇文建功，潘孟阳任大理卿，李锜反叛，宪宗下嫁普宁公主，宪宗推倒圣德碑。

第一，高崇文建功。永贞元年（公元八〇五年）八月初九日，宪宗即皇帝位。八月十七日，西川节度使韦皋病死，支度副使刘辟自为留后。宪宗认为初即位，西川路途艰险，出兵不易，姑息任命刘辟为西川留后，代理节度使之职。刘辟得寸进尺，要求兼领三川，即要求朝廷把东川、山南两镇也划归西川，遭到王叔文的拒绝，如今刘辟如此嚣张，此乃螳臂当车，自不量力。右谏议大夫韦丹上疏，如果不诛讨刘辟，全国各节度使将争相效法，恐怕朝廷的号令只能行用于两京了。宪宗不想轻易用兵，交给朝廷议论，公卿大臣都认为蜀险难取。宰相杜黄裳独持异议，认为刘辟不过是一个疯狂而呆笨的书生，讨伐他就像捡拾草芥一样容易。杜黄裳推荐神策军使高崇文有勇有谋，可以担当重任。但要求宪宗做到两件事，一不要遥控，二不要设置监军，全权交给高崇文，一定成功。事情的发展，完全如杜黄裳所料，高崇文一路势如破竹，三月进兵，九月就讨平了西川。宪宗乘势，又讨平了夏绥兵变。高崇文建功如此顺利，刘辟不懂兵略，此为原因之一。西川兵在西南镇守防御吐蕃，惯于征战，高崇文征讨并使之迅速瓦解，更重要的原因，是宪宗不遥控，不设监军，官兵义正，奋勇杀敌，此为原因之二。西川广大将士不愿背叛，不似河北诸镇，长期割据养成习惯，此为原因之三。嗣后宪宗用兵河北，用宦官吐突承璀征讨，官军以众临寡却遭败北。宪宗用兵淮西，宰相裴度坐镇，李愬建功，如同高崇文征西川，没有宦官掣肘才取得的。成功与失败，对比是这样的鲜明，宪宗又号称英明，为什么成功于前，失败于后呢？因为宪宗骨子里仍然信用宦官，昏君基因的遗传不可救药。宪宗之后，唐室政权，如同日落西山，由中唐进入晚唐。

第二，潘孟阳任大理卿。潘孟阳，刘晏外孙，礼部侍郎潘炎之子，以门荫入仕。德宗末，官至户部侍郎。宪宗即位，盐铁转运使请潘孟阳为副，任盐铁转运副使。宪宗委派潘孟阳为宣慰使，巡察江淮财赋，并考察地方官吏善恶。潘孟阳生活豪侈，他带领随从三百人，一路观山玩景，达旦欢宴。走一路，贪赃一路，不惩贪官，只是委任新官。回到京师，宪宗罢了潘孟阳财税官盐铁转运副使之职，改任大理卿，相当于现今的最高法院院长，负责中央百官犯罪的审理，以及由刑部转来地方死刑犯的复审。官僚腐败，根源是惩治不力，在刑不上大夫的时代，根本就不惩贪。秦汉以后，法律健全，甚至有朱元璋剥贪官人皮的惩治手段，也不能禁绝贪赃。只有法律健全，而无制衡机制与透明的监察手法，法律、法官都是摆设品。贪官出任法官，欲使政治清廉，简直是缘木求鱼，南辕北辙，其结果可想而知。此外，潘孟阳贪赃未受惩罚而改任大理卿，这也是官僚政治的一种积弊，历朝历代都没有改变。换个部门，或易地做官，代替惩贪，这一做法，恰恰是腐败的温床。

第三，李锜反叛。李锜，唐皇室亲族，是唐高祖堂弟开国功臣李神通玄孙，其父李国贞，官至河中节度使，为官清正廉洁，死于兵乱。李锜以父荫入仕，德宗时累官润州刺史兼盐铁使。李锜利用掌盐铁的赋入，用重金贿赂官人、宦官，以大量钱物进奉德宗，蒙受恩宠。有一个浙西人崔善贞到京师上奏封事，揭发李锜贪赃欺压民众罪恶，德宗用囚车将其送赐李锜，李锜活埋了崔善贞。李锜用重金招募一批善射弓箭手，为随身警卫，称为“挽强随身”，又招募一批善斗的胡、奚人，名为“蕃落健儿”。这两种警卫各一个营。德宗晚年在润州置镇海军，辖苏、杭、湖、睦、润五州。宪宗即位，诸镇入朝，李锜也上表请入朝，只是试探宪宗，并不是真心入朝。宪宗准奏征李锜入朝，李锜不肯，于是发兵反叛。未等朝廷征讨大军到达，李锜被其部将张子良等擒获。反正效顺的主谋人是李锜的外甥裴行立，由此可见李锜不得人心如此。李锜被擒，他的两营警卫挽强、蕃落，表示效忠，纷纷自杀，或投井而死。李锜送京，宪宗亲自审问，责问李锜为何反叛。李锜委过部属，说张子良等逼他造反。宪宗说:“你身为主帅，部属造反，为什么不杀掉造反的部属，到朝廷来报告?”李锜无言以对，与其子一门被腰斩于市。

李锜反叛，只掀起一个小小的风波，却有非常典型的意义，有多方面的教训。其一，李锜无德无行，他的野心是恃恩骄恣，德宗一手培养起来的。李锜犯国法，德宗不但没有惩罚，反而把举报人员交给李锜报复。其二，德宗为何不惩贪，反而提升贪官，因为德宗吃人嘴软，拿人手短，他吃了进奉，无可奈何。官僚政治的贪渎腐败，亦如是也。其三，李锜靠两个营的近身侍卫就敢造反，可见唐朝自安史之乱以后政风的败坏。

第四，宪宗下嫁普宁公主。普宁公主，宪宗最喜爱的女儿。山南东道节度使于頔想巩固自己的地位，替自己的儿子于季友向宪宗求娶公主为妻，宪宗应允，许嫁普宁公主。翰林学士李绛劝宪宗，普宁公主应嫁给汉族高门的优秀子弟，怎么可以嫁给胡族人的庶出儿子呢？于季友没有资格娶普宁公主。宪宗说：朕下嫁公主有原因，李学士你不懂。元和二年（公元八〇七年）十二月二十六日，宪宗下嫁普宁公主给于季友，婚礼隆重举行，嫁妆丰厚，于頔大喜过望。过不多久，宪宗使人暗示于頔入朝，于頔听从。于頔自动入朝，为诸镇节度使表率。这一桩政治婚姻，宪宗用心良苦。

第五，宪宗推倒圣德碑。元和四年（公元八〇九年），吐突承璀任功德使，大肆修建安国寺，树了一座高大的圣德碑，称颂宪宗。吐突承璀用一万缗的重金征求碑文，上奏宪宗令翰林学士李绛来写碑文。李绛借机谏奏，说：尧、舜、禹、汤，都没有立碑来夸耀功德，他们是圣王；只有秦始皇到处刻石颂功，不知陛下效法哪一种人？宪宗阅览这份奏章时，正好吐突承璀在身旁，宪宗命吐突承璀推倒碑楼。吐突承璀想拖延时间，找机会游说，诡称碑楼大，难以推倒。宪宗厉声呵斥说：多用些牛拉倒碑楼。吐突承璀不敢再说话，用了一百头牛才把碑楼拉倒。这一年，宪宗因天旱不雨，下诏求直言。翰林学士李绛和白居易上奏说，求直言，还不如办一些实事。奏疏陈述了蠲租税，出宫人，绝进奉，禁掠卖人为奴仆，宪宗一一采纳。史称宪宗嗣位之初，捧读先帝实录，立志效法太宗、玄宗贞观与开元之治，重开延英殿议政，要求辅臣同心辅助，放权宰相。元稹、李绛、白居易等，一批新进，敢言、直言，宪宗择善而从，唐王朝出现了中兴气象。可惜宪宗持志不坚，刚一安定就服食仙丹求长生，便迷了眼睛。宪宗宠信宦官而被宦官所害，英年早逝，唐朝中兴，昙花一现。

卷第二百三十八　唐纪五十四

起屠维赤奋若（己丑，公元八〇九年）七月，尽玄黓执徐（壬辰，公元八一二年）九月，凡三年有奇。

【题解】

本卷记事起公元八〇九年七月，迄公元八一二年九月，凡三年又两个月，当唐宪宗元和四年七月到元和七年九月。此时期宪宗施政，最大的失败是违众用兵河北，无功而返，朝廷大失威信。亦有最大的成功是外出吐突承璀，用李绛为相。吐突承璀，字仁贞，闽人，即今福建人，少小入宫，给事皇太子李诵，即宪宗父德宗，为东宫小黄门。吐突承璀聪明机灵，年纪与皇太孙即宪宗李纯相仿，两人关系自小密切。宪宗即位，便任吐突承璀为内常侍，知内侍省事，总领宦官。不久，又任命吐突承璀为神策军中尉，掌管禁军。元和四年（公元八〇九年），成德节度使王士真死，长子王承宗自为留后。河北三镇相沿成习，以节度使嫡长子为副大使，父死后嫡长子便称留后，朝廷正式任命继为节度使。宪宗要

【原文】

宪宗昭文章武大圣至神孝皇帝上之下

元和四年（己丑，公元八〇九年）

秋，七月壬戌[①]，御史中丞[②]李夷简[③]弹京兆尹杨凭[④]，前为江西观察使贪污僭侈。丁卯[⑤]，贬凭临贺[⑥]尉。夷简，元懿之玄孙也。上命尽籍[⑦]凭资产，李绛谏曰："旧制，非反逆不籍其家。"上乃止。

凭之亲友无敢送者，栎阳[⑧]尉徐晦[⑨]独至蓝田与别。太常卿[⑩]权德舆[⑪]素与晦善，谓之曰："君送杨临贺，诚为厚矣，无乃[⑫]为累乎？"对曰："晦自布衣蒙杨公知奖，今日远谪，岂得不与之别！借如明公它日为谗人所逐，晦敢自同路人[⑬]乎！"德舆嗟叹，称之于朝。后数日，李夷简奏为监察御史。晦谢曰："晦平生未尝得望公颜色[⑭]，公何从而取之？"夷简曰："君不负杨临贺[⑮]，肯负国乎！"

革除这一藩镇世袭的积弊，想借官军平定西川和镇海两节度之乱，乘胜用兵河北。朝臣都不赞同，认为河北三镇世袭节度，蔓延连势，已成积习，革除要等待时机。当时淮西吴少阳自为留后，朝臣主张讨伐，杜绝世袭积弊在内地蔓延，且淮西地少势孤，容易建功。唐宪宗忌刻朝臣建功，用吐突承璀为主将用兵河北，诸道并进，动员官军达二十万人之众，十倍于成德叛军，结果劳而无功。此时宪宗还算清醒，他明白欲建功必须起用朝官。吐突承璀败军，又受赂案发，李绛弹劾，宪宗不得已外出吐突承璀，任用李绛为相，后果收李绛善谋之效，王承宗、田兴不待加兵而自服。宪宗又纳李吉甫之言，淘汰冗官。又尝与宰臣论宽严之政，盛暑而不知倦。

【语译】

宪宗昭文章武大圣至神孝皇帝上之下

元和四年（己丑，公元八〇九年）

秋，七月十八日壬戌，御史中丞李夷简弹劾京兆尹杨凭，以前担任江西观察使时贪污受贿，过度奢侈。二十三日丁卯，宪宗把杨凭贬为临贺县尉。李夷简，是郑王李元懿的玄孙。宪宗下令全部抄没杨凭的资产，李绛劝谏说："按以前的规定，不是反逆之罪，不抄没其人的家产。"宪宗这才作罢。

杨凭的亲戚朋友没有敢送行的，只有栎阳县尉徐晦独自一人到蓝田与杨凭道别。太常卿权德舆一向与徐晦关系友善，对徐晦说："你送行杨临贺，确实厚道，难道你不怕受连累吗？"徐晦回答说："我徐晦在平民时受到杨公的知遇和奖掖，现在杨公被贬至远方，怎么能不与他道别呢！假如您他日被谗人所逐，我徐晦敢像路人一样对待您吗！"权德舆很是感慨，在朝廷中称赞徐晦。过了几天，李夷简上奏宪宗任命徐晦为监察御史。徐晦向李夷简道谢说："我平生与您未曾谋面，您根据什么取用我呢？"李夷简说："你不辜负杨临贺，怎么会辜负朝廷呢！"

上密问诸学士曰："今欲用王承宗为成德留后，割德、棣二州更为一镇以离其势[16]，并使承宗输二税，请官吏，一如师道，何如？"李绛等对曰："德、棣之隶成德，为日已久，今一旦割之，恐承宗及其将士忧疑怨望，得以为辞。况其邻道情状一同，各虑他日分割，或潜相构扇[17]。万一旅拒[18]，倍难处置，愿更三思。所是二税、官吏，愿因[19]吊祭使[20]至彼，自以其意谕承宗，令上表陈乞如师道例，勿令知出陛下意。如此，则幸而听命，于理固顺；若其不听，体亦无损。"

上又问："今刘济、田季安皆有疾，若其物故[21]，岂可尽如成德付授其子，天下何时当平！议者皆言宜乘此际代之，不受则发兵讨之，时不可失，如何？"对曰："群臣见陛下西取蜀[22]，东取吴[23]，易于反掌[24]，故谄谀躁竞之人[25]争献策画，劝开河北[26]，不为国家深谋远虑，陛下亦以前日成功之易而信其言。臣等夙夜思之，河北之势与二方异。何则？西川、浙西皆非反侧之地，其四邻皆国家臂指之臣[27]。刘辟、李锜独生狂谋，其下皆莫之与，辟、锜徒以货财啖之，大军一临，则涣然离耳。故臣等当时亦劝陛下诛之，以其万全故也。成德则不然，内则胶固岁深[28]，外则蔓连势广[29]，其将士百姓怀其累代煦妪之恩[30]，不知君臣逆顺之理，谕之不从[31]，威之不服[32]，将为朝廷羞。又，邻道平居[33]或相猜恨，及闻代易，必合为一心。盖各为子孙之谋，亦虑他日及此故也。万一余道或相表里[34]，兵连祸结，财尽力竭，西戎[35]、北狄[36]乘间窥窬[37]，其为忧患可胜道哉！济、季安与承宗事体不殊[38]，若物故之际，有间可乘，当临事图之，于今用兵，则恐未可。太平之业，非朝夕可致，愿陛下审处之[39]。"

时吴少诚病甚，绛等复上言："少诚病必不起。淮西[40]事体与河北不同，四旁皆国家州县，不与贼邻，无党援相助。朝廷命帅[41]，今正其

宪宗私下征询各位学士说："现在想任用王承宗为成德军的留后，划割德、棣两个州另设一个军镇，来分散王承宗的势力，并且让王承宗向朝廷缴纳两税，向朝廷请求任命当地官员，完全如同李师道，你们看怎么样?"李绛等人回答说："德州和棣州隶属于成德军，时间已久，现在一下子将它们分割出来，恐怕王承宗及其将士忧虑怀疑，怨恨朝廷，得以作为反叛的借口。况且王承宗的各个邻道情况相同，各自担心自己的辖地在日后被分割，有的就会暗中相互勾结煽动。万一聚众抗拒，处理起来困难加倍，希望陛下再三考虑。而要王承宗上缴两税和向朝廷申请任免官吏，希望陛下乘派吊唁使者去成德的机会，让吊唁使者用这个意思来开导王承宗，令他上奏表章请求效仿李师道的做法，不要让王承宗知道这是陛下的意见。这样一来，王承宗如果听从命令，从道理上说固然很顺；如果王承宗不听从朝廷命令，也不损害朝廷的体统。"

宪宗又问道："现在刘济和田季安都有重病，如果他们死了，怎么能完全像成德军那样把主帅职位交给他们的儿子，那天下什么时候才能平定下来呢！朝廷上讨论此事的人都说应乘这个机会派人代替他们，他们不服从朝廷命令，就发兵讨伐，时机不可丧失，你们觉得该怎么办?"李绛等人回答说："朝廷群臣看到陛下西边攻下蜀地，东边攻下吴地，易如反掌，所以阿谀逢迎和急于争利的人，争着为陛下出谋划策，劝说陛下与河北地区藩镇作战，而不为国家深谋远虑。陛下也因为以前取得胜利很容易，而相信了他们的话。我们日夜思考这一事情，认为河北地区的形势与蜀、吴两地不同。为什么呢？西川和浙西都不是反复无常的地区，它们的四邻都是朝廷能随意调动指挥的。只有刘辟、李锜产生了狂妄的图谋，他们的部下都不赞同。刘辟、李锜只能用钱财来拉拢他们，朝廷的大军一到，他们就分崩离析了。所以我们当时也劝陛下派兵去讨伐他们，这是由于万无一失的缘故啊。成德军的情况就不是这样，内部牢固地胶合在一起已经时间久远，外部与各邻道勾连如同蔓草，势力强大。成德军的将士和百姓都怀念王氏家族几代人养育的恩德，不清楚君主与臣子、反叛和顺从之间的道理，劝导他们不听从，威慑他们不顺服，将使朝廷蒙受羞辱。另外，相邻的各道平时有的互相猜忌和愤恨，等到听说朝廷派人代换他们，一定合为一心。这是因为他们都要为子孙后代考虑，也担心他日自己也会遇上的缘故。万一其他各道有的与他们相为表里，兵连祸结，国家就会耗尽人力、财力，吐蕃、回鹘等乘机窥伺中原，那造成的忧患能说得完吗！刘济、田季安与王承宗的情况没有差别，如果在他们死的时候，有机可乘，应该在事情发生后再采取对策，要是现在对他们用兵，恐怕不可以。天下太平的大业，不是一朝一夕可以实现的，希望陛下审慎地处理这件事。"

当时吴少诚病得很厉害，李绛等人又向皇帝进言说："吴少诚这一病，一定好不了。淮西的情况与河北不同，它的四周都是朝廷所辖州县，不与叛逆州道相邻，没有同党相助。朝廷任命淮西主帅，现在正是时候，万一他们不服从，可以商议出兵

时，万一不从，可议征讨。臣愿舍恒冀难致㊷之策，就申蔡易成之谋。脱或㊸恒冀连兵，事未如意，蔡州有衅，势可兴师，南北之役俱兴，财力之用不足。傥事不得已，须赦承宗，则恩德虚施，威令顿废㊹。不如早赐处分㊺，以收镇冀㊻之心，坐待机宜，必获申蔡之利。”既而承宗久未得朝命，颇惧，累表自诉。八月壬午㊼，上乃遣京兆少尹裴武㊽诣真定㊾宣慰。承宗受诏甚恭，曰：“三军见迫，不暇俟朝旨，请献德、棣二州以明恳款㊿。”

丙申(51)，安南都护(52)张舟奏破环王(53)三万众。

九月甲辰朔(54)，裴武复命。庚戌(55)，以承宗为成德节度使，恒、冀、深、赵州观察使；德州刺史薛昌朝(56)为保信军节度，德、棣二州观察使。昌朝，嵩之子，王氏之婿也，故就用之。田季安得飞报(57)，先知之，使谓承宗曰：“昌朝阴(58)与朝廷通，故受节钺。”承宗遽(59)遣数百骑驰入德州，执昌朝至真定囚之。中使送昌朝节(60)过魏州，季安阳(61)为宴劳，留使者累日，比至德州，已不及矣。

上以裴武为欺罔(62)，又有谮之者曰：“武使还，先宿裴垍家，明旦乃入见。”上怒甚，以语李绛，欲贬武于岭南。绛曰：“武昔陷李怀光军中，守节不屈，岂容今日遽为奸回！盖贼多变诈，人未易尽其情。承宗始惧朝廷诛讨，故请献二州。既蒙恩贷，而邻道皆不欲成德开分割之端，计必有阴行[1]间说诱而胁之，使不得守其初心者，非武之罪也。今陛下选武使入逆乱之地，使还，一语不相应，遽窜之遐荒(63)，臣恐自今奉使贼庭者以武为戒，苟求便身，率为依阿两可(64)之言，莫肯尽诚(65)具陈利害，如此，非国家之利也。且垍、武久处朝廷，谙练(66)事体(67)，岂有使还未见天子而先宿宰相家乎！臣敢为陛下必保其不然，此殆有谗人欲伤(68)武及垍者，愿陛下察之。”上良久(69)曰：“理或有此(70)。”遂不问。

讨伐。臣等希望陛下放弃对恒冀用兵这一难以取得成效的计划，采用谋取申州、蔡州这一容易达到目的的策略。假如恒冀各镇兵力联合起来，事情就不能按计划进行，但蔡州出现了问题，形势就允许派兵去征讨，如果南北两地都开战，朝廷的财政费用就不足了。倘如事情出于不得已，必须赦免王承宗，那就会使陛下的恩德白白施行，朝廷的威严和命令立即废弛。不如早早地采取措施，来收揽恒冀地区的人心，然后坐等合适的机会，一定会获得收申州、蔡州于朝廷控制之下的利益。”不久，王承宗长时间没有得到朝廷的任命，很恐惧，接连向朝廷上表表白自己的心迹。八月初九日壬午，宪宗才派遣京兆府少尹裴武前往真定宣旨抚慰。王承宗十分恭敬地接受了诏令，说：“我受了属下各支军队逼迫，来不及等候朝廷的命令就担任了主帅，请让我把德、棣二州献给朝廷，以表明我的诚意。”

八月二十三日丙申，安南都护张舟向朝廷奏报打败了环王三万人马。

九月初一日甲辰，裴武回朝奏报完成了使命。初七日庚戌，宪宗任命王承宗为成德节度使和恒、冀、深、赵四州观察使，任命德州刺史薛昌朝为保信军节度使和德、棣二州观察使。薛昌朝，是薛嵩的儿子，是王氏家族的女婿，所以朝廷就地任用了薛昌朝。田季安得到快马传递的这一消息，先知道了朝廷的任命，就派人对王承宗说：“薛昌朝暗中与朝廷相通，所以被任命为德、棣二州的主帅。”王承宗立即派遣几百名骑兵驰入德州，抓了薛昌朝押到真定囚禁他。中使给薛昌朝送旌节路过魏州，田季安假装设宴慰劳使者，把使者留下好几天，等到到达德州，薛昌朝已经被抓走了。

宪宗认为裴武有欺罔之罪，又有诬陷裴武的人说：“裴武出使回来，先住在裴垍家里，第二天早上才入宫朝见。”宪宗对裴武极为生气，把此事说给李绛听，想把裴武贬职流放到岭南。李绛说：“裴武从前陷没在李怀光的军队中，守节不屈，怎么会现在突然去做奸邪的事情！大概是叛贼诡计多端，人们不容易完全了解其中的情况。王承宗开始害怕朝廷派兵讨伐，所以请求把德、棣二州献给朝廷。在蒙受陛下恩典宽大处理以后，相邻各道都不希望成德军开分割地盘的先例，我估计肯定有人暗中劝说威胁王承宗，让他不能坚持最初的想法，这不是裴武的罪过。现在陛下挑选裴武出使叛乱之地，出使回来，裴武说的话一句不合，马上把裴武流放到荒远的地方，我担心从今以后，奉命出使叛乱之地的人拿裴武做鉴戒，苟且求得自己便利，都说些依顺别人、无所可否的话，不肯竭尽诚心陈述利害关系，这样一来，对国家是不利的。而且裴垍、裴武久在朝廷，熟悉朝廷中的各种制度，哪里会有出使回来，没有朝见天子，而先住宿宰相家的事情呢！我敢为陛下做肯定的担保，他们不会这样做，这大概是有奸邪之人想中伤裴武和裴垍，希望陛下把这事弄清楚。”宪宗过了好一会儿说：“按道理或许是这样。”于是就不再追究裴武了。

【段旨】

以上为第一段，写河北三镇世袭节度使，蔓连势广，已成积弊，宪宗度察形势，不得已而授王承宗节钺。

【注释】

①壬戌：七月十八日。②御史中丞：都史台长官御史大夫的副佐，正四品下。③李夷简（公元七五六至八二二年）：字易之，唐高祖子郑王元懿之玄孙。官至宰相。虽职位显要，而家无余财。传见《新唐书》卷一百三十一。④杨凭：字虚受，弘农（今河南灵宝北）人，为官贪婪。传见《旧唐书》卷一百四十六、《新唐书》卷一百六十。⑤丁卯：七月二十三日。⑥临贺：县名，县治在今广西贺州。⑦籍：登记在册予以抄没。⑧栎阳：县名，京兆府属县，治所在今陕西西安市临潼区北。⑨徐晦：字大章，官至中书舍人。传见《旧唐书》卷一百六十五、《新唐书》卷一百六十。⑩太常卿：官名，太常寺长官，掌宗庙礼仪。⑪权德舆（公元七五九至八一八年）：字载之，天水略阳（今甘肃秦安东南）人，四岁能作诗。官至宰相，有文集五十卷行世。传见《旧唐书》卷一百四十八、《新唐书》卷一百六十五。⑫无乃：得无；难道。⑬自同路人：把自己当作路人一样。路人，喻彼此不相关的人。⑭平生未尝得望公颜色：平生与您未曾谋面。⑮杨临贺：杨凭被贬为临贺县尉，故有此称。⑯以离其势：用来分散他的势力。⑰潜相构扇：暗中互相勾结煽动。⑱旅拒：聚众抗拒。旅，众也。⑲因：乘。⑳吊祭使：派往成德吊祭王士真的使者。㉑物故：死亡的代称。㉒西取蜀：指平定刘辟。㉓东取吴：指平定李锜。㉔易于反掌：像反转手掌那样容易。㉕谄谀躁竞之人：阿谀逢迎，急于争利的人。㉖开河北：与河北成德等藩镇作战。㉗臂指之臣：语出《汉书·贾谊传》，指郡县之官，中央容易控制，如身之使臂，臂之使指。㉘胶固岁深：盘踞年代久远，像用胶

【原文】

丙辰[71]，振武奏吐蕃五万余骑至拂梯泉[72]。辛未[73]，丰州[74]奏吐蕃万余骑至大石谷，掠回鹘入贡还国者。

左神策军吏李昱贷长安富人钱八千缗，满三岁不偿。京兆尹许孟容[75]收捕械系，立期使偿[76]，曰：“期满不足，当死。”一军大惊。中

黏合那样坚固。㉙ 蔓连势广：勾连如同蔓草，势力强大。㉚ 煦妪之恩：抚育长养的恩德。㉛ 谕之不从：劝导他们，他们不听从。㉜ 威之不服：威慑他们，他们不服从。㉝ 平居：平时。㉞ 或相表里：互相配合，联结在一起。㉟ 西戎：指吐蕃。㊱ 北狄：指回鹘。㊲ 乘间窥窬：乘机窥伺。㊳ 不殊：没有区别。㊴ 审处之：审慎地处理这件事。之，指废除河北诸镇传子这件事。㊵ 淮西：指吴少诚。㊶ 朝廷命帅：吴少诚死，朝廷直接任命淮西节度使。㊷ 难致：难取得成效。㊸ 脱或：假使。㊹ 则恩德虚施二句：那就使陛下的恩德白白施行，朝廷的威严和命令立即废弛。㊺ 早赐处分：指早早地赐王承宗以节钺。㊻ 镇冀：此时恒州未改为镇州，史书以后来所改名以书之。㊼ 壬午：八月初九日。㊽ 裴武：历官京兆尹、司农卿，曾禁商贾"飞钱"。行迹散见《新唐书》卷五十四《食货志》四、卷一百六十三《孔戢传》、卷一百六十九《裴垍传》等。㊾ 真定：县名，恒州治所，在今河北正定。㊿ 以明恳款：用以表明忠诚于朝廷的心迹。51 丙申：八月二十三日。52 安南都护：方镇名，唐玄宗天宝十载（公元七五一年）置安南管内经略使。治所交州，在今越南河内附近。53 环王：本林邑国，亦叫占婆，即占城。在今越南东南部。传见《新唐书》卷二百二十二。54 甲辰朔：九月初一日。55 庚戌：九月初七日。56 薛昌朝：安、史旧将薛嵩之子，王士真之婿。57 飞报：快投。58 阴：暗地。59 遽：立即。60 节：任命薛昌朝为保信军节度使的旌节。61 阳：假装。62 欺罔：罪名，专指大臣欺骗朝廷之罪。63 窜之遐荒：把他流放到边远的地区。64 依阿两可：依顺别人，无所可否。65 尽诚：尽心。66 谙练：熟悉。67 事体：规矩；制度。68 伤：中伤；暗害。69 良久：过了好久。70 理或有此：按道理或许应是这样。

【校记】

［1］阴行：原无此二字。据章钰校，甲十一行本、乙十一行本、孔天胤本有此二字，张敦仁《通鉴刊本识误》、张瑛《通鉴校勘记》同，今据补。

【语译】

九月十三日丙辰，振武军奏报朝廷，吐蕃五万多名骑兵到了拂梯泉。二十八日辛未，丰州奏报朝廷，吐蕃一万多名骑兵到了大石谷，把入朝进贡后回国的回鹘使者劫掠走了。

左神策军的官吏李昱向长安城的富人借了八千缗钱，到期满三年没有偿还。京兆尹许孟容逮捕了李昱，戴上刑具，关押起来，规定期限，责令偿还，说："期限满了不足额偿还，罪当处死。"全军大为震惊。左神策军护军中尉把这一事告到宪宗

尉[77]诉于上，上遣中使[78]宣旨，付本军，孟容不之遣。中使再至，孟容曰："臣不奉诏，当死。然臣为陛下尹京畿，非抑制豪强，何以肃清辇下[79]！钱未毕偿，昱不可得。"上嘉其刚直而许之。京城震栗[80]。

上遣中使谕王承宗，使遣薛昌朝还镇[81]，承宗不奉诏[82]。冬，十月癸未[83]，制削夺承宗官爵，以左神策中尉吐突承璀为左、右神策，河中、河阳、浙西、宣歙等道行营兵马使、招讨处置等使[84]。

翰林学士白居易上奏，以为："国家征伐，当责成将帅，近岁始以中使为监军。自古及今，未有征天下之兵，专令中使统领者也。今神策军既不置行营节度使，则承璀乃制将[85]也；又充诸军招讨处置使，则承璀乃都统[86]也。臣恐四方闻之，必轻[2]朝廷；四夷闻之，必笑中国。陛下忍令后代相传云以中官为制将、都统自陛下始乎？臣又恐刘济、茂昭及希朝、从史乃至诸道将校皆耻受承璀指麾[87]，心既不齐，功何由立！此是资承宗之计而挫诸将之势也。陛下念承璀勤劳，贵之可也；怜其忠赤，富之可也。至于军国权柄，动关理乱[88]；朝廷制度，出自祖宗。陛下宁忍徇下之情而自隳[89]法制，从人之欲而自损圣明？何不思于一时之间而取笑于万代之后乎！"时谏官、御史论承璀职名[90]太重者相属，上皆不听。戊子[91]，上御延英殿，度支使李元素[92]、盐铁使李鄘、京兆尹许孟容、御史中丞李夷简、谏议大夫孟简[3]、给事中吕元膺[93]、穆质、右补阙独孤郁等极言其不可[94]。上不得已，明日，削承璀四道兵马使，改处置为宣慰而已。

李绛尝极言[95]宦官骄横，侵害政事，谗毁忠贞。上曰："此属[96]安敢为谗！就使为之，朕亦不听。"绛曰："此属大抵不知仁义，不分枉直[97]，惟利是嗜，得赂则誉跖、蹻[98]为廉良，怫意[99]则毁龚、黄[100]为贪暴。能用倾巧之智，构成疑似之端[101]，朝夕左右浸润[102]以入之，陛下必有时而信之矣。自古宦官败国者，备载方册[103]，陛下岂得不防其渐[104]乎！"

己亥[105]，吐突承璀将神策兵发长安，命恒州四面藩镇各进兵招讨[106]。

初，吴少诚宠其大将吴少阳[107]，名以从弟，署为军职，出入少诚家

那里，宪宗派遣中使向许孟容传达旨意，把李昱交给左神策军，许孟容不让李昱走。中使再次到来，许孟容说：“我不接受诏令，罪当处死。但臣下为陛下掌管京畿，不抑制豪强，怎么能肃清京城！李昱的钱没有还完，左神策军不能带走李昱。”宪宗称赞许孟容刚强正直，而答应了这个要求。京城震惧。

宪宗派遣中使晓谕王承宗，让他打发薛昌朝返回本镇，王承宗不接受诏令。冬，十月十一日癸未，宪宗下制书削夺王承宗的官爵，任命左神策军中尉吐突承璀为左、右神策军以及河中、河阳、浙西、宣歙等道行营兵马使、招讨处置等使。

翰林学士白居易上奏，认为：“国家征讨，应该把责任交给将帅来完成，近年来开始任命中使做监军。从古代到现在，没有征调全国的军队，专门让中使统率的。现在神策军既然不设置行营节度使，那么吐突承璀就是节制诸军的主将了；他又充当各路军马的招讨处置使，那么就成了各军的统帅。臣下害怕天下各地听到这一消息后，就会轻视朝廷；周边夷胡听到这一消息后，一定会耻笑大唐。陛下怎么能忍受让后代的人们相互传说以中官做主将和统帅，是从陛下开始的呢？臣下又担心刘济、张茂昭以及范希朝、卢从史，乃至各道的将领都耻于接受吐突承璀的指挥，他们既然不能齐心，怎么能为朝廷立功呢！这是帮助王承宗的计策，挫伤了各位将领的气势。陛下如果念及吐突承璀辛勤劳苦，让他地位显贵就行了；如果怜惜他忠心赤诚，让他富有就行了。至于军旅和国家大权，一举一动关系到国家的治乱；至于朝廷的制度，是列祖列宗定下的。难道陛下宁肯忍心顺从下人的要求而自己毁坏国家的法令制度，顺从别人的欲望而损害自己的神圣和英明吗？陛下为什么一时不加思考，而取笑于万世之后呢！”当时谏官和御史指陈吐突承璀职位与名分太重的人一个接一个，宪宗都不采纳。十月十六日戊子，宪宗驾临延英殿，度支使李元素、盐铁使李鄘、京兆尹许孟容、御史中丞李夷简、谏议大夫孟简、给事中吕元膺、穆质、右补阙独孤郁等人都极力上言说任命吐突承璀不可以。宪宗迫不得已，第二天，削除吐突承璀的四道兵马使职务，改处置使为宣慰使而已。

李绛曾经极力向宪宗陈说宦官骄横，侵扰损害朝廷政务，诬陷毁谤忠贞大臣。宪宗说：“他们这一伙人哪敢向我进谗言呢！即使是有，朕也不听信。”李绛说：“这一伙人大抵不知仁义，不分曲直，唯利是图，得到贿赂就把盗跖、庄蹻誉美成廉洁善良的人，违背了他们的心愿就把龚遂、黄霸毁谤成为贪婪残暴的人。他们能用奸诈的机智捏造出似是而非的事端，早晚在陛下身边，渐渐渗入陛下心中，陛下一定有时相信他们的话。自古以来宦官败坏国是的事，全都记载在典籍中，陛下怎么能不对他们的浸染加以防范呢！”

十月二十七日己亥，吐突承璀统领神策军从长安城出发，下令恒州四面的军镇各自进兵讨伐王承宗。

当初，吴少诚宠信他的大将吴少阳，称之为堂弟，委任军中职务，出入吴少诚如至亲，累迁申州[108]刺史。少诚病，不知人，家僮鲜于熊儿诈以少诚命召少阳摄[109]副使、知军州事。少诚有子元庆，少阳杀之。十一月己巳[110]，少诚薨，少阳自为留后。

是岁，云南王寻阁劝[111]卒，子劝龙晟[112]立。

【段旨】

以上为第二段，写唐宪宗违众任用宦官吐突承璀征讨成德王承宗。写淮西吴少阳自为留后。

【注释】

⑦丙辰：九月十三日。⑫拂梯泉：地名，又作“鹈鹕泉”，在今内蒙古杭锦后旗西北。⑬辛未：九月二十八日。⑭丰州：州名，治所九原，在今内蒙古五原西南。⑮许孟容：字公范，京兆长安（今陕西西安）人，为人方正，富有文学，历官礼部员外郎、给事中、尚书右丞、京兆尹、吏部侍郎，官终东都留守。传见《旧唐书》卷一百五十四、《新唐书》卷一百六十二。⑯立期使偿：规定期限责令偿还。⑰中尉：神策军护军中尉。⑱中使：由皇帝从宫中派遣外出的宦官，奉旨行事，事毕即罢，权力颇大。⑲辇下：指京城。⑳京城震栗：指京师权贵、宦竖震惊而发抖。㉑还镇：回到保信军节度使及德州刺史任上。㉒不奉诏：不接受朝廷命令。㉓癸未：十月十一日。㉔招讨处置等使：开元二十年（公元七三二年），置诸道采访处置使，专掌观省风俗，黜陟幽明。其后伐叛讨有罪，则置招讨处置使。㉕制将：节制诸军进退的将领。㉖都统：官名，天宝末年讨伐安史叛军始置，职掌征伐，总领诸道兵马，不常置，兵罢即撤销。㉗指麾：指挥。㉘动关理乱：一举一动关系到国家的治乱。㉙隳：毁坏。㉚职名：职务和名分。即官称。㉛戊子：十月十六日。㉜李元素：字大朴，时官户部尚书、判度支。传见《旧唐书》卷一百三十二、《新唐书》卷一百四十七。㉝吕元膺：字景夫，官至吏部尚书。传见《旧唐书》卷一百五十四、《新唐书》卷一百六十二。㉞极言其不可：认

【原文】

田季安闻吐突承璀将兵讨王承宗，聚其徒[113]曰：“师[114]不跨河二十五年矣，今一旦越魏伐赵，赵虏[115]，魏亦虏矣，计为之奈何？”其

的家，就像最亲的亲属一样，累迁申州刺史。吴少诚患病，不省人事，家仆鲜于熊儿假称吴少诚的命令，召来吴少阳，暂代节度副使，主持军中与地方事务。吴少诚有一个儿子吴元庆，吴少阳把他杀了。十一月二十七日己巳，吴少诚去世，吴少阳自任为留后。

这一年，云南王寻阁劝去世，儿子劝龙晟继立为王。

为对吐突承璀连续委任的高职是不妥当的。⑮ 极言：竭力陈言。⑯ 此属：他们；此辈。⑰ 枉直：曲直。⑱ 跖、蹻：春秋时秦盗跖、楚庄蹻，均率奴隶起事。⑲ 怫意：违反他们的意愿。⑳ 龚、黄：西汉龚遂、黄霸，均为良吏。㉑ 构成疑似之端：造成似是而非的迹象。㉒ 浸润：逐渐渗透。㉓ 方册：典籍。㉔ 渐：逐渐浸润。㉕ 己亥：十月二十七日。㉖ 命恒州句：朝廷命令四周节镇皆出兵助官军征讨成德。恒州，指王承宗所据成德镇。㉗ 吴少阳（？ 至公元八一四年）：沧州清池（今河北沧州东南）人，淮西节度使吴少诚养为弟。少诚病重，少阳杀少诚子元庆自为留后。传见《旧唐书》卷一百四十五、《新唐书》卷二百十四。㉘ 申州：州名，故治在今河南信阳。㉙ 摄：暂代。㉚ 己巳：十一月二十七日。㉛ 寻阁劝：南诏国王，自称"骠信"，即"君王"之意，元和三年（公元八〇八年）立。事见两《唐书·南诏传》。㉜ 劝龙晟：寻阁劝之子。继位为南诏王，淫肆不道，上下怨疾，元和十一年，为弄栋节度使王嵯岭所杀。事见两《唐书·南诏传》。

【校记】

［2］必轻："轻"字原作"窥"。据章钰校，甲十一行本、乙十一行本、孔天胤本皆作"轻"，张敦仁《通鉴刊本识误》同。〖按〗"轻"字于义较长，今据各本校改。［3］谏议大夫孟简：原无此六字。据章钰校，甲十一行本、乙十一行本、孔天胤本有此六字，张敦仁《通鉴刊本识误》、张瑛《通鉴校勘记》同，今据补。〖按〗《旧唐书》卷一百六十三《孟简传》载，元和四年（公元八〇九年）孟简任谏议大夫，知匦事。王承宗叛，诏以吐突承璀为招讨使，简抗疏论之，被外任为常州刺史。

【语译】

田季安听到吐突承璀率兵讨伐王承宗，集合部众说："朝廷的军队不跨过黄河已经二十五年了，现在一下子越过魏博地来讨伐成德军，如果成德军被朝廷征服了，那么我们的魏博也要被征服，应该采取什么样的计策呢？"他的一个将领超越级别站

将有超伍[116]而言者，曰："愿借骑五千以除君忧。"季安大呼曰："壮哉！兵决出，格沮[117]者斩！"

幽州牙将绛[118]人谭忠为刘济使魏，知其谋[119]，入谓季安曰："如某之谋，是引[120]天下之兵也。何者？今王师越魏伐赵，不使耆臣宿将[121]而专付中臣[122]，不输天下之甲而多出秦甲[123]，君知谁为之谋？此乃天子自为之谋，欲将夸服[124]于臣下也。若师未叩赵[125]而先碎于魏[126]，是上之谋反不如下，且能不耻于天下[127]乎！既耻且怒，必任智士[128]画长策[129]，仗[130]猛将练精兵，毕力[131]再举涉河，鉴前之败，必不越魏而伐赵，校[132]罪轻重，必不先赵而后魏，是上不上，下不下，当魏而来也。"季安曰："然则若之何[133]？"忠曰："王师入魏，君厚犒[134]之。于是悉甲压境[135]，号曰伐赵，而可阴遗[136]赵人书曰：'魏若伐赵，则河北义士[137]谓魏卖友；魏若与赵，则河南忠臣[138]谓魏反君。卖友反君之名，魏不忍受。执事[139]若能阴解陴障[140]，遗魏一城，魏得持之奏捷天子以为符信[141]，此乃使魏北得以奉赵，西[142]得以为臣，于赵有角尖之耗[143]，于魏获不世之利[144]，执事岂能无意于魏乎？'赵人脱[145]不拒君，是魏霸基安矣。"季安曰："善！先生之来，是天眷[146]魏也。"遂用忠之谋，与赵阴计，得其堂阳[147]。

忠归幽州，谋欲激[148]刘济讨王承宗，会[149]济合诸将言曰："天子知我怨赵，今命我伐之，赵亦必大备我[150]。伐与不伐孰利？"忠疾[151]对曰："天子终不使我伐赵，赵亦不备燕。"济怒曰："尔何不直言济与承宗反乎！"命系忠狱[152]。使人视成德之境，果不为备。后一日，诏果来，令济"专护北疆，勿使朕复挂胡忧[153]，而得专心于承宗"。济乃解狱[154]召忠曰："信如子断矣[155]。何以知之？"忠曰："卢从史外亲燕，内实忌之；外绝赵，内实与之[156]。此为赵画[157]曰：'燕以赵为障[158]，虽怨赵，必不残赵[159]，不必为备。'一且示赵不敢抗燕，二且使燕获疑天子[160]。赵人既不

出来说:“希望能借给我五千名骑兵，来为您排解忧患。”田季安大声喊道:“真是个壮士！我已决定出兵，阻止的人当斩!”

幽州的牙将绛州人谭忠为刘济出使魏博，知道了田季安的谋划，进去对田季安说:“要是按那个人的计谋行事，那就是把天下的兵马都招引到魏博来了。为什么呢?现在朝廷的军队越过魏博境域讨伐成德军，不派老臣、老将统领军队，而专由宦官做统帅，不调遣天下各地的军队，而更多地出动关中军队，您知道这是谁的策略?这是天子自己谋划的，想以此向大臣们夸耀，以服臣下之心。如果朝廷的军队还没有去攻打成德军，就先在魏博被打败了，这就说明皇帝的谋略反而不如臣下的谋略，这事能不被天下所耻笑吗！既被耻笑，又很愤怒，皇帝就一定任用智谋之士，筹划长远的计策，依靠勇猛的将领训练精锐的士兵，竭尽全力再次渡过黄河，鉴于以前失败的教训，一定不会越过魏博去讨伐成德军，比较罪责的轻重，一定不会先打成德军而后攻魏博，这就是不上不下，直冲魏博而来。”田季安说:“那该怎么办呢?”谭忠说:“朝廷的军队进入魏博，您应该厚加犒劳。这时率领全部军队迫近成德军的边境，声称要讨伐成德，而暗中可以派人给王承宗送信说:‘如果魏博要攻打成德，那么河北的仁义之士就会说魏博出卖朋友；如果魏博与成德站在一起，那么河南地区的忠臣又会说魏博反叛君主。出卖朋友和反叛君王的名声，魏博不能忍受。如果您能暗中解除守卫，送给魏博一座城邑，魏博拿它作为向天子报捷的凭据，这样就能使魏博北面得以侍奉成德，西面得以做天子之臣。对成德而言，有一点小小的损耗，对魏博而言，却是获得了罕有的利益，难道您一点也不被魏博的利益打动吗?’王承宗如果不拒绝您，那么魏博的霸业基础就牢靠了。”田季安说:“好！先生到魏博来，真是上天要眷顾魏博啊。”于是就采用谭忠的计谋，与成德暗中商议，得到了成德军的堂阳县。

谭忠返回幽州，打算用计谋激励刘济讨伐王承宗，正碰上刘济集合各位将领，对他们说:“天子知道我怨恨王承宗，现在命令我讨伐他，成德军也一定对我们大为戒备。去讨伐和不去讨伐，哪一个有利?”谭忠连忙回答说:“天子最终不会让我们去讨伐王承宗，王承宗也不会防备我们。”刘济恼怒地说:“你为什么不直接说我刘济与王承宗一同反叛朝廷呢!”于是下令把谭忠囚禁在狱中。刘济派人去观察成德军的边境，王承宗果然没有进行防备。过后一天，朝廷的诏令果真下来了，命令刘济“专心保护北部边疆，不要让朕又记挂着胡族的忧患，而能一心一意地讨伐王承宗”。于是刘济打开监狱，把谭忠叫来说:“事情真像你判断的那样。你是根据什么知道的?”谭忠说:“卢从史表面上亲近我们，心里实际上嫉恨我们。他在外表上与成德断绝了关系，实际上内心向着王承宗。他为王承宗谋划道:‘卢龙镇以成德镇为屏障，虽然怨恨成德镇，但一定不会来践踏成德，成德不必防备卢龙。’这一方面是暗示成德不敢与卢龙镇对抗，另一方面是要让卢龙镇受到天子的怀疑。成德人既然不防备卢龙

备燕，潞人[161]则走告于天子曰：'燕厚怨赵，赵见伐而不备燕，是燕反与赵也[162]。'此所以知天子终不使君伐赵，赵亦不备燕也。"济曰："今则奈何？"忠曰："燕、赵为怨[163]，天下无不知。今天子伐赵，君坐全燕之甲[164]，一人未济[165]易水[166]，此正使潞人以燕卖恩于赵，败忠于上[167]，两皆售也。是燕贮忠义之心，卒染私赵之口，不见德于赵人，恶声徒嘈嘈[168]于天下耳，惟君熟思之。"济曰："吾知之矣。"乃下令军中曰："五日毕出，后者醢以徇[169]！"

【段旨】

以上为第三段，写幽州牙将谭忠，效忠朝廷，以纵横术离间魏博、卢龙两镇不与成德合谋一体反叛，使成德孤立无援。

【注释】

⑬ 徒：部下。⑭ 师：指唐中央军队。⑮ 虏：被征服。⑯ 超伍：越出队列。议事按级别列队，越出队列，即越过级别。⑰ 格沮：劝阻；阻止。⑱ 绛：州名，治所在今山西新绛。⑲ 知其谋：知田季安欲出兵邀击唐军之谋。⑳ 引：吸引。㉑ 耆臣宿将：老臣、老将。㉒ 中臣：宦官。㉓ 秦甲：关中之兵。㉔ 夸服：炫耀自己策略高明，以服臣下之心。㉕ 叩赵：指攻打成德。㉖ 碎于魏：指官军被魏博打败。㉗ 耻于天下：被天下人所耻笑。㉘ 任智士：任用智谋之士。㉙ 画长策：筹划长远的计策。㉚ 仗：依靠。㉛ 毕力：全力。㉜ 校：衡量。㉝ 若之何：怎么办。㉞ 厚犒：丰厚的犒劳。㉟ 悉甲压境：率领全部军队迫近成德军边境。㊱ 阴遗：暗地送信。遗，送。㊲ 河北义士：此指河北割

【原文】

五年（庚寅，公元八一〇年）

春，正月，刘济自将兵七万人击王承宗，时诸军皆未进，济独前奋击，拔饶阳[170]、束鹿[171]。

河东、河中、振武、义武四军为恒州北面招讨，会于定州。会望

镇，那么卢从史就会跑去奏报天子说：‘卢龙镇与成德镇结怨很深，成德镇被讨伐，但不防备卢龙镇，这就是卢龙镇反过来援助成德镇了。’这就是我知道天子最终不让您讨伐成德，而成德也不防备我们的理由。”刘济问：“那现今怎么办？”谭忠说：“卢龙与成德结怨，天下人没有不知道的。现在天子讨伐成德，您统率卢龙镇的全部军队，没有一个人渡过易水，这正是让卢从史抓住破绽用卢龙镇的现状对成德镇施小恩小惠，又在皇帝面前败坏您忠诚的名声，在这两个方面都达到了目的。这就使卢龙镇空有忠义之心，最终招来私下与成德勾结的口实，不被成德人所感激，徒有恶名在天下纷纷扬扬而已，希望您对此深思熟虑。”刘济说：“我已经知道了。”于是下令全军说：“五天之内全军出动讨伐成德，落在后面的剁成肉酱示众！”

据诸藩镇。⑬⑧ 河南忠臣：泛指河南忠于朝廷的藩镇。⑬⑨ 执事：对对方的敬称。此处指王承宗。⑭⓪ 阴解陴障：暗暗地解除守卫。⑭① 符信：凭信。⑭② 西：指长安。长安在魏西。⑭③ 角尖之耗：极小的损失。⑭④ 不世之利：罕有的利益。不世，罕有、非常。⑭⑤ 脱：假使。⑭⑥ 眷：眷恋；帮助。⑭⑦ 堂阳：县名，县治在今河北新河。⑭⑧ 激：激励。⑭⑨ 会：刚好。⑮⓪ 大备我：对我大为戒备。⑮① 疾：急速；迅速。⑮② 命系忠狱：命令将谭忠囚禁在狱中。⑮③ 复挂胡忧：又记挂着胡族的忧患。⑮④ 解狱：打开监狱。⑮⑤ 信如子断矣：真像你判断的那样。⑮⑥ 内实与之：实际上内心向着他。卢从史镇潞州，欲与河北诸镇连横叛朝廷，故谭忠借此说他拒燕附赵。燕，指幽州刘济。赵，指恒州王承宗。⑮⑦ 画：谋划。⑮⑧ 障：屏障。⑮⑨ 残赵：攻打践踏成德。⑯⓪ 获疑天子：受到天子怀疑。⑯① 潞人：指卢从史，因其镇潞州。⑯② 是燕反与赵也：这是卢龙镇反过来援助成德镇。⑯③ 燕、赵为怨：自朱滔以来，卢龙与成德结怨。⑯④ 君坐全燕之甲：你统率卢龙镇的全部军队。坐甲，本谓衣甲备战。⑯⑤ 济：渡。⑯⑥ 易水：水名，有中易水、北易水、南易水，在河北易县与定兴境内。⑯⑦ 败忠于上：在天子面前败坏你忠诚的名声。⑯⑧ 嘈嘈：播扬。⑯⑨ 醢以徇：斩成肉酱示众。

【语译】

五年（庚寅，公元八一〇年）

春，正月，刘济亲自率兵七万人攻打王承宗，当时各支军队都没有进发，只有刘济向前奋勇进击，攻取了饶阳、束鹿。

河东、河中、振武、义武四支军队担任从恒州北面讨伐王承宗，他们在定州会

夜[172]，军吏以有外军，请罢张灯。张茂昭曰："三镇[173]，官军也，何谓外军！"命张灯，不禁行人，不闭里门，三夜如平日，亦无敢喧哗[174]者。

丁卯[175]，河东将王荣拔王承宗洄湟镇。吐突承璀至行营，威令不振，与承宗战屡败，左神策大将军郦定进[176]战死。定进，骁将也，军中夺气[177]。

河南尹房式有不法事，东台[178]监察御史元稹[179]奏摄[180]之，擅令停务[181]。朝廷以为不可，罚一季俸，召还西京。至敷水驿[182]，有内侍[183]后至，破驿门呼骂而入，以马鞭击稹伤面。上复引稹前过[184]，贬江陵士曹[185]。翰林学士李绛、崔群[186]言稹无罪。白居易上言："中使陵辱朝士，中使不问而稹先贬，恐自今中使出外益暴横，人无敢言者。又，稹为御史，多所举奏，不避权势，切齿者众，恐自今无人肯为陛下当官执法，疾恶绳愆[187]，有大奸猾，陛下无从得知。"上不听。

【段旨】

以上为第四段，写唐宪宗袒护宦官而压制朝士，元稹被贬官。

【注释】

⑰⓪饶阳：县名，县治在今河北饶阳。⑰①束鹿：县名，县治在今河北辛集。⑰②望夜：正月十五元宵夜。⑰③三镇：指河中、河东、振武三镇。张茂昭为义武节度使，领易、定二州。⑰④喧哗：大声说笑或喊叫。唐制，两京及诸州、县街巷，皆置巡逻打更的士兵，早晚传呼，禁止夜行。但元宵节张灯，前后解除夜禁三天。定州城大军在境，元宵节仍如同平日，也无人敢喧哗闹事。⑰⑤丁卯：正月二十六日。⑰⑥郦定进：神策军中勇将，从

【原文】

上以河朔方用兵，不能讨吴少阳。三月己未[188]，以少阳为淮西留后。

合。适逢正月十五日元宵节夜晚，义武军中的官吏认为定州驻有外地的军队，请求停止悬挂灯笼。张茂昭说："河东、河中、振武三镇军队，是朝廷的军队，怎么能说是外地军队！"于是下令张灯结彩，不禁止行人，不关闭里巷的大门，三个晚上都像平时一样，也没有人敢大声喧闹的。

正月二十六日丁卯，河东军的将领王荣攻下了王承宗的洄湟镇。吐突承璀到了行营，军威和命令不严整，与王承宗交战一再失利，左神策军的大将军郦定进战死。郦定进是一员勇将，神策军将士因此士气低落。

河南府尹房式有犯法的事情，东都洛阳的监察御史元稹上奏收捕了房式，擅自下令停止了房式的职务。朝廷认为这样处理不可以，罚了元稹三个月的薪俸，召回西京长安。元稹到了敷水驿站，有宫廷内侍从后面到来，撞破驿站的大门，呼喊谩骂而入，用马鞭打击元稹，伤了面部。宪宗又牵连元稹前面的过失，把他贬职为江陵士曹。翰林学士李绛、崔群上言元稹没有过错。白居易进言说："中使凌辱朝廷大臣，不追究中使，而先把元稹贬职，恐怕从今以后，中使到外面去更加横暴，人们再也不敢说什么。另外，元稹担任御史，多所举奏，不回避权势，切齿痛恨他的人很多，恐怕从今以后没有人敢为陛下任官执法、痛恨邪恶、惩治罪恶，有了大奸大恶的人，陛下无从得知。"宪宗没有听从白居易的劝谏。

高崇文征蜀擒获刘辟。⑰ 夺气：丧失锐气；士气低落。⑱ 东台：唐制，御史分司东都，叫作东台。⑲ 元稹（公元七七九至八三一年）：字微之，洛阳（今河南洛阳）人，唐诗人，与白居易友善，世称"元白"。著有《元氏长庆集》等。传见《旧唐书》卷一百六十六、《新唐书》卷一百七十四。⑱ 摄：收捕。⑱ 擅令停务：元稹擅自让房式停职。务，职任事务。⑱ 敷水驿：地名，在今陕西华阴境内。⑱ 内侍：宦官。据新、旧《唐书》中《元稹传》《白居易传》，内侍为刘士元。⑱ 前过：指擅令河南尹房式停职之过。⑱ 士曹：士曹参军。⑱ 崔群：字敦诗，贝州武城（今山东武城）人，官至吏部尚书。传见《旧唐书》卷一百五十九、《新唐书》卷一百六十五。⑱ 绳愆：纠正错误；惩治罪恶。

【语译】

宪宗认为河朔正在用兵打仗，不能讨伐吴少阳。三月十九日己未，任命吴少阳为淮西留后。

诸军讨王承宗者久无功，白居易上言，以为："河北本不当用兵，今既出师，承璀未尝苦战，已失大将[189]。与从史两军入贼境，迁延进退，不惟意在逗留，亦是力难支敌[190]。希朝、茂昭至新市镇[191]，竟不能过。刘济引全军攻围乐寿[192]，久不能下。师道、季安元[193]不可保，察其情状，似相计会[194]，各收一县，遂不进军。陛下观此事势，成功有何所望！以臣愚见，须速罢兵，若又迟疑，其害有四：可为痛惜者二，可为深忧者二。何则[195]？

"若保有成[196]，即不论用度多少；既的知[197]不可，即不合虚费赀粮[198]。悟[199]而后行，事亦非晚。今迟校一日，则有一日之费，更延旬月，所费滋多[200]，终须罢兵，何如早罢！以府库钱帛、百姓脂膏资助河北诸侯，转令强大。此臣为陛下痛惜者一也。

"臣又恐河北诸将见吴少阳已受制命[201]，必引事例轻重，同词请雪[202]承宗。若章表继来，即义无不许[203]。请而后舍[204]，体势[205]可知，转令承宗胶固同类[206]。如此，则与夺[207]皆由邻道，恩信不出朝廷，实恐威权尽归河北[208]。此为陛下痛惜者二也。

"今天时已热，兵气相蒸[209]，至于饥渴疲劳，疾疫暴露，驱以就战，人何以堪[210]！纵不惜身，亦难忍苦。况神策乌杂[211]城市之人，例皆不惯如此。忽思生路[212]，或有奔逃[4]；一人若逃，百人相扇[213]；一军若散，诸军必摇。事忽至此，悔将何及！此为陛下深忧者一也。

"臣闻回鹘、吐蕃皆有细作[214]，中国之事，小大尽知。今聚天下之兵，唯讨承宗一贼，自冬及夏，都未立功，则兵力之强弱、资费之多少，岂宜使西戎[215]、北虏[216]一一知之！忽见利生心，乘虚入寇，以今日之势力，可能救其首尾哉！兵连祸生，何事不有！万一及此，实关安危。此其为陛下深忧者二也。"

各路军队讨伐王承宗，长期没有战功，白居易进言宪宗，认为："河北地区本来不应该用兵，现在已然出兵，吐突承璀不曾艰苦力战，已经失掉了大将。他与卢从史两支军队进入叛贼的境内，进退拖延，不仅仅是有意停滞不前，也是他们的兵力难以招架王承宗的军队。范希朝和张茂昭到了新市镇，竟然不能通过。刘济带领全军围攻乐寿县，长期攻不下来。李师道、田季安原来就不作什么指望，观察他们的情况，好像相互商议过，他们各自获取一个县，就不进军了。陛下看看这种形势，有什么成功的希望！根据臣下的愚昧见解，应该迅速停止用兵，如果再迟疑，那么危害就有四个方面：可为痛惜的有两个方面，可为深忧的有两个方面。为什么这样说呢？

"如果确保战事成功，那就可以不考虑花费多少；既然确实知道战事不能成功，那就不应该白白浪费钱财和粮食。如果省悟了这个道理以后再行动，事情也不晚。现在纠正晚一天，就会有一天的费用，再拖延十天半月的，所花费用就很多了，最终还是会停止用兵，不如早点停止用兵！用国库的钱财和老百姓的血汗资助河北各镇主帅，反而让他们强大起来。这就是臣下为陛下痛惜的第一点。

"臣下又担心河北的各个将帅见到吴少阳已经受到皇帝的任命，一定会援引这一事情作例子来进行轻重比较，大家同声请求朝廷洗雪王承宗罪名。如果表章相继送上来，就道义来说不能不答应。经过河北各镇的请求后放弃对王承宗的讨伐，那种状况可想而知，这样只会使王承宗与同类型的人更加紧密地勾结。这样一来，对王承宗的任免处置都出自与他相邻的各军镇，对王承宗的恩典和信义不是来自朝廷，臣下实在担心朝廷的威严和权力全都归河北各军镇所有了。这是臣下为陛下痛惜的第二点。

"现在天气已经炎热，战争和热浪交相蒸腾，以至于将士饥渴疲劳，疾病和瘟疫流行，露宿野外，还驱使他们打仗，人们怎么受得了！即使他们不爱惜生命，也难以忍受痛苦。何况神策军中混杂着城市中的人，他们全都不习惯于这种环境。他们一旦想到要找一条生路，就可能有逃跑的；如有一人逃跑，就会一百人受到这一行为的煽动；一支军队如果溃散了，各支军队一定会动摇。事情忽然到了这一地步，怎么来得及后悔啊！这是臣下为陛下深深担忧的第一件事。

"我听说回鹘、吐蕃都有间谍，大唐的事情，大大小小全都清楚。现在集中天下的兵力，只讨伐王承宗这一个叛贼，从冬天到夏天，都未建战功，那么兵力的强弱、钱财花费的多少，这些哪能让吐蕃、回鹘一一知道呢！如果他们突然看到有利可图而心生歹意，乘虚入侵，以朝廷现在的力量，可能兼顾两头吗！战事相连，祸患丛生，什么事情不会发生！万一到了这一地步，实在关系到国家安危。这是臣下为陛下深深担忧的第二件事。"

【段旨】

以上为第五段，写白居易上奏请罢河北征讨之军，若不及时撤军当有四害。

【注释】

⑱⑧己未：三月十九日。⑱⑨已失大将：指郦定进战死。⑲⓪力难支敌：军力难以招架敌人。⑲①新市镇：地名，在今河北新乐境内。⑲②乐寿：县名，治所在今河北献县西南。⑲③元：通“原”。⑲④似相计会：好像互相商议过。⑲⑤何则：为什么这样说呢。⑲⑥若保有成：如果保证能取得成功。⑲⑦的知：确实知道。⑲⑧虚费赀粮：白白地浪费钱财、粮食。⑲⑨悟：省悟。⑳⓪滋多：甚多；更多。⑳①制命：皇帝的命令。即指以吴少阳为淮西留后

【原文】

卢从史首建[217]伐王承宗之谋，及朝廷兴师，从史逗留不进，阴[218]与承宗通谋，令军士潜怀承宗号[219]。又高刍粟之价以败度支[220]，讽[221]朝廷求平章事，诬奏诸道与贼通，不可进兵。上甚患之。

会从史遣牙将王翊元入奏事，裴垍引与语，为言为臣之义，微动其心，翊元遂输诚[222]，言从史阴谋及可取之状。垍令翊元还本军经营[223]，复来京师，遂得其都知兵马使乌重胤[224]等款要[225]。垍言于上曰：“从史狡猾骄很，必将为乱。今闻其与承璀对营，视承璀如婴儿，往来都不设备。失今不取，后虽兴大兵，未可以岁月平也。”上初愕然，熟思良久，乃许之。

从史性贪，承璀盛陈奇玩[226]，视其所欲[227]，稍以遗之[228]。从史喜，益相昵狎[229]。甲申[230]，承璀与行营兵马使李听谋，召从史入营博[231]，伏壮士于幕下，突出，擒诣帐后缚之，内[232]车中，驰诣[233]京师。左右惊乱，承璀斩十余人，谕以诏旨。从史营中士卒[5]闻之，皆甲以出[234]，操兵趋哗[235]。乌重胤当[236]军门叱[237]之曰：“天子有诏，从者赏，敢违者斩！”士卒皆敛兵还部伍[238]。会夜，车疾驱，未明，已出境。重胤，承

的任命。㉒雪：昭雪；雪理。㉓义无不许：按道义来说不能不答应。㉔请而后舍：指朝廷接受河北诸镇挟制之请，而后放弃对王承宗的征讨。㉕体势：状态。㉖胶固同类：与河北不顺服的诸镇紧密勾结。㉗与夺：给予和剥夺，即任免处置之权。㉘威权尽归河北：威严和权力完全掌握在河北军镇手里。㉙兵气相蒸：战争和热浪交相蒸腾。㉚人何以堪：人们怎么能够受得了。㉛乌杂：掺杂着；混杂着。㉜忽思生路：一旦想到要找条生路。㉝扇：通“煽”，煽惑、煽动。㉞细作：间谍人员。㉟西戎：指吐蕃。㊱北虏：指回鹘。

【校记】

［4］或有奔逃：原无此四字。据章钰校，甲十一行本、乙十一行本、孔天胤本皆有此四字，今据补。

【语译】

卢从史第一个提出讨伐王承宗的建议，等到朝廷起兵，卢从史逗留不肯进军，暗中与王承宗互通阴谋，下令将士暗中藏着王承宗的军队番号。卢从史又抬高草料和粮食的价格，破坏度支对各支军队的供应，暗示朝廷要求加官平章事，诬奏各道与王承宗联络，自己不能进军。宪宗对此非常忧虑。

适逢卢从史派遣牙将王翊元到朝廷奏报事情，裴垍将王翊元带到一边谈话，对他讲了做臣子应尽的大义，渐渐打动了王翊元的心，王翊元于是向朝廷表达了自己的诚心，讲了卢从史的阴谋以及可以制服卢从史的情况。裴垍让王翊元返回本军进行策划，然后再前来京城，王翊元于是得到了都知兵马使乌重胤等人忠诚于朝廷的保证。裴垍对宪宗说：“卢从史狡猾骄狠，必将作乱。现在听说他与吐突承璀面对面扎营，把吐突承璀当小孩子看待，来来往往都不作防备。失掉了这个机会，不抓住他，以后纵然调发大量军队，也不可能在一年半载平定他。”宪宗刚开始很吃惊，深思了很久，才同意这样做。

卢从史生性贪婪，吐突承璀摆出大量珍奇玩物，看卢从史喜欢什么，逐渐拿来送给他。卢从史很高兴，对吐突承璀更加亲昵。四月十五日甲申，吐突承璀与神策军行营兵马使李听策划，把卢从史叫到军营来赌博，在帷幕后埋伏勇健的士兵，突然出来，把卢从史抓到帷帐的后面捆起来，放入车内，驰往京城。卢从史的左右侍从惊慌混乱，吐突承璀杀了十几人，宣读了宪宗的诏书。卢从史军营中的士兵听说这件事后，都穿戴着铠甲出营，手持兵器，边跑边大声呼叫。乌重胤挡在军营的大门前，呵斥他们说：“天子有诏，服从的人赏赐，敢于违抗的人斩首！”士兵们都收起兵器回到自己的队伍中。那时正好是晚上，装着卢从史的车飞速奔驰，天还没有亮，

洽之子；听，晟之子也。

丁亥[239]，范希朝、张茂昭大破承宗之众于木刀沟[240]。

上嘉乌重胤之功，欲即授以昭义节度使。李绛以为不可，请授重胤河阳，以河阳节度使孟元阳镇昭义。会吐突承璀奏，已牒[241]重胤句当[242]昭义留后。绛上言："昭义五州据山东要害[243]，魏博、恒、幽诸镇蟠结[244]，朝廷惟恃此以制之。邢、磁、洺入其腹内[245]，诚国之宝地，安危所系也。向为从史所据，使朝廷旰食[246]。今幸而得之，承璀复以与重胤，臣闻之惊叹，实所痛心！昨国家诱执从史，虽为长策，已失大体[247]。今承璀又以文牒差人为重镇留后，为之求旌节，无君之心，孰甚于此！陛下昨日得昭义，人神同庆，威令再立；今日忽以授本军牙将[248]，物情顿沮[249]，纪纲大紊。校计[250]利害，更不若从史为之。何则？从史虽蓄奸谋，已是朝廷牧伯[251]。重胤出于列校[252]，以承璀一牒代之，窃恐河南、北诸侯闻之，无不愤怒，耻与为伍。且谓承璀诱重胤逐从史而代其位，彼人人[253]麾下[254]各有将校，能无自危乎！傥刘济、茂昭、季安、执恭、韩弘、师道继有章表陈其情状，并指[255]承璀专命之罪，不知陛下何以处之？若皆不报[256]，则众怒益甚；若为之改除[257]，则朝廷之威重去矣。"上复使枢密使梁守谦[258]密谋于绛曰："今重胤已总军务，事不得已，须应与节[259]。"对曰："从史为帅不由朝廷[260]，故启[261]其邪心，终成逆节。今以重胤典兵，即授之节，威福之柄不在朝廷，何以异于从史乎！重胤之得河阳，已为望外之福[262]，岂敢更为旅拒[263]！况重胤所以能执从史，本以杖顺成功[264]，一旦自逆诏命，安知同列[265]不袭其迹而动乎？重胤军中等夷[266]甚多，必不愿重胤独为主帅。移之他镇，乃惬众心[267]，何忧其致乱乎！"上悦，皆如其请。壬辰[268]，以重胤为河阳节度使，元阳为昭义节度使。

戊戌[269]，贬卢从史驩州[270]司马。

已经出了卢从史的辖区。乌重胤，是乌承洽的儿子。李听，是李晟的儿子。

四月十八日丁亥，范希朝、张茂昭在木刀沟把王承宗的军队打得大败。

宪宗嘉奖乌重胤的功劳，打算立即任命为昭义节度使。李绛认为不可以，请求任命乌重胤为河阳节度使，以河阳节度使孟元阳镇昭义。正好吐突承璀上奏宪宗，说已发出公文让乌重胤处理昭义军留后事务。李绛上奏宪宗说："昭义军的五州处在太行山东边的要害之地，魏博、恒州、幽州各军镇盘根错节，朝廷只有凭借这五个州来控制他们。邢州、磁州、洺州深入这些军镇的腹地，实在是国家的宝地，关系着朝廷的安危。这里从前被卢从史占据，使得朝廷忧心，晚上方得进食。现在万幸得到了它，吐突承璀又给了乌重胤，臣下听说这事后又惊讶又叹息，实在是痛心！前日朝廷诱捕了卢从史，这虽然是好计策，但已失体统。现在吐突承璀又用公文书牒差遣他人担任重镇留后，为他请求节度使的旌节，目无君王之心，还有什么比这更严重呢！陛下昨天得了昭义军，人神一同庆贺，朝廷的威望和号令又树立起来了；今天突然把它交给昭义军的牙将，使得人们的情绪立即沮丧，朝纲政纪大为紊乱。对比此事的利害关系，还不如卢从史担任节度使。为什么这样说？卢从史虽然心蓄奸计，但已是朝廷的一方大吏。乌重胤出自将校，利用吐突承璀的一份公文代替了卢从史，我私下担心河南、河北各军镇的主帅听到这一消息，没有不愤怒的，耻于与乌重胤并列。而且他们还会说吐突承璀引诱乌重胤驱逐卢从史，而取代卢从史的职位，他们每个人的部下都有不少将校，能不感到自己也很危险吗！假如刘济、张茂昭、田季安、程执恭、韩弘、李师道相继上奏表章，陈说这一情况，并且指责吐突承璀专擅朝命之罪，不知道陛下怎么处理这件事？如果对他们的表章都不回复，那么他们会更加愤怒；如果因此改任节度使，那么朝廷的威严就又丧失了。"宪宗又派枢密使梁守谦与李绛秘密商议说："现在乌重胤已经总揽军务，此事迫不得已，应该给予节度使的旌节。"李绛回答说："卢从史担任主帅不是出自朝廷，所以开启了卢从史奸邪的念头，最后成了叛逆。现在因为乌重胤掌管了军队，就立即授予旌节，赏罚大权不在朝廷，这与卢从史有什么不同呢！乌重胤得到河阳，已经是意想不到的福分了，哪里敢再聚众反抗呢！何况乌重胤之所以能抓捕卢从史，本来就是依仗效忠朝廷取得成功，一旦乌重胤自己违抗朝廷的命令，怎么知道以前同级的将领不效仿他的做法来行动呢？乌重胤在昭义军中的同级将领有很多，他们一定不希望乌重胤独自担任主帅。把乌重胤迁移到其他军镇，才能满足大家的心意，哪里用得着为将要导致祸乱而担忧呢！"宪宗很高兴，完全按照李绛的请求去做了。四月二十三日壬辰，宪宗任命乌重胤为河阳节度使，任命孟元阳为昭义节度使。

四月二十九日戊戌，把卢从史贬为驩州司马。

【段旨】

以上为第六段，写裴垍巧计除掉卢从史，李绛妥善酬功乌重胤。

【注释】

㉑⑦首建：首先建议。㉑⑧阴：暗中。㉑⑨潜怀承宗号：暗中怀着王承宗的军队番号。凡行军各有番号，以相识别。㉒⓪又高刍粟之价以败度支：又提高草料和粮食的价格，破坏度支对军队的供应。因吐突承璀统帅行营兵驻屯赵、邢地区，中央度支马草和粮食不能及时运达，就近在邢州购买，故卢从史得以提高价格牟取暴利。㉒①讽：暗示；讽喻。㉒②输诚：表达诚意，归顺朝廷。㉒③经营：策划。㉒④乌重胤：字保君，潞州牙将。因擒卢从史擢河阳节度使。文宗时官至司徒。传见《旧唐书》卷一百六十一、《新唐书》卷一百七十一。㉒⑤款要：即得到了乌重胤忠诚于朝廷的保证。款，忠诚。要，得其要领。㉒⑥盛陈奇玩：把众多的珍奇玩物陈列出来。㉒⑦欲：喜欢。㉒⑧遗之：送给卢从史。㉒⑨益相昵狎：与吐突承璀更加亲昵、接近。㉓⓪甲申：四月十五日。㉓①博：赌博。㉓②内：通"纳"，塞进。㉓③诣：往；到。㉓④皆甲以出：都穿戴铠甲出营。㉓⑤操兵趋哗：手持兵器，边跑边大声呼叫。㉓⑥当：通"挡"，挡住。㉓⑦叱：大声叱斥。㉓⑧敛兵还部伍：收起武器回到自己的队伍里。㉓⑨丁亥：四月十八日。㉔⓪木刀沟：地名，在今河北新乐东南。因沟旁所住居民姓木刀而名之。㉔①已牒：已发出公文。㉔②句当：办理。㉔③昭义

【原文】

五月乙巳[271]，昭义军三千余人夜溃，奔魏州。刘济奏拔安平[272]。

庚申[273]，吐蕃遣其臣论思邪热入见，且归路泌、郑叔矩之柩[274]。

甲子[275]，奚寇灵州[276]。

六月甲申[277]，白居易复上奏，以为："臣比[278]请罢兵，今之事势，又不如前，不知陛下复何所待！"是时，上每有军国大事，必与诸学士谋之。尝逾月不见学士，李绛等上言："臣等饱食不言，其自为计则得矣，如陛下何！陛下询访理道[279]，开纳直言，实天下之幸，岂臣等之幸！"上遽令"明日三殿[280]对来[281]"。

五州据山东要害：指昭义辖地控制着太行山以东的要害。昭义五州，昭义节度所属五州为泽、潞、邢、洺、磁。据，控制。要害者，于我为要，于敌为害。㉔㉔蟠结：盘结；盘根错节。㉔㉕腹内：指邢州与赵州相邻，磁、洺与魏州相邻，犬牙相交，深入魏博、恒冀腹内。㉔㉖旰食：因忧心国事而延迟到晚上才吃饭。㉔㉗失大体：指诱执卢从史，不能明罪捕执，有损国家法制。㉔㉘本军牙将：指昭义军乌重胤。㉔㉙物情顿沮：人们的情绪立即沮丧。㉕⓪校计：比较；权衡。㉕①牧伯：地方大员，此指节度使高官。㉕②列校：中下级军官。㉕③人人：各个节度使，即指幽州刘济、义武张茂昭、成德田季安、横海程执恭、淄青李师道。㉕④麾下：部下。㉕⑤指：指责。㉕⑥不报：不回答。指对河北诸镇指责承璀专命之罪的奏章置之不理。㉕⑦改除：指朝廷若接受河北诸镇压力之后重新任命乌重胤的官职。㉕⑧梁守谦：擅权宦官。㉕⑨节：指昭义节度使印信、符节。㉖⓪从史为帅不由朝廷：事见本书卷二百三十六德宗贞元二十年。㉖①启：开启。㉖②望外之福：超过希望的幸福。㉖③旅拒：聚众抗拒。㉖④杖顺成功：依靠效忠朝廷才取得成功。㉖⑤同列：同僚。㉖⑥等夷：同等地位的人。㉖⑦乃惬众心：才能满足众人之心。指使同僚心理平衡。㉖⑧壬辰：四月二十三日。㉖⑨戊戌：四月二十九日。㉗⓪驩州：州名，治所在今越南北部。

【校记】

［5］士卒：原脱“卒”字。据章钰校，甲十一行本、乙十一行本皆有“卒”字，今据补。

【语译】

五月初六日乙巳，昭义军的士兵三千多人在夜间溃散，跑往魏州。刘济奏报攻取了安平县。

五月二十一日庚申，吐蕃派遣大臣论思邪热进京朝见，并且送回了路泌、郑叔矩的灵柩。

五月二十五日甲子，奚族人侵犯灵州。

六月十五日甲申，白居易又上奏宪宗，认为：“臣下多次请求停止用兵，现在战争势态，又不如从前，不知道陛下还要等待什么！”当时，宪宗每有军国大事，一定要与翰林院的各个学士商议。曾经过了一个月没有召见学士们，李绛等人进言说：“臣等吃饱了，不说什么话，要是从臣等自身考虑，则是很好的事情，但这对陛下有什么益处呢！陛下询问治理天下的方略，敞开接纳直率的言论，这实在是天下的幸事，哪里只是臣等的幸运呢！”宪宗立即命令他们“明天到麟德殿来奏对”。

白居易尝㉘因论事，言“陛下错”，上色庄而罢㉘，密召承旨㉘李绛，谓曰[6]：“居易小臣不逊㉘，须令出院㉘。”绛曰：“陛下容纳直言，故群臣敢竭诚无隐。居易言虽少思㉘，志在纳忠㉘。陛下今日罪之，臣恐天下各思钳口㉘，非所以广聪明，昭㉙圣德也。”上悦，待居易如初。

上尝欲近猎苑中㉙，至蓬莱池㉙西，谓左右曰：“李绛必谏，不如且止。”

秋，七月庚子㉙，王承宗遣使自陈为卢从史所离间，乞输贡赋，请官吏，许其自新㉙。李师道等数上表请雪承宗，朝廷亦以师久无功，丁未㉙，制洗雪㉙承宗，以为成德军节度使，复以德、棣二州与之。悉罢诸道行营将士，共赐布帛二十八万端匹㉙。加刘济中书令㉙。

刘济之讨王承宗也，以长子绲㉙为副大使，掌幽州留务㉚。济军瀛州，次子总㉚为瀛州刺史，济署行营都知兵马使，使屯饶阳。济有疾，总与判官张玘、孔目官成国宝谋，诈使人从长安来，曰：“朝廷以相公逗留无功，已除副大使为节度使矣。”明日，又使人来告曰：“副大使旌节㉚已至太原。”又使人走而呼曰：“旌节已过代州。”举军惊骇㉚。济愤怒，不知所为㉚，杀大将素与绲厚者数十人，追绲诣行营㉚，以张玘兄皋代知留务。济自朝至日昃㉚不食，渴索饮，总因置毒而进之。乙卯㉚，济薨。绲行至涿州㉚，总矫以父命杖杀之，遂领军务。

【段旨】

以上为第七段，写朝廷征讨成德无功而罢军，幽州刘总弑父杀兄自领军务。

【注释】

㉗乙巳：五月初六日。㉗安平：县名，在今河北安平。㉗庚申：五月二十一日。㉗归路泌、郑叔矩之柩：德宗贞元三年（公元七八七年），浑瑊与吐蕃盟平凉，吐蕃背盟，与浑瑊同行者判官路泌、郑叔矩等没于吐蕃，至此，泌、叔矩灵柩始归唐。柩，棺材。㉗甲子：五月二十五日。㉗灵州：州名，治所在今宁夏灵武西南。㉗甲申：六月十

白居易曾经因为议事时，说了“陛下错误”，宪宗神色庄重地停止了议事，暗中召来翰林院承旨李绛，对他说：“居易一个小小的臣子，出言不逊，必须将他调出翰林院。”李绛说：“陛下容纳直言，所以群臣敢于竭尽忠诚，毫不隐讳。居易说话虽然缺少思考，但心意在于献纳忠诚。陛下今天把他治罪，臣下担心天下每人都想闭口不言了，这不是扩大视听、彰明陛下圣德的办法。”宪宗听了很高兴，对白居易如从前一样。

宪宗曾经想去苑中就近打猎，到了蓬莱池西边，对左右随从说：“李绛一定要进言劝谏，不如暂且停下来。”

秋，七月初二日庚子，王承宗派遣使者到朝廷来述说自己受了卢从史的挑拨离间，请求向朝廷送交赋税，请朝廷委派官吏，允许他改过自新。李师道等人也几次上表请求赦免王承宗，朝廷也因为军队长时间没有战功，初九日丁未，宪宗下制书赦免王承宗，任命为成德军节度使，又把德、棣两州给了王承宗。各道军营的将士全部休战，一共赏赐布帛二十八万端匹。加授刘济为中书令。

刘济讨伐王承宗的时候，任命长子刘绲为节度副大使，负责幽州留后事务。刘济驻军瀛州，二儿子刘总担任瀛州刺史，刘济任命刘总为行营都知兵马使，让他屯驻饶阳。刘济患有重病，刘总与判官张玘、孔目官成国宝谋划，让人假冒从京城长安前来，对刘济说：“朝廷因为您停滞不前，没有战功，已经任命副大使为节度使了。”第二天，又派人来告诉刘济说：“朝廷任命副大使刘绲的节度使旌节已经送到太原。”又派人跑着喊叫说：“节度使的旌节已经过代州了。”全军惊恐。刘济很愤怒，不知道该怎么办，杀了大将中一向与刘绲关系很好的几十人，速召刘绲前往行营，任命张玘的哥哥张皋代理幽州留后职务。刘济从早上到太阳西沉没有进食，口渴，要水喝，刘总乘机投毒，把水送给刘济喝。七月十七日乙卯，刘济去世。刘绲走到涿州，刘总假借父亲的命令，用棍棒打死了刘绲，于是自己就总揽了军中事务。

五日。㉗⑧比：多次。㉗⑨理道：治道；治理的方略。㉘⓪三殿：指麟德殿。殿有三面，故称三殿。殿西即翰林学士院。㉘①对来：言明日当召对，可以前来。当时皇帝召对群臣，诏书中率有“对来”一语。㉘②尝：曾经。㉘③色庄而罢：面色庄重而停止议事。㉘④承旨：翰林学士承旨，以久任翰林学士者充任。永贞元年（公元八〇五年）始命郑絪为承旨。凡大诰令、大废置、丞相之密画，内外之密奏，皇帝甚为注意大事，无不专受专对。㉘⑤不逊：没礼貌。㉘⑥出院：逐出翰林学士院。㉘⑦少思：欠缺周密思考。㉘⑧志在纳忠：心意在于向皇帝献纳忠诚。㉘⑨钳口：闭口不言。㉙⓪昭：昭明；彰显。㉙①苑中：自蓬莱池西出玄武门，入重元门，即苑中。㉙②蓬莱池：蓬莱池在蓬莱殿之北，一曰太液池，池中有蓬

莱山。㉙³庚子：七月初二日。㉙⁴自新：改过自新。㉙⁵丁未：七月初九日。㉙⁶洗雪：赦免。㉙⁷端匹：唐制，布帛六丈为端，四丈为匹。㉙⁸中书令：中书省长官，正二品。中书令带"平章事"即为宰相。中唐后多给节镇加官中书令，是一种荣衔，以赏其功。㉙⁹绲：刘绲，刘济长子。为其弟刘总所杀。事见《新唐书》卷二百十二。[300]留务：留守事务。即为留后。[301]总：刘济次子，性阴贼险谲，毒父，杀兄，为幽州节度使。后削发为僧。传见《旧唐书》卷一百四十三、《新唐书》卷一百十二。[302]旌节：指赐给幽州节度使的印信、符节。[303]惊骇：惊恐。[304]不知所为：不知怎么办才好。[305]追绲诣行营：派人传刘绲到刘济行营。[306]日昃：太阳西斜。[307]乙卯：七月十七日。[308]涿州：州名，治所在今河北涿州。

【原文】

岭南监军许遂振以飞语[309]毁节度使杨於陵于上，上命召於陵还，除冗官[310]。裴垍曰："於陵性廉直，陛下以遂振故黜藩臣，不可。"丁巳[311]，以於陵为吏部侍郎。遂振寻自抵罪。

八月乙亥[312]，上与宰相语及神仙，问："果有之乎？"李藩对曰："秦始皇、汉武帝学仙之效，具载前史，太宗服天竺僧长年药[313]致疾，此古今之明戒[314]也。陛下春秋鼎盛[315]，方励志太平，宜拒绝方士[316]之说。苟[317]道盛德充，人安国理，何忧无尧、舜之寿[318]乎！"

九月己亥[319]，吐突承璀自行营还。辛亥[320]，复为左卫上将军，充左军中尉。裴垍曰："承璀首唱用兵[321]，疲弊天下，卒无成功，陛下纵以旧恩不加显戮[322]，岂得全不贬黜以谢[323]天下乎！"给事中段平仲[324]、吕元膺言承璀可斩。李绛奏称："陛下不责承璀，他日复有败军之将，何以处之？若或诛之，则同罪异罚，彼必不服；若或释之，则谁不保身而玩寇[325]乎！愿陛下割[326]不忍之恩，行不易之典[327]，使将帅有所惩劝[328]。"间[329]二日，上罢承璀中尉，降为军器使[330]，中外相贺。

裴垍得风疾[331]，上甚惜之，中使候问旁午[332]于道。

丙寅[333]，以太常卿权德舆为礼部尚书、同平章事。

义武节度使张茂昭请除代人[334]，欲举族入朝。河北诸镇互遣人说止之[335]，茂昭不从，凡四上表，上乃许之。以左庶子任迪简[336]为义武行

【校记】

［6］曰：原作“白”。胡三省注云：“‘白’当作‘曰’。”据章钰校，甲十一行本作“曰”，张敦仁《通鉴刊本识误》同，今据改。

【语译】

岭南的监军许遂振利用流言蜚语在皇帝那里毁谤岭南节度使杨於陵，宪宗命令召回杨於陵，任为散职。裴垍说：“杨於陵性格廉洁耿直，陛下因为许遂振几句话的缘故罢免了一方的主帅，这样不合适。”七月十九日丁巳，宪宗任命杨於陵为吏部侍郎。不久，许遂振承担了这一事件的罪责。

八月初七日乙亥，宪宗与宰相谈到了有关神仙的问题，宪宗问道：“果真有神仙吗？”李藩回答说：“秦始皇、汉武帝学习神仙方术的效果，详细记载在以前的史书上，太宗皇帝服用了天竺僧人的长寿药后得了疾病，这是从古到今显明的鉴戒。陛下年富力强，正励志于天下太平，应该拒绝方术之士的学说。如果能够使道德盛大、百姓安宁、国家治理得当，那还用得着担心没有尧、舜之寿吗！”

九月初二日己亥，吐突承璀从行营中回到朝廷。十四日辛亥，又担任左卫上将军，充任左神策军护军中尉。裴垍说：“吐突承璀最先倡议朝廷对王承宗用兵，使天下疲困，终未成功，即使陛下因为旧日的恩情，对他没有明正典刑，怎么能一点也不加贬斥，来向天下人谢罪呢！”给事中段平仲、吕元膺奏言可把吐突承璀处斩。李绛上奏说：“陛下如果不惩罚吐突承璀，异日又有打了败仗的将领，该如何处置呢？假如把败将杀了，那败将与吐突承璀罪责相同，惩处却不一样，他一定不服；如果把败将释放了，那么有谁不保护自身而与敌人随意周旋呢！希望陛下舍弃不忍下手的私恩，施行不可更改的法典，使将帅们有所警戒和劝勉。”隔了两天，宪宗罢免了吐突承璀左神策军护军中尉的职务，降职为军器使，朝廷内外的人都为此相互祝贺。

裴垍得了中风病，宪宗很怜惜，中使去询问病情的交错于道。

九月二十九日丙寅，宪宗任命太常卿权德舆为礼部尚书、同平章事。

义武节度使张茂昭请求朝廷任命人来代替自己，打算带全族的人进京入朝。河北地区的各军镇交相派人劝阻他，张茂昭不听，一共向朝廷四次上表，宪宗才答应了他。宪

军司马[337]。茂昭悉以易、定二州簿书管钥授迪简，遣其妻子先行，曰："吾不欲子孙染于污俗[338]。"

茂昭既去，冬，十月戊寅[339]，虞候[340]杨伯玉作乱，囚迪简。辛巳[341]，义武将士共杀伯玉。兵马使张佐元又作乱，囚迪简，迪简乞归朝。既而将士复杀佐元，奉迪简主军务。时易定府库罄竭[342]，闾阎亦空[343]，迪简无以犒士[344]，乃设粝饭[345]与士卒共食之，身居戟门[346]下经月[347]。将士感之，共请迪简还寝[348]，然后得安其位[349]。上命以绫绢十万匹赐易定将士。壬辰[350]，以迪简为义武节度使。

甲午[351]，以张茂昭为河中、慈、隰、晋、绛节度使，从行将校皆拜官。

右金吾大将军[352]伊慎以钱三万缗赂右军中尉第五从直，求河中节度使。从直恐事泄，奏之。十一月庚子[353]，贬慎为右卫将军，坐死者三人。

初，慎自安州入朝[354]，留其子宥主留事，朝廷因以为安州刺史，未能去也。会宥母卒于长安，宥利于兵权，不时发丧[355]。鄂岳[356]观察使郗士美[357]遣僚属以事过其境，宥出迎，因告以凶问[358]，先备篮舆[359]，即日遣之。

甲辰[360]，会王纁[361]薨。

庚戌[362]，以前河中节度使王锷[363]为河东节度使。上左右受锷厚赂，多称誉[364]之，上命锷兼平章事，李藩固执[365]以为不可。权德舆曰："宰相非序进[366]之官。唐兴以来，方镇非大忠大勋，则跋扈者，朝廷或不得已而加之。今锷既无忠勋，朝廷又非不得已，何为遽以此名假之！"上乃止。

锷有吏才，工于完聚[367]。范希朝以河东全军出屯河北，耗散[368]甚众。锷到镇之初，兵不满三万人，马不过六百匹，岁余，兵至五万人，马有五千匹，器械精利[369]，仓库充实。又进家财[370]三十万缗，上复欲加锷平章事。李绛谏曰："锷在太原，虽颇著绩效，今因献家财而命之，若后世何[371]！"上乃止。

中书侍郎、同平章事[7]裴垍数以疾辞位。庚申[372]，罢为兵部尚书。

宗任命左庶子任迪简为义武军行军司马。张茂昭将易、定二州的账簿文书和府库钥匙交给了任迪简，打发妻子儿女先行，说："我不想让子孙们沾染污浊的习俗。"

张茂昭离开义武军以后，冬，十月十一日戊寅，虞候杨伯玉作乱，囚禁了任迪简。十四日辛巳，义武军的将士一起杀了杨伯玉。兵马使张佐元又作乱，囚禁了任迪简，任迪简请求返回朝廷。不久，将士们又杀了张佐元，拥戴任迪简主持军中事务。当时易定府库空虚，里巷也空无人家，任迪简没有什么东西犒劳将士，于是就用粗米饭与士兵们一起吃，亲身在军府的大门前居住了一个月。将士们深受感动，一起请求任迪简回到军府内就寝。之后，任迪简的地位才巩固下来。宪宗下令赏赐给易定的将士绫绢十万匹。二十五日壬辰，宪宗任命任迪简为义武节度使。

十月二十七日甲午，宪宗任命张茂昭为河中、慈、隰、晋、绛节度使，跟随他一起入朝的将校都被朝廷委任了官职。

右金吾大将军伊慎用三万缗钱贿赂右军中尉第五从直，求取河中节度使的职务。第五从直害怕事情泄露，向宪宗奏报了此事。十一月初三日庚子，宪宗把伊慎贬为右卫将军，获罪处死的有三人。

当初，伊慎从安州进京入朝，留下他的儿子伊宥主理州事，朝廷因此任命伊宥为安州刺史，所以他没有离开安州。正好伊宥的母亲在长安去世，伊宥贪恋手中的兵权，不按时发布母亲的死讯。鄂岳观察使郗士美派遣属下官吏办事经过安州境内，伊宥出来迎接，乘机把母亲的死讯告诉了来人，而且事先准备好了竹轿，当天就把来人打发上路了。

十一月初七日甲辰，会王李纁去世。

十一月十三日庚戌，宪宗任命前河中节度使王锷为河东节度使。宪宗身边的侍从接受了王锷的很多贿赂，大多赞扬王锷，宪宗下令王锷兼任平章事，李藩坚持认为这样做不合适。权德舆说："宰相不是循资升迁的官职。大唐兴起以来，各方的镇帅不是大忠臣和有大功勋，就是专横跋扈的人，朝廷有时迫不得已，才加授他们这一职务。现在王锷既不是忠臣，又没有功勋，朝廷又不是迫不得已，为什么急忙把这一职位授予他呢！"宪宗这才作罢。

王锷有当官的才干，擅长修缮城郭和储备财物。范希朝带着河东的全部人马出屯河北，消耗了很多人力和物力。王锷到河东镇的初期，士兵不满三万人，马不超过六百匹，一年多，士兵增加到了五万人，马有五千匹，兵器装备精良锋利，仓库充实。王锷又向朝廷进献了私人财产三十万缗，宪宗又打算加授王锷平章事。李绛劝谏说："王锷在太原，虽然成绩很显著，但现在因为向朝廷进献私人财产而任命他为宰相，那怎么向后世交代呢！"宪宗这才作罢。

中书侍郎、同平章事裴垍多次因为病重要求辞去职位。十一月二十三日庚申，裴垍被免去宰相职务，改任兵部尚书。

十二月戊寅[373]，张茂昭入朝，请迁祖考之骨于京兆[374]。

壬午[375]，以御史中丞吕元膺为鄂岳观察使。元膺尝欲夜登城，门已锁，守者不为开。左右曰："中丞也。"对曰："夜中难辩[376]真伪，虽中丞亦不可。"元膺乃还。明日，擢为重职[377]。

翰林学士、司勋郎中[378]李绛面陈吐突承璀专横，语极恳切[379]。上作色[380]曰："卿言太过！"绛泣曰："陛下置臣于腹心耳目[381]之地，若臣畏避左右，爱身不言，是臣负陛下；言之而陛下恶闻[382]，乃陛下负臣也。"上怒解，曰："卿所言皆人所不能言，使朕闻所不闻[383]，真忠臣也。他日尽言，皆应如是。"己丑[384]，以绛为中书舍人，学士如故。

绛尝从容谏上聚财[385]，上曰："今两河[386]数十州，皆国家政令所不及，河、湟[387]数千里沦于左衽[388]，朕日夜思雪祖宗之耻，而财力不赡[389]，故不得不蓄聚耳。不然，朕宫中用度极俭薄，多藏何用邪！"

【段旨】

以上为第八段，写李绛直言敢谏且又善谏，唐宪宗能黜抑吐突承璀者，李绛之力也。又写王锷有干练之才而品德不济。

【注释】

[309]飞语：流言蜚语；谣言。[310]冗官：闲散官，无所职事。[311]丁巳：七月十九日。[312]乙亥：八月初七日。[313]长年药：长生不老之药。唐太宗服用长生药，事见本书卷二百一高宗总章二年。[314]明戒：显明的鉴戒。[315]春秋鼎盛：年富力强。[316]方士：古代好讲神仙方术的人。[317]苟：如果。[318]尧、舜之寿：传说尧、舜均长寿。《史记·五帝本纪》载，尧在位七十年，命舜摄政二十八年，即在位九十八年，寿一百余岁。舜三十岁被举代尧摄政二十八年，守丧三年，又执政三十九年，共在位七十年，寿一百岁。[319]己亥：九月初二日。[320]辛亥：九月十四日。[321]首唱用兵：第一个建议出兵征讨王承宗。[322]显戮：明正典刑，当众杀戮。[323]谢：谢罪。[324]段平仲：字秉庸，武威（今甘肃武威）人，性狷直，官至尚书左丞。传见《旧唐书》卷一百五十三、《新唐书》卷一百六十二。[325]玩寇：消极对敌；随意与敌人周旋。[326]割：割舍；抛弃。[327]行不易之典：施行

十二月十二日戊寅，张茂昭入朝，请求把祖父和父亲的尸骨迁移到京兆府。

十二月十六日壬午，宪宗任命御史中丞吕元膺为鄂岳观察使。吕元膺曾经打算在晚上登城，城门已经锁上了，守门的人不给他开门。吕元膺的随行人员说："这是吕中丞啊。"守门的人回答说："晚上难辨真假，即使是中丞也不能开门。"吕元膺就回去了。第二天，吕元膺把守门的人提升到重要职位上。

翰林学士、司勋郎中李绛当面向宪宗述说吐突承璀专横，话语十分恳切。宪宗变了脸色，说："你说得太过分了！"李绛哭着说："陛下把臣下安置在心腹耳目之处，如果我害怕和回避陛下身边随从，爱惜自身，不直率言事，那就是臣下辜负了陛下；臣下说了，而陛下讨厌听这些事，那就是陛下对不起臣下了。"宪宗的怒气缓解了，说："你所说的事情都是别人所不能说的，让我听到了没有听到过的事情，你真是忠臣。以后谈事把话说完，都应该像今天这样。"十二月二十三日己丑，宪宗任命李绛为中书舍人，翰林学士职务依旧。

李绛闲谈时劝谏宪宗不要聚敛财物，宪宗说："现在河南、河北几十个州，都是朝廷政令达不到的地方，河、湟数千里沦陷于吐蕃，我日夜想着洗雪祖宗的耻辱，但是财力不足，所以不得不蓄积钱财罢了。如果不是这样，我的宫廷用度极为俭省，储藏许多财物又有什么用处呢！"

不可更改的法典。㉘惩劝：惩戒和劝勉。㉙间：隔。㉚军器使：官名，军器库主管，属内诸司，以宦官充任。㉛风疾：中风病。㉜旁午：交错纷繁；络绎不绝。㉝丙寅：九月二十九日。㉞请除代人：请求任命代替他的人。㉟说止之：劝说阻止他。㊱任迪简：京兆万年（今陕西西安）人，历官丰州刺史、天德军使、太常少卿、太子左庶子，后代茂昭为义武节度使。传见《旧唐书》卷十三、《新唐书》卷一百七十。㊲行军司马：节度使府高级佐官，协助掌理军政，实权往往高于副大使。节镇传子或自推新节度使，先为留后，继为朝廷任命；而朝廷委任新节度使，往往先为行军司马。㊳污俗：指节度使传子的习俗。㊴戊寅：十月十一日。㊵虞候：节度使佐官，掌军法。㊶辛巳：十月十四日。㊷罄竭：空虚。㊸闾阎亦空：里巷也空无人家。㊹犒士：犒赏士兵。㊺粝饭：糙米饭。粝，粗米。㊻戟门：指节度使官署大门。因藩镇府门列戟，故谓之戟门。㊼经月：整整一月。㊽还寝：入居内府。㊾安其位：巩固了节度使的地位。㊿壬辰：十月二十五日。(351)甲午：十月二十七日。(352)右金吾大将军：右金吾及下文右卫，均为唐禁军十六卫之一。大将军高于将军。伊慎以右金吾大将军转为右卫将军，即从大将军降为将军，故下文云"贬"。(353)庚子：十一月初三日。(354)慎自安州入朝：伊慎为安黄节度使，入朝任右金吾卫大将军。宪宗即位，伊慎入朝。事见本书卷二百三十六顺宗永贞元年。安州，

州名，治所安陆县，在今湖北安陆。㉟不时发丧：不按时发丧。㊱鄂岳：方镇名，唐代宗永泰元年（公元七六五年）升鄂州都团练使为观察使。治鄂州，在今湖北武汉市武昌区。㊲郗士美（公元七五六至八一九年）：字和夫，高平金乡（今山东金乡）人，少好学，善记览。官至忠武军节度使。传见《旧唐书》卷一百五十七、《新唐书》卷一百四十三。㊳凶问：母死之消息。㊴篮舆：竹轿子。㊵甲辰：十一月初七日。㊶会王纁（？至公元八一〇年）：顺宗第十四子。宪宗弟。㊷庚戌：十一月十三日。㊸王锷（公元七三九至八一五年）：字昆吾，太原（今山西太原）人，官至河东节度使。传见《旧唐书》卷一百五十一、《新唐书》卷一百七十。㊹称誉：赞扬。㊺固执：坚持。㊻序进：循资序迁升。㊼工于完聚：善于修缮城郭，储备财物。㊽耗散：损失、离散。㊾器械精利：武器精良锋利。㊿进家财：进奉家财于朝廷。[371]若后世何：对于后代留下什么教训呢。即怎样向后代的人作交代呢。[372]庚申：十一月二十三日。[373]戊寅：十二月十二日。[374]京兆：

【原文】

六年（辛卯，公元八一一年）

春，正月甲辰[390]，以彰义留后吴少阳为节度使。

庚申[391]，以前淮南节度使李吉甫为中书侍郎、同平章事。

二月壬申[392]，李藩罢为太子詹事[393]。

己丑[394]，忻王造[395]薨。

宦官恶李绛在翰林，以为户部侍郎，判本司[396]。上问绛[8]："故事，户部侍郎皆进羡余[397]，卿独无进，何也？"对曰："守土之官[398]，厚敛[399]于人以市[400]私恩[401]，天下犹共非之；况户部所掌，皆陛下府库之物，给纳有籍[402]，安得羡余[403]！若自左藏[404]输之内藏[405]以为进奉，是犹东库移之西库，臣不敢踵[406]此弊也。"上嘉其直，益重之。

乙巳[407]，上问宰相："为政宽猛[408]何先？"权德舆对曰："秦以惨刻[409]而亡，汉以宽大而兴。太宗观《明堂图》[410]，禁抶[411]人背。是故安、史以来，屡有悖逆[412]之臣，皆旋踵[413]自亡，由祖宗仁政结于人心，人不能忘故也。然则宽猛之先后可见矣。"上善其言。

夏，四月戊辰[414]，以兵部尚书裴垍为太子宾客，李吉甫恶之也。

唐长安及其京畿地区为京兆府辖境，即今陕西西安周围。⑶⑺⑸ 壬午：十二月十六日。⑶⑺⑹ 辨：通“辨”。⑶⑺⑺ 重职：重要的职位。⑶⑺⑻ 司勋郎中：吏部第三司主管，掌官吏勋级，从五品上。⑶⑺⑼ 恳切：至诚激切。⑶⑻⑽ 作色：变色；不悦而改变脸色。⑶⑻⑴ 腹心耳目：指翰林学士之职，为皇帝近侍。⑶⑻⑵ 恶闻：不愿意听；讨厌听见。⑶⑻⑶ 闻所不闻：听到了没有听过的事情。⑶⑻⑷ 己丑：十二月二十三日。⑶⑻⑸ 谏上聚财：谏阻唐宪宗聚积财物。⑶⑻⑹ 两河：指河南、河北，皆为藩镇所割据。⑶⑻⑺ 河、湟：黄河与湟水流域地区，今青海东部及甘肃兰州以西地域。⑶⑻⑻ 左衽：指吐蕃。少数民族衣襟向左开合，故称左衽。衽，衣襟。⑶⑻⑼ 不赡：不足。

【校记】

［7］同平章事：此四字原无。据章钰校，甲十一行本、乙十一行本皆有此四字，今据补。

【语译】

六年（辛卯，公元八一一年）

春，正月初九日甲辰，宪宗任命彰义留后吴少阳为节度使。

正月二十五日庚申，宪宗任命前淮南节度使李吉甫为中书侍郎、同平章事。

二月初七日壬申，李藩被罢免宰相职务，改任太子詹事。

二月二十四日己丑，忻王李造去世。

宦官们讨厌李绛在翰林院任职，便让宪宗任命李绛为户部侍郎，负责度支事务。宪宗问李绛：“根据以前的惯例，户部侍郎都要向宫廷进献盈余的钱财，唯独你不进献，为什么？”李绛回答说：“守护疆土的地方官，加重向百姓征收赋税来换取私下的恩宠，天下的人还都非难他；何况户部所掌管的，都是陛下府库中的钱财，支出和收入有账簿记载，哪有什么盈余！如果把钱财从朝廷的左藏送到宫廷的内藏中去，作为对陛下的进献，这就好比把东库的东西转移到西库，臣下不敢承袭这一弊端。”宪宗很赞赏李绛的直率，更加器重李绛。

三月十一日乙巳，宪宗问宰相：“治理国家，德治与法治哪一种做法放在前面？”权德舆回答说：“秦朝因为残酷刻剥而灭亡，汉朝因为宽缓大度而兴盛。太宗皇帝看了《明堂图》，禁止鞭打人的背。因此，安禄山、史思明叛乱以来，屡有叛逆之臣，但全都转眼之间自己灭亡了，这是因为列祖列宗的仁政扎根于人心，人们不能忘却的缘故啊。那么，德治与法治的先后就可以看出来了。”宪宗觉得这话说得很好。

夏，四月初四日戊辰，宪宗任命兵部尚书裴垍为太子宾客，这是由于李吉甫讨厌他。

庚午[415]，以刑部侍郎、盐铁转运使卢坦为户部侍郎、判度支。或告泗州[416]刺史薛謇为代北水运使，有异马不以献。事下度支，使巡官往验，未返，上迟之，使品官[417]刘泰昕按其事。卢坦曰："陛下既使有司验之，又使品官继往，岂大臣不足信于品官乎！臣请先就黜免[418]。"上召泰昕还。

五月，前行营[419]粮料使[420]于皋谟、董溪坐赃数千缗，敕贷[421]其死。皋谟流春州[422]，溪流封州[423]，行至潭州[424]，并追遣中使赐死。权德舆上言，以为："皋谟等罪当死，陛下肆诸市朝[425]，谁不惧法！不当已赦而杀之。"溪，晋之子也。

庚子[426]，以金吾大将军李惟简[427]为凤翔节度使。陇州[428]地与吐蕃接，旧常朝夕相伺，更入攻抄，人不得息。惟简以为边将当谨守备，蓄财谷以待寇，不当睹小利，起事盗恩[429]，禁不得妄入其[430]地。益市[431]耕牛，铸农器，以给农之不能自具[432]者，增垦田数十万亩。属岁屡稔[433]，公私有余，贩者[434]流及他方。

赐振武节度使阿跌光进姓李氏。

【段旨】

以上为第九段，写唐宪宗与宰臣论宽严之政，李惟简出镇凤翔，和好吐蕃，不邀边功，社会安定，人口增殖。

【注释】

⑶⑼⓪甲辰：正月初九日。[391]庚申：正月二十五日。[392]壬申：二月初七日。[393]太子詹事：官名，东宫属官，詹事府主管，正三品，掌统三寺、十率府之政。[394]己丑：二月二十四日。[395]忻王造：李造（？至公元八一一年），代宗第十三子，封忻王。[396]判本司：户部第二司度支司，掌理财政。唐制，多以户部外大臣兼理度支称判度支，若以户部侍郎兼理称判本司。[397]羡余：唐官员以赋税盈余为名向皇室进贡的税款。[398]守土之官：指郡、县等守护疆土的地方官员。[399]厚敛：加重对人民的搜刮；加重征收赋税。[400]市：收买。[401]私恩：取得个人私下的恩宠。[402]给纳有籍：收支有账册记载。[403]安得羡余：哪

四月初六日庚午，宪宗任命刑部侍郎、盐铁转运使卢坦为户部侍郎、判度支。有人上告泗州刺史薛謇担任代北水运使，他有一匹不同寻常的马，却不进献给官廷。宪宗把这件事交由度支处理，卢坦派巡官去核查，派去的人还没有回来，宪宗认为处理得太迟缓，就派宫中的品官刘泰昕去查证这件事。卢坦说："陛下既然让有关部门去查处这件事，又派品官跟着去处理，难道是相信大臣的程度还不如品官吗！请陛下先就地罢免了臣下的官职。"宪宗召回了刘泰昕。

五月，从前征讨王承宗的行营粮料使于皋谟和董溪因为贪污几千缗钱财获罪，宪宗下敕书宽免了他们的死罪。于皋谟被流放到春州，董溪被流放到封州，走到潭州，宪宗都追派中使赐令他们自杀。权德舆向宪宗进言，认为："于皋谟等人的罪行应当处死，陛下把他们陈尸市集示众，那还有谁不畏惧法律呢！不应该已经赦免了又杀他们。"董溪，是董晋的儿子。

五月初七日庚子，宪宗任命金吾大将军李惟简为凤翔节度使。陇州地域与吐蕃接壤，以前经常相互间早晚侦察，交互攻入对方的境内抢掠，人们不得安宁。李惟简认为守卫边疆的将领应该严谨防备，蓄积钱财粮食以备敌人入侵，不应当看见小利益，就挑起事端，窃取恩赏，他严禁将士随便进入吐蕃人的境内。他更多地购买耕牛，铸造农具，以供应给那些农耕而自己不能备办耕牛和农具的人，增垦田地几十万亩。一连几年都获得丰收，公家和私人都有了余粮，贩卖粮食的人远走外地去销售。

宪宗赐振武节度使阿跌光进姓李。

有多余财物。㊵④左藏：户部所掌国家仓库。㊵⑤内藏：皇帝私有仓库。㊵⑥踵：跟着；沿袭。㊵⑦乙巳：三月十一日。㊵⑧宽猛：宽，指德治。猛，指法治。㊵⑨惨刻：残酷刻剥。㊶⓪太宗观《明堂图》：唐太宗读《明堂针灸书》说："人五藏之系，咸附于背。"下令今后不得打犯人的脊背。事见本书卷一百九十三唐太宗贞观四年。㊶①抶：鞭打。㊶②悖逆：背理叛逆。㊶③旋踵：旋转脚跟。形容时间短暂。踵，脚后跟。㊶④戊辰：四月初四日。㊶⑤庚午：四月初六日。㊶⑥泗州：州名，治所在今江苏盱眙西北。㊶⑦品官：唐内侍省有品官，白身，二千九百三十二人。㊶⑧黜免：贬黜、免职。㊶⑨前行营：指前讨王承宗行营。㊷⓪粮料使：管理军粮的官员。㊷①贷：宽免。㊷②春州：州名，治所在今广东阳春。㊷③封州：州名，治所在今广东封开东南。㊷④潭州：州名，治所在今湖南长沙。㊷⑤肆诸市朝：刑而陈尸于市集示众。㊷⑥庚子：五月初七日。㊷⑦李惟简：李惟岳弟，官至凤翔节度使。传见《新唐书》卷二百十一。㊷⑧陇州：州名，治所在今陕西陇县东南。㊷⑨盗恩：挑起事端，窃取恩赏。㊸⓪其：指吐蕃。㊸①市：买。㊸②自具：自己备办。㊸③属岁屡稔：连年丰收。㊸④贩者：商人。

【校记】

[8]绛：原无此字。据章钰校，甲十一行本、乙十一行本有，张瑛《通鉴校勘记》同，今据补。

【原文】

六月丁卯[435]，李吉甫奏："自秦至隋十有三代[436]，设官之多，无如国家[437]者。天宝以后，中原宿兵，见在可计者八十余万，其余为商贾、僧、道不服田亩者[438]什有五六，是常以三分劳筋苦骨之人[439]奉七分待衣坐食之辈[440]也。今内外官以税钱给俸者[441]不下万员，天下州三百，千三百余县[9]，或以一县之地而为州，一乡之民而为县者甚众，请敕有司详定[442]废置，吏员可省者省之，州县可并者并之，入仕之涂可减者减之。又，国家旧章[443]，依品制俸[444]，官一品月俸钱三十缗，职田[445]禄米不过千斛。艰难以来[446]，增置使额[447]，厚给俸钱。大历中，权臣月俸至九千缗，州无大小，刺史皆千缗。常衮为相，始立限约[448]。李泌又量其闲剧[449]，随事增加，时谓通济，理难减削。然犹有名存职废，或额去俸存，闲剧之间，厚薄顿异。请敕有司详考俸料、杂给，量定以闻。"于是命给事中段平仲、中书舍人韦贯之、兵部侍郎许孟容、户部侍郎李绛同详定。

秋，九月，富平[450]人梁悦报父仇，杀秦杲，自诣县请罪。敕："复仇，据《礼经》则义不同天[451]，征法令则杀人者死。礼、法二事，皆王教之大端[452]，有此异同，固资论辩，宜令都省[453]集议闻奏。"职方员外郎[454]韩愈议，以为："律无其条，非阙文也[455]。盖以不许复仇，则伤孝子之心而乖先王之训；许复仇，则人将倚法专杀[456]，无以禁止其端[457]矣。故圣人丁宁其义于经[458]，而深没其文于律[459]，其意将使法吏一

【语译】

六月初四日丁卯，李吉甫上奏说："自秦朝到隋朝有十三个朝代，各朝设置官员之多，没有像本朝这样的。天宝年间以后，中原地区驻扎的军队，现在可以统计出来的有八十多万人，其余的做商贾、僧人、道士等不从事耕种田地的人，占总人口的十分之五六，这就是经常用占总人口十分之三的人辛勤劳动，来养活占总人口十分之七的不事农耕而坐待衣食的人。现在朝廷内外官员用赋税供给薪俸的不少于一万人，全国三百个州，一千三百多个县，有的用一个县的地方设置一个州，用一个乡的百姓作为一个县的情况很多，请陛下敕令有关部门详细审定州县的废除和设置，官吏可以省去的就省去，州县可以合并的就合并，入仕的途径可以减少的就减少。另外，国家旧制，根据官职的品级制定供给薪俸的标准，一品官每个月的薪俸为三十缗钱，职分田得到的禄米不超过一千斛。自从安史之乱以来，国家增设招讨使、宣慰使等使职名额，给予优厚的俸钱。大历年间，当权大臣的月俸到了九千缗钱，州不论大小，刺史的月俸全都一千缗。常衮担任宰相，才开始设置限制进行约束。李泌又酌量职务的轻闲和繁重，根据情况增加薪俸，当时认为这样做通情达理，能办成事情，按理说难以削减。但是，还是有的空有其名，职事荒废，有的员额没有了，俸钱尚在，轻闲和繁重之间，薪俸厚薄差别很大。请陛下敕令有关部门详细审查薪俸和杂项供给，根据情况审定后上奏。"宪宗于是命令给事中段平仲、中书舍人韦贯之、兵部侍郎许孟容、户部侍郎李绛一同详细加以审定。

秋，九月，富平县人梁悦替父亲报仇，杀了秦杲，自己前往县府请求治罪。宪宗下敕令说："关于复仇这个问题，根据《礼记》，从道理上说，杀父之仇不共戴天，但求之于法令条文的规定，那么杀人者要被处死。礼仪和法令两方面，都是君王教化天下的重要方面，二者存在着如此不同的差别，固然可供辩论，应该让尚书省召集人员讨论后上奏。"职方员外郎韩愈提出建议，认为："律令中没有这方面的律文，并不是缺失了相关律文。大概因为不允许为父报仇，就会伤害孝子的心，而违背了先王以孝治天下的训导；允许报杀父之仇，那么人们就会根据这条法令擅自杀人，而没有办法禁止这种杀人现象的发生了。所以先圣在经书中反复叮咛子报父仇的道理，而在法律条文中没有子报父仇的规定，这一用意就在于让执法的官吏一概以法

断于法[460]，而经术之士得引经而议[461]也。宜定其制曰:‘凡复父仇者，事发，具申尚书省集议奏闻，酌其宜[462]而处之。’则经、律无失其指矣。”敕梁悦杖一百，流循州[463]。

甲寅[464]，吏部奏准敕并省内外官计八百八员，诸司流外[465]一千七百六十九人。

黔州[466]大水坏城郭，观察使窦群[467]发溪洞蛮以治之。督役太急，于是辰、溆二州蛮反。群讨之，不能定。戊午[468]，贬群开州[469]刺史。

冬，十一月，弓箭库使[470]刘希光受羽林大将军孙璹钱二万缗，为求方镇[471]，事觉，赐死。事连左卫上将军、知内侍省事吐突承璀，丙申[472]，以承璀为淮南监军。上问李绛:“朕出承璀何如?”对曰:“外人不意陛下遽能如是。”上曰:“此家奴耳，向以其驱使之久，故假以恩私。若有违犯，朕去之轻如一毛耳!”

十六宅诸王[473]既不出阁[474]，其女嫁不以时[475]，选尚者皆由宦官，率以厚赂自达。李吉甫上言:“自古尚主[476]必择其人，独近世不然。”十二月壬申[477]，诏封恩王[478]等六女为县主[479]，委中书、门下、宗正、吏部选门地人才称可者嫁之。

己丑[480]，以户部侍郎李绛为中书侍郎、同平章事。李吉甫为相，多修旧怨[481]，上颇知之，故擢绛为相。吉甫善逢迎上意，而绛鲠直，数争论于上前。上多直绛而从其言，由是二人有隙[482]。

闰月辛卯朔[483]，黔州奏：辰、溆贼帅张伯靖寇播州[484]、费州[485]。

试[486]太子通事舍人[487]李涉知上于吐突承璀恩顾未衰[488]，乃投匦上疏[489]，称“承璀有功，希光无罪。承璀久委心腹，不宜遽弃”。知匦使、谏议大夫孔戣[490]见其副章[491]，诘责不受。涉乃行赂，诣光顺门通之[492]。戣闻之，上疏极言“涉奸险欺天，请加显戮”。戊申[493]，贬涉峡州[494]司仓。涉，渤[495]之兄。戣，巢父之子也。

辛亥[496]，惠昭太子宁[497]薨。

是岁，天下大稔[498]，米斗有直二钱者。

律条文判决，而经学之士得以引经据典地进行议论。应该就处理这种事情制定一个条文为：‘凡是报杀父之仇的，事情发生后，详细申报尚书省集体讨论上奏，根据具体情况进行处置。’这样就能使经典和法律都不失其旨意。”宪宗敕令打梁悦一百棍，流放到循州。

九月二十二日甲寅，吏部上奏说依据敕令共计减省朝廷内外官吏八百零八人，以及各部门九品以下的吏员一千七百六十九人。

黔州发大水毁坏了城墙，观察使窦群征发溪洞蛮来修筑城墙。官府对工程催促得太急切，于是辰、溆二州的蛮人造反，窦群讨伐他们，未能平定。九月二十六日戊午，朝廷把窦群贬为开州刺史。

冬，十一月，弓箭库使刘希光接受了羽林大将军孙璹的钱二万缗，为孙璹寻求节度使之职，事情被发觉，宪宗赐令刘希光自杀。事情牵连了左卫上将军、负责内侍省事务的吐突承璀。初五日丙申，宪宗任命吐突承璀为淮南监军。宪宗问李绛："我调出吐突承璀，怎么样？"李绛回答说："朝外的人没有想到陛下很快地能够这样。"宪宗说："吐突承璀是一个家奴而已，以前是因为使唤他很长时间了，所以因私恩宽大了他。如果他有违法乱纪的事情，我抛弃他容易得像丢掉一根毫毛！"

十六宅诸王既然没有离京到封地去，他们的女儿都不能按时出嫁，选择匹配公主的男子都由宦官负责，这些男子大都用丰厚的钱财贿赂宦官们来推荐自己。李吉甫上奏说："自古以来娶公主的人，一定要选择合适的人选，只有近世不这样做。"十二月十一日壬申，宪宗下诏册封恩王等人的六个女儿为县主，委托中书省、门下省、宗正和吏部选择门第、人才合适的人士，把县主嫁给他们。

十二月二十八日己丑，宪宗任命户部侍郎李绛为中书侍郎、同平章事。李吉甫担任宰相，经常报复旧时的怨仇，宪宗很了解这一情况，所以提拔李绛担任宰相。李吉甫善于迎合宪宗的心意，而李绛耿直，多次在宪宗面前争论。宪宗大多认为李绛正直而听从李绛的意见，由此，李绛和李吉甫有了矛盾。

闰十二月初一日辛卯，黔州上奏朝廷说：辰州和溆州叛贼的头目张伯靖侵扰播州、费州。

试太子通事舍人李涉知道宪宗对吐突承璀的恩宠眷顾没有减退，于是投匦上疏，说"吐突承璀有功劳，刘希光没有罪过。吐突承璀长期被陛下当作心腹，不应该急急忙忙地抛弃他"。担任知匦使和谏议大夫的孔戣看到了李涉上疏的副本，斥责李涉，不接受奏疏。李涉于是行贿，前往光顺门上疏。孔戣听说此事，上疏宪宗，极力述说"李涉奸邪险恶，欺蒙天下，请把他公开在闹市处斩示众"。闰十二月十八日戊申，李涉被贬职为峡州司仓。李涉，是李渤的哥哥。孔戣，是孔巢父的儿子。

闰十二月二十一日辛亥，惠昭太子李宁去世。

这一年，天下粮食大获丰收，一斗米，有只值二文钱的地方。

【段旨】

以上为第十段，写宪宗纳李吉甫之奏沙汰冗官，听李绛之言外出吐突承璀，采韩愈之奏，朝议复仇杀人刑事案，表现明主风采。

【注释】

(435)丁卯：六月初四日。(436)自秦至隋十有三代：从秦到隋十三代为：秦、西汉、东汉、魏、晋、宋、齐、梁、陈、北魏、北齐、周、隋。(437)国家：指唐朝。(438)不服田亩者：不从事耕种田地的人。(439)劳筋苦骨之人：身体劳苦的人，主要指农民。(440)待衣坐食之辈：不事农耕而坐待衣食的各类人，即士卒、商贾、僧道等。(441)内外官以税钱给俸者：内外官员用赋税供作薪俸的。此亦为待衣坐食之人。内官，指京官。外官，指地方官。给俸者，供给俸禄的人。(442)详定：详细审定。(443)旧章：旧的章程、制度。(444)依品制俸：依照品级高下制定俸禄。(445)职田：职分田。唐制，给职官以职分田，一品为六十顷，逐品递减五顷，离职时缴还。(446)艰难以来：指安史之乱以来。(447)增置使额：增设如招讨使、宣慰使等使职名额，增加了开支。(448)常衮为相二句：代宗朝宰相常衮制定了中外官有标准的俸禄。事见本书卷二百二十五代宗大历十二年。(449)闲剧：指职事的轻闲与繁重。李泌增俸，事见本书卷二百三十三德宗贞元四年。(450)富平：县名，县治在今陕西富平。(451)义不同天：从道理上说，与仇人不共戴天。《礼记·曲礼上》说："父之仇，弗与共戴天。"(452)王教之大端：指礼与法是帝王实行教化的重要方面。(453)都省：尚书省之别称。(454)职方员外郎：兵部第二司职方司副主管，掌地图、城隍、镇戍、烽候、防人道路之远近及四夷归化之事，从六品上。(455)律无其条二句：法律中没有子报父仇的条文，并不是出现了疏漏而缺条文。(456)倚法专杀：依据法律擅自杀人。谓若法律也明文规定子可报父仇，那就会出现依法杀人合理而擅自杀人。(457)无以禁止其端：谓法律无法禁止杀人事件的发生。端，开端、发生。(458)圣人丁宁其义于经：圣人在经书里反复叮咛子报父仇的道理。丁宁，通"叮咛"。(459)深没其文于律：在法律条文中则深深地埋没。即法律条文中没有子报父仇的规定。(460)一断于法：依法律条文判决。按律，杀人有罪，子报父仇杀人也应有罪。(461)经术之士得引经而议：谓子报父仇只可在经学之士中援经讲论，不能作为法官的判案依据。(462)酌其宜：根据具体情况。(463)循州：州名，治所在今广东惠州

【原文】

七年（壬辰，公元八一二年）

春，正月辛未[499]，以京兆尹元义方[500]为鄜坊[501]观察使。初，义方

东。㊻甲寅：九月二十二日。㊼流外：不入九品的职官。唐时诸司员吏大都由流外官充任。⑯黔州：州名，治所在今重庆市彭水苗族土家族自治县。⑰窦群：字丹列，京兆（今陕西西安）人，以诗闻名。传见《旧唐书》卷一百五十五、《新唐书》卷一百七十五。⑱戊午：九月二十六日。⑲开州：州名，治所盛山，在今重庆市开州区。⑳弓箭库使：官名，管弓箭，由宦官担任，位在军器库使之下。㉑求方镇：请求节度使之职。㉒丙申：十一月初五日。㉓十六宅诸王：开元以来，皇子多居禁中，分院而居，先为十王，后又就封六王，均入内宅。㉔出阁：走出京师藩王宅，指到封地就职。㉕不以时：不按时。㉖尚主：娶公主。此指尚公主之人。㉗壬申：十二月十一日。㉘恩王：李连，代宗子。㉙县主：诸王公主封爵品级。㉚己丑：十二月二十八日。㉛多修旧怨：对过去有怨仇的人加以报复。㉜有隙：有矛盾。㉝辛卯朔：闰十二月初一日。㉞播州：州名，治所在今贵州遵义。㉟费州：州名，故治在今贵州德江东南。㊱试：唐制，担任某一官职而未正式任命称试。㊲太子通事舍人：东宫官属。属右春坊，掌导宫臣辞见，承令劳问，正七品下。李涉以五品试职。㊳恩顾未衰：恩宠未减退。㊴投匦上疏：唐武后时，置匦四枚，共为一室，列于朝堂，供人投诉。设知匦使掌其事。匦，即今之检举箱。㊵孔戣：德宗朝御史大夫孔巢父之子。唐宪宗时官知匦使、谏议大夫。传见《旧唐书》卷一百五十四、《新唐书》卷一百六十三。㊶副章：副本。㊷诣光顺门通之：到光顺门投状。唐制，除投匦上疏外，还可至光顺门上疏，由阁门使收进。㊸戊申：闰十二月十八日。㊹峡州：州名，治所夷陵，在今湖北宜昌西北。㊺渤：隐士李渤，仕于穆、敬、文三朝。传见《旧唐书》卷一百七十一、《新唐书》卷一百八十一。㊻辛亥：闰十二月二十一日。㊼惠昭太子宁：宁立为太子，见本书上卷宪宗元和四年三月。㊽大稔：大丰收。

【校记】

［9］天下州三百，千三百余县：此二句原作“天下三百余县”，显系讹脱，唐代县数从来没有如此之少。《新唐书》卷一百四十六《李吉甫传》云：“今列州三百、县千四百，以邑设州，以乡分县，费广制轻，非致化之本。”〖按〗《资治通鉴》脱“州三百千”四字。此当言“州三百，千三百余县”，方与下文“一县之地而为州”“一乡之民而为县”相应。“州三百千”四字当是刻者脱落。

【语译】

七年（壬辰，公元八一二年）

春，正月十一日辛未，朝廷任命京兆尹元义方为鄜坊观察使。当初，元义方对

媚事吐突承璀，李吉甫欲自托于承璀，擢义方为京兆尹。李绛恶义方为人，故出之。义方入谢，因言“李绛私其同年[502]许季同，除京兆少尹，出臣鄜坊，专作威福，欺罔聪明[503]”。上曰：“朕谙李绛不如是。明日，将问之。”义方惶愧[504]而出。明日，上以诘绛曰：“人于同年固有情乎？”对曰：“同年，乃九州四海之人偶同科第，或登科然后相识，情于何有[505]！且陛下不以臣愚，备位宰相，宰相职在量才授任，若其人果才，虽在兄弟子侄之中犹将用之，况同年乎！避嫌而弃才，是乃便身，非徇公[506]也。”上曰：“善！朕知卿必不尔[507]。”遂趣[508]义方之[509]官。

振武河溢[510]，毁东受降城[511]。

三月丙戌[512]，上御延英殿。李吉甫言：“天下已太平，陛下宜为乐。”李绛曰：“汉文帝时兵木无刃[513]，家给人足，贾谊犹以为厝火积薪之下[514]，不可谓安。今法令所不能制[515]者，河南、北五十余州。犬戎腥膻，近接泾、陇，烽火[516]屡惊。加之水旱时作[517]，仓廪空虚，此正陛下宵衣旰食[518]之时，岂得谓之太平，遽为乐哉！”上欣然曰：“卿言正合朕意。”退，谓左右曰：“吉甫专为悦媚[519]，如李绛，真宰相也！”

上尝问宰相：“贞元中政事不理[520]，何乃至此？”李吉甫对曰：“德宗自任圣智[521]，不信宰相而信他人，是使奸臣得乘间弄威福[522]。政事不理，职此故也[523]。”上曰：“然此亦未必皆德宗之过。朕幼在德宗左右，见事有得失，当时宰相亦未有再三执奏[524]者，皆怀禄偷安[525]，今日岂得专归咎于德宗邪！卿辈宜用此为戒，事有非是，当力陈不已[526]，勿畏朕谴怒而遽止[527]也。”

李吉甫尝言：“人臣不当强谏，使君悦臣安，不亦美乎？”李绛曰：“人臣当犯颜苦口[528]，指陈得失。若陷君于恶，岂得为忠！”上曰：“绛言是也。”吉甫至中书[529]，卧不视事[530]，长吁而已。李绛或久不谏，上辄诘[531]之曰：“岂朕不能容受邪？将无事可谏也？”

李吉甫又尝[532]言于上曰：“赏罚，人主之二柄，不可偏废。陛下践

吐突承璀献媚逢迎，李吉甫想以吐突承璀为靠山，就提拔元义方为京兆尹。李绛厌恶元义方的为人，所以就将元义方调出外任。元义方进宫向宪宗谢恩，乘机说“李绛为他同年登科举的许季同谋私利，任命他为京兆府少尹，把臣调出到鄜坊任职，李绛专断，作威作福，欺蒙陛下的视听”。宪宗说：“朕熟悉李绛，他不是这样的。明天，我要问问这事。”元义方又惊慌又惭愧地出了宫。第二天，宪宗责问李绛说：“人们对自己同年登科举的人徇私情吗?”李绛回答说：“所谓同年，就是分布在九州四海的人偶然在同一年科考登进士第，有的人是登科以后相认识，有什么交情呢！而且陛下不因为臣下愚昧，让臣下位居宰相，宰相的职责在于衡量才能，授予职任，如果那个人果真有才能，虽然在自己的兄弟子侄之中，但也还要任用他，何况只是一个同榜的进士呢！为了避嫌而抛弃人才，这是有利于自身，而不是以身为公。”宪宗说：“很好！我知道你一定不会徇私情。”于是就催促元义方前往鄜坊赴任。

振武军内的黄河大水漫溢，毁坏了东受降城。

三月二十八日丙戌，宪宗驾临延英殿。李吉甫说：“天下已经太平无事，陛下应该好好享乐。”李绛说：“汉文帝时期兵器不锋利，家家充实，人人富足，贾谊还认为火种放置在堆积的柴草之下，不能说是平安无事。现在朝廷法令不能制约的地方，在黄河南、北地区有五十多个州。吐蕃、回鹘的踪迹，靠近泾州和陇州，边塞烽火屡次报警。加上水旱灾害时常发生，国家仓库空虚，这正是陛下辛勤操劳政事的时候，岂能说是太平无事，可以立即享乐呢！”宪宗高兴地说：“卿说的正符合我的想法。”退朝后，宪宗对左右侍从说：“李吉甫一味地献媚讨好，像李绛，才是真正的宰相啊！”

宪宗曾经问宰相：“贞元年间，朝廷政治不清明，是什么原因导致这样的呢?”李吉甫回答说：“德宗皇帝自己用圣明的智慧办事，不信任宰相而相信别人，这样就使得奸臣乘机作威作福。朝廷政治不清明，责任就在于此。”宪宗说：“但这也未必都是德宗皇帝的过错。朕年幼时在德宗皇帝身边，见到事情在成败得失之际，当时的宰相也没有不断地坚持上奏的，他们都贪恋俸禄，苟且偷安，现在怎么能把过错全归罪于德宗皇帝呢！你们应该以此为戒，事情有不对的地方，应当尽力奏谏不止，不要害怕朕生气和谴责而立即停止劝谏。”

李吉甫曾经说：“做人臣的不应该强行劝谏，让君王高兴，臣下安宁，不也是很美的事吗?”李绛说：“做人臣的，应当敢冒犯圣上怒颜，苦口婆心，陈述事情的得失。如果让君王陷入坏事之中，怎么能说是忠诚呢！”宪宗说：“李绛的话正确。”李吉甫到了中书省，躺倒不办事，长吁短叹而已。李绛有时很长时间不劝谏宪宗，宪宗就要责问他说：“难道是我不能接受你的劝谏吗？或者是没有事情可劝谏呢?”

李吉甫又曾进言宪宗说：“奖赏与惩罚，是君王的两大权力，不能够偏废。陛下

阼[533]以来，惠泽深矣[534]，而威刑未振[535]，中外懈惰，愿加严以振之。”上顾李绛曰：“何如？”对曰：“王者之政，尚德不尚刑[536]，岂可舍成、康、文、景而效秦始皇父子乎！”上曰：“然。”后旬余，于頔入对，亦劝上峻刑[537]。又数日，上谓宰相曰：“于頔大是奸臣，劝朕峻刑，卿知其意乎？”皆对曰：“不知也。”上曰：“此欲使朕失人心耳。”吉甫失色，退而抑首[538]不言笑竟日[539]。

夏，四月丙辰[540]，以库部郎中[541]、翰林学士崔群为中书舍人，学士如故。上嘉群谠直[542]，命学士“自今奏事，必取崔群连署[543]，然后进之”。群曰：“翰林举动皆为故事。必如是，后来万一有阿媚之人为之长，则下位直言无从而进矣。”固不奉诏[544]，章三上，上乃从之。

五月庚申[545]，上谓宰相曰：“卿辈屡言淮、浙去岁水旱，近有御史自彼还，言不至为灾，事竟如何？”李绛对曰：“臣按淮南、浙西、浙东奏状，皆云水旱，人多流亡，求设法招抚[546]。其意似恐朝廷罪之者，岂肯无灾而妄言有灾邪！此盖御史欲为奸谀[547]，以悦上意耳。愿得其主名[548]，按致其法[549]。”上曰：“卿言是也。国以人为本，闻有灾当亟救之，岂可尚复疑之邪！朕适者[550]不思，失言耳。”命速蠲[551]其租赋。

上尝与宰相论治道于延英殿，日旰[552]，暑甚，汗透御服。宰相恐上体倦，求退。上留之曰：“朕入禁中，所与处者独宫人、宦官耳，故乐与卿等且共谈为理[553]之要，殊不知倦也。”

即位以来，给天下的恩泽很深厚了，但是威严和刑罚却没有起到大的作用，朝廷内外松懈懒惰，希望更加严厉地施行刑罚来激发他们。”宪宗回头看着李绛说：“你觉得怎么样?”李绛回答说：“君王的政治，崇尚道德而不崇尚刑罚，怎么能舍弃了周成王、周康王、汉文帝、汉景帝而效仿秦始皇父子呢！”宪宗说：“你说得对。”后来十多天，于頔入朝奏对，也劝皇帝严刑峻法。又过了几天，宪宗对宰相们说：“于頔是个大奸臣，劝告我用严刑峻法，你们知道他的用意吗?”宰相们都回答说：“不知道。”宪宗说：“他这是想让朕失去人心。”李吉甫吓得变了脸色，退朝后低着头，一整天不说不笑。

夏，四月二十九日丙辰，宪宗任命库部郎中、翰林学士崔群为中书舍人，翰林学士职依旧。宪宗欣赏崔群正直，命令翰林学士“从今以后奏报事情，一定要同崔群一起具名，然后进呈”。崔群说：“翰林院的一举一动都会成为惯例。一定要这样做的话，以后万一有一个阿谀逢迎的人做了翰林院的长官，那么下面的直言就无从进奏了。”崔群坚持不接受诏令，向宪宗三次上奏章，宪宗才听从了崔群的建议。

五月初三日庚申，宪宗对宰相们说：“你们多次谈到淮南、两浙一带去年有水旱灾害，近日有御史从那里回朝，说不至于成灾，这究竟怎么回事?”李绛回答说：“臣查看了淮南、浙西、浙东上奏的章疏，都谈到水旱灾害，百姓多有流亡，要求想办法招抚。他们的意思好像担心朝廷治他们的罪，怎么肯没有灾害而瞎说受灾呢！这大概是御史奸诈阿谀，想以此讨得陛下的欢心罢了。我希望知道这个御史的名字，按问后给予法律制裁。”宪宗说：“卿说得对。国家以百姓为根本，听说有灾害后应当赶快赈灾，怎么能还怀疑事情是假的呢！朕刚才没有思考，失言而已。”宪宗下令赶快免除受灾地的赋税。

宪宗曾经与宰相们在延英殿讨论治理国家的策略，天色已晚，天气极热，汗水湿透了宪宗的衣服，宰相们担心宪宗身体疲倦，要求退朝。宪宗挽留他们说：“朕进入宫禁中，与朕相处的都只是宫女和宦官，所以朕很高兴与众卿一起谈论治理天下的要领，一点也不觉得疲倦。”

【段旨】

以上为第十一段，写唐宪宗思治，与宰臣论治，虽盛暑而不知倦。写李吉甫逢迎上意，李绛耿直正言，二人每议必急，于是有隙。

【注释】

(499)辛未：正月十一日。(500)元义方：媚事吐突承璀。李吉甫欲结援吐突承璀，用为京兆尹。李绛恶其人，出为鄜坊观察使。传见《新唐书》卷二百一。(501)鄜坊：方镇名，唐肃宗上元元年（公元七六〇年），置渭北鄜坊节度使。治所坊州，在今陕西黄陵东南。(502)同年：唐人谓同榜进士为同年。(503)聪明：指皇上。(504)惶愧：惊慌而惭愧。(505)情于何有：有什么交情呢。(506)徇公：以身为公。(507)不尔：不这样。(508)趣：通“促”。(509)之：赴；前往。(510)河溢：黄河暴涨漫溢。(511)东受降城：唐张仁愿所筑。受降城有三，东受降城在今内蒙古托克托南。(512)丙戌：三月二十八日。(513)兵木无刃：兵器不锋利。借指天下太平，无战事。(514)厝火积薪之下：语出《汉书·贾谊传》中《治安策》，意谓将火放置在堆积的柴草之下，比喻潜伏着极大的危机。(515)制：制约。(516)烽火：报警烽烟。借指战争。(517)时作：时时发生。(518)宵衣旰食：天不亮就穿衣起身，天晚了才吃饭。指皇帝勤于

【原文】

六月癸巳[554]，司徒、同平章事杜佑以太保致仕[555]。

秋，七月乙亥[556]，立遂王宥[557]为太子，更名恒。恒，郭贵妃之子也。诸姬子澧王宽[558]，长于恒。上将立恒，命崔群为宽草让表。群曰：“凡推己之有以与人谓之让。遂王，嫡子也，宽何让焉！”上乃止。

八月戊戌[559]，魏博节度使田季安薨。

初，季安娶洺州刺史元谊女，生子怀谏[560]，为节度副使。牙内兵马使[561]田兴[562]，庭玠之子也，有勇力，颇读书，性恭逊。季安淫虐[563]，兴数规谏，军中赖之[564]。季安以为收众心，出为临清镇将[565]，将[10]欲杀之。兴阳[566]为风痹，灸灼满身[567]，乃得免。季安病风，杀戮无度[568]，军政废乱，夫人元氏召诸将立怀谏为副大使，知军务，时年十一。迁季安于别寝[569]，月余而薨。召田兴为步射都知兵马使[570]。

辛亥[571]，以左龙武大将军薛平为郑滑[572]节度使，欲以控制魏博。

上与宰相议魏博事，李吉甫请兴兵讨之。李绛以为魏博不必用

政事。⑲悦媚：献媚讨好。⑳不理：不治。㉑自任圣智：自己用圣明的智慧办事。实即刚愎自用的委婉语。㉒乘间弄威福：乘机作威作福。㉓职此故也：责任就在于此。职，责。㉔再三执奏：不断地坚持上奏。㉕怀禄偷安：贪恋禄位，苟且偷安。㉖力陈不已：尽力奏谏不止。㉗遽止：立即停止进谏。㉘犯颜苦口：冒犯人君发怒的脸色而苦口婆心地进谏。㉙中书：中书省。㉚卧不视事：躺倒不办事。㉛诘：责问。㉜尝：曾经。㉝践阼：即位。㉞惠泽深矣：恩惠是很深厚了。㉟振：振兴。㊱尚德不尚刑：崇尚德政而不崇尚刑罚。㊲峻刑：严峻的刑法。㊳抑首：低着头。㊴竟日：整整一天。㊵丙辰：四月二十九日。㊶库部郎中：兵部第四司库部司主官，掌戎器、卤簿、仪仗等，正五品上。㊷谠直：正直。㊸连署：一起具名。㊹固不奉诏：坚决不接受联署的诏命。㊺庚申：五月初三日。㊻设法招抚：想办法进行招抚。㊼奸谀：奸诈阿谀。㊽主名：主事者的姓名。㊾按致其法：按问得实后给予法律制裁。㊿适者：刚才。51蠲：免除。52日旰：日已晚。53为理：为治。唐因避高宗李治讳，故改“治”为“理”。

【语译】

六月初七日癸巳，司徒、同平章事杜佑以太保的职位退休。

秋，七月十九日乙亥，宪宗册立遂王李宥为太子，改名为恒。李恒，是郭贵妃所生的儿子。妃子生的儿子澧王李宽比李恒年龄大。宪宗准备册立李恒为太子时，命令崔群为李宽草拟推让皇太子的表章。崔群说：“凡是把自己拥有的东西给别人叫作推让。遂王是正妻生的儿子，澧王李宽推让了什么！”宪宗于是作罢。

八月十二日戊戌，魏博节度使田季安去世。

当初，田季安娶了洺州刺史元谊的女儿为妻，生了儿子田怀谏，担任了节度副使。牙内兵马使田兴，是田庭玠的儿子，勇猛有力，读过一些书，性格恭谨谦逊。田季安为人荒淫暴虐，田兴多次劝谏，军中将士都信赖田兴。田季安认为田兴拉拢人心，调出田兴任临清镇守将领，准备杀了田兴。田兴假装得了风湿病，满身都是针灸、艾灼痕迹，才得免死。田季安得了疯病，无限制地杀人，军政事务荒废混乱，夫人元氏召集各位将领立田怀谏为副大使，掌管军中事务，这一年田怀谏十一岁。又将田季安迁移到另外的房间，一个多月后田季安去世。田怀谏召回田兴，让他担任步射都知兵马使。

八月二十五日辛亥，宪宗任命左龙武大将军薛平为郑滑节度使，想以此来控制魏博。

宪宗与宰相们商议魏博的事情，李吉甫请求兴兵讨伐。李绛认为对付魏博不必

兵，当自归朝廷。吉甫盛陈[573]不可不用兵之状，上曰：“朕意亦以为然。”绛曰：“臣窃观两河藩镇之跋扈者，皆分兵以隶诸将[574]，不使专在一人，恐其权任太重，乘间而谋己[575]故也。诸将势均力敌，莫能相制[576]。欲广相连结，则众心不同，其谋必泄；欲独起为变，则兵少力微，势必不成。加以购赏既重，刑诛又峻[577]，是以诸将互相顾忌，莫敢先发，跋扈者恃此以为长策[578]。然臣窃思之，若常得严明主帅能制诸将之死命者[579]以临之，则粗能自固矣。今怀谏乳臭子，不能自听断[580]，军府大权必有所归，诸将厚薄不均，怨怒必起，不相服从，则向日分兵之策，适足为今日祸乱之阶也。田氏不为屠肆[581]，则悉为俘囚矣，何烦天兵[582]哉！彼自列将[583]起代主帅，邻道所恶[584]，莫甚于此[585]。彼不倚朝廷之援以自存，则立[586]为邻道所齑粉[587]矣。故臣以为不必用兵，可坐待魏博之自归也。但愿陛下按兵养威[588]，严敕诸道选练士马，以须后敕[589]。使贼中知之，不过数月，必有自效于军中者[590]矣。至时，惟在朝廷应之敏速，中其机会[591]，不爱爵禄[592]以赏其人，使两河藩镇闻之，恐其麾下[593]效之以取朝廷之赏，必皆恐惧，争为恭顺[594]矣。此所谓不战而屈人兵[595]者也。”上曰：“善！”

他日，吉甫复于延英盛陈用兵之利，且言刍粮金帛[596]皆已有备。上顾问[597]绛，绛对曰：“兵[598]不可轻动。前年讨恒州，四面发兵二十万，又发两神策兵自京师赴之[599]，天下骚动，所费七百余万缗，讫无成功，为天下笑。今疮痍未复，人皆惮战[600]。若又以敕命驱之，臣恐非直[601]无功，或生他变。况魏博不必用兵，事势明白，愿陛下勿疑。”上奋身抚案[602]曰：“朕不用兵决矣！”绛曰：“陛下虽有是言，恐退朝之后，复有荧惑[603]圣听者。”上正色[604]厉声曰：“朕志已决，谁能惑之！”绛乃拜贺曰：“此社稷[605]之福也。”

既而田怀谏幼弱，军政皆决于家僮[606]蒋士则，数以爱憎移易诸将[607]，众皆愤怒。朝命[608]久不至，军中不安。田兴晨入府，士卒数千人大噪[609]，环[610]兴而拜，请为留后。兴惊仆于地，众不散。久之，兴度不

动用军队，魏博会自动归顺朝廷。李吉甫大肆述说不能不派兵征讨的理由，宪宗说："我的想法也认为应该派兵征讨。"李绛说："臣下私下观察黄河南北军镇中专横跋扈的主帅，都把军队分散隶属诸将，不让兵权集中在一个人，这是害怕一个人权力太大，乘机算计自己的缘故。各位将领势均力敌，不能相互控制。如果他们想广泛地联合起来，那么大家的心思不一，他们的计划一定会泄露；打算一个人独力发动兵变，兵力太少，力量微弱，势必不能成功。加上各镇主帅悬赏丰厚，刑罚又严苛，因此各将之间互相顾忌，不敢率先发难，专横跋扈的主帅以此作为自己的善策。但臣下私下考虑，如果长期有一个严明的主帅能够控制各位将领为自己拼死效力，那么局势大体能够稳固了。现在田怀谏是一个乳臭未干的小孩子，不能够自己听政决断，军府中的大权一定会落到什么人手里，如果对待各位将领厚薄不均，一定产生怨愤，不服从上司的命令，那么，以前所采取的分散兵力的策略，恰恰成了现在发生祸乱的根源。田氏家族不是全被杀戮，就是全成了被俘的囚徒了，哪还用得着麻烦天子的士兵呢！那个人从部将中出来代替主帅，相邻各道所憎恨的，没有比这一点更厉害了。他如果不依靠朝廷的援助而自我生存下来，那就会立刻被邻道所粉碎。所以臣下认为不必对魏博用兵，可以坐等魏博镇自己归顺朝廷。只希望陛下按兵不动，蓄养声威，严令各军镇选练人马，等待以后朝廷的命令。使魏博的将士们知道这件事，过不了几个月，魏博军中一定有自己效命朝廷的人。到那个时候，只要朝廷反应敏捷迅速，抓住机会，不要吝啬官爵俸禄，用它来赏赐给合适的人，让黄河南北各军镇主帅都知道这种赏赐，从而担心自己的部下起来效仿而获得朝廷的奖赏，他们一定全都恐惧，争着要恭敬地顺从朝廷。这就是所说的不使用武力便可以让敌人屈服的办法啊。"宪宗说："很好！"

又一天，李吉甫又在延英殿向皇帝大肆述说对魏博用兵的好处，而且说粮草钱帛都已经准备好了。宪宗回过头来询问李绛，李绛回答说："军队不能轻易地启动。前年讨伐王承宗，四面八方发兵二十万人，又派遣左右神策军从京城前往征讨，天下骚动不安，花费七百多万缗，最后没有成功，被天下所笑。现在，战争的创伤没有恢复，人们都害怕战争。如果又下命令驱使他们，臣下担心不但不会成功，或许生出其他变故。何况对魏博不必动用武力，事情和形势明明白白，希望陛下不要怀疑。"宪宗跳起身来，拍着桌子说："我已经决定不使用武力了！"李绛说："陛下虽然已经有了这个话，但恐怕退朝以后，又有迷惑陛下视听的人。"宪宗面色严肃地厉声说道："我的心意已经决定下来，谁还能够迷惑我！"李绛于是向宪宗行礼祝贺道："这就是国家的福气啊。"

不久，因为田怀谏年幼力弱，军政事务都由他的家仆蒋士则决断，他多次以自己的好恶调动各位将领，大家都很愤怒。朝廷对主帅的任命长时间没有到来，军中不安。田兴早晨进入军府，几千名士兵大声呼喊，围着田兴行礼，请求田兴担任留后。田兴吃惊地扑倒在地，士兵们不散开。过了很长时间，田兴估计自己免不了被

免[611]，乃谓众曰："汝肯听吾言乎？"皆曰："惟命[612]。"兴曰："勿犯[613]副大使[614]，守朝廷法令，申版籍[615]，请官吏[616]，然后可。"皆曰："诺。"兴乃杀蒋士则等十余人，迁[617]怀谏于外[618]。

【段旨】

以上为第十二段，写李绛识大局，善应对，以为朝廷不用兵戈而魏博归顺。

【注释】

[554]癸巳：六月初七日。[555]以太保致仕：给杜佑以太保的荣衔退休。太保，三师之一，名义为皇上之师，正一品，无实权，是加给元老重臣的荣衔。[556]乙亥：七月十九日。[557]遂王宥（公元七九五至八二四年）：名恒，宪宗第三子，即唐穆宗。[558]澧王宽：宪宗第二子。元和元年（公元八〇六年）封澧王。[559]戊戌：八月十二日。[560]怀谏：田季安子。季安得了疯病，其妻召诸将立怀谏，年十一，政决于私奴蒋士则，后被推翻。传见《旧唐书》卷一百四十一、《新唐书》卷二百十。[561]牙内兵马使：官名，节度使属官，掌亲军。[562]田兴：即田弘正。弘正幼通兵法，善骑射，族父田承嗣爱之，以为必兴田氏宗族，名之曰"兴"。元和八年正月，宪宗给田兴赐名弘正。[563]淫虐：荒淫暴虐。[564]赖之：信赖他。[565]临清镇将：镇守临清县的将领。[566]阳：假装。[567]灸灼满身：满身都是针灸、艾灼的痕迹。[568]无度：没有节制。[569]别寝：另外的房间。[570]步射都知兵马使：节度使属官，统率马、步军。[571]辛亥：八月二十五日。[572]郑滑：方镇名，治所郑州，在今河南郑州。[573]盛陈：大肆陈述。[574]分兵以隶诸将：把兵力分散隶属于各个将领。[575]乘间而谋己：乘机会算计自己。[576]莫能相制：不能互相制服。[577]峻：严苛。[578]长策：好办法；善策。[579]制诸将之死命者：控制诸将能为自己效命的人。[580]自听断：自己听政决断。[581]屠肆：肉铺。喻全家遭诛灭。[582]天兵：天子之兵。[583]列将：部将。[584]恶：厌恨。[585]莫甚于此：没有比这更严重的了。[586]立：立即。[587]齑粉：切碎。比喻粉身碎骨。[588]按兵养威：按兵不动，蓄养军威。[589]以须后敕：等待以后朝廷的命令。[590]自效于军中者：在魏博军中一定有自己效命朝廷的人。[591]中其机会：抓住机会。[592]不爱爵禄：不吝惜官爵俸禄，即不吝重赏。[593]麾下：部下。[594]争为恭顺：争先恐后、恭恭敬敬地顺从朝廷。[595]不战而屈人兵：语出《孙子兵法》，意谓不使用武力而使敌人屈服。[596]刍粮金帛：马草、军粮、财用、布帛。[597]顾问：回过头来询问。[598]兵：军队。[599]赴之：前往征讨。[600]惮战：害怕战争。[601]非直：非但。[602]奋身抚案：跳起身来，拍着台子。[603]荧惑：用花言巧语蛊惑别人。[604]正色：脸色严肃。[605]社稷：国家。[606]家僮：家中仆人。[607]数

推戴为留后，才对大家说："你们肯听我的话吗？"大家都说："唯命是从。"田兴说："不要侵犯副大使，遵守朝廷的法令，向朝廷申报土地、户籍，请求朝廷任命官吏，答应了这些以后我才担任留后。"大家都说："好。"田兴于是杀了蒋士则等十几人，把田怀谏迁移到军府之外去居住。

以爱憎移易诸将：多次以自己的爱憎调动将领。⑱朝命：朝廷的任命。⑲大噪：大声呼叫。⑳环：包围。㉑兴度不免：田兴估计免不了要被推戴为节度使留后。㉒惟命：唯你之命是从。㉓犯：侵犯。㉔副大使：指田怀谏。㉕申版籍：申报土地、户口。㉖请官吏：请求朝廷任命官吏。㉗迁：迁移。㉘外：节度府衙之外。

【校记】

［10］将：据章钰校，甲十一行本、乙十一行本皆无此字。

【研析】

本卷研析三事：吐突承璀兵败河北，李绛入相，宪宗问宰臣宽严之政。

第一，吐突承璀兵败河北。当初，元和元年（公元八〇六年），宪宗兵征西川刘辟，这时淄青节度使李师古去世。李师古异母弟李师道自为留后，宰相杜黄裳主张讨伐，宪宗认为刘辟还没有平定，不愿两线用兵，姑息李师道，任命为节度使。嗣后王士真的儿子王承宗自为留后，此时宪宗志欲革除军镇世袭的弊政，打算用兵征讨。宰相裴垍和翰林学士李绛都认为河北三镇世袭节度已相沿成习，三镇又唇齿相依，不易征讨。淮西吴少诚当年自为留后而被朝廷任命，现已患病，朝廷派人去取代，若不受命，派兵征讨，因环绕淮西诸镇皆为朝廷控制，淮西得不到邻镇的援助，官军可以取胜，阻止军镇世袭蔓延到内地。这一正确方针，宪宗不予采纳。神策军中尉吐突承璀请命征讨河北，宪宗听从。吐突承璀自小入宫，给事东宫侍奉顺宗，年纪与宪宗相当，两人自幼交好。宪宗即位，用为神策军中尉。吐突承璀还掌控内侍省，是宦官的总头领，宪宗宠信无比。既然朝官反对用兵河北，宪宗索性任用吐突承璀为统帅，任命吐突承璀为左、右神策以及河中、河阳、浙西、宣歙等道行营兵马使、招讨处置使，统兵讨伐王承宗。白居易等朝臣群起反对任用宦官为兵马统帅，各镇将领以受宦官指挥为耻辱，不肯用命。宪宗固执己见，他只是在名义上取消吐突承璀行营兵马使的头衔，改招讨使为宣慰使，仍用吐突承璀为统帅，集中官军二十余万人、十倍于王承宗的优势讨伐成德，果如朝臣所料，各镇官兵互相观望，河北三镇联合对抗，久不建功。朝廷花了七百多万缗军费，财力不支，只好接受王承宗的归顺，任命他为节度使，朝廷罢兵。

元和五年（公元八一〇年），吐突承璀回朝，宪宗不追究吐突承璀的败军之罪，仍用为神策军中尉，李绛等朝官力争，宪宗不得已贬吐突承璀为军器使。第二年，吐突承璀贪赃事发，出为淮南监军。宪宗对李绛说，吐突承璀只是一个家奴，无论给他多大权力，去掉他就像去掉一根毛。宪宗违众任用吐突承璀为统帅，认为军队在家奴手中就是在自己手中，吐突承璀胜利了，就是皇上英明，使群臣畏服。宪宗的内心深处，仍是猜忌朝官和诸将，自己站到宦官一边。宦官从小在宫中，不知稼穑之艰难，哪能体恤人民的疾苦。宦官多不读书，不明礼义。宦官身为刑余之人，身心遭受严重摧残，整日目睹皇上与嫔妃花天酒地的豪侈生活，颐指气使家奴的威风，日久天长，怎不染上权力之欲。所以宦官一旦擅权，十之八九皆为祸患，唐宪宗视为一根毛，大错特错。正是这一错误观念，让昏君们疏远朝官，信用家奴，最终失控，受制于家奴。宪宗死于宦官之手，这是他做梦也想不到的，悲哉，惜也。

第二，李绛入相。河北用兵的失败，使唐宪宗认识到，不信用朝官，想有一番作为是不可能的。唐宪宗当时还有进取心，这是他的可爱处。为了任用李绛为相，唐宪宗才贬吐突承璀为淮南监军。当唐宪宗要一脚踢开李绛时，吐突承璀又被召还为中尉，这是后话，按下不提。

李绛，字深之，赵州赞皇（今属河北）人。历仕德宗、顺宗、宪宗、穆宗、敬宗、文宗六朝，清正廉直。居官庙堂，以匡谏为己任；外任地方，恪尽职守。终官山南西道节度使，死于监军煽动的乱兵之手。贞元末，李绛任监察御史，宪宗即位，拜李绛为翰林学士，策划军国事务。诛李锜，推倒圣德碑，皆李绛之力。李绛是当时朝官耿直派的代表，深恶宦官。宪宗用兵河北失败，转而起用李绛为相，贬吐突承璀出京，标志朝官耿直派得势，朝廷政治出现了振兴的气象。元和七年（公元八一二年），魏博镇内讧，将士拥立田弘正为留后。田弘正举魏博六州地归顺朝廷。其经始营创，也是李绛之力。宪宗曾与李绛讨论玄宗一朝，为什么开元大治而天宝大乱，一个人前后治乱相反。李绛说：开元初期，任用姚崇、宋璟贤才辅政，玄宗皇帝纳谏思治，君臣同心，中外安宁。开元后期，奸人李林甫、杨国忠为相，诱以兴利，武夫说以开边，玄宗皇帝听不到直言，骄侈逸乐，导致天宝大乱。治乱安危，全取决于皇上的所作所为。宪宗说：人主怎样办才好呢？李绛说：只要人主不吝改过，从善如流，臣等敢言，什么事情都能办好。宪宗说：朕任用卿等，就是希望卿等直言，不要有什么保留，以弥补朕的不足。唐宪宗只是这样说，时间一长就动摇了立场。唐宪宗和德宗一样，宠信宦官，贪财好货。宪宗罢免了进奉，不久又恢复了进奉。宪宗贬逐了吐突承璀，时时想要召回，而且李绛之言，只要涉及宦官，宪宗就不采用。宪宗仍然是腐朽势力的代表，而非中兴之主。局势好转，宪宗的感情就倒向了与宦官勾结的宰相李吉甫一边。李绛与李吉甫道不同不相为谋，两人在宪宗面前总是争执。宪宗心知李绛忠直，总是采纳李绛的论奏。元和九年，宪宗终于沉不住气了，罢了李绛的相，召吐突承璀还朝，李吉甫得势。李绛只做了三年的宰相，也是唐宪宗为明君的时期。

第三，宪宗问宰臣宽严之政。元和六年（公元八一一年）三月十一日，宪宗问宰臣：治理国家，德治与法治哪一个应当放在首位？宰相权德舆回答说：秦王朝施政威严而灭亡，汉朝施政宽和而兴盛。本朝太宗皇帝，禁止用刑时鞭打人的背。因此，安史之乱以来，叛乱不断发生，但转眼间反叛的人都灭亡了。这是因为列祖列宗施行宽和的仁政，凝聚了天下人心，唐室总是转危为安。这样看来，治理天下，德治与法治哪个在先，不是很清楚了吗！鞭刑杖臀，只伤皮肉，若杖人之背，往往打死人。权德舆以此为喻，刑杖为的是治病救人，不是把人打死，就是宽和，打死人就是苛严。德宗后期政治，十年不赦。宪宗即位，不问是非轻重，所谓王叔文同党，一概贬逐。德宗、宪宗深恶朝臣朋党，因此，朝臣是不是朋党，只要认定，一概斥逐，施以苛严。权德舆主张用政尚宽，回答宪宗之问，宪宗认为有道理。被贬八司马之程异等，得到了重新任用。

有一天李吉甫劝宪宗皇帝要施威严整顿纲纪。宪宗问李绛：卿的意见如何？李绛回答说：圣明君主的政治，崇尚道德而不崇尚刑罚，怎么能够放弃周成王、周康王、汉文帝、汉景帝的做法，而效法秦始皇、秦二世呢？周与汉行仁政，有成康之治与文景之治，秦政苛酷，二世而亡。这次谈话过了十多天，山南东道节度使于頔入朝，劝宪宗用严刑。于是宪宗对宰臣们说：于頔是个大奸臣，他劝朕用严刑峻法，卿等知道于頔的用心吗？宰臣们回答：不知道。宪宗说：于頔的用意是让朕丧失人心。李吉甫惊出了一身冷汗。宪宗清醒时，还是能明辨是非的。

卷第二百三十九　唐纪五十五

起玄黓执徐（壬辰，公元八一二年）十月，尽柔兆涒滩（丙申，公元八一六年），凡四年有奇。

【题解】

本卷记事起公元八一二年十月，迄公元八一六年，凡四年又三个月，当唐宪宗元和七年十月到元和十一年。此时期是唐宪宗执政取得辉煌成绩的时期，李绛为相，直言敢谏，又善策划。元和七年（公元八一二年），魏博节度使田季安死，其子田怀谏，年十一，被军士立为留后，宰相李吉甫主张用兵，李绛认为，只要朝廷不派中使慰问，不授节钺，魏博镇当自归于朝。事势发展果如李绛之策。魏博效顺，重赏将士，处置事宜，皆为李绛所策。李吉甫善逢迎，和柔自媚，排挤李绛。唐宪宗思念吐突承璀，元和九年，唐宪宗召吐突承璀回京师，官复原职，为左神策军中尉，李绛罢相。淮西节度使吴少阳死，其子吴元济自领军务，朝廷大发十六道兵征讨。淄青节度使李师道出兵阳为讨贼，暗助淮西。李师道还派刺客到京师杀宰相武元衡，伤裴度，又欲血洗东都，为东都留守吕元膺挫败。韩愈上平淮西之策。柳宗元著政论《梓人传》《种树郭橐驼传》讽喻时政。成德王承宗再叛助贼，唐宪宗违众开辟河北第二战场，旨在表明讨逆决心。

【原文】

宪宗昭文章武大圣至神孝皇帝中之上

元和七年（壬辰，公元八一二年）

冬，十月乙未[①]，魏博监军以状闻[②]，上亟[③]召宰相，谓李绛曰："卿揣魏博若符契[④]。"李吉甫请遣中使宣慰[⑤]，以观其变。李绛曰："不可。今田兴奉其土地兵众，坐待诏命，不乘此际推心抚纳[⑥]，结以大恩，必待敕使至彼，持将士表来为请节钺，然后与之，则是恩出于下，非出于上，将士为重，朝廷为轻，其感戴[⑦]之心亦非今日之比也。机会一失，悔之无及！"吉甫素与枢密使梁守谦相结，守谦亦为之言于上曰："故事，皆遣中使宣劳，今此镇独无，恐更不谕。"上竟遣中使张忠顺如魏博宣慰，欲俟其还而议之。

【语译】

宪宗昭文章武大圣至神孝皇帝中之上

元和七年（壬辰，公元八一二年）

冬，十月初十日乙未，魏博监军把将士们拥戴田兴而废黜田怀谏的事情向朝廷奏报，宪宗急忙召见宰相，对李绛说："你对魏博事态发展的预料，真是若合符契。"李吉甫请求宪宗派遣中使去魏博宣旨抚慰，借以观察事态的发展。李绛说："不能这样做。现在田兴奉献魏博的土地和军队，等待朝廷的诏令，不乘这个机会对田兴推心置腹，安抚接纳，用很大的恩宠团结田兴，而一定让敕使到那里以后，拿着将士们的表章前来为田兴请求节度使旌节，然后把节度使职务授给田兴，那就是恩德来自田兴的将士们，不是出自陛下，将士们在田兴的心中重要，朝廷在田兴的心中就轻了，田兴对朝廷感恩戴德的心意是不能和现在的期望相比了。机会一旦丧失，后悔就来不及了！"李吉甫一向与枢密使梁守谦相交结，梁守谦也为李吉甫对宪宗说："从前的惯例，都是派遣中使去宣旨慰劳，现在只有魏博一镇不这样，恐怕魏博更加不明白朝廷的意向了。"宪宗最后还是派遣中使张忠顺前往魏博镇宣旨慰问，打算等张忠顺回来后商议主帅任命事宜。

癸卯[8]，李绛复上言："朝廷恩威得失，在此一举[9]，时机可惜，奈何弃之[10]！利害[11]甚明，愿圣心勿疑。计忠顺之行，甫[12]应过陕[13]，乞明旦即降白麻[14]除兴节度使，犹可及也[15]。"上且欲除留后，绛曰："兴恭顺如此，自非恩出不次[16]，则无以使之感激殊常[17]。"上从之。甲辰[18]，以兴为魏博节度使。忠顺未还，制命已至魏州。兴感恩流涕，士众无不鼓舞。

庚戌[19]，更名皇子宽曰恽[20]，察曰悰[21]，寰曰忻[22]，寮曰悟[23]，审曰恪[24]。

李绛又言："魏博五十余年不沾皇化[25]，一旦举六州之地来归，刳[26]河朔之腹心，倾叛乱之巢穴，不有重赏过其所望[27]，则无以慰士卒之心，使四邻劝慕，请发内库钱百五十万缗以赐之。"左右宦官以为："所与太多，后有此比，将何以给之？"上以语绛。绛曰："田兴不贪专地之利，不顾四邻之患，归命圣朝，陛下奈何爱小费而遗大计，不以收一道人心！钱用尽更来，机事[28]一失不可复追。借使国家发十五万兵以取六州，期年[29]而克之，其费岂止百五十万缗而已乎！"上悦，曰："朕所以恶衣菲食[30]，蓄聚货财，正为欲平定四方[31]。不然，徒贮之府库何为！"十一月辛酉[32]，遣知制诰[33]裴度[34]至魏博宣慰，以钱百五十万缗赏军士，六州百姓给复一年[35]。军士受赐，欢声如雷。成德、兖郓[36]使者数辈见之，相顾失色[37]，叹曰："倔强者果何益乎！"

度为兴陈君臣上下之义[38]，兴听之，终夕不倦。待度礼极厚，请度遍至所部州县[39]，宣布朝命。奏乞除节度副使于朝廷，诏以户部郎中河东胡证[40]为之。兴又奏所部缺官九十员，请有司注拟[41]，行朝廷法令，输赋税。田承嗣以来室屋僭侈[42]者，皆避不居。

郓[43]、蔡[44]、恒[45]遣游客间说[46]百方，兴终不听。李师道使人谓宣武[47]节度使韩弘[48]曰："我世与田氏约相保援，今兴非田氏族，又首变两河事[49]，亦公之所恶[50]也！我将与成德合军讨之。"弘曰："我不知利害[51]，知奉诏行事耳。若兵北渡河，我则以兵东取曹州[52]！"师道

十月十八日癸卯，李绛又对宪宗进言说："朝廷施行的恩典和威严，成功与失败，在此一举，应珍惜时机，为什么放弃呢！事情的利弊极为清楚，希望陛下心里不要怀疑。估计张忠顺的行程，应该刚过陕州，请求陛下明天早上就颁布白麻纸诏书，任命田兴为节度使，事情还来得及。"宪宗暂时想任命田兴为留后，李绛说："田兴对朝廷这样恭敬顺从，如果朝廷不对田兴给予非同寻常的恩典，那就不能让田兴对朝廷有异乎寻常的感激。"宪宗听从了李绛的建议。十九日甲辰，宪宗任命田兴为魏博节度使。张忠顺没有返回，制命已经到了魏州。田兴感谢皇帝的恩典，流下了泪水，将士没有不受鼓舞的。

十月二十五日庚戌，宪宗给皇子们改名，李宽改为李恽，李察改为李悰，李寰改为李忻，李寮改为李悟，李审改为李恪。

李绛又对宪宗说："魏博镇五十多年没有沾润皇上的教化，现在突然一下子带着全镇六州的土地前来归顺朝廷，挖了河朔地区的心脏，倾覆了黄河南北地区叛乱的巢穴，朝廷没有超出他们意料的重赏，那就没办法安慰士卒之心，使相邻四周各道受到劝勉而羡慕，请陛下拿出宫中内库的钱一百五十万缗用来赏赐给他们。"宪宗身边的宦官们认为："赏赐得太多，以后有这类事情，将用什么来赏赐呢？"宪宗把这话告诉了李绛。李绛说："田兴不贪图专擅一地的权力，不顾忌四方邻道的危害，归顺朝廷，陛下怎么能吝惜小小的费用而丢弃了重大的计策，不借此收拢一道的人心呢！钱用光了还会再来的，机会一旦丧失，就不能再追回来了。假如朝廷调发十五万人的兵力去攻取这六个州，满一年攻下来，那么花费岂止一百五十万缗而已！"宪宗高兴了，说道："朕之所以穿粗劣的衣服，吃俭省的食物，蓄积钱财，正是打算要平定天下四方。要不然，将钱财白白地存在仓库里干什么呢！"十一月初六日辛酉，宪宗派遣知制诰裴度到魏博镇宣旨慰劳，拿钱一百五十万缗赏赐将士，免除六州百姓一年赋税。将士们受到朝廷的赏赐，欢声如雷。成德、淄青、平卢三镇的几批使者见到这种场面，互相看着对方，脸上黯然失色，感叹道："不服从朝廷的人到底有什么好处呢！"

裴度替田兴讲述君臣上下之间的道理，田兴听了，从早到晚不觉得疲倦。他对待裴度的礼仪极为周到，请裴度走遍他所辖州县，宣布朝廷的命令。田兴上奏朝廷请求任命节度副使，宪宗下诏任命户部郎中河东人胡证去做节度副使。田兴又上奏朝廷说他的属下还缺九十名官员，请求有关部门选拟，奉行朝廷的法令，向朝廷交纳赋税。田承嗣以来房屋超过规定的，田兴全都回避，不去居住。

郓州李师道、蔡州吴少阳、恒州王承宗派遣说客千方百计地劝说田兴，田兴始终不听从。李师道派人对宣武节度使韩弘说："我李家世代与田家约定互相保护援助，现在田兴不是田承嗣的同宗，又首先改变了黄河南北地区军镇的规矩，这也是您所厌恶的！我准备与成德军联合讨伐田兴。"韩弘说："我不知道你说的利弊关系，只知道奉诏行事而已。如果你的军队向北渡过黄河，我就派兵东进，攻取曹州！"李师道惧，不敢动。

田兴既葬田季安，送田怀谏于京师。辛巳[53]，以怀谏为右监门卫将军[54]。

【段旨】

以上为第一段，写唐宪宗重赏魏博归顺将士，处置事宜皆李绛所策。

【注释】

①乙未：十月初十日。②以状闻：以魏兵废田怀谏而立田兴的奏章上闻。③亟：急；立即。④符契：符节。本为信物，上书文字，双方各持一半，两者相合，作为取证的凭据。此喻料事如神。⑤宣慰：宣抚慰问。⑥推心抚纳：推诚招抚接纳。⑦感戴：感恩戴德。⑧癸卯：十月十八日。⑨在此一举：在这一次行动之中。⑩奈何弃之：为什么抛弃它呢。⑪利害：利益和弊害。⑫甫：刚。⑬陕：陕州。唐常置节度使、观察使、防御使于陕州。治所在今河南三门峡市陕州区。⑭白麻：任命书。唐制，有关立后妃、封亲王、建储君，任命将相、枢密使、三公、三少、节度使等高级官员，以及大赦、曲赦、德音，或宣布重大战事的诏令，皆用白麻纸书写，每行四字，不盖印。俗称白麻。⑮犹可及也：还来得及。⑯不次：不按常规。⑰殊常：异于平常。⑱甲辰：十月十九日。⑲庚戌：十月二十五日。⑳恽：宪宗第二子，元和元年（公元八〇六年）封澧王。㉑悰：宪宗第四子，元和元年封深王。㉒忻：宪宗第五子，元和元年封洋王。㉓悟：宪宗第六子，元和元年封绛王。㉔恪：宪宗第十子，元和元年封建王。以上诸皇子传均见《旧唐书》卷一百七十五、《新唐书》卷八十二。㉕不沾皇化：没有

【原文】

李绛奏："振武、天德[55]左右良田可[56]万顷，请择能吏开置营田[57]，可以省费足食。"上从之。绛命度支使卢坦经度[58]用度，四年之间，开田四千八百顷，收谷四千余万斛[59]，岁省度支钱二十余万缗，边防赖之[60]。

上尝于延英谓宰相曰："卿辈当为朕惜官[61]，勿用之私亲故。"李吉

害怕了，不敢出兵。

田兴安葬了田季安以后，把田怀谏送到了京城。十一月二十六日辛巳，宪宗任命田怀谏为右监门卫将军。

沾润皇上的教化。㉖刳：挖。㉗过其所望：超过他自己的希望。㉘机事：机会。㉙期年：一周年。㉚恶衣菲食：粗劣的衣服，俭省的食物。㉛四方：全国。㉜辛酉：十一月初六日。㉝知制诰：官名，唐开元以后，以他官掌起草诏令者称知制诰。时裴度本官为司封郎中。㉞裴度（公元七六五至八三九年）：字中立，河东闻喜（今山西闻喜东北）人，力主削藩，督师破蔡州，擒吴元济。官至宰相。传见《旧唐书》卷一百七十、《新唐书》卷一百七十三。㉟给复一年：免除赋税一年。㊱兖郓：方镇名，即淄青、平卢之地。㊲相顾失色：互相对视，变了脸色。㊳义：道理。㊴所部州县：所管辖的州县。㊵胡证（公元七五八至八二八年）：字启中，河东（今山西永济）人，官至岭南节度使。传见《旧唐书》卷一百六十三、《新唐书》卷一百六十四。㊶注拟：唐制，考试合格后，由吏部拟定官职，叫作注拟。㊷室屋僭侈：住宅超越礼制规定。指仿造的宫室。㊸郓：指李师道。㊹蔡：指吴少阳。㊺恒：指王承宗。㊻间说：游说。㊼宣武：方镇名，唐德宗建中二年（公元七八一年），置宋亳颍节度使，寻号宣武军节度使，治所汴州，在今河南开封。㊽韩弘（公元七六四至八二二年）：滑州匡城（今河南长垣）人，庄重寡言，沉谋勇断。传见《旧唐书》卷一百五十六、《新唐书》卷一百五十八。㊾首变两河事：指田兴悉心尊奉唐朝廷，首次改变两河藩镇割据独立局面。㊿恶：厌恨。(51)不知利害：不知成败利弊。(52)曹州：州名，州治在今山东曹县西北，为李师道巡属。(53)辛巳：十一月二十六日。(54)右监门卫将军：唐禁卫军官名，掌诸门禁卫及门籍。

【语译】

李绛上奏："振武军和天德军一带有良田将近一万顷，请选择能干的官吏开垦屯田，可以节省费用，粮食充足。"宪宗听从了这一建议。李绛命令度支使卢坦计算所需费用，在四年之内，开垦田地四千八百顷，收获谷物四千多万斛，每年节省度支的开支二十多万缗钱，边防驻军依靠屯田收入来开销。

宪宗曾经在延英殿对宰相们说："你们应该为朕珍惜官职，不要用它来私自给

甫、权德舆皆谢不敢。李绛曰："崔祐甫有言：'非亲非故，不谙[62]其才。'谙者尚不与官，不谙者何敢复与！但问其才器与官相称否耳。若避亲故之嫌，使圣朝亏[63]多士之美[64]，此乃偷安之臣，非至公之道也。苟所用非其人，则朝廷自有典刑，谁敢逃之！"上曰："诚如卿言[65]。"

是岁，吐蕃寇泾州[66]，及[67]西门[68]之外，驱掠人畜而去。上患之。李绛上言："京西[69]、京北[70]皆有神策镇兵[71]，始置之欲以备御吐蕃，使与节度使掎角[72]相应也。今则鲜衣美食，坐耗县官[73]。每有寇至，节度使邀与俱进，则云申取中尉[74]处分。比其得报，虏去远矣。纵有果锐[75]之将，闻命奔赴，节度使无刑戮以制之，相视如平交，左右前却，莫肯用命，何所益乎！请据所在之地士马及衣粮、器械，皆割隶当道节度使，使号令齐壹[76]，如臂之使指，则军威大振，虏不敢入寇矣。"上曰："朕不知旧事如此，当亟行之。"既而神策军骄恣[77]日久，不乐隶节度使，竟为宦者所沮而止。

【段旨】

以上为第二段，写唐宪宗宠信宦官重于朝士，李绛之言，只要事及宦官，则不得施行。

【注释】

⑤⑤天德：方镇名，本为安德都护。唐代宗大历十四年（公元七七九年）置天德军，治所在今内蒙古乌拉特前旗东北。⑤⑥可：大约。⑤⑦营田：屯田。⑤⑧经度：计算；规

【原文】

八年（癸巳，公元八一三年）

春，正月癸亥[78]，以博州[79]刺史田融为相州刺史。融，兴之兄

予亲戚故旧。”李吉甫和权德舆都表示说不敢这样做。李绛说：“崔祐甫说过一句话：‘不是亲戚，不是故旧，就不熟悉他的才能。’对熟悉的人尚且不能给予官职，不熟悉的人又怎么敢给予官职呢！只要过问这个人的才能和器识与他的官职是否相称而已。如果回避任用亲戚故旧的嫌疑，使本朝没有盛用人才的美誉，这是苟且偷安之臣，不是大公无私的原则。假如用人不当，那么朝廷自有刑典，谁敢逃脱惩罚呢！”宪宗说：“确实像你说的那样。”

这一年，吐蕃侵犯泾州，到了泾州城西门外边，驱掠人畜离去。宪宗为此事担忧。李绛上奏说：“京城西边、京城北边都有神策军的镇守部队，最初，把他们安置在那里是想用来防御吐蕃，让他们与各边镇节度使的军队互相支援，彼此响应。现在他们穿着鲜亮的衣服，吃着美味的食物，坐在那里消耗国家的钱财。每当有敌人到来，节度使要求与他们一起进兵，他们就说要报告护军中尉来指挥。等得到护军中尉的答复时，敌人已经远去了。即使有果敢勇锐的神策军将领，听到命令后立即出击，但节度使没有刑罚和处死的权力来约束他们，对待他们就像平级官员一样，节度使指挥他们进退左右，他们不肯听从命令，这些人有什么用处呢！请陛下根据他们所在的地点，将人马和衣服粮食、武器装备分割出来，划给当地节度使，使号令整齐统一，指挥自如，那么，军队的声威大为振作，敌人就不敢入侵了。”宪宗说：“朕不知道原来情况是这样，应该立即实行这一措施。”后来因为神策军骄纵恣肆时间久了，不愿意隶属于节度使，这事最后被宦官们设置障碍而作罢。

划。㊾收谷四千余万斛：胡三省注：“‘千’，当作‘十’。”胡注当是。㊿赖之：依靠它。㊀惜官：珍惜官职。㊁谙：熟悉；了解。㊂亏：损失；失去。㊃多士之美：盛用人才的美誉。㊄诚如卿言：的确像你所说的那样。㊅泾州：州名，治所安定，在今甘肃泾川北。㊆及：到。㊇西门：泾州城西门。㊈京西：指凤翔、秦、陇、原、泾、渭。㊉京北：指邠、宁、丹、延、鄜、坊、庆、灵、盐、夏、绥、银、宥。⑪神策镇兵：中央派禁军神策兵在上述地区镇守称神策镇兵。⑫掎角：分兵于不同处所，以便牵制敌人或互相支持。⑬县官：指国家。⑭中尉：唐神策镇兵分屯于外，皆属左、右神策护军中尉。⑮果锐：果敢勇锐。⑯号令齐壹：号令统一。⑰骄恣：骄纵恣肆。

【语译】

八年（癸巳，公元八一三年）

春，正月初九日癸亥，宪宗任命博州刺史田融为相州刺史。田融，是田兴的哥

也[1]。融、兴幼孤，融长，养而教之。兴尝于军中角射⑩，一军莫及。融退而挟之⑪，曰："尔不自晦⑫，祸将及矣⑬！"故兴能自全于猜暴之时⑭。

勃海定王元瑜⑮卒，弟言义⑯权知国务。庚午⑰，以言义为勃海王。

李吉甫、李绛数争论于上前，礼部尚书、同平章事权德舆居中无所可否，上鄙之。辛未⑱，德舆罢守本官。

辛卯⑲，赐魏博节度使田兴名弘正⑳。

司空、同平章事于頔久留长安㉑，郁郁不得志。有梁正言者，自言与枢密使梁守谦同宗，能为人属请㉒。頔使其子太常丞敏重赂正言，求出镇。久之，正言诈㉓渐露，敏索其赂不得，诱其奴支解㉔之，弃溷㉕中。事觉，頔帅其子殿中少监季友㉖等素服诣建福门㉗请罪，门者不内㉘。退，负南墙而立㉙，遣人上表，阁门㉚以无印引㉛不受，日暮方归。明日，复至。丁酉㉜，頔左授㉝恩王傅，仍绝朝谒。敏流雷州，季友等皆贬官，僮奴死者数人。敏至秦岭㉞而死。

事连僧鉴虚㉟。鉴虚自贞元以来，以财交权幸㊱，受方镇赂遗㊲，厚自奉养，吏不敢诘㊳。至是，权幸争为之言，上欲释之，中丞薛存诚㊴不可。上遣中使诣台㊵宣旨曰："朕欲面诘此僧，非释之也。"存诚对曰："陛下必欲面释此僧，请先杀臣，然后取之。不然，臣期不奉诏㊶。"上嘉而从之。三月丙辰㊷，杖杀鉴虚，没其所有之财。

甲子㊸，征前西川节度使、同平章事武元衡入知政事。

夏，六月，大水。上以为阴盈之象㊹，辛丑㊺，出宫人二百车。

哥。田融和田兴年龄很小的时候就失去了父母，田融年龄大，抚养并教育田兴。田兴曾在军中比赛射箭，全军没有人比得上田兴。田融退场后鞭打了田兴，对他说："你不自为韬晦，祸患就要临头了！"所以田兴能够在田季安的猜疑、残暴时期自我保全下来。

勃海定王元瑜去世，弟弟言义暂时负责勃海国中事务。正月十六日庚午，宪宗册封言义为勃海王。

李吉甫和李绛多次在宪宗面前争论，礼部尚书、同平章事权德舆在中间不偏不倚，宪宗鄙视他。正月十七日辛未，权德舆被罢免宰相职务，担任原职礼部尚书。

二月初七日辛卯，宪宗给魏博节度使田兴赐名弘正。

司空、同平章事于頔长期居留在长安，郁闷不得志。有一个叫梁正言的人，自称和枢密使梁守谦同一宗族，能够为别人办好所托的事情。于頔派他的儿子太常丞于敏对梁正言重加贿赂，要求出去做节度使。时间长了，梁正言行骗的事情逐渐暴露，于敏追索不回所贿赂的财物，就引诱梁正言的家奴，肢解了梁正言，丢到厕所里。事情暴露了，于頔带着他的儿子殿中少监于季友等人穿着素色衣服前往建福门请宪宗治罪，守门的人不让他们进去。他们退下来后，背靠着南墙站着，派人上表，阁门中值班的人因为表章上无职印，又无内引，不肯接受，天黑时才回家。第二天，又到了这里。二月十三日丁酉，宪宗把于頔降职为恩王的师傅，禁止于頔奉朝请。把于敏流放到雷州，于季友等人都被贬职，奴仆为此事死的有好几个人。于敏走到秦岭时就死了。

这件事牵连了僧人鉴虚。鉴虚自从贞元年间以来，用钱财交结权贵宠臣，接受方镇的贿赂和馈赠，使自己生活得十分优裕，官吏们也不敢盘问鉴虚的事。到这时，权贵宠臣争着为鉴虚说情，宪宗想赦免鉴虚，御史中丞薛存诚认为不能这样做。宪宗派中使前往御史台宣旨说："朕想当面责问这个僧人，不是赦免他。"薛存诚回答说："陛下一定要当面宽贷这个僧人，就请先杀了臣下，然后再把他从御史台提走。否则，臣下肯定不接受诏令。"宪宗很赞赏薛存诚，听从了他的意见。三月初三日丙辰，用棍棒打死了鉴虚，没收了他的所有财产。

三月十一日甲子，宪宗征召前任西川节度使、同平章事武元衡入朝处理朝廷事务。

夏，六月，发大水。宪宗认为这是阴气太盛的征象，二十日辛丑，放出了二百车宫女。

【段旨】

以上为第三段，写唐宪宗惩治请托，贬于頔，杖杀僧人鉴虚。

【注释】

⑱ 癸亥：正月初九日。⑲ 博州：州名，治所聊城，在今山东聊城。⑳ 角射：比赛射箭，以中者为胜。㉑ 抶之：鞭打他。㉒ 自晦：自为韬晦之计。㉓ 祸将及矣：祸祟将降临到你头上了。㉔ 猜暴之时：指田季安的猜疑、残暴统治时期。㉕ 元瑜（？至公元八一三年）：勃海国王，年号永德，死后谥定王。传见《旧唐书》卷一百九十九下《北狄·渤海靺鞨》。㉖ 言义：元瑜弟。袭王位，改元朱雀。与元瑜同传。㉗ 庚午：正月十六日。㉘ 辛未：正月十七日。㉙ 辛卯：二月初七日。辛卯前脱“二月”二字。㉚ 弘正：即田兴（公元七六四至八二一年），字安道，幼通兵法，善骑射。官魏博节度使，归附朝廷，屡立战功。传见《旧唐书》卷一百四十一、《新唐书》卷一百四十八。㉛ 久留长安：于頔任山南东道节度使，在元和二年（公元八〇七年）入朝，任司空、同平章事。于頔入朝事见本书卷二百三十七。㉜ 属请：请托。㉝ 诈：欺骗。㉞ 支解：分割肢体。㉟ 溷：厕所。㊱ 季友：于頔之子，尚宪宗女普宁公主。㊲ 建福门：唐大明宫端门叫丹凤门，其西为建福门。㊳ 内：通“纳”。㊴ 负南墙而立：背靠着南墙立着。⑽ 阁门：东、西上阁门的简称，

【原文】

秋，七月辛酉[2]，振武节度使李光进请修受降城[116]，兼理河防。时受降城为河所毁，李吉甫请徙其徒于天德故城[117]。李绛及户部侍郎卢坦以为：“受降城，张仁愿所筑，当碛口[118]，据虏要冲，美水草，守边之利地。今避河患退二三里可矣，奈何舍万代永安之策，徇[119]一时省费之便乎！况天德故城僻处确瘠[120]，去河绝远，烽候[121]警急不相应接，虏忽唐突[122]，势无由知，是无故而蹙国[123]二百里也。”及城使周怀义奏利害，与绛、坦同。上卒[124]用吉甫策，以受降城骑士隶天德军。

李绛言于上曰：“边军徒有其数而无其实，虚[125]费衣粮；将帅但缘私[126]役使，聚货财以结权幸而已，未尝训练以备不虞[127]。此不可不于无事之时豫留圣意[128]也。”时受降城兵籍旧四百人，及天德军交兵，止有五十人，器械止有一弓，自余称是，故绛言及之。上惊曰：“边兵乃如是其虚邪！卿曹当加按阅[129]。”会绛罢相而止。

乙巳[130]，废天威军[131]，以其众隶神策军。

大明宫宣政殿东、西两侧通向内廷的阁门。戒备甚严，中唐以后特设阁门使，由宦官充任。日常奏表由东上阁门奉进。⑩①无印引：于頔无职印，又无内引。⑩②丁酉：二月十三日。⑩③左授：降职。⑩④秦岭：山名，即长安城南之终南山。于敏未出京畿而死。⑩⑤事连僧鉴虚：于敏行贿事牵连到和尚鉴虚。⑩⑥权幸：地位高、有权势而又被皇帝宠幸的人。⑩⑦赂遗：贿赂和馈赠。⑩⑧诘：盘问；讯问。⑩⑨薛存诚：字资明，河东（今山西永济）人，官至御史中丞。传见《旧唐书》卷一百五十三、《新唐书》卷一百六十二。⑪⓪诣台：前往御史台。⑪①臣期不奉诏：《史记·张丞相列传》载周昌廷争汉高祖欲立如意为太子事，有“臣期期不奉诏”之语。期期，形容口吃，说话艰涩。这里指态度坚决。⑪②丙辰：三月初三日。⑪③甲子：三月十一日。⑪④阴盈之象：阴气充盈的征象。⑪⑤辛丑：六月二十日。

【校记】

[1] 融，兴之兄也：此五字原刻作小字，误为胡三省注文。

【语译】

秋，七月十二日辛酉，振武节度使李光进请求修筑受降城，兼带治理黄河堤防。当时受降城被黄河所毁，李吉甫请求把受降城的民众迁移到天德军旧城。李绛和户部侍郎卢坦认为：“受降城是张仁愿修建的，地处大沙漠的出口，占据胡人的要害之地，水草肥美，是守卫边疆很有利的地方。现在躲避黄河水患，退后两三里就行了，怎么能舍弃万世长远安定的策略，而从一时节省开支的便利着想呢！何况天德军旧城偏僻瘠薄，离黄河极远，烽火急警不能互相接应，胡虏突然袭击，势必无从得知，这是无缘无故地缩减国土二百里啊。”等到受降城的城防使周怀义上奏讲述利弊得失，意见与李绛和卢坦相同。宪宗最后采用了李吉甫的计策，把受降城的骑兵隶属于天德军。

李绛向宪宗进言说：“边防军空有其数，而实际上没有那么多人，白白浪费了衣服和粮食；将帅们只知道假公济私，储积钱财以交结权贵宠臣，未曾训练士兵，以防备不测。这种情况不能不在还没有发生事情的时候请陛下事先留意。”当时受降城的士兵名册上原有四百人，等到与天德军移交兵员，仅有五十人，兵器只有一张弓，其余的东西跟这差不多，因此李绛就谈到了这一事情。宪宗吃惊地说：“边防军队竟然这样空虚呀！你们应该加以核查。”正巧李绛被免除相职，这事就作罢了。

八月二十五日乙巳，宪宗撤销天威军，让天威军的部众隶属于神策军。

丁未⑬²，辰、溆贼帅张伯靖请降。九月辛亥[3]，以伯靖为归州司马，委⑬³荆南军前驱使⑬⁴。

【段旨】

以上为第四段，写唐宪宗惜小费，李吉甫顺适圣意排挤李绛，不纳李绛策，以致受降城失修缩地二百里，边兵空缺，不加按阅。

【注释】

⑯ 受降城：唐受降城有三，张仁愿所筑。事见本书卷二百九中宗景龙二年。中受降城，在今内蒙古包头市西南。东受降城，在今内蒙古托克托黄河东岸。西受降城，在今内蒙古乌拉特中旗西南乌加河北岸。⑰ 天德故城：地名，在西受降城东二百里大同川。⑱ 碛口：沙漠的口子上。碛，浅水中的沙石，引申为沙漠。⑲ 徇：从。⑳ 僻处确瘠：偏僻瘠薄。确，也作"埆"，瘠薄。㉑ 烽候：烽火、斥候。均为边防侦察、报警设施。㉒ 唐突：突然袭击。㉓ 蹙国：减少国土。㉔ 卒：最终。㉕ 虚：空；白白地。㉖ 缘

【原文】

初，吐蕃欲作乌兰桥⑬⁵，先贮材于河侧⑬⁶，朔方常潜遣人投之于河，终不能成。虏知朔方、灵盐节度使王佖⑬⁷贪，先厚赂之，然后并力成桥，仍筑月城⑬⁸守之。自是朔方御寇不暇⑬⁹。

冬，十月，回鹘发兵度碛南⑭⁰，自柳谷⑭¹西击吐蕃。壬寅⑭²，振武、天德军奏回鹘数千骑至鸊鹈泉⑭³，边军戒严。

振武节度使李进贤不恤⑭⁴士卒，判官严澈，绶之子也，以刻核⑭⁵得幸于进贤。进贤使牙将杨遵宪将五百骑趣东受降城以备回鹘，所给资装多虚估⑭⁶。至鸣沙⑭⁷，遵宪屋处⑭⁸而士卒暴露⑭⁹。众发怒，夜，聚薪⑮⁰环其屋而焚之，卷甲⑮¹而还。庚寅⑮²夜，焚门，攻进贤，进贤逾城走，军士屠其家，并杀严澈。进贤奔静边军⑮³。

群臣累表请立德妃郭氏⑮⁴为皇后。上以妃门宗强盛，恐正位之后，

八月二十七日丁未，辰州和溆州叛贼首领张伯靖请求投降。九月初二日辛亥，任命张伯靖为归州司马，交给荆南节度使差遣。

私：借公役之名为其私人服役，即假公济私。⑫⑦不虞：意想不到的事发生。⑫⑧豫留圣意：在意外事端（指外敌入侵）发生之前，请陛下事先留意。⑫⑨按阅：核查。⑬⓪乙巳：八月二十五日。"乙巳"前脱"八月"二字。⑬①天威军：元和初，并左、右神威军为一军，号天威军。至此废除。神威军，本殿前射生军。⑬②丁未：八月二十七日。⑬③委：属。⑬④驱使：差遣。

【校记】

［2］辛酉：七月十二日。此二字原脱。据章钰校，甲十一行本、乙十一行本、孔天胤本皆有此二字，张敦仁《通鉴刊本识误》、张瑛《通鉴校勘记》同，今据补。［3］九月辛亥：九月初二日。"九月"二字原脱。据章钰校，甲十一行本、乙十一行本、孔天胤本皆有此二字，张敦仁《通鉴刊本识误》同，今据补。

【语译】

当初，吐蕃人想修建乌兰桥，先在黄河边上储存了木材，朔方军经常暗中派人把木材丢进黄河，乌兰桥始终架不成。吐蕃知道朔方、灵盐节度使王佖贪婪，就先用厚重的礼物贿赂他，然后集中力量架好了桥，还在桥旁修筑一座月牙形的城墙防守。从此，朔方忙于抵御吐蕃，不得闲暇。

冬，十月，回鹘调兵穿过沙漠南下，从柳谷向西攻击吐蕃。二十三日壬寅，振武军、天德军奏报朝廷回鹘几千名骑兵到了鹈鹕泉，边防军队加强了警备。

振武节度使李进贤不体恤士兵，判官严澈是严绶的儿子，因为苛刻而得到李进贤的宠信。李进贤派遣牙将杨遵宪率领五百名骑兵奔赴东受降城去防备回鹘，所发给的物资装备，大多虚估其价。军队到了鸣沙县，杨遵宪住在屋里，将士们露宿在外。大家十分愤怒，夜里，围着杨遵宪住的房屋堆积了柴草，放火焚烧杨遵宪，收起铠甲返回振武军。十二月十一日庚寅夜里，他们烧毁了振武军城的城门，攻击李进贤，李进贤越过城墙跑了，士兵杀了他的全家，连同严澈也杀了。李进贤跑往静边军。

朝廷群臣多次上表请求宪宗册立德妃郭氏为皇后。宪宗因为郭妃家族势力强盛，

后宫莫得进[155]，托以岁时禁忌[156]，竟不许。

丁酉[157]，振武监军骆朝宽奏乱兵已定，请给将士衣。上怒，以夏绥[158]节度使张煦为振武节度使，将夏州兵二千赴镇，仍命河东节度使王锷以兵二千纳之，听以便宜从事[159]。骆朝宽归罪于其将苏若方而杀之。

发郑滑、魏博卒凿黎阳古河[160]十四里，以纾滑州水患。

上问宰相："人言外间朋党[161]大盛，何也？"李绛对曰："自古人君所甚恶[162]者，莫若人臣为朋党，故小人谮[163]君子必曰朋党。何则？朋党言之则可恶，寻之则无迹[164]故也。东汉之末，凡天下贤人君子，宦官皆谓之党人而禁锢[165]之，遂以亡国。此皆群小欲害善人之言，愿陛下深察之。夫君子固与君子合，岂可必使之与小人合，然后谓之非党邪！"

【段旨】

以上为第五段，写边将贪暴，或受赂吐蕃，或不恤士卒以致兵变，而朝廷惩治不力，宪宗却忌刻朋党。

【注释】

⑬⑤乌兰桥：桥名，吐蕃造于黄河之上，在今甘肃靖远。⑬⑥河侧：河边。⑬⑦王佖（？至公元八二三年）：李晟之甥，雄武善骑射，性贪，接受吐蕃贿赂，使其造成乌兰桥，常寇振武。传见《旧唐书》卷一百三十三、《新唐书》卷一百五十四。⑬⑧月城：半圆形小城。⑬⑨不暇：没有空闲的时间。⑭⓪度碛南：穿过沙漠南下。⑭①柳谷：在古交河县，即在今新疆吐鲁番西。⑭②壬寅：十月二十三日。⑭③鹏鹈泉：地名，在今内蒙古杭锦后旗

【原文】

九年（甲午，公元八一四年）

春，正月甲戌[166]，王锷遣兵五千会张煦于善羊栅[167]。乙亥[168]，煦入

担心册立她为皇后以后，后宫不得进御，就以岁时禁忌为借口，最终没有答应。

十二月十八日丁酉，振武军监军骆朝宽上奏朝廷说叛乱的士兵已经平定，请求发给将士们衣服。宪宗很生气，任命夏绥节度使张煦为振武节度使，带领夏州的二千名士兵前往镇所，宪宗还命令河东节度使王锷带领二千名士兵去迎接，听任张煦见机行事。骆朝宽把罪责算在将领苏若方身上，把他杀了。

宪宗调发郑滑、魏博的士兵开凿黎阳山黄河古河道十四里，借以缓解滑州的水灾。

宪宗问宰相们说："人们说外面拉帮结派的风气很盛，这是为什么？"李绛回答说："自古以来君主最厌恨的，莫如人臣结成朋党，所以小人要诋毁君子一定说他们结成朋党。这是为什么呢？这是因为结成朋党，说起来则是很可恶，寻查它却没有痕迹。东汉末年，凡是天下的贤人和君子，宦官都说他们是党人而永不任用他们，于是使东汉亡国。这都是一群小人想陷害好人的话，希望陛下深入地考察一下。那君子本该与君子在一起，难道能够一定让他们与小人们合群，然后才说他们不是朋党吗！"

西北。⑭不恤：不爱惜；不体恤。⑮刻核：苛刻。⑯虚估：物资装备不给实物，虚估其价，折价后给予其他物资。⑰鸣沙：县名，县治在今宁夏中卫南。人马行经此地沙漠，随路有声，故称鸣沙。⑱屋处：住在屋里。⑲暴露：露宿在野外。⑳聚薪：堆积柴草。㉑卷甲：收起铠甲。㉒庚寅：十二月十一日。㉓静边军：唐置静边都督府，在今陕西米脂西。㉔德妃郭氏：郭子仪孙女，郭暧之女。传见《旧唐书》卷五十二、《新唐书》卷七十七。㉕后宫莫得进：后宫不得进御。㉖托以岁时禁忌：以岁时禁忌为借口。㉗丁酉：十二月十八日。㉘夏绥：方镇名，唐德宗贞元三年（公元七八七年）置夏州节度观察处置押蕃落使。治所夏州，在今陕西靖边北白城子。㉙便宜从事：授以相机行事的权力。㉚黎阳古河：黄河古道经黎阳山之东，称黎阳古河，后南徙，威胁滑州。故仍开凿黎阳古河，以缓解滑州水患。㉛朋党：指同类的人为私利而互相勾结。㉜甚恶：最厌恨的。㉝谮：诋毁。㉞迹：踪迹；痕迹。㉟禁锢：禁止做官或参与政治活动。

【语译】

九年（甲午，公元八一四年）

春，正月二十六日甲戌，王锷派遣五千士兵在善羊栅与张煦会合。二十七日乙

单于都护府[169]，诛乱者苏国珍等二百五十三人。二月丁丑[170]，贬李进贤为通州[171]刺史。甲午[172]，骆朝宽坐[173]纵乱者，杖之八十，夺色[174]，配役定陵[175]。

李绛屡以足疾辞位，癸卯[176]，罢为礼部尚书。

初，上欲相绛[177]，先出吐突承璀为淮南监军。至是，上召还承璀，先罢绛相。甲辰[178]，承璀至京师，复以为弓箭库使、左神策中尉。

李吉甫奏："国家旧置六胡州[179]于灵、盐之境，开元中废之，更置[180]宥州[181]以领降户。天宝中，宥州寄理[182]于经略军[183]。宝应以来，因循遂废。今请复之，以备回鹘，抚党项。"上从之。夏，五月庚申[184]，复置宥州，理经略军，取鄜城[185]神策屯兵九千以实之[186]。

先是，回鹘屡请昏[187]，朝廷以公主出降[188]，其费甚广，故未之许。礼部尚书李绛上言，以为："回鹘凶强，不可无备；淮西穷蹙[189]，事要经营[190]。今江、淮大县，岁所入赋有二十万缗者，足以备降主之费。陛下何爱一县之赋，不以羁縻[191]劲虏？回鹘若得许昏，必喜而无猜[192]。然后可以修城堑，蓄甲兵。边备既完，得专意淮西，功必万全。今既未降公主而虚弱西城[193]，碛路[194]无备，更修天德[195]以疑虏心。万一北边有警，则淮西遗丑[196]复延岁月之命矣。傥虏骑南牧[197]，国家非步兵三万、骑五千，则不足以抗御。借使[198]一岁而胜之，其费岂特[199]降主之比哉！"上不听。

乙丑[200]，桂王纶[201]薨。

六月壬寅[202]，以河中节度使张弘靖[203]为刑部尚书、同平章事。弘靖，延赏之子也。

翰林学士独孤郁，权德舆之婿也。上叹郁之才美曰："德舆得婿郁，我反不及邪！"先是尚主[204]皆取贵戚及勋臣之家，上始命宰相选公卿大夫子弟文雅可居清贯[205]者。诸家多不愿，惟杜佑孙司议郎悰[206]不辞。秋，七月戊辰[207]，以悰为殿中少监、驸马都尉，尚岐阳公主。公主，上长女，郭妃所生也。八月癸巳[208]，成昏。公主有贤行，杜氏大

亥，张煦进入单于都护府城内，杀了叛乱的苏国珍等二百五十三人。二月丁丑日，宪宗把李进贤贬为通州刺史。十六日甲午，骆朝宽因为纵容叛乱而获罪，被打了八十棍棒，削夺了官品和官服，发配到定陵服劳役。

李绛多次因脚有病向宪宗请求辞职，二月二十五日癸卯，李绛被罢免宰相职务，担任礼部尚书。

当初，宪宗想让李绛担任宰相，先把吐突承璀外放为淮南监军。到这时，宪宗想召回吐突承璀，就先罢免了李绛的宰相职务。二月二十六日甲辰，吐突承璀到了京城，宪宗又让他担任了弓箭库使、左神策军护军中尉。

李吉甫上奏说："国家以前在灵州和盐州境内设置六个胡州，开元年间废除了，另外设置宥州来统领归降的胡人。天宝年间，宥州寄治于经略军。宝应年间以来，遵循旧制又废除了宥州。现在请求陛下恢复宥州，以防备回鹘，安抚党项。"宪宗采纳了这一建议。夏，五月十四日庚申，又设置了宥州，治所在经略军，用驻防鄜城的神策军九千人充实宥州。

此前，回鹘可汗多次向朝廷请求娶公主为妻，朝廷因为公主出嫁，费用很多，所以没有答应。礼部尚书李绛进言，认为："回鹘凶猛强悍，不能没有防备；淮西处境困窘，要谋划收复大计。现在江、淮大县，每年所纳赋税有二十万缗钱，足够备办公主下嫁的费用。陛下为什么爱惜一个县的赋税收入，而不用它来笼络强悍的胡人？回鹘如果得到朝廷答应婚姻，一定高兴而不猜疑朝廷。然后朝廷可以修筑城墙沟堑，储备铠甲兵器。边疆防备完成以后，就能够专心致志地对付淮西地区，一定获得万无一失的成功。现在既没有下嫁公主，而受降城防卫空虚，又不防备通往沙漠之路，还修建天德军故城，让回鹘心中疑虑。万一北部边疆有警报，那么淮西的残余丑类就又可以苟延残喘了。假如回鹘的骑兵南进，国家没有三万步兵、五千骑兵，就无法抵御。假如一年战胜了回鹘，那费用岂止是下嫁公主花费的那么多数量！"宪宗没有听从。

五月十九日乙丑，桂王李纶去世。

六月二十七日壬寅，宪宗任命河中节度使张弘靖为刑部尚书、同平章事。张弘靖，是张延赏的儿子。

翰林学士独孤郁，是权德舆的女婿。宪宗称赞独孤郁才华优异，说："权德舆能够以独孤郁为女婿，朕反而比不上权德舆呢！"在此之前，聘娶公主的人全都选取权贵、皇室的亲戚以及勋臣之家，宪宗这才开始命令宰相选择公卿大臣的子弟中温文尔雅，可以担当清贵官职的人。但是各家大多不愿意迎娶公主，只有杜佑的孙子司议郎杜悰不推辞。秋，七月二十三日戊辰，宪宗任命杜悰为殿中少监、驸马都尉，娶岐阳公主为妻。岐阳公主是宪宗的长女，是郭妃生的。八月十九日癸巳，杜悰与岐阳公主完成婚礼。岐阳公主有贤淑的品行，杜氏是一个大家族，是公主长辈的不

族，尊行[209]不翅[210]数十人，公主卑委怡顺[211]，一同家人礼度[212]，二十年间，人未尝以丝发间指为贵骄。始至，则与悰谋曰："上所赐奴婢，卒不肯穷屈[213]，奏请纳之，悉自市[214]寒贱可制指者[215]。"自是闺门落然[216]不闻人声[217]。

【段旨】

以上为第六段，写唐宪宗召吐突承璀入朝复任中尉，李绛罢相。写宪宗长女岐阳公主贤淑。

【注释】

⑯⑥ 甲戌：正月二十六日。⑯⑦ 善羊栅：地名，在朔州善阳县境内，善阳县在今山西朔州。胡三省注："'善羊'，当作'善阳'。唐朔州治善阳县，西北至单于府百二十里，栅盖立于县界。"⑯⑧ 乙亥：正月二十七日。⑯⑨ 单于都护府：振武节度使治所在单于都护府。⑰⓪ 丁丑：二月己卯朔，无丁丑，丁丑疑作丁未。丁未，二月二十九日。⑰① 通州：州名，治所在今四川达州市达川区。⑰② 甲午：二月十六日。⑰③ 坐：坐罪；获罪。⑰④ 夺色：削夺其品官服色，成为平民。⑰⑤ 配役定陵：发配去守护定陵。定陵，唐中宗陵，在今陕西富平西北。⑰⑥ 癸卯：二月二十五日。⑰⑦ 相绛：以李绛为宰相。⑰⑧ 甲辰：二月二十六日。⑰⑨ 六胡州：即在灵州、夏州地区所置鲁州、丽州、含州、塞州、依州、契州。六胡州皆以唐人为刺史，安置投降的突厥人。⑱⓪ 更置：改置。⑱① 宥州：州名，此时宥州侨居经略军治所，元和十五年（公元八二〇年）移治长泽县，在今内蒙古鄂托克旗东南城川古城。⑱② 寄理：即寄治，地方官属侨居他地。⑱③ 经略军：天宝中置，治所在今内蒙古鄂

【原文】

闰月丙辰[218]，彰义节度使吴少阳薨。少阳在蔡州，阴聚亡命[219]，牧养马骡，时抄掠寿州[220]茶山以实其军。其子摄[221]蔡州刺史元济[222]匿丧，以病闻，自领军务。

上自平蜀即欲取淮西，淮南节度使李吉甫上言："少阳军中上下携离[223]，请徙理寿州[224]以经营之。"会朝廷方讨王承宗，未暇[225]也。及吉

下几十人，岐阳公主谦卑和顺，一概如同家人礼数，在二十年内，家人未曾以丝毫的借口指责公主娇贵傲慢。岐阳公主刚到杜家时，就与杜悰商量说："陛下所赐奴婢，最终不会屈从，上奏请陛下把他们收回去，我们全都自己买那些出身寒微贫贱、可以控制使唤的人。"从此以后，闺门寂然，听不见嘈杂声音。

托克旗南。⑱庚申：五月十四日。⑱鄜城：县名，县治在今陕西洛川县东南鄜城。⑱实之：此谓充实宥州。⑱昏：通"婚"。⑱出降：出嫁。⑱穷蹙：指处境困窘。⑲经营：谋划。⑲羁縻：笼络。⑲无猜：对我没有猜疑。⑲西城：指西受降城。此前天德军治所在西受降城。⑲碛路：通往沙漠之路。⑲天德：天德军故城，在今内蒙古乌拉特前旗东北。上年七月，西受降城为水所毁，令西受降城的天德军治所移于天德故城。为此而更修天德故城。⑲遗丑：残余的丑类。指淮西藩镇吴少阳等。⑲南牧：南进放牧马匹，即向南方进攻。⑲借使：假使。⑲岂特：岂但。⑳乙丑：五月十九日。⑳桂王纶（？至公元八一四年）：顺宗第二十子。⑳壬寅：六月二十七日。⑳张弘靖（公元七六〇至八二四年）：字元理，德宗朝宰相张延赏之子。雅厚信直，官至宰相。传见《旧唐书》卷一百二十九、《新唐书》卷一百二十七。⑳尚主：娶公主为妻。⑳文雅可居清贯：温文尔雅，可以位居清贵之选，如翰林学士、谏官、史馆等职。清贯，清贵的官职。⑳悰：杜佑孙，尚宪宗女岐阳公主。官至宰相，无才学，尸位而已。传见《旧唐书》卷一百四十七、《新唐书》卷一百六十六。⑳戊辰：七月二十三日。⑳癸巳：八月十九日。⑳尊行：尊长辈，即长辈。㉑不翅：不少于。㉑卑委怡顺：谦卑和顺。怡顺，和颜随顺。㉑一同家人礼度：一概如同家人礼数。即不摆公主架子。㉑穷屈：屈从。㉑自市：自买。㉑可制指者：可以控制使唤的人。㉑落然：安静的样子。㉑不闻人声：听不见闲杂声音。

【语译】

闰八月十二日丙辰，彰义节度使吴少阳去世。吴少阳在蔡州，暗中聚集亡命之徒，牧养马骡，经常抢劫寿州茶山来充实军需。他的儿子、蔡州代理刺史吴元济隐瞒吴少阳的死讯，向朝廷上奏说吴少阳病了，自己掌管了军中事务。

宪宗自从平定西蜀刘辟后就打算攻取淮西，淮南节度使李吉甫上奏宪宗说："吴少阳军中上下之间人心离散，请让我把治所迁到寿州来筹划这件事。"适逢朝廷正在讨伐王承宗，无暇考虑这事。等到李吉甫入朝为相，田弘正带着魏博镇归顺朝廷。

甫入相，田弘正以魏博归附[226]。吉甫以为汝州[227]捍蔽[228]东都，河阳宿兵[229]，本以制魏博，今弘正归顺，则河阳为内镇，不应屯重兵以示猜阻[230]。辛酉[231]，以河阳节度使乌重胤为汝州刺史，充河阳、怀、汝节度使，徙理汝州。己巳[232]，弘正检校右仆射，赐其军钱二十万缗。弘正曰："吾未若移河阳军之为喜[233]也。"

九月庚辰[234]，以洺州刺史李光颜为陈州刺史，充忠武[235]都知兵马使。以泗州刺史令狐通[236]为寿州防御使。通，彰之子也。丙戌[237]，以山南东道节度使袁滋[238]为荆南节度使，以荆南节度使严绶为山南东道节度使。

吴少阳判官苏兆、杨元卿、大将侯惟清皆劝少阳入朝，元济恶之，杀兆，囚惟清。元卿先奏事在长安，具以淮西虚实及取元济之策告李吉甫，请讨之。时元济犹匿丧，元卿劝吉甫，凡蔡使入奏者，所在[239]止之。少阳死近四十日，不为辍朝，但易环蔡[240]诸镇将帅，益兵[241]为备。元济杀元卿妻及四男以圬射堋[242]。淮西宿将[243]董重质，吴少诚之婿也，元济以为谋主。

戊戌[244]，加河东节度使王锷同平章事。

李吉甫言于上曰："淮西非如河北，四无党援[245]，国家常宿[246]数十万兵以备之，劳费[247]不可支也。失今不取，后难图矣。"上将讨之，张弘靖请先为少阳辍朝、赠官[248]，遣使吊赠，待其有不顺之迹，然后加兵。上从之，遣工部员外郎李君何吊祭。元济不迎敕使，发兵四出，屠舞阳[249]，焚叶[250]，掠鲁山[251]、襄城[252]，关东[253]震骇。君何不得入而还。

冬，十月丙午[254]，中书侍郎、同平章事赵公李吉甫薨。

壬戌[255]，以忠武节度副使李光颜为节度使。

甲子[256]，以严绶为申、光、蔡招抚使，督诸道兵招讨吴元济。乙丑[257]，命内常侍知省事[258]崔潭峻监其军。

戊辰[259]，以尚书左丞吕元膺为东都留守。

党项寇振武。

十二月戊辰[260]，以尚书右丞韦贯之同平章事。

李吉甫认为汝州护卫着东都洛阳，河阳的宿卫军，本来是用来控制魏博镇的，现在田弘正归顺，那么河阳就成了内地军镇，不应该屯驻重兵，来表示对魏博的猜疑和隔阂。闰八月十七日辛酉，宪宗任命河阳节度使乌重胤为汝州刺史，充任河阳、怀州、汝州节度使，把治所迁移到汝州。二十五日己巳，田弘正为检校右仆射，赏赐给魏博军钱二十万缗。田弘正说："这些不如把河阳军队迁走让我高兴。"

九月初七日庚辰，宪宗任命洺州刺史李光颜为陈州刺史，充任忠武军都知兵马使。任命泗州刺史令狐通为寿州防御使。令狐通，是令狐彰的儿子。十三日丙戌，宪宗任命山南东道节度使袁滋为荆南节度使，任命荆南节度使严绶为山南东道节度使。

吴少阳的判官苏兆、杨元卿和大将侯惟清都劝说吴少阳进京入朝，吴元济讨厌他们，杀了苏兆，囚禁了侯惟清。杨元卿先前入朝奏事，人在长安，详细地把淮西的虚实和攻取吴元济的策略告诉了李吉甫，请求讨伐吴元济。当时吴元济还隐瞒着父亲的死讯，杨元卿劝李吉甫，对凡是蔡州派来的使者，他们到哪里，哪里就阻留他们。吴少阳死了将近四十天，宪宗没有为吴少阳而停止上朝，只是调换了蔡州周围各军镇的将帅，增兵防备。吴元济杀了杨元卿的妻子和四个儿子，用泥墁为射垛，埋在坑里。淮西的旧将董重质是吴少诚的女婿，吴元济用他作为主要谋划人。

九月二十五日戊戌，宪宗加授河东节度使王锷为同平章事。

李吉甫对宪宗说："淮西的情况不像河北，它的四周没有同党相助，朝廷经常在这里驻扎几十万军队防备它，将士的辛劳和朝廷的开支都不能支撑。失掉现在的机会不去攻取，以后就难以谋算了。"宪宗准备讨伐淮西，张弘靖请求先为吴少阳的死停止上朝，追赠吴少阳官爵，派遣使者去吊祭和赠送治丧的钱财，等吴元济有了不恭顺朝廷的迹象，然后使用武力。宪宗采纳了张弘靖的建议，派遣工部员外郎李君何去吊祭。吴元济不迎接朝廷的使者，调兵四面出击，血洗舞阳县，焚烧叶城，抢劫鲁山和襄城，关东震恐。李君何不能进入蔡州，返回朝廷。

冬，十月初三日丙午，中书侍郎、同平章事赵公李吉甫去世。

十月十九日壬戌，宪宗任命忠武节度副使李光颜为节度使。

十月二十一日甲子，宪宗任命严绶为申州、光州和蔡州招抚使，督领各道军队招抚讨伐吴元济。二十二日乙丑，宪宗命令负责内侍省事务的内常侍崔潭峻担任严绶的监军。

十月二十五日戊辰，宪宗任命尚书左丞吕元膺为东都留守。

党项入侵振武军。

十二月二十五日戊辰，宪宗任命尚书右丞韦贯之为同平章事。

【段旨】

以上为第七段，写淮西节度使吴少阳死，其子吴元济不发丧，自领军务，唐宪宗与宰臣决策征讨。

【注释】

⑱丙辰：闰八月十二日。⑲阴聚亡命：暗暗地招募亡命之徒。⑳寿州：州名，治所在今安徽寿县。㉑摄：暂代。㉒元济（公元七八三至八一七年）：吴少阳长子，淮西节度使。为李愬所擒，处死。传见《旧唐书》卷一百四十五、《新唐书》卷二百十四。㉓上下携离：上下离心。㉔徙理寿州：把淮南节镇迁移到寿州。淮南节度使治扬州，请迁寿州便于经略淮西。㉕未暇：没有时间考虑。㉖归附：归顺唐朝廷。㉗汝州：州名，治所梁县，在今河南汝州。㉘捍蔽：捍卫、屏蔽。㉙河阳宿兵：河阳节度使境内所驻守的宿卫军。㉚以示猜阻：用以表示对魏博的猜疑和隔阂。㉛辛酉：闰八月十七日。㉜己巳：闰八月二十五日。㉝喜：此田弘正之喜，在于朝廷把河阳的军队移到汝州。㉞庚

【原文】

十年（乙未，公元八一五年）

春，正月乙西㉛，加韩弘守司徒。弘镇宣武，十余年不入朝，颇以兵力自负㉜，朝廷亦不以忠纯㉝待之。王锷加同平章事[4]，弘耻班㉞在其下，与武元衡书，颇露不平之意。朝廷方倚其形势㉟以制吴元济，故迁官使居锷上㊱以宠慰之。

吴元济纵兵侵掠，及于东畿㊲。己亥㊳，制削元济官爵，命宣武等十六道进军讨之。严绶击淮西兵，小胜，不设备㊴，淮西兵夜还袭之。二月甲辰㊵，绶败于磁丘㊶，却五十余里，驰入唐州㊷而守之。寿州团练使令狐通为淮西兵所败，走保州城，境上诸栅尽为淮西所屠。癸丑㊸，以左金吾大将军李文通代之，贬通昭州㊹司户。

诏鄂岳观察使柳公绰㊺以兵五千授安州刺史李听㊻，使讨吴元济。公绰曰："朝廷以吾书生不知兵邪！"即奏请自行，许之。公绰至安州，李听属櫜鞬㊼迎之。公绰以鄂岳都知兵马使、先锋行营兵马都

辰：九月初七日。㉟忠武：方镇名，即陈州、许州。德宗贞元三年（公元七八七年）置，贞元十年赐号忠武军。李光颜为当时名将，守河北洺州，今迁陈州，为进攻淮西的部署。㊱令狐通：为肃宗时归顺朝廷的安史旧将令狐彰之子。父子同传，见《旧唐书》卷一百二十四、《新唐书》卷一百二十八。㊲丙戌：九月十三日。㊳袁滋：字德深。传见《旧唐书》卷一百八十五下、《新唐书》卷一百五十一。㊴所在：当地。㊵环蔡：蔡州周围。㊶益兵：增兵。㊷以圬射堋：用泥墁为射垛，埋在土坑里。圬，涂墙用的工具。堋，射箭垛。㊸宿将：老将。㊹戊戌：九月二十五日。㊺党援：同党相援助。㊻常宿：经常屯宿；经常驻扎。㊼劳费：指将士的辛劳和朝廷的费用。㊽辍朝、赠官：表示对吴少阳的哀悼而罢朝，并给吴少阳加官。㊾舞阳：县名，县治在今河南舞阳。㊿叶：县名，治所在今河南叶县。(251)鲁山：县名，治所在今河南鲁山。(252)襄城：县名，治所在今河南襄城。(253)关东：泛指函谷关以东地域。(254)丙午：十月初三日。(255)壬戌：十月十九日。(256)甲子：十月二十一日。(257)乙丑：十月二十二日。(258)内常侍知省事：内常侍，唐内侍省属官，正五品下。知省事，兼通判内侍省事。(259)戊辰：十月二十五日。(260)戊辰：十二月二十五日。

【语译】

十年（乙未，公元八一五年）

春，正月十三日乙酉，宪宗加授韩弘兼司徒职位。韩弘镇守宣武军，十多年不进京入朝，因为兵力强大很是自负，朝廷也不把韩弘当作忠诚纯正的臣子看待。朝廷加授王锷同平章事，韩弘耻于班次在王锷之下，给武元衡写了一封信，稍微露出了一些不平的意思。朝廷正在利用韩弘之势来控制吴元济，所以给韩弘迁升官职，让他在王锷之上，以此来宠信和安慰韩弘。

吴元济放纵士兵侵扰抢劫，波及了东都洛阳的近郊。正月二十七日己亥，宪宗下制书削夺吴元济的官职和爵位，命令宣武等十六道进军讨伐吴元济。严绶进攻淮西的军队，获得小胜，不设防备，夜里被淮西军队返回袭击。二月初二日甲辰，严绶在磁丘战败，后退五十多里，跑入唐州防守。寿州团练使令狐通被淮西的军队打败，退保寿州城，寿州边境上的各个营栅全被淮西兵屠戮。十一日癸丑，宪宗任命左金吾大将军李文通代替令狐通，把令狐通贬为昭州司户。

宪宗下诏命令鄂岳观察使柳公绰把士兵五千人交给安州刺史李听，派他讨伐吴元济。柳公绰说："朝廷认为我是书生不懂得用兵吗！"就向朝廷上奏请求自己带兵前去，朝廷同意了。柳公绰到达安州，李听带着弓箭去迎接他。柳公绰将鄂岳都知兵

虞候二牒[278]授之，选卒六千以属[279]听，戒其部校曰："行营之事，一决都将[280]。"听感恩畏威，如出麾下。公绰号令整肃，区处[281]军事，诸将无不服。士卒在行营者，其家疾病死丧，厚给之；妻淫泆[282]者，沉之于江。士卒皆喜曰："中丞[283]为我治家，我何得不前死！"故每战皆捷。公绰所乘马踶杀圉人[284]，公绰命杀马以祭之。或曰："圉人自不备耳。此良马，可惜！"公绰曰："材良性驽[285]，何足惜也！"竟杀之。

【段旨】

以上为第八段，写唐宪宗大发兵十六道讨淮西，鄂岳观察使柳公绰公忠体国顾大局，虽为文士，而带兵有方，士兵乐为死战。

【注释】

[261]乙酉：正月十三日。[262]颇以兵力自负：因为兵力强大，自以为很是了不起。[263]忠纯：忠诚、纯正。[264]班：班序；班次。[265]形势：指宣武军地势及兵力。宣武在淮西之北，军力强盛，借其以制淮西。[266]使居锷上：时王锷官检校司空，加同平章事；而韩弘已官检校司空、同平章事，王锷始与韩弘官相同，韩弘即不满。《新唐书》卷一百五十八《韩弘传》云："弘以官与太原王锷等，诒书宰相，耻为锷下。宪宗方用兵淮西，借其重，更授检校司徒，班锷上。"[267]东畿：东都洛阳近郊。[268]己亥：正月二十七日。[269]不设备：不设防备。[270]甲辰：二月初二日。[271]磁丘：地名，在今河南泌阳。[272]唐州：州名，治所在今河南泌阳。[273]癸丑：二月十一日。[274]昭州：州名，治所在今广西平乐。[275]柳公

【原文】

河东[286]将刘辅杀丰州[287]刺史燕重旰，王锷诛之，及其党。

王叔文之党坐谪官者，凡十年不量移[288]。执政有怜其才欲渐进之者，悉召至京师。谏官争言其不可，上与武元衡亦恶之。三月乙酉[289]，皆以为远州刺史，官虽进[290]而地益远。永州[291]司马柳宗元为柳州[292]刺史，朗州[293]司马刘禹锡为播州[294]刺史。宗元曰："播非人所居，而梦得

马使和先锋行营兵马都虞候的两张委任书给了李听，挑选六千名士兵归属李听。并告诫部下的将领说：“军营之事，一切由都将决定。”李听感激柳公绰的恩德，敬畏他的威严，就像柳公绰的部下一样。柳公绰的军令整齐严肃，处理军中事务，各个将领没有不服从的。士兵在军营的，家中有生病和死亡的，柳公绰就给他们丰厚的财物；妻子淫荡的，就把她沉入江中。士兵们都高兴地说：“柳中丞为我们管理家庭，我们为什么不前去拼命呢！”因此每次打仗都取得胜利。柳公绰所乘马匹，踢死了养马的人，柳公绰下令杀了马来祭祀那个养马的人。有人说：“养马的自己不提防。这是匹好马，杀了可惜！”柳公绰说：“材质优良，性子顽劣，有什么值得可惜的！”最后还是把马杀了。

绰（？至公元八三〇年）：字起之，又字宽，京兆华原（今陕西铜川市耀州区）人，登贤良方正科，官兵部尚书。传见《旧唐书》卷一百六十五、《新唐书》卷一百六十三。㉗⑥李听（公元七七九至八三九年）：字正思，仕宪、穆、敬、文四朝，终官河中节度使。传见《旧唐书》卷一百三十三、《新唐书》卷一百五十四。㉗⑦属櫜鞬：带着弓箭。即着戎装。櫜，马上盛箭器。鞬，马上盛弓器。㉗⑧二牒：两张任命书。㉗⑨属：归。㉘⓪都将：总诸部之军。此指李听。㉘①区处：处理。㉘②淫泆：淫荡。㉘③中丞：柳公绰官兼御史中丞，故称之。㉘④踶杀圉人：指柳公绰坐骑踢杀养马人。㉘⑤材良性驽：虽材质优良，但性情顽劣。

【校记】

［4］同平章事：原脱“同”字。据章钰校，甲十一行本、乙十一行本、孔天胤本皆有此字，张敦仁《通鉴刊本识误》同，今据补。

【语译】

河东军的将领刘辅杀了丰州刺史燕重旰，王锷杀了刘辅，以及他的同党。

王叔文的同党获罪被贬官流放的，一共有十年没有酌情内移。朝廷中执掌大政的人有的怜惜他们的才能，打算逐渐起用他们，把他们全都召到京城长安。谏官们争着说这样做不可以，宪宗和武元衡也讨厌这些人。三月十四日乙酉，把他们全部任命为边远州的刺史，虽然升了官，但任职的地方更加遥远了。永州司马柳宗元担任柳州刺史，朗州司马刘禹锡担任播州刺史。柳宗元说：“播州不是人能住的地方，

亲在堂[295]，万无母子俱往理。”欲请于朝，愿以柳易播[296]。会[297]中丞裴度亦为禹锡言曰：“禹锡诚有罪，然母老，与其子为死别[298]，良可伤[299]！”上曰：“为人子尤当自谨，勿贻亲忧，此则禹锡重可责[300]也。”度曰：“陛下方侍太后，恐禹锡在所宜矜[301]。”上良久，乃曰：“朕所言，以责为人子者耳，然不欲伤其亲心。”退，谓左右曰：“裴度爱我终切。”明日，禹锡改连州[302]刺史。

宗元善为文[303]，尝作《梓人传》[304]，以为：“梓人不执斧斤[305]刀锯之技，专以寻引[306]、规矩、绳墨[307]度群木之材[308]，视栋宇之制[309]，相[310]高深、圆方、短长之宜，指麾[311]众工，各趋其事[312]，不胜任者退之。大夏[313][5]既成，则独名其功[314]，受禄三倍[315]。亦犹相[316]天下者，立纲纪、整法度，择天下之士使称其职，居天下之人使安其业，能者进之，不能者退之。万国既理，而谈者独称伊、傅、周、召[317]，其百执事[318]之勤劳不得纪焉。或者[319]不知体要[320]，衒能矜名，亲小劳，侵众官，听听[321]于府庭，而遗其大者远者，是不知相道[322]者也。”

又作《种树郭橐驼传》[323]曰：“橐驼之所种，无不生且茂[324]者。或问之，对曰：‘橐驼非能使木寿且孳[325]也。凡木之性，其根欲舒[326]，其土欲故。既植之，勿动勿虑，去不复顾。其莳[327]也若子，其置也若弃，则其天全而性得[328]矣。他植者则不然，根拳[329]而土易，爱之太恩，忧之太勤，旦视而暮抚，已去而复顾，甚者爪其肤以验其生枯，摇其本以观其疏密，而木之性日以离矣[330]。虽曰爱之，其实害之，虽曰忧之，其实仇之，故不我若也！为政亦然[331]。吾居乡见长人者[332]，好烦其令，若甚怜焉而卒以祸之。旦暮吏来，聚民而令之，促其耕获，督其蚕织，吾小人辍饔飧[333]以劳吏[334]之不暇，又何以蕃吾生[335]而安吾性[336]邪！凡病且怠，职此故[337]也。’”此其文之有理[338]者也。

刘梦得的母亲还健在，万万没有母亲和儿子一起前去的道理。”想向朝廷请求，愿意将柳州刺史一职更换为播州刺史。正好御史中丞裴度也为刘禹锡向宪宗进言说：“刘禹锡确实有罪，但他的母亲老了，要她同儿子生死离别，实在是太伤心了！”宪宗说：“作为儿子的尤其应该自我谨慎，不要给双亲带来忧虑，这倒是刘禹锡应该重加责罚的。”裴度说：“陛下正侍奉太后，恐怕对刘禹锡该有所怜悯。”宪宗过了好一会儿，才说：“朕刚才说的话，是用来责备做儿子的人而已，但不想让刘禹锡伤他母亲的心。”退朝以后，宪宗对身边的侍从说：“裴度对朕爱护得很深切啊。”第二天，刘禹锡改任连州刺史。

柳宗元擅长写文章，曾写了一篇《梓人传》，认为：“负责建造房屋的工匠不使用刀斧的技巧，专门用尺子、圆规、绳墨测量各种木料的材质，他察看房屋的规制结构，观测高度、方圆、长短是否合适，指挥工匠，各自做他们的本职工作，不能够胜任职责的人就辞退他们。房屋建成之后，梓人独居其功，得到一般匠人三倍的俸禄。朝廷的宰相也同他的情况一样，建立政纲法纪、整肃法令制度，选择天下的人才，让他们与担负的职位相称，让天下的百姓都安居下来，安心从事自己的职业，有才能的人就提拔起来，没有才能的人就清退出去。天下得到治理后，而谈论这一事情的人只称赞伊尹、傅说、周公、召公，那些朝廷官员的辛勤和劳苦都不能够记载下来。有的宰相不识大体，炫弄才能，夸耀名声，亲执细务，侵犯众官职权，在官署中争论不休，而没有抓住朝廷政务中重要的和长远的，这是不知道做宰相的原则啊。”

柳宗元又写了一篇《种树郭橐驼传》说：“郭橐驼所种的树，没有不成活而且长得茂盛的。有人问他其中的道理，郭橐驼回答说：‘不是橐驼能使树木长寿而且滋长繁茂。凡是树木的特性，它的根要舒展，要用原来的旧泥土。栽下树以后，就不要动它，不要为它担心，离开这里不再来看它。移栽树木的时候要像子女一样爱护，栽进泥土之后就像丢弃的东西一样，那么，树木的天性保存下来，而自然生长条件也得到了。其他栽树的人就不一样，将树根卷曲起来，并更换了原来的泥土，爱护它太深了，为它担忧得太辛勤了，早上去看，晚上去摸，已经离开了又回来看，甚至抓破树皮来检查它活着还是死了，摇晃着树干来观察两树之间的疏密距离，而使树木一天天脱离了自然本性。虽然说是爱护它，其实是祸害它，虽然说是为它担心，其实是仇恨它，所以他们都不如我了！处理政事也是这样。我住在乡下，看到统治百姓的人，喜欢不厌其烦地发号施令，像是很怜爱老百姓，而最后却是祸害老百姓。早晚都有官吏来，集中老百姓，命令他们，催促他们耕种和收获，督促他们养蚕织布，我们这些平民百姓忙得放下饭碗去招待官吏还来不及，又靠什么发展生计，使我们天性安然呢！要说老百姓困窘懈怠，都是这个原因造成的。’”这是柳宗元具有深刻道理的文章。

【段旨】

以上为第九段，摘引柳宗元论时政的讽喻散文，认为执政者要用人唯才，垂拱无为，如梓人之使能，如种树人之植树一样，任人办事而拱手无为，没有不能治理的。

【注释】

㉘⑥河东：方镇名，唐玄宗开元十八年（公元七三〇年），更太原府以北诸州节度为河东节度。治所太原，在今山西太原。㉘⑦丰州：州名，治所九原，在今内蒙古五原西南。㉘⑧量移：酌情内移。㉘⑨乙酉：三月十四日。㉙⓪进：提升。㉙①永州：州名，治所零陵在今湖南永州。㉙②柳州：州名，治所在今广西柳州。按唐时里程，永州距京师三千二百七十四里，柳州距京师五千四百七十里。柳宗元以永州司马升柳州刺史，迁移后距京师更远。㉙③朗州：州名，治所武陵，在今湖南常德。㉙④播州：州名，治所在今贵州遵义。刘禹锡以朗州司马升播州刺史，距京师更远。朗州距京师二千一百五十九里，播州距京师四千四百五十里。㉙⑤亲在堂：有母亲健在。㉙⑥以柳易播：以柳州调换播州。㉙⑦会：恰好。㉙⑧死别：生死离别。㉙⑨伤：哀伤。㉚⓪重可责：应该重加责罚。㉚①矜：可怜。㉚②连州：州名，治所桂阳，在今广东连州。㉚③善为文：善于写文章。㉚④《梓人传》：柳宗元

【原文】

庚子[339]，李光颜奏破淮西兵于临颍[340]。

田弘正遣其子布[341]将兵三千助严绶讨吴元济。

甲辰[342]，李光颜又奏破淮西兵于南顿[343]。

吴元济遣使求救于恒[344]、郓[345]，王承宗、李师道数上表请赦元济，上不从。是时发诸道兵讨元济而不及淄青[346]，师道使大将将二千人趣[347]寿春，声言助官军讨元济，实欲为元济之援也。

师道素养刺客奸人数十人，厚资给之。其人说[348]师道曰："用兵所急，莫先粮储。今河阴院[349]积江、淮租赋，请潜往焚之。募东都恶少年数百，劫都市，焚宫阙，则朝廷未暇讨蔡，先自救腹心。此亦救蔡一奇也。"师道从之。自是所在盗贼窃发[350]。辛亥[351]暮，盗数十人攻河

作。以工匠作比喻，说明宰相应抓大事。㉟斧斤：刀斧。㊱寻引：八尺为寻，十丈为引。此指用尺子测量。㊲绳墨：墨绳、墨斗，用以规划。㊳材：材质。㊴视栋宇之制：观察房屋的规制结构。㊵相：观察。㊶指麾：指挥。㊷各趋其事：各自做他们的本职工作。㊸大夏：大厦。夏，通“厦”。㊹独名其功：梓人独居其功，而书其名，此屋某某建造。㊺受禄三倍：接受一般匠人三倍的俸禄。㊻相：宰相。㊼伊、傅、周、召：指商代贤相伊尹、傅说，周代贤相周公、召公。㊽执事：一般普通执事官员。㊾或者：有的宰相。㊿不知体要：不识大体。(321)听听：斤斤计较，争辩不休。(322)相道：做宰相的原则。(323)《种树郭橐驼传》：柳宗元作，又称《郭橐驼种树书》。借郭橐驼种树比喻郡守、县令应让人民自然发展。(324)生且茂：不但成活而且繁茂。(325)寿且孳：长久活着而且滋长茂盛。(326)舒：舒张。(327)莳：移栽。(328)天全而性得：树木的天性保存下来，而自然生长条件也得到了。(329)拳：卷曲。(330)木之性日以离矣：一天一天脱离了树木的自然本性。(331)为政亦然：处理政务也是一样。(332)长人者：统治人民的人。人，通“民”，避李世民讳改。(333)辍饔飧：放下饭碗。(334)劳吏：招待官吏。(335)蕃吾生：发展我们的生计。(336)安吾性：使我们的天性安然。(337)职此故：原因在此。(338)文之有理：文章深含的哲理。

【校记】

［5］大夏：据章钰校，甲十一行本、乙十一行本、孔天胤本皆作“大厦”。

【语译】

三月二十九日庚子，李光颜向朝廷奏报说在临颍打败了淮西的军队。

田弘正派他的儿子田布率三千名士兵援助严绶进攻吴元济。

四月初三日甲辰，李光颜又向朝廷奏报在南顿县打败了淮西的军队。

吴元济派遣使者向王承宗和李师道求救，王承宗、李师道多次上奏请求赦免吴元济，宪宗不答应。当时朝廷调发各道军队讨伐吴元济，但没有涉及淄青镇，李师道派遣大将率领二千人前往寿春，声称帮助官军讨伐吴元济，实际上是想作为吴元济的援军。

李师道一直养着几十个刺客和奸邪之辈，给他们的待遇十分优厚。他们劝李师道说：“用兵打仗最急需的，没有先于粮食储备的了。现在河阴转运院聚积着江、淮一带的赋税，请让我们暗中去烧毁它。招募东都洛阳几百名不良少年，抢劫都市，焚烧宫殿，那么朝廷就无暇顾及讨伐蔡州，而先去自救腹地。这也是援救蔡州的一条奇策。”李师道听从了他们的建议。从此，各地盗贼暗中活动。四月初十日辛亥傍

阴转运院，杀伤十余人，烧钱帛三十余万缗匹，谷三万余斛，于是人情恇惧[352]。群臣多请罢兵，上不许。

诸军讨淮西久未有功，五月，上遣中丞裴度诣行营宣慰[353]，察用兵形势[354]。度还，言淮西必可取之状[355]，且曰："观诸将，惟李光颜勇而知义[356]，必能立功。"上悦。

考功郎中[357]、知制诰韩愈上言，以为："淮西三小州[358]，残弊困剧[359]之余，而当天下之全力[360]，其破败可立而待。然所未可知者，在陛下断与不断[361]耳。"因条陈[362]用兵利害，以为："今诸道发兵各二三千人，势力单弱，羁旅异乡[363]，与贼不相谙委[364]，望风慑惧。将帅以其客兵[365]，待之既薄，使[366]之又苦；或分割队伍，兵将相失，心孤意怯，难以有功。又其本军[367]各须资遣，道路辽远，劳费倍多[368]。闻陈、许、安、唐、汝、寿等州与贼连接处，村落百姓悉[369]有兵器，习于战斗[370]，识贼深浅[371]。比来[372]未有处分[373]，犹愿自备衣粮，保护乡里。若令召募，立可成军。贼平之后，易使归农[374]。乞悉罢诸道军，募土人[375]以代之。"又言："蔡州士卒皆国家百姓，若势力穷不能为恶者，不须过[376]有杀戮。"

【段旨】

以上为第十段，写淄青节度使李师道暗助淮西吴元济，烧官军给养，扰乱东都。写韩愈上奏平淮西之策。

【注释】

[339]庚子：三月二十九日。[340]临颍：县名，在今河南临颍。[341]布：田弘正子田布（公元七八四至八二一年），字敦礼，幼机悟。官河阳节度使，魏博军乱自杀。传见《旧唐书》卷一百四十一、《新唐书》卷一百四十八。[342]甲辰：四月初三日。甲辰前脱"四月"二字。[343]南顿：县名，县治在今河南项城西。[344]恒：指王承宗。[345]郓：指李师道。[346]不及淄青：发兵事未涉及淄青平卢军。[347]趣：到。[348]说：劝说。[349]河阴院：河阴，县

晚，几十名盗贼攻打河阴转运院，杀死杀伤十多人，烧毁了钱币、布帛三十多万缗、匹，谷物三万多斛，这样一来，人心惊慌害怕。朝廷群臣很多人请求停止用兵，宪宗没有答应。

各路军队讨伐淮西长时间没有成效，五月，宪宗派遣御史中丞裴度到行营宣谕慰劳将士，观察战争的形势。裴度回来，谈了淮西一定可以攻下的情况，并且说："观察各位将领，只有李光颜勇敢而明白道理，一定能立下战功。"宪宗听了很高兴。

考功郎中、知制诰韩愈上奏朝廷，认为："淮西地区有三个小州，在残破困苦之后，面对着全国军力的攻打，其失败可以立即等到。但是现在所不清楚的，是陛下做出决定还是不做出决定。"于是逐条陈说用兵的利害，认为："现在诸道调发兵力各有两三千人，势单力弱，居留他乡，不了解敌人的情况，望见敌人就害怕。将帅们因为他们是外来的各道军队，给他们的待遇很菲薄，又苛刻地役使他们；有时拆散原来的队伍，原来的士兵和将领相互分离，致使将士们心生孤独，思想胆怯，难以立下战功。另外，各道又各自为派出的军队运送给养，道路遥远，烦劳和花费倍增。听说陈、许、安、唐、汝、寿等州与敌人相邻接壤，村落百姓全都有武器，熟悉战阵，了解敌人的情况。近来虽然没有招募他们，但他们还是愿意自己准备衣服和粮食，保卫家乡。如果下令招募他们，立即可以组成军队。敌人被平定以后，容易让他们回乡务农。请全部裁撤各道的军队，招募当地的百姓来代替他们。"又说："蔡州地区的士兵都是朝廷的百姓，如果吴元济山穷水尽不能够再作恶下去时，不必过多地杀害他们。"

名，治所在今河南孟州。唐玄宗开元二十二年（公元七三四年），为便利东南漕运，筑河阴仓，即河阴转运院，并置河阴县，将粮食转运长安。㊿ 窃发：暗暗地发生。(351) 辛亥：四月初十日。(352) 恇惧：惊慌惧怕。(353) 宣慰：宣谕慰劳。(354) 形势：局势。(355) 状：情况。(356) 勇而知义：勇敢而明白道理。(357) 考功郎中：吏部第四司考功司主管，掌文武百官功过、善恶之考法及其行状，从五品上。(358) 三小州：指申、光、蔡三州。(359) 残弊困剧：残破困苦。剧，困苦、艰难。(360) 天下之全力：指唐中央兵力。(361) 断与不断：指有没有决心。(362) 条陈：分析；逐条陈说。(363) 羁旅异乡：居留在他乡。(364) 不相谙委：不相熟悉、了解。(365) 客兵：指诸道来的兵。(366) 使：役使。(367) 本军：各道派出的自己的军队。(368) 劳费倍多：劳力和费用加倍增多。(369) 悉：都。(370) 习于战斗：熟悉战斗。(371) 识贼深浅：了解敌人的情况。(372) 比来：近来。(373) 处分：处置。这里可理解为招募。(374) 易使归农：容易使他们回乡务农。(375) 土人：当地民居。此指陈、许、安、唐、汝、寿诸州百姓。(376) 过：过分。

【原文】

丙申[377]，李光颜奏败淮西兵于时曲[378]。淮西兵晨压其垒而陈[379]，光颜不得出，乃自毁其栅之左右，出骑以击之。光颜自将[380]数骑冲其陈，出入数四，贼皆识之[381]，矢集其身如猬毛[382]。其子揽辔[383]止之，光颜举刃叱去[384]。于是人争致死[385]，淮西兵大溃，杀数千人。上以裴度为知人。

上自李吉甫薨，悉以用兵事委[386]武元衡。李师道所养客说李师道曰："天子所以锐意[387]诛蔡者，元衡赞之也，请密往刺之。元衡死，则他相不敢主其谋，争劝天子罢兵矣。"师道以为然，即资给遣之[388]。

王承宗遣牙将尹少卿奏事，为吴元济游说。少卿至中书，辞指不逊[389]，元衡叱[390]出之。承宗又上书诋毁元衡。

六月癸卯[391]，天未明，元衡入朝，出所居靖安坊东门，有贼自暗中突出射之，从者皆散走，贼执[392]元衡马行十余步而杀之，取其颅骨[393]而去。又入通化坊击裴度，伤其首，坠沟中。度毡帽厚，得不死。傔人[394]王义自后抱贼大呼，贼断义臂而去。京城大骇[395]。于是诏宰相出入，加金吾骑士张弦露刃[396]以卫之，所过坊门呵索[397]甚严。朝士[398]未晓[399]不敢出门。上或[400]御殿久之，班犹未齐[401]。

贼遗纸[402]于金吾[403]及府、县，曰："毋急捕我，我先杀汝。"故捕贼者不敢甚急。兵部侍郎许孟容见上言："自古未有宰相横尸路隅[404]而盗不获者，此朝廷之辱[405]也！"因涕泣。又诣[406]中书挥涕言："请奏起裴中丞[407]为相，大索贼党，穷其奸源[408]。"戊申[409]，诏中外所在搜捕，获贼者赏钱万缗，官五品；敢庇匿者，举族诛之。于是京城大索[410]，公卿家有复壁[411]、重橑[412]者皆索之。

成德军进奏院有恒州卒张晏等数人，行止无状[413]，众多疑之。庚戌[414]，神策将军王士则等告王承宗遣晏等杀元衡。吏捕得晏等八人，命京兆尹裴武、监察御史陈中师鞫之[415]。癸亥[416]，诏以王承宗前后三表[417]出示百僚，议其罪。

【语译】

五月二十六日丙申，李光颜奏报朝廷，在时曲打败了淮西的军队。淮西兵早晨就紧逼着李光颜的营垒摆开阵势，李光颜的军队不能出营，于是自己毁坏营垒左右两边的栅栏，派骑兵攻打淮西兵。李光颜亲自率领几名骑兵冲锋陷阵，多次出入敌军，敌人都认识李光颜，箭集中射到李光颜身上，就像刺猬的刺。儿子拉着李光颜的马缰绳，李光颜对儿子举着刀，大声斥责他离开。于是，将士们争相拼死杀敌，淮西的军队大规模溃败，被杀了几千人。宪宗认为裴度善于识别人才。

自从李吉甫去世以后，宪宗把调兵征讨的事全部委任给武元衡。李师道豢养的刺客劝李师道说："天子之所以要专心一意地讨伐蔡州，都是由于武元衡的赞同，请让我们秘密地去刺杀他。武元衡死了，那么其他宰相就不敢主持讨伐蔡州的谋划，会争着劝说宪宗停止用兵了。"李师道觉得有道理，就给了很多钱打发他们去行刺。

王承宗派遣牙将尹少卿入朝奏事，为吴元济说情。尹少卿到了中书省，说话不谦逊，武元衡把尹少卿呵斥出去。后来，王承宗又向宪宗上书毁谤武元衡。

六月初三日癸卯，天还没有亮，武元衡去上朝，出了所居住的靖安坊东门，有贼人从暗地里突然跑出来向武元衡射箭，随从人员都逃散了，贼人牵着武元衡的马走了十几步，把武元衡杀了，砍下武元衡的头颅后离去。贼人又进了通化坊攻击裴度，伤了裴度的头部，裴度坠落沟中。裴度毡帽很厚，得以不死。裴度的随身侍从王义从背后抱住一个贼人大叫，贼人砍断了王义的手臂后离去。京城大为震惊。于是宪宗诏令宰相出入住宅和朝堂，加派金吾骑兵拉满弓，刀出鞘，进行保卫，所经过的街坊大门，严加呵斥搜查。朝中大臣天不亮不敢出家门。宪宗有时候上殿很久了，上朝的官员还没有到齐。

贼人在金吾卫和京兆府与各县留下纸条说："不要急着抓捕我们，否则，我们先杀了你们。"所以，搜捕贼人的人不敢太急。兵部侍郎许孟容去见宪宗说："自古以来，没有宰相横尸路边，而没有抓获贼人的，这是朝廷的耻辱啊！"接着哭泣流泪。许孟容又到中书省抹着眼泪说："请上奏任用裴中丞为宰相，大规模搜捕贼党，彻底追究暗杀的源头。"六月初八日戊申，宪宗下诏京城内外各地搜捕，抓获贼人的赏钱一万缗，给五品官职；胆敢包庇窝藏的，诛杀全族。于是，在京城大规模地进行了搜捕，王公卿相家有夹层墙壁的、双层楼层的，都进行了搜索。

成德军在京城长安的进奏院中有恒州士兵张晏等几人，行为不良，很多人怀疑他们是刺客。六月初十日庚戌，神策军的将军王士则等人告发王承宗派遣张晏等人刺杀了武元衡。官吏们逮捕了张晏等八人，宪宗命令京兆尹裴武、监察御史陈中师审讯他们。二十三日癸亥，宪宗下诏把王承宗上的前后三封奏章出示群臣，商议如何处置王承宗。

裴度病疮[418]，卧二旬，诏以卫兵宿其第[419]，中使问讯不绝。或[420]请罢度官以安恒、郓之心，上怒曰："若罢度官，是奸谋得成，朝廷无复纲纪。吾用度一人，足破二贼[421]。"甲子[422]，上召度入对。乙丑[423]，以度为中书侍郎、同平章事。度上言："淮西，腹心之疾[424]，不得不除。且朝廷业已讨之，两河藩镇跋扈者，将视此为高下[425]，不可中止。"上以为然，悉以用兵事委度，讨贼甚急。初，德宗多猜忌，朝士有相过从[426]者，金吾皆伺察以闻，宰相不敢私第[427]见客。度奏："今寇盗未平，宰相宜招延四方贤才与参谋议。"始请于私第见客，许之。

陈中师按[428]张晏等，具服[429]杀武元衡。张弘靖疑其不实，屡言于上，上不听。戊辰[430]，斩晏等五人，杀其党十四人，李师道客竟潜匿亡去[431]。

【段旨】

以上为第十一段，写淄青刺客杀宰相武元衡于京师，宪宗任裴度为相，矢志讨淮西。

【注释】

[377]丙申：五月二十六日。[378]时曲：地名，在今河南漯河市境。[379]压其垒而陈：指淮西兵直逼官军营垒列阵。压，迫近。陈，通"阵"。[380]自将：亲自领兵。[381]识之：认识他。[382]猬毛：像刺猬的毛一样密集。[383]揽辔：拉住马缰绳。[384]举刃叱去：举起刀来，大声斥责他离开。[385]人争致死：人人争先死战。[386]委：委任；委托。[387]锐意：专心一意。[388]资给遣之：给他们路费，遣他们上路去行刺武元衡。[389]辞指不逊：说话不谦逊。[390]叱：叱责。[391]癸卯：六月初三日。[392]执：抓住。[393]颅骨：头顶骨。[394]傔人：随身

【原文】

秋，七月庚午朔[432]，灵武[433]节度使李光进薨。光进与弟光颜友善，光颜先娶，其母委以家事。母卒，光进后娶，光颜使其妻奉管籥[434]，籍

裴度受了疮伤，卧床二十天，宪宗下诏让宫廷卫士守卫裴度的住宅，中使去询问病情的人相继不绝。有人请求宪宗罢免裴度的官职来安定恒州和郓州的人心，宪宗生气地说："如果免了裴度的官职，那就是奸人的阴谋得逞了，朝廷不再有纲常法纪可言。我任用裴度一人，就足以打败这两个叛贼。"六月二十四日甲子，宪宗召裴度入朝商议事情。二十五日乙丑，宪宗任命裴度为中书侍郎、同平章事。裴度进言说："淮西是朝廷的心腹大患，不能不铲除。况且朝廷已经在讨伐吴元济，黄河南北军镇中专横跋扈的人，将视此为或上或下的标准，不能中止军事行动。"宪宗觉得裴度说得对，就把用兵之事全部委任给裴度，加紧进攻吴元济。当初，德宗怀疑颇多，大臣们有相互交往的，金吾卫的人都暗中侦察上报，宰相不敢在私宅会见客人。裴度上奏说："现在叛贼没有平定，宰相应该招揽延引四方的贤能人才参与谋议。"开始请求在私宅会见客人，宪宗同意了。

陈中师按问张晏等人，他们承认刺杀了武元衡。宰相张弘靖怀疑口供不实，多次向宪宗进言，宪宗不听从。六月二十八日戊辰，杀了张晏等五人，还杀了他们的同伙十四人，最终李师道的刺客暗中逃跑了。

侍从。㊴㊄大骇：大为恐惧。㊴㊅张弦露刃：拉满弓，刀出鞘。即全副武装。㊴㊆呵索：呵斥搜索。㊴㊇朝士：朝臣。㊴㊈未晓：天未亮。指朝士不敢早行。㊵⓪或：有时。㊵①班犹未齐：上朝百官还没有到齐。㊵②遗纸：留下纸条。指送匿名信。㊵③金吾：指左右金吾卫，掌搜捕盗贼，治安京师。㊵④路隅：路边。㊵⑤辱：耻辱。㊵⑥诣：到。㊵⑦裴中丞：指裴度。当时裴度任御史中丞。㊵⑧穷其奸源：彻底追究暗杀的源头。㊵⑨戊申：六月初八日。㊶⓪大索：大肆搜索。㊶①复壁：夹壁，用以隐藏人、物。㊶②重橑：双层楼层，上下施椽，其间可以藏物。㊶③行止无状：行为不良善。㊶④庚戌：六月初十日。㊶⑤鞫之：审问他们。㊶⑥癸亥：六月二十三日。㊶⑦三表：三封奏章。㊶⑧疮：疮伤。㊶⑨宿其第：住宿在他家里，加以保护。㊷⓪或：有人。㊷①二贼：指王承宗、李师道。㊷②甲子：六月二十四日。㊷③乙丑：六月二十五日。㊷④腹心之疾：心腹之患。淮西地当江南运道，中唐以后，京师仰给江南，故称淮西不平为腹心之疾。㊷⑤高下：标准。㊷⑥过从：交往。㊷⑦私第：自己家里。㊷⑧按：按问。㊷⑨具服：承认。㊸⓪戊辰：六月二十八日。㊸①潜匿亡去：暗中逃走。

【语译】

秋，七月初一日庚午，灵武节度使李光进去世。李光进与弟弟李光颜关系很好，李光颜先娶妻室，他们的母亲就把家事委托给李光颜的妻子。他们的母亲去世后，李光进才娶妻室，李光颜让他的妻子捧着钥匙，清点登记了财产，一同交给她的嫂

财物[435]，归于其姒[436]。光进反[437]之曰："新妇逮事先姑，先姑命主家事，不可易也。"因相持而泣。

甲戌[438]，诏数[439]王承宗罪恶，绝其朝贡，曰："冀其翻然改过，束身[440]自归。攻讨之期，更俟后命[441]。"

八月己亥朔[442]，日有食之。

李师道置留后院[443]于东都[444]，本道人[445]杂沓[446]往来，吏不敢诘[447]。时淮西兵犯东畿，防御兵悉屯伊阙[448]。师道潜内兵[449]于院中，至数十百人，谋焚宫阙，纵兵杀掠，已烹牛飨士[450]，明日将发。其小卒诣留守[451]吕元膺告变[452]，元膺亟追[453]伊阙兵围之。贼众突出，防御兵踵[454]其后，不敢迫[455]。贼出长夏门[456]，望山而遁。是时都城震骇，留守兵寡弱。元膺坐皇城门[457]，指使部分[458]，意气自若，都人赖以安。

东都西南接邓[459]、虢[460]，皆高山深林，民不耕种，专以射猎[461]为生，人皆趫勇[462]，谓之"山棚"。元膺设重购[463]以捕贼。数日，有山棚鬻鹿[464]，贼遇而夺之。山棚走召其侪类[465]，且引官军共围之谷中，尽获之[466]。按验[467]，得其魁[468]，乃中岳寺[469]僧圆净。故尝为史思明将，勇悍过人，为师道谋，多买田于伊阙、陆浑[470]之间，以舍[471]山棚而衣食之。有訾嘉珍、门察[472]者，潜部分[473]以属圆净。圆净以师道钱千万，阳[474]为治佛光寺，结党定谋，约令嘉珍等窃发[475]城中，圆净举火[476]于山中，集二县[477]山棚入城助之。圆净时年八十余，捕者既得之，奋锤[478]击其胫[479]，不能折。圆净骂曰："鼠子[480]，折人胫且不能，敢称健儿！"乃自置其胫，教使折之。临刑[481]，叹曰："误我事，不得使洛城流血！"党与[482]死者凡数千人。留守、防御将二人[483]及驿卒八人皆受其职名[484]，为之耳目[485]。

元膺鞫[486]訾嘉珍、门察，始知杀武元衡者乃师道也。元膺密以闻[487]，以槛车[488]送二人诣京师。上业已讨王承宗，不复穷治[489]。元膺上言："近日藩镇跋扈不臣[490]，有可容贷[491]者。至于师道谋屠都城，烧宫阙，悖逆[492]尤甚，不可不诛。"上以为然。而方讨吴元济，绝王承宗，故未暇[493]治师道也。

子。李光进又送回给李光颜说："弟媳曾侍奉过先母，先母让她主持家务，这不能更改。"于是兄弟俩握着手哭起来。

七月初五日甲戌，宪宗下诏列举王承宗的罪恶，断绝了他的朝贡，说："希望王承宗幡然醒悟，改正过错，缚身请罪。进攻讨伐的日期，再等以后的命令。"

八月初一日己亥，发生日食。

李师道在东都洛阳设立了留后院，本道人员纷至沓来，洛阳的官吏不敢盘问。当时淮西的军队侵犯东都近郊，洛阳的防御兵全部驻守在伊阙。李师道暗中把士兵藏在洛阳的留后院中，人数达到了几十上百人，他们策划焚烧宫殿，纵兵杀戮抢劫，已经煮了牛肉犒劳士兵，第二天准备起事。其中有一名士兵前往东都留守吕元膺那里告发了阴谋叛乱之事，吕元膺急调伊阙的士兵包围留后院。贼众冲出包围，防御兵紧跟在后边，不敢逼近。贼众出了长夏门，朝山上逃跑了。当时都城震惊，留守的兵力人数少力量弱。吕元膺坐在皇城门前，指挥部署，神态自如，东都的人依赖吕元膺才安下心来。

东都西南地区与邓州和虢州接壤，都是高山深林，老百姓不耕种田地，专门以打猎为生，人们都矫健勇猛，称之为"山棚"。吕元膺设重金招募他们捉捕贼寇。过了几天，有一个山棚去卖鹿，遇上贼寇，夺走了他的鹿。山棚跑回去召集他的同伙，并且带领官府的军队一起把贼寇包围在山谷中，全部抓获了他们。经过审讯，得知贼寇的头目，乃是中岳寺的和尚圆净。圆净过去曾经做过史思明的将领，勇悍过人，向李师道建议，在伊阙和陆浑之间多买田地，让打猎的山棚们居住下来，并给他们提供衣服粮食。有訾嘉珍、门察这两个人，暗中组织部属交给圆净统领。圆净用李师道上千万钱，表面上是修建佛光寺，实际上是集结同党，确定计划，约好让訾嘉珍等人暗中在洛阳城起事，圆净在山中举火为号，集中伊阙、陆浑两县的山棚进洛阳城援助。圆净当时八十多岁，搜捕的人抓到圆净以后，用锤子奋力击打他的小腿，不能打断。圆净骂道："你们这些鼠辈，连别人的小腿都打不断，还敢称健儿！"于是自己摆好小腿，教他们折断了自己的小腿。圆净将被处死时，叹息说："你们耽误了我的大事，不能让我使洛阳流血！"圆净的同党被杀死的总共有几千人。有两名东都留守和防御的将领以及八名驿站的士兵都接受了李师道授予的军职，替李师道通风报信。

吕元膺审讯訾嘉珍、门察后，才知道刺杀武元衡的是李师道。吕元膺把此事密奏给宪宗，用囚车把訾嘉珍、门察送到京城长安。宪宗已经声讨王承宗，就不再深入追究李师道。吕元膺上奏说："近些日子以来，军镇专横跋扈，不臣服朝廷的，有可以宽容处置的人。至于李师道谋划屠杀都城，焚烧宫殿，悖理忤逆极为严重，不能不杀。"宪宗觉得吕元膺说得对。但是当时正在讨伐吴元济，禁绝王承宗向朝廷进贡，所以无暇惩治李师道。

【段旨】

以上为第十二段，写东都留守吕元膺挫败李师道血洗东都的阴谋。

【注释】

㊸庚午朔：七月初一日。㊸灵武：方镇名，治所在今宁夏灵武西南。㊸奉管籥：捧着钥锁。即交出钥锁。㊸籍财物：清点登记好财物。㊸姒：妯娌相称，本以年龄长少为名，长曰姒，少曰娣。俗以嫂为姒，弟媳曰娣。这里正称嫂为姒。㊸反：送回。㊸甲戌：七月初五日。㊸数：历数；开列。㊹束身：缚着身子，待罪的意思。㊹更俟后命：等待以后的命令。㊹己亥朔：八月初一日。㊹留后院：诸道在都城设置的办事机关。㊹东都：洛阳。㊹本道人：指兖、郓、淄、青人。㊹杂沓：纷至沓来。㊹诘：盘问。㊹伊阙：地名，在今河南洛阳南。㊹内兵：藏兵。内，通"纳"。㊺烹牛飨士：煮牛犒劳士兵。㊺留守：东都最高长官。㊺告变：报告变故。㊺亟追：急调。㊺踵：跟

【原文】

乙丑㊾，李光颜败于时曲㊾。

初，上以严绶在河东所遣裨将㊾多立功，故使镇襄阳㊾，且督诸军讨吴元济。绶无他材能，到军之日，倾府库，赉㊾士卒，累年之积，一朝而尽。又厚赂宦官以结声援㊾。拥八州㊿之众万余人屯境上，闭壁经年㊿，无尺寸功。裴度屡言其军无政㊿。

九月癸酉㊿，以韩弘为淮西诸军都统㊿。弘乐于自擅㊿，欲倚贼自重㊿，不愿淮西速平。李光颜在诸将中战最力㊿，弘欲结其欢心，举大梁城索㊿得一美妇人，教之歌舞丝竹㊿，饰以珠玉金翠，直数百万钱，遣使遗㊿之。使者先致书㊿。光颜乃[6]大飨将士㊿，使者进妓，容色绝世㊿，一座尽惊。光颜谓使者曰："相公㊿愍㊿光颜羁旅㊿，赐以美妓，荷德诚深。然战士数万，皆弃家远来，冒犯白刃㊿，光颜何忍㊿独以声色自娱悦乎！"因流涕，座者皆泣。即于席上厚以缯帛㊿赠使者，并妓返之㊿，曰："为光颜多谢相公，光颜以身许国，誓不与逆贼同戴日月，死无贰矣㊿！"

在后面。㊺⑤不敢迫：不敢逼近。

在后面。455 不敢迫：不敢逼近。456 长夏门：东都洛阳南面三门，左叫长夏门。457 皇城门：在皇城南面，有三门，中为端门，左为左掖门，右为右掖门。吕元膺坐于左掖门下。458 指使部分：指挥、布置。部分，布置、部署，与指使同义。459 邓：邓州，治所穰县，在今河南邓州。460 虢：虢州，治所弘农，在今河南灵宝北。461 射猎：打猎。462 趫勇：矫健勇猛。463 重购：重金招募。464 鬻鹿：卖鹿。465 侪类：同伴。466 尽获之：将盗贼全部擒捉。467 按验：审讯。468 魁：首领。469 中岳寺：寺院名，在中岳嵩山。470 陆浑：县名，县治在今河南嵩县东北。471 舍：居住。472 訾嘉珍、门察：皆人名。473 潜部分：暗中组织的部属。474 阳：表面。475 窃发：暗中举事。476 举火：放火为号。477 二县：指伊阙、陆浑。478 奋锤：用力举起铁锤。479 胫：胫骨。在小腿部分。480 鼠子：骂人的话。含蔑视意。481 临刑：将被处死时。482 党与：党羽。483 留守、防御将二人：留守兵之将与防御兵之将各一人，共二将。484 受其职名：接受李师道授予的军职。485 为之耳目：替李师道通风报信。486 鞫：审讯。487 密以闻：秘密告知宪宗。488 槛车：囚车。489 穷治：深入追究。490 不臣：无臣子之心。491 容贷：宽容。492 悖逆：悖理谋逆。493 未暇：没有时间。

【语译】

八月二十七日乙丑，李光颜在时曲打了败仗。

当初，宪宗因为严绶在河东所派出的副将大多立了功劳，所以就派严绶镇守襄阳，并且督领各军讨伐吴元济。严绶没有什么才能，到了军镇时，倾尽府库所有拿出来奖赏士卒，军府多年的积蓄，一下子就用光了。他又重赂宦官，作为自己的后援。他率领襄、邓、唐、随、均、房、郢、复八州的兵力一万多人驻扎在边境上，整年闭守营垒，没有丝毫功劳。裴度多次向宪宗说严绶的军队没有作战能力。

九月初五日癸酉，宪宗任命韩弘为进攻淮西的各支军队的都统。韩弘喜欢自己独断专行，想借助敌人的存在抬高自己的地位，不希望淮西迅速平定。李光颜在各位将领中作战最有勇力，韩弘想取得李光颜的欢心，在整个大梁城中寻到一个美丽的女人，教她歌舞弹奏，用金银珠宝装饰她，总价值有几百万钱，派使者赠送给李光颜。使者先写信给李光颜。李光颜于是大规模地犒劳将士，韩弘的使者进献歌女，她的姿色容貌举世无双，满座将士都惊呆了。李光颜对使者说："韩相公怜悯我流寓在外，赏赐我美丽的歌女，我所蒙受的恩德实在是深厚。但是几万名将士，都是弃家远来，冒着刀锋，我李光颜怎么能忍心独自用声色来自我娱乐呢！"说着就流下了眼泪，在座的将士们都哭泣起来。李光颜就在宴席上把很多丝帛送给使者，连同歌女一起退回给韩弘，说："你要替我李光颜多谢韩相公，我把身体交给了国家，发誓与叛贼不共戴天，就算死也不会有二心！"

冬，十月庚子[522]，始分山南东道为两节度，以户部侍郎李逊[523]为襄、复、郢、均、房节度使，以右羽林大将军高霞寓[524]为唐、随、邓节度使。朝议以唐与蔡接，故使霞寓专事攻战[525]，而逊调五州之赋以饷[526]之。

辛丑[527]，刑部侍郎权德舆奏："自开元二十五年修《格式律令事类》[528]后，至今《长行敕》[529]，近删定为三十卷，请施行。"从之。

【段旨】

以上为第十三段，写李光颜尽心讨贼。

【注释】

[494]乙丑：八月二十七日。[495]时曲：地名，在今河南漯河市境。[496]裨将：副将。[497]襄阳：山南东道节度使治所，在今湖北襄阳。[498]赉：奖赏。[499]声援：援助。[500]八州：指襄、邓、唐、随、均、房、郢、复八州。[501]闭壁经年：整年闭守营垒。[502]无政：没有作战能力。[503]癸酉：九月初五日。[504]淮西诸军都统：淮西各军的统帅。[505]乐于自擅：喜欢自己独断专行。[506]倚贼自重：倚凭敌人的存在抬高自己的都统地位。[507]战最力：作战最为出力。[508]索：搜索。[509]歌舞丝竹：唱歌、跳舞、拉弹、吹奏。[510]遗：送。[511]致书：写信给李光颜。[512]乃大飨将士：于是举行盛大宴会犒劳将士。[513]绝世：当代最出色的。[514]相公：指

【原文】

上虽绝王承宗朝贡，未有诏讨之。魏博节度使田弘正屯兵于其境，承宗屡败之。弘正忿，表[530]请击之，上不许。表十上，乃听[531]至贝州。丙午[532]，弘正军于贝州。

庚戌[533]，东都奏盗焚柏崖仓[534]。

十一月，寿州刺史李文通奏败淮西兵。

壬申[535]，韩弘请命众军合攻淮西。从之。

李光颜、乌重胤败淮西兵于小溵水[536]，拔其城。

冬，十月初三日庚子，朝廷开始把山南东道分成两个军镇，任命户部侍郎李逊为襄、复、郢、均、房五州节度使，任命右羽林大将军高霞寓为唐、随、邓三州节度使。朝廷大臣讨论认为唐州与蔡州相邻，所以让高霞寓专门从事进攻吴元济，而李逊征调所辖五州的赋税供应高霞寓的军队。

十月初四日辛丑，刑部侍郎权德舆上奏说："自开元二十五年修撰《格式律令事类》后，到现行《长行敕》的有关律令，最近删定为三十卷，请求下令施行。"宪宗采纳了他的建议。

韩弘。⑤⑮愍：怜悯；可怜。⑤⑯羁旅：流寓在外。⑤⑰白刃：刀锋。⑤⑱何忍：怎么忍心。⑤⑲缯帛：丝帛；绸缎布匹。⑤⑳并妓返之：连同歌伎一起退了回去。㉑死无贰矣：决死而无二心。表明态度坚决。㉒庚子：十月初三日。㉓李逊（约公元七六一至八二三年）：字友道，为政抑强扶弱，贫富均一。官终凤翔节度使。传见《旧唐书》卷一百五十五、《新唐书》卷一百六十二。㉔高霞寓（？至约公元八二六年）：幽州范阳（今河北涿州）人，狡谲多变，官至右金吾卫大将军。传见《旧唐书》卷一百六十二、《新唐书》卷一百四十一。㉕专事攻战：专门从事攻打吴元济。㉖饷：供应。㉗辛丑：十月初四日。㉘《格式律令事类》：书名，属法律制度类编的书。㉙《长行敕》：书名，属诏旨汇编。

【校记】

［6］乃：原无此字。据章钰校，甲十一行本、乙十一行本、孔天胤本皆有"乃"字，张敦仁《通鉴刊本识误》同，今据增补。

【语译】

宪宗虽然禁绝王承宗朝贡，但没有下诏讨伐他。魏博节度使田弘正在王承宗的边境驻扎军队，王承宗多次打败田弘正。田弘正很恼火，上表请求进攻王承宗，宪宗没有同意。田弘正十次上表，宪宗才允许他到贝州。十月初九日丙午，田弘正驻扎在贝州。

十月十三日庚戌，东都奏报盗贼烧毁了柏崖仓。

十一月，寿州刺史李文通上奏说打败了淮西的军队。

十一月初五日壬申，韩弘请求宪宗命令各路军队联合攻打淮西。宪宗同意了。

李光颜、乌重胤在小溵水打败了淮西的军队，攻取了对方的城邑。

乙亥[537]，以严绶为太子少保。

盗焚襄州佛寺军储。尽徙京城积草于四郊以备火[538]。

丁丑[539]，李文通败淮西兵于固始[540]。

戊寅[541]，盗焚献陵[542]寝宫、永巷[543]。

诏发振武[544]兵二千，会义武军[545]以讨王承宗。

己丑[546]，吐蕃款[547]陇州塞，请互市[548]，许之。

初，吴少阳闻信州人吴武陵[549]名，邀以为宾友[550]，武陵不答。及元济反，武陵以书谕之曰："足下勿谓部曲不我欺[551]，人情与足下一也。足下反天子，人亦欲反足下。易地而论[552]，则其情可知矣。"

丁酉[553]，武宁[554]节度使李愿[555]奏败李师道之众。时师道数遣兵攻徐州，败萧[556]、沛[557]数县。愿悉以步骑委都押牙[558]温人王智兴[559]，击破之。十二月甲辰[560]，智兴又破师道之众，斩首二千余级，逐北[561]至平阴[562]而还。愿，晟之子也。

东都防御使吕元膺请募山棚以卫宫城，从之。

乙丑[563]，河东节度使王锷薨。

王承宗纵兵[564]四掠，幽、沧、定三镇皆苦之，争上表请讨承宗。上欲许之，中书侍郎、同平章事张弘靖以为："两役并兴[565]，恐国力所不支，请并力平淮西，乃征恒冀。"上不为之止，弘靖乃求罢。

【段旨】

以上为第十四段，写淄青李师道、成德王承宗公开助贼反叛朝廷，李师道寇徐州，王承宗纵兵四掠。

【注释】

[530]表：上奏章。[531]听：听任；允许。[532]丙午：十月初九日。[533]庚戌：十月十三日。[534]柏崖仓：仓名，在今河南孟州柏崖城，储粮之所。[535]壬申：十一月初五日。[536]小溵水：水名，即濦水，为北汝河之下游，汝水支流。[537]乙亥：十一月初八日。[538]备火：防火。[539]丁丑：十一月初十日。[540]固始：县名，县治在今河南固始。[541]戊寅：十一月十一日。[542]献陵：唐高祖李渊墓，在今陕西三原北。[543]寝宫、永巷：陵墓后殿及长巷。[544]振武：驻防朔州之

十一月初八日乙亥，宪宗任命严绶为太子少保。

盗贼烧毁了襄州佛寺里储藏的军用物资。把京城内堆积的柴草全部移到四周郊外，以防备盗贼纵火。

十一月初十日丁丑，李文通在固始县打败了淮西的军队。

十一月十一日戊寅，盗贼烧毁了献陵的寝宫、永巷。

宪宗下诏征发振武军的士兵二千人，会合义武军，讨伐王承宗。

十一月二十二日己丑，吐蕃与陇州交好，请求相互通商贸易，宪宗同意了。

当初，吴少阳听说了信州人吴武陵的名声，邀请吴武陵来做自己的宾客和朋友，吴武陵不回复。等到吴元济反叛，吴武陵写信劝谕吴元济说："您不要以为部下不会欺蒙自己，您部下的心思与您的心思一样。您反叛天子，您的部下也想反叛您。换个位置来讨论，那么，其中的情况就可以清楚了。"

十一月三十日丁酉，武宁节度使李愿奏报打败了李师道的军队。当时李师道多次派兵攻打徐州，打下萧县、沛县等几个县。李愿把全部步兵、骑兵都交给了都押牙温州人王智兴，打败了李师道的军队。十二月初七日甲辰，王智兴又打败了李师道的军队，杀敌二千多人，追击败兵到达平阴县后返回。李愿，是李晟的儿子。

东都防御使吕元膺请求招募山棚来保卫宫城，宪宗同意了。

十二月二十八日乙丑，河东节度使王锷去世。

王承宗纵兵四处抢掠，幽州、沧州、定州三个军镇都被他害苦了，争相上表朝廷请求讨伐王承宗。宪宗想答应他们，中书侍郎、同平章事张弘靖认为"南北两地都调兵打仗，恐怕国力不能支撑，请求集中力量平定淮西，再去讨伐王承宗。"宪宗不肯打消讨伐王承宗的念头，张弘靖于是请求免去宰相职务。

兵。㊺义武军：易定节度使之兵。546己丑：十一月二十二日。547款：纳款。548互市：互相通商贸易。549吴武陵：信州贵溪（今属江西）人，有文才。传见《新唐书》卷二百三。550宾友：客友。551不我欺：不欺骗我。宾语前置。552易地而论：换个位置来说。553丁酉：十一月三十日。554武宁：方镇名，唐宪宗元和二年（公元八〇七年），置武宁节度使，治所徐州，在今江苏徐州。555李愿（？至公元八二五年）：李晟子，政简而严。官河中节度使。传见《旧唐书》卷一百三十三、《新唐书》卷一百五十四。556萧：萧县，县治在今安徽萧县。557沛：沛县，县治在今江苏沛县。558都押牙：官名，节度使府掌牙兵长官。559王智兴（公元七五七至八三六年）：历官武宁、忠武、河中、宣武等节度使，加官至太傅。传见《旧唐书》卷一百五十六、《新唐书》卷一百七十二。560甲辰：十二月初七日。561逐北：追赶败兵。562平阴：县名，县治在今山东平阴。563乙丑：十二月二十八日。564纵兵：放纵士兵。565两役并兴：指既讨淮西，又讨恒冀。

【原文】

十一年（丙申，公元八一六年）

春，正月己巳[566]，以弘靖同平章事，充河东节度使[7]。

幽州节度使刘总奏败成德兵，拔武强[567]，斩首千余级。

庚辰[568]，翰林学士、中书舍人钱徽[569]，驾部郎中、知制诰萧俛[570]，各解职[571]守本官[572]。时群臣请罢兵者众，上患之，故黜徽、俛以警其余。徽，吴人也。

癸未[573]，制削王承宗官爵，命河东、幽州、义武、横海、魏博、昭义六道进讨。韦贯之屡请先取吴元济，后讨承宗，曰："陛下不见建中之事[574]乎？始于讨魏及齐[575]，而蔡[576]、燕[577]、赵[578]皆应，卒致朱泚之乱[579]，由德宗不能忍数年之愤邑[580]，欲太平之功速成故也。"上不听。

甲申[581]，盗断建陵门戟四十七枝。

二月，西川奏吐蕃赞普[582]卒，新赞普可黎可足立。

乙巳[583]，以中书舍人李逢吉[584]为门下侍郎、同平章事。逢吉，玄道[585]之曾孙也。

乙卯[586]，昭义节度使郗士美[587]奏破成德兵，斩首千余级。

南诏劝龙晟淫虐不道，上下怨疾，弄栋[588]节度王嵯巅弑之，立其弟劝利。劝利德嵯巅，赐姓蒙氏，谓之"大容"。容，蛮言兄也。

己未[589]，刘总破成德兵，斩首千余级。

荆南[590]节度使袁滋[591]父祖墓在朗山[592]，请入朝，欲劝上罢兵。行至邓州，闻萧俛、钱徽贬官。及见上，更以必克劝之，仅得还镇。

辛酉[593]，魏博奏败成德兵，拔其固城[594]；乙丑[595]，又奏拔其鸦城[596]。

三月庚午[597]，太后[598]崩。辛未[599]，敕以国哀[600]，诸司公事权取中书门下处分[601]，不置摄冢宰[602]。

寿州团练使李文通奏败淮西兵于固始，拔鏉山[603]。

己卯[604]，唐邓节度使高霞寓奏败淮西兵于朗山，斩首千余级，焚二栅。

幽州节度使刘总围乐寿[605]。

【语译】

十一年（丙申，公元八一六年）

春，正月初三日己巳，宪宗任命张弘靖为同平章事，充任河东节度使。

幽州节度使刘总奏报打败了成德的军队，攻取了武强县城，杀敌一千多人。

正月十四日庚辰，翰林学士、中书舍人钱徽和驾部郎中、知制诰萧俛，各自解除翰林学士的职务，担任原来的官位。当时朝廷群臣请求停止战事的人很多，宪宗为此很担忧，所以黜免钱徽、萧俛的官职以警告其他的人。钱徽，是吴地人。

正月十七日癸未，宪宗下制书削除王承宗的官职爵位，命令河东、幽州、义武、横海、魏博和昭义六道进军讨伐王承宗。宰相韦贯之多次请求宪宗先攻取吴元济，之后讨伐王承宗，说："陛下难道没有看到建中年间的事情吗？开始是攻打魏博的田悦和淄青的李纳，而蔡州的李希烈、卢龙的朱滔和恒冀的王武俊都起兵响应田悦和李纳，最终导致了朱泚的叛乱，这是因为德宗皇帝不能够忍受几年的愤怒和郁悒，想很快就使天下太平无事的缘故。"宪宗对韦贯之的意见没有听从。

正月十八日甲申，强盗折断了建陵的门戟四十七枝。

二月，西川节度使上奏吐蕃赞普死了，新赞普可黎可足继位。

二月初九日乙巳，宪宗任命中书舍人李逢吉为门下侍郎、同平章事。李逢吉，是李玄道的曾孙。

二月十九日乙卯，昭义节度使郗士美奏报打败了成德的军队，杀敌一千多人。

南诏王劝龙晟荒淫残暴，上下都痛恨他，弄栋的节度使王嵯巅把他杀了，拥立他的弟弟劝利。劝利感激王嵯巅，给王嵯巅赐姓为蒙氏，称之为"大容"。容在蛮语中是哥哥的意思。

二月二十三日己未，刘总打败成德的军队，杀敌一千多人。

荆南节度使袁滋的父亲和祖父的坟墓在朗山县，请求进京入朝，想劝说宪宗停止战事。走到邓州，听说萧俛和钱徽被贬职的消息。等到觐见宪宗，反过来用一定会攻下蔡州的话劝说宪宗，这才得以返回镇所。

二月二十五日辛酉，魏博镇奏报打败了成德的军队，攻取了固城。二十九日乙丑，魏博镇又奏报攻取了鵶城。

三月初四日庚午，皇太后王氏去世。初五日辛未，宪宗敕令说因为遭逢国丧，朝廷各部门的事情暂由中书省和门下省处理，不设置摄冢宰。

寿州团练使李文通奏报在固始县打败了淮西的军队，攻取了䥶山。

三月十三日己卯，唐邓节度使高霞寓奏报在朗山打败了淮西的军队，杀死一千多人，烧毁了两处营栅。

幽州节度使刘总包围了乐寿城。

夏，四月庚子[606]，李光颜、乌重胤奏败淮西兵于陵云栅[607]，斩首三千级。

辛亥[608]，司农卿皇甫镈[609]以兼中丞权判度支。镈始以聚敛得幸。

乙卯[610]，刘总奏破成德兵于深州[611]，斩首二千五百级。

乙丑[612]，义武节度使浑镐[613]奏破成德兵于九门[614]，杀千余人。镐，瑊之子也。

宥州军乱，逐刺史骆怡。夏州节度使田进讨平之。

五月壬申[615]，李光颜、乌重胤奏败淮西兵于陵云栅，斩首二千余级。

六月甲辰[616]，高霞寓大败于铁城[617]，仅以身免。时诸将讨淮西者，胜则虚张杀获，败则匿之[618]。至是，大败不可掩，始上闻，中外[619]骇愕。宰相入见，将劝上罢兵，上曰："胜负兵家之常，今但当论用兵方略，察将帅之不胜任者易之，兵食不足者助之耳。岂得以一将失利，遽议罢兵邪！"于是独用裴度之言，他人言罢兵者亦稍息矣。己酉[620]，霞寓退保唐州。

【段旨】

以上为第十五段，写唐宪宗违众开辟第二条战线，诏命六道进兵讨成德。写两线作战，官军势分，讨淮西兵失利，罢兵之声再起，宪宗不听，独用裴度之言，坚决征讨。

【注释】

⑯己巳：正月初三日。⑰武强：县名，县治在今河北武强。⑱庚辰：正月十四日。⑲钱徽（约公元七五五至八二九年）：字蔚章，官至吏部尚书。传见《旧唐书》卷一百六十八、《新唐书》卷一百七十七。⑳萧俛：字思谦，性介独，持法守正。官至宰相。传见《旧唐书》卷一百七十二、《新唐书》卷一百一。[571]各解职：各免去翰林学士职。[572]守本官：仍担任中书舍人、驾部郎中本官。[573]癸未：正月十七日。[574]建中之事：指德宗建中削藩失利，酿成朱泚之乱事。[575]魏及齐：魏，指田承嗣、田悦。齐，指李正己、李纳。[576]蔡：指李希烈。[577]燕：指朱滔。[578]赵：指王武俊。[579]朱泚之乱：事见本书卷二百二十六至卷二百二十八德宗建中元年至建中四年。[580]愤邑：愤怒、郁悒。邑，通

夏，四月初五日庚子，李光颜、乌重胤奏报在陵云栅打败了淮西的军队，杀敌三千人。

四月十六日辛亥，司农卿皇甫镈以兼任御史中丞的身份暂负责度支事务。皇甫镈因为善于聚敛钱财而得到宪宗的宠幸。

四月二十日乙卯，刘总奏报在深州打败了成德的军队，杀敌二千五百人。

四月三十日乙丑，义武节度使浑镐奏报在九门打败成德军队，杀敌一千多人。浑镐，是浑瑊的儿子。

宥州士兵哗变，驱逐了刺史骆怡。夏州节度使田进讨伐并平定了他们。

五月初七日壬申，李光颜、乌重胤奏报在陵云栅打败了淮西的军队，杀敌二千多人。

六月初十日甲辰，高霞寓在铁城大败，仅仅脱身免死。当时各个进攻淮西的将领，打了胜仗就夸大杀敌和俘虏的数量，打了败仗就隐瞒不报。到这时，打了大败仗，不能掩盖，才上报朝廷，朝廷内外震惊。宰相入朝谒见宪宗，准备劝说宪宗息兵，宪宗说："胜败是兵家常事，今日你们只应该讨论用兵策略，审核将帅不胜任的人，把他们撤换，对军队粮食不充足的进行援助而已。怎么能因为一个将领打了败仗，就马上商议停止用兵呢！"于是，宪宗只采纳裴度一个人的建议，其他人主张停止用兵的也渐渐消失了。十五日己酉，高霞寓退守唐州。

"悒"。581 甲申：正月十八日。582 赞普：吐蕃谓强雄曰"赞"，谓丈夫曰"普"，故号君长为赞普。583 乙巳：二月初九日。584 李逢吉（公元七五八至八三五年）：字虚舟，陇西（今甘肃陇西）人，性奸谲、妒贤伤善。官至宰相。传见《旧唐书》卷一百六十七、《新唐书》卷一百七十四。585 玄道：李玄道，仕隋，入唐终官常州刺史。传见《旧唐书》卷七十二、《新唐书》卷一百二。586 乙卯：二月十九日。587 郗士美（公元七五六至八一九年）：字和夫，高平金乡（今山东金乡）人，少好学，喜记览，官至忠武节度使。传见《旧唐书》卷一百五十七、《新唐书》卷一百四十三。588 弄栋：城名，在今云南姚安。南诏置节度使。589 己未：二月二十三日。590 荆南：方镇名，唐肃宗至德二载（公元七五七年），置荆南节度，治所荆州，在今湖北荆州市荆州区。591 袁滋：字德深，数为节度，皆畏懦无功。官至宰相，死于湖南观察使任所。传见《旧唐书》卷一百八十五下、《新唐书》卷一百五十一。592 朗山：县名，县治在今河南确山县。593 辛酉：二月二十五日。594 固城：地名，在今河北南宫境。595 乙丑：二月二十九日。596 鸮城：地名，在今河北南宫境。597 庚午：三月初四日。598 太后：顺宗庄宪皇后王氏（？至公元八一六年），宪宗生母。顺宗内禅，册为太上皇后。传见《旧唐书》卷五十二、《新唐书》卷七十

七。⑨辛未：三月初五日。⑩国哀：国丧。⑪处分：处理；办理。⑫摄冢宰：唐中世以来，天子崩，置摄冢宰，仿古者百官总己以听于冢宰之制。⑬铁山：地名，在今河南固始东。⑭己卯：三月十三日。⑮乐寿：县名，治所在今河北献县西南。⑯庚子：四月初五日。⑰陵云栅：地名，在今河南郾城东北。吴元济立栅于此，以陵云为名。⑱辛亥：四月十六日。⑲皇甫镈：泾州临泾（今甘肃镇原）人，聚敛媚上，刻削希恩，官至宰相。传见《旧唐书》卷一百三十五、《新唐书》卷一百六十七。⑳乙卯：四月二十日。㉑深州：州名，治所在今河北深州西南。㉒乙丑：四月三十日。㉓浑镐（？约公元八一八

【原文】

上责高霞寓之败，霞寓称李逊应接不至。秋，七月丁丑[8]，贬霞寓为归州㉑刺史，逊亦左迁㉒恩王㉓傅㉔。以河南尹郑权㉕为山南东道节度使。以荆南节度使袁滋为彰义节度，申、光、蔡、唐、随、邓观察使，以唐州为理所。

壬午㉖，宣武军奏破郾城㉗之众二万，杀二千余人，捕虏千余人。

田弘正奏破成德兵于南宫㉘，杀二千余人。

中书侍郎、同平章事韦贯之性高简㉙，好甄别流品㉚，又数请罢用兵。左补阙张宿毁㉛之于上，云其朋党。八月壬寅㉜，贯之罢为吏部侍郎。

诸军讨王承宗者互相观望，独昭义节度使郗士美引精兵压㉝其境。己未㉞，士美奏大破承宗之众于柏乡㉟，杀千余人，降者亦如之㊱，为三垒㊲以环㊳柏乡。

庚申㊴，葬庄宪皇后于丰陵㊵。

九月乙亥㊶，右拾遗独孤朗㊷坐请罢兵，贬兴元府仓曹㊸。朗，及㊹之子也。

饶州㊺大水，漂失四千七百户。

丙子㊻，以韦贯之为湖南观察使，犹坐前事也。辛巳㊼，以吏部侍郎韦颉、考功员外郎韦处厚等皆为远州刺史，张宿谗之，以为贯之之党也。颉，见素㊽之孙。处厚，夐㊾之九世孙也。

乙酉㊿，李光颜、乌重胤奏拔吴元济陵云栅。

年）：浑瑊第二子，性谦谨。官义武军节度使。传见《旧唐书》卷一百三十四、《新唐书》卷一百五十五。⑭九门：县名，在今河北藁城西北。⑮壬申：五月初七日。⑯甲辰：六月初十日。⑰铁城：地名，在今河南遂平西南。⑱匿之：隐瞒起来。⑲中外：朝廷内外。⑳己酉：六月十五日。

【校记】

［7］以弘靖同平章事二句：原脱此二句，今据章钰《胡刻通鉴正文校宋记》增补。

【语译】

宪宗责问高霞寓失败的原因，高霞寓说李逊没有来接应。秋，七月十三日丁丑，宪宗贬高霞寓为归州刺史，李逊也降职为恩王的师傅。任命河南府尹郑权为山南东道节度使。任命荆南节度使袁滋为彰义节度使和申、光、蔡、唐、随、邓观察使，以唐州为治所。

七月十八日壬午，宣武军奏报打败了郾城的二万名叛军，杀死二千多人，抓获俘虏一千多人。

田弘正上奏说在南宫县打败了成德的军队，杀死二千多人。

中书侍郎、同平章事韦贯之性情高雅简约，喜欢品评官吏士人门第等级，又多次请求宪宗停止用兵。左补阙张宿在宪宗面前诋毁韦贯之，说他与人结成朋党。八月初九日壬寅，韦贯之被罢免宰相职务，担任吏部侍郎。

各支讨伐王承宗的军队互相观望，只有昭义节度使郗士美率领精锐军队逼近王承宗的境内。八月二十六日己未，郗士美奏报在柏乡县大败王承宗的军队，杀敌一千多人，敌人投降的也有这么多人，昭义军修建了三个营垒把柏乡城包围起来。

八月二十七日庚申，把庄宪皇后安葬在丰陵。

九月十三日乙亥，右拾遗独孤朗因请求宪宗停止用兵而获罪，被贬为兴元府仓曹。独孤朗，是独孤及的儿子。

饶州发生洪水，漂走、淹没了四千七百户人家。

九月十四日丙子，宪宗任命韦贯之为湖南观察使，这还是对韦贯之先前请求停止用兵一事的处罚。十九日辛巳，宪宗任命吏部侍郎韦顗、考功员外郎韦处厚等人都为远州刺史，因为张宿诬陷他们，宪宗认为他们是韦贯之的同党。韦顗，是韦见素的孙子。韦处厚，是韦夐的九世孙。

九月二十三日乙酉，李光颜、乌重胤奏报攻占了吴元济的陵云栅。

丁亥[651]，光颜又奏拔石、越二栅。寿州奏败殷城[652]之众，拔六栅。

冬，十一月壬戌朔[653]，容管[654]奏黄洞蛮[655]为寇。

乙丑[656]，邕管[657]奏击黄洞蛮，却之，复宾、蛮等州。

丙寅[658]，加幽州节度使刘总同平章事。

李师道闻拔陵云栅而惧，诈请输款[659]。上以力未能讨，加师道检校司空。

王锷家二奴告锷子稷[660]改父遗表，匿所献家财。上命鞫[661]于内仗[662]，遣中使诣东都检括[663]锷家财。裴度谏曰："王锷既没，其所献之财已为不少。今又因奴告检括其家，臣恐诸将帅闻之，各以身后为忧[664]。"上遽[665]止使者。己巳[666]，以二奴付京兆，杖杀之。

庚子[667]，以给事中柳公绰为京兆尹。公绰初赴府[668]，有神策小将跃马横冲前导[669]，公绰驻马[670]，杖杀之。明日，入对延英，上色甚怒，诘其专杀[671]之状。对曰："陛下不以臣无似[672]，使待罪[673]京兆。京兆为辇毂师表[674]，今视事之初，而小将敢尔唐突[675]，此乃轻陛下诏命，非独慢臣[676]也。臣知杖无礼之人，不知其为神策军将也。"上曰："何不奏？"对曰："臣职当杖之，不当奏。"上曰："谁当奏者？"对曰："本军[677]当奏。若死于街衢，金吾街使[678]当奏。在坊内，左右巡使[679]当奏。"上无以罪之。退，谓左右曰："汝曹[680]须作意[681]此人，朕亦畏之。"

讨淮西诸军近九万，上怒诸将久无功。辛巳[682]，命知枢密梁守谦宣慰，因留监其军，授以空名告身[683]五百通[684]及金帛，以劝死事[685]。庚寅[686]，先加李光颜等检校官，而诏书切责[687]，示以无功必罚。

辛卯[688]，李文通奏败淮西兵于固始，斩首千余级。

十二月壬寅[689]，程执恭奏败成德兵于长河[690]，斩首千余级。

义武节度使浑镐与王承宗战屡胜，遂引全师压其境，距恒州三十里而军[691]。承宗惧，潜遣兵入镐境[692]，焚掠城邑，人心始内顾而摇[693]。会中使督其战，镐引兵进薄[694]恒州，与承宗战，大败，奔还定州。丙午[695]，

九月二十五日丁亥，李光颜又奏报攻取了石、越两个营栅。寿州奏报打败了殷城的敌人，攻取了六个营栅。

冬，十一月初一日壬戌，容管奏报黄洞蛮人寇掠。

十一月初四日乙丑，邕管奏报进攻黄洞蛮人，打退了他们，收复了宾州和蛮州等州。

十一月初五日丙寅，宪宗加授幽州节度使刘总为同平章事。

李师道听说李光颜攻取了陵云栅，很害怕，假称请求投诚。宪宗因为没有力量讨伐李师道，就加授李师道检校司空。

王锷家的两个奴仆上告王锷的儿子王稷私下篡改父亲的遗表，隐瞒了王锷要进献给朝廷的家产。宪宗命令皇宫仪卫审讯此案，派遣中使前往东都洛阳去搜查审核王锷的家产。裴度规劝宪宗说："王锷已经死了，向朝廷进献的财产已经不少了。现在又因为奴仆上告而搜查王锷的家，臣下担心各个将帅听说这事以后，各自担忧死后的事情。"宪宗立即停派使者去东都。十一月初八日己巳，把王锷的两个奴仆交给京兆府，用棍棒打死了他们。

庚子日，宪宗任命给事中柳公绰为京兆尹。柳公绰最初到京兆尹府时，有一个神策军的下级将领策马横冲柳公绰前面的仪仗队，柳公绰停下马，用棍棒打死了这个人。第二天，柳公绰到延英殿去奏对，宪宗神色十分愤怒，责问柳公绰擅自杀人的情况。柳公绰回答说："陛下不认为臣下不肖，让我担任京兆尹。京兆府是首都所在，为全国的表率，现在刚就职，而下级将领胆敢如此乱闯，这是他轻视陛下的诏令，不仅仅是轻视我。我只知道要杖杀一个无礼的人，不知道他是神策军的将领。"宪宗说："为什么不上奏?"柳公绰回答说："我的职责是应该杖杀他，不应该上奏。"宪宗问："谁应该上奏此事?"柳公绰回答说："神策军应该上奏。如果死在大街上，金吾街使应该上奏。如果死在坊巷，左右巡使应该上奏。"宪宗拿不出理由加罪于柳公绰。退朝以后，宪宗对身边的侍从们说："你们应该留意这个人，朕也畏惧他。"

征讨淮西的各路军队将近九万人，宪宗对各个将领长期没有战功很恼怒。十一月二十日辛巳，宪宗命令负责枢密事务的梁守谦宣谕慰劳将士，就此留下来监督各军，交给他空着姓名的官职委任书五百份以及金银布帛，用来激励为国牺牲的人。二十九日庚寅，宪宗加授李光颜等人检校官，然后在诏书中严厉地责备他们，表示如果他们不立战功，一定加以惩罚。

十一月三十日辛卯，李文通奏报在固始打败了淮西的军队，杀敌一千多人。

十二月十一日壬寅，程执恭奏报在长河打败了成德的军队，杀敌一千多人。

义武节度使浑镐与王承宗交战，多次获胜，于是带领全军压境，距离恒州三十里驻扎下来。王承宗很恐惧，暗中派兵进入浑镐的境内，焚掠城镇，浑镐的军心开始因内顾之忧而动摇起来。正好中使督促他们作战，浑镐带兵进逼恒州，与王承宗交战，大败，逃回了定州。十二月十五日丙午，宪宗下诏任命易州刺史陈楚为义武

诏以易州刺史陈楚为义武节度使。军中闻之，掠镐及家人衣，至于倮露[696]。陈楚驰入定州，镇遏[697]乱者，敛军中衣[698]以归镐，以兵卫送还朝。楚，定州人，张茂昭之甥也。

丁未[699]，以翰林学士王涯为中书侍郎、同平章事。

袁滋至唐州，去斥候[700]，止其兵不使犯吴元济境。元济围其新兴栅[701]，滋卑辞以请之，元济由是不复以滋为意。朝廷知之，甲寅[702]，以太子詹事李愬[703]为唐、随、邓节度使。愬，听之兄也。

初置淮、颍水运使[704]。杨子院[705]米自淮阴[706]溯[707]淮入颍，至项城[708]入溵，输于郾城，以馈[709]讨淮西诸军，省汴运之费七万余缗。

己未[710]，容管奏黄洞蛮屠岩州[711]。

【段旨】

以上为第十六段，写两线讨逆官军均连连告捷。写柳公绰为京兆尹，当街杖杀犯禁的神策军将官。

【注释】

㉑归州：州名，治所在今湖北秭归。㉒左迁：降职。㉓恩王：名连，代宗第六子。㉔傅：亲王府官，掌傅相赞道，匡正过失。㉕郑权（？至公元八二四年）：荥阳开封（今河南开封）人，官至岭南节度使。传见《旧唐书》卷一百六十二、《新唐书》卷一百五十九。㉖壬午：七月十八日。㉗郾城：县名，治所在今河南漯河市郾城区。㉘南宫：县名，治所在今河北南宫。㉙高简：高雅简约。㉚好甄别流品：喜欢考核士吏的门第等级。㉛毁：诋毁。㉜壬寅：八月初九日。㉝压：迫近。㉞己未：八月二十六日。㉟柏乡：县名，治所在今河北柏乡。㊱如之：降者如死者之众，亦一千余人。㊲为三垒：修筑三个营垒。㊳环：包围。㊴庚申：八月二十七日。㊵丰陵：唐顺宗陵墓，在今陕西富平东北。㊶乙亥：九月十三日。㊷独孤朗（？至公元八二七年）：官谏议大夫、御史中丞、福建观察使。传见《旧唐书》卷一百六十八、《新唐书》卷一百六十二。㊸仓曹：即仓曹参军，诸府属官，掌兵粮储备、赋税征收等事务。㊹及：独孤及，代宗朝太常博士。㊺饶州：州名，治所鄱阳，在今江西鄱阳。㊻丙子：九月十四日。㊼辛巳：九月十九日。㊽见素：韦见素，玄宗朝天宝末宰相。㊾敻：韦敻，北周韦孝宽之兄。㊿乙

节度使。军中的士兵听到这一消息后，抢劫浑镐和他家人的衣服，以至于赤身露体。陈楚快马奔入定州，遏止了作乱的人，收缴军中抢来的衣服还给浑镐，派兵护送他回朝。陈楚，定州人，是张茂昭的外甥。

十二月十六日丁未，宪宗任命翰林学士王涯为中书侍郎、同平章事。

袁滋到了唐州，撤除瞭望设施，阻止他的军队，不让侵犯吴元济的地界。吴元济包围了袁滋的新兴栅，袁滋用谦卑的言辞请求吴元济撤军，吴元济从此不再把袁滋放在心上。朝廷知道了这件事，十二月二十三日甲寅，宪宗任命太子府詹事李愬担任唐、随、邓三州节度使。李愬是李听的哥哥。

朝廷开始设置淮、颍水运使。杨子转运院的粮米从淮阴溯淮水而上进入颍水，到达项城以后进入溵水，运到郾城，以供应攻打淮西的各支军队，节省了通过汴水漕运的费用七万多缗钱。

十二月二十八日己未，容管奏报黄洞蛮人屠戮严州。

酉：九月二十三日。651 丁亥：九月二十五日。652 殷城：地名，在今河南商城境。653 壬戌朔：十一月初一日。654 容管：方镇名，唐玄宗天宝十四载（公元七五五年）置容州管内经略使，治所容州，在今广西容县。655 黄洞蛮：居住在广西容县地区的少数民族。656 乙丑：十一月初四日。657 邕管：方镇名，与容管置于同一年。邕管经略使治所邕州，在今广西南宁。658 丙寅：十一月初五日。659 输款：投诚。660 稷（？至公元八二二年）：王锷子。常留京师，以家财奉权要。官至德州刺史。传见《旧唐书》卷一百五十一、《新唐书》卷一百七十。661 鞫：审讯。662 内仗：皇宫中仪卫。663 检括：搜索。664 身后为忧：为死后担忧。665 遽：立即。666 己巳：十一月初八日。667 庚子：十一月壬戌朔，无庚子日，疑当作“庚午”。庚午，十一月初九日。668 赴府：到京兆尹府任上。669 前导：开路仪仗队。670 驻马：停下马来。671 专杀：未请旨擅自杀人。672 无似：不肖。谦辞。673 待罪：任职京兆的自谦语。674 辇毂师表：首都所在，为全国表率。675 唐突：乱闯。676 慢臣：轻视我。677 本军：指神策军。678 金吾街使：官名，金吾左右街使各一人，掌分察六街徼巡。679 左右巡使：官名，掌左右街百坊之内谨启闭徼巡。680 汝曹：你们，指神策军等禁卫军士。681 作意：留意。682 辛巳：十一月二十日。683 告身：授官凭信，即委任状。684 通：张；份。685 以劝死事：用来激励为国牺牲的人。686 庚寅：十一月二十九日。687 切责：严厉责备。688 辛卯：十一月三十日。689 壬寅：十二月十一日。690 长河：县名，治所在今山东德州。691 军：驻扎。692 镐境：指义成军定州境内。693 内顾而摇：指义成军有内顾之忧而动摇。694 薄：临近。695 丙午：十二月十五日。696 倮露：裸体。697 镇遏：镇压、遏止。698 敛军中衣：收缴军士掳掠浑镐家的衣服。699 丁未：十二月十六

日。⑩斥候：侦察瞭望设施。⑪新兴栅：原立于唐州东北边界，以防备吴元济。⑫甲寅：十二月二十三日。⑬李愬（公元七七三至八二一年）：字元直，德宗朝神策军名将李晟之子。有筹略，雪夜下蔡州擒吴元济。官至太子少保。传见《旧唐书》卷一百三十三、《新唐书》卷一百五十四。⑭水运使：官名，掌漕运。⑮杨子院：官署名，度支转运使设在扬州的办事机构。⑯淮阴：县名，治所在今江苏淮阴西南甘罗城。⑰溯：逆水而上。杨子院米自淮阴通淮河而上，运至寿州，入颍口。⑱项城：县名，治所在今河南沈丘。自颍口溯流至项城。⑲馈：供应。⑳己未：十二月二十八日。㉑岩州：当为严州，治所来宾县，在今广西来宾东南。

【校记】

［8］丁丑：此二字原无。据章钰校，甲十一行本、乙十一行本、孔天胤本有此二字，张敦仁《通鉴刊本识误》同，今据补。丁丑，七月十三日。

【研析】

本卷研析三事：宪宗惩治请托，柳公绰杖杀神策军小将，柳宗元著文讽喻时政。

第一，宪宗惩治请托。请托，今谓之“走后门”，就是运用各种手段，疏通人际关系，给个人捞好处。元和八年（公元八一三年），于頔居留京师，担任检校司空、同平章事的闲职，闷闷不乐。于頔的儿子太常丞于敏找了一个叫梁正言的人，用厚礼托梁正言疏通大宦官枢密使梁守谦的关系，替于頔谋节度使的职位。梁正言是个骗子，疏通不了这个关系。于敏损失了许多钱财要不回来，就杀了梁正言。事发后，于頔降职为恩王师傅，于敏被流放到雷州，走出京师不远，到秦岭就死了。这件事牵连了僧人鉴虚。鉴虚是当时的一个政治掮客，用贿赂与权贵宠臣和地方各镇将帅交结。许多权贵替鉴虚说话，宪宗准备赦免他。御史中丞薛存诚抗旨，坚决不放鉴虚，宪宗很赞赏，终于用军棍打杀鉴虚，没收了鉴虚的财产。

第二，柳公绰杖杀神策军小将。柳公绰，字起之，唐代著名书法家柳公权之父，京兆华原（今陕西铜川市耀州区）人。历仕德宗、顺宗、宪宗、穆宗、敬宗、文宗六朝，唐代著名的耿直大臣，能文能武，不畏强暴，深受朝野敬重。元和十一年（公元八一六年），柳公绰以给事中为京兆尹。柳公绰初上任出行，就有神策军一个下级军官，跑马横冲直撞，冒犯了前行卫队。柳公绰立即下马，当场擒拿神策军小将，杖杀在路边。第二天，宪宗皇帝怒气冲冲传召柳公绰，亲自责问他擅自杀人的过错。打狗还看主人面，神策军驾前卫队，主子就是皇帝，柳公绰没有请旨就杀了，是大不敬。柳公绰没有被宪宗的满面怒气所吓倒，而是从容不迫地说：臣职为京兆尹，一举一动要为全国做表率。臣刚上任就遭这个下级军官冒犯，不仅是侮辱大臣，而且是蔑视诏令。臣杀的是一个无礼之人，不知道他是神策军将领。宪宗明知柳公绰是有意借神策军小将的头来立威，整治纲纪，没有理由加罪柳公绰。宪宗退朝，对身边的人说：你们见了柳公绰要小心谨慎，朕也惧怕他三分。

柳公绰杖杀神策军小将，冒了杀头的危险，不如此不能整肃京师风气，惩治豪强就要敢打老虎，拍几只苍蝇无济于事。柳公绰敢摸老虎屁股，表现了一个尽忠职守大臣的风采。唐宪宗折服于理，不护短神策军，也表现了明君的风采。唐宪宗时昏时明，是一个多面性的人物。

第三，柳宗元著文讽喻时政。柳宗元，字子厚，河东解县（今山西运城柳州镇）人。唐代著名文学家、哲学家。世称柳河东，贞元进士。柳宗元参与永贞革新被贬为永州司马，后量移柳州刺史，故又称柳柳州。与韩愈倡导古文运动，同列为“唐宋八大家”，并称“韩柳”。柳宗元的散文峭拔矫健，说理透彻，关切时政，尖锐有力。司马光引《梓人传》和《种树郭橐驼传》两文就是柳氏散文中典型的时政论，用通俗的类比，把深奥的政治说得通透明白。柳宗元认为宰相，其实是指君主，讽喻唐宪宗，劝谏君主治理国家，要像一个建筑师和种树人一样，任用贤才，无为而治。梓人，木工头，今称建筑师。建筑师本人并不使用刀锯斧刨，只是指挥百工劳作，可是大厦建成，只留下建筑师的姓名，百工劳作没有分。人君就应当是一个政治梓人，任使贤才治国，而不是事事亲为。人君还应当像一个种树人一样，不要拔苗助长，而是让树木自然生长。人君治政，应当无为而治，少干预老百姓，让人民休养生息。柳宗元正如范仲淹在《岳阳楼记》中说的那样：“居庙堂之高则忧其民，处江湖之远则忧其君。”柳宗元长期处于远州贬所，仍然在忧国忧民，写出《梓人传》《种树郭橐驼传》这样精彩的散文，所以司马光才大段引入史中，这在《资治通鉴》全书是不多见的。

卷第二百四十　唐纪五十六

起强圉作噩（丁酉，公元八一七年），尽屠维大渊献（己亥，公元八一九年）正月，凡二年有奇。

【题解】

本卷记事起公元八一七年，迄公元八一九年正月，凡两年又一个月，当唐宪宗元和十二年到元和十四年一月。此时期唐宪宗为政之要，仍是征讨不服朝命的藩镇，裴度为相，李愬为将，取得讨平淮西的成绩，又移兵淄青，取得决定性的胜利。当高霞寓和袁滋两路官军为淮西所败，停战之声大起。唐宪宗起用李愬为将，代袁滋领军。李愬智勇双全，至军存抚士卒，先计后战，战则必胜，积小胜为大胜，一个一个攻取淮西外围据点，连战皆捷，提振官军士气。李愬不杀俘虏，用恩信和大义诱降，使淮西勇将丁士良、吴秀琳战败请降。唐宪宗增兵李愬，又移河北之师于淮西，裴度又自请督师，奏罢中使监军，由诸将自专军事，故所战皆捷。淮西震恐，李愬雪夜进兵，智破蔡州，擒吴元济，淮西平定。李师道、王承宗恐惧，皆上表请罪自新。唐宪宗恢复王承宗官爵，集中全力讨淄青，官军节节进逼，李师道旦夕覆灭，已成定局。胜利冲昏了宪宗的头脑，猜忌功臣，以朋党为名压抑朝官，又一头扎进宦官的怀抱，任用奸邪小人皇甫镈为相，五坊使作威作福，宪宗还求神拜佛，服食金丹求长生，大做佛教功德，迎佛骨入京。韩愈上表谏迎佛骨，被贬潮州。

【原文】

宪宗昭文章武大圣至神孝皇帝中之下

元和十二年（丁酉，公元八一七年）

春，正月甲申[①]，贬袁滋为抚州[②]刺史。

李愬至唐州[③]，军中承丧败之余[④]，士卒皆惮战[⑤]。愬知之，有出迓[⑥]者，愬谓之曰：“天子知愬柔懦，能忍耻，故使来拊循尔曹[⑦]。至于战攻进取，非吾事也。”众信而安之。

愬亲行视[⑧]士卒，伤病者存恤[⑨]之，不事威严[⑩]。或以军政不肃[⑪]为言，愬曰：“吾非不知也。袁尚书[⑫]专以恩惠怀贼[⑬]，贼易之[⑭]。闻吾至，必增备，吾故示之以不肃。彼必以吾为懦而懈惰[⑮]，然后可图也。”淮西人自以尝败高、袁二帅[⑯]，轻愬名位素微[⑰]，遂不为备。

【语译】

宪宗昭文章武大圣至神孝皇帝中之下

元和十二年（丁酉，公元八一七年）

春，正月二十四日甲申，宪宗把袁滋贬为抚州刺史。

李愬到了唐州，唐州军队在经历丧师败绩之后，士卒都害怕打仗。李愬了解这一情况，有出来迎接他的人，李愬就对他们说：“天子知道我李愬柔弱怯懦，能忍受耻辱，所以派我来安抚你们。至于攻战进取，不是我的事。”大家都相信李愬的话而安下心来。

李愬亲自巡视士卒，有受伤生病的，就安慰抚恤，不威慑，不严厉。有人对李愬说军中政事不够整肃，李愬说：“我不是不知道这件事。袁尚书一味用恩惠安抚感召敌人，敌人轻视他。听说我来了，一定加强防备，所以我故意表现出军民不整肃的样子。他们一定会认为我懦弱而放松戒备，然后才可以攻打他们。”淮西的人自以为曾经打败过高霞寓和袁滋两位主帅，轻视李愬，因其名声和地位一直很卑微，于是不加

遣盐铁转运[1]副使程异督财赋于江、淮。

回鹘屡请尚公主⑱，有司⑲计其费近五百万缗，时中原方用兵，故上未之许⑳。二月辛卯朔㉑，遣回鹘摩尼僧㉒等归国。命宗正少卿李诚使回鹘谕意㉓，以缓其期。

李愬谋袭㉔蔡州，表请益兵㉕。诏以昭义、河中、鄜坊㉖步骑二千给之。丁酉㉗，愬遣十将㉘马少良将十余骑巡逻，遇吴元济捉生虞候㉙丁士良，与战，擒之。士良，元济骁将㉚，常为东边患。众请刳㉛其心，愬许之。既而召诘之，士良无惧色。愬曰："真丈夫也！"命释其缚。士良乃自言㉜："本非淮西士，贞元中隶安州，与吴氏战，为其所擒，自分死矣㉝。吴氏释㉞我而用之，我因吴氏而再生，故为吴氏父子竭力。昨日力屈㉟，复为公所擒，亦分死矣，今公又生之，请尽死以报德。"愬乃给其衣服器械，署㊱为捉生将。

己亥㊲，淮西行营奏克蔡州古葛伯城㊳。

丁士良言于李愬曰："吴秀琳拥三千之众，据文城栅㊴，为贼左臂，官军不敢近者，有陈光洽为之谋主㊵也。光洽勇而轻㊶，好㊷自出战，请为公先擒光洽，则秀琳自降矣。"戊申㊸，士良擒光洽以归㊹。

鄂岳观察使李道古㊺引兵出穆陵关㊻。甲寅㊼，攻申州㊽，克其外郭㊾，进攻子城㊿。城中守将夜出兵击之，道古之众惊乱，死者甚众。道古，皋之子也。

淮西被兵(51)数年，竭(52)仓廪以奉战士，民多无食，采菱芡(53)鱼鳖鸟兽食之，亦尽，相帅(54)归官军者前后五千余户。贼亦患其耗粮食，不复禁。庚申(55)，敕置行县(56)以处之，为择县令，使之抚养，并置兵以卫之。

三月乙丑(57)，李愬自唐州徙屯宜阳栅(58)。

郗士美败于柏乡(59)，拔营而归，士卒死者千余人。

戊辰(60)，赐程执恭名权。

戊寅(61)，王承宗遣兵二万入东光(62)，断白桥(63)路。程权不能御，以众归沧州(64)。

防备。

宪宗派遣盐铁转运副使程异在江、淮一带督促征收赋税。

回鹘可汗多次请求娶公主为妻，有关部门计算下嫁公主的花费将近五百万缗钱，当时中原正在打仗，所以宪宗没有答应。二月初一日辛卯，宪宗打发回鹘的摩尼僧人等回国。命令宗正少卿李诚出使回鹘，向他们宣谕朝廷的意旨，以便延缓婚期。

李愬谋划袭击蔡州，上表朝廷请求增加兵力。宪宗下诏命令把昭义、河中、鄜坊的步兵、骑兵二千人拨给李愬。二月初七日丁酉，李愬派遣十将马少良带十几名骑兵巡逻，遇到吴元济的捉生虞候丁士良，与丁士良交战，抓住了他。丁士良是吴元济的一员猛将，经常祸害唐州和邓州的东部地区。大家请求挖了丁士良的心，李愬同意了。不久李愬召见丁士良，责问他，丁士良没有畏惧的神色。李愬说："这是真正的男子汉!"便命令给丁士良松绑。丁士良这才自己说："我本来不是淮西的士兵，贞元年间归属安州，与吴少阳作战，被他们抓获，当时我自以为必死无疑。吴氏把我放了，任用我。我因为吴氏而获得再生，所以就为吴氏父子竭尽全力。昨日我力量不够，又被您捉住了，也以为要死了，现在您又让我活下去，请允许我拼尽死力来报答您的恩德。"李愬于是就给了丁士良衣服和武器，任命丁士良为捉生将。

二月初九日己亥，淮西行营奏报攻占了蔡州的古城葛伯城。

丁士良对李愬说："吴秀琳拥有三千名部众，据守文城栅，为吴元济的左臂，朝廷的军队不敢接近，这是因为有陈光洽做主谋。陈光洽勇敢而轻率，喜欢亲自出营交战，请让我为您先擒获陈光洽，那么吴秀琳自然会投降了。"二月十八日戊申，丁士良擒获陈光洽回营。

鄂岳观察使李道古率领军队出了穆陵关。二月二十四日甲寅，进攻申州，攻下了它的外城，进攻内城。申州城的守将晚上袭击李道古，李道古的军队惊慌混乱，死的人很多。李道古，是曹成王李皋的儿子。

淮西地区遭受战争多年，将仓库中的储藏全都拿去供应作战的士兵，百姓大多没有粮食吃，采获菱角、芡实、鱼鳖和鸟兽来吃，这些东西也没有了，相携投奔朝廷军队的前后有五千多户人家。敌人也担心他们消耗粮食，不再禁止他们。二月三十日庚申，宪宗敕令暂时设置一个县来安置他们，为他们选择县令，让县令进行抚恤和养护，并设置军队保卫他们。

三月初五日乙丑，李愬从唐州移军驻扎宜阳栅。

郗士美在柏乡打了败仗，撤营而回，士兵死去的有一千多人。

三月初八日戊辰，宪宗赐程执恭名权。

三月十八日戊寅，王承宗派兵二万人进入东光县，切断了白桥的通道。程权抵挡不住，带领军队回到沧州。

吴秀琳以文城栅降于李愬。戊子⑥⑤，愬引兵至文城西五里，遣唐州刺史李进诚将甲士八千至城下，召秀琳。城中矢石如雨，众不得前。进诚还报："贼伪降，未可信也。"愬曰："此待我至耳。"即前至城下，秀琳束兵投身马足下⑥⑥。愬抚其背慰劳之，降其众三千人。秀琳将李宪有材勇⑥⑦，愬更其名曰忠义而用之。悉迁妇女于唐州，入据其城[2]。于是唐、邓军气复振，人有欲战之志。贼中降者相继于道，随其所便⑥⑧而置之。闻有父母者，给粟帛⑥⑨遣之⑦⓪，曰："汝曹皆王人⑦①，勿弃亲戚⑦②。"众皆感泣。

官军与淮西兵夹溵水而军⑦③，诸军相顾望⑦④，无敢渡溵水者。陈许兵马使王沛先引兵五千渡溵水，据要地为城，于是河阳、宣武、河东、魏博等军相继皆渡，进逼郾城⑦⑤。丁亥⑦⑥，李光颜败淮西兵三万于郾城，走⑦⑦其将张伯良，杀士卒什二三。

己丑⑦⑧，李愬遣山河十将⑦⑨董少玢等分兵攻诸栅。其日，少玢下⑧⓪马鞍山，拔路口栅。夏，四月辛卯⑧①，山河十将马少良下嵖岈山，擒淮西将柳子野。

吴元济以蔡人董昌龄为郾城令⑧②，质⑧③其母杨氏。杨氏谓昌龄曰："顺死贤⑧④于逆生，汝去逆而吾死，乃孝子也；从逆而吾生，是戮⑧⑤吾也。"会官军围青陵⑧⑥，绝郾城归路。郾城守将邓怀金谋于昌龄，昌龄劝之归国⑧⑦。怀金乃请降于李光颜曰："城人⑧⑧之父母妻子皆在蔡州，请公来攻城，吾举烽⑧⑨求救。救兵至，公逆击⑨⓪之，蔡兵必败，然后吾降，则父母妻子庶免⑨①矣。"光颜从之。乙未⑨②，昌龄、怀金举城降，光颜引兵入据之。吴元济闻郾城不守，甚惧。时董重质将骡军⑨③守洄曲⑨④，元济悉发亲近及守城卒诣重质以拒之。

李愬山河十将妫雅、田智荣下冶炉城⑨⑤。丙申⑨⑥，十将阎士荣下白狗、汶港⑨⑦二栅。癸卯⑨⑧，妫雅、田智荣破西平⑨⑨。丙午⑩⓪，游弈兵马使⑩①王义破楚城⑩②。

五月辛酉⑩③，李愬遣柳子野、李忠义袭朗山⑩④，擒其守将梁希果。

吴秀琳献出文城栅，向李愬投降。三月二十八日戊子，李愬带兵到了文城栅西边五里的地方，派遣唐州刺史李进诚带领八千名身穿铠甲的将士到了文城栅下，召吴秀琳出城投降。城中箭、石如同下雨，军众不能前进。李进诚回来向李愬报告说：“敌人假装投降，不能相信。”李愬说：“这是等待我去而已。”李愬马上来到文城栅下，吴秀琳收起兵器，扑在李愬的马足前面。李愬抚摸着吴秀琳的背加以安慰，接受了吴秀琳三千名将士的投降。吴秀琳的将领李宪有才智又勇敢，李愬给他改名叫李忠义而加以任用。把文城栅的妇女全部迁移到唐州，部队进入文城栅，占据了它。这样一来，唐州和邓州军队的士气又振作起来，人们有了出去打仗的愿望。敌人投降李愬的络绎不绝，李愬根据他们的意愿进行安置。听说投降的人中有父母的，就发给粮食、布帛打发他们回家，还说：“你们都是天子的臣民，不要扔下父母。”大家都感动得哭了。

朝廷军队和淮西的军队隔着溵水驻扎，朝廷的各支军队互相观望，没有敢渡过溵水的。陈许兵马使王沛率先带领五千名士兵渡过溵水，占据要害之地修建营垒，于是河阳、宣武、河东、魏博等各支军队都相继渡过了溵水，进逼郾城。三月二十七日丁亥，李光颜在郾城打败淮西的军队三万人，赶走了这里的将领张伯良，杀死了十分之二三的敌人。

三月二十九日己丑，李愬派遣山河子弟的十将军官董少玢等人马分兵进攻淮西的各个营垒。当天，董少玢攻下马鞍山，夺取了路口栅。夏，四月初二日辛卯，山河子弟的十将军官马少良攻下嵖岈山，活捉了淮西的将领柳子野。

吴元济任命蔡州人董昌龄为郾城县令，把他的母亲杨氏作为人质。杨氏对董昌龄说：“归顺朝廷而死比反叛朝廷而活下去要好，你脱离叛贼，而我因此死了，那你才是孝子；你顺从叛贼，而我活下去，那就是杀了我。”适逢朝廷军队包围青陵，切断了郾城通向蔡州的归路。郾城的守将邓怀金与董昌龄商议对策，董昌龄劝邓怀金归顺朝廷。邓怀金于是去向李光颜请求投降说：“守郾城的将士父母、妻子、儿女都在蔡州，请您前来攻城，我点起烽火求救。蔡州的救兵到来，您就迎击他们，蔡州的军队必败，然后我投降，那么这些人的父母、妻子、儿女大概可以免死了。”李光颜听从了他的要求。四月初六日乙未，董昌龄和邓怀金献城投降，李光颜带兵进城驻守。吴元济听说郾城失守，极为恐惧。当时，董重质率领骡军守卫洄曲，吴元济调动全部亲信将士和守蔡州城的士兵前往董重质那里，用以抵抗李光颜。

李愬的山河十将妫雅、田智荣攻克了冶炉城。四月初七日丙申，十将阎士荣攻克了白狗和汶港两座营栅。十四日癸卯，妫雅和田智荣攻克了西平城。十七日丙午，游弈兵马使王义攻下了楚城。

五月初二日辛酉，李愬派遣柳子野、李忠义袭击朗山，擒获了朗山的守将梁希果。

六镇讨王承宗者兵十余万，回环[105]数千里，既无统帅，又相去远[106]，期约难壹[107]，由是历二年无功。千里馈运[108]，牛驴死者什四五。刘总既得武强[109]，引兵出境才五里，留屯不进，月给度支钱十五万缗。李逢吉及朝士多言“宜并力先取淮西，俟淮西平，乘其胜势，回取恒冀，如拾芥[110]耳”。上犹豫，久乃从之。丙子[111]，罢河北行营，各使还镇。

丁丑[112]，李愬遣方城[113]镇遏使李荣宗袭青喜城[114]，拔之。

【段旨】

以上为第一段，写李愬代袁滋为将讨淮西。李愬抚巡士卒，励其斗志，连战皆捷，官军士气大振。唐宪宗又移讨成德之军增益李愬，集中全力讨淮西。

【注释】

①甲申：正月二十四日。②抚州：州名，治所临川，今江西抚州。③唐州：州名，为唐随邓节度使治所。州城在今河南泌阳。④丧败之余：丧师败绩的残军。官军讨淮西，先后有严绶败于慈丘，高霞寓败于铁城，袁滋代之又败。事见本书上卷。李愬之来，已四易其帅。⑤惮战：惧战。⑥迓：迎接。⑦拊循尔曹：安抚你们。⑧行视：巡视。⑨存恤：安慰抚恤。⑩不事威严：不威慑，不严厉。⑪军政不肃：军纪不整肃，作风拖沓。⑫袁尚书：对前任袁滋的尊称。袁滋加检校兵部尚书。⑬恩惠怀贼：袁滋临镇不进讨吴元济，反撤去斥候，卑辞与淮西结和，因而以无功被罢免，恩惠怀贼指此。实为柔懦畏敌的委婉语。⑭贼易之：敌人十分轻视他。⑮懈惰：放松戒备。⑯高、袁二帅：指高霞寓、袁滋。⑰名位素微：名声和地位向来低微。李愬自荐讨淮西，在这之前仅出任坊、晋二州刺史，进太子詹事，宫苑闲厩使，出任唐随邓节度使亦只加官检校左散骑常侍，故名位素微。⑱尚公主：娶唐室公主为妻。⑲有司：有关职能部门。⑳未之许：未允许回鹘请婚。㉑辛卯朔：二月初一日。㉒摩尼僧：随回鹘使者于元和初入唐的回鹘僧人。㉓谕意：宣谕意旨。㉔袭：偷偷地攻打。㉕益兵：增兵。㉖鄜坊：方镇名，唐肃宗上元元年（公元七六〇年），置渭北鄜坊节度使，治所坊州，在今陕西黄陵东南。㉗丁酉：二月初七日。㉘十将：军校名，下级军官。㉙捉生虞候：军官名。㉚骁将：骁勇善战的将领。㉛刳：剖；挖。㉜自言：自己说明。㉝自分死矣：自己认为必死无疑了。㉞释：放。㉟力屈：力量不够。㊱署：任命。㊲己亥：二月初九日。㊳葛伯城：古

河东、幽州、义武、横海、魏博、昭义等六个军镇讨伐王承宗的军队有十几万人，环绕四周几千里，既没有统帅，又相隔很远，很难约定统一行动，因此经过两年也没有成功。朝廷千里转运军用物资，牛和驴死掉的有十分之四五。刘总得到了武强县以后，带兵离开武强县境内才五里，便驻留不进，每月度支给他钱十五万缗。李逢吉和朝中大臣很多说“应该集中力量先取淮西，等淮西平定后，乘着胜利的形势，回师攻取恒冀，如同拾根草一样容易”。宪宗犹豫，过了很久才采纳这一建议。五月十七日丙子，撤除河北行营，让各支军队返回本军镇去。

五月十八日丁丑，李愬派遣方城镇遏使李荣宗袭击青台城，攻取了该城。

葛伯国，在今河南宁陵北葛乡。㊴文城栅：城堡名，在今河南汝南县西南。㊵谋主：主要出谋划策的人员。㊶勇而轻：勇敢而轻率。㊷好：喜欢。㊸戊申：二月十八日。㊹以归：而归。㊺李道古：太宗子曹王明之孙，嗣曹王皋之子。道古驭军无方，攻淮西无功。传见《旧唐书》卷一百三十一、《新唐书》卷八十。㊻穆陵关：关名，在今湖北麻城的西北穆陵山上。㊼甲寅：二月二十四日。㊽申州：州名，治所在今河南信阳。㊾外郭：外城。㊿子城：内城；小城。(51)被兵：经受战争。(52)竭：尽其所有。(53)菱芡：菱角、芡实。(54)相帅：相携。(55)庚申：二月三十日。(56)行县：暂时设置的县，用以安置来归附的人民。(57)乙丑：三月初五日。(58)宜阳栅：城堡名，在今河南遂平西南。(59)柏乡：县名，县治在今河北柏乡。(60)戊辰：三月初八日。(61)戊寅：三月十八日。(62)东光：县名，县治在今河北东光。(63)白桥：架设在永济渠上的桥梁。永济渠在东光西四里处。(64)沧州：州名，治所在今河北沧州东南。(65)戊子：三月二十八日。(66)束兵投身马足下：收起武器，扑在马脚下，表示投降。(67)材勇：勇敢而有才智。(68)随其所便：悉听投降者的意愿，根据他们的方便。(69)粟帛：粮食和布帛。(70)遣之：送他们回去。(71)王人：唐天子的百姓。(72)亲戚：亲人和戚属。(73)军：驻扎。(74)相顾望：互相观望。(75)郾城：县名，县治在今河南漯河市郾城区。(76)丁亥：三月二十七日。(77)走：赶跑；使敌将逃走。(78)己丑：三月二十九日。(79)山河十将：军校名。山河，当时诸将常募土人有勇力者当兵攻吴元济，号为山河子弟。十将，率领山河子弟的下级军官。(80)下：攻克。(81)辛卯：四月初二日。(82)郾城令：郾城县令。(83)质：人质。(84)贤：好；优。(85)戮：杀。(86)青陵：地名。在河南郾城西南。(87)归国：归降唐朝。(88)城人：指郾城中的将士、官吏。(89)举烽：燃烧烽火。(90)逆击：迎面攻击。(91)庶免：大概可以免死了。(92)乙未：四月初六日。(93)骡军：淮西精兵，以骡为骑。(94)洄曲：地名，又名时曲，在今河南漯河市沙河与澧河汇流处下游一带。(95)冶炉城：战国韩国铸剑之地，在今河南西平嵖岈山之东。(96)丙申：四月初七日。(97)白狗、汶港：皆地名，在今河南正阳境内。(98)癸卯：四月十四日。(99)西平：

县名，县治在今河南西平。⑩丙午：四月十七日。⑩游弈兵马使：中级军官名。⑩楚城：地名，在今河南汝南西南。⑩辛酉：五月初二日。⑩朗山：县名，县治在今河南确山。⑩回环：环绕四周。⑩相去远：互相距离太远。⑩难壹：难以一致行动。⑩馈运：运输粮食、装备。⑩武强：县名，县治在今河北武强。⑩拾芥：像拾取小草那样。比喻极容易。⑪丙子：五月十七日。⑫丁丑：五月十八日。⑬方城：县名，治所在今河南方城。⑭青喜城：胡三省注云方城县有青台镇，此作“青喜”，系笔误。此城在今河南社旗青台镇。

【原文】

愬每得降卒，必亲引问委曲[115]，由是贼中险易远近虚实尽知之。愬厚待吴秀琳，与之谋取蔡。秀琳曰：“公欲取蔡，非李祐[116]不可，秀琳无能为也。”祐者，淮西骑将[117]，有勇略，守兴桥栅[118]，常陵暴[119]官军。庚辰[120]，祐率士卒刈麦[121]于张柴村[122]，愬召厢虞候[123]史用诚，戒[124]之曰：“尔以三百骑伏彼林[125]中，又使人摇帜于前[126]，若[127]将焚[128]其麦积[129]者。祐素易官军[130]，必轻骑来逐之。尔乃发骑掩之[131]，必擒之。”用诚如言而往，生擒祐以归。将士以祐向日[132]多杀官军，争请杀之。愬不许，释缚，待以客礼。

时愬欲袭蔡，而更密其谋，独召祐及李忠义屏[133]人语，或至夜分[134]，他人莫得预闻。诸将恐祐为变[135]，多谏愬，愬待祐益厚。士卒亦不悦，诸军日有牒[136]称祐为贼内应，且言得贼谍者[137]具言其事。愬恐谤[138]先达于上[139]，已不及救，乃持祐[140]泣曰：“岂天不欲平此贼邪！何吾二人相知[141]之深而不能胜[142]众口也？”因谓众曰：“诸君既以祐为疑，请令归死[143]于天子。”乃械[144]祐送京师。先密表其状[145]，且曰[146]：“若杀祐，则无以成功。”诏释之，以还愬。愬见之喜，执其手曰：“尔之得全[147]，社稷之灵也。”乃署散兵马使[148]，令佩刀巡警，出入帐中。或与之同宿，密语不寐达曙[149]。有窃听于帐外者，但闻祐感

【校记】

[1]转运：此二字原无。据章钰校，甲十一行本、乙十一行本皆有此二字，今据补。[2]入据其城：此句原无。据章钰校，甲十一行本、乙十一行本皆有此句，张瑛《通鉴校勘记》、张敦仁《通鉴刊本识误》同，今据补。

【语译】

李愬每次获得敌人投降的士兵，一定让人带来亲自询问详细情况，因此，敌人哪里有险哪里无险，部队的远近虚实，李愬全都知道。李愬对吴秀琳十分优厚，与他谋划攻取蔡州。吴秀琳说："你打算攻取蔡州，没有李祐不行，秀琳无能为力。"李祐是淮西的骑兵将领，有勇有谋，防守兴桥栅，经常欺凌朝廷的军队。五月二十一日庚辰，李祐带领士兵在张柴村割麦子，李愬叫来厢虞候史用诚，告诫他说："你用三百名骑兵埋伏在那一带的树林中，再派人在李祐的前面摇旗，好像准备烧他们的麦垛。李祐一向轻视朝廷的军队，一定轻装骑马来驱逐我们。你就发动骑兵袭击他，一定会抓住他。"史用诚按照李愬说的去做，活捉了李祐回来。将士们因为李祐往日杀害了很多朝廷的官兵，争着要求李愬杀了李祐。李愬不同意，给李祐松了绑，用宾客礼对待他。

当时李愬想袭击蔡州，一切策划更加保密，只召见李祐和李忠义，避开别人交谈，有时谈到半夜，其他人没有机会参与讨论。各位将领害怕李祐叛变，很多人劝阻李愬，李愬对待李祐反而更优厚。士兵们也不高兴，各支军队每天都有文书来声称李祐要做吴元济的内应，并且说是抓获的敌人间谍交代的这一事情。李愬担心毁谤的话先传到宪宗那里，自己来不及救李祐，于是拉着李祐的手哭着说："难道是上天不想平定吴元济这个叛贼吗！为什么我们两人彼此了解得这样深入，还不能胜过大家的议论呢？"于是就对大家说："大家既然怀疑李祐，就请让他到天子那里送死。"于是给李祐戴上刑具，押送京城。李愬事先向宪宗上一密奏讲明与李祐商议袭击蔡州的事，并且说："如果杀了李祐，攻占蔡州就无法成功。"宪宗下诏赦免了李祐，把李祐交还李愬。李愬见了李祐很高兴，拉着李祐的手说："你得以保全，是社稷的福分啊。"就任命李祐为散兵马使，让李祐佩带刀剑巡视警戒，出入军帐中。李愬有时与李祐同住一处，秘密交谈，整夜不睡，直到天亮。有在军帐外偷听的人，只听到

泣[150]声。时唐、随牙队[151]三千人，号六院兵马，皆山南东道之精锐也。愬又以祐为六院兵马使[152]。

旧军令[153]，舍贼谍者[154]屠其家。愬除其令，使厚待之，谍反以情告愬，愬益知贼中虚实。乙酉[155]，愬遣兵攻朗山，淮西兵救之，官军不利，众皆怅恨[156]，愬独欢然曰："此吾计也！"乃募敢死士三千人，号曰突将，朝夕自教习之[157]，使常为行备[158]，欲以袭蔡。会久雨，所在[159]积水，未果[160]。

闰月己亥[161]，程异还自江、淮，得供军钱[162]百八十五万缗。

谏议大夫韦绶[163]兼太子侍读，每以珍膳[164]饷太子，又悦太子以谐谑[165]。上闻之，丁未[166]，罢绶侍读，寻出为虔州[167]刺史。绶，京兆人。

吴元济见其下数叛[168]，兵势日蹙[169]，六月壬戌[170]，上表谢罪，愿束身[171]自归。上遣中使赐诏，许以不死，而为左右及大将董重质所制[172]，不得出。

秋，七月，大水，或平地二丈。

【段旨】

以上为第二段，写李愬以恩信招降，迅速攻下淮西外围防线，吴元济始惧。

【注释】

⑮委曲：情况。⑯李祐（？至公元八二九年）：本蔡州牙将，降李愬，破蔡州，官至沧景节度使。传见《旧唐书》卷一百六十一、《新唐书》卷二百十四。⑰骑将：骑军将领。⑱兴桥栅：城堡名，在张柴村东。⑲陵暴：欺凌。⑳庚辰：五月二十一日。㉑刈麦：割麦。㉒张柴村：地名，在文城栅东六十里。㉓厢虞候：军官名，掌左、右厢之兵。㉔戒：嘱咐。㉕彼林：那片树林。㉖摇帜于前：在前面摇着旗子。㉗若：好像。㉘焚：烧。㉙麦积：麦垛。㉚素易官军：一向轻视朝廷军队。㉛掩之：突然袭击他。㉜向日：从前。㉝屏：屏退；避开。㉞夜分：半夜。㉟为变：发生变化，即指叛变。㊱牒：文书。㊲谍者：情报人员。㊳谤：毁谤。㊴先达于上：先传到皇帝那

李祐受感动的哭泣声。当时唐州和随州节度使的卫队有三千人，号称六院兵马，都是山南东道的精锐。李愬又任命李祐为六院兵马使。

根据过去的军令，窝藏敌人间谍的人，要杀了窝藏者全家。李愬废除了这条军令，让人们厚待窝藏者的家人。这样，敌人的间谍反而把各种情况告诉了李愬，李愬更加了解敌人里面的虚实。五月二十六日乙酉，李愬派兵攻打朗山，淮西的军队援救它，朝廷军队失利，将士们都惆怅愤恨，只有李愬高兴地说："这是我的计策啊！"李愬于是招募敢死士卒三千人，号称突将，自己亲自早晚训练，让他们时刻做好出发的准备，打算用他们来袭击蔡州。适逢长期下雨，到处积水，袭击没有实行。

闰五月初十日己亥，程异从江、淮地区回朝，督收供应军需的钱一百八十五万缗。

谏议大夫韦绶兼任太子侍读，常常拿珍贵的饭菜让太子吃，又说些诙谐的笑话让太子高兴。宪宗知道了这件事，闰五月十八日丁未，罢免了韦绶的太子侍读职务，不久外放为虔州刺史。韦绶，是京兆府人。

吴元济见部下多次叛变，军事形势日益窘迫，六月初四日壬戌，向朝廷上表称有罪，愿意缚身归顺朝廷。宪宗派遣中使赐给吴元济诏令，答应免吴元济一死，但吴元济被身边的人和大将董重质所控制，不能出蔡州。

秋，七月，发大水，有的地方平地水深二丈。

里。⑭持祐：拉着李祐。⑭相知：了解。⑭胜：胜过。⑭归死：送死。⑭械：加上刑具。⑭密表其状：秘密先上表言与祐密谋袭蔡之状。⑭且曰：进一步说。⑭尔之得全：你能够保全。⑭散兵马使：军官名，系散员，不统兵。⑭不寐达曙：不睡觉到天亮。⑮感泣：感恩而涕泣。⑮牙队：节度使警卫队。⑮六院兵马使：军官名，节度使警卫军统领官。⑮旧军令：过去军队命令。⑮舍贼谍者：窝藏敌人情报人员。⑮乙酉：五月二十六日。⑮怅恨：惆怅而愤恨。⑮自教习之：亲自训练他们。⑮行备：做出发的准备。⑮所在：到处。⑯未果：没有结果。指计划暂时没有实施。⑯己亥：闰五月初十日。⑯供军钱：供给军队使用的钱。⑯韦绶（？至公元八二二年）：字子章，京兆（今陕西西安）人，御事无术。传见《旧唐书》卷一百六十二、《新唐书》卷一百六十。⑯珍膳：珍贵的菜饭。⑯谐谑：不庄重而开玩笑的话。⑯丁未：闰五月十八日。⑯虔州：州名，治所在今江西赣州。⑯数叛：多次叛变。⑯日蹙：日益穷迫。⑰壬戌：六月初四日。⑰束身：自缚其身。表示归顺。⑰制：控制。

【原文】

初，国子祭酒孔戣[173]为华州[174]刺史，明州[175]岁贡蚶、蛤、淡菜[176]，水陆递夫[177]劳费，戣奏疏罢之。甲辰[178]，岭南节度使崔咏薨，宰相奏拟代咏者数人，上皆不用，曰："顷[179]有谏进蚶、蛤、淡菜者为谁，可求其人与之。"庚戌[180]，以戣为岭南节度使。

诸军讨淮、蔡，四年不克，馈运疲弊[181]，民至[182]有以驴耕者。上亦病[183]之，以问宰相。李逢吉等竞言[184]师老财竭[185]，意欲罢兵。裴度独无言，上问之，对曰："臣请自往督战[186]。"乙卯[187]，上复谓度曰："卿真能为朕行乎？"对曰："臣誓不与此贼[188]俱生。臣比[189]观吴元济表，势实窘蹙[190]。但诸将心不壹，不并力迫之，故未降耳。若臣自诣行营[191]，诸将恐臣夺其功，必争进破贼矣。"上悦。丙戌[192]，以度为门下侍郎、同平章事兼彰义节度使，仍充淮西宣慰招讨处置使。又以户部侍郎崔群为中书侍郎、同平章事。制下，度以韩弘已为都统，不欲更为招讨，请但称[193]宣慰处置使。仍奏刑部侍郎马总[194]为宣慰副使，右庶子韩愈为彰义行军司马，判官、书记，皆朝廷之选[195]，上皆从之。度将行，言于上曰："臣若贼灭，则朝天[196]有期；贼在，则归阙无日。"上为之流涕。

八月庚申[197]，度赴淮西，上御通化门[198]送之。右神武将军张茂和，茂昭弟也，尝以胆略自炫[199]于度。度表为都押牙，茂和辞以疾，度奏请斩之。上曰："此忠顺之门[200]，为卿远贬。"辛酉[201]，贬茂和永州司马。以嘉王[202]傅高承简[203]为都押牙。承简，崇文之子也。

李逢吉不欲讨蔡，翰林学士令狐楚[204]与逢吉善，度恐其合中外之势[205]以沮[206]军事，乃请改制书数字，且言其草制失辞。壬戌[207]，罢楚为中书舍人。

李光颜、乌重胤与淮西战，癸亥[208]，败于贾店[209]。

裴度过襄城[210]南白草原[211]，淮西人以骁骑七百邀之[212]。镇将[213]楚丘曹华[214]知而为备，击却之。度虽辞招讨名，实行元帅事，以郾城为治所。甲申[215]，至郾城。先是，诸道皆有中使监陈，进退不由主将。胜则

【语译】

当初，国子祭酒孔戣担任华州刺史，明州每年要向朝廷进贡蚶子、蛤蜊、淡菜，水陆长途转运的运夫又辛苦又耗费财力，孔戣上疏停止这项进贡。七月十七日甲辰，岭南节度使崔咏去世，宰相上奏了几个代替崔咏的人选，宪宗都没有任用，说：“不久前有进谏停贡蚶子、蛤蜊、淡菜的人是谁，可以找到这个人，把岭南节度使的职务交给这个人。”二十三日庚戌，宪宗任命孔戣为岭南节度使。

各路官军讨伐淮西，四年攻不下蔡州，军需物资的转运使人们疲惫不堪，百姓甚至有用驴耕田的。宪宗也担忧此事，就征询宰相们的意见。李逢吉等人争相说军队疲困、财政枯竭，意思是想停止用兵。只有裴度一个人不说话，宪宗询问他，他回答说：“我请求亲自前去督战。”七月二十八日乙卯，宪宗又对裴度说：“你真能为我去前线督战吗？”裴度回答说：“我发誓不与吴元济这个贼人同在人世。我近来观看吴元济的奏表，他的形势实际上已经窘迫。只是我们各路将领心不齐，没有合力进逼他，所以他才没有投降。如果臣下亲往行营，各位将领担心臣下夺取他们的功劳，一定争着进军破敌了。”宪宗很高兴。丙戌日，任命裴度为门下侍郎、同平章事兼彰义节度使，还充任淮西宣慰招讨处置使。宪宗又任命户部侍郎崔群为中书侍郎、同平章事。委任的制书颁布后，裴度认为韩弘已经做了都统，不想再担任招讨一职，请求只称宣慰处置使。裴度还上奏请刑部侍郎马总担任宣慰副使，右庶子韩愈担任彰义行军司马，判官和书记官都是从朝廷中选拔出来的人才，宪宗全都答应了这些要求。裴度将要启程时，对宪宗说：“臣下如果消灭了吴元济，那么，回来朝见陛下就会有日期；如果吴元济还在，我回朝就没有日期了。”宪宗听了为之流下眼泪。

八月初三日庚申，裴度前往淮西，宪宗驾临通化门为裴度送行。右神武将军张茂和，是张茂昭的弟弟，曾经在裴度面前炫耀自己有胆略。裴度上表请求任命张茂和为都押牙，张茂和以有病为借口加以推辞，裴度上奏请求杀了张茂和。宪宗说：“这是忠顺之家，朕为你将他贬斥到遥远的地方去。”初四日辛酉，贬张茂和为永州司马。任命嘉王傅高承简为都押牙。高承简，是高崇文的儿子。

李逢吉不想讨伐蔡州，翰林学士令狐楚与李逢吉关系很好，裴度担心他们联合禁中与外朝的势力阻挠军事行动，就请求宪宗在制书上改动几个字，并且说令狐楚起草制书措辞失当。八月初五日壬戌，宪宗将令狐楚罢免原职，改任中书舍人。

李光颜、乌重胤与淮西的军队交战，八月初六日癸亥，在贾店战败。

裴度经过襄城南边的白草原，淮西派出七百名骁勇的骑兵来拦截他。襄城的镇守将领楚丘人曹华事先得知这事，做了准备，把敌人打退了。裴度虽然辞去了招讨使之名，但实际上却行使元帅的职责，以郾城为指挥所。八月二十七日甲申，裴度到了郾城。此前，各道的军队都有中使监战，进退不由主帅决定。胜利了，监军就

先使献捷，不利则陵挫百端[216]。度悉奏去之，诸将始得专军事，战多有功。

【段旨】

以上为第三段，写裴度自请督师，奏罢中使监军，诸将始专军事，战多有功。

【注释】

⑰³孔戣：字君严，官至尚书左丞。传见《旧唐书》卷一百五十四、《新唐书》卷一百六十三。⑰⁴华州：州名，治所在今陕西渭南市华州区。⑰⁵明州：州名，治所在今浙江宁波。⑰⁶蚶、蛤、淡菜：均为海产贝类食品，味极鲜美。蚶，食用贝类，有泥蚶等。蛤，食用贝类，即蛤蜊。淡菜，贻贝的肉经煮熟后晒干而成。⑰⁷递夫：传递运送人员。⑰⁸甲辰：七月十七日。⑰⁹顷：不久前；近来。⑱⁰庚戌：七月二十三日。⑱¹疲弊：疲乏。⑱²至：甚至。⑱³病：忧虑。⑱⁴竞言：争先恐后地说。⑱⁵师老财竭：军队疲困，财政枯竭。⑱⁶督战：亲临前线，督促战斗。⑱⁷乙卯：七月二十八日。⑱⁸此贼：指吴元济。⑱⁹比：近来。⑲⁰势实窘蹙：形势实在窘迫危蹙。⑲¹自诣行营：亲自前往元帅行营。⑲²丙戌：七月戊子朔，无丙戌。疑为丙辰，七月二十九日，后乙卯一日。⑲³但称：只称。⑲⁴马总（？至公元八二三年）：字会元，扶风（今陕西扶风）人，少孤贫，好学，性刚直，清

【原文】

九月庚子[217]，淮西兵寇溵水镇[218]，杀三将，焚刍藁[219]而去。

初，上为广陵王，布衣张宿以辩口[220]得幸。及即位，累官至比部员外郎[221]。宿招权受赂于外，门下侍郎、同平章事李逢吉恶之[222]。上欲以宿为谏议大夫，逢吉曰："谏议重任，必能可否朝政[223]，始宜为之。宿小人，岂得窃[224]贤者之位！必欲用宿，请去臣乃可。"上由是不悦。逢吉又与裴度异议[225]，上方倚[226]度以平蔡，丁未[227]，罢逢吉为东川节度使。

甲寅[228]，李愬将攻吴房[229]，诸将曰："今日往亡[230]。"愬曰："吾兵少，

率先派人向朝廷报捷；失利了，监军就百般凌辱将帅。裴度上奏宪宗撤除所有监军，各位将帅才得以独掌战事，作战多有建树。

廉不挠，官至户部尚书。著有《奏议集》《年历》《通历》《子钞》等书。传见《旧唐书》卷一百五十七、《新唐书》卷一百六十三。⑲⑤皆朝廷之选：都是从朝廷中选拔出来的人才。⑲⑥朝天：朝见皇帝。⑲⑦庚申：八月初三日。⑲⑧通化门：长安城东面北来第一门。⑲⑨自炫：自己夸耀。⑳⓪忠顺之门：指张茂和之父孝忠、兄茂昭镇易定，比河朔诸镇为忠顺。⑳①辛酉：八月初四日。⑳②嘉王：李运，代宗之子，贞元十七年（公元八〇一年）卒。此指嗣嘉王李运子孙。⑳③高承简（？至公元八二七年）：官至邠、宁、庆等州节度观察处置使。传见《旧唐书》卷一百五十一、《新唐书》卷一百七十。⑳④令狐楚（公元七六六至八三七年）：字殼士，才思俊丽，风仪绰约，累居重任，贞操如初。官山南西道节度使。传见《旧唐书》卷一百七十二、《新唐书》卷一百六十六。⑳⑤合中外之势：联合禁中与外朝的势力。中，禁中，翰林学士令狐楚居禁中。外，外朝，宰相李逢吉在外朝。⑳⑥沮：败坏；阻遏。⑳⑦壬戌：八月初五日。⑳⑧癸亥：八月初六日。⑳⑨贯店：地名，在今河南漯河市郾城区东南。㉑⓪襄城：县名，治所在今河南襄城。㉑①白草原：地名，在河南襄城东二十五里。㉑②邀之：拦截他。㉑③镇将：指襄城镇将。㉑④曹华：宋州楚丘（今山东曹县东南）人，官至义成军节度使。传见《旧唐书》卷一百六十二、《新唐书》卷一百七十一。㉑⑤甲申：八月二十七日。㉑⑥陵挫百端：百般凌辱。

【语译】

九月十四日庚子，淮西的军队侵犯溵水镇，杀死三个将领，焚烧了喂牲口的草料后离去。

当初，宪宗做广陵王时，平民百姓张宿因为能言善辩得到了宠信。等到宪宗即位，张宿多次迁官后，升到了刑部的比部员外郎。张宿在外结纳权贵，收受贿赂，门下侍郎、同平章事李逢吉很讨厌他。宪宗想任命张宿为谏议大夫，李逢吉说：“谏议大夫责任重大，一定要能是非朝政，才适宜担任这一职务。张宿是个小人，怎么能够窃居贤明者的职位呢！陛下一定想任用张宿，请免了臣下的职务才可以。”宪宗因此不高兴。李逢吉又与裴度意见不同，宪宗正依靠裴度平定蔡州，九月二十一日丁未，宪宗罢免了李逢吉宰相职务，改任为东川节度使。

九月二十八日甲寅，李愬准备攻打吴房县，各位将领说：“今天是往亡日。”李

不足战，宜出其不意。彼以往亡不吾虞[231]，正可击也。”遂往，克其外城，斩首千余级。余众保子城，不敢出。愬引兵还以诱之，淮西将孙献忠果以骁骑五百追击其背[232]。众惊，将走[233]，愬下马据胡床[234]，令曰：“敢退者斩！”返旆力战[235]，献忠死，淮西兵乃退。或劝愬乘胜攻其子城，可拔[236]也。愬曰：“非吾计也。”引兵还营。

李祐言于李愬曰：“蔡之精兵皆在洄曲[237]，及四境拒守，守州城者皆羸老之卒，可以乘虚直抵[238]其城。比[239]贼将闻之，元济已成擒[240]矣。”愬然之。冬，十月，甲子[241]，遣掌书记[242]郑澥至郾城，密白[243]裴度。度曰：“兵非出奇不胜，常侍[244]良图[245]也。”

上竟用张宿为谏议大夫，崔群、王涯固谏[246]，不听，乃请以为权知谏议大夫，许之。宿由是怨执政及端方之士[247]，与皇甫镈[248]相表里[249]，谮去之[250]。

裴度帅僚佐观筑城于沱口[251]，董重质帅骑出五沟[252]，邀之[253]，大呼而进，注弩挺刃[254]，势将及度[255]。李光颜与田布力战拒之，度仅得[256]入城。贼退，布扼[257]其沟中归路，贼下马逾沟[258]，坠压死者千余人。

辛未[259]，李愬命马步都虞候、随州刺史史旻留镇文城，命李祐、李忠义帅突将[260]三千为前驱，自与监军[261]将三千人为中军，命李进诚[3]将三千人殿其后。军出，不知所之[262]。愬曰：“但东行[263]！”行六十里，夜，至张柴村，尽杀其戍卒[264]及烽子[265]，据其栅。命士少休[266]，食干糒[267]，整羁靮[268]，留义成军五百人镇之，以断朗山救兵，命丁士良将五百人断[4]洄曲及诸道桥梁。复夜引兵出门，诸将请所之，愬曰：“入蔡州取吴元济！”诸将皆失色[269]。监军哭曰：“果落李祐奸计！”时大风雪，旌旗裂[270]，人马冻死者相望[271]。天阴黑，自张柴村以东道路，皆官军所未尝行[272]，人人自以为必死。然畏愬，莫敢违[273]。夜半，雪愈甚，行七十里，至州城[274]。近城有鹅鸭池[275]，愬令击之[276]以混军声[277]。

自吴少诚拒命[278]，官军不至蔡州城下三十余年，故蔡人不为备[279]。壬申[280]，四鼓[281]，愬至城下，无一人知者。李祐、李忠义䦆其城[282]，为

愬说："我们的兵力少，作战人数不够，行动应该出乎敌人的意料。敌人因为今天是往亡日，不会防备我们，我们正可以进攻。"于是带军前去，攻下吴房县的外城，杀敌一千多人。残余的敌人守卫里城，不敢出战。李愬率军返回，借以引诱敌人出城，淮西的将领孙献忠果然带领五百名骁勇骑兵跟着李愬后面追击。李愬的将士很惊慌，准备逃跑，李愬下马坐在胡床上，命令说："胆敢后退的就杀了！"将士们回军奋力作战，孙献忠被杀死，淮西的士兵这才退回去。有人劝李愬乘胜攻打吴房内城，说可以攻取。李愬说："这并非我的策略。"于是带领军队回营。

李祐对李愬建议道："蔡州的精兵都在洄曲，以及在四面边境上抵御，防守蔡州城的都是老弱的士兵，可以乘蔡州空虚直接进攻蔡州城。等到敌人的将领们听到这一消息，吴元济已经被我们擒获了。"李愬赞同李祐的意见。冬，十月初八日甲子，李愬派遣掌书记郑澥到达郾城，把这个计划秘密地告诉了裴度。裴度说："用兵不采用奇计，就不能取胜，李常侍的计谋很好。"

宪宗最终任用了张宿为谏议大夫，崔群和王涯坚持劝谏，宪宗没有听从，于是他们就请宪宗让张宿暂时代理谏议大夫，宪宗答应了。张宿从此以后怨恨执掌朝政的人和品德端正的人士，与皇甫镈互相勾结，诬陷这些人，把他们赶出朝廷。

裴度带着僚属佐吏视察沱口的筑城情况，董重质率领骑兵从五沟这个地方出来，拦截裴度一行，大声呼叫着进击，张着弓，挺着刀，将要靠近裴度。李光颜和田布奋力作战，抵挡住了敌人，裴度才得以进入沱口城内。敌人撤退，田布控制了敌人退回五沟的归路，敌人纷纷下马跨沟，掉到沟里和压死的有一千多人。

十月十五日辛未，李愬命令马步都虞候、随州刺史史旻留在文城栅镇守，命令李祐和李忠义率领三千名突将作前锋，自己与监军带三千名将士作中军，命令李进诚率领三千人殿后。军队出发后，将领们不知要去哪里。李愬说："只管向东前进！"行军六十里，夜里，到达张柴村，全部杀死了在这里守卫的淮西士兵和守候烽火报警的士兵，占领了这里的营垒。李愬命令士兵们稍事休息，吃一些干粮，整理一下马络头和马缰，留下义成军的五百人在这里镇守，以阻绝朗山的救兵，命令丁士良率领五百人切断洄曲和各条通往蔡州道路上的桥梁。李愬又连夜率领军队出了营门，各位将领们询问去往哪里，李愬说："进入蔡州城拿下吴元济！"各位将领都大惊失色。监军哭着说："我们果然中了李祐的奸计！"当时正遇上大风雪，旌旗撕裂，冻死的人和马随处可以见到。天气阴沉漆黑，从张柴村以东的道路，都是官军没有走过的，人人自以为一定死去。但是害怕李愬，不敢违抗。半夜时，雪下得更大，走了七十里，到达蔡州城。靠近蔡城边有一处养鹅鸭的池塘，李愬下令击打鹅鸭，来掩盖军队行动的声音。

自从吴少诚拒绝朝廷的命令以来，官军有三十多年没有来到蔡州城下，所以蔡州人不设防备。十月十六日壬申，凌晨四更时分，李愬的军队到达蔡州城下，蔡州城内没有一个人知道。李祐和李忠义用锄头在城墙上挖掘，弄成洞坎，率先登城，

坎[283]以先登，壮士从之。守门卒方熟寐[284]，尽杀之，而留击柝者[285]，使击柝如故[286]。遂开门纳众[287]，及里城[288]亦然[289]，城中皆不之觉。鸡鸣，雪止，愬入居[290]元济外宅[291]。或[292]告元济曰："官军至矣!"元济尚寝，笑曰："俘囚[293]为盗耳，晓当尽戮之。"又有告者曰："城陷矣!"元济曰："此必洄曲子弟就吾[294]求寒衣也。"起，听于廷[295]，闻愬军号令曰："常侍传语。"应者近万人。元济始惧，曰："何等常侍[296]，能至于此!"乃帅左右登牙城拒战[297]。

时董重质拥[298]精兵万余人据洄曲。愬曰："元济所望者，重质之救耳。"乃访[299]重质家，厚抚之，遣其子传道持书谕重质，重质遂单骑诣愬降。

愬遣李进诚攻牙城，毁其外门，得甲库[300]，取器械。癸酉[301]，复攻之，烧其南门，民争负薪刍[302]助之，城上矢如猬毛[303]。晡时[304]，门坏，元济于城上请罪[305]，进诚梯而下之[306]。甲戌[307]，愬以槛车[308]送元济诣[309]京师，且[310]告于裴度。是日，申、光二州及诸镇兵二万余人相继来降。

自元济就擒，愬不戮一人[311]，凡元济官吏、帐下[312]、厨厩之卒[313]，皆复其职，使之不疑，然后屯于鞠场[314]以待裴度。

以淮南节度使李鄘为门下侍郎、同平章事。

【段旨】

以上为第四段，写李愬雪夜取蔡州。

【注释】

㉑⑦庚子：九月十四日。㉑⑧溵水镇：地名，在今河南漯河市郾城区境内。㉑⑨刍藁：马的草料。㉒⓪辩口：口才很好；能言善辩。㉒①比部员外郎：官名，刑部第三司比部司副长官，掌句核内外赋敛、经费等，从六品上。㉒②恶之：厌恨他；讨厌他。㉒③可否朝政：对朝政表示赞同与反对，犹言是非朝政。㉒④窃：窃居。㉒⑤异议：议论平淮西事意见不同。㉒⑥倚：倚靠；倚仗。㉒⑦丁未：九月二十一日。㉒⑧甲寅：九月二十八日。㉒⑨吴房：县名，县治在今河南遂平。㉓⓪往亡：据阴阳家说，八月以白露后十八日为"往亡"，九月

强壮的士兵随着上城。守卫城门的士兵正在熟睡，把他们全杀了，而留下敲更的人，让他敲更如故。然后打开城门放军队进城，等军队到了内城，也跟前面一样，城内没有一个人觉察。鸡叫时，大雪停止，李愬进去占据了吴元济的外宅。有人告诉吴元济说："官军到了！"吴元济还在睡觉，笑着说："被俘的囚徒在闹事罢了，天亮后一定把他们全杀了。"又有人告诉吴元济说："州城沦陷了！"吴元济说："这一定是洄曲的士兵到我这里索要御寒衣服的。"他起床，在厅堂中处理事情，听到李愬的军队传达号令说："常侍传令。"响应的人将近一万人。吴元济这才害怕了，说："这是什么样的常侍，能到这里来！"于是率领侍卫登上节度使府的牙城上抵抗。

当时，董重质率领一万多名精锐部队据守洄曲。李愬说："吴元济所希望的，只是董重质的救援而已。"于是去拜访董重质的家，优厚地安抚他的家人，派他的儿子董传道带着自己的信去劝谕董重质，董重质于是单枪匹马前往李愬那里投降。

李愬派遣李进诚进攻吴元济的军府城墙，毁坏城墙的外门，得到武器库，取出兵器。十月十七日癸酉，李愬的军队又进攻，焚烧吴元济军府的南门，百姓争着背柴草来协助，城墙上的箭簇多如猬毛。太阳偏西时，城门被攻破，吴元济在城墙上请求治罪，李进诚用梯子让吴元济下来。十八日甲戌，李愬用囚车押送吴元济前往京城长安，并且报告了裴度。这一天，申、光二州以及各军镇援助淮西的士兵二万多人，相继前来投降。

从吴元济被擒以后，李愬没有杀一人，凡是吴元济的官吏、部下士兵、厨子、马夫，全都恢复原来的职事，让他们不起疑心，然后军队驻扎在鞠球场上等待裴度。

宪宗任命淮南节度使李鄘为门下侍郎、同平章事。

以寒露后二十七日为"往亡"。㉛不吾虞：不防备我。㉜背：指李愬军的背后。㉝走：逃跑。㉞据胡床：坐在胡床上，表示无后退意。胡床，从少数民族传入，用绳为之，古称交床，今称马扎。㉟返旆力战：回军奋力作战。旆，旗。这里借指军队。㊱拔：攻破；攻取。㊲洄曲：又名时曲，在今河南漯河市境。溵水到此回曲，故名。㊳抵：到；达。㊴比：比及；等到。㊵成擒：擒获。㊶甲子：十月初八日。㊷掌书记：节度使府幕职官，掌簿书、案牍等。㊸密白：秘密禀告。㊹常侍：指李愬。李愬带检校散骑常侍。㊺良图：好计谋。㊻固谏：坚决谏阻。㊼端方之士：品德端正的人士。㊽皇甫镈：以刻剥媚上得宰相，穆宗立，贬镈崖州司户，死贬所。传见《旧唐书》卷一百三十五、《新唐书》卷一百六十七。㊾相表里：互相勾结。㊿谮去之：诋毁崔群、王涯，使他们离位而去。(251)沱口：地名，在今河南漯河市郾城区沱口镇。(252)五沟：地名，在洄曲之北。(253)邀之：拦截裴度。(254)注弩挺刃：张着弓，挺着刀。(255)势将及度：将要靠近裴

度。㉖仅得：仅仅能够。㉗扼：控扼。㉘逾沟：越过沟去。㉙辛未：十月十五日。㉚突将：李愬招募的敢死士。㉛监军：官军讨伐吴元济，各道军队皆有中使监阵。监军即指中使监阵者。㉜不知所之：不知道要去哪里。㉝但东行：只向东面行进。㉞戍卒：防守士兵。㉟烽子：唐制，烽火台设烽帅、烽副、烽子。烽子负责候望，有警情时举烽火。㊱少休：稍事休息。㊲干糒：干饭；干粮。㊳整羁靮：整理马络头和马缰。㊴失色：惊慌而变了脸色。㊵旌旗裂：旗帜被凛冽的寒风刮破。㊶相望：指冻死的人马随处可以见到。㊷未尝行：未曾走过。㊸莫敢违：不敢违背。㊹至州城：到蔡州城下。㊺鹅鸭池：养鹅鸭的池塘。㊻击之：打击鹅鸭使之叫唤。㊼以混军声：用来掩盖行军的脚步声。㊽拒命：拒绝接受朝廷命令。㊾不为备：不作防备。㊿壬申：十月十六日。(281)四鼓：四更。(282)䦆其城：用大锄挖蔡州城墙。(283)为坎：挖成踏脚的洞坎。(284)熟寐：熟睡。(285)击柝者：敲更的人。(286)如故：像以前一样。(287)纳众：接纳其他士兵。(288)及里城：到内城。(289)亦然：亦同进外城一样。(290)居：占据。(291)外宅：节度使府外宅。(292)或：有人。(293)俘囚：俘虏的囚徒。(294)就吾：到我这里来。(295)听于廷：在厅堂处理事情。(296)何等

【原文】

己卯(315)，淮西行营奏获吴元济。光禄少卿(316)杨元卿(317)言于上曰：“淮西大有珍宝，臣能[5]知之，往取必得。”上曰：“朕讨淮西，为人除害，珍宝非所求也(318)。”

董重质之去(319)洄曲军也，李光颜驰入其壁(320)，悉降其众。庚辰(321)，裴度遣马总先入蔡州慰抚(322)。辛巳(323)，度建彰义军节(324)，将降卒万余人入城。李愬具櫜鞬出迎(325)，拜于路左(326)。度将避之，愬曰：“蔡人顽悖(327)，不识上下之分，数十年矣，愿公因而示之(328)，使知朝廷之尊。”度乃受之。

李愬还军文城(329)，诸将请曰：“始公败于朗山而不忧，胜于吴房而不取，冒(330)大风甚雪(331)而不止，孤军深入而不惧，然卒以成功，皆众人所不谕(332)也，敢问其故？”愬曰：“朗山不利，则贼轻我而不为备矣。取吴房，则其众奔蔡，并力(333)固守，故存之以分其兵。风雪阴晦，则烽火不接，不知吾至。孤军深入，则人皆致死(334)，战自倍矣(335)。夫视远者不顾近，虑大者不计细[6]。若矜小胜，恤小败，先自挠(336)矣，何暇

常侍：怎么样的常侍。㉗登牙城拒战：登上节度使府的牙城进行抵抗。㉘拥：拥有；率领。㉙访：访问。㉚甲库：武器仓库。㉛癸酉：十月十七日。㉜薪刍：柴草。㉝矢如猬毛：愬军集中射击，箭集城上如刺猬的毛。㉞晡时：太阳偏西时。㉟请罪：请求治罪，即谓投降。㊱梯而下之：用梯子叫吴元济从城上下来。㊲甲戌：十月十八日。㊳槛车：囚车。㊴诣：到。㊵且：并且。㊶不戮一人：不杀一个人。㊷帐下：部下士兵。㊸厨厩之卒：厨子、马夫。㊹鞠场：鞠球场。

【校记】

[3] 李进诚：《旧唐书》卷一百三十三、《新唐书》卷一百五十四《李晟传》皆作“田进诚”，当是。唐亦有名李进诚者，行迹与田进诚不同。[4] 朗山救兵，命丁士良将五百人断：此十三字原脱。据章钰校，甲十一行本、乙十一行本皆有此十三字，张瑛《通鉴校勘记》同，今据补。

【语译】

十月二十三日己卯，淮西行营上奏擒获了吴元济。光禄少卿杨元卿对宪宗说：“淮西有很多珍奇宝贝，臣下能了解得很清楚，臣下去取，一定能得到。”宪宗说：“朕讨伐淮西，为民除害，珍宝不是朕所追求的。”

董重质离开洄曲的军队时，李光颜率军驰入洄曲的营垒，全部收降了他的部众。十月二十四日庚辰，裴度派遣马总先进蔡州慰谕安抚。二十五日辛巳，裴度执持彰义军的旌节，带着投降的士兵一万多人进入蔡州城。李愬背负弓箭出郊迎接，在路的左侧向裴度行礼。裴度准备回避李愬的拜礼，李愬说：“蔡州人愚顽悖逆，不懂得上下的名分，已经几十年了，希望您借此做给他们看，让他们知道朝廷的尊严。”裴度这才接受李愬的拜礼。

李愬回军文城栅，各位将领请教说：“开始时您败于朗山而不忧虑，在吴房打了胜仗却不攻取县城，冒着大风大雪行军不止，孤军深入敌境而不畏惧，最终取得了胜利，这都是大家所不明白的，请问这是什么缘故？”李愬说：“朗山失利，那么敌人会轻视我们而不加防备了。要是攻取了吴房县，那么敌人会逃向蔡州，合力固守蔡州，所以把吴房县放在那里，以此来分散敌人的兵力。在大风大雪的阴暗天气中，敌人的烽火不能接应，就不知道我们到来。我们孤军深入敌境，那么人们就会拼命，加倍努力作战。一般来说，看得远的人不会顾及近处的事情，考虑大事的人不计较琐细的事情。如果因一次小胜利而扬扬自得，因一次小失败而忧心忡忡，首先自己

立功乎！”众皆服。愬俭于奉己[337]而丰于待士[338]，知贤不疑[339]，见可能断[340]，此其所以成功也。

【段旨】

以上为第五段，写李愬智勇，与诸将论取胜之道。

【注释】

[315]己卯：十月二十三日。[316]光禄少卿：官名，光禄寺次长官，掌祭祀、朝会的酒礼供馔。[317]杨元卿：慷慨有才略，官至太子太保。传见《旧唐书》卷一百六十一、《新唐书》卷一百七十一。[318]非所求也：不是我所追求的。[319]去：离开。[320]壁：壁垒。即营盘。[321]庚辰：十月二十四日。[322]慰抚：慰谕安抚。[323]辛巳：十月二十五日。[324]建彰义军节：执持彰义军旌节。彰义为淮西节度军号。[325]李愬具橐鞬出迎：李愬背负弓箭出郊迎接裴度，表示为先导，古时极隆重的礼节。橐，用以藏弓。鞬，用以藏箭。[326]拜于路左：在道路左侧拜迎。自北而来者，以道东为左，自南而来者，以道西为左。古时乘

【原文】

裴度以蔡卒[341]为牙兵[342]，或[343]谏曰：“蔡人反仄[344]者尚多，不可不备。”度笑曰：“吾为彰义节度使，元恶既擒，蔡人则吾人也，又何疑焉！”蔡人闻之感泣[345]。先是吴氏父子阻兵，禁人偶语于涂[346]，夜不然烛[347]，有以酒食相过从[348]者罪死。度既视事，下令惟禁盗贼，余皆不问，往来者不限昼夜，蔡人始知有生民之乐[349]。

甲申[350]，诏韩弘、裴度条列[351]平蔡将士功状及蔡之将士降者，皆差第[352]以闻。淮西州县百姓，给复[353]二年，近贼四州[354]，免来年夏税。官军战亡者，皆为收葬，给其家衣粮五年。其因战伤残废者，勿停衣粮[355]。

十一月丙戌朔[7]，上御兴安门[356]受俘[357]，遂以吴元济献庙社[358]，斩于独柳[359]之下。

丧气，哪里还有时间来立功呢！”大家听了全都佩服。李愬自己生活节俭，但对将士们却很优厚，任用贤明的人不加怀疑，见到可以执行的事能够决断，这就是他获得成功的原因。

车尚左，故拜迎于车下者皆拜于道左，以示尊敬。㉗顽悖：愚顽悖逆，不知礼数。㉘示之：做个榜样显示给他们看。㉙文城：文城栅。㉚冒：顶着。㉛甚雪：大雪。㉜不谕：不明白。㉝并力：合力。㉞致死：拼死命作战。㉟战自倍矣：加倍努力作战，死里求生。㊱自挠：自己首先丧气。㊲俭于奉己：对于自己非常节俭。㊳丰于待士：对待军士非常丰厚。㊴知贤不疑：对于贤士，用之不怀疑。㊵见可能断：见到可以执行的能够决断。

【校记】

［5］能：张敦仁《通鉴刊本识误》作“素”，当是。［6］计细：“计”字原作“详”。据章钰校，甲十一行本、乙十一行本皆作“计”，张瑛《通鉴校勘记》同，今据改。〖按〗“计”字于义较长。

【语译】

裴度用蔡州的士兵做节度使的卫队，有人劝阻说：“蔡州人中反复无常的人还很多，不能不做防备。”裴度笑着说：“我担任彰义节度使，元凶被擒获后，蔡州人就是我们的人，又怀疑什么呢！”蔡州人听了这话感动得流泪。此前，吴少阳父子拥兵抗拒朝廷，禁止人在路上交谈，夜里不得点蜡烛，有用酒和食品相互招待的人，罪当死。裴度主持政事之后，下令只是禁止盗贼，其余的全都不过问，相互往来的人没有白天黑夜的限制，蔡州人这才知道有人生的乐趣。

十月二十八日甲申，宪宗诏令韩弘和裴度逐一开列平定蔡州的将士们的功劳情况以及蔡州投降的将士名单，都分列等级上奏朝廷。淮西各州县百姓，免除赋税两年，靠近淮西的四个州，免除来年的夏税。朝廷军队战死的人，朝廷都要收尸埋葬，发给他们的家属五年的衣服和粮食。那些在战场上因打仗残废的人，不要停止供给衣服和粮食。

十一月初一日丙戌，宪宗驾临兴安门接受献俘，便把吴元济献祭宗庙社稷，斩于独柳之下。

初，淮西之人劫[360]于李希烈、吴少诚之威虐，不能自拔[361]，久而老者衰，幼者壮，安于悖逆[362]，不复知有朝廷矣。自少诚以来，遣诸将出兵，皆不束以法制[363]，听各以便宜[364]自战，故人人得尽其才。韩全义之败于溵水也，于其帐中得朝贵[365]所与问讯书[366]，少诚束[367]以示众曰："此皆公卿属全义书，云破蔡州日，乞一将士妻女为婢妾。"由是众皆愤怒，以死为贼用。虽居中土[368]，其风俗犷戾[369]过于夷貊[370]。故以三州之众，举天下之兵环而攻之，四年然后克之。

官军之克元济也，李师道募人通使于蔡，察[371]其形势。牙前虞候刘晏平应募，出汴、宋间，潜行[372]至蔡。元济大喜，厚礼而遣之。晏平还至郓，师道屏人[373]而问之，晏平曰："元济暴兵[374]数万于外，阽危[375]如此，而日与仆妾游戏博奕[376]于内，晏然[377]曾无忧色。以愚观之，殆[378]必亡，不久矣。"师道素倚淮西为援，闻之惊怒，寻[379]诬[380]以他过，杖杀之。

戊子[381]，以李愬为山南东道节度使，赐爵凉国公，加韩弘兼侍中，李光颜、乌重胤等各迁官有差[382]。

旧制，御史二人知驿[383]。壬辰[384]，诏以宦者为馆驿使。左补阙裴潾[385]谏曰："内臣[386]外事，职分各殊[387]，切在塞[388]侵官之源，绝出位之渐。事有不便，必戒于初[389]；令或有妨，不必在大。"上不听。

甲午[390]，恩王连[391]薨。

辛丑[392]，以唐、随兵马使李祐为神武将军，知军事[393]。

裴度以马总为彰义留后。癸丑[394]，发[395]蔡州。上封二剑以授梁守谦，使诛吴元济旧将。度至郾城，遇之，复[396]与俱入蔡州，量罪施刑[397]，不尽如诏旨[398]，仍上疏言之。

十二月壬戌[399]，赐裴度爵晋国公，复入知政事[400]。以马总为淮西节度使。

初，吐突承璀方贵宠用事，为淮南监军。李鄘为节度使，性刚严[401]，与承璀互相敬惮[402]，故未尝相失。承璀归，引鄘为相。鄘耻由宦

当初，淮西的百姓被李希烈、吴少诚的暴虐所迫胁，不能自我解救出来，时间久远，年老的人衰弱了，年幼的人成了壮年，都安于悖逆朝廷的现状，不再知道有朝廷了。自吴少诚统治以来，派遣各个将领出兵，都不用法令制度来约束他们，听任各自根据情况自由处置，所以每个人都能施展自己的才干。韩全义在溵水被打败时，淮西兵在他的营帐中得到朝廷中的权贵们写给他的询问消息的书信，吴少诚把信件捆起来出示给大家，说："这些都是王公卿相们给韩全义的信，说在攻下蔡州的那一天，要求弄一个蔡州将士的妻子和女儿做婢妾。"因此大家都非常愤怒，拼死为贼所用。淮西虽然地处中原，但这里风俗粗犷暴戾超过胡族。所以，吴元济利用三个州的军民，朝廷用全国的兵力四面围攻，四年之后才攻下来。

官军攻打吴元济的时候，李师道招募人做使者去蔡州联络，窥探蔡州的形势。牙前虞候刘晏平应召，在汴州和宋州之间穿行，暗中走到蔡州。吴元济大为高兴，送给他很贵重的礼物打发他回去。刘晏平回到郓州，李师道避开其他人，询问刘晏平，刘晏平说："吴元济动用军队几万人到外地防守，面临如此危险，而他天天与仆人侍妾赌博下棋，太平无事的样子，没有一点忧虑的神色。依愚见，吴元济大概会败亡，时间不会太久了。"李师道一向依靠淮西作为后援，听到这话又惊讶又恼怒，不久用别的过错诬陷他，用棍棒打死了刘晏平。

十一月初三日戊子，宪宗任命李愬为山南东道节度使，赐爵凉国公，加授韩弘兼任侍中，李光颜、乌重胤等人都有不同等级的升迁。

以前的制度规定，两名监察御史掌管全国驿站。十一月初七日壬辰，宪宗下诏任命宦官为馆驿使。左补阙裴潾劝谏宪宗说："宫禁内的臣子和朝廷的事务，职责和名分各不相同，关键的是堵住侵犯官员职守的根源，杜绝越位任职的势头。如果事情处理得不合适，一定在最初就引起警戒；颁行的命令如果有妨碍，不一定是大事情才纠正。"宪宗不听从这一意见。

十一月初九日甲午，恩王李连去世。

十一月十六日辛丑，宪宗任命唐州、随州兵马使李祐为神武将军，掌管军中事务。

裴度任命马总为彰义留后。十一月二十八日癸丑，裴度从蔡州出发。宪宗封好两把宝剑，授予梁守谦，让他去杀吴元济的旧时将领。裴度到达郾城，遇上梁守谦，又与梁守谦一起进入蔡州城，衡量罪行，施加刑罚，不完全与宪宗的诏旨相同，于是上疏陈述自己的意见。

十二月初七日壬戌，宪宗赐裴度为晋国公，又入朝主政。任命马总为淮西节度使。

当初，吐突承璀正位高受宠，主政用事，担任淮南监军。李鄘为淮南节度使，性格刚毅威严，与吐突承璀相互尊敬畏惧，所以关系未曾弄僵。吐突承璀回朝以后，引荐李鄘为宰相。李鄘耻于经过宦官而得以晋升，等到将领僚佐为他饯行，奏乐时，

官进，及将佐出祖[403]，乐作[404]，鄘泣下曰：“吾老安外镇[405]，宰相非吾任也！”戊寅[406]，鄘至京师，辞疾[407]，不入见，不视事，百官到门，皆辞不见。

庚辰[408]，贬淮西降将董重质为春州[409]司户。重质为元济谋主，屡破官军。上欲杀之，李愬奏先许重质以不死。

【段旨】

以上为第六段，写裴度优抚淮西士民，处置善后事宜。

【注释】

㉞蔡卒：原淮西军士兵。㉞牙兵：警卫士兵。㉞或：有人。㉞反仄：即反侧。指谋叛者。㉞感泣：感激至深而流泪。㉞偶语于涂：在路上互相交谈。涂，通“途”。㉞然烛：点蜡烛。然，通“燃”。㉞以酒食相过从：用酒食相招待的。㉞生民之乐：人生的乐趣。㉟甲申：十月二十八日。㉟条列：逐条开列。㉟差第：分析不同情况，列出等差次第。㉟给复：免除赋役。㉟四州：指陈、许、颍、唐四州。㉟勿停衣粮：即国家不要停止供给衣服和粮食，供养终身。㉟兴安门：大明宫南面有五门，兴安门在最西面。㉟受俘：接受所献淮西俘虏吴元济。㉟庙社：宗庙社稷。㉟独柳：唐代在京师处决罪犯行刑的地方。㊱劫：受劫持。㊱不能自拔：不能自己解救自己。㊱安于悖逆：对于无理违逆的统治，心安理得。㊱不束以法制：不用法令约束。㊱便宜：自己自由处置。㊱朝贵：朝廷中地位崇高的官员。㊱问讯书：询问消息的书信。㊱束：捆在一起。㊱中土：中原土地。㊱犷戾：粗犷暴戾。㊲夷貊：泛指少数民族。㊲察：窥探。㊲潜行：暗地里赶路。㊲屏人：屏退旁人。㊲暴兵：动用军队。㊲阽危：面临危险。㊲博奕：下围棋。奕，通“弈”，围棋。㊲晏然：太平无事的样子。㊲殆：大

【原文】

十三年（戊戌，公元八一八年）

春，正月乙酉朔[410]，赦天下。

初，李师道谋逆命[411]，判官高沐与同僚郭旴[412]、李公度屡谏之。判

李鄘流着眼泪说:“我到老都安于在军镇任外官，宰相一职不是我能胜任的啊!”十二月二十三日戊寅，李鄘到了京城长安，以生病为由辞职，不入朝晋见宪宗，不处理政事，百官到他家门口，李鄘全都推辞不见。

十二月二十五日庚辰，宪宗将淮西投降的将领董重质贬职为春州司户。董重质为吴元济的主谋，多次打败朝廷军队。宪宗打算杀死董重质，李愬上奏说已事先许诺董重质不被处死。

概。㊴寻：不久。㊵诬：诬陷。㊶戊子：十一月初三日。㊷迁官有差：根据功劳大小，升任不同等级的官职。㊸知驿：掌管馆驿事务。唐开元中，令监察御史兼巡传驿，至开元二十五年（公元七三七年），以监察御史检校两京馆驿。大历十四年（公元七七九年），两京以御史一人知馆驿，号馆驿使。㊹壬辰：十一月初七日。㊺裴潾（？至公元八三八年）：穆宗时官至集贤殿学士、兵部侍郎。传见《旧唐书》卷一百七十一、《新唐书》卷一百十八。㊻内臣：指宦官。㊼各殊：各不相同。㊽塞：堵塞。㊾必戒于初：在开始的时候就应引起警戒。㊿甲午：十一月初九日。㊶恩王连（？至公元八一七年）：代宗第六子。㊷辛丑：十一月十六日。㊸知军事：掌管禁卫兵事务。宪宗任命李祐为神武将军，仅为名号而已，不掌兵权。此云“知军事”，则是真正握有兵权。㊹癸丑：十一月二十八日。㊺发：出发。㊻复：再。㊼量罪施刑：根据罪行施以刑罚。㊽不尽如诏旨：不完全按诏旨所说那样做。㊾壬戌：十二月初七日。㊿入知政事：入朝主政，即入朝担任宰相。㊶刚严：刚毅威严。㊷敬惮：尊敬而畏惧。㊸出祖：饯别。㊹乐作：奏乐。㊺吾老安外镇：我到老都安心于在军镇任外官。㊻戊寅：十二月二十三日。㊼辞疾：以疾辞位。㊽庚辰：十二月二十五日。㊾春州：州名，治所在今广东阳春。

【校记】

［7］丙戌朔：此三字原脱。据章钰校，甲十一行本、乙十一行本皆有此三字，张瑛《通鉴校勘记》、张敦仁《通鉴刊本识误》同，今据补。丙戌朔，即十一月初一日。

【语译】

十三年（戊戌，公元八一八年）

春，正月初一日乙酉，大赦天下。

当初，李师道图谋背叛朝廷，判官高沐和同僚郭旴、李公度多次劝阻他。判官

官李文会、孔目官林英素为师道所亲信，涕泣言于师道曰：“文会等尽心[413]为尚书[414]忧家事，反为高沐等所疾，尚书奈何不爱十二州[415]之土地，以成沐等之功名乎！”师道由是疏沐等，出沐知莱州[416]。会林英入奏事，令进奏吏[417]密申师道云：“沐潜输款于朝廷。”文会从而构之。师道杀沐，并囚郭旴。凡军中劝师道效顺[418]者，文会皆指为高沐之党而囚之。

及淮西平，师道忧惧，不知所为[419]。李公度及牙将李英昙因其惧而说之，使纳质献地[420]以自赎[421]。师道从之，遣使奉表，请使长子入侍，并献沂、密、海三州。上许之。乙巳[422]，遣左常侍李逊诣郓州宣慰。

上命六军[423]修麟德殿，右龙武统军张奉国、大将军[424]李文悦以外寇初平，营缮[425]太多，白宰相，冀有论谏。裴度因奏事言之。上怒，二月丁卯[426]，以奉国为鸿胪卿[427]，壬申[428]，以文悦为右武卫[429]大将军，充威远营使。于是浚[430]龙首池[431]，起承晖殿，土木浸兴[432]矣。

李愬奏请判官、大将以下官凡百五十员，上不悦，谓裴度曰：“李愬诚有奇功[433]，然奏请过多。使如李晟、浑瑊，又何如哉！”遂留中[434]不下。

李鄘固辞相位，戊戌[435]，以鄘为户部尚书，以御史大夫李夷简为门下侍郎、同平章事。

初，渤海僖王言义卒，弟简王明忠立，改元太始。一岁卒，从父仁秀立，改元建兴。乙巳[436]，遣使来告丧。

横海[437]节度使程权[438]自以世袭沧景，与河朔三镇无殊[439]，内不自安[440]。己酉[441]，遣使上表，请举族入朝，许之。横海将士乐自擅[442]，不听权去。掌书记林蕴谕以祸福，权乃得出。诏以蕴为礼部员外郎。

李文会、孔目官林英一向被李师道所亲信，流着眼泪对李师道说："我们这些人全心全意为您的家事而忧心，反而被高沐等人所憎恨，您为什么不爱惜自己十二个州的土地，用它来成就高沐等人的功名呢！"李师道从此疏远了高沐等人，把高沐外放到莱州去做刺史。适逢林英进京上奏事情，他让进奏院的官吏秘密报告李师道说："高沐暗中向朝廷表示忠诚。"李文会接着诬陷高沐等人。李师道杀了高沐，并囚禁了郭昈。凡是军中劝说李师道顺从朝廷的人，都被李文会指认为高沐的党羽而囚禁起来。

等到淮西被平定，李师道既担忧又害怕，不知所措。李公度和牙将李英昙乘李师道害怕而劝说他，让李师道向朝廷送上人质、献出土地来自我赎罪。李师道听从了这一建议，派遣使者向朝廷上奏，请求让长子进京侍奉宪宗，并向朝廷献出沂、密、海三个州。宪宗同意了。正月二十一日乙巳，宪宗派遣左常侍李逊前往郓州宣旨慰问。

宪宗下令中央禁军的六军修建麟德殿，右龙武统军张奉国、大将军李文悦认为外地的寇贼刚平定，营造修缮的地方太多了，就把这事向宰相说了，希望能有所论议和劝谏。裴度借着上奏事情的时候向宪宗谈了此事。宪宗很生气，二月十三日丁卯，宪宗任命张奉国为鸿胪卿，十八日壬申，任命李文悦为右武卫大将军，充任威远营使。从此以后，疏浚龙首池，起建承晖殿，渐渐地大兴土木。

李愬向宪宗上奏请求任命判官、大将军以下的官员共有一百五十人，宪宗很不高兴，对裴度说："李愬确实有奇特的功劳，但奏请任命的官员太多。假使像李晟、浑瑊那样立了功劳，又该怎么办呢！"于是把李愬的奏章留在宫中，不下达中书省。

李鄘坚决辞去宰相职位，三月十五日戊戌，宪宗任命李鄘为户部尚书，任命御史大夫李夷简为门下侍郎、同平章事。

当初，渤海僖王言义去世，弟弟简王明忠继位，改年号为太始。一年以后死了，叔叔仁秀继位，改年号为建兴。三月二十二日乙巳，仁秀派遣使者向朝廷报丧。

横海节度使程权自己认为世袭沧景主帅，与河朔三个军镇没有区别，内心不安。三月二十六日己酉，派遣使者上表朝廷，请求率领全族进京入朝，宪宗答应了。横海军的将士乐于自己专擅一方，因此，不让程权离开。掌书记林蕴晓谕祸福，程权才得以离开。宪宗下诏任命林蕴为礼部员外郎。

【段旨】

以上为第七段，写朝廷平定淮西，淄青李师道恐惧，假意效顺，称将派长子入朝为质。

【注释】

⑩ 乙酉朔：正月初一日。⑪ 逆命：违背朝廷。⑫ 郭旷：任淄青节度使判官。⑬ 尽心：倾尽心力。⑭ 尚书：指李师道，因李师道曾加检校工部尚书。⑮ 十二州：指李师道所占郓、兖、曹、濮、淄、青、齐、海、登、莱、沂、密十二州。⑯ 莱州：州名，治所在今山东莱州。⑰ 进奏吏：李师道派驻京师进奏院的官员。⑱ 效顺：顺从唐王朝。⑲ 不知所为：不知道怎么办才好。⑳ 纳质献地：送人质，献土地。㉑ 自赎：自己赎罪。㉒ 乙巳：正月二十一日。㉓ 六军：即左右龙武、左右神武、左右羽林军。㉔ 大将军：此谓右

【原文】

裴度之在淮西也，布衣㊸柏耆以策干㊹韩愈曰："吴元济既就擒，王承宗破胆㊺矣。愿得奉丞相书往说之，可不烦兵而服。"愈白度，为书遣之。承宗惧，求哀㊻于田弘正，请以二子为质㊼，及献德、棣二州，输租税㊽，请官吏㊾。弘正为之奏请。上初不许，弘正上表相继，上重违㊿弘正意，乃许之。夏，四月甲寅朔[451]，魏博遣使送承宗子知感、知信及德、棣二州图印[452]至京师。

幽州大将谭忠说[453]刘总曰："自元和以来，刘辟、李锜、田季安、卢从史、吴元济阻兵冯险[454]，自以为深根固蒂[455]，天下莫能危也。然顾盼之间[456]，身死家覆，皆不自知，此非人力所能及，殆天诛也。况今天子神圣威武，苦身焦思[457]，缩衣节食，以养战士，此志岂须臾[458]忘天下哉！今国兵[459]骎骎[460]北来，赵人[461]已献城十二[462]，忠深为公忧之。"总泣且拜曰："闻先生言，吾心定矣！"遂专意归朝廷。

戊辰[463]，内出废印二纽[464]，赐左、右三军辟仗使[465]。旧制，以宦官为六军辟仗使，如方镇之监军，无印。及张奉国得罪，至是始赐印，得纠绳军政[466]，事任专达[467]矣。

庚辰[8]，诏洗雪[468]王承宗及成德将士，复其官爵。

龙武大将军。㉕营缮：修建。㉖丁卯：二月十三日。㉗鸿胪卿：鸿胪寺长官，掌宾客及凶仪之事，从三品。㉘壬申：二月十八日。㉙右武卫：属南衙十六卫之一。㉚浚：疏浚。㉛龙首池：大明宫东有东内苑，苑中有龙首殿，龙首池当在其旁。池水来自城南龙首渠。㉜土木浸兴：渐渐地大兴土木了。㉝诚有奇功：确实有奇特功勋。㉞留中：留李愬奏章在禁中。㉟戊戌：三月十五日。戊戌上脱“三月”二字。㊱乙巳：三月二十二日。㊲横海：方镇名，唐德宗贞元三年（公元七八七年）置横海节度使，治所沧州，在今河北沧州东南。㊳程权：程怀信子，袭横海军节度使。㊴无殊：没有两样。㊵内不自安：内心不安稳。㊶己酉：三月二十六日。㊷乐自擅：乐于自己专擅一方。

【语译】

裴度在淮西时，平民柏耆向韩愈献计策以谋求官职，说：“吴元济被擒后，王承宗吓破了胆。我希望能够带着宰相的书信前往劝说王承宗，可以不必烦劳朝廷兵马而让他归顺。”韩愈把这件事情告诉了裴度，裴度写了封信派遣柏耆到王承宗那里。王承宗很害怕，向田弘正哀求，请求用两个儿子作为人质，还向朝廷献出德、棣两个州，向朝廷缴纳赋税，请朝廷委派官吏。田弘正为王承宗向朝廷上奏请求。宪宗起初不同意，田弘正相继上表，宪宗难以违背田弘正的心意，于是就同意了。夏，四月初一日甲寅，田弘正派遣使者送王承宗的儿子王知感、王知信，以及德、棣两个州的地图和印信到了京城长安。

幽州的大将谭忠劝刘总说：“自从元和以来，刘辟、李锜、田季安、卢从史、吴元济凭借着军队和地势险要违抗朝廷，自认为根深蒂固，天下没有人能使他们危亡。但是转眼之间，他们身死家亡，这都是他们无自知之明，这不是人力能够达到的，而是上天要杀戮他们。况且现在的天子神圣威武，身体受苦，心思焦虑，节衣缩食，以供养战士，皇帝的这个志向，难道是片刻忘记了天下的安宁吗！现在朝廷的兵马迅疾向北而来，王承宗已经向朝廷献出十二城，我谭忠深深为您的处境担忧。”刘总流着眼泪向谭忠行礼说：“听了先生的话，我的心意决定下来了！”于是一心一意归顺朝廷。

四月十五日戊辰，宪宗从宫内拿出两枚废弃了的印信，赐给左、右三军辟仗使。以前的制度，以宦官为中央禁军六军的辟仗使，如同地方军镇的监军，没有印信。等到张奉国获罪以后，到现在宪宗才赐给辟仗使印信，可以纠正军政事务，负责的事务可以直接上达宪宗。

四月二十七日庚辰，宪宗下诏洗雪王承宗和成德军将士的罪名，恢复他们的官职爵位。

【段旨】

以上为第八段，写成德效顺，朝廷恢复王承宗官爵。

【注释】

㊸布衣：没有出身、没有官职的人。㊹干：求取。㊺破胆：吓破胆。㊻求哀：哀求；请求怜恤。㊼质：人质。㊽输租税：向朝廷缴纳租税。㊾请官吏：请求朝廷任命官员。㊿重违：难以违背、拂逆。(451)甲寅朔：四月初一日。(452)图印：地图和印信。(453)说：劝说。(454)阻兵冯险：仗恃军队，凭借险要。(455)深根固蒂：语出《老子》五十九章。说明地位巩固。(456)顾盼之间：转眼之间。(457)苦身焦思：身体受苦，心思焦虑。指皇帝勤于

【原文】

李师道暗弱(469)，军府大事(470)，独与妻魏氏，奴胡惟堪、杨自温，婢蒲氏、袁氏及孔目官王再升谋之，大将及幕僚莫得预(471)焉。魏氏不欲其子入质，与蒲氏、袁氏言于师道曰："自先司徒(472)以来，有此十二州，奈何无故割而献之！今计境内之兵不下数十万，不献三州，不过以兵相加(473)。若力战不胜，献之未晚(474)。"师道乃大悔，欲杀李公度。幕僚贾直言谓其用事奴(475)曰："今大祸将至，岂非高沐冤气所为！若又杀公度，军府(476)其危哉！"乃囚之(477)。迁李英昙于莱州，未至，缢杀(478)之。

李逊至郓州，师道大陈兵迎之(479)。逊盛气正色(480)，为陈祸福(481)，责其决语(482)，欲白天子(483)。师道退，与其党谋之，皆曰："弟(484)许之，他日正烦一表解纷(485)耳。"师道乃谢(486)曰："向以父子之私，且迫于将士之情，故迁延(487)未遣(488)。今重烦朝使，岂敢复有二三(489)！"逊察(490)师道非实诚，归，言于上曰："师道顽愚反覆(491)，恐必须用兵。"既而师道表言军情，不听纳质割地(492)。上怒，决意讨之。

贾直言冒刃谏师道者二(493)，舆榇谏者一(494)，又画缚载槛车妻子系累者以献(495)。师道怒，囚之。

政事。⑱须臾：一会儿，指时间短暂。⑲国兵：指唐朝廷军队。⑳骎骎：马疾行的样子。461赵人：指王承宗。462献城十二：指德州领地安德、长河、平原、平昌、将陵、安陵六县，以及棣州领地厌次、滴河、阳信、蒲台、渤海五县，加上东光，共十二县献给朝廷。463戊辰：四月十五日。464二纽：二盒；二组。465辟仗使：官名，北衙六军的监军称辟仗使，由宦官充任，无印。466纠绳军政：军事、政治任务有权加以纠正。467事任专达：由宦官负责的事务，可以直接上达于皇帝。468洗雪：昭雪。

【校记】

［8］庚辰：原误作“庚戌”。据章钰校，甲十一行本、乙十一行本皆作“庚辰”，今据校正。庚辰，四月二十七日。

【语译】

李师道愚昧懦弱，军府大事，只与妻子魏氏，奴仆胡惟堪、杨自温，婢妾蒲氏、袁氏，以及孔目官王再升商议，军中的大将和幕僚们都不能参与。魏氏不想让自己的儿子入朝做人质，就和蒲氏、袁氏向李师道说：“自从已故司徒以来，我们就拥有这十二个州，为什么要无缘无故割让出来献给朝廷！现在合计境内的兵力不下几十万人，不献出三州，朝廷不过以兵相加。如果我们拼出全力作战不能获胜，再向朝廷献出三个州也不迟。”李师道于是大为后悔，想杀了李公度。幕僚贾直言对李师道主事的奴仆说：“现在大祸即将临头，这难道不是高沐冤死的魂魄造成的吗！如果又杀了李公度，军府就危险了啊！”李师道于是把李公度囚禁起来。又迁调李英昙到莱州，李英昙没有到莱州，就把他勒死了。

李逊到了郓州，李师道阵列大量的军队迎接他。李逊理直气壮，神色庄重，向李师道陈说利害祸福，责令他说句决定性的话，打算禀告天子。李师道回去后，和他的同伙商议这件事，大家都说：“姑且答应他，以后只需要用一纸奏表就能解决问题。”于是李师道向李逊道歉说：“以前因为父子的私情，并且迫于将士们的情绪，所以就耽搁了时间，没有派儿子入朝。现在又麻烦朝廷的使者，我怎么敢再有三心二意！”李逊看出李师道没有真正的诚意，回到朝廷，对宪宗说：“李师道愚昧顽固，反复无常，恐怕需要动用武力。”不久，李师道上表说明军中情况，将士们不让自己向朝廷送去人质，割让土地。宪宗很生气，决心讨伐李师道。

贾直言冒着刀锋劝谏李师道两次，抬着棺材死谏李师道一次，又画了李师道被捆绑在囚车中、妻子儿女被囚禁的图画献给李师道来劝阻他。李师道很恼火，囚禁了贾直言。

五月丙申⑯，以忠武节度使李光颜为义成节度使，谋讨师道也。以淮西节度使马总为忠武节度使，陈、许、溵、蔡州观察使。

以申州⑰隶鄂岳，光州⑱隶淮南。

辛丑⑲，以知勃海国务大仁秀为勃海王。

以河阳都知兵马使曹华为棣州⑳刺史，诏以河阳兵二千[9]送至滴河㉑。会县为平卢兵㉒所陷，华击却之，杀二千余人，复其县以闻。诏加横海节度副使。

六月癸丑朔㉓，日有食之。

丁丑㉔，复以乌重胤领怀州㉕刺史，镇河阳。

秋，七月癸未朔㉖，徙李愬为武宁节度使㉗。

乙酉㉘，下制罪状李师道，令宣武、魏博、义成、武宁、横海兵共讨之，以宣歙观察使王遂㉙为供军使㉚。遂，方庆之孙也。

上方委㉛裴度以用兵，门下侍郎、同平章事李夷简自谓才不及度，求出镇。辛丑㉜，以夷简同平章事，充淮南节度使。

八月壬子朔㉝，中书侍郎、同平章事王涯罢为兵部侍郎。

【段旨】

以上为第九段，写李师道反复无常，唐宪宗用兵淄青。

【注释】

㊻⑨暗弱：愚昧而懦弱。⑰⓪军府大事：节度使府的重大事情。⑰①预：参与。⑰②先司徒：指李纳。⑰③以兵相加：指朝廷派兵来讨伐。⑰④未晚：不迟。⑰⑤用事奴：李师道主事的奴仆。⑰⑥军府：指淄青李师道节度使。⑰⑦囚之：将李公度囚禁起来。⑰⑧缢杀：用绳子勒死。⑰⑨大陈兵迎之：布列大量的军队迎接李逊。⑱⓪盛气正色：理直气壮，神色庄重。⑱①为陈祸福：为李师道分析利害关系。⑱②责其决语：责令李师道明确表白。⑱③欲白天子：打算禀告皇帝。⑱④弟：姑且。⑱⑤一表解纷：用一张奏表解决问题。⑱⑥谢：致歉意。⑱⑦迁延：耽搁时间。⑱⑧未遣：未曾派出质子。⑱⑨二三：指三心二意。⑲⓪察：观察。⑲①反覆：反复无常，不守信用。⑲②纳质割地：进人质，割领地。⑲③冒刃谏师道者二：冒着刀锋劝谏了两次。⑲④舆榇谏者一：抬着棺材进谏了一次。舆榇，表示必死之

五月十三日丙申，宪宗任命忠武节度使李光颜为义成节度使，策划讨伐李师道。任命淮西节度使马总为忠武节度使，以及陈州、许州、溵州、蔡州观察使。

将申州隶属于鄂岳观察使，光州隶属于淮南节度使。

五月十八日辛丑，宪宗册封代理勃海国事务的大仁秀为勃海王。

宪宗任命河阳都知兵马使曹华为棣州刺史，下诏用河阳的二千名士兵护送曹华到滴河去。正好滴河县被李师道的军队攻下，曹华打退了李师道的军队，杀死二千多人，收复了滴河县，曹华把此事奏报朝廷。宪宗下诏加授曹华为横海节度副使。

六月初一日癸丑，发生日食。

六月二十五日丁丑，宪宗又任命乌重胤兼任怀州刺史，镇守河阳。

秋，七月初一日癸未，调任李愬为武宁节度使。

七月初三日乙酉，宪宗颁下制书列数李师道的罪状，命令宣武、魏博、义成、武宁、横海的军队共同讨伐他，任命宣歙观察使王遂为供军使。王遂，是王方庆的孙子。

宪宗正委任裴度用兵讨伐李师道，门下侍郎、同平章事李夷简自认为才能赶不上裴度，要求外任节度使。七月十九日辛丑，宪宗任命李夷简为同平章事，充任淮南节度使。

八月初一日壬子，中书侍郎、同平章事王涯被免去宰相职位，改任兵部侍郎。

心。㊾⑤画缚载槛车妻子系累者以献：贯直言又画了一幅李师道被捆缚在囚车，妻子儿女也一同被囚禁的图画献给了李师道。槛车，有栅栏的囚车。系累，捆缚。㊾⑥丙申：五月十三日。㊾⑦申州：治所在今河南信阳。㊾⑧光州：治所在今河南潢川县。淮西申、光、蔡三州，自是分而治之，划归忠武、鄂岳、淮南三镇。㊾⑨辛丑：五月十八日。⑤⓪⓪棣州：治所在今山东惠民东南。⑤⓪①滴河：县名，县治在今山东商河。⑤⓪②平卢兵：指李师道之兵。⑤⓪③癸丑朔：六月初一日。⑤⓪④丁丑：六月二十五日。⑤⓪⑤怀州：州名，治所在今河南沁阳。⑤⓪⑥癸未朔：七月初一日。⑤⓪⑦徙李愬为武宁节度使：李愬平淮西领彰义节度使。因申、光、蔡分治，彰义节度使被裁撤，故徙李愬为徐濠泗节度使，即武宁军。⑤⓪⑧乙酉：七月初三日。⑤⓪⑨王遂：武后圣历中宰相王方庆之孙，官至沂兖海观察使。传见《旧唐书》卷一百六十二、《新唐书》卷一百十六。⑤①⓪供军使：即行营粮料使，掌供应前线军队粮秣，事罢即省。⑤①①委：委任。⑤①②辛丑：七月十九日。⑤①③壬子朔：八月初一日。

【校记】

［9］二千：此二字原无。据章钰校，甲十一行本、乙十一行本皆有此二字，张瑛《通鉴校勘记》同，今据补。

【原文】

吴元济既平，韩弘惧，九月，自将兵击李师道，围曹州[514]。

淮西既平，上浸骄侈[515]。户部侍郎、判度支皇甫镈，卫尉卿[516]、盐铁转运使[10]程异晓其意[517]，数进羡余[518]以供其费，由是有宠。镈又以厚赂结吐突承璀。甲辰[519]，镈以本官[520]、异以工部侍郎并同平章事，判使如故[521]。制下，朝野骇愕[522]，至于市井负贩者[523]亦嗤之[524]。

裴度、崔群极陈[525]其不可，上不听。度耻与小人同列[526]，表求自退，不许。度复上疏，以为："镈、异皆钱谷吏[527]，佞巧小人[528]。陛下一旦置之相位，中外无不骇笑[529]。况镈在度支，专以丰取刻与[530]为务[531]，凡中外仰给度支之人无不思食其肉。比者[532]裁损淮西粮料[533]，军士怨怒，会[534]臣至行营晓谕慰勉，仅无溃乱。今旧将旧兵悉向淄青[535]，闻镈入相，必尽惊忧，知无可诉之地矣。程异虽人品庸下，然心事和平，可处烦剧[536]，不宜为相。至如镈，资性狡诈，天下共知，唯能上惑圣聪[537]，足见奸邪之极[538]。臣若不退[539]，天下谓臣不知廉耻；臣若不言，天下谓臣有负恩宠[540]。今退既不许，言又不听，臣如烈火烧心，众镝丛体[541]。所可惜者，淮西荡定[542]，河北底宁[543]，承宗敛手[544]削地，韩弘舆疾讨贼[545]，岂朝廷之力能制其命哉？直以[546]处置得宜，能服其心耳。陛下建升平之业[547]，十已八九，何忍还自堕坏，使四方解体[548]乎！"上以度为朋党，不之省[549]。

镈自知不为众所与[550]，益为巧谄[551]以自固，奏减内外官俸以助国用。给事中崔植[552]封还敕书[553]，极论之，乃止。植，祐甫之弟子也。

时内出[554]积年[555]缯帛付度支令卖，镈悉以高价买之，以给边军。其缯帛朽败[556]，随手破裂，边军聚而焚之[557]。度因奏事言之。镈于上前引[558]其足曰："此靴亦内库所出，臣以钱二千买之，坚完可久服[559]，度

【语译】

吴元济被平定后，韩弘害怕了，九月，亲自率领军队攻打李师道，包围了曹州。

淮西被平定后，宪宗渐渐骄傲奢侈起来。户部侍郎、判度支皇甫镈和卫尉卿、盐铁转运使程异了解宪宗的想法，多次进贡盈余以供开销，两人因此受宠。皇甫镈又用厚重礼物贿赂吐突承璀，与之交结。九月二十三日甲辰，皇甫镈以现任官职、程异以工部侍郎的官职一同担任同平章事，两人的判度支、盐铁转运使职务依旧。制书颁布，朝野惊讶，甚至市井小贩也嘲笑他们。

裴度和崔群极力陈说这一任命不合适，宪宗没有听从。裴度耻于同小人平起平坐，上表请求自己辞去宰相职位，宪宗不同意。裴度又上疏，认为："皇甫镈和程异都是负责钱粮的官吏，是奸诈巧伪的小人。陛下一下子把他们安排在宰相职位上，朝廷内外没有不惊异嘲笑的。何况皇甫镈在度支任上，一味地以多多收取、刻薄付出为职事，凡是朝廷内外依靠度支拨给钱粮的人，没有哪一个不想生吃了他的肉。不久前裁减进攻淮西各支军队的粮草，军中将士怨恨愤怒，适逢臣下去行营开导慰勉，才得以使军队没有溃乱。现在攻打淮西的原班将领和士兵全去讨伐李师道，他们听说皇甫镈入朝为相，一定全都吃惊忧虑，知道再也没有可以申诉的地方了。程异虽然人品庸下，但心地平和，可以把他安排在繁重的工作职位上，但不适合做宰相。至于皇甫镈，生性狡诈，天下的人都知道，他只会迷惑陛下的视听，完全可以看出皇甫镈奸诈邪恶到了极点。臣下如果不退位，天下的人认为臣下不知廉耻；臣下如果不向陛下说明，天下的人认为臣下辜负了陛下对我的恩宠。现今臣下提出退职，陛下既然不答应，臣下说的陛下又不接受，臣下犹如烈火烧心、万箭穿体。最可惜的是，淮西的奸贼才清除，河北地区也才安宁，王承宗束手割地，韩弘用轿子抬着病体讨伐李师道，这难道是朝廷的力量能控制他们的命运取得的吗？这正因为对他们采取的措施合适，能够让他们从内心服从罢了。陛下要创建天下太平的功业，十分已经完成了八九分，怎么能够忍心返回去自行破坏，让天下分崩离析呢！"宪宗认为裴度与人结成了朋党，宪宗没有觉悟过来。

皇甫镈自己知道不被大家欢迎，更加投机取巧，谄媚奉承，以巩固自己的地位，上奏减省朝廷内外官员的薪俸，来资助国家的开支。给事中崔植把宪宗批准皇甫镈建议的诏书封好退回宫中，极力说明不能这样做，宪宗才作罢。崔植，是崔祐甫弟弟的儿子。

当时，宪宗把宫廷内库存的陈年丝帛交给度支，让他们去卖，皇甫镈用度支的钱高价买了这些丝帛，把它拨给边疆的军队。这些丝帛朽烂毁坏了，随手一拿就破裂，边防军把这些东西堆在一起焚烧了。裴度乘向宪宗奏事时说了这件事。皇甫镈在宪宗的面前拉着脚说："这双靴子也是从宫廷内库中来的，我用二千钱买了它，结

言不可信。”上以为然。由是镈益无所惮[560]。程异亦自知不合众心，能廉谨谦逊[561]，为相月余，不敢知印秉笔[562]，故终免于祸。

五坊使[563]杨朝汶妄捕系人[564]，迫以考捶，责其息钱[565]，遂转相诬引，所系近千人。中丞萧俛劾奏其状，裴度、崔群亦以为言。上曰：“姑与卿论用兵事，此小事，朕自处[566]之。”度曰：“用兵事小，所忧不过山东耳。五坊使暴横，恐乱辇毂[567]。”上不悦。退，召朝汶责之曰：“以汝故，令吾羞见宰相。”冬，十月，赐朝汶死，尽释系者[568]。

【段旨】

以上为第十段，写唐宪宗骄侈，宦官得势，奸邪小人为相，五坊使擅作威福。

【注释】

⑭曹州：州名，治所在今山东曹县西北。⑮上浸骄侈：宪宗慢慢地骄傲奢侈起来。⑯卫尉卿：卫尉寺长官，掌器械文物，从三品。⑰晓其意：了解宪宗的想法。⑱数进羡余：多次进奉租赋的积余款。⑲甲辰：九月二十三日。⑳本官：指户部侍郎。㉑判使如故：判度支、盐铁转运使职务依旧。㉒骇愕：惊讶。㉓市井负贩者：街市上的小贩。㉔嗤之：嘲笑他。㉕陈：陈述。㉖同列：一起为相；同事。㉗钱谷吏：管财务的小官。㉘佞巧小人：奸佞巧伪的小人。㉙骇笑：惊异嘲笑。㉚丰取刻与：多多收取，刻薄付出。㉛为务：为自己职责。㉜比者：不久前。㉝裁损淮西粮料：指讨吴元济时任意减少淮西行营诸军粮食、草料。㉞会：刚好。㉟悉向淄青：指讨蔡之兵全部去讨伐李师道。㊱可处烦剧：可以让他担任繁重的工作。㊲上惑圣聪：迷惑皇上的视听。㊳奸邪之极：奸诈邪恶到极点。指宪宗英明，皇甫镈亦能惑之，可见奸佞之甚。㊴退：退出朝廷，即退职、致仕。㊵有负恩宠：辜负皇帝的恩德和宠信。㊶众镝丛体：好像万箭集射在身

【原文】

上晚节[569]好[570]神仙，诏天下求方士[571]。宗正卿[572]李道古先为鄂岳观察使，以贪暴[573]闻，恐终获罪，思所以自媚于上，乃因[574]皇甫镈荐山

实牢固，可以长久穿着，裴度说的话不可信。”宪宗觉得皇甫镈说得对。从此，皇甫镈更加无所忌惮。程异也自知不合大家的心意，却能够廉洁谨慎、谦虚礼让，做宰相一个多月，不敢掌印提笔处理政事，所以最终能免遭祸难。

五坊使杨朝汶随便拘捕关押人，拷打刑问，索要利息钱，于是转相诬陷牵连，囚禁了将近一千人。御史中丞萧俛把这一事件弹劾上奏，裴度和崔群也向宪宗说了这件事。宪宗说：“暂且与你们讨论用兵的事情，这是件小事，我自己处理。”裴度说：“用兵的事情小，所担忧的不过是太行山以东地区而已。五坊使残暴横行，恐怕要祸乱京城。”宪宗很不高兴。退朝以后，召见杨朝汶，斥责他说：“因为你的缘故，使得朕羞于见宰相们。”冬，十月，宪宗赐令杨朝汶自杀，把所有关押的人放了出来。

体上一样。㊷荡定：扫荡平定。㊸底宁：安宁。㊹敛手：束手。㊺舆疾讨贼：用轿子抬着带病之体，讨伐李师道。㊻直以：正因为。㊼升平之业：天下太平，歌舞升平的功业。㊽解体：分崩离析。㊾不之省：不觉悟。㊿不为众所与：不被大家欢迎。551益为巧谄：更加投机取巧，谄媚奉承。552崔植：德宗朝宰相崔祐甫之侄，字公修，穆宗时官至宰相。传见《旧唐书》卷一百十九、《新唐书》卷一百四十二。553封还敕书：退还皇帝的敕令。唐制，门下省给事中有封驳之权，可以退还敕书，请求复议，称为“途归”。554内出：从皇宫内藏库拿出。555积年：多年。556朽败：朽烂。557聚而焚之：堆积起来焚烧掉。558引：拉。559坚完可久服：牢固，可以长久穿着。560益无所惮：更加没有什么惧怕。561廉谨谦逊：廉洁谨慎，谦虚礼让。562知印秉笔：掌印提笔处理政事。唐制，当时宰相隔日知印秉笔。563五坊使：内官名，掌狩猎禽兽。五坊为雕坊、鹘坊、鹞坊、鹰坊、狗坊。564妄捕系人：随便逮捕、关押人。565息钱：利息钱。566自处：自己处置。567恐乱辇毂：恐怕祸乱京城。568尽释系者：把所有被关押的人放掉。

【校记】

［10］盐铁转运使：原脱“使”字。据章钰校，甲十一行本、乙十一行本皆有“使”字，今据补。

【语译】

宪宗晚年喜欢神仙长生之术，下诏天下寻求方士。宗正卿李道古以前担任鄂岳观察使，以贪婪暴虐闻名，他害怕最后被治罪，就想办法向皇帝献媚，于是就通过

人[575]柳泌，云能合长生药。甲戌[576]，诏泌居兴唐观[577]炼药。

十一月辛巳朔[578]，盐州奏吐蕃寇河曲[579]、夏州。灵武奏破吐蕃长乐州[580]，克其外城。

柳泌言于上曰："天台山[581]神仙所聚，多灵草[582]。臣虽知之，力不能致。诚得为彼长吏[583]，庶几可求。"上信之。丁亥[584]，以泌权知台州[585]刺史，仍赐服金紫[586]。谏官争论奏，以为："人主喜方士，未有使之临民[587]赋政[588]者。"上曰："烦一州之力而能为人主致长生[589]，臣子亦何爱[590]焉！"由是群臣莫敢言。

甲午[591]，盐州奏吐蕃遁去。

【段旨】

以上为第十一段，写唐宪宗因骄侈而昏庸，好神仙，妄求长生，任用方士为刺史。

【注释】

[569]晚节：晚年。[570]好：喜欢，此指喜好迷信。[571]方士：好讲神仙方术炼丹的人。[572]宗正卿：官名，宗正寺长官，掌皇室宗族事务，从三品。[573]贪暴：贪污暴

【原文】

壬寅[592]，以河阳节度使乌重胤为横海节度使。丁未[593]，以华州刺史令狐楚为河阳节度使。重胤以河阳精兵三千赴镇，河阳兵不乐去乡里[594]，中道[595]溃归，又不敢入城，屯于城北，将大掠。令狐楚适至[596]，单骑出，慰抚之，与俱归[597]。

先是，田弘正请自黎阳[598]渡河，会义成节度使李光颜讨李师道。裴度曰："魏博军既渡河，不可复退，立须进击[599]，方有成功。既至滑州，即仰给度支[600]，徒有供饷之劳，更生观望[601]之势。又或与李光颜互

皇甫镈推荐了方士柳泌，说他能够调制长生药。十月二十四日甲戌，宪宗下诏命令柳泌住在兴唐观炼制长生药。

十一月初一日辛巳，盐州奏报吐蕃入侵河曲和夏州。灵武节度使奏报攻破吐蕃的长乐州，攻下了长乐州的外城。

柳泌对宪宗说："天台山是神仙聚集的地方，灵草很多。臣下虽然知道这一情况，却没有能力弄来灵草。真的要是成了那里的长官，差不多可以求到灵草。"宪宗相信柳泌说的话。十一月初七日丁亥，宪宗任命柳泌暂时代理台州刺史，还赐予金紫官服。谏官们争相上奏劝阻，认为："君王喜欢方术之士，但没有让他们临民施政的。"宪宗说："烦劳一个州的人力物力，而能让君王达到长生不老，做臣子的也还有什么值得爱惜的呢!"从此以后，朝廷群臣没有人敢说这件事。

十一月十四日甲午，盐州奏报吐蕃军队逃走了。

虐。574 因：通过。575 山人：方士。576 甲戌：十月二十四日。577 兴唐观：原本司农园地，在长乐坊，开元十八年（公元七三〇年）造。578 辛巳朔：十一月初一日。579 河曲：地区名，在灵州以西。约今宁夏永宁黄河以西。580 长乐州：州名，吐蕃所占，约在今宁夏灵武黄河西。581 天台山：山名，在今浙江临海。582 灵草：仙草。583 长吏：长官。584 丁亥：十一月初七日。585 台州：州名，治所在今浙江临海。586 服金紫：指穿紫色衣、佩金带，为三品以上服饰。587 临民：担任地方州郡官吏。588 赋政：施政。赋，布也。589 致长生：达到长生不老。590 何爱：有什么值得爱惜的。591 甲午：十一月十四日。

【语译】

十一月二十二日壬寅，宪宗任命河阳节度使乌重胤为横海节度使。二十七日丁未，任命华州刺史令狐楚为河阳节度使。乌重胤率领河阳精兵三千人去横海军就职，河阳的士兵们不乐意离开故乡，半路溃散后返了回来，他们又不敢进入城内，就驻扎在城外的北边，准备大肆抢掠。正好令狐楚到了河阳城，他单枪匹马去到城外，慰问安抚溃散回来的士兵，与他们回到城内。

在此之前，田弘正请求从黎阳渡过黄河，会合义成节度使李光颜讨伐李师道。裴度说："魏博军渡过黄河以后，不能再退回去，必须立即进攻李师道，才能有所成功。他们到了义成军的治所滑州后，马上就要依靠度支供应军需物资，这样，朝廷空有供应军饷的烦劳，反而使魏博产生观望的态势。田弘正或许又与李光颜相互怀

相疑阻[602]，益致迁延。与其渡河而不进，不若养威[603]于河北。宜且使之秣马厉兵[604]，俟霜降水落，自杨刘[605]渡河，直指郓州，得至阳谷[606]置营，则兵势自盛，贼众摇心矣。”上从之。是月，弘正将全师[607]自杨刘渡河，距郓州[608]四十里筑垒[609]，贼中大震[610]。

功德使[611]上言：“凤翔[612]法门寺[613]塔有佛指骨，相传三十年一开[614]，开则岁丰人安。来年应开，请迎之。”十二月庚戌朔[615]，上遣中使[616]帅僧众迎之。

戊辰[617]，以春州司户董重质为试太子詹事，委武宁军驱使[618]，李愬请之也。

戊寅[619]，魏博、义成军送所获李师道都知兵马使夏侯澄等四十七人，上皆释弗诛，各付所获行营驱使，曰：“若有父母欲归者，优给遣之。朕所诛者，师道而已。”于是贼中闻之，降者相继[620]。

初，李文会与兄元规皆在李师古幕下[621]。师古薨，师道立，元规辞去，文会属[622]师道亲党请留。元规将行，谓文会曰：“我去，身退而安全；汝留，必骤贵[623]而受祸。”及[624]官军四临[625]，平卢[626]兵势日蹙，将士喧然[627]，皆曰：“高沐、郭昈、李存为司空[628]忠谋，李文会奸佞[629]，杀沐，囚昈、存，以致此祸。”师道不得已，出文会摄登州刺史，召昈、存还幕府。

上常语宰相：“人臣当力为善，何乃[630]好立朋党[631]！朕甚恶之。”裴度对曰：“方以类聚，物以群分[632]。君子、小人志趣同者，势必相合。君子为徒[633]，谓之同德；小人为徒，谓之朋党。外虽相似，内实悬殊，在圣主辨其所为邪正耳。”

武宁节度使李愬与平卢兵十一战，皆捷。己卯晦[11]，进攻金乡[634]，克之。李师道性懦怯，自官军致讨，闻小败及失城邑，辄忧悸成疾[635]，由是左右皆蔽匿[636]，不以实告。金乡，兖州之要地也，既失之，其刺史驿骑[637]告急，左右不为通[638]，师道至死竟不知也。

疑猜忌，更加拖延时间。与其让他渡过黄河而不进军，不如让他在黄河以北养精蓄锐。应该暂时让他厉兵秣马，等到霜降黄河水落，从杨刘镇渡河，直指郓州，能到阳谷县境设置营垒，那么军势自然强盛，敌人就会军心动摇了。”宪宗采纳了裴度的意见。这个月，田弘正率领全部军队从杨刘镇渡过黄河，距离郓州四十里修建营垒，敌人大受震惊。

功德使向宪宗进言：“凤翔的法门寺塔中有佛祖的手指骨，相传每隔三十年开塔一次，开塔就会庄稼丰收，百姓平安。明年应该开塔，请迎接佛祖的手指骨。”十二月初一日庚戌，宪宗派遣中使率领僧众迎接佛祖手指骨。

十二月十九日戊辰，宪宗任命春州司户董重质为试太子詹事一职，让董重质去为武宁军效劳，这是李愬请求的。

十二月二十九日戊寅，魏博和义成军向朝廷送来抓获的李师道的都知兵马使夏侯澄等四十七人，宪宗都宽贷了他们，没有处死，各自交给抓获他们的行营去使用，说道：“他们中如果有父母在世想回家的，从优发给路费打发他们回家。我要诛杀的，师道一人而已。”这样一来，敌人听说了此事，投降的人前后相继。

当初，李文会与哥哥李元规都在李师古的节度使幕府内任职。李师古去世后，李师道继位，李元规辞职离去，李文会嘱托李师道的亲信请李元规留下来。李元规即将启程，对李文会说：“我离开这里，人一去就会获得安全；你留下来，一定会骤然显贵，但会遭受灾祸。”等到朝廷军队从四面到达郓州，平卢的军事形势日益窘困，将士们吵吵闹闹，都说：“高沐、郭昈、李存为李司空忠心耿耿地出谋划策，李文会奸诈邪佞，杀害了高沐，囚禁了郭昈和李存，才导致了这场灾祸。”李师道迫不得已，把李文会调出去代理登州刺史，召郭昈和李存返回幕府。

宪宗时常对宰相们说：“做人臣的应该竭力做好事，为什么喜欢建立朋党呢！朕非常讨厌这种事。”裴度回答说：“事情的法则是同一类别相聚一处，万物是按照群体而区分。君子和小人，志向和趣味相同的，势必互相结合在一起。君子成为同类，就称他们是同德的人；小人成为同类，就称他们是朋党中人。两者表面上虽然相似，但实质上有天壤之别，这就需要圣明的君主辨别他们是邪恶的，还是正派的而已。”

武宁节度使李愬与李师道的军队打了十一次仗，全都获胜。十二月最后一天三十日己卯，李愬进攻金乡县，把它攻了下来。李师道生性胆小怯懦，自从朝廷讨伐他以来，听到打了小败仗和失掉了城镇，每每忧愁惊恐，以致生病，因此他身边的人都隐瞒军情，不把实情告诉他。金乡县是兖州的要害之地，失掉它以后，兖州刺史的驿站骑兵向郓州告急，李师道身边的人不替他通报，李师道到死也不知道这一情况。

【段旨】

以上为第十二段，写诸镇讨李师道，节节逼近。写唐宪宗深忌朋党。

【注释】

[592]壬寅：十一月二十二日。[593]丁未：十一月二十七日。[594]去乡里：离开故乡。[595]中道：中途；半路。[596]适至：正好到来。[597]与俱归：与令狐楚一起回到河阳。[598]黎阳：县名，县治在今河南浚县东。[599]立须进击：必须立即进攻。[600]仰给度支：依靠国家供给。唐制，命藩镇兵征讨，未出境，刍粮自筹，已出境，刍粮皆仰给于度支。[601]观望：坐观成败，停留不进。[602]互相疑阻：互相怀疑猜忌。[603]养威：养精蓄锐。[604]秣马厉兵：喂壮军马，磨砺兵器。指积极准备战斗。[605]杨刘：镇名，在黄河岸边，属济州，在今山东东阿北。因黄河改道，旧迹已不可考。[606]阳谷：县名，县治在今山东阳谷东北。[607]将全师：率领魏博全军。[608]郓州：州名，治所在今山东东平西北。[609]筑垒：构筑堡垒。[610]大震：大为震恐。[611]功德使：官名，掌僧尼属籍及相关事务。[612]凤翔：府名，治所在今

【原文】

十四年（己亥，公元八一九年）

春，正月辛巳[639]，韩弘拔考城[640]，杀二千余人。

丙戌[641]，师道所署[642]沭阳[643]令梁洞以县降于楚州刺史李听。

吐蕃遣使者论短立藏等来修好，未返[644]，入寇河曲。上曰：“其国失信，其使何罪！”庚寅[645]，遣归国。

壬辰[646]，武宁节度使李愬拔鱼台[647]。

中使迎佛骨至京师，上留禁中[648]三日，乃历送诸寺[649]，王公士民瞻奉舍施[650]，惟恐弗及[651]，有竭产[652]充施者，有然香臂顶[653]供养者。

刑部侍郎韩愈上表切谏[654]，以为：“佛者，夷狄之一法[655]耳。自黄帝以至禹、汤、文、武，皆享寿考，百姓安乐。当是时，未有佛也。汉明帝时，始有佛法。其后乱亡相继，运祚不长[656]。宋、齐、梁、陈、元魏已下，事佛渐谨[657]，年代尤促[658]。惟梁武帝在位四十八年，前后三舍身为寺家奴[659]，竟为侯景所逼，饿死台城[660]，国亦寻灭[661]。事佛

陕西宝鸡市凤翔区。⑬法门寺：寺名，在今陕西扶风。法门寺有护骨真身塔，塔内放置释迦牟尼佛指骨一节。⑭开：开塔。⑮庚戌朔：十二月初一日。⑯中使：由皇帝从宫禁中派出的宦官使者。⑰戊辰：十二月十九日。⑱驱使：效力。⑲戊寅：十二月二十九日。⑳降者相继：投降的人不断。㉑幕下：节度使幕府内。㉒属：通"嘱"。㉓骤贵：骤然得到显贵。㉔及：等到。㉕四临：从四面包围。㉖平卢：指李师道。㉗喧然：纷纷喧闹的样子。㉘司空：指李师道。李师道加检校司空。㉙奸佞：奸猾邪佞。㉚何乃：为什么。㉛好立朋党：喜欢建立朋党。㉜方以类聚二句：语出《易·系辞上》。意谓事情的法则以类相聚，万物按群体而区分。㉝为徒：成为同类。㉞金乡：县名，县治在今山东金乡。㉟忧悸成疾：忧愁惊恐而生病。㊱蔽匿：隐瞒军情。㊲驿骑：驿站的骑卒。㊳不为通：不替他通报。

【校记】

［11］己卯晦："己"字原误作"乙"。据章钰校，甲十一行本、乙十一行本皆作"己"，张敦仁《通鉴刊本识误》同，今据改。十二月庚戌朔，晦日十二月三十日应为己卯。

【语译】

十四年（己亥，公元八一九年）

春，正月初二日辛巳，韩弘攻取了考城县，杀了二千多人。

正月初七日丙戌，李师道委任的沭阳县令梁洞献出县城向楚州刺史李听投降。

吐蕃派遣使者论短立藏等人前来请求建立和好关系，他们还没有回去，吐蕃就入侵河曲。宪宗说："这是他们的国家失去信用，使者有什么罪过！"正月十一日庚寅，打发他们回国。

正月十三日壬辰，武宁节度使李愬攻取了鱼台县。

中使将佛祖手指骨迎回京城，宪宗把佛手指骨留在宫禁三天，才遍送各寺，王公大臣和士绅百姓瞻仰供奉佛指骨，进行施舍，唯恐没有得到机会，有的人把财产全部施舍给了佛寺，有的人在手臂和头顶上燃香供佛。

刑部侍郎韩愈上表极力劝谏，认为："佛教是异族人的道术之一而已。从黄帝到夏禹、商汤、周文王、周武王，都享有高寿，百姓们安居乐业。在那时，还没有佛教。汉明帝时，才开始有佛教。其后战乱不断，王朝相继衰亡，国运不长。南朝宋、齐、梁、陈和北魏以来，君王信奉佛教渐渐恭谨，在位年数尤为短促。只有梁武帝在位四十八年，先后三次将自身施舍给寺庙做奴仆，竟被侯景逼迫，饿死台城，

求福，乃更得祸。由此观之，佛不足信亦可知矣！百姓愚冥[662]，易惑难晓[663]。苟见陛下如此，皆云：‘天子大圣[12]，犹一心敬信[664]；百姓微贱，于佛岂可更惜身命[665]？’佛本夷狄之人[666]，口不言先王之法言，身不服先王之法服，不知君臣之义[667]，父子之恩。假如其身尚在[668]，奉国命来朝京师[669]，陛下容而接之，不过宣政[670]一见，礼宾一设[671]，赐衣一袭[672]，卫而出之于境[673]，不令惑众[674]也。况其身死已久，枯朽之骨，岂宜以入宫禁。古之诸侯行吊于国[675]，尚令巫祝[13]先以桃茢祓除不祥[676]。今无故取朽秽之物亲视之[677]，巫祝不先，桃茢不用，群臣不言其非，御史不举其罪，臣实耻之。乞以此骨付有司[678]，投诸水火[679]，永绝根本，断天下之疑，绝后代之惑，使天下之人知大圣人之所作为，出于寻常万万[680]也，岂不盛哉！佛如有灵，能作祸福，凡有殃咎[681]，宜加臣身[682]。”

上得表，大怒，出示宰相，将加愈极刑[683]。裴度、崔群为言：“愈虽狂，发于忠恳[684]，宜宽容以开言路。”癸巳[685]，贬愈为潮州[686]刺史。

自战国之世，老、庄[687]与儒者争衡[688]，更相是非。至汉末，益之以佛[689]，然好者尚寡[690]。晋、宋以来，日益繁炽[691]，自帝王至于士民，莫不尊信。下者畏慕罪福[692]，高者论难空有[693]。独愈恶其蠹财惑众[694]，力排之[695]，其言多矫激太过[696]。惟《送文畅师序》最得其要，曰：“夫鸟俯而啄[697]，仰而四顾[698]，兽深居而简出，惧物之为己害也[699]，犹且不免焉[700]。弱之肉，强之食。今吾与文畅安居而暇食[701]，优游以生死，与禽兽异者，宁可不知其所自[702]邪！”

丙申[703]，田弘正奏败淄青兵于东阿[704]，杀万余人。

沧州刺史李宗奭与横海节度使郑权不叶[705]，不受其节制，权奏之。上遣中使追之[706]。宗奭使其军中留己，表称惧乱未敢离州。诏以乌重胤代权，将吏惧[707]，逐宗奭。宗奭奔京师，辛丑[708]，斩于独柳之下。

丙午[709]，田弘正奏败平卢兵于阳谷。

国家不久也灭亡了。梁武帝信奉佛教是为了求福，反而得到了祸患。由此看来，佛教不值得信奉也就可知了！百姓愚昧无知，容易被迷惑而难以觉悟。他们如果看到陛下这样信佛，都会说：‘天子是大圣人，还一心一意敬奉信仰佛教；百姓地位卑贱，对待佛祖怎么能更爱惜身家性命呢？’佛祖本来是异族人，口里不说先王的真言，身上不穿先王的礼服，不知道为君为臣的道理和父子之间的恩德。假如佛祖还在世的话，奉他们国王之命来京城朝见，陛下宽容而接见，不过是在宣政殿见他一面，在礼宾院设宴招待一次，赏赐给一套衣服，派人护送出国境，这是为了不让佛祖迷惑群众。况且佛祖已经死了很久，枯朽的骨头，怎么适宜进入宫禁呢。古时候，诸侯前往别国吊丧，都要先让巫祝们用桃木和笤帚扫除不祥之气。现在陛下无缘无故地拿朽烂污秽之物亲自察看，不让巫祝们先用桃木、笤帚除邪，群臣不说这样做是不对的，御史们不察举其中的罪过，臣下实在是以此为耻。请求陛下把这根骨头交给有关部门，投之于水火，永远断绝了根源，了结天下人的疑虑，杜绝后世人们的迷惑，让天下的人都知道伟大的先圣先贤们的所作所为，高出一般人万万倍，这难道不是盛大的事情吗！佛祖如果有灵，能够左右福祸，所有的灾祸，应该加在臣身上。”

宪宗拿到韩愈的表章，大为恼怒，出示给宰相们，准备对韩愈处以极刑。裴度和崔群为韩愈求情说：“韩愈虽然狂妄，但出自忠诚，应该宽容对待，以便广开言路。”正月十四日癸巳，宪宗把韩愈贬为潮州刺史。

自从战国时期以来，老子和庄子的学说与儒家学说争论抗衡，互相之间认为自己对，对方错。到东汉末年，又增加了佛教，但当时喜欢的人还比较少。晋、宋以来，佛教日益兴盛，从帝王到官吏百姓，没有不尊崇信奉的。下层的人害怕获罪和企求得福，高层的人就讨论空无和实有的问题。只有韩愈一人憎恨佛教消损财物，惑乱百姓，竭力排斥，韩愈的矫正之言很多太激烈、太过分。只有《送文畅师序》一文最能抓住关键，说：“那鸟儿低头啄食，抬头四面张望，野兽深居简出，这是害怕其他东西伤害自己，这样还难以避免灾祸。弱者的肉，是强者的食物。现在我与文畅安宁地居住，悠闲地进食，自由自在地生或死，和飞禽走兽不同，难道能不知道这种生活是怎么来的吗！”

正月十七日丙申，田弘正奏报在东阿县打败了李师道的军队，杀了一万多人。

沧州刺史李宗奭与横海节度使郑权不和谐，不接受郑权的指挥，郑权把这事上奏了朝廷。宪宗派中使召回李宗奭。李宗奭让他的军中将士挽留自己，他上表称害怕军中变乱，不敢离开沧州。宪宗诏令乌重胤替代郑权，沧州将吏害怕了，驱逐了李宗奭。李宗奭奔往京城，二十二日辛丑，在独柳之下被处死。

正月二十七日丙午，田弘正奏报在阳谷县打败了平卢李师道的军队。

【段旨】

以上为第十三段，写韩愈上表谏阻唐宪宗迎佛骨，被贬潮州。

【注释】

㊴ 辛巳：正月初二日。㊵ 考城：县名，县治在今河南民权东北。㊶ 丙戌：正月初七日。㊷ 署：任命。㊸ 沭阳：县名，县治在今江苏沭阳。㊹ 未返：尚未回国。㊺ 庚寅：正月十一日。㊻ 壬辰：正月十三日。㊼ 鱼台：县名，县治在今山东鱼台西。㊽ 禁中：宫中。㊾ 历送诸寺：遍送到各寺院传观。㊿ 瞻奉舍施：瞻仰、奉祀、布施钱财。651 惟恐弗及：只怕得不到机会。652 竭产：倾尽财产。653 然香臂顶：在手臂上、头顶上点燃香烛，以示志诚。然，通“燃”。654 切谏：极力谏诤。655 夷狄之一法：外国的一种术法。656 运祚不长：国运不长。657 事佛渐谨：信奉佛教渐渐恭谨起来。658 促：短促。指宋、齐、梁、陈享国短促。659 三舍身为寺家奴：指梁武帝萧衍三次舍身同泰寺。660 台城：南朝京师金陵宫城。661 寻灭：不久就灭亡。662 愚冥：愚暗。663 易惑难晓：容易被佛所迷惑而难以觉悟。664 敬信：敬奉信仰。665 身命：身家性命。666 佛本夷狄之人：释迦牟尼本是异族人。667 君臣之义：为君和为臣的道理。668 其身尚在：佛还在世。669 奉国命来朝京师：奉国家命令来唐朝京都朝见。670 宣政：宣政殿。唐时外国入贡使者，均在宣政殿引见。671 礼宾一设：在礼宾院设一宴款待。672 一袭：一套。673 卫而出之于境：护卫着送他走出国境。674 惑众：迷惑群众。675 行吊于国：前往别国吊丧。676 尚令巫祝先以桃茢祓除不祥：尚且让巫祝先用桃剑与笤帚去驱逐不吉祥的鬼魂。桃，桃枝，削以为剑，可以驱鬼。茢，笤帚，用以扫不祥之气。祓，祈祷。677 亲视之：指皇帝亲自观视佛骨。678 有司：有关部门。679 投诸水火：掷到水里、火里去。680 出于寻常万万：高出于平常之人万万倍。681 殃咎：灾祸。682 宜加臣身：应该加在我的身上。683 将加愈极刑：将给韩愈以最严厉的杀头处分。684 发于忠恳：从忠诚恳切出发。685 癸巳：正月十四日。686 潮州：州名，治所在今广东潮州。687 老、庄：指由老子、庄子倡导的道家学派。688 争衡：争论抗衡。689 益之以佛：增加了佛教。690 好者尚寡：喜欢佛教的还比较少。691 繁炽：兴旺。692 畏慕罪福：畏有罪，慕得福。693 论难空有：佛教谈空而难有，儒教谈有而责空，互相争辩。694 蠹财惑众：损害财物，惑乱群众。695 力排之：竭力排斥佛教。696 矫激太过：矫正之言激切而说过了头。697 俯而啄：低着头啄食。698 仰而四顾：仰起头四面张望。699 惧物之为己害也：害怕其他事物危害自己。700 犹且不免焉：如此小心，还免不了要被害。701 暇食：闲暇地进食。702 所自：其原因何在。703 丙申：正月十七日。704 东阿：县名，在今山东东阿。705 不叶：不和协。706 追之：召回李宗奭。707 将吏惧：沧州将士惧怕陷于不义被治罪。708 辛丑：正月二十二日。709 丙午：正月二十七日。

【校记】

［12］大圣：此二字原无。据章钰校，甲十一行本、乙十一行本皆有此二字，张瑛《通鉴校勘记》同，今据补。［13］令巫祝：此三字原无。据章钰校，甲十一行本、乙十一行本皆有此三字，张瑛《通鉴校勘记》同，今据补。

【研析】

本卷研析三事：裴度督师讨淮西，李愬雪夜取蔡州，韩愈谏阻宪宗迎佛骨。

第一，裴度督师讨淮西。吴元济割据淮西，地处南北漕运交通线之侧，正当唐王朝的心脏地区，威胁朝廷的生命线，征讨吴元济，势在必行。淮西处在中原朝廷控制的各镇包围之中，朝廷取胜应在情理之中。宪宗意志坚决，起用主战的裴度为相，主持征讨大局。裴度，字中立，河东闻喜县（今山西闻喜东北）人。贞元进士，由监察御史升为御史中丞。裴度力主削除藩镇，宪宗任为宰相。淮西只有申、光、蔡三小州，朝廷动员了数倍于敌的十余万大军，征讨四年，不见成功。官军众不敌寡，有多种原因。其一，诸镇出兵，总量多于敌，而各镇分散，每一路官军则少于敌，故常败北。其二，神策军与各镇官兵待遇悬殊，影响士气。其三，诸镇互相观望，莫肯先进。宣武镇韩弘，兵力最强，又为行营都统，但韩弘不愿速胜，存敌以为己功，作战不肯卖力。其四，淄青、成德两镇为淮西声援。李师道用游击战骚扰东都，派刺客杀害宰相武元衡，刺伤了裴度，企图挫伤朝廷的作战决心。其五，宪宗违众，征讨成德，两线用兵，分散了力量。其六，朝廷遥控，监军掣肘，将帅离心，这是官军怠惰的根本原因。征讨淮西，四年不决，双方疲困。吴元济请降，宰相三人，李逢吉、王涯力主罢兵，趁势下坡，裴度坚决主战，自请督师。裴度对宪宗说：臣与贼势不两立。从吴元济奏章看，贼已势困，只是各镇官军主帅心不齐，吴元济得以苟安。臣自请督师，集中力量进攻，定能取胜。如果臣消灭了吴元济，那就回来见陛下，吴元济不灭，臣就不会回朝。裴度被刺，头部受重伤，不但没有被叛臣的刺刀吓倒，而且更坚定了灭贼的决心。裴度自请督师，誓死效忠。宪宗这次做出了英明的决策，征讨计划，一一听从裴度之请，撤了前线各镇官兵监军，齐心一力，一战功成。其中李愬直捣叛贼巢穴，擒获吴元济，立下大功。吴元济被灭，结束了淮西自李希烈以来四十余年的割据，河北藩镇大惧，多表示效顺朝廷。唐朝藩镇割据的局面，受到抑制，暂告结束。唐宪宗一朝的中兴气象达于鼎盛，裴度也以名臣垂名汗青。晚年因宦官专权，裴度辞官退居东都。

第二，李愬雪夜取蔡州。李愬，字元直，唐洮州临潭县（今属甘肃）人，中唐名将李晟之子，在朝做太子詹事，一个闲差小京官。李愬有筹略，胸怀壮志，他在等待时机，为国展力。宪宗元和八年（公元八一三年），官军分东、西、南、北四道征讨淮西吴元济。征战四年，官军南、北两路略有收获，东、西两路都吃败仗。西路军为主力，由山南东道节度使严绶统领。严绶连吃败仗，元和十年，西路军改由唐随邓节度使高霞寓指挥，也被吴元济打败。元和十一年，袁滋接替高霞寓，袁滋更是一个窝囊废，他不敢打仗，讨好吴元济。这年冬天，李愬请缨，宰相李逢吉推荐，宪宗委任李愬为唐邓随节度使。唐西路军两年内四易其帅，加之李愬素无名望，受到吴元济的轻视。这时官军加强了北路进攻。元和十二年，宰相裴度继李愬之后，也是主动请缨到淮西督师，坐镇北路。主战场转移到了北面，西路唐军成为牵制淮西军的侧翼。

李愬到镇，他利用吴元济轻视自己，不用重兵防备的时机，进一步示弱麻痹敌人。李愬故意对迎接的人说：皇上知道我能忍让，派我来慰问你们，打仗，我是外行，皇上也没有给我这个任务。当时西路官军连吃败仗，士气低落，闻敌色变，害怕打仗，李愬的一席话，给官军吃了定心丸，大家安下心来。李愬亲自慰问将士，抚恤伤病，受到大家的拥戴。

军心安定以后，李愬利用淮西后防空虚的机会，大胆策划深入巢穴、奇计破敌的战略方针。达此目的，要有两个条件：一是先打小仗，战则必胜，提高士气。二是"以敌制敌"，擒获敌人勇将反为我用。淮西军队中有两员勇将，一个低级军官丁士良，一个中级军官李祐，两人作战勇敢，生性残暴，抓了官军就加以杀害。官军恨之入骨，又十分害怕。李愬用计擒获了两人，特地奏本宪宗赦免李祐。两人感恩，决定改邪归正，反戈一击报效国家。丁士良，原本不是淮西人，十年前是安州的官兵，与淮西作战被擒，吴少阳没有杀他，他于是为吴氏父子卖命。如今被李愬擒获，回到了官军，李愬给他重新做人的机会，打仗更是勇气倍增。

李愬接连攻占了几座淮西前哨敌栅，官军士气高涨，不害怕打仗，还争先杀敌，立功受赏。李愬俘获了几千名淮西兵，他们长年打仗，有很强的战斗力。李愬安抚他们，从中挑选三千名精兵，进行强化训练，称为"突将"。做好这一切准备，奇袭蔡州的条件成熟。李祐了解蔡州部署，在李祐引导下，李愬选择了一个大风雪的夜晚强行军到蔡州城下，官军已无后退之路，必须死战取胜求活。这就是西汉名将韩信破赵置背水阵的策略，兵法上叫"置之死地而后生"。李愬，名将之后，不仅熟读兵法，而且家风熏染，有谋略，有勇气，在实战中学习，先积小胜为大胜，打仗一次次升级，创造条件，然后奇袭。李愬不像赵括那样纸上谈兵，"以敌制敌"，活用兵法，知彼知己，所以一战功成。可以说李愬请缨，是"受任于败军之际，奉命于危难之间"，不负宪宗皇帝重托，奇袭蔡州，生擒吴元济，结束了淮西数十年的割据，在中国军事史上创造了雪夜奔袭、深入虎穴、出奇制胜的光辉战例。

淮西乱平，宪宗进授李愬山南东道节度使，封凉国公。

第三，韩愈谏阻宪宗迎佛骨。韩愈，字退之，唐代文学家、哲学家，河南河阳县（今河南孟州南）人。自称郡望昌黎，世称韩昌黎。贞元进士，任监察御史，宪宗朝官至刑部侍郎。卒谥文，世称韩文公。政治上，韩愈反对藩镇割据，思想上尊儒排佛，文学上主张散文，反对六朝以来的骈体文风。韩愈提倡古文运动，以先秦两汉散文为基础，创新发展，为文气势雄健，被尊为唐宋八大家之首，有《昌黎先生集》行于世。

唐宪宗取得淮西军事胜利之后，河北诸镇纷纷效顺，逐渐产生了骄侈心，修道求长生不死。元和十五年（公元八二〇年），宪宗服药中毒，被宦官杀死，享年四十三岁。一代本应大有作为之君，由于愚昧荒诞，英年被家奴所弑，黯然谢幕，出人意料，令人深思。

用兵淮西胜利以前，唐宪宗尚能纳谏，依靠朝官和忠臣良将取得消灭藩镇割据的胜利，由于长期战争，国穷民困，胜利后的要务是改善政治，舒缓民困，休养生息，巩固统一。唐宪宗却不是这样，自以为立了大功，开始对朝官猜疑，回到宠信家奴的老路上，把一切权力都交给宦官，在宦官导引下享乐，再也不听劝谏，由一个明君转化为一个昏君，中唐政治急转直下，唐宪宗死后，唐王室步入了晚唐。

功德使上奏宪宗，说：法门寺塔中的佛指骨，每隔三十年打开一次，迎来京师供人观览供奉，可保年丰人安。元和十三年（公元八一八年）十二月初一日，唐宪宗派宦官带领一批僧人到凤翔的法门寺迎接佛祖的手指骨。元和十四年正月十三日，佛指骨迎回京城，在皇宫中摆放了三天，然后送到各寺庙巡回展放。王公大臣、士绅百姓瞻仰膜拜，唯恐落后。有的人把全部家产施舍给佛寺，有的人在手臂和头顶上燃香供佛，把京城闹得乌烟瘴气。宪宗以此为升平景气，替自己求福。

时任刑部侍郎的韩愈，拍案而起，奋笔疾书，上奏宪宗，极力陈词佞佛祸国殃民，南朝宋、齐、梁、陈，以及北魏佞佛而国运短祚，禹、汤、文、武那时没有佛教，国君高寿，国运昌盛。百姓佞佛，是愚昧无知；如果天子也一心敬佛，上行下效，整个社会就更加愚昧荒唐。韩愈请求宪宗把佛指骨交给有关部门销毁，或投入水中，或用火化，永除祸患。佛祖果真有灵，降下灾难，臣韩愈一人承担。宪宗览奏，大为恼怒，他把奏章给宰臣们传观，要处韩愈极刑。裴度和崔群两位宰相极力劝解，说韩愈狂悖，一片忠心用错了地方，皇上宜宽容，以广开言路。此时的宪宗已听不进劝谏了，碍于立大功者裴度的情面，韩愈才保住了性命，被贬为潮州刺史。

卷第二百四十一　唐纪五十七

起屠维大渊献（己亥，公元八一九年）二月，尽重光赤奋若（辛丑，公元八二一年）六月，凡二年有奇。

【题解】

本卷记事起公元八一九年二月，迄公元八二一年六月，凡两年又四个月，当唐宪宗元和十四年二月至唐穆宗长庆元年六月。两年多的时间是短暂的，而唐代政治却发生了重大转折。表现在两个方面：第一，唐宪宗之死和敬宗之立，不是正常的两代皇帝交接，而是突发事件，由宦官陈弘志等杀唐宪宗，朝官不敢追问，梁守谦、王守澄等立穆宗，杀澧王李浑，朝官亦无反应。皇帝废立完全操于宦官之手，从此唐政权旁落宦官，皇帝成了傀儡。第二，伴随宪宗之死，中唐初露中兴的曙光戛然而止，此后藩镇割据，农民起义，边患不断，战乱不止，直到唐朝之灭，社会没有一天安宁。用一句话概括，唐代政治由中唐步入了晚唐。唐

【原文】

宪宗昭文章武大圣至神孝皇帝下

元和十四年（己亥，公元八一九年）

二月，李听[①]袭海州[②]，克东海[③]、朐山[④]、怀仁[⑤]等县。

李愬[⑥]败平卢兵[⑦]于沂州[⑧]，拔丞县[⑨]。

李师道[⑩]闻官军侵逼，发民治郓州[⑪]城堑，修守备，役及妇人，民益惧且怨。

都知兵马使[⑫]刘悟[⑬]，正臣之孙也，师道使之将兵万余人屯阳谷[⑭]以拒官军。悟务为宽惠，使士卒人人自便，军中号曰刘父。及田弘正[⑮]渡河，悟军无备，战又数败。或谓师道曰："刘悟不修[⑯]军法，专收众心，恐有他志[⑰]，宜早图之。"师道召悟计事，欲杀之。或谏曰："今官军四合，悟无逆状，用一人言杀之，诸将谁肯为用！是自脱其爪

宪宗元和十四年（公元八一九年），官军杀李师道，朝廷收复淄、青十二州，接着横海镇节度使程权自请离镇做朝官，幽州镇节度使刘总上表归顺，成德镇王承宗上表求自新，中唐时期的藩镇割据基本被消灭，唐朝实现了全国统一，唐宪宗的事业达于巅峰，进尊号，赦天下，庆成功，唐朝政治呈现中兴气象。唐宪宗毕竟不是一个大有为之君，他宠信宦官而猜疑朝官。他依靠朝官，依靠贤相裴度取得了削藩的胜利，不采纳李翱上奏修德政，而是反其道，不信朝官信家奴，排斥裴度，权移宦官，又求长生服仙丹中毒，性情乖张，被宦官毒杀。继立者穆宗是一个昏君，嬉戏玩乐无度，政权完全被宦官把持，唐朝的衰落无可救药。

【语译】

宪宗昭文章武大圣至神孝皇帝下

元和十四年（己亥，公元八一九年）

二月，李听袭击海州，攻占了东海、朐山、怀仁等县。

李愬在沂州打败平卢兵，攻克丞县。

李师道听说官军渐渐逼近，调发民众修治郓州城池，妇人也要服役，民众更加惧怕而又怨恨。

都知兵马使刘悟，是刘正臣的孙子，李师道命他带领兵士万余人驻扎在阳谷以抵抗官军。刘悟尽量采取宽惠的措施，使士卒都比较自由，军中称他为刘父。等到田弘正军渡过黄河，刘悟的军队尚未做防备，交战又多次失败。有人对李师道说："刘悟不整顿军队的法纪，专门收买人心，恐怕有其他意图，应当及早处置他。"李师道召刘悟来讨论军事，想杀掉他。有人劝阻李师道说："今官军四面包围过来，刘悟没有叛逆情况，听信一个人的话就把他杀死，各将领谁肯为你卖力！这是你自己

牙⑱也。”师道留悟旬日⑲，复遣之，厚赠金帛以安其意。悟知之，还营，阴为之备。师道以悟将兵在外，署⑳悟子从谏㉑门下别奏㉒。从谏与师道诸奴㉓日游戏，颇得其阴谋，密疏㉔以白父。

又有谓师道者曰：“刘悟终为患，不如早除之。”丙辰㉕，师道潜㉖遣二使赍帖㉗授行营兵马副使张暹，令斩悟首献之，勒㉘暹权领㉙行营。时悟方据高丘张幕㉚置酒，去营二三里。二使至营，密以帖授暹。暹素与悟善，阳㉛与使者谋曰：“悟自使府㉜还，颇为备，不可匆匆，暹请先往白之㉝，云‘司空㉞遣使存问㉟将士，兼有赐物，请都头㊱速归，同受传语㊲’。如此，则彼不疑，乃可图也。”使者然之。暹怀帖走诣悟，屏人㊳示之。悟潜遣人先执二使，杀之。

时已向暮㊴，悟按辔徐行㊵还营，坐帐下，严兵㊶自卫。召诸将，厉色谓之曰：“悟与公等不顾死亡以抗官军，诚无负于司空。今司空信谗言，来取悟首。悟死，诸公其次矣！且天子所欲诛者独司空一人，今军势日蹙㊷，吾曹㊸何为随之族灭㊹！欲与诸公卷旗束甲㊺，还入郓州，奉行天子之命㊻，岂徒㊼免危亡，富贵可图也，诸公以为何如？”兵马使赵垂棘立于众首，良久，对曰：“如此[1]事果济㊽否？”悟应声骂曰：“汝与司空合谋邪！”立㊾斩之。遍问其次，有迟疑未言者，悉斩之，并斩军中素㊿为众所恶者，凡三十余，尸(51)于帐前。余皆股栗(52)，曰：“惟都头命，愿尽死！”

乃令士卒曰：“入郓，人赏钱百缗(53)，惟不得近军帑(54)。其使宅(55)及逆党家财，任自掠取，有仇者报之。”使士卒[2]皆饱食执兵，夜半听鼓(56)三声绝即行。人衔枚，马缚口，遇行人，执留之(57)，人无知者。距城数里，天未明，悟驻军，使听城上柝(58)声绝，使十人前行，宣言“刘都头奉帖追入城”。门者请俟写简(59)白使，十人拔刃拟(60)之，皆窜匿(61)。悟引大军继至，城中噪哗动地。比(62)至，子城(63)已洞开，惟牙城(64)拒守，寻(65)纵火斧其门(66)而入。牙(67)中兵不过数百，始犹有发弓矢者，俄(68)知力不支(69)，皆投于地(70)。

悟勒兵升听事(71)，使捕索师道。师道与二子伏厕床(72)下，索得之。

抛弃了得力助手。”李师道留刘悟住了十天，又打发他回营去，赠给他很多金帛财物以使他安心。刘悟知道李师道的图谋，回到军营，暗地里做了防备。李师道因刘悟将兵在外，暂任刘悟的儿子刘从谏为门下别奏。刘从谏和李师道手下的奴仆们时常在一起玩耍，得知李师道的阴谋，秘密地记录下来告诉了父亲。

又有人对李师道说：“刘悟始终是祸患，不如趁早杀了他。”二月初八日丙辰，李师道暗地派遣两名使者携带书信送给行营兵马副使张暹，命令他砍下刘悟首级献上，勒令张暹暂时兼任行营长官。当时刘悟正在离营地两三里的高丘上设置帐幕，举行酒宴。两名使者到军营，秘密地将文帖交给张暹。张暹素来和刘悟很要好，假意与使者商量说：“刘悟从节度使府回来后，多有防备，不可急忙行事，请让我先去报告他，说‘司空派人来慰问将士，并有赏赐物品，请都头马上回去，一同听取传达上司的话’。这样，刘悟就不会怀疑，才可以谋取。”使者同意这样做。张暹怀揣书信跑到刘悟那里，避开旁人把书信给刘悟看。刘悟暗地派人先把两名使者抓起来，杀掉了。

当时已近黄昏，刘悟控辔慢行回到军营，坐在帐下，设置森严的警卫。刘悟召集诸将，严厉地对他们说：“刘悟与你们不顾死亡抵抗官军，实在没有对不起司空的地方。现在司空听信谗言，来取我的头。我死了，其次就是你们了！再说天子所要诛杀的只有司空一人，现在军事形势一天天危急，我们为什么要跟随他灭族！我想与你们放下武器，回到郓州，奉行天子的命令，岂止是避免危亡，还能够得到富贵，你们认为怎么样?”兵马使赵垂棘站在众人前头，过了很久，回答说：“这样做事情果能成功吗?”刘悟应声骂道：“你与司空合谋是不是!”立即杀了赵垂棘。遍问其余的人，一些迟疑没有表态的，都被杀，并杀了那些在军队中平时为众人讨厌的人，一共三十多个，尸体被摆在军帐前。其余的人吓得两腿发抖，说：“只要是都头的命令，愿尽死力!”

刘悟于是命令士卒说：“进入郓城，每人赏钱一百串，只是不得接近军资府库。节度使的住宅和叛逆者的家财，随各人掠取，有仇人的可以报仇。”让士兵吃饱饭带上武器，半夜听到击鼓三声就出发。士兵口衔着小木棍，战马缚着嘴，遇上过路的人，就扣留起来，外人没有知道部队行动的。离郓州城数里，天尚未明，刘悟停止了进军，派人打听到城上巡夜的梆声停了，就派十人打前站，宣称“刘都头奉文帖赶入城”。守门的人要求等候书简报告节度使，十人抽出刀比画着做出要杀人的样子，守门人都逃走躲藏了起来。刘悟带领大军接着到来，城里鼓噪喧哗之声震动天地。大军到达时，子城已大开，只有牙城有人防守抵抗，不久便放火劈开城门攻进城去。牙城中士兵不过数百人，开始还有射箭的，一会儿知道力量不能支持，都放下了武器。

刘悟带兵登上厅堂，派人搜捕李师道。李师道和他的两个儿子躲在厕所，搜索

悟命置牙门外隙地㊸，使人谓曰："悟奉密诏送司空归阙㊹，然司空亦何颜复见天子！"师道犹有幸生㊺之意，其子弘方仰曰："事已至此，速死为幸！"寻皆斩之。自卯至午㊻，悟乃命两都虞候㊼巡坊市㊽，禁掠者，即时皆定。大集兵民于球㊾场，亲乘马巡绕慰安之。斩赞㊿师道逆谋者二十余家，文武将吏且惧且喜，皆入贺[3]。悟见李公度(81)，执手歔欷(82)。出贾直言(83)于狱，置之幕府。

【段旨】

以上为第一段，写官军压境，平卢都知兵马使刘悟火并李师道，割据六十年的平卢被平定。

【注释】

①李听（公元七七九至八三九年）：字正思，洮州临潭（今甘肃临潭）人，名将李晟之子，官拜太子少保。传见《旧唐书》卷一百三十三、《新唐书》卷一百五十四。②海州：州名，治所朐山，在今江苏连云港西南。③东海：县名，县治在今江苏连云港市东南。④朐山：县名，县治即今江苏连云港南。⑤怀仁：县名，属海州，县治在今江苏连云港赣榆区西北。⑥李愬（公元七七三至八二一年）：字元直，李听兄。平定淮西叛乱，生擒吴元济。官至昭义、魏博等节度使，封凉国公。传见《旧唐书》卷一百三十三、《新唐书》卷一百五十四。⑦平卢兵：指李师道军队。⑧沂州：州名，治所临沂，在今山东临沂。⑨丞县：县名，县治在今山东兰陵西南。⑩李师道（？至公元八一九年）：李纳之子，李师古之弟。李纳父李正己割据平卢淄青等十二州，历李纳、李师古、李师道三世四任节度使达六十余年，至师道而灭。李氏三代同传，见《旧唐书》卷一百二十四、《新唐书》卷二百十三。⑪郓州：州名，治所须昌，在今山东东平西北。⑫兵马使：官名，藩镇自置之统兵官。其权尤重者称都知兵马使。⑬刘悟：怀州武陟（今河南武陟）人，刘正臣之孙，刘全谅之子。官至义成节度使。传见《旧唐书》卷一百六十一、《新唐书》卷二百十四。刘正臣，玄宗时任平卢节度使。刘全谅，德宗时为宣武节度使。父子同传，见《旧唐书》卷一百四十五、《新唐书》卷一百五十二。⑭阳谷：县名，县治在今山东阳谷东北。⑮田弘正（公元七六四至八二一年）：字安道，平州卢龙（今河北卢龙）人，官至魏博节度使。曾参与平定吴元济、李师道等叛乱。传见《旧唐书》卷一百四十二、《新唐书》卷一百四十八。⑯修：整饬；整顿。⑰他志：其他意图；异心。⑱爪牙：爪和牙，是鸟兽攻击和防御的武器。引申指武将。⑲旬日：十日。⑳署：暂任。㉑从谏：

到了他们。刘悟命令把他们放在牙门外空地上，派人对李师道说："刘悟奉密诏送司空回朝廷，然而司空又有什么脸面见天子呢！"李师道还有侥幸活命的想法，他的儿子李弘方抬头说："事情已到了这一步，只希望快点死！"不久把他们都杀了。从早晨五时到午后一时，刘悟派了两个都虞候巡视街坊市场，禁止抢掠，随即城中秩序都稳定了。刘悟把兵民都集中在球场，亲自乘马巡绕，慰问安抚他们。把二十多家帮助李师道谋反的人都杀了，文武将吏既惧怕又高兴，都进来祝贺。刘悟会见李公度，握手抽噎。从狱中放出了贾直言，安置他在幕府任职。

刘从谏，刘悟之子。悟死，继任昭义节度使。文宗太和初，封沛国公。武宗立，兼太子太师。传见《旧唐书》卷一百六十一、《新唐书》卷二百十四。㉒门下别奏：官名，署于衙门之下，俟别奏补官，故名。㉓师道诸奴：李师道左右亲随仆从。㉔密疏：秘密地记录。㉕丙辰：二月初八日。㉖潜：暗中。㉗赍帖：携带书信。赍，携带。帖，主帅给部将下达的手谕。㉘勒：强迫；勒令。㉙权领：暂且统领。㉚张幕：设置帐幕。㉛阳：同"佯"，假装。㉜使府：此指李师道之府。㉝白之：报告刘悟。㉞司空：官名，三公之一。唐之三公，不置府，不署事，多为加官，只是荣衔。李师道于元和十一年（公元八一六年）拜检校司空，故称之。㉟存问：慰问。㊱都头：军中对直属统兵官之泛称，亦称都将。此指刘悟。㊲传语：使者传达李师道之言语。㊳屏人：使左右之人退避。㊴向暮：将近黄昏。㊵按辔徐行：勒紧马缰绳，缓缓行进。㊶严兵：加强警卫。㊷日蹙：日渐紧迫。㊸吾曹：我辈；我等。㊹族灭：灭族。古代酷刑之一。㊺卷旗束甲：卷起战旗，捆起铠甲。即放下武器，不再对抗。㊻奉行天子之命：谓执行天子命令诛李师道。㊼徒：仅；只。㊽济：成功。㊾立：立刻。㊿素：平时。(51)尸：摆列。(52)股栗：两腿发抖。(53)缗：量词，一千钱为一缗。(54)不得近军帑：士兵不得接近军资府库。帑，库金。(55)使宅：指节度使李师道住宅。(56)鼓：谓击鼓报更。鼓三声，即三更。(57)执留之：拘留行人，以防止走漏风声。(58)柝：巡夜报更所击之木梆。(59)简：书简。(60)拟：作击杀的样子。(61)窜匿：逃走藏伏。(62)比：及。(63)子城：内城。(64)牙城：内城中之城，即第三重城。直接护卫节度使衙门及住宅的城。(65)寻：旋即。(66)斧其门：以斧破其门。(67)牙：指牙城。(68)俄：霎时；顷刻间。(69)不支：不敌。(70)皆投于地：皆投兵于地，即放下武器。(71)听事：厅堂。听，同"厅"。(72)厕床：厕所。(73)隙地：空地。(74)阙：宫阙，指代朝廷。(75)幸生：侥幸生存。(76)自卯至午：从早晨五时至午后一时。(77)都虞候：官名，唐代为军中执法主官。(78)坊市：城中集贸街市。(79)球：古代的蹴鞠。(80)赞：助。(81)李公度：李师道幕僚，曾劝师道归顺朝廷。(82)歔欷：抽噎声。(83)贾直言（？至公元八三五年）：李师道幕僚，屡谏师道归顺朝廷，被囚。后为刘悟行军司马。传见《旧唐书》卷一百八十七下、《新唐书》卷一百九十。

【校记】

［1］如此：原无此二字。据章钰校，十二行本、乙十一行本、孔天胤本皆有此二字，张敦仁《通鉴刊本识误》同，今据补。［2］卒：原无此字。据章钰校，十二行本、乙十一行本皆有此字，今据补。［3］皆入贺：原无此三字。据章钰校，十二行本、乙十一行本、孔天胤本皆有此三字，张敦仁《通鉴刊本识误》同，今据补。

【原文】

悟之自阳谷还兵趋郓也，潜使人以其谋告田弘正曰[4]："事成[84]，当举烽相白，万一城中有备不能入，愿公引兵为助。功成之日，皆归于公，悟何敢有之。"且使弘正进据己营。弘正见烽，知得城，遣使往贺。悟函[85]师道父子三首，遣使送弘正营。弘正大喜，露布以闻[86]。淄、青等十二州[87]皆平。

弘正初得师道首，疑其非真，召夏侯澄[88]使识之。澄熟视其面，长号陨绝[89]者久之，乃抱其首，舐其目中尘垢，复恸哭[90]。弘正为之改容[91]，义而不责。

壬戌[92]，田弘正捷奏至。乙丑[93]，命户部侍郎[94]杨於陵[95]为淄青宣抚使[96]。己巳[97]，李师道首函至。自广德[98]以来，垂[99]六十年，藩镇跋扈[100]河南、北三十余州，自除[101]官吏，不供贡赋，至是尽遵朝廷约束。

上命杨於陵分李师道地。於陵按图籍[102]，视土地远迩，计士马众寡，校仓库虚实，分为三道[103]，使之适均[104]。以郓、曹、濮[105]为一道，淄、青、齐、登、莱[106]为一道，兖、海、沂、密[107]为一道。上从之。

刘悟以初讨李师道诏云："部将有能杀师道以众降者，师道官爵悉以与之。"意谓尽得十二州之地，遂补署文武将佐，更易州县长吏[108]，谓其下曰："军府之政，一切循旧。自今但与诸公抱子弄孙，夫复何忧！"

上欲移悟他镇，恐悟不受代，复须用兵，密诏田弘正察之。弘正日遣使者诣悟，托言修好[109]，实观其所为。悟多力，好手搏[110]，得郓

【语译】

刘悟在从阳谷回兵赶赴郓州时，暗地派人把自己的行动计划告诉田弘正说："事情成功了，就举烽烟告诉你，万一城中有备不能入城，希望你引兵相助。功成的时候，皆归功于你，刘悟哪敢占有。"并且要田弘正进据自己的营地。弘正见烽烟，知已得郓州城，派人前去祝贺。刘悟把李师道父子三人的头用盒子盛着，派人送至田弘正军营。弘正大喜，用露布的形式向朝廷报捷。淄、青等十二州都平定了。

田弘正刚收到李师道的头，怀疑它不是真的，叫来夏侯澄让他辨识。夏侯澄仔细看其脸面，放声痛哭以致倒地休克了很久，于是抱着那个头，舔去眼中尘垢，又痛哭起来。田弘正被其感动得动容，认为他很讲情义而不加责备。

二月十四日壬戌，田弘正报捷的奏疏送到。十七日乙丑，任命户部侍郎杨於陵为淄青宣抚使。二十一日己巳，装着李师道人头的盒子送到了。自从代宗广德年间以来，将近六十年，藩镇专横跋扈黄河南、北三十余州，他们自己任命官吏，不向朝廷缴纳赋税，到这时才完全遵从朝廷管束。

宪宗命令杨於陵分划李师道原来管辖的地盘。杨於陵按照地图，察看土地的远近，计算兵马的多少，审核仓库的盈亏，分为三道，让各方面都合理均衡。以郓、曹、濮三州为一道，淄、青、齐、登、莱五州为一道，兖、海、沂、密四州为一道。宪宗听从了。

刘悟根据当初讨伐李师道的诏书所说："部将中有能杀死李师道并率领其兵众投降朝廷的，李师道所任官爵就都授给他。"心里以为尽得十二州之地，于是补充任命文武官吏，调换了州县的长官，并对其部下说："军中和府衙的政务，一律依照旧例办理。从现在起只管和大家抱子弄孙享清福，还忧虑什么呢！"

宪宗想把刘悟调到其他藩镇去，怕他不接受更代，又要打仗，就秘密诏令田弘正观察刘悟。弘正经常派使者到刘悟那里去，借口搞好关系，实际上是观察他的所作所为。刘悟力气大，喜欢徒手搏斗，攻占郓州才三天，就教军队中的壮士徒手搏

州三日，则教军中壮士手搏，与魏博使者庭观之。自摇肩攘臂⑪，离坐⑫以助其势。弘正闻之，笑曰："是闻除改⑬，登⑭即行矣，何能为哉！"庚午⑮，以悟为义成⑯节度使⑰。悟闻制⑱下，手足失坠⑲，明日，遂行。弘正已将数道，比至城西二里[5]，与悟相见于客亭⑳，即受旌节，驰诣滑州，辟㉑李公度、李存、郭旰、贾直言以自随。

悟素与李文会㉒善，既得郓州，使召之，未至。闻将移镇，旰、存谋曰："文会佞人，败乱淄青一道，灭李司空之族，万人所共仇㉓也。不乘此际诛之，田相公㉔至，务施宽大，将何以雪三齐㉕之愤怨乎！"乃诈为悟帖，遣使即㉖文会所至，取其首以来。使者遇文会于丰齐驿㉗，斩之。比还，悟及旰、存已去，无所复命矣。文会二子，一亡去，一死于狱，家赀㉘悉为人所掠，田宅没官。

【段旨】

以上为第二段，写唐宪宗徙置刘悟为义成节度使，是稳定平卢局势最为妥善的善后措施。

【注释】

㉔事成：事情成功。指以点燃烽火的方式，告诉田弘正事已成功。㉕函：匣。用如动词，以匣装入。㉖露布以闻：魏晋以来，将捷报悬于漆竿之上，使大众知晓，称露布。唐代将奏捷文书申报尚书省兵部而奏闻天子，谓露布以闻。㉗淄、青等十二州：即郓、曹、濮、淄、青、齐、登、莱、兖、海、沂、密十二州。㉘夏侯澄：原为李师道都知兵马使，被俘，宪宗赦其罪，在田弘正行营供职。㉙陨绝：倒地气绝，即昏死、休克。㉚恸哭：大声悲号痛哭。㉛改容：脸色改变，表示敬重。㉜壬戌：二月十四日。㉝乙丑：二月十七日。㉞户部侍郎：官名，户部掌天下土地、民众、钱谷、贡赋，其正副长官为户部尚书、侍郎。㉟杨於陵（公元七五三至八三〇年）：字达夫，弘农（今河南灵宝北）人，官至户部尚书，封弘农郡公。传见《旧唐书》卷一百六十四、《新唐书》卷一百六十三。㊱宣抚使：官名，朝廷派往宣慰安抚战乱或灾区的官员称为宣抚使。㊲己巳：二月二十一日。㊳广德：唐代宗年号（公元七六三至七六四年）。㊴垂：将近。㊵跋扈：强横霸道。㊶除：任命。㊷图籍：指地图。㊸分为三道：以郓、曹、濮为一道，设节度

斗，他和魏博镇使者在庭前观看。自己也摇肩伸臂，离开座位去为他们助威。田弘正听到这种情况，笑着说："这是听到诏授别官，马上就会起行，还能做什么啊！"二月二十二日庚午，任命刘悟为义成节度使。刘悟听到宪宗调职的命令已下，手足无措，第二天，就出发上任。田弘正已经带领几道的兵马，及至城西二里处，与刘悟在驿亭相见，刘悟当即接受了旌旗符节，奔赴滑州，同时征聘李公度、李存、郭旷、贾直言跟随自己赴任。

刘悟素来与李文会交好，得到郓州后，派人去请他来，尚未到达。听说刘悟要调到别镇去，郭旷、李存商议说："李文会是个奸巧之徒，他败乱了淄青一道，使李司空被灭族，是大家共同仇恨的人。不乘这个机会杀掉他，田相公到了，务求政策宽大，那时如何洗雪三齐地方的愤怒呢！"于是假造刘悟的书信，派人到李文会所在地，取他的头来回话。使者在丰齐驿遇到了李文会，把他杀了。等使者回到郓州，刘悟和郭旷、李存已经离开了，没有地方回命。文会的两个儿子，一个逃走了，一个死在监狱中，家财都被人抢走，田地房屋被官府没收。

使；以淄、青、齐、登、莱为一道，号淄青平卢节度使；以兖、海、沂、密为一道，设观察使，后改为兖海节度使。⑭适均：恰当均匀；合理均衡。此指三道实力平衡。⑮曹、濮：均州名。曹州，治所济阴，在今山东曹县西北。濮州，治所鄄城，在今山东鄄城北。⑯淄、青、齐、登、莱：皆州名。淄州，治所淄川，在今山东淄博市淄川区。青州，治所益都，在今山东青州。齐州，治所历城，在今山东济南。登州，治所蓬莱，在今山东烟台市蓬莱区。莱州，治所掖县，在今山东莱州。⑰兖、海、沂、密：皆州名。兖州，治所瑕丘，在今山东济宁市兖州区。海州，治所朐山，在今江苏连云港西南。沂州，治所临沂，在今山东临沂。密州，治所诸城，在今山东诸城。⑱长吏：指州县主政长官。⑲修好：建立友好关系。⑳手搏：徒手格斗。㉑攘臂：捋袖伸臂。㉒坐：同"座"。㉓除改：谓除书改授别镇。除，指除书，授官之诏书。㉔登：登时；立刻。㉕庚午：二月二十二日。㉖义成：方镇名，唐德宗建中二年（公元七八一年）置郑滑节度使，贞元元年（公元七八五年）改名义成军。治所滑州，在今河南滑县东。㉗节度使：官名，总揽军民两政之地方大员，辖境不等，少则二三州，多则十余州。㉘制：皇帝的命令。命为制，令为诏。㉙手足失坠：受惊瘫软，手足无措。㉚客亭：驿亭，迎送使者及行人休息之所。㉛辟：征聘。㉜李文会：原李师道判官，助其反叛，将士恨之，出为登州刺史。㉝仇：仇敌。㉞田相公：即田弘正。弘正检校司徒、同平章事，故称。㉟三齐：地区名，今山东，古为齐国，自项羽分齐为三，置三齐王田市、田都、田安，于是后世称齐地为三齐。㊱即：就。㊲丰齐驿：驿亭名，在今山东禹城东北。㊳赀：同"资"。

【校记】

［4］曰：原无此字。据章钰校，十二行本、乙十一行本、孔天胤本皆有此字，张瑛《通鉴校勘记》同，今据补。［5］弘正已将数道，比至城西二里：据章钰校，十二行本、乙十一行本皆作“弘正将数道，兵已至城西二里”。

【原文】

诏以淄青行营副使张暹为戎州[129]刺史[130]。

癸酉[131]，加田弘正检校司徒[132]、同平章事[133]。

先是，李师道将败数月，闻风动鸟飞，皆疑有变，禁郓人亲识宴聚及道路偶语[134]，犯者有刑。弘正既入郓，悉除苛禁，纵人游乐，寒食[135]七昼夜不禁行人。或谏曰：“郓人久为寇敌，今虽平，人心未安，不可不备。”弘正曰：“今为暴者既除，宜施以宽惠。若复为严察，是以桀[136]易桀也，庸何[137]愈[138]焉！”

先是，贼数遣人入关，截陵戟[139]，焚仓场，流矢飞书，以震骇京师，沮挠官军。有司[140]督察甚严，潼关[141]吏至发人囊篋[142]以索之，然终不能绝。及田弘正入郓，阅李师道簿书，有赏杀武元衡[143]人王士元等及赏潼关、蒲津[144]吏卒案[145]，乃知向者[146]皆吏卒受赂于贼，容其奸也。

裴度[147]纂述[148]蔡[149]、郓用兵以来上之忧勤机略[150]，因侍宴献之，请内印[151]出付史官。上曰：“如此，似出朕志，非所欲也。”弗许。

三月戊子[152]，以华州[153]刺史马总[154]为郓、曹、濮等州节度使。己丑[155]，以义成节度使薛平[156]为平卢[157]节度，淄、青、齐、登、莱等州观察使[158]；以淄青四面行营供军使[159]王遂[160]为沂、海、兖、密等州观察使。

横海[161]节度使乌重胤[162]奏：“河朔[163]藩镇所以能旅拒[164]朝命六十余年者，由诸州县各置镇将[165]领事，收刺史、县令[166]之权，自作威福。向使[167]刺史各得行其职，则虽有奸雄如安、史[168]，必不能以一州独反也。臣所领德、棣、景三州[169]，已举牒[170]各还刺史职事，应在州兵并

【语译】

宪宗颁诏书任命淄青行营副使张暹为戎州刺史。

二月二十五日癸酉，加田弘正检校司徒、同平章事。

此前，李师道将要失败的前几个月，听到风动鸟飞，大家都疑虑将发生变乱，李师道于是禁止郓州人亲朋好友聚会，以及在大路上相对私语，违犯者要受刑罚。田弘正进驻郓州后，把苛刻的禁令都废除了，任人们尽情游乐，寒食节期间七天七夜不禁止行人往来。有人谏阻说："郓州人长久与朝廷为敌，现在虽然平定了，但人心尚未安定，不可不防备。"田弘正说："现在暴虐的人已经除掉了，应当用宽惠的政策对待民众。如果又是严厉查禁，便是用暴君更换暴君，怎能好过以前呢！"

先前，反叛者屡次派人入关，截断建陵门戟，焚烧仓库货场，放暗箭及散布匿名书信，使京师震骇，阻挠官军。有关部门严厉追查，守潼关的官吏甚至要打开过往人的口袋、箱子进行搜查，但始终不能杜绝。等到田弘正入郓州，查看李师道的官署文书，其中有奖赏杀武元衡凶手王士元等和奖赏潼关、蒲津关吏卒的文案，这才知道过去官府吏卒是从叛贼那里得到贿赂，因而容许杀人凶手得逞的。

裴度编纂了蔡州、郓州用兵以来宪宗忧国勤政的计谋事略，乘侍宴的时机献给宪宗，请求加盖皇帝印鉴交给史馆的官员。宪宗说："这样做，就好像是出于我的意图，这不是我希望的。"宪宗没有答应。

三月初十日戊子，以华州刺史马总为郓、曹、濮等州节度使。十一日己丑，以义成节度使薛平为平卢节度使兼淄、青、齐、登、莱等州观察使，以淄青四面行营供军使王遂为沂、海、兖、密等州观察使。

横海节度使乌重胤上奏："河朔藩镇能够聚众抗拒朝廷命令六十多年的原因，就在于诸州县各置镇将领事，夺走了刺史、县令的权力，擅自作威作福。如果刺史都能行使其职权，那么即使有像安禄山、史思明那样的奸雄，必定不能凭借一州之地独自反叛。臣所领辖的德、棣、景三州，已行文把职权都还给刺史，属于各州的州兵都让刺史统领。"夏，四月十九日丙寅，宪宗下令各道节度使、都团练使、都防御

令刺史领之。”夏，四月丙寅⑰，诏诸道节度、都团练⑰、都防御⑰、经略⑰等使所统支郡⑰兵马，并令刺史领之。自至德⑰以来，节度使权重，所统诸州各置镇兵，以大将主之，暴横为患，故重胤论之。其后河北诸镇，惟横海最为顺命，由重胤处之得宜故也。

辛未⑰，工部⑰侍郎、同平章事程异⑰薨。

【段旨】

以上为第三段，写唐宪宗调任节度使，削弱领兵权，加强中央对地方的控制。

【注释】

⑫戎州：州名，治所僰道，在今四川宜宾。⑬刺史：官名，唐武德元年（公元六一八年），改太守曰刺史，职同牧尹，成为州的行政长官。⑬癸酉：二月二十五日。⑬司徒：官名，三公之一，参议国事。加检校，则非正职，而系加官。⑬同平章事：官名，即同中书门下平章事。朝官加此衔，即为宰相。节度使加此衔，则为荣誉称号。⑬偶语：相对私语。⑬寒食：节令名，清明前一日（一说二日）禁火冷食，故名。⑬桀：名履癸，夏朝末代国君，以残暴著称。⑬庸何：怎能。⑬愈：超过。⑬截陵戟：指李师道派人“断建陵门戟四十七枝”。事见本书卷二百三十九宪宗元和十年。⑭有司：主管官吏。⑭潼关：关名，在今陕西潼关县北，陕、晋、豫三省要冲，历来为军事重地。⑭箧：小箱。⑭武元衡（公元七五八至八一五年）：字伯苍，河南缑氏（今河南洛阳市偃师区南）人，宪宗朝两度入相。传见《旧唐书》卷一百五十八、《新唐书》卷一百五十二。⑭蒲津：黄河渡口名，在今山西永济，为陕、晋间交通要津，古来兵家必争之地。⑭案：文案，亦称案牍。⑭向者：先前。⑭裴度（公元七六五至八三九年）：字中立，河东闻喜（今山西闻喜东北）人，中唐时期著名宰相，佐宪宗削藩，收复淮西等藩镇。传见《旧唐书》卷一百七十、《新唐书》卷一百七十三。⑭纂述：编写。⑭蔡：州名，治所汝阳，在今河南汝南县。⑮忧勤机略：谓宪宗忧心勤劳于国事，在讨平藩镇叛乱中显示了不平凡的计谋策略。⑮请内印：请求加盖皇帝印鉴。⑮戊子：三月初十日。⑮华州：州名，治所郑县，在今陕西渭南市华州区。⑮马总（？至公元八二三年）：

使、经略使等所统支郡兵马，都归刺史来统领。自从唐肃宗至德年间以来，节度使权力大，所统各州都设镇兵，由大将来统领，暴虐专横，成为祸患，所以乌重胤对此进行评述。从此以后黄河以北各镇，只有横海镇最为服从朝廷命令，这是由于乌重胤处置得宜的缘故。

四月二十四日辛未，工部侍郎、同平章事程异去世。

字会元，扶风（今陕西扶风）人，官至户部尚书。传见《旧唐书》卷一百五十七、《新唐书》卷一百六十三。⑮⑤己丑：三月十一日。⑮⑥薛平（公元七五二至八三二年）：字坦涂，名将薛仁贵曾孙。历任郑滑、平卢、河中等节度使。传见《新唐书》卷一百十一。⑮⑦平卢：方镇名，唐玄宗开元七年（公元七一九年）置，治所营州。肃宗上元二年（公元七六一年）移治青州，该地节度使称淄青平卢节度使。⑮⑧观察使：官名，掌一道诸州之政务。不设节度使地区，则以观察使为最高长官。⑮⑨供军使：官名，亦称粮料使，掌军队粮饷供应。⑯⓪王遂：官至宣歙、沂海等观察使。传见《旧唐书》卷一百六十二、《新唐书》卷一百十六。⑯①横海：方镇名，唐德宗贞元三年（公元七八七年）置，治所沧州，在今河北沧州东南。长期领有沧、德、景三州，故该地节度使又称沧景节度使。文宗太和五年（公元八三一年）号义昌军。⑯②乌重胤：字保君，张掖（今甘肃张掖）人，历任河阳、横海、天平等节度使。传见《旧唐书》卷一百六十一、《新唐书》卷一百七十一。⑯③河朔：泛指黄河以北地区。⑯④旅拒：聚众抗拒。⑯⑤镇将：泛指职掌一方州县守备之武官。⑯⑥县令：官名，一县之行政长官。⑯⑦向使：假使。⑯⑧安、史：即安史之乱的祸首安禄山、史思明。二传皆见《旧唐书》卷二百上、《新唐书》卷二百二十五。⑯⑨德、棣、景三州：德州，治所安德，在今山东德州市陵城区。棣州，治所厌次，在今山东惠民东南。景州，治所弓高，在今河北东光西北。⑰⓪举牒：行文。⑰①丙寅：四月十九日。⑰②都团练：即都团练使，官名，掌军事，大者领十州，小者领两三州。⑰③都防御：官名，掌本区军事，于大都要地置之。⑰④经略：官名，掌边州军防。⑰⑤支郡：边郡。⑰⑥至德：唐肃宗第一个年号（公元七五六至七五八年）。⑰⑦辛未：四月二十四日。⑰⑧工部：掌天下百工、屯田、山泽之政令，正副长官为工部尚书、侍郎。⑰⑨程异：字师举，京兆长安（今陕西西安）人，官至工部侍郎、同平章事、领盐铁转运使。传见《旧唐书》卷一百三十五、《新唐书》卷一百六十八。

【原文】

裴度在相位，知无不言，皇甫镈[180]之党阴挤之。丙子[181]，诏度以门下侍郎[182]、同平章事，充河东[183]节度使。

皇甫镈专以掊克[184]取媚，人无敢言者，独谏议大夫[185]武儒衡[186]上疏言之。镈自诉于上，上曰："卿以儒衡上疏，将报怨邪？"镈乃不敢言。儒衡，元衡之从父弟[187]也。

史馆修撰[188]李翱[189]上言，以为："定祸乱[190]者，武功也；兴太平者，文德也。今陛下既以武功定海内[191]，若遂革弊事，复高祖、太宗[192]旧制[193]；用忠正而不疑，屏邪佞而不迩[194]；改税法[195]，不督钱而纳布帛；绝进献[196]，宽百姓租赋；厚边兵，以制戎狄侵盗；数访问待制官[197]，以通塞蔽。此六者[198]，政之根本，太平之所以兴也。陛下既已能行其难[199]，若何不为其易乎！以陛下天资上圣，如不惑近习[200]容悦之辞，任骨鲠正直之士，与之兴大化，可不劳而成也。若不以此为事，臣恐大功之后，逸欲[201]易生。进言者必曰：'天下既平矣，陛下可以高枕[202]自安逸。'如是，则太平未可期矣！"

秋，七月丁丑朔[203]，田弘正送杀武元衡贼王士元等十六人，诏使[6]内[204]京兆府[205]、御史台[206]遍鞫之[207]，皆款服[208]。京兆尹崔元略[209]以元衡物色[210]询之，则多异同。元略问其故，对曰："恒、郓[211]同谋遣客刺元衡，而士元等后期，闻恒[212]人事已成，遂窃以为己功，还报受赏耳。今自度为罪均，终不免死，故承之。"上亦不欲复辨正，悉杀之。

戊寅[213]，宣武[214]节度使韩弘[215]始入朝，上待之甚厚。弘献马三千，绢五千，杂缯三万，金银器千。而汴[216]之库厩[217]尚有钱百余万缗，绢百余万匹，马七千匹，粮三百万斛[218]。

己丑[219]，群臣上尊号曰元和圣文神武法天应道皇帝，赦天下。

【语译】

裴度担任宰相时，知无不言，皇甫镈那一派人暗地里排挤他。四月二十九日丙子，诏命裴度以门下侍郎、同平章事的官衔担任河东节度使。

皇甫镈专门用苛刻的手段搜刮民财来讨好宪宗，大臣中没有敢说话的，只有谏议大夫武儒衡上疏敢说他。皇甫镈亲自向宪宗进行辩解，宪宗说："你因为武儒衡上疏告了状，要对他进行报复吗？"皇甫镈于是不敢说话了。武儒衡，是武元衡的堂弟。

史馆修撰李翱向宪宗上奏疏，认为："平定祸乱，是武功；使国家长治久安，是礼乐教化等德政。今皇上既然用武功平定了海内，应进而革除弊政，恢复高祖、太宗的旧制；任用忠良正直的臣子而不猜疑，摒弃奸邪狡诈的臣子而不与他们接近；改变征税办法，不只计钱而应收布帛实物；禁止额外进献，放宽百姓的租赋；增强边疆兵力，以防止外族的侵盗；多去咨询备顾问的待制官，以打通对下情的闭塞。这六个方面，是为政的根本，国家的长治久安就靠它。皇上既然办了难办的事，为什么不去做容易的事呢！凭着皇上天生的才智，如若不被身边那些亲幸之人的逢迎阿谀之辞所迷惑，任用骨鲠之臣、正直之士，和他们一起推行长治久安的治国之道，不用花很大的力量就可以取得成功。假如不这么做，臣恐怕在大功之后，安逸多欲的愿望就容易滋生。那些向皇上进言的人一定会说：'天下既已太平，皇上可以高枕无忧自享安乐了。'如果这样，那么国家长治久安就难以实现了！"

秋，七月初一日丁丑，田弘正押送杀害武元衡的凶手王士元等十六人到京师，宪宗下诏交付京兆府和御史台一一审问，他们全都诚心服罪。京兆尹崔元略拿武元衡的形貌体征询问他们，各人说的都不一样。崔元略追问原因，犯人回答说："恒、郓两镇同谋派刺客杀武元衡，而王士元等未按时赶到，听说恒州人已行刺成功，就假说是自己的功劳，好回话受赏赐。如今我们考虑所犯罪过是一样的，终究免不了一死，所以就承认了杀武元衡之罪。"宪宗也不想再辨别清楚，就把他们全都杀了。

七月初二日戊寅，宣武节度使韩弘第一次朝见天子，宪宗对待他非常优厚。韩弘献上马三千匹，绢五千匹，杂缯三万匹，金银器一千件。而汴州的仓库和马厩里尚有钱百万缗，绢百余万匹，马七千匹，粮食三百万斛。

七月十三日己丑，群臣给宪宗献上尊号，称为"元和圣文神武法天应道皇帝"，大赦天下。

【段旨】

以上为第四段，写李翱上奏唐宪宗修德政。唐宪宗进尊号，赦天下，庆成功。

【注释】

⑱⓪皇甫镈：泾州临泾（今甘肃镇原）人，以聚敛为宪宗宠信，依附宦官，官至宰相。传见《旧唐书》卷一百三十五、《新唐书》卷一百六十七。⑱①丙子：四月二十九日。⑱②门下侍郎：官名，门下省掌出纳帝命，审查奏章，与中书省同掌朝政，其正副长官为侍中、侍郎。⑱③河东：方镇名，唐玄宗开元十八年（公元七三〇年）置，驻节太原，在今山西太原。⑱④掊克：以苛税搜刮民财。⑱⑤谏议大夫：官名，分左右，左隶门下省，右隶中书省，掌规谏过失，侍从顾问。⑱⑥武儒衡：字廷硕，中唐名臣，官至兵部侍郎。传见《旧唐书》卷一百五十八、《新唐书》卷一百五十二。⑱⑦从父弟：叔伯兄弟，即堂弟。⑱⑧修撰：官名，贞观三年（公元六二九年）置史馆于门下省，有修撰四人，掌修国史。⑱⑨李翱：字习之，长期任史职，进位谏议大夫、知制诰，终官山南东道节度使。有文名。传见《旧唐书》卷一百六十、《新唐书》卷一百七十七。⑲⓪定祸乱：平定祸乱。⑲①定海内：平定全国。⑲②高祖、太宗：即唐开国二君，唐高祖李渊（公元六一八至六二六年在位）、唐太宗李世民（公元六二六至六四九年在位）。⑲③旧制：主要指唐太宗贞观之治中所施行的善政。⑲④迩：接近。⑲⑤改税法：德宗时杨炎行两税法，下令民输其土之所产而用钱纳税。后钱重物轻，民不堪命，故李翱上言，欲改变两税法，以布帛实物代钱纳税。⑲⑥进献：地方官于正赋之外加派的钱粮或贡物，输纳入宫，称进献，是唐代的一大弊政。⑲⑦待制官：官名，轮值宫省，从备顾问。⑲⑧此六者：即上文所疏陈的六

【原文】

沂、海、兖[7]、密观察使王遂本钱谷吏，性狷急㉒⓪，无远识。时军府草创㉒①，人情未安，遂专以严酷为治。所用杖㉒②绝大于常行者，每詈㉒③将卒，辄曰“反虏”，又盛夏役士卒㉒④营府舍㉒⑤，督责峻急，将卒愤怨。

辛卯㉒⑥，役卒王弁与其徒四人浴于沂水㉒⑦，密谋作乱，曰：“今服役触罪亦死，奋命㉒⑧立事㉒⑨亦死，死于立事，不犹愈乎！明日，常侍㉓⓪与监军㉓①、副使㉓②有宴，军将皆在告㉓③，直兵㉓④多休息，吾属乘此际㉓⑤出其不意取之，可以万全。”四人皆以为然，约事成推弁为留后㉓⑥。

壬辰㉓⑦，遂方宴饮，日过中，弁等五人突入，于直房㉓⑧前取弓刀，径前㉓⑨射副使张敦实，杀之。遂与监军狼狈起走，弁执遂，数之以盛暑兴役，用刑刻暴，立斩之。传声㉔⓪勿惊监军。弁即自称留后，升厅

政：循旧制，辨忠奸，改税法，绝进献，厚边兵，咨询谏。⑲⑨行其难：指宪宗讨平叛乱，办了很难办的事。⑳近习：君王左右亲幸之人。㉑逸欲：安逸多欲。㉒高枕：典出《战国策·魏策一》："无楚韩之患，则大王高枕而卧，国必无忧矣。"㉓丁丑朔：七月初一日。㉔内：同"纳"。交付。㉕京兆府：府名，治所设京师，在今陕西西安。长官为京兆尹。㉖御史台：官署名，御史大夫及其属员治事之所。㉗遍鞫之：一一审问王士元等十六人。㉘款服：诚心服罪。㉙崔元略（？至公元八三一年）：博陵（今河北蠡县南）人，历官京兆尹、御史大夫、户部尚书。传见《旧唐书》卷一百六十三、《新唐书》卷一百六十。㉚物色：形貌。㉛恒、郓：指代成德节度使王承宗、平卢淄青节度使李师道。㉜恒：州名，治所真定，在今河北正定。㉝戊寅：七月初二日。㉞宣武：方镇名，唐德宗建中二年（公元七八一年）置，亦称汴宋节度使，治所汴州，在今河南开封。㉟韩弘（公元七六四至八二二年）：滑州匡城（今河南长垣）人，原为宣武节度使，李师道被诛，弘惧，请入朝，拜司徒、中书令。传见《旧唐书》卷一百五十六、《新唐书》卷一百五十八。㊱汴：州名，治所浚仪，在今河南开封。㊲厩：马圈。㊳斛：容量单位，十斗为一斛。㊴己丑：七月十三日。

【校记】

［6］使：据章钰校，十二行本、乙十一行本、孔天胤本皆作"仗"，熊罗宿《胡刻资治通鉴校字记》同。

【语译】

沂、海、兖、密四州观察使王遂本来是管钱谷的小官吏，性情急躁，没有远见。当时军府刚刚建立，人心未安，于是王遂专门使用严酷的手段进行治理。他用的刑杖比一般的刑杖大得多，每次责骂将卒，就称"反虏"，又在盛夏役使士卒修造府舍，监督催促十分严厉急迫，将卒愤恨。

七月十五日辛卯，服役的兵士王弁和他的同伙四人在沂水洗澡，密谋作乱，王弁说："现在服劳役得罪是死，拼命举事也是死，为建立事业而死，不是还好一些吗！明天，观察使和监军、副使有宴会，军中将领都在休假，值卫的士兵多半在休息，我们乘这个机会出其不意夺取军政大权，是完全可以成功的。"四人都认为分析得对，约定事情成功后推举王弁为节度使留后。

七月十六日壬辰，王遂正在宴会上饮酒，刚过中午，王弁等五人突然冲进来，在值班室夺取弓箭刀枪，径直向前射副使张敦实，把他杀了。王遂与监军狼狈起身逃跑，王弁抓住王遂，数落他在盛暑天大兴土木，刑罚刻毒残暴，立即杀了王遂。

号令，与监军抗礼[240]。召集将吏参贺，众莫敢不从。监军具以状闻[242]。

甲午[243]，韩弘又献绢二十五万匹，绝[244]三万匹，银器二百七十，左右军[245]中尉[246]各献钱万缗。自淮西[247]用兵以来，度支[248]、盐铁[249]及四方争进奉，谓之"助军"；贼平又进奉，谓之"贺礼"；后又进奉，谓之"助赏"；上加尊号又进奉，亦谓之"贺礼"。

丁酉[250]，以河阳[251]节度使令狐楚[252]为中书侍郎[253]、同平章事。楚与皇甫镈同年进士，故镈引以为相。

朝廷闻沂州军乱，甲辰[254]，以棣州刺史曹华[255]为沂、海、兖、密观察使。

韩弘累表请留京师，八月己酉[256]，以弘守司徒兼中书令。癸丑[257]，以吏部尚书[258]张弘靖[259]同平章事，充宣武节度使。弘靖，宰相子，少有令闻[260]，立朝简默[261]。河东、宣武阙[262]帅，朝廷以其位望素重，使镇之。弘靖承王锷[263]聚敛之余，韩弘严猛之后，两镇喜其廉谨宽大，故上下安之。

己未[264]，田弘正入朝，上待之尤厚。

戊辰[265]，陈许[266]节度使郗士美[267]薨，以库部员外郎[268]李渤[269]为吊祭使[270]。渤上言："臣过渭南[271]，闻长源乡旧四百户，今才百余户，阌乡县[272]旧三千户，今才千户，其他州县大率[273]相似。迹其所以然，皆由以逃户税摊于比邻[274]，致驱迫俱逃。此皆聚敛之臣剥下媚上，惟思竭泽，不虑无鱼。乞降诏书，绝摊逃之弊，尽逃户之产偿税，不足者乞免之。计不数年，人皆复于农矣。"执政见而恶之。渤遂谢病，归东都[275]。

癸酉[276]，吐蕃[277]寇庆州[278]，营[279]于方渠[280]。

朝廷议兴兵讨王弁，恐青、郓相扇[281]继变，乃除弁开州[282]刺史，遣中使[283]赐以告身[284]。中使绐[285]之曰："开州计已有人迎候道路，留后宜速发。"弁即日发沂州，导从尚百余人。入徐州[286]境，所在减之，其众亦稍逃散。遂加以杻械[287]，乘驴入关[288]。九月戊寅[289]，腰斩东市。

先是，三分郓兵以隶三镇，及王遂死，朝廷以为师道余党凶态未除，命曹华引棣州兵赴镇以讨之。沂州将士迎候者，华皆以好言抚之，

王弁传话不要惊骇了监军。他立即自称留后，登上厅堂发布号令，与监军分庭抗礼。召集将吏参见并祝贺，众人没有敢不听从的。监军把全部情况报告给了朝廷。

七月十八日甲午，韩弘又献上绢二十五万匹，绝三万匹，银器二百七十件，左右军中尉各献钱一万缗。自从对淮西镇用兵以来，度支使、盐铁使和四方官员争着进献财物，叫作“助军”；叛贼平定后又进奉，叫作“贺礼”；以后又进奉，叫作“助赏”；宪宗加尊号又进奉，也叫作“贺礼”。

七月二十一日丁酉，任命河阳节度使令狐楚为中书侍郎、同平章事。令狐楚与皇甫镈是同年进士，所以皇甫镈引荐他为宰相。

朝廷听到沂州军叛乱，七月二十八日甲辰，任命棣州刺史曹华为沂、海、兖、密四州观察使。

韩弘接连上表请求留在京师，八月初三日己酉，任命韩弘守司徒兼中书令。初七日癸丑，任命吏部尚书张弘靖同平章事，担任宣武节度使。弘靖是宰相张延赏的儿子，年少时就有好名声，在朝中为官沉静少言。河东、宣武两镇缺统帅，朝廷认为他的地位威望一向就很高，便派他去镇守。弘靖任职在前任河东王锷专事聚敛、宣武韩弘法治严猛之后，两镇喜欢他廉谨宽大，所以上下相安无事。

八月十三日己未，田弘正入朝，宪宗待他很优厚。

八月二十二日戊辰，陈许节度使郗士美去世，宪宗任命库部员外郎李渤为吊祭使。李渤上奏说：“臣经过渭南，听说长源乡旧时有四百户人家，现在只有百余户了，阌乡县旧时有三千户，现在只有一千户了，其他州县情况大略相似。追究其所以如此，都是由于把逃亡户的赋税分摊给了近邻，以致迫使大家都逃走。这都是那些聚敛的臣子剥削小民献媚上级，只想竭泽，不思无鱼。我请求皇上颁下诏书，杜绝因摊派而引起民众逃亡的弊病，只把逃户所有的财产偿还欠税，不够的部分请求免除。估计不到几年，人们又都会回来务农了。”当权者看到李渤的奏疏很反感。李渤就假托有病辞职，回东都去了。

八月二十七日癸酉，吐蕃寇掠庆州，在方渠扎营。

朝廷讨论起兵征讨王弁，又怕青、郓等州相互煽动而相继叛乱，于是任命王弁为开州刺史，派中使赐给他委任状。中使欺骗他说：“开州估计已有人在路上迎接了，留后应该赶快出发。”王弁当天就从沂州出发，导引和随从者尚有一百多人。进入徐州地界，导引人员渐减，随从也渐渐逃散。于是他被套上脚镣手铐，坐着驴子进入关中。九月初三日戊寅，王弁在东市被腰斩。

此前，郓州镇兵分为三部分属三镇，等到王遂被杀，朝廷认为李师道余党凶恶的状态并未改变，命令曹华带领棣州兵赴镇讨伐他们。前来迎候的沂州将士，曹华

使先入城，慰安其余，众皆不疑。华视事三日，大飨㉙将士，伏甲士千人于幕下，乃集众而谕之曰："天子以郓人有迁徙之劳，特加优给，宜令郓人处右，沂人处左[8]。"既定，令沂人皆出，因阖㉑门，谓郓人曰："王常侍以天子之命为帅于此，将士何得辄害之！"语未毕，伏者出，围而杀之，死者千二百人，无一得脱者。门屏间赤雾高丈余，久之方散。

臣光曰："《春秋》书'楚子虔诱蔡侯般杀之于申'㉒。彼列国也，孔子犹深贬之，恶其诱讨也，况为天子而诱匹夫乎！

"王遂以聚敛之才，殿㉓新造之邦，用苛虐致乱。王弁庸夫，乘衅㉔窃发，苟沂帅得人，戮之易于犬豕耳，何必以天子诏书为诱人之饵乎！且作乱者五人耳，乃使曹华设诈屠千余人，不亦滥乎！然则自今士卒孰不猜其将帅，将帅何以令其士卒！上下盻盻㉕，如寇仇聚处，得间㉖则更相鱼肉㉗，惟先发者为雄耳，祸乱何时而弭㉘哉！

"惜夫！宪宗削平僭㉙乱，几致升[9]平，其美业所以不终，由苟徇㉚近功不敦㉛大信故也。"

【段旨】

以上为第五段，写唐宪宗计除兖、海、沂、密王弁之乱，使用诈计滥杀无辜，受到司马光的严厉批评。

【注释】

㉐狷急：急躁。㉑时军府草创：是年三月，始分四州置观察使。草创，初创。㉒杖：刑杖。唐制，凡杖皆长三尺五寸。常行杖，大头二分七厘，小头一分七厘。㉓詈：斥骂。㉔役士卒：役使士卒，让士兵从事劳役。㉕营府舍：修建府舍。㉖辛卯：七月十五日。㉗沂水：水名，今名沂河，流经沂州州治临沂。㉘奋命：拼命。㉙立事：举大事。指刺杀王遂，夺取观察使之位。㉚常侍：即王遂。遂为检校左散骑常侍兼御史

都用好话安抚他们，让他们先入城，以安慰其他的人，大家都没有疑心。曹华履职的第三天，大张宴席以酒食款待将士，在幕下埋伏甲士千人，于是召集军众并告谕他们说："天子认为郓人有迁徙的辛劳，特别加以优待，应当使郓人在右边，沂人在左边。"定位以后，令沂人都出去，随即关上门，对郓人说："王常侍奉天子的命令在这里任统帅，将士们哪能随便杀害他！"话还未讲完，埋伏的甲士都冲出来，围住郓人击杀，死了一千二百人，没有一个逃脱的。门屏之间赤色雾气有一丈多高，很久才消散。

司马光说："《春秋》中记载'楚子虔把蔡侯般诱骗到申地杀了他'。那是国与国的事，孔子还深加贬斥，厌恶这种诱骗的手法，何况是天子而去诱骗平民呢！

"王遂凭着搜刮钱财的本领，镇抚新建立的地方政府，由于苛刻暴虐而导致变乱。王弁是平庸之人，乘动乱之机起事，假若沂州统帅人选得当，杀掉王弁等比杀死猪狗还容易，何必要用天子的诏书作为诱饵呢！况且作乱的不过五个人而已，竟让曹华设诈屠杀千余人，不也过分了吗！那么从此以后，士卒谁不猜疑他们的将帅，将帅又如何去命令他的士卒！上下冷眼敌视，好像仇人聚在一起，得到机会就互相吞噬，只要是先动手的人，就成为霸主，祸乱什么时候才能消除啊！

"可惜啊！宪宗平定僭伪叛乱，几乎达到了天下太平，他美好的大业之所以未能圆满完成，是由于贪求眼前的功利而不崇尚大信用的缘故。"

大夫。后出为沂、海、兖等州观察使，为乱兵王弁所杀。传见《旧唐书》卷一百六十二、《新唐书》卷一百十六。㉛监军：官名，唐中期以宦官为之，称监军使。掌监督军事，稽核功罪。㉜副使：谓观察副使。㉝在告：在休假中。㉞直兵：值卫之兵。直，同"值"。㉟乘此际：趁这个机会。㊱留后：官名，唐中世以后，节度使自择继承人，或父死子继，留主后务，称留后。事后多由朝廷补任为节度使。㊲壬辰：七月十六日。㊳直房：值卫士兵所宿之室。直，同"值"。㊴径前：直接向前。㊵传声：传语，向军中下达命令，相互转告。㊶抗礼：平礼。㊷具以状闻：将乱军情况一一呈报给朝廷。㊸甲午：七月十八日。㊹絁：粗帛。㊺左右军：即左右神策军，为禁军中之主力部队。㊻中尉：官名，即护军中尉，以宦者为之，统领神策军。㊼淮西：方镇名，淮南西道的简称。唐肃宗至德元载（公元七五六年）置。治所屡有变迁，大历十四年（公元七七九年）定治蔡州，在今河南汝南县。元和十三年（公元八一八年）废。㊽度支：官名，即度支

使，掌财政收支。㉔⑨盐铁：官名，即盐铁使，掌盐铁专卖及其税收。㉕⓪丁酉：七月二十一日。㉕①河阳：方镇名，唐德宗建中二年（公元七八一年）置。驻节河阳，在今河南孟州南。㉕②令狐楚（公元七六六至八三七年）：字殼士，京兆华原（今陕西铜川市耀州区）人，宪宗时宰相，文宗时任尚书左仆射。传见《旧唐书》卷一百七十二、《新唐书》卷一百六十六。㉕③中书侍郎：官名，中书省掌军国之政令，其长官为中书令，中书侍郎为之副。㉕④甲辰：七月二十八日。㉕⑤曹华：宋州楚丘（今山东曹县东南）人，历任宪、穆二朝观察、节度等使。传见《旧唐书》卷一百六十二、《新唐书》卷一百七十一。㉕⑥己酉：八月初三日。㉕⑦癸丑：八月初七日。㉕⑧吏部尚书：官名，吏部掌官吏选拔、勋封、考绩等事，其长官为吏部尚书。㉕⑨张弘靖（公元七六〇至八二四年）：字元理，德宗时宰相张延赏之子。官至宰相。传见《旧唐书》卷一百二十九、《新唐书》卷一百二十七。㉖⓪令闻：好名声。㉖①立朝简默：在朝中为官沉静少言。㉖②阙：同"缺"。㉖③王锷（公元七四〇至八一五年）：字昆吾，官至河东节度使。传见《旧唐书》卷一百五十一、《新唐书》卷一百七十。㉖④己未：八月十三日。㉖⑤戊辰：八月二十二日。㉖⑥陈许：方镇名，唐德宗贞元三年（公元七八七年）置，治所许州，在今河南许昌。㉖⑦郗士美（公元七五六至八一九年）：字和夫，官至忠武节度使。传见《旧唐书》卷一百五十七、《新唐书》卷一百四十三。㉖⑧库部员外郎：官名，库部为兵部四司之一，掌戎器、仪仗，长官为郎中，员外郎为之副。㉖⑨李渤：官至桂管观察使。传见《旧唐书》卷一百七十一、《新唐书》卷一百十八。㉗⓪吊祭使：朝廷派遣吊丧之专使。㉗①渭南：县名，县治在今陕西渭南。㉗②阌乡县：县名，县治在今河南灵宝。㉗③大率：大抵；大略。㉗④比邻：近邻。㉗⑤东都：唐以洛阳为东都。㉗⑥癸酉：八月二十七日。㉗⑦吐蕃：藏族政权名，本为西羌属，唐初建立

【原文】

甲辰[302]，以田弘正兼侍中，魏博[303]节度使如故。弘正三表请留，上不许。弘正常恐一旦物故[304]，魏人犹以故事[305]继袭，故兄弟子侄皆仕诸朝，上皆擢[306]居显列，朱紫[307]盈庭，时人荣之。

乙巳[308]，上问宰相："玄宗之政，先理[309]而后乱，何也？"崔群对曰："玄宗用姚崇、宋璟、卢怀慎、苏颋、韩休、张九龄则理，用宇文融、李林甫、杨国忠则乱。故用人得失，所系非轻。人皆以天宝十四年安禄山反为乱之始，臣独以为开元二十四年罢张九龄相，专任李林甫，此理乱之所分也。愿陛下以开元初为法，以天宝末为戒，乃社稷

吐蕃国，定都逻些，即今西藏拉萨。㉗⑧庆州：州名，治所安化，在今甘肃庆城。㉗⑨营：驻扎。㉘⓪方渠：县名，县治在今甘肃环县。㉘①扇：同“煽”。煽动。㉘②开州：州名，治所开江，在今重庆市开州区。㉘③中使：宫中派出的使者，执行皇帝的使命，以宦官为之。㉘④告身：委任官职的证书。㉘⑤绐：欺骗。㉘⑥徐州：州名，治所彭城，在今江苏徐州。㉘⑦杻械：刑具，即手铐脚镣。㉘⑧关：指潼关。㉘⑨戊寅：九月初三日。㉙⓪飨：以酒食款待。㉙①阖：关闭。㉙②《春秋》书“楚子虔诱蔡侯般杀之于申”：事详《春秋》及“三传”鲁昭公十一年。楚子虔，即楚灵王，名虔。蔡侯般，即蔡灵侯，名般，杀父而自立。楚灵王设诈谋，召蔡灵侯于申会盟而杀之，故孔子书其事，直称其名曰“虔”，贬斥之为“诱”杀。《公羊传》曰：“怀恶而讨不义，君子不予也。”故下文云：“孔子犹深贬之，恶其诱讨也。”申，西周时诸侯国名，时为楚所并。㉙③殿：镇抚。㉙④乘衅：钻空子。衅，缝隙、裂痕。㉙⑤眄眄：冷眼敌视，形容互相仇恨的样子。㉙⑥得间：得到机会。㉙⑦更相鱼肉：互相以对方为鱼肉，互相吞噬。㉙⑧弭：消除；停止。㉙⑨僭：超越名分。㉚⓪徇：贪求。㉚①敦：厚；笃信。

【校记】

［7］沂、海、兖：原作“兖、海、沂”。据章钰校，十二行本、乙十一行本皆作“沂、海、兖”，张敦仁《通鉴刊本识误》、张瑛《通鉴校勘记》同，今据改。〖按〗下文亦云“沂、海、兖”。［8］郓人处右，沂人处左：原作“郓人处左沂人处右”。据章钰校，十二行本、乙十一行本、孔天胤本皆作“郓人处右沂人处左”，今据改。〖按〗“郓人有迁徙之劳，特加优给”，故当处右，右为上。［9］升：据章钰校，十二行本、乙十一行本皆作“治”。

【语译】

九月二十九日甲辰，宪宗任命田弘正兼侍中，照旧担任魏博节度使。田弘正三次上表请求留在京师，宪宗不同意。田弘正经常担心一旦死去，魏镇人还会以旧例推举他的亲属继任节度使，因此他让兄弟子侄都在朝廷做官，宪宗把他们都提拔到显要的职位上，家中穿红戴紫的高官很多，当时的人都认为是荣耀。

九月三十日乙巳，宪宗问宰相：“玄宗时代的政事，开始天下太平，后来天下动乱，是什么原因呢?”崔群回答说：“玄宗任用姚崇、宋璟、卢怀慎、苏颋、韩休、张九龄为宰相，天下太平；任用宇文融、李林甫、杨国忠为宰相，国家动乱。所以用人的得失，关系很重大。一般人都认为天宝十四载安禄山反叛是动乱的开始，臣独认为开元二十四年罢免张九龄宰相职务，专任李林甫，这才是治乱的分水岭。愿陛下以开元初做榜样，用天宝末为鉴戒，才是国家无边的幸福。”皇甫镈将

无疆[310]之福。”皇甫镈深恨之。

冬，十月壬戌[311]，容管[312]奏安南[313]贼杨清陷都护府，杀都护李象古[314]及妻子、官属、部曲千余人。象古，道古[315]之兄也，以贪纵苛刻失众心。清世为蛮酋，象古召为牙将，清郁郁不得志。象古命清将兵三千讨黄洞蛮[316]，清因人心怨怒，引兵夜还，袭府城，陷之。

初，蛮贼黄少卿自贞元[317]以来数反覆，桂管[318]观察使裴行立[319]、容管经略使阳旻[320]欲徼幸[321]立功，争请讨之，上从之。岭南[322]节度使孔戣[323]屡谏曰：“此禽兽耳，但可自计利害，不足与论是非。”上不听，大发江、湖兵会容、桂二管入讨，士卒被瘴疠，死者不可胜计。安南乘之，遂杀都护。行立、旻竟无功，二管凋弊[324]，惟戣所部晏然[325]。

丙寅[326]，以唐州[327]刺史桂仲武为安南都护。赦杨清，以为琼州[328]刺史。

是岁，吐蕃节度论三摩等将十五万众围盐州[329]，党项[330]亦发兵助之。刺史李文悦竭力拒守，凡二十七日，吐蕃不能克。灵武[331]牙将[332]史敬奉[333][10]言于朔方[334]节度使杜叔良，请兵三千，赍三十日粮，深入吐蕃，以解盐州之围，叔良以二千五百人与之。敬奉行旬余，无声问，朔方人以为俱没矣。无何，敬奉自他道[335]出吐蕃背。吐蕃大惊，溃去。敬奉奋击，大破，不可胜计[336]。敬奉与凤翔[337]将野诗良辅[338]、泾原[339]将郝玭[340]皆以勇著名于边，吐蕃惮之。

【段旨】

以上为第六段，写南疆安南蛮夷反叛，西疆吐蕃犯边。

崔群的话深深地记恨在心。

冬，十月十七日壬戌，容管观察使奏报说安南贼杨清攻陷都护府，杀了都护李象古和妻儿、官属、部下士卒一千多人。李象古是李道古的兄长，因为贪污、放纵、苛刻而失去了民心。杨清世代为蛮族的首领，李象古召他来担任牙将，杨清郁郁不得志。李象古命令他带领三千名士兵去征讨黄洞蛮人，杨清利用人们对李象古的怨恨和愤怒，带兵在夜间返回，偷袭都护府城，把城攻陷了。

当初，蛮族人黄少卿自贞元年间以来多次归顺又反叛，桂管观察使裴行立、容管经略使阳旻想侥幸立功，争相请求去讨伐黄少卿，宪宗答应了。岭南节度使孔戣多次谏阻说："这些蛮人如同禽兽，只考虑对自己有利还是有害，不必和他们讨论是非。"宪宗不听，大量征发江西、湖南兵士会合容、桂二管兵力进行征讨，士卒多染上瘴疠，死的人无法计算。安南叛将乘机进攻，于是杀了都护。裴行立、阳旻最终没有功劳，二管地区因而民生凋敝，只有孔戣所统辖的地方安然无事。

十月二十一日丙寅，宪宗任命唐州刺史桂仲武为安南都护。赦免了杨清，任命他为琼州刺史。

这一年，吐蕃节度使论三摩等率领十五万兵众包围盐州，党项也发兵帮助他们。盐州刺史李文悦竭力抵抗防守，总共经过二十七天，吐蕃不能攻下盐州。灵武牙将史敬奉向朔方节度使杜叔良说明情况，请求援兵三千名，携带三十天的粮食，深入吐蕃，以解盐州之围。杜叔良给了史敬奉二千五百人。史敬奉走了十多天，没有音讯，朔方人以为全都陷没了。不久，史敬奉从另外一条路出现在吐蕃背后。吐蕃大惊，溃败离去。史敬奉奋勇追击，大破吐蕃军，杀死和俘虏的吐蕃兵不计其数。史敬奉与凤翔将领野诗良辅、泾原将领郝玼都因勇敢而在边境非常著名，吐蕃很惧怕他们。

【注释】

㉚² 甲辰：九月二十九日。㉚³ 魏博：方镇名，唐代宗广德元年（公元七六三年）置。治所魏州，在今河北大名东。㉚⁴ 物故：死亡。㉚⁵ 故事：成例；旧例。此指节度使传子继袭的旧例。㉚⁶ 擢：提升。㉚⁷ 朱紫：高级官员之代称。唐制，三品以上衣紫，五品以上衣朱。㉚⁸ 乙巳：九月三十日。㉚⁹ 理：治。唐代避高宗李治讳，凡"治"字，改用"理"字。㉛⁰ 无疆：无边；无限。㉛¹ 壬戌：十月十七日。㉛² 容管：即容管经略使。治所北流，在今广西北流。㉛³ 安南：即安南都护府。唐高宗调露元年（公元六七九年）置，治所宋平，在今越南河内。都护府长官为都护、副都护，掌边防及行政。㉛⁴ 李象古（？至公元八一九年）：唐宗室，历官衡州刺史、安南都护。传见《旧唐书》卷一百三十一、《新

唐书》卷八十。⑮道古：李道古，宪宗时官至宗正卿、左金吾将军。穆宗即位，贬循州司马，新、旧《唐书》与李象古合传。⑯黄洞蛮：即西原蛮，在今广西南部及越南境内的古代少数民族。酋长黄姓，故称黄洞蛮。西原蛮居西原州，州治在今广西大新西北。⑰贞元：唐德宗第三个年号（公元七八五至八〇五年）。⑱桂管：即桂管经略使，或置观察使，辖桂、柳等十五个边州，在今广西境。治所始安，在今广西桂林。⑲裴行立：绛州稷山（今山西稷山）人，官至安南都护。传见《新唐书》卷一百二十九。⑳阳旻：平州（今河北卢龙）人，官至容管经略使。传见《新唐书》卷五十六。㉑徼幸：侥幸。徼，同“侥”。㉒岭南：方镇名，唐肃宗至德元载（公元七五六年）置，治所广州，在今广东广州。直辖广管，兼领桂、容、邕、安南四管。㉓孔戣：字君严，叔父孔巢父乃孔子三十七世孙。官至尚书左丞。传见《旧唐书》卷一百五十四、《新唐书》卷一百六十三。㉔凋弊：衰败。㉕晏然：安然。㉖丙寅：十月二十一日。㉗唐州：州名，治所泌阳，在今河南泌阳。㉘琼州：州名，治所琼山，在今海南海口市琼山区。㉙盐州：州名，治所五原，在今陕西定边。㉚党项：古族名，汉西羌别种，唐时居青海、甘肃、四

【原文】

柳泌[341]至台州[342]，驱吏民采药。岁余，无所得而惧，举家[343]逃入山中，浙东[344]观察使捕送京师。皇甫镈、李道古保护之，上复使待诏[345]翰林。服其药，日加躁渴。

起居舍人[346]裴潾[347]上言，以为：“除天下之害者，受天下之利；同天下之乐者，飨[348]天下之福。自黄帝[349]至于文、武[350]，享国寿考[351]，皆用此道也。自去岁以来，所在多荐方士[352]，转相汲引[353]，其数浸[354]繁。借令[355]天下真有神仙，彼必深潜岩壑，惟畏人知。凡候伺权贵之门，以大言自炫[356]奇技惊众者，皆不轨[357]徇利之人，岂可信其说而饵其药邪！夫药以愈疾，非朝夕常饵之物。况金石酷烈有毒，又益以火气，殆非人五藏之[11]所能胜也。古者君饮药，臣先尝之，乞令献药者先自饵一年，则真伪自可辨矣。”上怒，十一月己亥[358]，贬潾江陵[359]令。

初，群臣议上尊号，皇甫镈欲增“孝德”字。中书侍郎、同平章事崔群曰：“言圣则孝在其中矣。”镈谮[360]群于上曰：“群于陛下惜‘孝

川边界。㉛灵武：郡名，治所回乐，在今宁夏灵武西南。㉜牙将：官名，为藩镇亲信武将。㉝史敬奉：为朔方军牙将。传见《旧唐书》卷一百五十二、《新唐书》卷一百七十。㉞朔方：方镇名，唐玄宗开元元年（公元七一三年）置，驻节灵州，在今宁夏灵武西南。㉟他道：另道；别道。㊱不可胜计：指杀获多得计算不过来。㊲凤翔：府名，治所天兴，在今陕西宝鸡市凤翔区。㊳野诗良辅：官至陇州刺史。事附两《唐书·史敬奉传》。㊴泾原：方镇名，唐代宗大历三年（公元七六八年）置，驻节泾州，在今甘肃泾川北。㊵郝玼：官至泾原行营节度使。传见《旧唐书》卷一百五十二、《新唐书》卷一百七十。

【校记】

［10］史敬奉：原作"史奉敬"，下同。严衍《通鉴补》均改作"史敬奉"，与新、旧《唐书》合，今据一并校改。

【语译】

柳泌到达台州，驱使官民采药。一年多，没有采到什么，柳泌因而很害怕，全家逃入山中，浙东观察使逮捕了他们送到京师。皇甫镈、李道古保护柳泌，宪宗又让他任待诏翰林官。宪宗吃了他的药，一天比一天暴躁焦渴。

起居舍人裴潾上奏，认为："除去天下之害的人，就能享受天下之利；和天下人同乐的人，就能享受天下之福。从黄帝到周文王、周武王，他们在位时间既久，寿命又长，都是由于这个道理。从去年以来，各地多推荐方士，辗转互相引进，人数逐渐增多。假使天下真有神仙，他们一定深藏在山岩大壑，怕别人知道。凡是伺候权贵之门，用大话来炫耀自己的奇技以使别人惊异的人，都是些不行正道、专门牟利之徒，怎么可以相信他们的话而吃他们的药呢！药是用来治病的，不是早晚常吃的东西。何况金石之类的药物酷烈有毒，又加以火炼，恐怕不是人的五脏所能承受的。古时候君主饮药，臣子先尝，让献药的人自己先吃一年，那么真假就自然可以分辨了。"宪宗发怒，十一月二十五日己亥，贬裴潾为江陵令。

当初，群臣讨论宪宗尊号，皇甫镈想增加"孝德"二字。中书侍郎、同平章事崔群说："有圣字那么孝就包括在里面了。"皇甫镈向宪宗谮毁崔群说："崔群对陛下吝惜'孝德'二字。"宪宗很生气。当时皇甫镈发给边军的赏赐，多数不能按时送

德'二字。"上怒。时镈给边军赐与，多不时得，又所给多陈败㊱，不可服用，军士怨怒，流言欲为乱。李光颜㊲忧惧，欲自杀，遣人诉于上，上不信。京师恟惧㊳，群具以中外人情上闻。镈密言于上曰："边赐皆如旧制。而人情忽如此者，由群鼓扇，将以卖直㊴，归怨于上也。"上以为然。十二月乙卯㊵，以群为湖南㊶观察使，于是中外切齿于镈矣。

中书舍人㊷武儒衡有气节，好直言。上器之，顾待甚渥㊸，人皆言其[12]且入相。令狐楚忌之，思有以沮㊹之者，乃荐山南东道㊺节度推官㊻狄兼謩㊼才行。癸亥㊽，擢兼謩左拾遗内供奉㊾。兼謩，仁杰㊿之族曾孙也。楚自草制辞，盛言"天后窃位(376)，奸臣擅权(377)，赖仁杰保佑中宗，克复明辟(378)"。儒衡泣诉于上，且言："臣曾祖平一(379)，在天后朝，辞荣终老(380)。"上由是薄楚之为人。

【段旨】

以上为第七段，写唐宪宗受奸相皇甫镈蛊惑，迷恋方士服金丹，贬谪直臣。

【注释】

(341)柳泌：方士，求为台州刺史，以采天台山灵药。宪宗服其药，躁怒，宦者惧而弑之。穆宗立，诛泌。传见《旧唐书》卷一百三十五、《新唐书》卷一百六十七。(342)台州：州名，治所临海，在今浙江临海。(343)举家：全家。(344)浙东：方镇名，浙江东道的简称。唐肃宗乾元元年（公元七五八年）置。治所越州，在今浙江绍兴。(345)待诏：官名，凡文学方技之士，均置于翰林院待命侍从，称待诏。(346)起居舍人：官名，掌记天子言论及草制诏令。(347)裴潾（？至公元八三八年）：河东闻喜（今山西闻喜东北）人，官至兵部侍郎。传见《旧唐书》卷一百七十一、《新唐书》卷一百十八。(348)飨：同"享"。(349)黄帝：姓公孙，名轩辕，相传为华夏各族共同始祖，有土德之瑞，故号黄帝。(350)文、武：指西周开国之主周文王、周武王。(351)享国寿考：在位长久。寿考，长寿。(352)方士：求神、炼丹、制不死之药的方术之士。(353)汲引：引荐。(354)浸：逐渐。(355)借令：假使。(356)炫：炫耀。(357)不轨：不守法纪。(358)己亥：十一月二十五日。(359)江陵：县名，县治在今湖北江陵。(360)谮：进谗言。(361)陈败：陈旧腐烂。(362)李光颜（公元七六一至八二六年）：时为京

到，并且所送的物品多半陈旧腐败，不能服用，军士怨怒，传言要作乱。李光颜很忧惧，想自杀，派人向宪宗诉说，宪宗不相信。京师震动恐惧，崔群把朝廷和地方上的民情动态全都报告给宪宗。皇甫镈秘密地对宪宗说："边军的赏赐都是照老规矩办的。而人情突然这样不安的原因，是由于崔群鼓动，拿这来炫耀自己的正直，把怨恨归向皇上。"宪宗认为他说得对。十二月十一日乙卯，让崔群担任湖南观察使，这样一来从中央到地方都非常痛恨皇甫镈了。

中书舍人武儒衡有气节，喜欢讲直话。宪宗很器重他，对待他很优厚，人们都说他将要做宰相。令狐楚忌妒他，想有用来阻止他入相的人，于是推荐山南东道节度推官狄兼謩的才华品行。十二月十九日癸亥，提升狄兼謩为左拾遗内供奉。狄兼謩是狄仁杰的族曾孙。令狐楚亲自起草任命书，大讲"天后窃取皇位，奸臣专权，全靠狄仁杰保佑中宗，还政于明君"。武儒衡向宪宗哭诉，并说："臣曾祖平一，在天后时代，辞去了官职在家终老。"宪宗因此鄙薄令狐楚的人品。

师西屏邠宁节度使。传见《旧唐书》卷一百六十一、《新唐书》卷一百七十一。㊸㊂恟惧：震惊恐惧。㊸㊃卖直：谓崔群以直言为手段，沽名钓誉。此乃皇甫镈诬陷之言。㊸㊄乙卯：十二月十一日。㊸㊅湖南：方镇名，唐代宗广德二年（公元七六四年）置，治所衡州，在今湖南衡阳。大历四年（公元七六九年）移治潭州，在今湖南长沙。㊸㊆中书舍人：官名，掌起草诏令，参议表章。㊸㊇渥：厚。㊸㊈沮：阻止。㊷⓪山南东道：方镇名，唐肃宗至德中置，治所襄州，在今湖北襄阳。㊷①推官：官名，掌狱讼刑罚。㊷②狄兼謩：字汝谐，官至河东节度使。传见《旧唐书》卷八十九、《新唐书》卷一百十五。㊷③癸亥：十二月十九日。㊷④左拾遗内供奉：在左拾遗班内供职。拾遗，官名，分左右，掌讽谏。㊷⑤仁杰：狄仁杰（公元六三〇至七〇〇年），字怀英，并州太原（今山西太原）人，武则天时名臣，官至宰相。传见《旧唐书》卷八十九、《新唐书》卷一百十五。㊷⑥天后窃位：指武则天称帝。㊷⑦奸臣擅权：指武则天时武氏外戚擅权。这里暗中攻击武儒衡曾祖武平一为奸臣。㊷⑧克复明辟：还政于明君。辟，君。㊷⑨平一：即武平一，中宗时任起居舍人，修文馆直学士。传见《新唐书》卷一百十九。㊸⓪辞荣终老：指武平一在武后时隐居不仕，得以避祸，用以驳辩"奸臣擅权"。

【校记】

［11］之：据章钰校，十二行本、乙十一行本皆无此字。［12］其：原无此字。据章钰校，十二行本、乙十一行本、孔天胤本皆有此字，今据补。

【原文】

十五年（庚子，公元八二〇年）

春，正月，沂、海、兖、密观察使曹华请徙理兖州[381]，许之。

义成节度使刘悟入朝。

初，左军中尉吐突承璀[382]谋立澧王恽[383]为太子，上不许。及上寝疾[384]，承璀谋尚未息。太子闻而忧之，密遣人问计于司农卿[385]郭钊[386]，钊曰："殿下但尽孝谨以俟之，勿恤[387]其他。"钊，太子之舅也。

上服金丹，多躁怒，左右宦官往往获罪，有死者，人人自危。庚子[388]，暴崩[389]于中和殿。时人皆言内常侍[390]陈弘志弑逆，其党类讳之，不敢讨贼，但云药发，外人莫能明也。

中尉梁守谦[391]与诸宦官马进潭、刘承偕、韦元素、王守澄[392]等共立太子，杀吐突承璀及澧王恽，赐左、右神策军[393]士钱人五十缗，六军[394]、威远[395]人三十缗，左、右金吾[396]人十五缗。

【段旨】

以上为第八段，写陈弘志、王守澄发动宫廷政变，弑宪宗，立穆宗。

【注释】

㉛徙理兖州：将观察使治所从沂州移治兖州。[382]吐突承璀：宦官，任神策军护军中尉。传见《旧唐书》卷一百八十四、《新唐书》卷二百七。[383]澧王恽：宪宗次子。传见《旧唐书》卷一百八十四、《新唐书》卷八十二。[384]寝疾：卧疾。[385]司农卿：官名，司农寺长官，掌粮政。[386]郭钊：郭子仪孙，官至剑南西川节度使，太子之舅。传见《旧唐

【原文】

闰月丙午[397]，穆宗[398]即位于太极殿东序[399]。是日，召翰林学士[400]段文昌[401]等及兵部郎中[402]薛放[403]、驾部员外郎[404]丁公著[405]对于思政殿。

【语译】

十五年（庚子，公元八二〇年）

春，正月，沂、海、兖、密四州观察使曹华请求把治所从沂州迁到兖州，朝廷答应了。

义成节度使刘悟入京朝见天子。

当初，左军中尉吐突承璀谋划立澧王李恽为太子，宪宗不同意。等到宪宗病重时，承璀的谋划还未停止。太子听到后很担忧此事，秘密派人去向司农卿郭钊询问对策，郭钊说："殿下只管尽心孝谨以等待形势的发展，不要忧虑其他的事。"郭钊，是太子的舅父。

宪宗服食金丹，时常暴躁发怒，身边的宦官往往获罪，有被处死的，人人自危。正月二十七日庚子，宪宗突然死于中和殿。当时人都说是内常侍陈弘志杀死的，他们的党羽忌讳这件事，不敢讨伐凶手，只说是药性发作而死，外面无人明白这件事。

中尉梁守谦与众宦官马进潭、刘承偕、韦元素、王守澄等共立太子，杀了吐突承璀和澧王李恽，赏赐左、右神策军士钱每人五十串，六军、威远军士每人三十串，左、右金吾卫军士每人十五串。

书》卷一百二十、《新唐书》卷一百三十七。㊳⑺ 恤：忧虑；担心。㊳⑻ 庚子：正月二十七日。㊳⑼ 暴崩：突然死亡。宪宗之死，或云遇弑，或云药饵所致，事秘，史家讳而不书，始终是一桩疑案。后唐宣宗追究，认为郭太后与郭钊参与了宦官谋杀宪宗。㊴⓪ 内常侍：内官名，属内侍省，掌供奉并通判省事。㊴⑴ 梁守谦：擅权宦官。㊴⑵ 王守澄：宦官，与陈弘志弑宪宗。穆宗时王守澄知枢秘事，文宗时任骠骑大将、神策军中尉，后被鸩死。传见《旧唐书》卷一百八十四、《新唐书》卷二百八。㊴⑶ 神策军：禁军名，平时宿卫京畿，战时出兵征伐，势力在诸军之上。㊴⑷ 六军：即左右羽林、左右龙武、左右神武军。㊴⑸ 威远：不在六军、十六卫之列，或系唐中期以后所置之军队。㊴⑹ 左、右金吾：禁卫军名，即左、右金吾卫，掌京城、宫中巡警。

【语译】

闰正月初三日丙午，穆宗在太极殿东厢即皇帝位。这天，召见翰林学士段文昌等和兵部郎中薛放、驾部员外郎丁公著等，在思政殿谈话。薛放，是薛戎的弟弟，

放，戎[406]之弟，公著，苏州人，皆太子侍读也。上未听政，放、公著常侍禁中，参预机密。上欲以为相，二人固辞。

丁未[407]，辍西宫朝临[408]，集群臣于月华门[409]外。贬皇甫镈为崖州[410]司户[411]，市井[412]皆相贺。

上议命相，令狐楚荐御史中丞[413]萧俛[414]。辛亥[415]，以俛及段文昌皆为中书侍郎、同平章事。楚、俛与皇甫镈皆同年进士，上欲诛镈，俛及宦官救之，故得免。

壬子[416]，杖杀柳泌及僧大通[417]，自余方士皆流岭表[418]。贬左金吾将军李道古循州[419]司马[420]。

癸丑[421]，以薛放为工部侍郎，丁公著为给事中[422]。

乙卯[423]，尊郭贵妃为皇太后。

丁卯[424]，上与群臣皆释服从吉[425]。

二月丁丑[426]，上御丹凤门楼，赦天下。事毕，盛陈倡优杂戏于门内而观之。丁亥[427]，上幸左神策军观手搏杂戏。

庚寅[428]，监察御史[429]杨虞卿[430]上疏，以为："陛下宜延[431]对群臣，周遍顾问，惠以气色，使进忠若趋利，论政若诉冤。如此而不致升平者，未之有也。"衡山[432]人赵知微亦上疏谏上游畋[433]无节。上虽不能用，亦不罪也。

【段旨】

以上为第九段，写穆宗即位，逐杀方士，罢皇甫镈相位。

【注释】

㊲丙午：闰正月初三日。㊳穆宗：李恒（公元七九五至八二四年），宪宗第三子，公元八二〇至八二四年在位。《穆宗纪》见《旧唐书》卷十五、《新唐书》卷八。㊴东序：东厢。㊵翰林学士：官名，以文学之士为之，值宿内廷，掌制诰、书命。㊶段文昌（？至公元八三五年）：齐州临淄（今山东淄博）人，穆宗即位为宰相，文宗时为御史大夫。传见《旧唐书》卷一百六十七、《新唐书》卷八十九。㊷兵部郎中：官名，兵部本司之

丁公著，苏州人，二人都是太子的侍读。穆宗还没有听政时，薛放、丁公著常在禁中侍奉他，参与机密。穆宗想任命他们为宰相，二人坚决推辞。

闰正月初四日丁未，停止向西宫宪宗灵堂早晨的哭吊，召集群臣在月华门外会见。把皇甫镈贬为崖州司户，市民全都相互庆贺。

穆宗提议任命宰相，令狐楚推荐御史中丞萧俛。闰正月初八日辛亥，任命萧俛和段文昌都为中书侍郎、同平章事。令狐楚、萧俛和皇甫镈都是同年进士，穆宗想杀掉皇甫镈，萧俛和宦官拯救他，所以皇甫镈才能免于一死。

闰正月初九日壬子，用杖刑处死了柳泌和僧人大通，其余的方士全都流放岭南。把左金吾将军李道古贬为循州司马。

闰正月初十日癸丑，任命薛放为工部侍郎，任命丁公著为给事中。

正月十二日乙卯，尊郭贵妃为皇太后。

正月二十四日丁卯，穆宗与群臣都脱去丧服，穿上吉服。

二月初五日丁丑，穆宗登上丹凤门楼，大赦天下。事毕，在门内大设歌舞杂戏而观赏。十五日丁亥，穆宗到左神策军观看搏斗杂戏。

二月十八日庚寅，监察御史杨虞卿上疏，认为："陛下应当召见群臣，和他们谈话，广泛地征求意见，给他们和善的态度，使臣下进纳忠言如同追求财利，讨论政事如同诉说冤屈。这样做而达不到天下太平，那是没有的事。"衡山人赵知微也上疏劝谏穆宗游猎没有节制。穆宗虽不能采纳，但也不加罪他们。

长官，掌武官阶品及军队调遣。㊵薛放：河中宝鼎（今山西万荣西南）人，官至江西观察使。传见《旧唐书》卷一百五十五、《新唐书》卷一百六十四。㊶驾部员外郎：官名，驾部为兵部第三司，掌车乘、传驿、马政，正、副长官为郎中、员外郎。㊷丁公著：字平子，苏州吴（今江苏苏州）人，官至太常卿。传见《旧唐书》卷一百八十五、《新唐书》卷一百六十四。㊸戎：薛戎（？至公元八二一年），字元夫，官至浙东观察使。传见《旧唐书》卷一百五十五、《新唐书》卷一百六十四。㊹丁未：闰正月初四日。㊺临：哭吊。大行在殡，臣子朝夕临哭。㊻月华门：唐宫东内、西内皆有日华门和月华门。此指西内月华门。㊼崖州：州名，治所舍城，在今海南海口市琼山区东南。㊽司户：全称为司户参军事，官名，州郡之僚属，掌户籍、婚姻等。㊾市井：市街，此指市街之人，即市民。㊿御史中丞：官名，御史台副长官，协助御史大夫监察百官。(414)萧俛：字思谦，穆宗时任宰相，敬宗时以少保分司东都。传见《旧唐书》卷一百七十二、《新唐书》卷一百一。(415)辛亥：闰正月初八日。(416)壬子：闰正月初九日。(417)僧大通：法号大通的和尚。自言能致长生，皇甫镈荐之于宪宗。宪宗崩，与柳泌同被处死。(418)岭表：即岭南。指五

岭以南地区。⑲循州：州名，治所归善，在今广东惠州东。⑳司马：官名，唐为州郡佐吏，中期以后仅存其名，安置贬官。㉑癸丑：闰正月初十日。㉒给事中：官名，属门下省，掌分判省事，驳正违失，并参与审理冤狱。㉓乙卯：闰正月十二日。㉔丁卯：闰正月二十四日。㉕释服从吉：脱去丧服，穿上吉服。即除丧。㉖丁丑：二月初五日。㉗丁亥：二月十五日。㉘庚寅：二月十八日。㉙监察御史：官名，御史大夫属官，掌分察百僚，巡按州县。㉚杨虞卿：字师皋，虢州弘农（今河南灵宝北）人，官至工部侍郎、京兆尹。传见《旧唐书》卷一百七十六、《新唐书》卷一百七十五。㉛延：召见。㉜衡山：县名，县治在今湖南湘潭北。㉝游畋：游猎。

【原文】

壬辰[434]，废邕管[435]，命容管经略使阳旻兼领之。

安南都护桂仲武至安南，杨清拒境不纳。清用刑惨虐，其党离心。仲武遣人说其酋豪，数月间，降者相继，得兵七千余人。朝廷以仲武为逗遛[436]，甲午[437]，以桂管观察使裴行立为安南都护。乙未[438]，以太仆卿[439]杜式方[440]为桂管观察使。丙申[441]，贬仲武为安州[442]刺史。

丹王逾[443]薨。

吐蕃寇灵武[444]。

宪宗之末，回鹘[445]遣合达干来求昏[446]尤切，宪宗许之。三月癸卯朔[447]，遣合达干归国。

上见夏州[448]观察判官[449]柳公权[450]书迹，爱之。辛酉[451]，以公权为右拾遗、翰林侍书学士[452]。上问公权："卿书何能如是之善?"对曰："用笔在心，心正则笔正。"上默然改容，知其以笔谏也。公权，公绰[453]之弟也。

辛未[454]，安南将士开城纳桂仲武，执杨清，斩之。裴行立至海门[455]而卒，复以仲武为安南都护。

吐蕃寇盐州。

【语译】

二月二十日壬辰，撤销邕管，命令容管经略使阳旻兼领原邕管之事。

安南都护桂仲武到达安南，杨清在边境拒绝接纳他。杨清用刑残虐，他的党徒和他不同心。桂仲武派人去说服那些小头目，几个月间，归降的人相继不断，得到兵卒七千多人。朝廷认为桂仲武逗留不进，二月二十二日甲午，任命桂管观察使裴行立为安南都护。二十三日乙未，任命太仆卿杜式方为桂管观察使。二十四日丙申，贬桂仲武为安州刺史。

丹王李逾去世。

吐蕃侵犯灵武。

宪宗末年，回鹘派合达干来求婚，特别恳切，宪宗答应了。三月初一日癸卯，遣送合达干回国。

穆宗看到夏州观察判官柳公权书法手迹，很喜爱。三月十九日辛酉，任命柳公权为右拾遗、翰林侍书学士。穆宗问柳公权："你的书法为什么这样好?"柳公权回答说："用笔在心，心地端正，笔就端正。"穆宗默然动容，知道柳公权是借用写字进行劝谏。柳公权，是柳公绰的弟弟。

三月二十九日辛未，安南将士开城接纳桂仲武，抓住杨清，把他杀掉了。裴行立到达海门镇就死了，朝廷再次任命桂仲武为安南都护。

吐蕃侵犯盐州。

【段旨】

以上为第十段，写安南再乱，吐蕃犯边。

【注释】

[434] 壬辰：二月二十日。[435] 邕管：即邕管经略使，治所邕州，在今广西南宁。[436] 逗遛：延留；迟滞。遛，同“留”。[437] 甲午：二月二十二日。[438] 乙未：二月二十三日。[439] 太仆卿：官名，太仆寺长官，掌厩牧、车舆之政令。[440] 杜式方：名相杜佑长子，官至桂管观察使。传见《旧唐书》卷一百四十七、《新唐书》卷一百六十六。[441] 丙申：二月二十四日。[442] 安州：州名，治所安陆，在今湖北安陆。[443] 丹王逾：代宗子李逾。大历十年（公元七七五年）封郴王，领渭北鄜坊节度大使。建中四年（公元七八三年）改封丹王。传见《旧唐书》卷一百十六、《新唐书》卷八十二。[444] 灵武：县名，隋置，在今宁夏

【原文】

初，膳部员外郎[456]元稹[457]为江陵[458]士曹[459]，与监军崔潭峻善。上在东宫，闻宫人诵稹歌诗而善之。及即位，潭峻归朝，献稹歌诗百余篇。上问：“稹安在？”对曰：“今为散郎[460]。”夏，五月庚戌[461]，以稹为祠部郎中[462]、知制诰[463]，朝论鄙之。会同僚食瓜于阁[464]下，有青蝇集其上，中书舍人武儒衡以扇挥之曰：“适从何来，遽集于此！”同僚皆失色，儒衡意气自若。

庚申[465]，葬神圣章武孝皇帝于景陵[466]，庙号宪宗。

六月，以湖南观察使崔群为吏部侍郎，召对别殿。上曰：“朕升储副[467]，知卿为羽翼。”对曰：“先帝之意，久属圣明，臣何力之有！”

太后居兴庆宫，每朔望[468]，上帅[469]百官诣宫上寿[470]。上性侈，所以奉养太后尤为华靡。

秋，七月乙巳[471]，以郓、曹、濮节度为天平军[472]。

门下侍郎、同平章事令狐楚坐为山陵使[473]，部吏盗官物，又不给工人佣直[474]，收其钱十五万缗为羡余[475]献之，怨诉盈路，丁卯[476]，罢为宣、歙、池[477]观察使。

八月癸巳[478]，发神策兵二千浚鱼藻池[479]。

灵武西南。㊹⑤ 回鹘：古族名，亦称回纥。唐天宝三载（公元七四四年），在今蒙古国鄂尔浑河流域建立政权。㊹⑥ 昏：同“婚”。㊹⑦ 癸卯朔：三月初一日。㊹⑧ 夏州：州名，治所朔方，在今陕西靖边白城子。㊹⑨ 判官：官名，为节度、观察等使僚属，佐理政事，位于副使之下。㊺⓪ 柳公权：字诚悬，京兆华原（今陕西铜川市耀州区）人，著名书法家，官至太子少师。传见《旧唐书》卷一百六十五、《新唐书》卷一百六十三。㊺① 辛酉：三月十九日。㊺② 翰林侍书学士：官名，掌书法及删定字书等事。㊺③ 公绰：柳公绰，字宽，历仕宪、穆、敬、文四朝，位九卿。传见《旧唐书》卷一百六十五、《新唐书》卷一百六十三。㊺④ 辛未：三月二十九日。㊺⑤ 海门：镇名，在今越南海防。

【语译】

当初，膳部员外郎元稹为江陵士曹，和监军崔潭峻交好。穆宗在东宫时，听到宫人朗诵元稹的诗，很喜欢他的诗。等到即皇帝位，潭峻回到朝廷，献上元稹的诗歌一百多篇。穆宗问：“元稹在什么地方？”潭峻回答说：“现在担任散郎。”夏，五月初九日庚戌，任命元稹为祠部郎中、知制诰，朝廷舆论鄙薄元稹。恰遇同僚们在省阁中吃瓜，有青蝇落在瓜上，中书舍人武儒衡用扇子驱赶青蝇说：“刚才从哪里飞来的，突然落在这里！”同僚都变了脸色，武儒衡和平时一样若无其事。

五月十九日庚申，将神圣章武孝皇帝葬在景陵，庙号宪宗。

六月，任命湖南观察使崔群为吏部侍郎，在别殿召见谈话。穆宗说：“朕被升为皇太子，知道你尽了羽翼之力。”崔群回答说：“先帝的心意，久在陛下，臣出了什么力！”

太后居兴庆宫，每月的初一、十五，穆宗带领百官到宫中祝福。穆宗本性奢侈，因而奉养太后尤为华丽奢靡。

秋，七月初五日乙巳，将郓、曹、濮节度命名为天平军。

门下侍郎、同平章事令狐楚因任山陵使，部吏盗窃公家的财物，又不给工人工资，将聚敛的十五万串钱作为羡余献给穆宗，埋怨哭诉的人满路而获罪，七月二十七日丁卯，相位被罢免，改任宣、歙、池观察使。

八月二十四日癸巳，派遣二千名神策兵疏浚鱼藻池。

戊戌[480]，以御史中丞崔植[481]为中书侍郎、同平章事。

己亥[482]，再贬令狐楚衡州[483]刺史。

上甫[484]过公除[485]，即事游畋声色，赐与无节[486]。九月，欲以重阳大宴，拾遗李珏[487]帅其同僚上疏曰："伏以元朔未改[488]，园陵尚新，虽陛下就易月[489]之期，俯从人欲，而《礼经》著三年之制，犹服心丧[490]。遵同轨之会始离京[491]，告远夷[492]之使未复命。遏密弛禁[493]，盖为齐人[494]；合乐[13]后[14]庭[495]，事将未可。"上不听。

戊午[496]，加邠宁[497]节度使李光颜、武宁[498]节度使李愬并同平章事。

冬，十月，王承宗[499]薨，其下秘不发丧，子知感、知信皆在朝，诸将欲取帅于属内诸州。参谋崔燧以承宗祖母凉国夫人[500]命，告谕诸将及亲兵立承宗之弟观察支使承元[501]。承元时年二十，将士拜之，承元不受，泣且拜。诸将固请不已，承元曰："天子遣中使监军，有事当与之议。"及监军至，亦劝之。承元曰："诸公未忘先德[502]，不以承元年少，欲使之摄军务，承元请尽节[503]天子[15]，以遵忠烈王[504][16]之志，诸公肯从之乎？"众许诺。承元乃视事于都将听事[505]，令左右不得谓己为留后，委事于参佐，密表请朝廷除帅。

庚辰[506]，监军奏承宗疾亟，弟承元权知留后，并以承元表闻。

党项复引吐蕃寇泾州[507]，连营五十里。

辛巳[508]，遣起居舍人柏耆[509]诣镇州[510]宣慰。

壬午[511]，群臣入阁退[17]，谏议大夫郑覃[512]、崔郾[513]等五人进言："陛下宴乐过多，畋游无度。今胡寇压境[514]，忽有急奏，不知乘舆[515]所在。又晨夕与近习[18]倡优狎昵[516]，赐与过厚。夫金帛皆百姓膏血，非有功不可与。虽内藏[517]有余，愿陛下爱[518]之，万一四方有事，不复使有司重敛百姓。"时久无阁中论事[519]者，上始甚讶[520]之，谓宰相曰："此辈何人？"对曰："谏官。"上乃使人慰劳之曰："当依卿言。"宰相皆贺，然实不能用也。覃，珣瑜[521]之子也。

上尝谓给事中丁公著曰："闻外间人多宴乐，此乃时和人安，足用[522]为慰。"公著对曰："此非佳事，恐渐劳圣虑。"上曰："何故？"对

八月二十九日戊戌，任命御史中丞崔植为中书侍郎、同平章事。

八月三十日己亥，再贬令狐楚为衡州刺史。

穆宗刚刚过了公除日，就从事游玩、打猎、声色等活动，赏赐没有节制。九月，想在重阳节大肆宴请，拾遗李珏带领他的同僚上疏说：“臣下认为年号还没有改，先帝陵墓尚是新的，虽然陛下是按以日易月的丧期，顺应天下人愿望，但《礼经》上明载三年的丧期，内心还应哀悼。全国参加葬礼的侯王藩臣才离开京师，派到边远四夷的告哀使还没有回来复命。开放娱乐活动是为了全国百姓，但在后宫奏乐不应当。”穆宗不听。

九月十九日戊午，穆宗加授邠宁节度使李光颜、武宁节度使李愬为同平章事。

冬，十月，王承宗去世，他的部下隐瞒不发布丧事消息，王承宗的儿子王知感、王知信都在朝廷，王承宗的将领想在所属的州内选立统帅。参谋崔燧以王承宗祖母凉国夫人之命，告诉诸将和亲兵立王承宗的弟弟观察支使王承元为统帅。王承元当时二十岁，将士拜见他，王承元不接受，边哭边回拜。诸将坚决不停地请求，王承元说：“天子派遣中使监军，有事应当和他商议。”等到监军来到，也劝王承元继任。王承元说：“诸公未忘记先人的恩德，不因承元年少，想要我暂时主持军务，承元请求尽忠于天子，以遵从忠烈王的志愿，诸公肯依从我吗?”大家答应了。王承元于是在都将大厅上开始办公，命令身边的人不得称自己为留后，把政事交给参军和僚佐，秘密上表请求朝廷任命统帅。

十月十一日庚辰，监军上奏说王承宗病危，他的弟弟王承元暂时担任留后，并且把王承元的奏表也告知了穆宗。

党项又带领吐蕃侵犯泾州，军营相连五十里。

十月十二日辛巳，穆宗派起居舍人柏耆到镇州去表达朝廷的慰问。

十月十三日壬午，群臣到便殿去朝见穆宗，退下后，谏议大夫郑覃、崔郾等五人向穆宗进言：“陛下饮宴娱乐过多，狩猎游玩没有节制。现在胡寇压境，忽然有紧急奏报，不知道皇上在哪里。又早晚和左右近习、歌伎杂耍艺人亲昵，赏赐过于优厚。金银绸帛都是民脂民膏，没有功劳的人不能给予。虽然官内库藏很多，但希望陛下爱惜它，万一四方有变故，不再让有关官员重敛百姓。”当时很久没有在阁中议论政事了，穆宗开始感到很惊讶，问宰相说：“这些是什么人?”宰相回答说：“谏官。”穆宗就派人慰劳他们说：“应当照你们说的去做。”宰相都向穆宗祝贺，然而实际上穆宗并未照办。郑覃，是郑珣瑜的儿子。

穆宗曾对给事中丁公著说：“听说外面的人多举行宴乐，这是因社会稳定、人民安泰，足以自慰。”丁公著回答说：“这不是好事，恐怕慢慢要劳皇上操心。”穆宗说：

曰："自天宝[523]以来，公卿大夫竞为游宴，沉酣昼夜，优杂子女[524]，不愧左右。如此不已[525]，则百职皆废，陛下能无独忧劳乎！愿少加禁止，乃天下之福也。"

【段旨】

以上为第十一段，写唐穆宗初即位，游畋声色无度。

【注释】

㊻膳部员外郎：官名，膳部为礼部第三司，掌陵庙祭器、酒膳等事，其正副长官为郎中、员外郎。㊼元稹（公元七七九至八三一年）：字微之，著名诗人。早年敢于言事，穆宗时依附宦官而拜相。宪宗元和五年（公元八一〇年）贬江陵士曹。传见《旧唐书》卷一百六十六、《新唐书》卷一百七十四。㊽江陵：府名，治所江陵，在今湖北江陵。㊾士曹：州郡属官，掌桥梁、舟车、舍宅及百工众艺之事。㊿散郎：即员外郎。[461]庚戌：五月初九日。[462]祠部郎中：官名，祠部为礼部第二司，掌祭祀，其长官为祠部郎中。[463]知制诰：官名，本官为中书舍人。唐制，中书舍人六人，一人知制诰，掌起草诏令。开元初，以他官掌诏敕，称兼知制诰。[464]阁：指中书省。武则天曾改中书省为凤阁，故有此称。[465]庚申：五月十九日。[466]景陵：宪宗陵，在今陕西蒲城。[467]储副：储君，即太子。[468]朔望：阴历初一为朔日，十五为望日。[469]帅：同"率"。[470]上寿：祝健康长寿。[471]乙巳：七月初五日。[472]天平军：方镇名，元和十四年分淄青节度使置郓曹濮节度使，至是改称天平军。仍治郓州，在今山东东平西北。[473]山陵使：负责营建皇陵的专使。[474]佣直：工钱。直，同"值"。[475]羡余：为常赋之外的无名杂税。[476]丁卯：七月二十七日。[477]宣、歙、池：皆州名。宣州，治所宣城，在今安徽宣城市宣州区。歙州，治所歙县，在今安徽歙县。池州，治所秋浦，在今安徽池州市贵池区。[478]癸巳：八月二十四日。[479]鱼藻池：禁苑中池名。[480]戊戌：八月二十九日。[481]崔植：字公修，京兆长安（今陕西西安）人，穆宗时官至宰相。传见《旧唐书》卷一百十九、《新唐书》卷一百四十二。[482]己亥：八月三十日。[483]衡州：州名，治所衡阳，在今湖南衡阳。[484]甫：方；始。[485]公除：指除丧服。按礼，子为父应服丧三年，天子因公早日除服，谓之公除。其具体日期见下"易月"条注。[486]无节：无节制。[487]李珏（公元七八四至八五三年）：字待价，文宗时宰相。传见《旧唐书》卷一百七十三、《新唐书》卷一百八十二。[488]元朔未改：元谓年始，朔谓月始，新君即位，当于次年改元。穆宗即位尚未逾年，故曰元朔未改。[489]易月：指天子服丧以日易月。穆宗用汉文帝遗制，"三年之丧，其实二十七月"

“为什么？”丁公著回答说：“自从天宝年间以来，公卿大夫争着游玩饮宴，日夜沉迷酣饮，倡优男女如同猿猴混杂，不知羞耻。这种情况不停止，那么各项工作都会停顿，陛下能不独自为之担忧吗！但愿稍稍加以禁止，那才是天下的幸福。”

（见《汉书·文帝纪》注），以日易月，故二十七日公除。⑲⓪心丧：不穿丧服，内心哀悼，谓之心丧。⑲①遵同轨之会始离京：谓诸侯会葬京师后方始离开。典出《左传·隐公元年》：“天子七月而葬，同轨毕至。”同轨，指华夏同文之国，即诸侯国。⑲②告远夷：唐制，国有大丧，遣使宣遗诏于四夷，称为告哀使。⑲③遏密弛禁：先帝去世不久即解除致哀的各种禁令。遏密，禁绝。语出《尚书·舜典》：“帝乃殂落，……三载，四海遏密八音。”⑲④齐人：齐民；百姓。⑲⑤合乐后庭：即上文所说“欲以重阳大宴”。后庭，指后宫。⑲⑥戊午：九月十九日。⑲⑦邠宁：方镇名，唐肃宗乾元二年（公元七五九年）置，治所邠州，在今陕西彬州。⑲⑧武宁：方镇名，唐宪宗元和二年（公元八〇七年）置，治所徐州，在今江苏徐州。⑲⑨王承宗：成德节度使王武俊之孙，王士真之子。父死，继镇成德。传见《旧唐书》卷一百四十二、《新唐书》卷二百十一。⑤⓪⓪凉国夫人：王武俊之妻。⑤⓪①承元：王承元，承宗之弟，兄死，不袭节度，接受朝命镇义成。传见《旧唐书》卷一百四十二、《新唐书》卷一百四十八。⑤⓪②先德：祖先之德。指王武俊镇成德时甚有恩惠。⑤⓪③尽节：谓效忠天子。⑤⓪④忠烈王：即王武俊，武俊封清河郡王，谥忠烈。⑤⓪⑤都将听事：即都知兵马使之厅堂。在此办公，谓不敢以留后自居。⑤⓪⑥庚辰：十月十一日。⑤⓪⑦泾州：州名，治所安定，在今甘肃泾川北。⑤⓪⑧辛巳：十月十二日。⑤⓪⑨柏耆：善纵横术，曾游说王承宗而止成德军叛。文宗时官谏议大夫。因争功遭流放爱州，寻赐死。传见《旧唐书》卷一百五十四、《新唐书》卷一百七十五。⑤①⓪镇州：即恒州，因避穆宗李恒讳而改。⑤①①壬午：十月十三日。⑤①②郑覃（？至公元八四二年）：郑州荥泽（今河南郑州西北）人，官至宰相。党同李德裕。传见《旧唐书》卷一百七十四、《新唐书》卷一百六十五。⑤①③崔郾（公元七六七至八三六年）：字广略，贝州武城（今山东武城）人，官至浙江西道都团练观察使。传见《旧唐书》卷一百五十五、《新唐书》卷一百六十三。⑤①④胡寇压境：指吐蕃入寇。⑤①⑤乘舆：皇帝的车驾，亦指代皇帝。⑤①⑥狎昵：戏耍、亲近。⑤①⑦内藏：宫中府库。⑤①⑧爱：爱惜。⑤①⑨阁中论事：谏官入阁论事，太宗之制。⑤②⓪讶：惊异。⑤②①珣瑜：郑珣瑜（公元七三八至八〇五年），乃郑覃之父，字元伯，德宗朝宰相。顺宗立，郑珣瑜不满王叔文专权，卧家不出，罢为吏部尚书。传见《新唐书》卷一百六十五。⑤②②用：以。⑤②③天宝：唐玄宗第三个年号（公元七四二至七五六年）。⑤②④优杂子女：谓舞戏时，男女混杂无别，有如猿猴一般。优，通“猱”。兽名，猿属。⑤②⑤已：止。

【校记】

［13］乐：据章钰校，十二行本作“宴”。［14］后：据章钰校，十二行本、乙十一行本皆作“内”。［15］天子：原无此二字。据章钰校，十二行本、乙十一行本、孔天胤本皆有此二字，张敦仁《通鉴刊本识误》同，今据补。［16］王：原无此字。据章钰校，十二

【原文】

癸未[526]，泾州奏吐蕃进营距州三十里，告急求救。以右军中尉梁守谦为左、右神策，京西、北行营都监[527]，将兵四千人，并发八镇[528]全军救之。赐将士装钱[529]二万缗。以郯王[530]府长史[531]邵同为太府少卿[532][19]兼御史中丞，充[533]答吐蕃请和好使[534]。

初，秘书少监[535]田洎入吐蕃为吊祭使[536]，吐蕃请与唐盟于长武城[537]下。洎恐吐蕃留之不得还，唯阿[538]而已。既而吐蕃为党项[539]所引入寇，因以为辞曰：“田洎许我将兵赴盟。”于是贬洎郴州[540]司户[541]。

成德军[542]始奏王承宗薨。乙酉[543]，徙田弘正为成德节度使，以王承元为义成节度使，刘悟为昭义[544]节度使[20]，李愬为魏博节度使。又以左金吾将军田布[545]为河阳节度使。

渭州[546]刺史郝玼数出兵袭吐蕃营，所杀甚众。

李光颜发邠宁兵救泾州。邠宁兵以神策受赏厚，皆愠[547]曰：“人给五十缗而不识战斗者，彼何人邪！常额衣资不得而前冒白刃者，此何人邪！”汹汹[548]不可止。光颜亲为开陈大义以谕之，言与涕俱，然后军士感悦而行。将至泾州，吐蕃惧而退。丙戌[549]，罢神策行营[550]。

西川[551]奏吐蕃寇雅州，辛卯[552]，盐州奏吐蕃营于乌、白池[553]，寻亦皆退。

十一月癸卯[554]，遣谏议大夫郑覃诣镇州宣慰，赐钱一百万缗以赏将士。王承元既请朝命，诸将及邻道争以故事劝之，承元皆不听。及移镇义成，将士喧哗[555]不受命，承元与柏耆召诸将以诏旨谕之，诸将号

行本、乙十一行本皆有此字，张敦仁《通鉴刊本识误》同，今据补。[17] 退：原无此字。据章钰校，十二行本、乙十一行本皆有此字，今据补。[18] 近习：原无此二字。据章钰校，十二行本、乙十一行本、孔天胤本皆有此二字，张敦仁《通鉴刊本识误》、张瑛《通鉴校勘记》同，今据补。

【语译】

十月十四日癸未，泾州上奏说吐蕃推进营地离州城只三十里了，告急求救。任命右军中尉梁守谦为左、右神策，京西、北行营都监，带领四千名士兵，并征发八镇的全部军队去救援。赏赐将士治装钱二万串。任命郯王府长史邵同为太府少卿兼御史中丞，充任回访吐蕃之请双方和好的专使。

当初，秘书少监田洎为告哀使到吐蕃去，吐蕃请求和唐朝在长武城下签订盟约。田洎怕吐蕃扣留他不能回朝，便“是啊是啊”而已。接着吐蕃被党项带领侵扰边境，便以此作借口说：“田洎答应我带领军队来参加盟会。”于是朝廷把田洎贬为郴州司户。

成德军这时才上奏王承宗已去世。十月十六日乙酉，朝廷改任田弘正为成德节度使，任命王承元为义成节度使，刘悟为昭义节度使，李愬为魏博节度使。又任命左金吾将军田布为河阳节度使。

渭州刺史郝玼多次出兵袭击吐蕃营，杀伤敌兵很多。

李光颜调发邠宁兵救援泾州。邠宁兵因神策兵受到的赏赐多，都恼怒地说：“每人赏给五十串钱而不知道打仗的，他们是什么人！按常规应给的衣服资粮都领不到而在前线和敌人搏斗的，这些又是什么人！”喧闹不停。李光颜亲自讲说大义来劝导他们，声泪俱下，然后军士们感动，高兴地出发了。邠宁军即将到达泾州，吐蕃害怕撤退了。十月十七日丙戌，朝廷裁撤神策军行营。

西川节度使上奏说吐蕃侵犯雅州，十月二十二日辛卯，盐州奏报说吐蕃在乌、白池扎营，不久也都退走了。

十一月初五日癸卯，朝廷派遣谏议大夫郑覃到镇州去宣抚慰问。赏赐将士们一百万串钱。王承元已经请求朝廷任命元帅，诸将和邻道争着用过去的事例劝他继任元帅，王承元一概不听。等到他改任义成节度使时，将士吵闹，不接受命令，王承元和柏耆召集诸将，把穆宗的诏旨告诉他们，诸将号哭着不服从。王承元把家中

哭不从。承元出家财以散之，择其有劳者擢之，谓曰："诸公以先代之故，不欲承元去，此意甚厚。然使承元违天子之诏，其罪大矣。昔李师道之未败也，朝廷尝赦其罪，师道欲行，诸将固留之，其后杀师道者亦诸将也。诸将勿使承元为师道则幸矣。"因涕泣不自胜，且拜之。十将[21]李寂等十余人固留承元，承元斩以徇，军中乃定。丁未㊿⑥，承元赴滑州㊿⑦。将吏或以镇州器用财货行，承元悉命留之。

【段旨】

以上为第十二段，写成德留后王承元遵奉朝命。

【注释】

㊿㉖癸未：十月十四日。㊿㉗都监：官名，亦称都监使，即监军。㊿㉘八镇：左、右神策军分屯近畿，凡八镇：长武、兴平、好畤、普闰、郃阳、良原、定平、奉天。㊿㉙装钱：服装费。㊿㉚郑王：李经，顺宗子。㊿㉛长史：官名，为诸掾吏之长，总管府中事务。㊿㉜太府少卿：官名，为少府寺长官太府卿之佐，掌财货、廪藏等事。㊿㉝充：担任。㊿㉞答吐蕃请和好使：回访吐蕃之请双方和好的特派专使。㊿㉟秘书少监：秘书省副长官，掌图籍、修撰。㊿㊱吊祭使：《新唐书》卷二百十六下《吐蕃传下》载："穆宗即位，遣秘书少监田洎往告。"据此，所遣当为告哀使，告吐蕃宪宗崩。㊿㊲长武城：城名，在今陕西长武西北，为吐蕃入侵必由之路。㊿㊳唯阿：应诺声。㊿㊴党项：汉西羌别种。唐时居于古析支地，当今青海东南部海南州、果洛州地区。㊿㊵郴州：州名，治所郴县，在今湖南郴州。㊿㊶司户：州级行政佐吏诸判司之一，掌户口、籍账、婚姻、田宅、杂徭等事务。㊿㊷成德军：方镇名，唐代宗宝应元年（公元七六二年）置，治所恒州，在今河北正定。㊿㊸乙酉：十

【原文】

上将幸华清宫㊿⑧。戊午㊿⑨，宰相率两省㊿⑩供奉官㊿⑪诣延英门㊿⑫，三上表切㊿⑬谏，且言："如此，臣辈当扈从㊿⑭。"求面对，皆不听。谏官伏门下㊿⑮，至暮乃退。己未㊿⑯，未明，上自复道出城㊿⑰，幸华清宫，独公主、

的财产拿出来散发给他们，选择有功劳的人加以提拔，对他们说："诸位由于先人的缘故，不想承元离开这里，这种情意十分深厚。但如果让承元违抗天子的诏命，那罪就很大了。过去李师道未败亡的时候，朝廷曾赦免他的罪，李师道想离开郓州，诸将坚决要留住他，后来杀李师道的也是诸将。诸将不要让承元和师道一样，那就很幸运了。"于是流泪悲伤不止，并且向诸将下拜。十将李寂等十多人坚持要挽留王承元，王承元杀了他们示众，军中才安定下来。初九日丁未，王承元赶往滑州。将吏们有的要把镇州的用具财物等带走，王承元命令都留下来。

月十六日。㊹昭义：方镇名，唐代宗广德元年（公元七六三年）置相卫节度使，治所相州，在今河南安阳。大历元年（公元七六六年）号昭义军，大历十二年与泽潞节度使合为一镇。德宗建中元年（公元七八〇年）移治潞州，在今山西长治。㊺田布：田弘正之子，官至魏博节度使。传见《旧唐书》卷一百四十一、《新唐书》卷一百四十八。㊻渭州：州名，治所襄武，在今甘肃陇西东南。㊼愠：恼怒。㊽汹汹：喧闹；骚动。㊾丙戌：十月十七日。㊿罢神策行营：指裁撤中尉梁守谦所领的神策军。(551)西川：方镇名，剑南西川的简称。唐肃宗至德二载（公元七五七年）置。治所成都，在今四川成都。(552)辛卯：十月二十二日。(553)乌、白池：乌池、白池。盐池名，在今宁夏盐池县。(554)癸卯：十一月初五日。(555)喧哗：哄闹。(556)丁未：十一月初九日。(557)滑州：州名，治所白马，在今河南滑县东。

【校记】

［19］太府少卿：原作"大府少卿"。据章钰校，十二行本、乙十一行本、孔天胤本皆作"太府少卿"，今从改。［20］使：原脱。据章钰校，十二行本、乙十一行本皆有"使"字，今据补。〖按〗补"使"字，方与上下文例同。［21］十将：严衍《通鉴补》改作"牙将"。

【语译】

穆宗将要到华清宫去。十一月二十日戊午，宰相带领中书、门下两省供奉官到延英殿门，三次上表恳切地劝阻，并且说："这样做，臣下们应当侍从。"请求当面对话，穆宗都不听。谏官们伏在延英门下，到傍晚才退下。二十一日己未，天还未亮，驸马、中尉、神策六军使帅禁兵千余人扈从，晡时[568]还宫。

十二月己巳朔[569]，盐州奏吐蕃千余人围乌、白池。

庚辰[570]，西川奏南诏[571]二万人入界，请讨吐蕃。

癸未[572]，容管奏破黄少卿万余众，拔营栅三十六。时少卿久未平，国子祭酒[573]韩愈[574]上言："臣去年贬岭外[575]，熟知黄家贼事。其贼无城郭可居，依山傍险，自称洞主，寻常亦各营生，急则屯聚相保。比缘[576]邕管经略使多不得人，德既不能绥怀[577]，威又不能临制[578]，侵欺虏缚，以致怨恨。遂攻劫州县，侵暴平人，或复[579]私仇，或贪小利，或聚或散，终亦不能为事[580]。近者征讨本起裴行立、阳旻，此两人者本无远虑深谋，意在邀功求赏。亦缘见贼未屯聚之时，将谓单弱，争献谋计。自用兵以来，已经二年，前后所奏杀获计不下二万余人。傥[581]皆非虚，贼已寻尽。至今贼犹依旧，足明欺罔朝廷。邕、容两管，经此凋弊，杀伤疾疫，十室九空，如此不已[582]，臣恐岭南一道，未有宁息之时。自南讨已来，贼徒亦甚伤损，察其情理，厌苦必深。贼所处荒僻，假如尽杀其人，尽得其地，在于国计不为有益。若因改元大庆[583]，赦其罪戾[584]，遣使宣谕，必望风降伏。仍为选择有威信者为经略使，苟处置得宜，自然永无侵叛之事。"上不能用。

【段旨】

以上为第十三段，写韩愈上奏安抚岭南之策，穆宗不纳。

【注释】

[558]华清宫：宫名，在今陕西西安市临潼区骊山北麓。[559]戊午：十一月二十日。[560]两省：指中书、门下两省。[561]供奉官：自左右常侍以下，至拾遗、补阙、起居郎、舍人等，皆为供奉官。[562]延英门：即延英殿门。[563]切：恳切。[564]扈从：侍从。[565]伏门下：拜伏在延英殿门下。[566]己未：十一月二十一日。[567]自复道出城：从复道至位于长安城内南端的兴庆宫而出城，以免群臣知而扈从。[568]晡时：申时，下午三点至五点。[569]己巳朔：十二月初一日。[570]庚辰：十二月十二日。[571]南诏：古国名，唐时在今云南境内以乌蛮为主体

穆宗从复道出城，幸临华清宫，只有公主、驸马、中尉、神策六军使带领禁兵千余人跟随，下午申时才回宫。

十二月初一日己巳，盐州上奏吐蕃千余人围乌池、白池。

十二月十二日庚辰，西川上奏南诏二万人进入边界，请求讨伐吐蕃。

十二月十五日癸未，容管上奏打败了黄少卿一万多人，攻占营栅三十六处。当时黄少卿久未平定，国子祭酒韩愈进言说："臣去年贬到岭外，熟知黄家贼的底细。他们没有城郭可以居住，依靠山岩险要，自称洞主，平常各自经营生计，危急时才聚集在一起自卫。近来因为邕管经略使大多不是合适的人选，德行既不能安抚他们，武力又不能控制他们，侵扰、欺凌、奴役、束缚，引起他们的怨恨。于是攻掠州县，侵暴平民，有的报私仇，有的贪小利，或聚或散，最终不能有作为。近来的征讨本来起因于裴行立、阳旻，这两个人本来就没有深谋远虑，意在请功求赏。也是因为看到叛贼未聚集的时候，以为势单力弱，才争相提出征服他们的办法。自从用兵征讨以来，已经两年，前后奏报杀死俘获总共不少于二万余人。如若都不假，敌人已可不久全部消灭。至今叛贼还是和从前一样，足以证明他们欺骗了朝廷。邕、容两管所辖的地方，经过这次战争的摧残，杀伤疾疫，十室九空，照这样不停地下去，臣恐怕岭南一道，没有安宁的时候了。自从南下征讨以来，叛贼也受到很大的损伤，观察他们的情况，一定也深深地对战争感到厌恶和愁苦。叛贼所处的地方很荒僻，假如把他们都杀了，全部占有其地，对于国家也没有什么好处。要是乘改年号举行庆祝，赦免他们的罪过，派遣使者宣抚告谕，他们一定闻风降服。再为他们选择有威信的人担任经略使，如果处置得宜，自然永远不会再有侵扰叛乱的事情了。"穆宗没能采纳韩愈的意见。

所建立的少数民族地方政权，贞元十年（公元七九四年）国号南诏。㊄癸未：十二月十五日。㊅国子祭酒：官名，国子监（太学）的主管。㊆韩愈（公元七六八至八二四年）：字退之，河南河阳（今河南孟州南）人，著名文学家，唐代古文运动领导者。官至吏部侍郎。传见《旧唐书》卷一百六十、《新唐书》卷一百七十六。㊇岭外：即岭南。此指韩愈贬所潮州，在今广东潮州。㊈比缘：近因。㊉绥怀：安抚关怀。⑱临制：管理控制。⑲复：报复。⑳不能为事：指不能有作为，成为大患。⑴傥：如果。⑵如此不已：谓继续征讨而不停止。⑶改元大庆：指穆宗即位明年改元，大赦天下。⑷罪戾：罪过。

【原文】

穆宗睿圣文惠孝皇帝上

长庆元年（辛丑，公元八二一年）

春，正月辛丑[585]，上祀圜丘[586]，赦天下，改元。河北诸道各令均定两税[587]。

门下侍郎、同平章事萧俛介洁[588]疾恶，为相，重惜官职，少所引拔。西川节度使王播[589]大修贡奉，且以赂结宦官，求为相，段文昌复左右之[590]，诏征播诣京师。俛屡于延英[591]力争，言："播纤邪[592]，物论[593]沸腾，不可以污台司[594]。"上不听，俛遂辞位。己未[595]，播至京师。壬戌[596]，俛罢为右仆射。俛固辞仆射，二月癸酉[597]，改吏部尚书。

卢龙[598]节度使刘总[599]既杀其父兄，心常自疑，数见父兄为祟[600]。常于府舍饭僧数百，使昼夜为佛事，每视事退则处其中，或处他室则惊悸[601]不敢寐。晚年，恐惧尤甚。亦见河南、北皆从化，己卯[602]，奏乞弃官为僧，仍乞赐钱百万缗以赏将士。

上面谕西川节度使王播令归镇，播累表乞留京师。会中书侍郎、同平章事段文昌请退，壬申[603]，以文昌同平章事，充西川节度使。以翰林学士杜元颖[604]为户部侍郎、同平章事，以播为刑部尚书，充盐铁转运使。元颖，淹[605]之六世孙也。

回鹘保义可汗卒。

三月癸丑[606]，以刘总兼侍中，充天平节度使，以宣武节度使张弘靖为卢龙节度使。

乙卯[607]，以权知[608]京兆尹卢士玫[609]为瀛莫[610]观察使。

丁巳[611]，诏刘总兄弟子侄皆除官，大将僚佐亦宜超擢，百姓给复[612]一年，军士赐钱一百万缗。

戊午[613]，立皇弟憬为鄜王，悦为琼王，惇为沔王，怿为婺王，愔为茂王，怡为光王，协为淄王，憺为衢王，惋为澶王；皇子湛为景王，涵为江王，凑为漳王，溶为安王，瀍为颍王。

刘总奏恳乞为僧，且以其私第为佛寺。诏赐总名大觉，寺名报恩。遣中使以紫僧服及天平节钺[614]、侍中告身并赐之，惟其所择。

【语译】

穆宗睿圣文惠孝皇帝上

长庆元年（辛丑，公元八二一年）

春，正月初四日辛丑，穆宗到圜丘祭天，大赦天下，更改年号。命令河北各道各自把两税的税额定下来。

门下侍郎、同平章事萧俛耿直廉洁，憎恨邪恶，任宰相时，很珍惜官职，很少引荐提拔人。西川节度使王播向朝廷大量供奉财物，又用贿赂交结宦官，谋求任宰相，段文昌又帮助王播，穆宗下诏征召王播到京师来。萧俛多次在延英殿极力阻止，并说："王播吝啬奸邪，社会上议论纷纷，不能让他玷污了宰相的职位。"穆宗不听，萧俛于是辞职。正月二十二日己未，王播到达京师。二十五日壬戌，萧俛被降职为右仆射。萧俛坚辞右仆射，二月初六日癸酉，改为吏部尚书。

卢龙节度使刘总杀了父兄之后，心中常常自我疑惧，多次看到父兄的鬼神作怪。他常在府中养着几百名僧人，让他们白天黑夜都做佛事，刘总公事办完了就与和尚们混在一起，有时住在别的房间，就惊怕得不敢睡觉。晚年，惊恐之症更加严重。他又看到大河南北都已归顺朝廷，二月十二日己卯，上奏请求放弃官位去做和尚，仍请求赐钱百万串用来赏给将士。

穆宗当面告谕西川节度使王播，要他回到西川节度使任上，王播多次上表请求留在京师。适逢中书侍郎、同平章事段文昌请求退位，二月初五日壬申，穆宗任命段文昌带着同平章事官衔，充任西川节度使。任命翰林学士杜元颖为户部侍郎、同平章事，任命王播为刑部尚书，充当盐铁转运使。杜元颖，是杜淹的六世孙。

回鹘保义可汗去世。

三月十七日癸丑，任命刘总兼侍中，担任天平节度使，任命宣武节度使张弘靖为卢龙节度使。

三月十九日乙卯，任命代理京兆尹职务的卢士玫为瀛莫观察使。

三月二十一日丁巳，穆宗诏令刘总的兄弟子侄都授予官职，大将僚佐也应破格提升，免除百姓徭役赋税一年，赏赐军士一百万串钱。

三月二十二日戊午，册立穆宗的弟弟李憬为鄜王，李悦为琼王，李惇为沔王，李怿为婺王，李愔为茂王，李怡为光王，李协为淄王，李憺为衢王，李惋为澶王；册立穆宗的儿子李湛为景王，李涵为江王，李凑为漳王，李溶为安王，李瀍为颍王。

刘总上奏恳切请求为僧，并且把他的私人住宅作为佛寺。穆宗下诏赐刘总佛名大觉，寺名报恩。派遣中使把紫色的僧衣和天平军的符节斧钺、侍中的任命书一并赐给他，听任他自己选择。

诏未至，总已削发为僧。将士欲遮留[615]之，总杀其唱帅[616]者十余人，夜，以印节授留后张玘，遁去。及明，军中始知之。玘奏总不知所在。癸亥[617]，卒于定州之境[618]。

【段旨】

以上为第十四段，写刘氏割据幽州历三世，至刘总而灭。

【注释】

⑤85 辛丑：正月初四日。⑤86 圜丘：古代祭天的圆形高坛，建于京师南郊。⑤87 河北诸道各令均定两税：河北各藩镇此时皆已归顺朝廷，奉图请吏，输租税，故令行两税法。⑤88 介洁：耿介廉洁。⑤89 王播（公元七五九至八三〇年）：太原（今山西太原）人，累官盐铁转运使，以善赋敛，穆宗、文宗两朝任宰相。传见《旧唐书》卷一百六十四、《新唐书》卷一百六十七。⑤90 左右之：指段文昌在穆宗身边为王播延誉。左右，帮助。⑤91 延英：指延英殿。⑤92 纤邪：吝啬奸邪。⑤93 物论：舆论；议论。⑤94 台司：指宰相之位。⑤95 己未：正月二十二日。⑤96 壬戌：正月二十五日。⑤97 癸酉：二月初六日。⑤98 卢龙：方镇名，唐代宗宝应元年（公元七六二年）以幽州节度使兼卢龙节度使，治所幽州，在今北京市。⑤99 刘总：幽州昌平（今北京市昌平区）人。卢龙节度使刘济第二子，杀其父兄而自领节度。后弃官为僧，死于途中。传见《旧唐书》卷一百四十三、《新唐书》卷二

【原文】

翰林学士李德裕[619]，吉甫[620]之子也，以中书舍人李宗闵[621]尝对策讥切[622]其父，恨之。宗闵又与翰林学士元稹争进取有隙。右补阙[623]杨汝士[624]与礼部侍郎[625]钱徽[626]掌贡举，西川节度使段文昌、翰林学士李绅[627]各以书属所善进士[628]于徽。及榜出，文昌、绅所属皆不预[629]焉[22]。及第者，郑朗，覃之弟[630]；裴撰，度之子；苏巢，宗闵之婿；杨殷士，汝士之弟也。

文昌言于上曰：“今岁礼部殊不公，所取进士皆子弟无艺[631]，以关节[632]得之。”上以问诸学士，德裕、稹、绅皆曰：“诚如文昌言。”上乃

诏书尚未送到，刘总已经削发为僧。将士想阻拦他，刘总把为首的将领杀了十多人，到夜晚，把大印和符节交给留后张玘，逃走了。等到天亮，军队中才知道此事。张玘上奏说不知刘总在什么地方。三月二十七日癸亥，刘总死在定州地界。

百十二。⑥⓪⓪祟：鬼神为祸。⑥⓪①惊悸：心惊胆战。⑥⓪②己卯：二月十二日。⑥⓪③壬申：二月初五日。⑥⓪④杜元颖（公元七六九至八三二年）：京兆杜陵（今陕西西安东南）人，唐太宗宰相杜如晦五世孙。穆宗时宰相，文宗时贬循州司马。传见《旧唐书》卷一百六十三、《新唐书》卷九十六。⑥⓪⑤淹（？至公元六二八年）：杜淹，杜如晦之叔，杜元颖六世从祖，亦唐太宗朝宰相。杜元颖、杜淹二人传附《杜如晦传》，见《旧唐书》卷六十六、《新唐书》卷九十六。⑥⓪⑥癸丑：三月十七日。⑥⓪⑦乙卯：三月十九日。⑥⓪⑧权知：代理。⑥⓪⑨卢士玫（？至公元八二五年）：历任京兆少尹、权知京兆尹、瀛莫观察使、太子宾客等。传见《旧唐书》卷一百六十二、《新唐书》卷一百四十七。⑥①⓪瀛莫：方镇名，穆宗长庆元年（公元八二一年）置瀛莫观察使，治所瀛州，在今河北河间。长庆二年撤销。⑥①①丁巳：三月二十一日。⑥①②给复：免除徭役赋税。⑥①③戊午：三月二十二日。⑥①④节钺：符节和斧钺，为权位的象征。⑥①⑤遮留：遮道留行，阻止刘总为僧。⑥①⑥唱帅：首倡遮留的将领。⑥①⑦癸亥：三月二十七日。⑥①⑧卒于定州之境：刘总祖父刘怦，割据幽州的朱滔姑母之子，德宗贞元元年（公元七八五年）朱滔死，刘怦得幽州，历刘怦、刘济、刘总三世，三十六年而灭。定州，州名，治所安喜，在今河北定州。

【语译】

翰林学士李德裕，是李吉甫的儿子，由于中书舍人李宗闵曾在对策时讥讽指责李德裕的父亲，李德裕憎恨李宗闵。李宗闵又和翰林学士元稹争夺官位有矛盾。右补阙杨汝士和礼部侍郎钱徽主持进士考试，西川节度使段文昌、翰林学士李绅各自写信把亲友所推荐的应考者嘱托给钱徽。等到发榜，段文昌、李绅所嘱托的人都不在榜上。考取进士的人中，郑朗，是郑覃的弟弟；裴撰，是裴度的儿子；苏巢，是李宗闵的女婿；杨殷士，是杨汝士的弟弟。

段文昌对穆宗说："今年礼部特别不公平，所录取的进士都是没有才能的公卿子弟，是利用打通关节取得的。"穆宗就此事询问学士们，李德裕、元稹、李绅都说："真如段文昌说的那样。"穆宗就命令中书舍人王起等举行复试。夏，四月十一

命中书舍人王起[633]等覆试[634]。夏，四月丁丑[635]，诏黜朗等十人，贬徽江州[636]刺史，宗闵剑州[637]刺史，汝士开江[638]令。

或劝徽奏文昌、绅属书[639]，上必悟。徽曰："苟无愧心，得丧一致[640]，奈何奏人私书，岂士君子所为邪！"取而焚之，时人多[641]之。绅，敬玄[642]之曾孙；起，播之弟也。自是德裕、宗闵各分朋党，更相倾轧[643]，垂四十年。

【段旨】

以上为第十五段，写唐李宗闵、李德裕党争，史称牛李党争，始于知贡举，此是第一回合。

【注释】

⑲李德裕（公元七八七至八五〇年）：字文饶，李吉甫之子，文宗、武宗二朝宰相，后被牛党排挤，贬死崖州。传见《旧唐书》卷一百七十四、《新唐书》卷一百八十。⑳吉甫：李吉甫（公元七五八至八一四年），字弘宪，赵郡（治今河北赵县）人，宪宗时两度拜相。著有《元和郡县图志》。传见《旧唐书》卷一百四十八、《新唐书》卷一百四十六。㉑李宗闵（？至公元八四六年）：唐宗室，文宗时宰相。依附宦官，牛党主将。后死于贬所。传见《旧唐书》卷一百七十六、《新唐书》卷一百七十四。㉒讦切：讽刺指责。宪宗元和三年（公元八〇八年），李宗闵、牛僧孺应贤良方正科，对策讦切时政，触犯宰相李吉甫，不得重用。由是种下牛李党争的恶果。事见本书卷二百三十七宪宗元和三年。㉓补阙：官名，分左右，掌规谏。㉔杨汝士：文宗时官至刑部尚书。传见《旧唐书》卷一百七十六、《新唐书》卷一百七十五。㉕礼部侍郎：官名，掌礼仪、祭礼、贡举等事。㉖钱徽（公元七五五至八二九年）：官至吏部尚书。传见《旧唐书》卷一百六十八、《新唐书》卷一百七十七。㉗李绅（公元七七二至八四六年）：无锡（今江苏无锡）人，武宗时宰相。传见《旧唐书》卷一百七十三、《新唐书》卷一百八十一。㉘进士：引荐士人。㉙不预：不在榜上，即榜上无名。㉚郑朗二句：郑覃，故相郑珣瑜之子，以父

【原文】

丙戌[644]，册[645]回鹘嗣君为登啰羽录没密施句主毗伽崇德可汗。

五月丙申朔[646]，回鹘遣都督、宰相等五百余人来逆[647]公主。

日丁丑，穆宗下诏免去郑朗等十人的进士资格，贬钱徽为江州刺史，李宗闵为剑州刺史，杨汝士为开江县令。

有人劝钱徽把段文昌、李绅写的嘱托信奏呈上去，穆宗一定明白。钱徽说："如果问心无愧，得失都一样，为什么要奏呈别人的私信，这难道是士人君子应当做的吗！"把信拿来烧了，当时人都称赞他。李绅，是李敬玄的曾孙；王起，是王播的弟弟。从这时候起李德裕、李宗闵各分党派，互相倾轧，将近四十年。

荫补弘文校理，长庆元年（公元八二一年）时任谏议大夫，唐文宗时官至宰相，清正廉直，时人重之。其弟郑朗（？至公元八五七年），字有融，宣宗时为相。两人同传，见《旧唐书》卷一百七十三、《新唐书》卷一百六十五。㉛皆子弟无艺：谓皆公卿子弟，无才能。㉜关节：指暗中请托，打通关节。㉝王起（公元七六〇至八四七年）：字举之，宰相王播之弟。官至尚书左仆射、山南西道节度使。传见《旧唐书》卷一百六十四、《新唐书》卷一百六十七。㉞覆试：指审查钱徽等所取进士，进行复考。㉟丁丑：四月十一日。㊱江州：州名，治所浔阳，在今江西九江。㊲剑州：州名，治所普安，在今四川剑阁。㊳开江：县名，县治在今重庆市开州区。㊴属书：托请之信。属，同"嘱"。㊵得丧一致：得与失均一样。㊶多：称赞。㊷敬玄：李敬玄（公元六一五至六八二年），亳州谯（今安徽亳州）人，高宗朝宰相。传见《旧唐书》卷八十一、《新唐书》卷一百六。㊸各分朋党二句：牛、李各自拉帮结派，交相争斗。〖按〗牛李党争是唐朝后期政治中的一件大事，它虽起源于个人恩怨，却因长期水火不容而致使政局动荡，是加速唐亡的一个重要原因。大体上说，李德裕为相，力主削藩，维护国家统一，抑制宦官，对边患抚剿并用，谋求长期安定，王室几中兴；而牛僧孺、李宗闵借宦官之力居台阁，引纳同党，专事排除异己，姑息幽州节度拥兵自重，对外丧失西蜀扼控吐蕃之要地，几倾王室。故范祖禹说："牛李之党多小人，德裕之党多君子。"（《困学纪闻注》引《唐鉴》卷十九）

【校记】

［22］焉：原无此字。据章钰校，十二行本、乙十一行本皆有此字，今据补。

【语译】

四月二十日丙戌，册封回鹘嗣君为登啰羽录没密施句主毗伽崇德可汗。

五月初一日丙申，回鹘派遣都督、宰相等五百多人前来迎接公主。

壬子[648]，盐铁使王播[649]奏：约榷茶额[650]，每百钱加税五十。右拾遗李珏等上疏，以为："榷茶近起贞元多事之际，今天下无虞[651]，所宜宽横敛之目[652]。而更增之，百姓何时当得息肩[653]！"不从。

丙辰[654]，建王恪薨。

癸亥[655]，以太和长公主[656]嫁回鹘。公主，上之妹也。吐蕃闻唐与回鹘婚，六月辛未[657]，寇青塞堡，盐州刺史李文悦击却之。戊寅[658]，回鹘奏："以万骑出北庭[659]、万骑出安西[660]拒吐蕃，以迎公主。"

初，刘总奏分所属为三道：以幽、涿、营[661]为一道，请除张弘靖为节度使；平、蓟、妫、檀[662]为一道，请除平卢节度使薛平为节度使；瀛、莫为一道，请除权知京兆尹卢士玫为观察使。

弘靖先在河东，以宽简得众。总与之邻境，闻其风望，以燕人桀骜[663]日久，故举弘靖自代以安辑[664]之。平，嵩[665]之子，知河朔风俗，而尽诚于国，故举之。士玫，则总妻族之亲也。

总又尽择麾下宿将有功[23]伉健[666]难制者都知兵马使朱克融[667]等送之京师，乞加奖拔，使燕人有慕羡朝廷禄位之志。又献征马万五千匹，然后削发委去[668]。克融，滔[669]之孙也。

是时上方酣宴，不留意天下之务。崔植、杜元颖无远略，不知安危大体，苟欲崇重弘靖，惟割瀛、莫二州，以士玫领之，自余皆统于弘靖。朱克融等[24]久羁旅[670]京师，至假丐[671]衣食，日诣中书求官，植、元颖不之省。及除弘靖幽州，勒克融辈归本军驱使，克融辈皆愤怨。

先是，河北[672]节度使皆亲冒寒暑，与士卒均劳逸。及弘靖至，雍容骄贵，肩舆[673]于万众之中，燕人讶之。弘靖庄默自尊，涉旬乃一出坐决事，宾客将吏罕得闻其言，情意不接，政事多委之幕僚。而所辟判官韦雍[674]辈多年少轻薄之士，嗜酒豪纵，出入传呼甚盛，或夜归烛火满街，皆燕人所不习也。诏以钱百万缗赐将士，弘靖留其二十万缗充军府杂用；雍辈复裁刻[675]军士粮赐，绳之以法，数以"反虏"诟责[676]吏卒，谓军士曰："今天下太平，汝曹能挽两石弓，不若识一'丁'字!"由是军中人人怨怒。

五月十七日壬子，盐铁使王播上奏：规定收茶税的数额，每百钱再增加五十文。右拾遗李珏等上疏，认为："征茶税起始于贞元年间国家动乱的时候，如今国家太平，应当减少横征暴敛的收税名目。现在反而增加收税，老百姓什么时候才能卸去负担！"朝廷没有听从。

五月二十一日丙辰，建王李恪去世。

五月二十八日癸亥，把太和长公主嫁往回鹘。公主是穆宗的妹妹。吐蕃得知唐朝和回鹘通婚，六月初七日辛未，侵扰青塞堡，盐州刺史李文悦打退了他们。十四日戊寅，回鹘上奏说："用一万名骑兵从北庭开出，一万名骑兵从安西开出，抵抗吐蕃，迎接公主。"

当初，刘总奏请把所统属的地方分为三道：以幽、涿、营三州为一道，请求任命张弘靖为节度使；平、蓟、妫、檀四州为一道，请求任命平卢节度使薛平为节度使；瀛、莫二州为一道，请求任命暂兼京兆尹的卢士玫为观察使。

张弘靖当初在河东，由于施政宽缓简约，很得民心。刘总和他辖地相邻，听到他的名声，认为燕人很久以来就凶暴乖戾，于是推荐张弘靖代替自己以安辑燕人。薛平，是薛嵩的儿子，了解河朔地方的风俗，对国家很忠诚，所以推荐他。卢士玫，是刘总妻族的亲戚。

刘总又把老将有功、强健难制的部下都知兵马使朱克融等人，全部挑选出来送往京师，请求加以奖赏提拔，使燕人有羡慕朝廷禄位的意愿。又献上战马一万五千匹，然后削发为僧，弃官离去。朱克融，是朱滔的孙子。

当时穆宗正沉迷饮宴，不关心国家政务。崔植、杜元颖没有长远治国方略，不知安危大体，只想到尊崇张弘靖，仅割瀛、莫二州，由卢士玫统领，其余都归张弘靖统辖。朱克融等人长期寄居京师，以致穿衣吃饭都要向别人借贷，时常去中书省请求授官，崔植和杜元颖置之不理。等到任命张弘靖为幽州节度使，强令朱克融等人回到本军供差遣，朱克融等人全都愤怨。

此前，河北节度使都是亲冒寒暑，和兵士们同甘共苦。等到张弘靖到任，雍容娇贵，在万众之中坐着轿子，燕人都感到惊讶。张弘靖庄严沉默、自尊自大，十多天才出来处理一次政事，宾客将吏很少听到他的讲话，感情不交流，政事多半交给幕僚。而他所任用的判官韦雍等人多半是年少轻薄之人，好饮酒，放荡不羁，进进出出都要大量使唤人，有时晚上回来烛火满街，这些都是燕人所不习惯的。朝廷诏令赐给将士一百万串钱，张弘靖从中扣留二十万串作为军府的杂用；韦雍等又裁减克扣军士粮饷和赏赐，用法令制裁士卒，多次用"反虏"的字眼辱骂吏卒，对军士说："今天下太平，你们能拉开两石弓，比不上认识一个'丁'字！"因此军中人人既怨恨，又愤怒。

【段旨】

以上为第十六段，写穆宗游宴，辅臣无略，丧失抚慰幽州最佳时机，朱克融回镇，乱将再起。

【注释】

⑥④④ 丙戌：四月二十日。⑥④⑤ 册：册封。⑥④⑥ 丙申朔：五月初一日。⑥④⑦ 逆：迎。⑥④⑧ 壬子：五月十七日。⑥④⑨ 王播（公元七五九至八三〇年）：字明敭，进士及第，历仕德宗、顺宗、宪宗、穆宗、敬宗、文宗六代皇帝，历官监察御史、京兆尹、盐铁转运使，官终尚书左仆射同平章事。播有吏才，交结宦官王守澄，四度领盐铁使，聚财进奉以固其位。传见《旧唐书》卷一百六十四、《新唐书》卷一百六十七。⑥⑤⓪ 约榷茶额：规定征收茶税的数额。⑥⑤① 无虞：无忧，即太平之意。⑥⑤② 宽横敛之目：减少横征暴敛的名目。⑥⑤③ 息肩：卸去负担，休养生息。⑥⑤④ 丙辰：五月二十一日。⑥⑤⑤ 癸亥：五月二十八日。⑥⑤⑥ 太和长公主：宪宗女。传见《新唐书》卷八十三。⑥⑤⑦ 辛未：六月初七日。⑥⑤⑧ 戊寅：六月十四日。⑥⑤⑨ 北庭：都护府名，武后长安二年（公元七〇二年）置，治所庭州，在今新疆奇台西北。⑥⑥⓪ 安西：都护府名，唐太宗贞观十四年（公元六四〇年）置，初治西州，在今新疆吐鲁番东。唐高宗显庆三年（公元六五八年）移治龟兹，在今新疆库车。⑥⑥① 幽、涿、营：皆州名。幽州，治所蓟县，在今北京。涿州，治所范阳，在今河北涿州。营州，治所柳城，在今辽宁朝阳。⑥⑥② 平、蓟、妫、檀：皆州名。平州，治所卢龙，在今河北卢龙。蓟州，治所渔阳，在今天津市蓟州区。妫州，治所清夷军城，在今河北怀来东南。檀州，治所密云，在今北京市密云区。⑥⑥③ 桀骜：凶暴乖戾。⑥⑥④ 安辑：安抚。⑥⑥⑤ 嵩：薛嵩（？至公元七七三年），绛州龙门（今山西河津）人，名将薛仁贵之孙。史思明部将，唐代宗初降唐，官至昭义节度使。传见《旧唐书》卷一百二十四、《新唐书》卷一百十一。⑥⑥⑥ 伉健：强健。⑥⑥⑦ 朱克融：穆宗长庆元年（公元八二一年）十二月任平卢节度使。传见《旧唐书》卷一百八十、《新唐书》卷二百十二。⑥⑥⑧ 委去：弃官离去。⑥⑥⑨ 滔：朱滔（公元七四五至七八五年），幽州昌平（今北京市昌平区）人，代宗大历九年（公元七七四年）为卢龙节度留后，德宗建中三年（公元七八二年）反叛，僭称冀王。兴元元年（公元七八四年）兵败，归附朝廷。传见《旧唐书》卷一百四十三、《新唐书》卷二百十二。⑥⑦⓪ 羁旅：寄居做客。⑥⑦① 假丐：借贷乞求。⑥⑦② 河北：道名，治所魏州，在今河北大名东北。⑥⑦③ 肩舆：轿子。⑥⑦④ 韦雍：宪宗宰相韦贯之之子。官至尚书郎、卢龙节度使判官。事附《旧唐书》卷一百八十五《韦贯之传》。⑥⑦⑤ 裁刻：削减克扣。⑥⑦⑥ 诟责：辱骂。

【校记】

［23］宿将有功：原无此四字。据章钰校，十二行本、乙十一行本皆有此四字，张敦仁《通鉴刊本识误》、张瑛《通鉴校勘记》同，今据补。［24］等：据章钰校，十二行本、乙十一行本皆作“辈”。

【研析】

唐宪宗靖乱，削平藩镇割据，高奏凯歌，又正当英年，当大有作为之时，突发政变，有为之君却死于宦竖之手，唐王室亦由此衰落不振。伴随唐宪宗之死，唐王室由中唐政治步入了晚唐政治。如何评价宪宗功过，透视当时的各种社会矛盾，这是本卷研析的重点。

第一，宪宗之功。宪宗是中唐政治的终结者。中唐时期，从唐玄宗天宝元年起到唐宪宗元和十五年止，当公元七四二至八二〇年，共七十八年，历玄宗后期、肃宗、代宗、德宗、顺宗、宪宗六代皇帝。中唐是唐王朝的乱世，前期是安史之乱，中后期是藩镇割据，与朝廷对立，统一与割据成为压倒一切的主要矛盾。唐宪宗二十八岁即位，年轻有为，雄心勃勃，有振作朝廷的意愿，也有掌控执政的能力。唐德宗不委政宰相，人间细务，都要亲自过问，宰相备位，实际大权旁落。自贞元十年（公元七九四年）以后，朝廷威福日削，方镇权重，无视朝廷。宪宗慕唐太宗创业之为人，尊为先圣。从太子监国，以至临御，讫于元和，军国枢机，尽归之于宰相。宪宗所用宰相杜黄裳、武元衡、裴垍、李绛、裴度等，皆一时之选，李吉甫善逢迎，还不是奸佞。后期用皇甫镈，是依附宦官的奸佞小人，但为时不长，未造成大害。宪宗有纳谏的雅量，也多少做了一些改革，因此在政治上出现中兴的新气象，军事上获得了讨伐叛逆的成功，朝廷重新控制了河北三镇，扫平淮西、淄青的割据，全国统一于中央。唐宪宗是安史之乱以来六代帝王中最有为的一代明君，他胜过了肃宗、代宗、德宗、顺宗这些先辈，更超过了晚唐穆宗、敬宗、文宗、武宗、宣宗等他的后辈。《旧唐书·宪宗纪》史臣蒋系评价说：“中外咸理，纪律再张，果能剪削乱阶，诛除群盗。睿谋英断，近古罕俦，唐室中兴，章武而已。”这个评价是符合实际的。

宪宗之过。宪宗没有成为中兴之主，唐王朝没有像西汉那样出现昭宣中兴，宪宗死于宦官之手，既是他个人的悲剧，也是唐王朝的悲剧。宪宗死后，不过三年，河朔再失，统一局面丧失，宪宗一朝经过十余年的统一战争成就，顿时化为乌有。主要责任是继任者穆宗、敬宗两代皇帝误国，而祸乱之端也是宪宗一手制造，这就是宪宗之过。

第二，晚唐政治有三大社会主要矛盾。一是藩镇跋扈，无视中央；二是宦官专政，为祸朝野；三是朋党倾轧，南北司对立。穆宗长庆二年（公元八二二年），朝廷放弃统一河朔，藩镇与朝廷对立的矛盾退居次要，宦官擅权与朋党倾轧上升成为主要的两个矛盾，其中宦官擅权是最主要的矛盾。这两大矛盾都在宪宗朝表面化。宦官之祸不自宪宗始，而宪宗的宠信，强化了宦官之祸的体制，使皇帝的家奴骑在了主子的头上。唐代宦官得势，始于唐玄宗宠信高力士，宦官监军也是唐玄宗开的恶例。肃宗朝的李辅国、程元振，代宗朝的鱼朝恩，都是跋扈一时的大宦官。德宗任用宦官为中尉掌控神策军，宦官掌握了军权。代宗设枢密二人凌驾于宰相之上，出纳章奏与传达诏令，代皇帝立言。宰相的任用，先由皇帝与枢密商量，听取枢密意见。这样，宦官既掌握了军权，又掌握了宰辅的任用之权，于是宦官擅权凌驾在皇权之上。宫中左右枢密与左右神策军中尉被称为“四贵”，是最有权势的宦官。而且从唐代宗时起，节度使多从禁军将领派出，宦官势力从朝内扩大到了地方。唐宪宗忌刻功臣与朝士大夫，而宠信宦官，认为宦官是家奴好控制，他没有削弱宦官权力，反而强化了四贵的权力，导致自己被宦官弑杀，朝官不敢追问。晚唐宦官掌控皇帝废立，追根溯源，宪宗的先辈皇帝有责任，宪宗也难辞其咎。

宪宗讨逆，本可大有为而无大为，则是由于他的刚愎个性和猜忌心理造成。唐肃宗平定安史之乱，德宗用兵河朔，都派宦官监军，控制诸将不得自专。用兵将领，战败要承担责任，战胜功归监军，因此消极作战，官军总是在优势状态中打败仗，几乎败坏国事。宪宗讨逆，高崇文平定西川之乱，李愬平定淮西之乱，田弘正平定淄青之乱，都是由宰相掌控大政，撤除监军或削弱监军职权取得的。唐宪宗明确知道这才是用兵的正轨，但他违众用吐突承璀为统帅，更违众加给吐突承璀诸道行营兵马使、招讨处置使之职，用兵河朔讨王承宗。朝官群起反对，宪宗仍固执己见，用吐突承璀为主帅，只是名义上改为宣慰使。官军动员二十万人以上，十倍于叛军，耗费军资七百余万缗，无功而返，使朝廷威信大损，为天下笑。唐玄宗逃蜀，马嵬兵变，使以后各代皇帝错误地吸取教训，猜忌功臣，信用家奴。吐突承璀的失败，严酷的现实给唐宪宗上了一课，他认识到与割据势力作斗争，要想有成就，必须任用李绛等朝官。李绛是一个直臣，与宦官势不两立。用李绛就得抑制宦官。元和五年（公元八一〇年），唐宪宗出吐突承璀为淮南监军，李绛为相，一群直臣得势，朝廷才颇有振作气象。按照李绛的策划，朝廷不用兵而魏博归服。对于李绛的才智，唐宪宗不是重用，反而猜疑，于是元和九年，李绛罢相，吐突承璀还朝，重任神策军中尉，宦官势力上升，朝官势力下降。当元和十五年，宦官杀唐宪宗，立唐穆宗，朝官不敢过问，开了宦官废立皇帝的先例，从此宦官掌握唐政权，皇帝成了傀儡。唐宪宗以家奴待宦官，任其权力扩张，中尉掌禁军，枢密定宰相，宦官势力尾大不掉，这是唐宪宗施政的最大失败，也是唐宪宗的最大之过。

第三，宪宗之短。短与过有别。过是指犯错误，短是指缺失，有局限。唐宪宗刚愎而固执，小气无大量，这是他的短，从而障蔽了他的明识与决断，是以建功不深。史馆修撰李翱上奏宪宗兴文德，即革新政治，提出六条主张：其一，恢复唐高祖、唐太宗之旧制，指武德、贞观年间的善政；其二，用忠直，远邪佞；其三，改税法，以布帛代钱缴纳，减轻民众负担；其四，绝进献，宽百姓租赋；其五，厚边兵，以制戎狄侵盗；其六，访问待制官，以通塞蔽。这些政治主张如果得以施行，唐朝中兴有望。唐宪宗能用忠直，但不远邪佞；唐宪宗尚能纳谏，但用心不专，更信用宦官，唐宪宗在六条中做到了两个半条，取得了显著成绩。其他各条，唐宪宗能做却不做。各道州府进献，实质是变相卖官，这一弊政，皇帝心知肚明，就是割舍不下。皇帝贪财怎能明说？厚边兵，以制戎狄侵盗，在圣明之朝，三尺童子都明白的道理，但是政治腐败，触及既得利益者，这一事关国防的善政，也就推不动了。例如，驻京西、京北的神策军，本是加强边防以御回鹘、吐蕃。由于神策军掌握在宦官手中，平时给养优厚，战时不听边将指挥，引起边兵不满，反而削弱了战斗力。边将吃空额，兵不满员，武备废弛。李绛提出，把驻防京西、京北的神策军划归节度使统率；又提出检阅边兵，革除边将吃空额的积弊。如受降城，额定四百名守军，实际只有五十人，武器只有弓一张。这些具体建议，触犯宦官和边将利益，都被唐宪宗搁置。像这样边防要事凡是涉及局部人利益的事唐宪宗都做不到，那涉及全国民生国计的大政，当然就更做不到了。

宪宗无容人之量，为朋党倾轧树立了坏的榜样。朋党比周，就是不分是非，排斥异己。永贞革新，有许多利国利民的善政，唐宪宗统统取消，二王八司马全都一棍子打死。唐宪宗以市井小民报私仇的心态来处置不同政见的朝士，从此开了一个恶例，皇帝用人，把他人当作自己的奴仆，后任皇帝把前任皇帝所用的人看作前任皇帝的奴仆，不分功过是非，一律排斥。朋党倾轧在宪宗朝方兴未艾。宪宗本意也是忌惮朋党比周，但自己行事党同伐异，还要臣属坦坦荡荡，自然是不可能了。

此外，唐宪宗处置沂州兵变，派中使授予兵变头目王弁开州刺史，在半道设伏捕拿，用欺诈手段行法，又滥杀无辜，五人作乱，屠了一千多人。堂堂皇帝，处置一个小州的兵变，采用下流手段，食言不信，受到司马光严厉批评，说唐宪宗开了中兴事业的头，却不能完成中兴的事业，就是由于只追求眼前功利而丢了长远大信的缘故。司马光的批评是中肯的，但没有触及根本。专制帝王不受制衡力的约束，没有几个不食言的。

“性格决定成败”，这句话也适用于唐宪宗。

卷第二百四十二　唐纪五十八

起重光赤奋若（辛丑，公元八二一年），七月，尽玄黓摄提格（壬寅，公元八二二年），凡一年有奇。

【题解】

本卷记事起公元八二一年，迄公元八二二年，凡一年又六个月，当唐穆宗长庆元年至长庆二年。穆宗李恒继位，河北三镇归服，应是安史之乱以来形势最好的时候，即使是一个中庸之君也可有一番作为。无奈李恒是一个典型的花花太岁，只知吃喝玩乐，即位伊始就游宴无度，放手宦官恣意妄为，逐走贤相裴度，政治急转直下。幽州、成德、相州、瀛州、武宁、宣武接二连三发生兵变，朱克融据幽州，王庭凑据成德，河北复乱。穆宗发诸镇兵讨成德，虽然起用裴度为招讨使，又有乌重胤、李光颜当时名将助阵，但朝政不肃、宰相庸劣、宦官监军，裴度及各镇主将受多方牵制，官军十倍于叛军，以十五万之众讨一万余之叛军，屡战不胜，屯围逾年，竟无成功，财竭力尽。白居易上奏靖乱良策，穆宗不纳，而是姑息，授节朱克融与王庭凑，各为节度使，朝廷再失河朔，直至灭亡，不能复取。兵部侍郎韩愈宣慰成德，不辱君命。

【原文】

穆宗睿圣文惠孝皇帝中

长庆元年（辛丑，公元八二一年）

秋，七月甲辰①，韦雍出，逢小将策马冲其前导。雍命曳下，欲于街中杖之。河朔军士不贯②受杖，不服。雍以白弘靖，弘靖命军虞候③系治之。是夕，士卒连营呼噪作乱，将校不能制。遂入府舍，掠弘靖货财、妇女，囚弘靖于蓟门馆④，杀幕僚韦雍、张宗元、崔仲卿、郑埙、都虞候刘操、押牙⑤张抱元。明日，军士稍稍⑥自悔，悉诣馆谢⑦弘靖，请改心事之。凡三请，弘靖不应，军士乃相谓⑧曰："相公无言，是不赦吾曹。军中岂可一日无帅！"乃相与迎旧将朱洄，奉以为留后。洄，克融之父也，时以疾废⑨卧家，自辞老病，请使克融为之，众从之。众以判官张彻长者，不杀。彻骂曰："汝何敢反，行且⑩族灭！"众共杀之。

【语译】

穆宗睿圣文惠孝皇帝中

长庆元年（辛丑，公元八二一年）

秋，七月初十日甲辰，韦雍外出，遇到小将领策马冲撞了他的前导。韦雍命令把小将领从马上拉下来，想在街道上用棍棒打他。河朔军士不习惯受杖刑，不服从。韦雍把这件事报告给张弘靖，张弘靖命令军虞候把那人抓起来治罪。当晚，士卒连营呼叫作乱，将校不能控制。于是士卒冲入节度使府中，抢掠张弘靖的财物、妇女，把张弘靖囚禁在蓟门馆，杀死幕僚韦雍、张宗元、崔仲卿、郑埙、都虞候刘操、押牙张抱元。第二天，军士们渐渐后悔，都到蓟门馆去向张弘靖认罪，请求改正错误来服侍他。一共请求了三次，张弘靖都未答话，军士们于是互相说："相公不说话，就是不肯赦免我们。军中哪能一天没有统帅！"于是共同去接旧将朱洄，拥举他为留后。朱洄是朱克融的父亲，当时因为生病，卧床在家，他以年老有病谢绝，请他们让朱克融担任这个职务，大家听从了。军众认为判官张彻是一个宽厚谨慎的人，没有杀他。张彻却骂道："你们怎敢造反，将要遭灭族之灾！"大家一起把他杀了。

壬子[11]，群臣上尊号曰文武孝德皇帝，赦天下。

甲寅[12]，幽州监军奏军乱。丁巳[13]，贬张弘靖为宾客[14]、分司[15]。己未[16]，再贬吉州[17]刺史。庚申[18]，以昭义节度使刘悟为卢龙节度使。悟以朱克融方强，奏请"且授克融节钺[19]，徐图之"。乃复以悟为昭义节度使[20]。

【段旨】

以上为第一段，写幽州军变起，朱克融据幽州。

【注释】

①甲辰：七月初十日。②贯：同"惯"。③军虞候：军法官。唐中叶以后，藩镇皆置都虞候，主不法。④蓟门馆：幽州驿馆。⑤押牙：藩镇所置亲信武官，出入衙内，与闻军政，可直接统军。主官为都押牙。⑥稍稍：渐渐。⑦谢：道歉；请罪。⑧相谓：相

【原文】

辛酉[21]，太和公主[22]发长安[23]。

初，田弘正受诏镇成德，自以久与镇人战，有父兄之仇[24]，乃以魏兵二千从赴镇，因留以自卫，奏请度支供其粮赐[25]。户部侍郎、判度支崔倰[26]性刚褊[27]，无远虑，以为魏、镇各自有兵，恐开事例，不肯给。弘正四上表，不报，不得已，遣魏兵归。倰，沔之孙也。

弘正厚于骨肉，兄弟子侄在两都[28]者数十人，竞为侈靡，日费约二十万。弘正辇[29]魏、镇之货以供之，相属[30]于道，河北将士颇不平。诏以钱百万缗赐成德军，度支辇运不时[31]至，军士益不悦。

都知兵马使王庭凑[32]，本回鹘阿布思之种也，性果悍阴狡[33]，潜谋作乱，每抉[34]其细故以激怒之，尚以魏兵故，不敢发。及魏兵去，壬戌[35]夜，庭凑结牙兵[36]噪[37]于府署，杀弘正及僚佐、元从[38]将吏并家属三百余人。庭凑自称留后，逼监军宋惟澄奏求节钺。八月己

七月十八日壬子，群臣上尊号称文武孝德皇帝，大赦天下。

七月二十日甲寅，幽州监军上奏军士作乱。二十三日丁巳，贬张弘靖为太子宾客、分司东都。二十五日己未，再贬吉州刺史。二十六日庚申，任命昭义节度使刘悟为卢龙节度使。刘悟认为朱克融势力正强大，上奏请求“暂时封拜朱克融为节度使，慢慢再来算计他”。于是又以刘悟为昭义节度使。

互说。⑨疾废：即废疾，神经不健全，或身体残废。⑩行且：行将；即将。⑪壬子：七月十八日。⑫甲寅：七月二十日。⑬丁巳：七月二十三日。⑭宾客：即太子宾客，官名，掌侍从规谏，赞相礼仪。⑮分司：即分司东都，在东都洛阳执行职务。在此任官者，亦称分司。⑯己未：七月二十五日。⑰吉州：州名，治所庐陵，在今江西吉安。⑱庚申：七月二十六日。⑲且授克融节钺：暂且封拜朱克融为节度使。⑳乃复以悟为昭义节度使：唐宪宗改授刘悟为卢龙节度使，乃是接管幽州，因朱克融势盛，刘悟不愿赴任，故仍留原任。

【语译】

七月二十七日辛酉，太和公主从长安出发。

当初，田弘正受皇帝诏命为成德军节度使，他自己觉得过去长久与镇州人作战，有杀死他们父兄的仇恨，就带了二千名魏博镇士兵跟随到镇州去，把他们留下来用以自卫，奏请度支供应他们粮饷和赏赐。户部侍郎兼度支崔倰性情刚强褊狭，没有远见，认为魏州和镇州各自都有兵众，怕开先例，不肯供应。弘正四次上表，没有回复，不得已，只好把魏博镇士兵打发回去。崔倰，是崔沔的孙子。

田弘正对自己的骨肉之亲很优厚，兄弟子侄在两都的有数十人，竞相侈靡，每天用费大约要二十万钱。田弘正用车运送魏、镇两镇货物供应亲戚，车辆在路上络绎不绝，河北将士很不平。穆宗命令拿一百万串钱赐给成德军，度支运送的车辆没有及时到达，军士更加不高兴。

都知兵马使王庭凑，本是回鹘阿布思的后裔，性情果敢强悍、阴险狡猾，暗地谋划作乱，常常挑出一些小问题来激怒士兵，暂因魏博镇士兵在，不敢行动。等到魏博镇士兵离去，七月二十八日壬戌夜里，王庭凑纠集牙兵在节度使府作乱，杀死田弘正和幕僚佐吏、随从将士及家属三百多人。王庭凑自己号称留后，逼迫监军宋

巳㊴[1]，惟澄以闻，朝廷震骇。崔倰于崔植为再从兄㊵，故时人莫敢言其罪。

初，朝廷易置魏、镇帅臣，左金吾将军杨元卿㊶上言，以为非便，又诣宰相深陈利害。及镇州乱，上赐元卿白玉带。辛未㊷，以元卿为泾原节度使。

瀛莫将士家属多在幽州，壬申㊸，莫州都虞候张良佐潜引朱克融兵入城，刺史吴晖不知所在。

癸酉㊹，王庭凑遣人杀冀州㊺刺史王进岌，分兵据其州。

魏博节度使李愬闻田弘正遇害，素服㊻令将士曰："魏人所以得通圣化，至今安宁富乐者，田公之力也。今镇人不道，辄敢害之，是轻魏以为无人也。诸君受田公恩，宜如何报之？"众皆恸哭。深州㊼刺史牛元翼㊽，成德良将也，愬使以宝剑、玉带遗㊾之，曰："昔吾先人以此剑立大勋㊿，吾又以之平蔡州，今以授公，努力翦庭凑。"元翼以剑、带徇于军，报曰："愿尽死！"愬将出兵，会疾作，不果。元翼，赵州人也。

乙亥[51]，起复[52]前泾原节度使田布为魏博节度使，令乘驿[53]之镇。布固辞不获，与妻子、宾客诀曰："吾不还矣！"悉屏[54]去旌节导从[55]而行，未至魏州[56]三十里，被发徒跣[57]，号哭而入，居于垩室[58]。月俸千缗，一无所取，卖旧产，得钱十余万缗，皆以颁士卒，旧将老者兄事之。

丙子[59]，瀛州军乱，执观察使卢士玫及监军僚佐送幽州，囚于客馆。

王庭凑遣其将王立攻深州，不克。

丁丑[60]，诏魏博、横海、昭义、河东、义武[61]诸军各出兵临成德之境，若王庭凑执迷不复，宜即进讨。成德大将王俭[2]等五人谋杀王庭凑，事泄，并部兵三千人皆死。

己卯[62]，以深州刺史牛元翼为深冀节度使。

丁亥[63]，以殿中侍御史[64]温造[65]为起居舍人，充镇州四面诸军宣慰使[66]，历泽潞、河东、魏博、横海、深冀、易定[67]等道，谕以军期。造，大雅[68]之五世孙也。

己丑[69]，以裴度为幽、镇两道招抚使[70]。

癸巳[71]，王庭凑引幽州兵围深州。

惟澄上奏求做节度使。八月初六日己巳，宋惟澄上报这件事，朝廷震惊。崔倰是崔植的同族兄弟，所以当时人们不敢说崔倰的罪过。

当初，朝廷调换魏州、镇州的节度使，左金吾将军杨元卿上奏，认为不合适，又到宰相那里深切陈述利害关系。等到镇州军叛乱，穆宗赏赐杨元卿白玉带。初八日辛未，任命杨元卿为泾原节度使。

瀛莫将士家属很多住在幽州，八月初九日壬申，莫州都虞候张良佐暗地带领朱克融的士兵入城，刺史吴晖不知跑到什么地方去了。

八月初十日癸酉，王庭凑派人杀了冀州刺史王进岌，分派军队占领冀州。

魏博节度使李愬听到田弘正遇害，穿着丧服对将士说："魏州人之所以能接受朝廷教化，至今安宁富乐，是因为田公之力。现在镇州人不遵法度，就敢杀害田公，这是看不起魏镇，以为魏镇无人。诸君受田公的恩惠，应当如何报答他呢?"大家都悲痛大哭。深州刺史牛元翼，是成德军的良将，李愬派人把宝剑、玉带赠给他，说："过去我的先辈用这柄剑立了大功，我又用它平定了蔡州吴元济，现在送给你，努力剪灭王庭凑。"牛元翼将宝剑和玉带在军中展示，回报李愬说："愿尽死力!"李愬将要出兵，恰巧疾病发作，未能如愿。牛元翼是赵州人。

八月十二日乙亥，穆宗起用前泾原节度使田布为魏博节度使，命令他乘驿站车马赶赴镇所。田布坚决推辞未获允许，就与妻儿、宾客告别说："我回不来了!"他全部去掉旌旗符节和随从就出发了，离魏州还有三十里，他披头散发赤着脚，号哭进入魏州城，居住在守丧的白土粉刷的房子里。月俸一千串钱，一点也未动用，卖掉旧有的产业，得钱十多万串，全都用来分给士卒，对年纪大的旧将，如兄长般对待。

八月十三日丙子，瀛洲军作乱，观察使卢士玫和监军僚佐都被送往幽州，囚禁在客馆中。

王庭凑派他的部将王立攻打深州，没有攻下。

八月十四日丁丑，诏令魏博、横海、昭义、河东、义武诸军各出兵到达成德军所辖的边境，如果王庭凑执迷不悟，应当立即进军征讨。成德军大将王俭等五人谋划杀掉王庭凑，事机泄露，和部下兵士三千人都被杀死。

八月十六日己卯，任命深州刺史牛元翼为深冀节度使。

八月二十四日丁亥，任命殿中侍御史温造为起居舍人，充任镇州四面诸军宣慰使，历经泽潞、河东、魏博、横海、深冀、易定等道，告诉他们进军的日期。温造，是温大雅的五世孙。

八月二十六日己丑，任命裴度为幽、镇两道招抚使。

八月三十日癸巳，王庭凑带领幽州兵包围深州。

【段旨】

以上为第二段，写成德都知兵马使王庭凑杀田弘正叛据镇州。

【注释】

㉑辛酉：七月二十七日。㉒太和公主：穆宗妹，下嫁回鹘崇德可汗和亲，会昌三年（公元八四三年）回唐，改封定安长公主。传见《新唐书》卷八十三。㉓发长安：从长安出发，前往回鹘。㉔有父兄之仇：宪宗之世，成德镇叛，田弘正两度出讨，久与镇人战。宪宗元和十一年（公元八一六年），田弘正讨王承宗，破其兵于南宫，杀二千余人，故与成德镇人有杀父杀兄之仇。事见本书卷二百三十九唐宪宗元和十一年，及新、旧《唐书》之《田弘正本传》。㉕度支供其粮赐：唐制，诸镇兵出境，度支给其衣粮。度支，户部第二司，掌财政。㉖崔倰：字德长，唐玄宗时中书侍郎崔沔之孙，德宗时宰相崔祐甫之子。官至户部侍郎、判度支。田弘正遇害，咎在崔倰不供给田弘正魏博亲兵给养，田弘正失亲兵而遇害。崔倰出为凤翔节度使，以户部尚书致仕。传见《旧唐书》卷一百十九、《新唐书》卷一百四十二。㉗刚褊：性格刚强，心胸狭窄。㉘两都：西都长安，东都洛阳。㉙輂：以车载运。㉚属：连接不断。㉛不时：未能及时。㉜王庭凑：回鹘人，曾祖五哥之，骁勇善战，成德节度使王武俊养为子，故冒姓王。庭凑原为武俊之孙承元兵马使，后田弘正为成德节度使，庭凑杀弘正，自立为节度使。传见《旧唐书》卷一百四十二、《新唐书》卷二百十一。㉝果悍阴狡：果敢强悍，阴险狡猾。㉞抉：挑。㉟壬戌：七月二十八日。㊱结牙兵：集结亲兵。㊲噪：呐喊、起哄或鼓噪。㊳元从：自始相随从的人员。㊴己巳：八月初六日。㊵再从兄：堂祖父之孙互称再从兄弟。崔倰之祖崔涛，乃崔植之祖崔沔之弟，故倰与植为再从兄弟。时崔植为相，故时人莫敢言崔倰之罪。㊶杨元卿：历任泾原、河阳、宣武等节度、观察使。传见《旧唐书》卷一百六十一、《新唐书》卷一百七十一。㊷辛未：八月初八日。㊸壬申：八月初九日。㊹癸酉：八月初十

【原文】

九月乙巳[72]，相州[73]军乱，杀刺史邢濋。

吐蕃遣其礼部尚书论讷罗来求盟。庚戌[74]，以大理卿[75]刘元鼎为吐蕃会盟使[76]。

壬子[77]，朱克融焚掠易州[78]、涞水、遂城、满城[79]。

自定两税法[80][3]以来，钱日重，物日轻[81]，民所输三倍其初，诏百

日。㊺冀州：州名，治所信都，在今河北衡水市冀州区。㊻素服：穿着白色丧服。㊼深州：州名，治所陆泽，在今河北深州西南。㊽牛元翼：赵州（今河北赵县）人，原为成德节度使大将，王庭凑叛，穆宗任为深冀节度使，旋为山南东道节度使。传见《新唐书》卷一百四十八。㊾遗：赠送。㊿立大勋：指平朱泚叛乱。51乙亥：八月十二日。52起复：官员服丧未满期而起用，谓之“起复”。居丧期满而起用，亦可谓之“起复”，或云“夺情”。田布系弘正子，任泾原节度使。弘正遇害，服丧居家。穆宗召布，解缞拜魏博节度使，故曰“起复”。53驿：指驿车。54屏：除去。55导从：官员出行，前驱者称导，后随者称从。56魏州：州名，治所贵乡，在今河北大名东北。57徒跣：赤脚步行。58垩室：白土涂刷之室，守丧所居。59丙子：八月十三日。60丁丑：八月十四日。61义武：方镇名，唐德宗建中三年（公元七八二年）置，治所定州，在今河北定州。62己卯：八月十六日。63丁亥：八月二十四日。64殿中侍御史：官名，掌殿廷供奉之仪式及京城之纠察。65温造（公元七六六至八三五年）：字简舆，官至礼部尚书。传见《旧唐书》卷一百六十五、《新唐书》卷九十一。66宣慰使：官名，朝廷所派宣慰巡视战地及军队之使臣。67泽潞、河东、魏博、横海、深冀、易定：皆方镇名，泽潞即昭义军，领泽、潞、邢、铭、磁五州，故简称泽潞。深冀本成德军所辖二州，成德叛乱，遂置深冀节度使以离析其军。易定即义武军节度使，领易、定、沧三州，故简称易定。68大雅：温大雅，字彦弘，太原祁（今山西祁县）人，仕唐高祖、唐太宗二朝，官至礼部尚书。传见《旧唐书》卷六十一、《新唐书》卷九十一。69己丑：八月二十六日。70招抚使：官名，朝廷所派掌招抚归顺事宜之使臣。71癸巳：八月三十日。

【校记】

[1] 己巳：原作“癸巳”。严衍《通鉴补》改作“己巳”，今从改。[2] 王俭：严衍《通鉴补》改作“王位”。

【语译】

九月十二日乙巳，相州军作乱，杀死刺史邢濋。

吐蕃派遣它的礼部尚书论讷罗前来请求签订盟约。九月十七日庚戌，任命大理卿刘元鼎为吐蕃会盟使。

九月十九日壬子，朱克融焚烧抢掠易州、涞水、遂城、满城。

自从制定两税法以来，钱币一天天增值，实物一天天降价，民众缴纳的赋税是

官议革其弊。户部尚书杨於陵以为："钱者所以权[82]百货，贸迁[83]有无，所宜流散[84]，不应蓄聚。今税百姓钱藏之公府，又，开元中天下铸钱七十余炉[85]，岁入百万，今才十余炉，岁入十五万，又积于商贾之室及流入四夷。又，大历以前，淄青、太原、魏博贸易杂用铅铁，岭南杂用金、银、丹砂、象齿，今一用钱[86]。如此，则钱焉得不重，物焉得不轻！今宜使天下输税课[87]者皆用谷、帛，广铸钱而禁滞积[88]及出塞[89]者，则钱日滋矣。"朝廷从之，始令两税皆输布、丝、纩[90]，独盐、酒课用钱。

冬，十月丙寅[91]，以盐铁转运使、刑部尚书王播为中书侍郎、同平章事，使职如故[92]。播为相，专以承迎为事，未尝言国家安危。

以裴度为镇州四面行营都招讨使[93]。左领军大将军杜叔良以善事权幸[94]得进，时幽、镇兵势方盛，诸道兵未敢进，上欲功速成，宦官荐叔良，以为深州诸道行营节度使。以牛元翼为成德节度使。

癸酉[95]，命宰相及大臣凡十七人与吐蕃论讷罗盟于城西。遣刘元鼎与讷罗入吐蕃，亦与其宰相以下盟。

乙亥[96]，以沂州刺史王智兴[97]为武宁节度副使。先是，副使皆以文吏为之，上闻智兴有勇略，欲用之于河北，故以是宠之。

丁丑[98]，裴度自将兵出承天军[99]故关[100]，以讨王庭凑。

朱克融遣兵寇蔚州[101]。

戊寅[102]，王庭凑遣兵寇蔚州[4]。

己卯[103]，易州刺史柳公济败幽州兵于白石岭，杀千余人。

庚辰[104]，横海军节度使乌重胤奏败成德兵于饶阳[105]。

辛巳[106]，魏博节度使田布将全军三万人讨王庭凑，屯于南宫[107]之南，拔其二栅。

翰林学士元稹与知枢密[108]魏弘简深相结，求为宰相，由是有宠于上，每事咨访焉。稹无怨于裴度，但以度先达[109]重望，恐其复有功大用，妨己进取，故度所奏画军事，多与弘简从中沮坏[110]之。度乃上表极陈其朋比奸蠹[111]之状，以为："逆竖[112]构乱，震惊山东；奸臣[113]作朋，挠败[114]国政。陛下欲扫荡幽、镇，先宜肃清朝廷。何者？为患有

当初的三倍，穆宗诏令百官讨论革除这种弊病。户部尚书杨於陵认为:“钱是用来衡量百货价值，交易有无的，它应当流通，不应蓄聚不使用。现在百姓缴纳的税钱藏在国家仓库里，另外，开元年间国家铸钱七十多炉，每年收进来百万。现在才十多炉，每年收进来十五万，又聚积在富商大贾家里和流到四方外族手中。还有，大历以前，淄青、太原、魏博诸道贸易杂用铅铁，岭南杂用金、银、丹砂、象牙，现在统一用钱。这样一来，钱哪能不贵重，货物哪能不轻贱！今天应当让天下缴纳赋税全都用谷、帛，扩大铸钱的数量，禁止囤积不流通，以及流出边关，那么钱就会一天天多起来了。”朝廷采纳了杨於陵的意见，开始命令两税都缴纳布、丝、纩，只有盐、酒税交钱。

冬，十月初三日丙寅，任命盐铁转运使、刑部尚书王播为中书侍郎、同平章事，转运使的职务仍旧不变。王播任宰相，只干奉承逢迎之事，没有议论过国家安危大事。

任命裴度为镇州四面行营都招讨使。左领军大将军杜叔良由于善于侍奉权贵，受权贵宠幸而得到进用，当时幽州和镇州兵力正强大，诸道征讨兵不敢前进，穆宗想很快就取得成功，宦官推荐杜叔良，朝廷任命他为深州诸道行营节度使。任命牛元翼为成德节度使。

十月初十日癸酉，命令宰相和大臣共十七人与吐蕃论讷罗在城西会盟。派遣刘元鼎与讷罗去吐蕃，也与吐蕃宰相以下诸官会盟。

十月十二日乙亥，任命沂州刺史王智兴为武宁节度副使。此前，副使都由文职官员担任，穆宗听说王智兴有勇有谋，想在河北任用他，所以就用这样的职位宠待他。

十月十四日丁丑，裴度亲自带兵从承天军故关出发，讨伐王庭凑。

朱克融派兵寇掠蔚州。

十月十五日戊寅，王庭凑派兵寇掠蔚州。

十月十六日己卯，易州刺史柳公济在白石岭打败幽州兵，杀死一千多人。

十月十七日庚辰，横海军节度使乌重胤奏报在饶阳打败成德兵。

十月十八日辛巳，魏博节度使田布率领全军三万人讨伐王庭凑，驻扎在南宫县的南面，攻占了王庭凑的两个营栅。

翰林学士元稹和知枢密魏弘简结交很深，寻求当宰相，由此被穆宗宠幸，事事都征求元稹的意见。元稹对裴度没有怨恨，只因裴度是先辈，威望高，担心裴度再立大功而受到重用，妨碍自己取得高位，所以裴度上奏谋划的军国大事，元稹多和魏弘简从中加以阻挠破坏。裴度于是上表极力陈述他们结党为奸的情形，以为:“叛逆者作乱，震惊山东；奸臣朋比结党，败坏国家政事。陛下要想扫平幽、镇两州的叛乱，首先应当肃清朝廷。为什么这么说？造成的祸患有大小，谋议的国事有先后。

大小，议事有先后。河朔逆贼，只乱山东；禁闱⑮奸臣，必乱天下，是则河朔患小，禁闱患大。小者臣与诸将必能翦灭，大者非陛下觉寤⑯制断⑰无以驱除。今文武百寮⑱，中外万品，有心者无不愤忿，有口者无不咨嗟，直⑲以奖用方深，不敢抵触，恐事未行而祸已及，不为国计，且为身谋。臣自兵兴以来，所陈章疏，事皆要切，所奉书诏，多有参差⑳，蒙陛下委付之意不轻，遭奸臣抑损之事不少。臣素与佞幸㉑亦无仇嫌，正以臣前请乘传㉒诣阙，面陈军事，奸臣最所畏惮，恐臣发其过恶[5]，百计止臣。臣又请与诸军齐进，随便攻讨。奸臣恐臣或有成功，曲加阻碍，逗遛日时，进退皆受羁牵㉓，意见悉遭蔽塞。但欲令臣失所，使臣无成，则天下理乱，山东胜负，悉不顾矣。为臣事君，一至于此！若朝中奸臣尽去，则河朔逆贼不讨自平；若朝中奸臣尚存，则逆贼纵平无益。陛下傥㉔未信臣言，乞出臣表，使百官集议，彼不受责，臣当伏辜㉕。"表三上，上虽不悦，以度大臣，不得已，癸未㉖，以弘简为弓箭库使㉗，稹为工部侍郎。稹虽解翰林，恩遇如故。

宿州㉘刺史李直臣坐赃当死，宦官受其赂，为之请。御史中丞牛僧孺㉙固请诛之。上曰："直臣有才，可惜[6]！"僧孺对曰："彼不才者，无过温衣饱食以足妻子，安足虑！本设法令，所以擒制有才之人。安禄山、朱泚㉚皆才过于人，法不能制者也。"上从之。

横海节度使乌重胤将全军救深州，诸军倚重胤独当幽、镇东南。重胤宿将，知贼未可破，按兵观衅㉛。上怒，丙戌㉜[7]，以杜叔良为横海节度使，徙重胤为山南西道㉝节度使。

灵武㉞节度使李进诚奏败吐蕃三千骑于大石山㉟下。

十一月辛酉㊱，淄青节度使薛平奏突将㊲马廷崟作乱，伏诛。时幽、镇兵攻棣州，平遣大将李叔佐将兵救之。刺史王稷㊳供馈稍薄，军士怨怒，宵溃，推廷崟为主，行且收兵至七千余人，径逼青州。城中兵少，不敌，平悉发府库及家财召募，得精兵二千人，逆㊴战，大破之，斩廷崟，其党死者数千人。

横海节度使杜叔良将诸道兵与镇人战，遇敌辄北。镇人知其无勇，常先犯之。十二月庚午㊵，监军谢良通奏叔良大败于博野㊶，失亡七千

河朔叛贼，仅扰乱山东；禁闱中的奸臣，必然使天下大乱。可见河朔祸患小，禁闱祸患大。小的祸患臣与诸将一定能消除，大的祸患除非陛下觉察专断，否则是不能驱除的。现在文武百官，中外各类人物，有忠心者没有不愤怒的，能说话者没有不叹息的，只是由于朝廷正深加奖赏任用这些奸臣，才不敢抵触他们，担心检举的事尚未开始而祸患已经临头，不为国家打算，暂且为自己谋划。臣自从战事发生以来，所陈章疏，讲的事情都很重要迫切，收到的书函诏令，内容多有不同，承蒙陛下重托，责任不轻，遭奸臣抑制贬损的事件不少。臣向来与佞幸奸臣没有仇隙猜疑，只是由于臣前时请求乘驿传回朝，向皇上面陈军事，奸臣最惧怕这件事，害怕臣揭发他们的罪过，千方百计阻止臣回来。臣又请与诸军一起进军，随机攻讨叛乱。奸臣担心臣或许成功，想方设法加以阻碍，拖延时间，进退都受到牵制，意见全遭阻塞。只想使臣失去依靠，让臣不能成功，而天下治乱，山东胜负，全都不管不顾了。为臣事君，竟然到了如此地步！假如朝廷中奸臣都消除了，那么河朔叛贼不讨自平；假如朝廷中奸臣尚在，那么叛贼即使平定了也没有好处。陛下倘若不信臣的话，请求把臣的表章拿出来，交给百官一起讨论，如果奸臣不受到责备，臣当即服罪。”奏表三次呈上，穆宗虽然不高兴，但由于裴度是元老大臣，迫不得已，十月二十日癸未，改任魏弘简为弓箭库使，元稹为工部侍郎。元稹虽然被解除了翰林职务，但恩宠待遇还和过去一样。

宿州刺史李直臣因贪赃当死，宦官接受了他的贿赂，为他说情。御史中丞牛僧孺坚决请求杀掉李直臣。穆宗说：“李直臣有才能，杀了可惜！”牛僧孺回答说：“那些没有才能的人，不过追求衣食温饱和养活妻子，哪里值得担心！设置法令的本意，就是用来控制有才能的人。安禄山、朱泚都是才能过人，而法令又控制不了的人。”穆宗听从了牛僧孺的意见。

横海节度使乌重胤率领全军救援深州，诸军依靠乌重胤独当幽州、镇州东南方面。乌重胤是老将，知道敌人不能打败，便按兵不动观察机会。穆宗很生气，十月二十三日丙戌，任命杜叔良为横海节度使，调乌重胤为山南西道节度使。

灵武节度使李进诚上奏在大石山下打败吐蕃骑兵三千人。

十一月二十八日辛酉，淄青节度使薛平上奏突将马廷崟作乱，已被处决。当时幽州和镇州兵进攻棣州，薛平派大将李叔佐率军救援。刺史王稷供应粮饷略少，军士怨怒，在晚上溃逃了，推选马廷崟为主将，边走边收揽溃兵达七千多人，径直逼近青州。青州城兵少，不能抵挡，薛平把府库的钱财和家中的钱财都拿出来招募战士，得到精兵二千人，迎战马廷崟，大败叛军，杀死了马廷崟，马廷崟的党徒死的有数千人。

横海节度使杜叔良率领诸道军队和镇州人作战，遇到敌人就逃跑。镇州人知道他没有勇气，常常先进攻他。十二月初八日庚午，监军谢良通奏报杜叔良在博野大

余人。叔良脱身还营，丧其旌节。

丁丑⑫，义武节度使陈楚⑬奏败朱克融兵于望都及北平⑭，斩获万余人。

戊寅⑮，以凤翔⑯节度使李光颜为忠武⑰节度使兼深州行营节度使，代杜叔良。

自宪宗征伐四方，国用已虚。上即位，赏赐左右及宿卫诸军无节，及幽、镇用兵久无功，府藏空竭，势不能支。执政乃议："王庭凑杀田弘正而朱克融全张弘靖，罪有重轻，请赦克融，专讨庭凑。"上从之。乙酉⑱，以[8]朱克融为平卢⑲节度使。

戊子⑳，义武奏破莫州清源㉑等三栅，斩获千余人。

【段旨】

以上为第三段，写唐穆宗发诸镇兵讨成德，朝政不肃，招讨使裴度受诸多牵制，官军多于贼而屡战不胜。

【注释】

⑫乙巳：九月十二日。⑬相州：州名，治所安阳，在今河南安阳。⑭庚戌：九月十七日。⑮大理卿：官名，大理寺内掌刑狱的官署，其正、副长官为大理寺卿、少卿。⑯会盟使：官名，朝廷临时派遣主持会见结盟事宜之专使。⑰壬子：九月十九日。⑱易州：州名，治所易县，在今河北易县。⑲涞水、遂城、满城：皆县名，涞水县治在今河北涞水县，遂城县治在今河北保定市徐水区西，满城县治在今河北保定市满城区西。⑳两税法：建中元年（公元七八〇年）杨炎废租庸调制，改行两税法。事见本书卷二百二十六德宗建中元年。㉑钱日重二句：钱一天天增值，布帛谷粮等生活物资一天比一天降价。㉒权：衡量。㉓贸迁：交易。㉔流散：流通。㉕天下铸钱七十余炉：全国拥有制造铜钱的铸钱炉七十余座。㉖今一用钱：现今统一用铜钱作货币。㉗税课：赋税。㉘禁滞积：禁止囤积铜钱不用于流通。㉙出塞：谓流入夷狄。塞，边关。㉚纩：丝绵。㉛丙寅：十月初三日。㉜使职如故：指王播拜相后，原任盐铁转运使，依然不变。㉝招讨使：官名，掌招收讨杀盗贼之事，位在宣抚使之下，制置使之上。四面行营都招讨使，即各路讨伐军的总指挥。㉞权幸：权贵亲幸。㉟癸酉：十月初十日。㊱乙

败，损失七千多人。杜叔良脱身返回军营，丢失了旌旗符节。

十二月十五日丁丑，义武节度使陈楚上奏在望都和北平打败了朱克融的军队，杀死和俘虏了一万多人。

十二月十六日戊寅，任命凤翔节度使李光颜为忠武节度使兼深州行营节度使，替代杜叔良。

自从宪宗征伐四方，国家财政已经空虚。穆宗即位，赏赐左右和宿卫诸军没有节制，等到幽州和镇州用兵很久不能成功，国库空竭，力不能支。当权的大臣就商议："王庭凑杀了田弘正而朱克融保全了张弘靖，他们的罪有重有轻，请赦免朱克融，专门讨伐王庭凑。"穆宗依从了。十二月二十三日乙酉，任命朱克融为卢龙节度使。

十二月二十六日戊子，义武节度使上奏攻破莫州清源等敌人的三个营栅，杀死和俘虏一千多人。

亥：十月十二日。⑨⑦王智兴（公元七五七至八三六年）：字匡谏，怀州温（今河南温县）人，历仕宪宗、穆宗、文宗三朝，先后任武宁、河中、宣武等节度使。传见《旧唐书》卷一百五十六、《新唐书》卷一百七十二。⑨⑧丁丑：十月十四日。⑨⑨承天军：军镇名，治所在今山西平定东北。⑩⓪故关：即娘子关，在今山西平定东北，与河北交界，为军事要隘。⑩①蔚州：州名，治所灵丘，在今山西灵丘。⑩②戊寅：十月十五日。⑩③己卯：十月十六日。⑩④庚辰：十月十七日。⑩⑤饶阳：县名，县治在今河北饶阳。⑩⑥辛巳：十月十八日。⑩⑦南宫：县名，县治在今河北南宫。⑩⑧知枢密：官名，即知枢密事，亦称枢密使，掌承受表奏，参与机密，权势很重，以宦者任之。⑩⑨先达：先辈。⑪⓪沮坏：败坏；毁坏。⑪①朋比奸蠹：结党为奸。⑪②逆竖：指王庭凑、朱克融等。⑪③奸臣：指元稹、魏弘简等。⑪④挠败：阻挠破坏。⑪⑤禁闱：宫中。⑪⑥觉寤：觉察。⑪⑦制断：专断。⑪⑧寮：同"僚"。⑪⑨直：仅；只。⑫⓪参差：不一致。⑫①佞幸：谄媚而得亲幸之人。⑫②乘传：乘驿车。⑫③羁牵：牵制。⑫④傥：同"倘"，倘若。⑫⑤伏辜：甘心服罪。⑫⑥癸未：十月二十日。⑫⑦弓箭库使：官名，掌内廷弓矢，以宦者为之。⑫⑧宿州：州名，治所符离，在今安徽宿州北。⑫⑨牛僧孺（公元七八〇至八四八年）：字思黯，安定鹑觚（今甘肃灵台）人，穆宗、文宗两朝宰相。牛李党争牛派首领。传见《旧唐书》卷一百七十二、《新唐书》卷一百七十四。⑬⓪朱泚：朱滔兄，任卢龙节度使，后出镇凤翔，德宗时祸乱京师，一度称帝。事详本书卷二百二十九德宗建中四年。传见《旧唐书》卷二百下、《新唐书》卷二百二十五中。⑬①观衅：窥伺间隙。⑬②丙戌：十月二十三日。⑬③山南西道：方镇名，唐

代宗广德元年（公元七六三年）置，治所梁州，在今陕西汉中。⑬④灵武：方镇名，又称朔方、灵州、灵盐。唐玄宗开元九年（公元七二一年）置，治所灵州，在今宁夏灵武西南。⑬⑤大石山：今址不能确指，疑在今内蒙古乌审旗西南一带。⑬⑥辛酉：十一月二十八日。⑬⑦突将：冲锋陷阵的猛将。⑬⑧王稷：宪宗朝河中节度使王锷之子，官至棣州刺史（新、旧《唐书》本传均作德州刺史，《旧唐书·李全略传》作棣州刺史，是）。传见《旧唐书》卷一百五十一、《新唐书》卷一百七十。⑬⑨逆：迎。⑭⓪庚午：十二月初八日。⑭①博野：县名，县治在今河北蠡县。⑭②丁丑：十二月十五日。⑭③陈楚：定州（今河北定州）人，官至河阳三城节度使。传见《旧唐书》卷一百四十一、《新唐书》卷一百四十八。⑭④望都及北平：皆县名，望都县治在今河北望都，北平县治在今河北顺平东南。⑭⑤戊寅：十二月十六日。⑭⑥凤翔：方镇名，唐肃宗上元元年（公元七六〇年）置，治所凤翔府，在今陕西宝鸡市凤翔区。⑭⑦忠武：方镇名，唐德宗贞元三年（公元七八七年）置陈许节度使，治许州，在今河南许昌。十年赐号忠武军。⑭⑧乙酉：十二月二十三

【原文】

二年（壬寅，公元八二二年）

春，正月丁酉[152]，幽州兵陷弓高[153]。先是，弓高守备甚严，有中使[154]夜至，守将不内[155]，旦，乃得入，中使大诟[156]怒。贼谍知之，他日，伪遣人为中使，投[157]夜至城下，守将遽内之，贼众随之，遂陷弓高，又围下博[158]。中书舍人白居易[159]上言，以为："自幽、镇逆命，朝廷征诸道兵，计十七八万，四面攻围，已逾半年。王师无功，贼势犹盛。弓高既陷，粮道不通，下博、深州，饥穷日急。盖由节将太众，其心不齐，莫肯率先，递相顾望。又，朝廷赏罚，近日不行，未立功者或已拜官，已败衄[160]者不闻得罪，既无惩劝，以至迁延[161]，若不改张[162]，必无所望。请令李光颜将诸道劲兵约三四万人从东速进，开弓高粮路[163]，合下博诸军[9]，解深邢[164]重围，与元翼合势。令裴度将太原全军兼招讨旧职，西面压境[165]，观衅而动。若乘虚得便，即令同力翦除；若战胜贼穷，亦许受降纳款[166]。如此，则夹攻以分其力，招谕以动其心，必未及诛夷，自生变故。又请诏光颜选诸道兵精锐者留

日。⑭⑨平卢：当作卢龙。《旧唐书·穆宗纪》："乙酉，以幽州都知兵马使朱克融检校右散骑常侍，充幽州卢龙军节度使。"⑮⓪戊子：十二月二十六日。⑮①清源：地名，在今河北任丘西南。

【校记】

［3］法：原无此字。据章钰校，十二行本、乙十一行本皆有此字，今据补。［4］蔚州：据章钰校，十二行本、乙十一行本、孔天胤本皆作"贝州"，张瑛《通鉴校勘记》、熊罗宿《胡刻资治通鉴校字记》同。［5］恶：原无此字。据章钰校，十二行本、乙十一行本皆有此字，今据补。［6］可惜：此下原有三字空格。据章钰校，十二行本、乙十一行本、孔天胤本皆无空格，今据改。［7］丙戌：原无此二字。据章钰校，十二行本、乙十一行本皆有此二字，今据补。［8］以：此下原有一空格。据章钰校，十二行本、乙十一行本、孔天胤本皆无空格，今据改。

【语译】

二年（壬寅，公元八二二年）

春，正月初五日丁酉，幽州兵攻陷弓高。此前，弓高守备很严密，有中使夜里到达，守将不让进城，早晨，才进入城中，中使发怒大骂。敌人的间谍知道了这件事，有一天，派人假装中使，临夜到达城下，守将很快让他进城，众多的叛贼跟在后面，于是攻陷了弓高，又包围了下博。中书舍人白居易上奏，认为："自从幽州和镇州反叛朝廷以来，朝廷征发各道的兵士，共计有十七八万人，四面围攻，已经超过半年。王师没有取得成功，叛贼的势力还很强大。弓高陷落后，运粮的道路阻塞了，下博和深州，饥饿和穷困一天比一天严重。原因大概是由于节度使将领太多，他们的思想不统一，没有人肯带头进攻，互相观望。另外，朝廷赏罚，近日没有施行，未立功的人有的已当了官，已经打了败仗的人没有听说被治罪，既然没有惩罚和奖励，导致拖延观望，假若不改变这种状态，一定不会有胜利的希望。请令李光颜带领诸道精兵约三四万人从东道速进，开通弓高运粮的道路，会合下博各路军队，解救深州、邢州的重重包围，与牛元翼的兵力会合。命令裴度带领太原全部军队兼任招讨使旧职，从西面逼近镇州，见机行动。如果乘敌人之虚得到合适的机会，就命令共同歼灭敌人；如果打了胜仗，敌人已穷途末路了，也允许他们接受敌人投降。这样，用夹攻分散敌人的兵力，用招降动摇敌人的军心，一定会没有等到消灭敌人，敌人内部自生变故。又请诏令李光颜挑选诸道兵中精锐的人留下来，其余不能用的

之，其余不可用者悉遣归本道，自守土疆。盖兵多而不精，岂唯虚费衣[10]粮，兼恐挠败军陈⑯⑦故也。今既只留东、西二帅⑯⑧，请各置都监一人，诸道监军，一时停罢。如此，则众齐令一，必有成功。又，朝廷本用田布，令报父仇，今领全师出界，供给度支⑯⑨，数月已来，都不进讨，非田布固欲如此，抑有其由。闻魏博一军，屡经优赏，兵骄将富，莫肯为用。况其军一月之费，计实钱近[11]二十八万缗，若更迁延，将何供给？此尤宜早令退军者也。若两道⑰⓪止共留兵六万，所费无多，既易支持，自然丰足。今事宜日急，其间变故远不可知。苟兵数不抽，军费不减，食既不足，众何以安！不安之中，何事不有！况有司迫于供军，百端敛率⑰①，不许即⑰②用度交阙⑰③，尽许则人心无憀⑰④。自古安危皆系于此，伏乞圣虑察而念之。"疏奏，不省。

【段旨】

以上为第四段，写中书舍人白居易上奏靖乱良策，唐穆宗不纳。

【注释】

⑮② 丁酉：正月初五日。⑮③ 弓高：县名，县治在今河北东光西北。东至沧州一百二十里，西北至深州二百里，为深州后援的军事重镇。弓高陷落，深州孤危。⑮④ 中使：皇帝宫中派出的宦官使者。⑮⑤ 内：同"纳"。⑮⑥ 诟：辱骂。⑮⑦ 投：临；至。⑮⑧ 下博：县名，县治在今河北深州东。⑮⑨ 白居易：（公元七七二至八四六年）字乐天，太原（今山西太原）人，后迁下邽（今陕西渭南），著名诗人。历官苏、杭二州刺史，太子少傅等。有文集七十五卷传世。传见《旧唐书》卷一百六十六、《新唐书》卷一百十九。⑯⓪ 败衄：战

【原文】

己亥⑰⑤，度支馈沧州⑰⑥粮车六百乘，至下博，尽为成德军所掠。时诸军匮乏，供军院⑰⑦所运衣粮，往往不得至院，在涂为诸军邀夺，其悬军⑰⑧深入者，皆冻馁无所得。

都打发回本道去，自守疆土。因为兵多而不精，不仅白白浪费衣服粮饷，还怕败坏军阵。现在既然只留下东、西两位将帅，请各置都监一人，其他各道监军，同时撤除。这样，就能士众齐心，军令统一，一定能取得成功。再有，朝廷本用田布，让他报杀父之仇，现在他带领全部军队出界，军资仰给于度支，几个月以来，全不进军征讨，不是田布本来就想这样，也是有原因的。听说魏博镇这支军队，屡次得到朝廷重赏，兵士骄傲，将领富有，不肯听从指挥。况且这支军队一个月的费用，共计需要钱近二十八万串，要是再拖延下去，怎么供应得起？这就尤其应当下命令让他们早些撤退回本镇去。假若东、西两道只共留兵六万人，所需的费用不太多，既然容易支持，自然军资充足。现在形势一天比一天紧急，中间的变故很难预先知道。假若兵额不压缩，军费不减少，粮食既然不足，兵众怎么能安心！在不安心的情况下，什么事情做不出来！何况有关部门由于供应军队的任务紧迫，多方聚敛，不许他们那样做就用度俱缺，全答应他们就会人心动摇。从古以来国家安危都联系在这件事上，请求皇上明察深思。”奏疏呈上去了，穆宗没有看。

败。⑯ 迁延：拖延。⑯ 改张：改弦更张。⑯ 开弓高粮路：收复弓高，打开救援深州的粮运路线。⑯ 深邢：胡三省注云“当作‘深州’”。⑯ 西面压境：指压镇州之境。⑯ 纳款：接受投诚。⑯ 陈：同“阵”。⑯ 东、西二帅：东帅指李光颜，西帅指裴度。⑯ 供给度支：军资仰给于度支。⑰ 两道：指裴度所领河东军、李光颜所领横海军。⑰ 百端敛率：多方聚敛。⑰ 即：则。⑰ 交阙：俱缺。⑰ 憀：依赖；依托。

【校记】

[9] 合下博诸军：原无此五字。据章钰校，十二行本、乙十一行本皆有此五字，张瑛《通鉴校勘记》同，今据补。[10] 衣：据章钰校，十二行本、乙十一行本皆作“资”。[11] 近：原无此字。据章钰校，十二行本、乙十一行本皆有此字，今据补。

【语译】

正月初七日己亥，度支运往沧州的粮车六百辆，到达下博，全被成德军抢走了。当时诸军匮乏，供军院运送的衣粮，往往不能到达军前供军院，在路上就被各军拦路抢夺，那些孤军深入敌人边境的，都挨饿受冻得不到衣粮。

初，田布从其父弘正在魏，善视牙将史宪诚⑰⑨，屡称荐，至右职⑱⓪。及为节度使，遂寄以腹心，以为先锋兵马使，军中精锐，悉以委之。宪诚之先，奚人也，世为魏将。魏与幽、镇本相表里，及幽、镇叛，魏人固摇心。布以魏兵讨镇，军于南宫。上屡遣中使督战，而将士骄惰，无斗志，又属⑱①大雪，度支馈运不继。布发六州⑱②租赋以供军，将士不悦，曰："故事，军出境，皆给朝廷⑱③。今尚书⑱④刮六州肌肉以奉军，虽尚书瘠⑱⑤己肥国，六州之人何罪乎！"宪诚阴蓄异志，因众心不悦，离间鼓扇之。会有诏分魏博军与李光颜，使救深州。庚子⑱⑥，布军大溃，多归宪诚，布独与中军八千人还魏。壬寅⑱⑦，至魏州。

癸卯⑱⑧，布复召诸将议出兵，诸将益偃蹇⑱⑨，曰："尚书能行河朔旧事⑲⓪，则死生以之；若使复战，则不能也。"布无如之何，叹曰："功不成矣！"即日，作遗表具其状⑲①，略曰："臣观众意，终负国恩。臣既无功，敢忘即⑲②死。伏愿陛下速救光颜、元翼，不然者，忠臣义士[12]皆为河朔屠害矣！"奉⑲③表号哭，拜授幕僚李石，乃入启⑲④父灵⑲⑤，抽刀而言曰："上以谢君父，下以示三军！"遂刺心而死。宪诚闻布已死，乃谕其众，遵河北故事⑲⑥。众悦，拥宪诚还魏，奉为留后。戊申⑲⑦，魏州奏布自杀。己酉⑲⑧，以宪诚为魏博节度使。宪诚虽喜得旄钺⑲⑨，外奉朝廷，然内实与幽、镇连结。

庚戌⑳⓪，以德州刺史王日简⑳①为横海节度使。日简，本成德牙将也。

壬子⑳②，贬杜叔良为归州⑳③刺史。

王庭凑围牛元翼于深州，官军三面救之⑳④，皆以乏粮不能进，虽李光颜亦闭壁自守而已。军士自采薪刍，日给不过陈米一勺。深州围益急，朝廷不得已，二月甲子⑳⑤，以庭凑为成德节度使，军中将士官爵皆复其旧。以兵部侍郎韩愈为宣慰使。

上之初即位也，两河⑳⑥略定，萧俛、段文昌以为"天下已太平，渐宜消兵，请密诏天下，军镇有兵处，每岁百人之中限八人逃、死"。上方荒宴⑳⑦，不以国事为意，遂可其奏。军士落籍⑳⑧者众，皆聚山泽

起初，田布跟随他父亲田弘正在魏博，善待牙将史宪诚，多次称赞推荐他，使他升到重要职位。等到田布担任节度使，就将史宪诚作为心腹，任命他为先锋兵马使，军队中的精锐部队，都交给他。史宪诚的祖先，是奚族人，世代为魏博将领。魏博和幽、镇二州本来互相依从，到幽、镇二州反叛，魏州人也已动摇。田布统帅魏州兵讨伐镇州，在南宫驻扎。穆宗多次派遣中使督战，然而将士骄惰，没有斗志，又遇上下大雪，度支运送粮饷没有接上。田布征发所领六州的租赋用来供应军队，将士不高兴，说："按照旧例，军队出州境，都由朝廷供给军饷。现在尚书搜刮六州的民脂民膏用来供奉军队，虽然尚书损了自己肥了国家，但六州的民众有什么罪呢！"史宪诚暗地里怀有反叛的打算，利用军心不悦，从中离间鼓动他们。恰好有诏令分派魏博军归李光颜指挥，使救深州。正月初八日庚子，田布军大规模溃散，多数投归史宪诚，田布单独和中军八千人转向魏州。初十日壬寅，到达魏州。

正月十一日癸卯，田布再次召集诸将商议出兵，诸将更加骄傲，说："尚书如能按照河朔旧事办，那么我们都死生以赴，若要再去打镇州，那是不行的。"田布拿他们没有办法，叹着气说："功业完成不了了！"当天，写好遗表把情况一一陈述，大略是说："臣观察众人的心意，终究是要背叛国家的。臣既然没有功劳，怎敢忘记赴死。唯愿陛下赶快去救援李光颜、牛元翼，不然的话，忠臣义士都被河朔屠杀了！"他捧着遗表大哭，跪着交给幕僚李石，于是入内省视父亲的灵位，抽出佩刀说："上向君父谢罪，下向三军表明心迹！"于是刺心而死。史宪诚听说田布已死，于是告谕他的部下，遵照河北的旧例行事。军众很高兴，簇拥着史宪诚回到魏州，推举他为留后。十六日戊申，魏州上奏田布自杀。十七日己酉，朝廷任命史宪诚为魏博节度使。史宪诚虽然高兴得到节度使官职，表面上尊奉朝廷法令，然而在内部实际上和幽州、镇州勾结在一起。

正月十八日庚戌，任命德州刺史王日简为横海节度使。王日简，本是成德军的牙将。

正月二十日壬子，贬杜叔良为归州刺史。

王庭凑在深州包围牛元翼，官军从东、西、北三个方面救援他，都因为缺乏粮食不能前进，就是李光颜也关闭壁垒自守而已。军士自己去打柴割草，每天发给的粮食不过一勺陈米。深州被包围得更加紧迫，朝廷不得已，在二月初二日甲子，任命王庭凑为成德节度使，军中将士官爵都照旧恢复。任命兵部侍郎韩愈为宣慰使。

穆宗初即位时，两河地区大体平定，萧俛、段文昌以为"天下已经太平，应当逐渐减少兵员，请求秘密诏令全国，军镇驻扎军队的地方，每年在一百人中限定要有八人或逃或死"。穆宗当时正荒废政事，沉湎宴乐，不把国家的大事放在心上，就批准了萧、段的奏折。军士被除去名籍的人很多，都聚集在山寨水泽当强盗。等到

为盗。及朱克融、王庭凑作乱，一呼而亡卒皆集。诏征诸道兵讨之，诸道兵既少，皆临时召募，乌合之众。又，诸节度既有监军，其领偏军[13]者亦置中使监陈，主将不得专号令，战小胜则飞驿奏捷，自以为功，不胜则迫胁主将，以罪归之。悉择军中骁勇以自卫，遣羸⑳懦者就战，故每战多败。又凡用兵，举动皆自禁中授以方略，朝令夕改，不知所从，不度㉑可否，惟督令速战。中使道路如织，驿马不足，掠行人马以继之，人不敢由驿路行。故虽以诸道十五万之众，裴度元臣宿望㉑，乌重胤、李光颜皆当时名将，讨幽、镇万余之众，屯守逾年，竟无成功，财竭力尽。

崔植、杜元颖、王播[14]为相，皆庸才，无远略。史宪诚既逼杀田布，朝廷不能讨，遂并朱克融、王庭凑以节钺[15]授之。由是再失河朔，迄于唐亡，不能复取。

朱克融既得旌节，乃出张弘靖及卢士玫。

丙寅㉒，以牛元翼为山南东道节度使，以左神策行营乐寿镇㉓兵马使清河傅良弼㉔为沂州刺史，以瀛州博野镇遏使㉕李寰㉖为忻州㉗刺史。良弼、寰所戍在幽、镇之间，朱克融、王庭凑互加诱胁，良弼、寰不从，各以其众坚壁，贼竟不能取，故赏之。

【段旨】

以上为第五段，写穆宗姑息，庸臣当道，宦官监军，主将不得专号令，是以官军无功，朝廷再失河朔，直至唐亡，不能复取。

【注释】

⑮己亥：正月初七日。⑯沧州：州名，治所清池，在今河北沧州东南。⑰供军院：穆宗因幽、镇用兵，置南北供军院，供应军队粮饷衣物。其置于行营者，谓之北供军院，度支自南供军院运送供给。⑱悬军：深入敌境之孤军。⑲史宪诚（？至公元八二九年）：其祖先奚族人，内徙灵武，为建康（今甘肃高台西南）人，本魏博兵马使，田布死，自立为帅。后徙河东节度使，未及赴任，为军众所杀。传见《旧唐书》卷一百八十

朱克融、王庭凑作乱，一声召唤，逃亡的兵卒都集中起来了。下诏令征发诸道兵去讨伐，诸道兵既少，又全是临时招募的乌合之众。还有，诸节度使处既有监军，那些统领一支军队的地方也置中使监督作战，主将不能独自发号施令，作战小胜就驿马飞奔报捷，认为是自己的功劳，失败了就威胁逼迫主将，把罪责推给主将。又把军队中勇敢的士兵全部挑选出来用以自卫，派遣那些懦弱胆小的人去作战，所以每次作战多半失败。另外，凡是用兵打仗，一举一动都要由宫禁中授给方略，朝令夕改，不知所从，又不考虑是否可行，只是催促迅速作战。中使在路上往来如穿梭织布，驿站的马匹供应不上，就抢行人的马来满足需要，使得人们都不敢在驿道上行走。所以虽调用诸道十五万人马，有裴度这样老成望重之臣，乌重胤、李光颜这样当时的名将，征讨幽州、镇州一万多人的军队，驻扎攻守超过了一年，但终究未取得胜利，财竭力尽。

崔植、杜元颖、王播为宰相，全是庸才，没有远谋。史宪诚逼杀田布后，朝廷无力讨伐他，就连同朱克融、王庭凑一起任命为节度使。由此再度丢了河朔地方，一直到唐朝灭亡，没有能够再收复。

朱克融得到节度使以后，就释放了张弘靖和卢士玫。

二月初四日丙寅，任命牛元翼为山南东道节度使，任命左神策行营乐寿镇兵马节度使清河人傅良弼为沂州刺史，任命瀛州博野镇遏使李寰为忻州刺史。傅良弼、李寰所戍在幽州和镇州之间，朱克融、王庭凑互加引诱威胁，傅良弼和李寰不顺从，各自带领部下坚壁防守，敌人最终也没能占领，所以朝廷赏赐他们。

一、《新唐书》卷二百十。⑱⓪右职：重要职位。⑱①属：适值。⑱②六州：指魏博镇所辖魏、博、贝、卫、澶、相六州。⑱③皆给朝廷：唐制，凡镇兵出境，军需皆仰给于朝廷。⑱④尚书：指田布，时为检校工部尚书。⑱⑤瘠：瘦。⑱⑥庚子：正月初八日。⑱⑦壬寅：正月初十日。⑱⑧癸卯：正月十一日。⑱⑨偃蹇：骄傲。⑲⓪河朔旧事：指河朔成德、魏博、卢龙三镇拥兵割据，不听朝命，父死子继，或牙将杀帅自立。⑲①具其状：将情况一一进行陈述。⑲②即：就；赴。⑲③奉：同“捧”。⑲④启：省视。⑲⑤灵：指灵位。⑲⑥遵河北故事：即行河朔旧事。⑲⑦戊申：正月十六日。⑲⑧己酉：正月十七日。⑲⑨旌钺：旗帜和斧钺，借指节度使官职。⑳⓪庚戌：正月十八日。⑳①王日简：原为镇冀牙将，后任代州、德州刺史。杜叔良兵败，遂代叔良为横海节度使。赐名李全略。传见《旧唐书》卷一百四十七、《新唐书》卷二百十三。⑳②壬子：正月二十日。⑳③归州：州名，治所秭归，在今湖北秭归，旧县城已没入三峡库区。⑳④官军三面救之：裴度以河东军临其西，李光颜以横海诸军营其东，陈楚以易定军逼其北，是三面救深州。⑳⑤甲子：二月初二日。⑳⑥两河：指河南、河

北两道，为藩镇割据集中之地，如平卢、魏博、义昌、成德、卢龙等。㉗荒宴：荒废政事，沉湎宴乐。⑳落籍：除去名籍。⑳羸：瘦弱。⑳度：考虑。㉑元臣宿望：老臣重望。⑳丙寅：二月初四日。⑳乐寿镇：军镇名，置于深州乐寿县，在今河北献县。⑳傅良弼：字道安，清河（今河北清河西北）人，官至横海节度使。事附《新唐书》卷一百四十八《牛元翼传》。⑳镇遏使：官名，位于节度使之下的军镇长官。⑳李寰：官至夏绥银节度使。事附《新唐书》卷一百四十八《牛元翼传》。⑳忻州：州名，治所秀容，在今山西忻州。

【原文】

丙子[218]，赐横海节度使王日简姓名为李全略。

辛巳[219]，中书侍郎、同平章事崔植罢为刑部尚书，以工部侍郎元稹同平章事。

癸未[220]，加李光颜横海节度、沧景观察使，其忠武、深州行营节度如故。以横海节度使李全略为德棣节度使[221]。时朝廷以光颜悬军深入，馈运难通，故割沧、景以隶之。

王庭凑虽受旌节，不解深州之围。丙戌[222]，以知制诰东阳冯宿[223]为山南东道节度副使，权知留后，仍遣中使入深州督牛元翼赴镇。裴度亦与幽、镇书，责以大义。朱克融即解围去，王庭凑虽引兵少退，犹守之不去。

元稹怨裴度，欲解其兵柄，故劝上雪庭凑[224]而罢兵。丁亥[225]，以度为司空、东都留守，平章事如故。谏官争上言："时未偃兵[226]，度有将相全才，不宜置之散地[227]。"上乃命度入朝，然后赴东都。

以灵武节度使李听为河东节度使。初，听为羽林将军，有良马。上为太子，遣左右讽[228]求之。听以职总亲军[229]，不敢献。及河东缺帅，上曰："李听不与朕马[230]，是必可任。"遂用之。

昭义监军刘承偕恃恩[231]陵轹[232]节度使刘悟，数众辱之，又纵其下乱法。阴与磁州[233]刺史张汶谋缚悟送阙下，以汶代之。悟知之，讽其军士作乱，杀汶。围承偕，欲杀之。幕僚贾直言入，责悟曰："公所为

【校记】

［12］忠臣义士：据章钰校，十二行本、乙十一行本皆作“义士忠臣”。［13］军：据章钰校，十二行本、乙十一行本皆作“师”。［14］王播：原无此二字。据章钰校，十二行本、乙十一行本皆有此二字，今据补。［15］钱：原无此字。据章钰校，十二行本、乙十一行本皆有此字，今据补。

【语译】

二月十四日丙子，赐横海节度使王日简姓名为李全略。

二月十九日辛巳，中书侍郎、同平章事崔植免职，改任刑部尚书，任命工部侍郎元稹同平章事。

二月二十一日癸未，加任李光颜为横海节度使兼沧景观察使，他原任忠武节度使兼深州行营节度使还照旧担任。任命横海节度使李全略为德棣节度使。当时朝廷认为李光颜孤军深入，难得运送军粮，所以把沧、景二州划归他领属。

王庭凑虽然得到了旌节，但仍不解除对深州的包围。二月二十四日丙戌，任命知制诰东阳人冯宿为山南东道节度副使，暂时担任留后，仍旧派遣中使去深州督促牛元翼赴镇。裴度也写信给幽州和镇州，以大义要求他们。朱克融当即撤了包围离去，王庭凑虽带兵稍稍后退，但还是驻守在那里不离开。

元稹怨恨裴度，想解除他的兵权，所以劝穆宗为王庭凑昭雪，撤回军队。二月二十五日丁亥，任命裴度为司空、东都留守，同平章事仍旧担任。谏官争着向穆宗说：“现在还没有罢兵，裴度有将相全才，不应当把他置于闲散的位置上。”穆宗于是令裴度来朝廷，然后去东都上任。

任命灵武节度使李听为河东节度使。当初，李听为羽林军将军，有良马。穆宗为太子，派身边的人暗示想要那匹马。李听因担任总领亲军的职务，不敢把马献给太子。等到河东需要继任元帅，穆宗说：“李听不把马给我，这件事说明他是可以信任的。”于是任用他。

昭义军监军刘承偕依仗立穆宗的恩宠欺压节度使刘悟，多次当众凌辱他，又放纵他的下属违抗法令。还暗地里和磁州刺史张汶阴谋捆押刘悟送往京城，让张汶取代他为节度使。刘悟得知了这个阴谋，暗示他的军士作乱，杀了张汶。又包围刘承偕，想杀掉他。幕僚贾直言进来，责备刘悟说：“你这样做，想效法李师道司空吗！

如是，欲效李司空㉞邪！此军中安知无如公者㉟！使李司空有知，得无笑公于地下乎！”悟遂谢直言，救免承偕，囚之府舍。

初，上在东宫㊱，闻天下厌苦宪宗用兵，故即位，务优假㊲将卒以求姑息㊳。三月壬辰㊴朔[16]，诏：“神策六军使及南牙常参武官㊵具由历㊶、功绩牒送中书，量加奖擢。其诸道大将久次㊷及有功者，悉奏闻，与除官。应天下诸军，各委本道据守旧额，不得辄有减省。”于是商贾、胥吏㊸争赂藩镇，牒补列将而荐之，即升朝籍㊹。奏章委积㊺，士大夫皆扼腕㊻叹息。

武宁节度副使王智兴将军中精兵三千讨幽、镇，节度使崔群忌之，奏请即用智兴为节度使，不㊼则召诣阙，除以他官。事未报，智兴亦自疑。会有诏赦王庭凑，诸道皆罢兵，智兴引兵先期入境。群惧，遣使迎劳，且使军士释甲㊽而入，智兴不从。乙巳㊾，引兵直进，徐人开门待之。智兴杀不同己者十余人，乃入府牙，见群及监军，拜伏曰：“军众之情，不可如何！”为群及判官、从吏具人马及治装，皆素㊿所办也，遣兵卫送[17]群至埇桥(251)而返。遂掠盐铁院钱帛，及诸道进奉在汴中者(252)，并商旅之物，皆三分取二。

【段旨】

以上为第六段，写穆宗昏庸，削裴度之权，又处置失宜，逼反武宁军镇。

【注释】

(218)丙子：二月十四日。(219)辛巳：二月十九日。(220)癸未：二月二十一日。(221)德棣节度使：方镇名，穆宗长庆元年（公元八二一年）置德棣观察使。二年二月升为节度使，同年三月罢德棣节度使，复合沧、景二州为横海节度使。(222)丙戌：二月二十四日。(223)冯宿（公元七六六至八三六年）：字拱之，婺州东阳（今浙江金华）人，历工、刑二部侍郎，东川节度使。传见《旧唐书》卷一百六十八、《新唐书》卷一百七十七。(224)雪庭凑：为王庭凑昭雪，不再追究杀田弘正之事。(225)丁亥：二月二十五日。(226)偃兵：息兵。(227)置之散地：使居闲散官职，指以裴度为司空、东都留守。(228)讽：以言语暗示。(229)职总亲军：担任统领天

怎么知道这些将卒中会没有和你一样的人呢！假如李师道有知，能不在地下笑你吗！”刘悟于是向贾直言谢罪，把刘承偕救出来，囚禁在府舍内。

当初，穆宗在东宫，听到天下人厌恶宪宗用兵打仗，所以即位以后，尽量对将士兵卒采取宽容政策，苟且偷安。三月初一日壬辰，下诏：“神策六军使和南牙常参武官，将得官的原因和所历职任、功绩具体写出来送到中书省，酌量加以奖赏和提拔。其他各道的大将长久没有升迁和有功绩的，都奏报上来，给予升迁官职。当前天下的各军，各交付本道按照旧的数额为准审定，不得随便减省。”于是商人和差役小吏争相贿赂藩镇，补入列将的名册而向朝廷推荐，随即著录于朝官的名籍。这种推荐人员的奏章堆积很多，士大夫都扼腕叹息。

武宁节度副使王智兴率领军中三千名精兵讨伐幽、镇二州的叛乱，节度使崔群妒忌他，奏请朝廷就任命王智兴为节度使，否则召他到京城去，另外安排官职。朝廷没有回答，王智兴也起了疑心。恰遇有诏旨赦免王庭凑，各道都收兵，王智兴带领军队早于预定日期进入州境。崔群很害怕，派人迎接慰劳，并且要军士脱去铠甲进城，王智兴没有听从。三月十四日乙巳，王智兴带兵挺进徐州城，守城人开城门迎接。王智兴杀了不赞同自己的十多人，便进入节度使府，进见崔群和监军，跪着说：“军众要这么做，我也没有办法！”他为崔群和判官、随从官吏准备的人马和行装，都预先办好了，派兵士护送崔群到埇桥后返回。在埇桥，他掠取了盐铁院的钱帛，以及诸道在汴河中船只上进奉的财物，连同商人旅客的财物，都被抢去了三分之二。

子亲军的职务。所谓“亲军”，即指左右羽林军、左右神武军、左右龙武军等六军。㉚李听不与朕马：谓李听忠于职守，不徇私阿谀取容。㉛刘承偕恃恩：元和十五年（公元八二〇年），宪宗崩，刘承偕等宦官杀左军中尉吐突承璀及其谋立为太子的丰王恽，而拥立穆宗即位。因有拥立之功，才得以“恃恩”。㉜陵轹：欺压。㉝磁州：州名，治所滏阳，在今河北磁县。㉞李司空：指李师道，曾加官检校司空。贾直言为其旧属，故仍尊称其官而不呼名。㉟安知无如公者：言李师道叛乱，刘悟倒戈取而代之。今刘悟效李师道所为，昭义军中亦将有倒戈取悟而代之者。㊱上在东宫：指穆宗为太子之时。㊲优假：宽容；宽待。㊳姑息：苟且偷安。㊴壬辰：三月初一日。㊵南牙常参武官：指定时入朝的十六卫上将军、大将军、将军。常参，定时入朝。㊶由历：即得官之由和所历职任。㊷久次：久未升迁。次，滞留。㊸胥吏：小吏。㊹升朝籍：藩镇列将带朝衔者著录于朝籍。㊺委积：堆积。㊻扼腕：握腕。㊼不：同“否”。㊽释甲：解甲；不带武器。㊾乙巳：三月十四日。㊿素：平时。(251)埇桥：桥名、地名，在今安徽宿州。唐于此地置盐铁巡院，缉捕私盐。(252)诸道进奉在汴中者：谓停在汴河中的装载诸道进奉给朝廷物品的船只。

【校记】

[16] 朔：原无此字。据章钰校，十二行本、乙十一行本皆有此字，今据补。[17] 送：原作“从”。据章钰校，十二行本、乙十一行本皆作“送”，今从改。

【原文】

丙午[253]，加朱克融、王庭凑检校工部尚书。上闻其解深州之围，故褒之，然庭凑之兵实犹在深州城下。

韩愈既行，众皆危之。诏愈至境更观事势，勿遽入。愈曰：“止，君之仁；死，臣之义。”遂往。至镇，庭凑拔刃弦弓[254]以逆之。及馆，甲士罗[255]于庭。庭凑言曰：“所以纷纷[256]者，乃此曹所为，非庭凑心。”愈厉声曰：“天子以尚书[257]有将帅材，故赐之节钺，不知尚书乃不能与健儿[258]语邪！”甲士前曰：“先太师为国击走朱滔[259]，血衣犹在。此军何负朝廷，乃以为贼乎！”愈曰：“汝曹尚能记先太师则善矣。夫逆顺之为祸福岂远邪！自禄山、思明以来，至元济[260]、师道，其子孙有今尚存仕宦者乎！田令公[261]以魏博归朝廷，子孙虽在孩提，皆为美官；王承元以此军归朝廷，弱冠[262]为节度使；刘悟、李祐[263]今皆为节度使，汝曹亦闻之乎！”庭凑恐众心动，麾之使出，谓愈曰：“侍郎[264]来，欲使庭凑何为？”愈曰：“神策六军之将如牛元翼者不少，但朝廷顾大体，不可弃之耳！尚书何为围之不置[265]？”庭凑曰：“即当出之。”因与愈宴，礼而归之。未几，牛元翼将十骑突围出，深州大将臧平等举城降，庭凑责其久坚守，杀平等将吏百八十余人。

戊申[266]，裴度至长安，见上，谢讨贼无功。先是，上诏刘悟送刘承偕诣京师，悟托以军情，不时奉诏。上问度：“宜如何处置？”度对曰：“承偕在昭义骄纵不法，臣尽知之，悟在行营与臣书，具论其事。时有中使赵弘亮在臣[18]军中，持悟书去，云欲自奏之，不知尝奏不？”上曰：“朕殊不知也。且悟大臣，何不自奏！”对曰：“悟武臣，不知事体。然今事状籍籍[267]如此，臣等面论，陛下犹不能决，况悟当日单辞[268]，岂

【语译】

三月十五日丙午，加任朱克融、王庭凑检校工部尚书。穆宗听到他们解除了对深州的包围，所以褒奖他们，然而王庭凑的军队实际上还在深州城下。

韩愈已经出发，大家都认为他有危险。朝廷诏令他到边境上再观察形势，不要马上进去。韩愈说："停滞不前，是君主的仁德；进入而死，是臣子的道义。"于是前往。到达镇州，王庭凑拔刀张弓来迎接他。到客馆，穿着铠甲的士兵罗列在庭院中。王庭凑说："这样纷纷扰扰的原因，是这帮人所为，不是我王庭凑的心意。"韩愈厉声说："天子认为尚书有将帅之才，所以赐给你节度使之职，不知道尚书连与士兵们说话都不行！"甲士上前说："先太师为国家打败朱滔，血衣还在。这支军队有什么对不起朝廷的地方，竟然把我们当贼啊！"韩愈说："你们还能记得先太师，这就很好。由逆顺导致祸福的事例难道很远吗！自从安禄山、史思明以来，到吴元济、李师道，他们的子孙有现在还在做官的吗！田令公把魏博的政权交还朝廷，子孙虽还幼小，都得到美官；王承元把成德这支军队交给朝廷，弱冠之年当上了节度使；刘悟、李祐现在都是节度使，你们也听说了吧！"王庭凑怕军心动摇，挥手叫他们离开，对韩愈说："侍郎前来，想要我做什么？"韩愈说："神策军等六军中的将领和牛元翼一样的人还很多，但是朝廷顾念大体，不能抛弃牛元翼！尚书为什么对他不解围？"王庭凑说："马上放他出来。"随即设宴招待韩愈，依礼送他回朝。不久，牛元翼带领十位骑士突围出来，深州大将臧平等献城投降了，王庭凑责备臧平等长久坚守，杀了臧平等将吏一百八十多人。

三月十七日戊申，裴度到达长安，拜见穆宗，为讨贼没有成功而谢罪。此前，穆宗诏令刘悟送刘承偕到京师，刘悟以军情为借口，没有按时执行诏命。穆宗问裴度："应当如何处理这件事？"裴度回答说："刘承偕在昭义军骄纵不法，臣全都知道，刘悟在行营给臣写信，详尽叙述了那些事。当时有中使赵弘亮在臣军中，把刘悟的信拿去了，说是要亲自向皇上报告，不知他报告了没有？"穆宗说："朕完全不知道。再说刘悟是大臣，为何不自己亲自上奏！"裴度回答说："刘悟是武臣，不懂办事体统。然而现在这件事情这么纷乱，臣等当面陈述，陛下还是不能做出决断，何况刘

能动圣听哉！”上曰：“前事勿论，直言此时如何处置？”对曰：“陛下必欲收天下心，止应下半纸诏书，具陈承偕骄纵之罪，令悟集将士斩之，则藩镇之臣，孰不思为陛下效死！非独悟也。”上俯首良久[269]，曰：“朕不惜承偕，然太后以为养子，今兹囚絷[270]，太后尚未知之，况杀之乎！卿更思其次。”度乃与王播等奏请“流承偕于远州，必得出”。上从之。后月余，悟乃释承偕。

李光颜所将兵闻当留沧景[271]，皆大呼西走[272]，光颜不能制，因惊惧成疾。己酉[273]，上表固辞横海节，乞归许州[274]，许之。

壬子[275]，以裴度为淮南[276]节度使，余如故[277]。

加刘悟检校司徒，余如故。自是悟浸[278]骄，欲效河北三镇[279]，招聚不逞[280]，章表多不逊。

裴度之讨幽、镇也，回鹘请以兵从。朝议以为不可，遣中使止之。回鹘遣其臣李义节将三千人已至丰州[281]北，却之，不从，诏发缯帛七万匹以赐之。甲寅[282]，始还。

王智兴遣轻兵二千袭濠州[283]。丙辰[284]，刺史侯弘度弃城奔寿州[285]。

言事者皆谓裴度不宜出外，上亦自重之。戊午[286]，制留度辅政，以中书侍郎、同平章事王播同平章事，代度镇淮南，仍兼诸道盐铁转运使。

李寰帅其众三千出博野，王庭凑遣兵追之。寰与战，杀三百余人，庭凑兵乃还，余众二千犹固守博野。

朝廷以新罢兵，力不能讨徐州，己未[287]，以王智兴为武宁节度使。

复以德棣节度使李全略为横海节度使。

夏，四月辛酉朔[288]，日有食[289]之。

甲戌[290]，以傅良弼、李寰为神策都知兵马使。

悟当时是一面之词，难道能打动皇上吗！”穆宗说：“以前的事就不追究了，只说当前如何处理？”裴度回答说：“陛下要想收拢天下民心，只要发下半张纸的诏书，具体陈述刘承偕骄横放纵的罪恶，命令刘悟召集将士杀掉刘承偕，那么藩镇大臣，谁不想为陛下出死力！岂止是刘悟一人。”穆宗低头沉默了好一会，说：“朕不可惜刘承偕，然而太后把他收为养子，现在囚禁了他，太后还不知道，更何况杀他呢！你再想其他办法。”裴度于是和王播等奏请“把刘承偕流放到僻远的州县去，一定能够被刘悟放出来”。穆宗依从了。过了一个多月，刘悟释放了刘承偕。

李光颜所率军队听说要留在沧景镇，都大喊大叫着向西边逃跑，李光颜制止不了，因惊慌恐惧病倒了。三月十八日己酉，呈上表文坚决辞去横海节度使职务，请求回到许州去，朝廷答应了。

三月二十一日壬子，任命裴度为淮南节度使，其余的官职仍旧不变。

加授刘悟检校司徒官衔，其他官职照旧。从此刘悟逐渐骄傲起来，想仿效河北三镇，召集那些为非作歹的人，呈送朝廷的章表大多不恭敬。

裴度在征讨幽州和镇州叛乱时，回鹘请求派兵相从。朝廷讨论认为不可以，于是派中使去阻止派兵。回鹘派大臣李义节率领三千人已经到达丰州北面，朝廷让他们退回去，他们不听从，穆宗命令征调缯帛七万匹赏赐他们。三月二十三日甲寅，他们才回去。

王智兴派遣轻装士兵二千人袭击濠州。三月二十五日丙辰，刺史侯弘度弃城投奔寿州。

进谏的言官都说裴度不应当离开朝廷去做地方官，穆宗自己也很看重他。三月二十七日戊午，下诏留裴度在朝廷辅政，任命中书侍郎、同平章事王播同平章事，代裴度为淮南节度使，仍旧兼任诸道盐铁转运使。

李寰率领他的部众三千人离开博野，王庭凑派兵追击他。李寰与王庭凑军交战，杀死三百多人，王庭凑的部队这才退回去。李寰留下的二千人仍坚守博野。

朝廷由于刚刚结束战争，无力讨伐徐州，三月二十八日己未，任命王智兴为武宁节度使。

又任命德棣节度使李全略为横海节度使。

夏，四月初一日辛酉，发生日食。

四月十四日甲戌，任命傅良弼、李寰为神策军都知兵马使。

【段旨】

以上为第七段，写韩愈宣抚成德，不辱君命，裴度再度被任用为宰相。

【注释】

(253)丙午：三月十五日。(254)弦弓：张弓；拉弓。弦，用如动词。(255)罗：罗列；排列。(256)纷纷：扰乱不安。(257)尚书：指王庭凑。时王庭凑加官检校工部尚书。(258)健儿：指士卒。(259)先太师句：先太师指王武俊。武俊任成德节度使，死后赠太师。其击朱滔事见本书卷二百三十一德宗兴元元年。(260)元济：吴元济（公元七八三至八一七年），沧州清池（今河北沧州东南）人，淮西节度使吴少阳之子。父死，袭位未准，叛乱。后被李愬所擒，斩于京师。传见《旧唐书》卷一百四十五、《新唐书》卷二百十四。(261)田令公：即田弘正。因其加官中书令，故称。(262)弱冠：《礼记·曲礼上》："二十曰弱，冠。"后泛指年少。王承元十八岁为义成节度使，故曰弱冠。(263)李祐（？至公元八二九年）：字庆之，本吴元济部将，为李愬擒获，遂为愬谋划，竟破蔡。以功授夏绥银宥节度使。传见《旧唐书》卷一百六十一、《新唐书》卷二百十四。(264)侍郎：谓韩愈。韩愈时为兵部侍郎。(265)围之不置：谓不解深州之围。不置，指不解围。(266)戊申：三月十七日。(267)籍籍：纷乱。(268)单辞：单方面的言辞。(269)俯首良久：低头想了很久。(270)囚絷：拘系囚禁。(271)沧

【原文】

户部侍郎、判度支张平叔上言："官自粜盐，可以获利一倍"，又请"令所由(290)将盐就村粜易"，又乞"令宰相领盐铁使"，又请"以粜盐多少为刺史、县令殿最(292)"，又乞"检责所在实户，据口团保(293)，给一年盐，使其四季输价(294)"，又"行此策后，富商大贾或行财贿，邀截(295)喧诉(296)，其为首者所在杖杀，连状人(297)皆杖脊"。诏百官议其可否。

兵部侍郎韩愈上言，以为："城郭之外，少有见(298)钱籴盐，多用杂物贸易。盐商则无物不取，或赊贷徐还，用此取济，两得利便。今令吏人坐铺(299)自粜，非得见钱，必不敢受。如此，贫者无从得盐，自然坐失常课(300)，如何更有倍利！又若令人吏将(301)盐家至户而粜之[19]，必索百姓供应(302)，骚扰极多。又，刺史、县令职在分忧(303)，岂可惟以盐利多少为之升黜，不复考其理行(304)！又，贫家食盐至少，或有淡食动经旬月。若据口[20]给盐，依时征价，官吏畏罪，必用威刑。臣恐因此所在不安，此尤不可之大者也。"

景：方镇名，即横海节度使，唐德宗贞元三年（公元七八七年）置，治所沧州，在今河北沧州东南。唐文宗太和五年（公元八三一年）号义昌军。㉗② 西走：指西归许州。㉗③ 己酉：三月十八日。㉗④ 乞归许州：许州，治所长社，又为忠武军治所，在今河南许昌。李光颜本忠武帅，因军心思许，故乞归之。㉗⑤ 壬子：三月二十一日。㉗⑥ 淮南：方镇名，唐肃宗至德元载（公元七五六年）置，治所扬州，在今江苏扬州。㉗⑦ 余如故：其余的官职不变。㉗⑧ 浸：渐渐。㉗⑨ 河北三镇：即黄河以北的成德、魏博、卢龙三镇。㉘⓪ 不逞：指为非作歹的不逞之徒。㉘① 丰州：州名，治所九原，在今内蒙古五原西南。㉘② 甲寅：三月二十三日。㉘③ 濠州：州名，治所钟离，在今安徽凤阳东北。㉘④ 丙辰：三月二十五日。㉘⑤ 寿州：州名，治所寿春，在今安徽寿县。㉘⑥ 戊午：三月二十七日。㉘⑦ 己未：三月二十八日。㉘⑧ 辛酉朔：四月初一日。㉘⑨ 食：同“蚀”。㉙⓪ 甲戌：四月十四日。

【校记】

［18］臣：原无此字。据章钰校，十二行本、乙十一行本皆有此字，今据补。

【语译】

户部侍郎、判度支张平叔上奏说：“由官府直接卖盐，可以获得加倍的利益。”又请求“叫主管物资的官吏把盐拿到村里去发卖”，又请求“让宰相兼任盐铁转运使”，又请求“以卖盐多少考核刺史、县令政绩的先后等级”，又请求“核实各地实有户口，依据户口组织在一起互相担保，由政府给予一年的盐，让他们按四季缴纳盐价款”，又要求“实行这一政策以后，富商大贾有用财物进行贿赂，拦路喊冤申诉，为首的人就地用杖打死，联名告状的人都用杖打脊背”。下诏令百官讨论这一政策是否可行。

兵部侍郎韩愈向穆宗进言，认为：“城郊以外，很少用现钱买盐，大多用杂物来交换。盐商在交易中什么东西都收，有的还可以赊贷，以后慢慢还款，用这种办法作补充，两方面都得到好处。现在要官吏坐在店铺内卖盐，不是现钱的话，一定不敢接受。这样，贫穷的人无法得到盐，自然正常的盐税也会收不到，哪里还会有加倍的利益！如果又让官吏把盐拿到各家各户去卖，必定又要向老百姓索取供应，骚扰极多。再说，刺史、县令的职责是为皇上分忧，怎能只用得到盐利的多少来决定他们的升降，不再考核他们的治民政绩！另外，贫穷人家盐吃得很少，有的甚至动不动就一个月也不吃盐。如果按口数给盐，依时来征收盐款，官吏怕收不齐盐款而获罪，一定会用严厉的刑罚对待百姓。臣担心这样一来到处都不会安宁，这是不能实行最大的一个原因。”

中书舍人韦处厚[305]议，以为：“宰相处论道[306]之地，杂以鹾[307]务，实非所宜。窦参、皇甫镈[308]皆以钱谷为相，名利难兼，卒蹈祸败。又欲以重法禁人喧诉[309]，夫强人之所不能，事必不立；禁人之所必犯，法必不行矣。”事遂寝。

平叔又奏征远年逋欠[310]。江州刺史李渤上言：“度支征当州[311]贞元二年逃户所欠钱四千余缗，当州今岁旱灾，田损什九，陛下奈何于大旱中征三十六年前逋负！”诏悉免之。

【段旨】

以上为第八段，写唐穆宗罢盐铁专卖和免除三十六年前的欠赋。

【注释】

[291]所由：主管物资的官吏。事必经由其手，故称所由。[292]殿最：考核政绩的等次，第一为最，倒数第一为殿。[293]团保：犹如商鞅什伍之法，使邻户相聚为团，互相保识。[294]输价：缴纳价款。[295]邀截：阻拦。[296]喧诉：喊冤申诉。[297]连状人：联名告状者。[298]见：同“现”。[299]坐铺：设置门市，陈物而卖，谓之坐铺。[300]常课：正常税额。[301]将：携；带领。[302]供应：百姓各供其物以应官吏所需。[303]分忧：谓置官治民，其职就是抚养百姓以分担人君忧民之责。[304]理行：治绩。[305]韦处厚（公元七七三至八二

【原文】

邕州[312]人不乐属容管，刺史李元宗以吏人状授御史，使奏之。容管经略使严公素闻之，遣吏按元宗擅以罗阳县[313]归蛮酋黄少度。五月壬寅[314]，元宗将兵百人并州印奔黄洞[315]。

王庭凑之围牛元翼也，和王[316]傅于方[317]欲以奇策干进[318]，言于元稹，请“遣客王昭、于友明间说贼党，使出元翼。仍[319]赂兵、吏部令史[320]伪出告身[321]二十通[322]，令以便宜给赐”。稹皆然之。有李赏者，知其谋，乃告裴度，云方为稹结客刺度，度隐而不发。赏诣左神策告其

中书舍人韦处厚认为：“宰相处于议论国家大政的地位，夹杂着管理盐务，实在是不相宜。窦参、皇甫镈都是兼管钱谷的宰相，名利难以兼而有之，最后陷于祸败。又想用严刑峻法禁止民众喊冤告状，强人之所不能，这种事一定不成功；禁人之所必犯，这种法律一定行不通。”这件事便搁置了。

张平叔又奏请征收好些年前拖欠的赋税。江州刺史李渤上奏说：“度支征收本州贞元二年逃亡户所欠税钱四千多串，本州今年遭旱灾，耕地十分之九受灾，陛下为什么在大旱灾的年份催征三十六年前的欠税！”于是穆宗下诏免征。

八年）：字德载，京兆（今陕西西安）人，文宗时任宰相，封灵昌郡公。撰《德宗实录》五十卷、《六经法言》二十卷。传见《旧唐书》卷一百五十九、《新唐书》卷一百四十二。㊼论道：语出《尚书·周官》：“三公论道经邦。”㊽鹾：盐。㊾窦参、皇甫镈：唐代两名聚敛大臣。窦参事详本书《德宗纪》，皇甫镈事详本书《宪宗纪》。㊿以重法禁人喧诉：用严刑禁止聚众申诉。重法，指为首者用刑杖打死，联名者打背脊。(310)逋欠：逋负、拖欠。(311)当州：刺史称所守之州为当州，即本州。

【校记】

［19］至户而巢之：原作“至而户巢”。据章钰校，十二行本、乙十一行本皆作“至户到而巢之”，今据改。从文义来看，“到”字当是衍文。［20］口：原作“户”。据章钰校，十二行本、乙十一行本皆作“口”，今据改。

【语译】

邕州人不愿隶属容管，刺史李元宗把官吏们的奏状交给御史，让上奏朝廷。容管经略使严公素听到这件事，派遣官吏去审查李元宗擅自把罗阳县划归蛮酋黄少度一事。五月十二日壬寅，李元宗带领一百名兵士连同州印投奔黄洞。

王庭凑围困牛元翼时，和王李绮的老师于方想通过献奇异计策求得升官，对元稹说，请“派说客王昭、于友明私下游说贼党，使他们放出牛元翼。然后贿赂兵部和吏部的令史，假造告身二十通，叫王昭他们酌情赏赐对方”。元稹都同意了。有个叫李赏的，知道了这个计谋，就告诉裴度，说是于方为元稹勾结刺客要杀裴度，裴度隐匿了这件事而没有揭发。李赏前往左神策军那里报告这件事。五月二十七日丁

事。丁巳[323]，诏左仆射韩皋[324]等鞫[325]之。

戊午[326]，幽州节度使朱克融进马万匹、羊十万口，而表云先请其直充犒赏。

三司[327]按于方刺裴度事，皆无验。六月甲子[328]，度及元稹皆罢相，度为右仆射，稹为同州[329]刺史。以兵部尚书李逢吉[330]为门下侍郎、同平章事。

党项寇灵州[331]、渭北，掠官马。

谏官上言："裴度无罪，不当免相。元稹与于方为邪谋，责之太轻。"上不得已，壬申[332]，削稹长春宫使[333]。

吐蕃寇灵武。

庚辰[334]，盐州奏党项都督拔跋万诚[335]请降。

壬午[336]，吐蕃寇盐州。

戊子[337]，复置邕管经略使。

初，张弘靖为宣武节度使，屡赏以悦军士，府库虚竭。李愿[338]继之，性奢侈，赏劳既薄于弘靖时，又峻威刑，军士不悦。愿以其妻弟窦瑗典宿直[339]兵，瑗骄贪，军中恶之。牙将李臣则等作乱，秋，七月壬辰[340]夜，即帐中斩瑗头，因大呼，府中响应，愿与一子逾城奔郑州[341]。乱兵杀其妻，推都押牙李㝏为留后。

丙申[342]，宋王[343]结薨。

戊戌[344]，宣武监军奏军乱。

庚子[345]，李㝏自奏已权知留后。

乙巳[346]，诏三省官[347]与宰相议汴州事[348]，皆以为宜如河北故事，授李㝏节。李逢吉曰："河北之事，盖非获已。今若并汴州弃之，则是江、淮以南皆非国家有也。"杜元颖、张平叔争之曰："奈何惜数尺之节，不爱一方之死乎！"议未决，会宋、亳、颍三州[349]刺史[21]各上奏，请别命帅。上大喜，以逢吉议为然，遣中使诣三州宣慰。逢吉因请"以将军征㝏入朝，以义成节度使韩充[350]镇宣武。充，弘之弟，素宽厚得众心。脱[351]㝏旅拒[352]，则命徐、许两军[353]攻其左右而滑军[354]蹙[355]其北，充必得入矣"。上皆从之。

已，诏令左仆射韩皋等审理此事。

五月二十八日戊午，幽州节度使朱克融进献一万匹马、十万头羊，但是在奏表中说请求先给价钱，以便作犒赏之用。

三司审理于方谋刺裴度一事，都没有证据。六月初五日甲子，裴度和元稹都被罢免了宰相职务，裴度为右仆射，元稹为同州刺史。任命兵部尚书李逢吉为门下侍郎、同平章事。

党项寇掠灵州、渭北，抢夺官马。

谏官向穆宗进言："裴度无罪，不应当罢免宰相。元稹和于方为奸谋之事，谴责他太轻了。"穆宗不得已，六月十三日壬申，削除元稹长春宫使之职。

吐蕃侵犯灵武。

六月二十一日庚辰，盐州上奏党项都督拔跋万诚请求投降。

六月二十三日壬午，吐蕃侵犯盐州。

六月二十九日戊子，又设置邕管经略使一职。

当初，张弘靖担任宣武节度使，屡次奖赏军士，让他们高兴，府库空竭。李愿接任，性奢侈，奖赏既比张弘靖时少，又使用严刑峻法，军士们很不高兴。李愿任用他的妻弟窦瑗主管宿卫当值的军队，窦瑗骄傲贪财，军中都厌恶他。牙将李臣则等作乱，秋，七月初四日壬辰夜里，在军帐中砍了窦瑗的头，接着大声呼叫，府中都响应他们，李愿和他的一个儿子跑出城投奔郑州。乱兵杀了李愿的妻子，推举都押牙李㝏为留后。

七月初八日丙申，宋王李结去世。

七月初十日戊戌，宣武军监军奏报本军作乱。

七月十二日庚子，李㝏自己上奏称已暂时担任留后。

七月十七日乙巳，诏令三省官和宰相一起商议汴州反叛事，都认为应当照河北成例，授予李㝏符节。李逢吉说："河北的做法，那是不得已。现在要是连汴州也放弃，那么江、淮以南的地方都不是国家所有了。"杜元颖、张平叔争论道："为什么要爱惜数尺长的符节，而不怜悯一个地方人民的死难呢！"议而未决，恰遇宋、亳、颍三州刺史各上奏本，请朝廷另外任命节度使。穆宗大喜，认为李逢吉的意见是对的，派遣中使到三州宣抚慰劳。李逢吉接着请求"用提升为将军的名义征召李㝏到朝廷来，任命义成节度使韩充为宣武节度使。韩充是韩弘的弟弟，向来由于宽容厚道而得民心。倘若李㝏聚众抗拒，就要徐州和许州两支军队从左右两个方向向他们进攻，而滑州军队从北面迫近他们，这样韩充一定能进入汴州"。穆宗全都答应了。

丙午[356]，贬李愿为随州[357]刺史，以韩充为宣武节度兼义成节度使。征李岕为右金吾将军，岕不奉诏。宋州刺史高承简[358]斩其使者，岕遣兵二千攻之，陷宁陵、襄邑[359]。宋州有三城，贼已陷其南城，承简保北二城，与贼十余战。癸丑[360]，忠武节度使李光颜将兵二万五千讨李岕，屯尉氏[361]。兖海[362]节度使曹华闻岕作乱，不俟诏，即发兵讨之。岕遣兵三千人攻宋州，适至城下，丙辰[363]，华逆击，破之。丁巳[364]，李光颜败宣武兵于尉氏，斩获二千余人。

八月辛酉[365]，大理卿刘元鼎自吐蕃还。

甲子[366]，韩充入汴境，军于千塔[367]。武宁节度使王智兴与高承简共破宣武兵，斩首千余级，余众遁去。壬申[368]，韩充败宣武兵于郭桥[369]，斩首千余级，进军万胜[370]。

初，李岕既为留后，以都知兵马使李质[371]为腹心。及岕除将军，不奉诏，质屡谏不听。会岕疽发于首，遣李臣则等将兵拒李光颜于尉氏。既而官军四集，兵屡败。岕疾甚，悉以军事属李质，卧于家。丙子[372]，质与监军姚文寿擒岕，杀之。诈为岕牒，追臣则等，至，皆斩之，执岕四子送京师。

韩充未至，质权知军务，时牙兵三千人，日给酒食，物力不能支。质曰："若韩公始至而罢之，则人情大去矣！不可留此弊以遗吾帅。"即命罢给而后迎充。丁丑[373]，充入汴。

癸未[374]，以韩充专为宣武节度使，以曹华为义成节度使，高承简为兖、海、沂、密节度使，加李光颜兼侍中，以李质为右金吾将军。

韩充既视事，人心粗定，乃密籍[375]军中为恶者千余人，一朝，并父母妻子悉逐之，曰："敢少[376]留境内者斩。"于是军政大治。

九月戊子朔[377]，浙西[378]观察使京兆窦易直[379]奏大将王国清作乱伏诛。初，易直闻汴州乱而惧，欲散金帛以赏军士。或曰："赏之无名，恐益生疑。"乃止。而外已有知之者，故国清作乱。易直讨擒之，并杀其党二百余人。

德州刺史王稷，承父锷[380]余赀[381]，家富厚。横海节度使李景略[382]利

七月十八日丙午，贬李愿为随州刺史，任命韩充为宣武节度使兼义成节度使。征召李㝏为右金吾将军，李㝏不接受诏命。宋州刺史高承简杀了李㝏的使者，李㝏派遣二千名士兵攻打他，攻陷了宁陵、襄邑两县。宋州有三座城池，敌人已攻陷了南城，高承简保卫着北边两城，与敌人十多次交战。二十五日癸丑，忠武节度使李光颜率领二万五千人的军队讨伐李㝏，屯驻尉氏县。兖海节度使曹华听说李㝏作乱，没有等穆宗下诏令，就发兵讨伐他。李㝏派遣三千人攻打宋州，刚到城下，二十八日丙辰，曹华迎击，打败了他们。二十九日丁巳，李光颜在尉氏打败宣武兵，斩首和俘虏了二千多人。

八月初三日辛酉，大理寺卿刘元鼎从吐蕃返回。

八月初六日甲子，韩充进入汴州境内，驻扎在千塔。武宁节度使王智兴和高承简一起打败了宣武兵，杀了一千多人，余下的部众逃走了。十四日壬申，韩充在郭桥打败了宣武兵，杀了一千多人，进军万胜。

当初，李㝏担任了留后之后，把都知兵马使李质当作心腹。等到李㝏拜任将军，不接受诏令，李质多次劝说，他都不听。恰逢李㝏头上长疽，派遣李臣则等带兵在尉氏抵抗李光颜。很快官军从四面八方聚集，军队多次打败仗。李㝏病重，把军务全都交给李质，自己躺在家里。八月十八日丙子，李质和监军姚文寿抓住李㝏，把他杀了。又伪造李㝏的文牒，追回李臣则等人，人一到，全都杀了，又抓捕李㝏的四个儿子送往京师。

在韩充还未抵达汴州时，李质暂时主管军务，当时府衙中士兵三千人，每天供应他们酒食，物力维持不了。李质说："要是韩公一到就撤销酒食供应，那么就大失人心！不能把这个弊病留给我们的统帅。"当即命令撤销供给，然后迎接韩充。八月十九日丁丑，韩充进入汴州。

八月二十五日癸未，命韩充专任宣武节度使，任命曹华为义成节度使，高承简为兖、海、沂、密节度使，加授李光颜兼侍中，任命李质为右金吾将军。

韩充理政后，人心大体安定，于是秘密登记军中作恶的一千多人，一天早上，连同他们的父母妻子全部驱逐出境，说："胆敢稍稍在境内逗留的，处死。"于是军政大治。

九月初一日戊子，浙西观察使京兆人窦易直奏报大将王国清作乱处死。当初，窦易直听说汴州军士作乱，因而恐惧，想散发金钱布帛用以奖赏军士。有人说："没有名义的赏赐，恐怕更加引起军士猜疑。"于是作罢。然而外面已有人知道了这回事，所以王国清作乱。窦易直征讨，擒获了王国清，把他和他的同党二百多人一起杀了。

德州刺史王稷，继承了他父亲王锷留下的财产，家中富有。横海节度使李全略

其财，丙申㉝，密教军士杀稷，屠其家，纳其女为妾，以军乱闻。

朝廷之讨李岕也，遣司门郎中㉞韦文恪宣慰魏博。史宪诚表请授岕旌节，又于黎阳㉟筑马头㊱，为渡河之势。见文恪，辞礼倨慢㊲。及闻岕死，辞礼顿㊳恭，曰："宪诚，胡人，譬如狗，虽被捶击，终不离主耳。"

冬，十一月庚午㊴，皇太后幸华清宫。辛未㊵，上自复道幸华清宫，遂畋于骊山㊶，即日还宫。太后数日乃返。

丙子㊷，集王㊸缃薨。

庚辰㊹，上与宦者击球㊺于禁中，有宦者坠马，上惊，因得风疾，不能履地㊻。自是人不闻上起居，宰相屡乞入见，不报。裴度三上疏请立太子，且请入见。十二月辛卯㊼，上见群臣于紫宸殿，御大绳床㊽，悉去左右卫官，独宦者十余人侍侧，人情稍安。李逢吉进言："景王㊾已长，请立为太子。"裴度请速下诏，副㊿天下望，上无言[22]。既而(401)两省官亦继有请立太子者。癸巳(402)，诏立景王湛为皇太子。上疾浸瘳(403)。

是岁，初行《宣明历》(404)。

【段旨】

以上为第九段，写宣武兵变被韩充抚定，穆宗册立景王李湛为太子。

【注释】

(312)邕州：州名，治所宣化，在今广西南宁南。亦为邕管治所，邕管罢置，隶属容管。(313)罗阳县：县名，当在安南都护府西原州，今广西大新西北。本为黄洞蛮之地，元和中裴行立攻黄洞蛮得之。(314)壬寅：五月十二日。(315)黄洞：地名，黄洞蛮所居，在罗阳县。(316)和王：指李绮，唐顺宗第十一子，太和七年（公元八三三年）薨。传见《旧唐书》卷一百五十、《新唐书》卷八十二。(317)于方：宪宗宰相于頔之子。事附《旧唐书》卷一百五十六、《新唐书》卷一百七十二《于頔传》。(318)干进：谋求进升。(319)仍：乃，有"然后"之义。(320)令史：低级办事人员，属流外官。(321)伪出告身：伪造文武官的委任状。文官告身，贿赂吏部令史作伪；武官告身，贿赂兵部令史作伪。(322)通：份。(323)丁

贪图他的财产，九月初九日丙申，秘密教唆军士杀了王稷，屠灭了他的全家，把他的女儿收为妾，向朝廷报告说军士发生变乱。

朝廷讨伐李岕时，派遣司门郎中韦文恪到魏博军进行宣抚慰劳。史宪诚上表请求授给李岕旌节，又在黎阳修建码头，作出要派兵渡过黄河以支援李岕的态势。见到韦文恪，言辞、礼节显得很傲慢。等到听说李岕被杀，言辞、礼节马上恭敬了，并说："宪诚是胡人，好比狗，虽被主人鞭打，终究不离开主人。"

冬，十一月十四日庚午，皇太后到华清宫。十五日辛未，穆宗从复道到华清宫，于是在骊山打猎，当天返回宫中。太后几天后才返回。

十一月二十日丙子，集王李缃去世。

十一月二十四日庚辰，穆宗和宦官在宫中打球，有宦官从马上掉下来，穆宗受到惊吓，因而得了风病，不能下地行走。从此人们不知穆宗生活情况，宰相多次请求进宫见穆宗，都没有答复。裴度三次上疏请求立太子，并且请求入宫谒见。十二月初五日辛卯，穆宗在紫宸殿接见群臣，坐在大绳床上，全部撤去身边卫官，只有十多个宦官在身旁侍候，大家的情绪才稍稍安定下来。李逢吉向穆宗进言说："景王已经长大了，请立为太子。"裴度请求赶快下诏，以符合天下人的愿望，穆宗没有说话。不久两省的官员也继续有人请求立太子的。初七日癸巳，下诏立景王李湛为皇太子。穆宗的病渐渐好转。

这一年，开始用《宣明历》。

巳：五月二十七日。㉔韩皋：字仲闻，京兆长安（今陕西西安）人，历官兵部侍郎、京兆尹、忠武节度使、吏部尚书、尚书左仆射。传见《旧唐书》卷一百二十九、《新唐书》卷一百二十六。㉕鞫：查问；审理。㉖戊午：五月二十八日。㉗三司：唐以御史大夫、中书、门下为三司，主刑狱。㉘甲子：六月初五日。㉙同州：州名，治所冯翊，在今陕西大荔。㉚李逢吉（公元七五八至八二五年）：宪宗、穆宗两朝宰相。传见《旧唐书》卷一百六十七、《新唐书》卷一百七十四。㉛灵州：州名，治所回乐，在今宁夏灵武西南。㉜壬申：六月十三日。㉝削稹长春宫使：元稹出刺同州时兼长春宫使，此时削去。长春宫使，官名，宫观使多为大臣兼领，亦安置闲散或降黜官员。长春宫在今陕西大荔朝邑镇西北。㉞庚辰：六月二十一日。㉟拔跋万诚：人名，"拔跋"当作"托（拓）跋"。㊱壬午：六月二十三日。㊲戊子：六月二十九日。㊳李愿（？至公元八二五年）：洮州临潭（今甘肃临潭）人，名将李晟之子，李愬、李听之兄。官至河中节度使。传见《旧唐书》卷一百三十三、《新唐书》卷一百五十四。㊴宿直：值宿。宿值兵，即帐中

兵、亲兵。㉞⓪壬辰：七月初四日。㉞①郑州：州名，治所管城，在今河南郑州。㉞②丙申：七月初八日。㉞③宋王：指李结，唐顺宗第九子，贞元二十一年（公元八〇五年）封。传见《旧唐书》卷一百五十、《新唐书》卷八十二。㉞④戊戌：七月初十日。㉞⑤庚子：七月十二日。㉞⑥乙巳：七月十七日。㉞⑦三省官：指中书、门下、尚书三省自拾遗、补阙、舍人、丞、郎以上官员。㉞⑧议汴州事：讨论宣武节度使都押牙李夼为留后事。㉞⑨宋、亳、颍三州：宋州治所宋城，在今河南商丘南。亳州治所谯县，在今安徽亳州。颍州治所汝阴，在今安徽阜阳。㉟⓪韩充（公元七六九至八二四年）：滑州长垣（今河南封丘东北）人，历官鄜坊、义成、宣武等节度使。传见《旧唐书》卷一百五十六、《新唐书》卷一百五十八。㉟①脱：倘若。㉟②旅拒：聚众抗拒。㉟③徐、许两军：即武宁、忠武两镇之兵。㉟④滑军：即义成节度之军。㉟⑤躉：迫近。㉟⑥丙午：七月十八日。㉟⑦随州：州名，治所随县，在今湖北随县。㉟⑧高承简：邠宁节度使高崇文之子，历任兖海、义成、邠宁等节度使。传见《旧唐书》卷一百五十一、《新唐书》卷一百七十。㉟⑨宁陵、襄邑：皆县名，宁陵县治在今河南宁陵，襄邑县治在今河南睢县。㊱⓪癸丑：七月二十五日。㊱①尉氏：县名，县治在今河南尉氏。㊱②兖海：方镇名，唐宪宗元和十四年（公元八一九年）置，治所兖州，在今山东兖州。㊱③丙辰：七月二十八日。㊱④丁巳：七月二十九日。㊱⑤辛酉：八月初三日。㊱⑥甲子：八月初六日。㊱⑦千塔：地名，当在今河南开封境内。㊱⑧壬申：八月十四日。㊱⑨郭桥：镇名，在今河南开封。㊲⓪万胜：镇名，属中牟县，在今河南中牟西北。㊲①李质（？至公元八二三年）：本宣武军牙将，官至金吾将军。事附新、旧《唐书·韩充传》。㊲②丙子：八月十八日。㊲③丁丑：八月十九日。㊲④癸未：八月二十五日。㊲⑤密籍：暗中访察登记。㊲⑥少：稍。㊲⑦戊子朔：九月初一日。㊲⑧浙西：方镇名，即浙江西道的简称，唐肃宗乾元元年（公元七五八年）置，治所润州，在今江苏镇江市。㊲⑨窦易直（？至公元八三三年）：字宗玄，京兆始平（今陕西兴平）人，官至宰相，封晋阳郡公。传见《旧唐书》卷一百六十七、《新唐书》卷一百五十一。㊳⓪锷：王锷（公元七三九至八一五年），字昆吾，自言太原（今山西太原）人，官至河中、河东等节度使。传见《旧唐书》卷一百五十一、《新唐书》卷一百七十。㊳①赀：同“资”。资财。㊳②李景略：当作李全略，即王日简。㊳③丙申：九月初九日。㊳④司门郎中：官名，刑部第四司长官，掌天下诸门及关之出入往来。㊳⑤黎阳：即黎阳津，为魏博至宣武途经的黄河渡口，在今河南浚县东南古黄河上。㊳⑥马头：即码头。㊳⑦辞礼倨慢：言谈与礼节傲慢。㊳⑧顿：顿时；立刻。㊳⑨庚午：十一月十四日。㊴⓪辛未：十一月十五日。㊴①骊山：山名，在今陕西西安市临潼区东南。㊴②丙子：十一月二十日。㊴③集王：指李缃，唐顺宗子，贞元二十一年（公元八〇五年）封。传见《旧唐书》卷一百五十、《新唐书》卷八十二。㊴④庚辰：十一月二十四日。㊴⑤球：古代足球。㊴⑥不能履地：瘫痪在床，不能下地。履，鞋，此作动词用，踩踏、站立。㊴⑦辛卯：十二月初五日。㊴⑧绳床：一种可折叠的轻便坐具。其座以横木列孔，穿绳成平面，使之可坐，故称绳床。因其足相交，而从胡人中传入，故亦名交床、交椅、胡床。㊴景王：指李湛，唐穆宗长子。长庆元年（公元八二一年）封景王，穆宗崩，即位，是为敬宗。本纪见《旧唐书》卷十七、《新唐书》卷八。㊵副：符合。㊶既而：不久。㊷癸巳：十二月初七日。㊸浸瘳：逐渐好转。㊹《宣明历》：唐朝历法之一。依据开元中僧一行所作《大衍历》增减而成。从穆宗长庆三年至僖宗，皆用此历。

【校记】

［21］刺史：原无此二字。据章钰校，十二行本、乙十一行本皆有此二字，今据补。［22］上无言：原无此三字。据章钰校，十二行本、乙十一行本皆有此三字，张敦仁《通鉴刊本识误》、张瑛《通鉴校勘记》同，今据补。

【研析】

本卷研析河朔再失，白居易上奏靖乱良策，韩愈宣慰成德。

第一，河朔再失。唐穆宗李恒昏庸懦弱，只知游乐嬉戏，根本不懂治国为何物。穆宗是依靠大宦官王守澄发动宫廷政变上的台，甘心做傀儡。宦官势力抬头，以裴度为首的耿直派朝官受到压抑。见风使舵的朝官则投靠宦官来争权。中唐著名诗人元稹，宪宗朝进士，元和五年（公元八一〇年）贬为江陵士曹，于是得与监军崔潭峻交结，他写的诗歌为穆宗所称善。崔潭峻归朝，向穆宗献元稹诗百余首，元稹因之得官为祠部郎中知制诰。元稹走宦官门路，被朝官们鄙视。有一次同僚相聚吃瓜，有苍蝇飞来，中书舍人武儒衡挥扇驱蝇，随口指桑骂槐说："刚才从哪里飞来的，突然落在这里！"朝官们将依附宦官的朝官视作苍蝇，双方积怨很深，把个人斗气凌驾于国家大政之上。河北战事重起，元稹帮助宦官破坏裴度对叛镇的用兵计划，穆宗长庆二年（公元八二二年），河北战争结束，官军无功，裴度被宦官排挤出朝，元稹入相，达到个人的目的，朝廷却丢掉了河北三镇。

河北战事重启，起于成德节度使王承宗之死，朝廷错误调防节度，引起战乱。元和十五年（公元八二〇年）宪宗死，穆宗立，新君威望不孚。河北三镇，骄兵悍将，不听朝廷号令，积习日久。三镇归顺以后，朝廷应慎择主将以便驾驭。元和十五年十月，成德节度使王承宗死，朝廷趁此调换节度，以王承宗之弟王承元为义成节度使，徙义成节度使刘悟为昭义节度使，徙昭义节度使李愬为魏博节度使，徙魏博节度使田弘正为成德节度使。朝廷调换节度使，目的有二。一是不让王承元留在成德，杜绝世袭；二是各镇换帅避免兵将长期结合形成一体的割据势力。初衷是好的，也显示朝命的威望。由于田弘正是讨伐成德最卖力的主将，成德骄兵悍将视田弘正为仇人。田弘正要求带领二千名魏博兵士赴任，朝廷不供给养，田弘正只好让魏博士兵回镇。徙田弘正为成德节度使就是一个错误，不让田弘正带魏博士兵赴任又是一个错误。幽州节度使刘总弑父杀兄自为留后，良心受到谴责，患了精神分裂症，夜不能寐，自动辞官出家，朝廷派张延赏为幽州镇节度使，处事不当激起兵变。成德都知兵马使王庭凑趁机杀田弘正，发动叛乱。唐穆宗发六镇兵讨成德，招讨使裴度受诸多牵制，元稹与枢密使魏弘简狼狈为奸，唯恐裴度建功，阻止破坏裴度奏报的军事计划，是以无功。又不幸的是，魏博节度使李愬病死，朝廷任命田弘正之子田布为魏博节度使。魏博先锋兵马使史宪诚暗中与成德相勾结，田布悉以精兵委史宪诚。史宪诚阴蓄异志，煽动士兵离心，田布大败自杀，史宪诚自为留后，朝廷授以节钺。史宪诚外奉朝廷，内实与幽、镇联结。河北三镇于是再叛。

唐宪宗征伐四方，国库已虚，穆宗即位，游宴无度，又赏赐宿卫禁军没有节制，河朔再次用兵，国库不能支撑。河朔战事引发连锁变乱。相州军乱，瀛州军乱，武宁、宣武也发生兵变。长庆二年（公元八二二年），朝廷放弃统一河朔三镇，罢兵停战，姑息割据，直至唐亡。

第二，白居易上奏靖乱良策。白居易，字乐天，太原人，中唐大诗人。德宗贞元十四年（公元七九八年），白居易进士及第入仕，为秘书省校书郎。唐宪宗元和元年（公元八〇六年），白居易应策试制举为第四等，授盩厔县尉、集贤校理。白居易所著诗歌，皆意存讽喻，针砭时弊，补政之缺，受到士大夫的称赞。上百篇流入禁中，宪宗皇帝纳谏思治，非常欣赏。元和二年十一月，宪宗召白居易入翰林为学士，元和三年五月拜左拾遗，元和十年授太子左赞善大夫。白居易居官正直，敢直言切谏，能言人之难言者，宪宗多有采纳。执政恶居易言直，一度贬白居易为江州司马。元和十三年冬，白居易量移忠州刺史，元和十四年冬，召还京师，拜司门员外郎。穆宗即位，白居易转主客郎中，知制诰，加朝散大夫。长庆元年（公元八二一年）十月，转中书舍人。白居易仕进二十余年，因其言直，才未尽其用。当河朔战事再起，穆宗荒纵，宰执非其人，白居易上奏靖乱良策，指出官军十七八万人，四面围攻，已过半年，还没有成功。白居易总结原因有四：一是节度将领太多，没有统一指挥；二是赏罚不明；三是供应短缺；四是官军人数虽众而不精。如不改变现状，没有人带头进攻，互相观望，恐有军溃之虞。白居易建议，裁撤各道官军回本镇，只留李光颜和裴度两支军队夹攻镇州，留下各道精兵五六万人，也易于供应，减轻财政负担。再用招降办法动摇敌人军心。这样士众一心，军令统一，一定能取得成功。白居易奏疏呈上，穆宗根本就不看。从白居易奏议的内容，以及所遭冷遇，可见当时政治已腐败到极点，将士怎能用命打仗！宦官不愿看到裴度取胜，南司望重；元稹不愿看到裴度取胜，深恐阻碍自己的仕途。穆宗长庆二年二月，元稹进言穆宗罢兵，解除了裴度的兵权，元稹达到了入相的目的。

元稹，字微之，河南人，与白居易同科进士，两人友善，诗才与白居易齐名，并称“元白”。白居易为官守正而仕途不显，元稹党附宦官而得宰相，故两人品德不可相提并论。

第三，韩愈宣慰成德。韩愈，字退之，河南河阳（今河南孟州南）人。唐代大文学家，古文运动的发起者，世称唐宋八大家之首。韩愈亦进士出身，德宗朝官至监察御史。德宗晚年，韩愈上奏极言宫市之弊，贬连州阳山令，量移江陵府掾曹。元和初召为国子博士，迁都官员外郎。裴度督师淮西，兼彰义军节度使，请韩愈为行军司马。淮西平，韩愈随裴度还朝，授刑部侍郎。元和十四年（公元八一五年），宪宗迎佛骨入京，韩愈上疏谏迎佛骨，谓东汉奉佛以来，信佛帝王“乱亡相继，运祚不长”，“事佛求福，乃更得祸”。宪宗大怒，要处以极刑，宰相裴度、崔群，乃至国戚诸贵交章救护，减刑贬潮州刺史，量移袁州刺史。元和十五年，穆宗即位，征韩愈为国子祭酒，转兵部侍郎。河朔再度用兵，王庭凑围深州，上表效顺。穆宗加王庭凑检校工部尚书，令韩愈往镇州宣慰。王庭凑阳奉阴违，实际未解深州之围。朝臣忧虑韩愈的安全，穆宗诏命韩愈到了镇州，观察形势，不要贸然进入。韩愈慷慨宣言曰：“停滞不前，是君主的仁德；进入而死，是臣子的道义。”韩愈视死如归，毫不迟疑入镇州宣慰。韩愈意气轩昂，义正词严责王庭凑以大义，谕以顺逆祸福，辞情恳切，王庭凑敬畏有加，以礼相待。韩愈奉使叛军贼臣，不辱君命，是士人的脊梁。

韩愈奉使回京，改吏部侍郎，长庆四年（公元八二四年）十二月，韩愈卒于官，享年五十七岁，赠礼部尚书，谥曰文。

卷第二百四十三　唐纪五十九

起昭阳单阏（癸卯，公元八二三年），尽著雍涒滩（戊申，公元八二八年），凡六年。

【题解】

本卷记事起公元八二三年，迄公元八二八年，凡六年，当唐穆宗长庆三年至唐文宗太和二年。一卷书记事，仅六年时间，载两代皇帝史事，历穆宗、敬宗至文宗初年，说明此时期乃多事之秋。穆宗、敬宗两代都是昏庸皇帝，共同的特点都是驯服在宦官手下做傀儡，他们只要求奢侈放纵得到满足，根本不关心朝政。穆宗、敬宗又都柔弱无能，穆宗识李逢吉之奸，却畏而用之，敬宗明李绅之冤，却容忍李逢吉排挤李绅出朝，只是嗟叹而已。裴度再度入相，曾巧谏敬宗罢游幸东都，但无大的作为。惩治宦官扰乱市井的县令崔发遭系狱，以致牛僧孺畏惧宦官而自动离相位。穆宗服食长生药而死，敬宗竟被宦官刘克明所杀。枢密使王守澄等四贵拥立文宗即位，杀了已经接见过朝官的绛王李悟，朝官们只能噤若寒蝉。宦官权力凌驾在皇权之上，唐文宗感到自身危险，想要诛除宦官。公元八二八年，名士刘蕡应贤良方正科，对策公开反对宦官，主考不敢录取，刘蕡落第，却是发出了清流朝官反击宦官的信号。南衙北司的斗争在文宗朝表面化，潜伏着重大的政治危机。

【原文】

穆宗睿圣文惠孝皇帝下

长庆三年（癸卯，公元八二三年）

春，正月癸未①，赐两军②中尉③以下钱。二月辛卯④，赐统军⑤、军使⑥等锦[1]彩⑦、银器各有差⑧。

户部侍郎牛僧孺素为上所厚。初，韩弘之子右骁卫将军⑨公武⑩为其父谋，以财结中外。及公武卒，弘继薨，稚⑪孙绍宗嗣，主藏奴与吏讼于御史府。上怜之，尽取弘财簿自阅视。凡中外主权⑫，多纳弘货，独朱句细字曰："某年月日，送户部牛侍郎钱千万，不纳。"上大喜，以示左右曰："果然，吾不缪知人！"三月壬戌⑬，以僧孺为中书侍郎、同平章事。

时僧孺与李德裕皆有入相之望⑭。德裕出为浙西观察使，八年不

【语译】

穆宗睿圣文惠孝皇帝下

长庆三年（癸卯，公元八二三年）

春，正月二十七日癸未，赏赐钱给两军中尉以下的官员。二月初六日辛卯，按等级赏赐统军、军使等官员绸缎、银器。

户部侍郎牛僧孺一向为穆宗所厚待。当初，韩弘的儿子右骁卫将军韩公武为他父亲谋划，用钱财交结朝廷内外权势。等到韩公武死后，韩弘也相继死去，幼小的孙子韩绍宗继承其家业，主管财产的家奴与官吏向御史府起诉韩家行贿。穆宗怜惜韩家，把韩弘家的财产账簿全部拿来亲自查看。凡是朝廷内外掌权的官吏，大多接受了韩弘的财货，只有一处用红笔小字写道："某年月日，送户部牛侍郎一千万钱，不收。"穆宗大喜，把这给身边的人看，并说："果然如此，我没有看错人！"三月初七日壬戌，任命牛僧孺为中书侍郎、同平章事。

当时牛僧孺与李德裕都有入朝为相的声望。李德裕调任浙西观察使，八年没

迁[15]，以为李逢吉排己[16]，引僧孺为相，由是牛、李之怨愈深。

夏，四月甲午[17]，安南奏陆州獠[18]攻掠州县。

丙申[19]，赐宣徽院[20]供奉官钱，紫衣者[21]百二十缗，下至承旨[22]各有差。

【段旨】

以上为第一段，写牛僧孺不受贿而得相，李德裕疑是李逢吉引荐牛僧孺，由是牛、李之怨益深。

【注释】

①癸未：正月二十七日。②两军：即南、北衙兵。南衙为十二卫；北衙为禁军，有左右羽林军、左右龙武军、左右神武军等六军。安史之乱起，北衙禁军扩张，最著者为左右神策军。③中尉：护军中尉之省称，武官名，统领神策军。④辛卯：二月初六日。⑤统军：统领北衙六军的武官，位次大将军。⑥军使：武官名，唐代在冲要之地屯兵戍守，置军镇，统兵官称军使。⑦锦彩：即绸缎。⑧差：差别；等级。⑨右骁卫将军：官名，掌统领宫廷警卫。⑩公武：韩公武，字从偃，历官鄜坊节度使、右金吾将军、骁骑大将军等。传见《旧唐书》卷一百五十六、《新唐书》卷一百五十八。⑪稚：

【原文】

初，翼城人郑注[23]，眇小[24]，目下视，而巧谲[25]倾谄[26]，善揣人意，以医游四方，羁[27]贫甚。尝以药术干徐州牙将，牙将悦之，荐于节度使李愬。愬饵其药颇验，遂有宠，署为牙推[28]，浸预军政[29]，妄作威福，军府患之。监军王守澄以众情白愬，请去之。愬曰："注虽如是，然奇才也，将军[30]试与之语，苟无[31]可取，去之未晚。"乃使注往谒守澄。守澄初有难色，不得已见之，坐语未久，守澄大喜，延[32]之中堂，促膝笑语，恨相见之晚。明日，谓愬曰："郑生诚如公言。"自是又有宠于

有升迁，以为是李逢吉排挤自己，引荐牛僧孺为宰相，因此牛、李两派的怨恨更加深了。

夏，四月初十日甲午，安南上奏陆州的獠人攻掠州县。

四月十二日丙申，赏赐宣徽院供奉官钱，服紫衣品级的一百二十串，以下直到承旨，各有等差。

幼。⑫主权：掌权。⑬壬戌：三月初七日。⑭皆有入相之望：御史中丞牛僧孺与翰林学士李德裕两人，都具有做宰相的资历与声望。⑮八年不迁：长庆三年（公元八二三年）李德裕出为浙西观察使，至文宗太和三年（公元八二九年）因裴度推荐征入京师，前后七年。又为李宗闵所排，出任郑滑节度使。⑯以为李逢吉排己：认为李逢吉引牛僧孺为相，恐李德裕在禁中（翰林）阻挠，故使李德裕出镇浙西。⑰甲午：四月初十日。⑱陆州獠：居于陆州的蛮族。陆州，治所乌雷，在今广西钦州南。⑲丙申：四月十二日。⑳宣徽院：官署名，唐中叶以后始置，总领宫内诸司及三班内侍之名籍，以及郊祀朝会宴享供帐等，所掌皆宫内细碎之事。其主官为南北院使，以宦者为之。㉑紫衣者：指三品以上官员，着紫衣。㉒承旨：官名，翰林院、枢密院均置，参与重要公事。

【校记】

［1］锦：原误作“绵”。胡三省注云：“绵，当作‘锦’。”据章钰校，十二行本作“锦”，今据校正。〚按〛下文数载敬宗赐锦彩，“锦”字均不误。

【语译】

起初，翼城人郑注，个子矮小，眼睛往下看，而且奸巧诡诈，倾陷谄媚，善于揣摩人意，以行医游于四方，寄食旅途，非常贫困。曾用医术谒见徐州节度使府牙将，牙将喜欢他，把他推荐给节度使李愬。李愬吃了他的药颇有效验，于是宠信他，任命为牙推，郑注渐渐参与军政，任意作威作福，军府中的人为此忧虑。监军王守澄把大家不满的情况告诉李愬，请求辞掉郑注。李愬说：“郑注虽这样，但他是一个奇才，将军与他谈话试试看，若是没有什么可取之处，辞掉他也不迟。”于是叫郑注前去谒见王守澄。王守澄开始表情很为难，不得已，接见了他，坐下谈话不久，王守澄大为高兴，迎请他到中堂，促膝谈笑，遗憾见面太晚了。第二天，告诉李愬说：“郑先生的确是如你所说的那样。”从这时起，郑注又被王守澄宠

守澄，权势益张。愬署为巡官，列于宾席。注既用事，恐牙将荐己者泄其本末，密以他罪谮㉝之于愬，愬杀之。及守澄入知枢密，挈㉞注以西，为立居宅，赡给之，遂荐于上，上亦厚遇之。

自上有疾，守澄专制国事，势倾中外。注日夜出入其家，与之谋议，语必通夕㉟，关通赂遗㊱，人莫能窥其迹。始则有微贱巧宦㊲之士，或因以求进，数年之后，达官车马满其门矣。工部尚书郑权㊳家多姬妾，禄薄不能赡，因注通于守澄以求节镇。己酉㊴，以权为岭南节度使。

五月壬申㊵，以尚书左丞㊶柳公绰为山南东道节度使。公绰过邓县㊷，有二吏，一犯赃，一舞文㊸，众谓公绰必杀犯赃者。公绰判曰："赃吏犯法，法在；奸吏乱法，法亡。"竟诛舞文者。

【段旨】

以上为第二段，写王守澄、郑注两人狼狈为奸，专擅弄权。

【注释】

㉓郑注（？至公元八三五年）：翼城（今山西翼城）人，奸佞小人，善医术，依附宦官王守澄而飞黄腾达。官至凤翔节度使，诛死。传见《旧唐书》卷一百六十九、《新唐书》卷一百七十九。㉔眇小：矮小。㉕巧谲：奸巧诡诈。㉖倾谄：倾陷谄媚。㉗羇：同"羁"。寄居。㉘牙推：官名，为节度、观察、团练等使属官，位在推官、巡官之下。牙，

【原文】

丙子㊹，以晋、慈二州㊺为保义军，以观察使李寰为节度使。

六月己丑㊻，以吏部侍郎韩愈为京兆尹，六军不敢犯法，私相谓曰："是尚欲烧佛骨㊼，何可犯也！"

秋，七月癸亥㊽，岭南奏黄洞蛮寇邕州，破左江镇㊾。丙寅㊿，邕州奏黄洞蛮破钦州[51]千金镇[52]，刺史杨屿奔石南砦[53]。

南诏劝利卒，国人请立其弟丰祐。丰祐勇敢，善用其众，始慕中

信，权势更大。李愬任命郑注为巡官，列在宾客的席位之中。郑注受到重用后，害怕推荐自己的牙将泄露自己的底细，暗中以其他的罪过在李愬那诬陷牙将，李愬便把牙将杀掉了。等到王守澄到朝廷任枢密使，带着郑注西行，为郑注建立住宅，供给衣食，又把郑注推荐给穆宗，穆宗也厚待他。

自从穆宗得病，王守澄专断国家政事，势力超过了朝廷内外任何人。郑注日夜来往他家，与他商量谋划，谈话通宵达旦，他们通关节、行贿赂，没有人能看到他们干坏事的痕迹。开始时有些微贱钻营之士，借助郑注以求进取，数年以后，达官贵人的车马已挤满郑注门前了。工部尚书郑权家里姬妾很多，俸禄少，不能赡养，他通过郑注打通了王守澄，请求担任节度使。四月二十五日己酉，朝廷任命郑权为岭南节度使。

五月十八日壬申，任命尚书左丞柳公绰为山南东道节度使。柳公绰到达邓县，县里有二吏，一个犯有贪赃罪，一个犯有舞文罪，大家认为公绰一定会杀掉犯贪赃罪的人。公绰判决说："贪赃的官吏犯法，法令还在；奸巧的官吏乱法，法令消亡。"最后把犯有舞文罪的人杀了。

同"衔"。㉙浸预军政：逐渐染指军务。㉚将军：此指监军王守澄。时中官多加诸卫将军，称为内将军。㉛苟无：如果没有。㉜延：迎请。㉝谮：进谗言。㉞挈：带领。㉟通夕：通宵。㊱关通赂遗：打通关节，进行贿赂。㊲巧宦：钻营求官。㊳郑权（？至公元八二四年）：荥阳开封（今河南开封）人，官至岭南节度使。传见《旧唐书》卷一百六十二、《新唐书》卷一百五十九。㊴己酉：四月二十五日。㊵壬申：五月十八日。㊶尚书左丞：官名，在尚书令、仆射之下设左、右丞，左丞总辖吏、户、礼三部，右丞总辖兵、刑、工三部。㊷邓县：县名，县治在今湖北襄阳北。㊸舞文：玩弄法律条文以作弊。

【语译】

五月二十二日丙子，把晋、慈二州设置为保义军，任命观察使李寰为节度使。

六月初六日己丑，任命吏部侍郎韩愈为京兆尹，六军不敢犯法，私下里互相说："这人连佛骨都想烧，怎么能触犯！"

秋，七月十一日癸亥，岭南上奏黄洞蛮侵扰邕州，攻破左江镇。十四日丙寅，邕州上奏黄洞蛮攻破钦州千金镇，刺史杨屿奔往石南砦。

南诏劝利死了，国人请求立他的弟弟丰祐。丰祐勇敢，善于驾驭他的部众，开

国，不与父连名[54]。

八月癸巳[55]，邕管奏破黄洞蛮。

丙申[56]，上自复道幸兴庆宫，至通化门楼，投绢二百匹施山僧。上之滥赐皆此类，不可悉纪[57]。

癸卯[58]，以左仆射裴度为司空、山南西道节度使，不兼平章事。李逢吉恶度，右补阙张又新[59]等附逢吉，竞流谤毁伤度，竟出之。又新，荐[60]之子也。

九月丙辰[61]，加昭义节度使刘悟同平章事。

李逢吉为相，内结知枢密王守澄，势倾朝野。惟翰林学士李绅每承顾问，常排抑之，拟状至内庭，绅多所臧否[62]，逢吉患之。而上待遇方厚，不能远也。会御史中丞缺，逢吉荐绅清直，宜居风宪[63]之地。上以中丞亦次对官[64]，不疑而可之。会绅与京兆尹兼[2]御史大夫韩愈争台参[65]及他职事，文移往来，辞语不逊。逢吉奏二人不协，冬，十月丙戌[66]，以愈为兵部侍郎，绅为江西[67]观察使。

己丑[68]，以中书侍郎、同平章事杜元颖同平章事，充西川节度使。

辛卯[69]，安南奏黄洞蛮为寇。

韩愈、李绅入谢，上各令自叙其事，乃深寤。壬辰[70]，复以愈为吏部侍郎，绅为户部侍郎。

【段旨】

以上为第三段，写李逢吉挑动韩愈与李绅二人相争以排之，唐穆宗优柔，识李逢吉之奸，仍用之不疑。

始仰慕中国，儿子之名不与父亲名相连属。

八月十一日癸巳，邕管上奏打败了黄洞蛮。

八月十四日丙申，穆宗从复道幸临兴庆宫，到达通化门城楼时，投下绢二百匹布施山僧。穆宗的随意赏赐都像这样，不能全部记载下来。

八月二十一日癸卯，任命左仆射裴度为司空、山南西道节度使，不兼平章事。李逢吉憎恶裴度，右补阙张又新等人依附李逢吉，争相制造流言诽谤伤害裴度，终于把裴度排挤出朝廷。张又新，是张荐的儿子。

九月初五日丙辰，加任昭义节度使刘悟同平章事。

李逢吉任宰相，官禁内勾结枢密使王守澄，势倾朝野。只有翰林学士李绅每次接受穆宗咨询时，常常排抑逢吉，草拟的文书送到官内，李绅多所褒贬，李逢吉为此忧虑。但穆宗正对李绅很重视，李逢吉不能使李绅远离皇上。恰好御史中丞缺人，李逢吉推荐李绅清廉正直，应当在御史台担任官职。穆宗认为御史中丞也是次对官，就毫不怀疑地答应了。正值李绅和京兆尹兼御史大夫韩愈争论台参和其他职事，双方文件往来，词语不礼貌。李逢吉就上奏章，说二人不和谐，冬，十月初五日丙戌，改任韩愈为兵部侍郎，李绅为江西观察使。

十月初八日己丑，任命中书侍郎、同平章事杜元颖同平章事，充西川节度使。

十月初十日辛卯，安南奏报黄洞蛮侵扰为寇。

韩愈、李绅入官辞谢，穆宗要他们各自叙述不和之事，于是深悟其中底细。十一日壬辰，又改任韩愈为吏部侍郎，李绅为户部侍郎。

【注释】

㊹丙子：五月二十二日。㊺晋、慈二州：晋州治所临汾，在今山西临汾。慈州治所吉昌，在今山西吉县。㊻己丑：六月初六日。㊼烧佛骨：元和十四年（公元八一九年），宪宗遣使于凤翔法门寺迎佛骨至京师。刑部侍郎韩愈上表切谏，请烧佛骨，绝后代之惑。宪宗怒，贬愈潮州刺史。㊽癸亥：七月十一日。㊾左江镇：地名，在今广西南宁。㊿丙寅：七月十四日。51钦州：州名，治所钦江，在今广西钦州东北。52千金镇：地名，在钦州西南。53砦："寨"的异体字。54连名：南诏父子以名相连属。如异牟寻生寻阁劝，寻阁劝生劝利。55癸巳：八月十一日。56丙申：八月十四日。57纪：同"记"。58癸卯：八月二十一日。59张又新：字孔昭，宰相李逢吉鹰犬，官终左司郎中。传见《旧唐书》卷一百四十九、《新唐书》卷一百七十五。60荐：张荐（公元七四四至八〇四年），字孝举，深州陆泽（今河北深州西）人，著名文学家张鷟之孙。官至工部侍郎。传见《旧唐书》卷一百四十九、《新唐书》卷一百六十一。61丙辰：九月初五日。62臧否：褒

贬。63 风宪：指御史台。御史台为执掌风纪法度之地，故以“风宪”指代御史台。64 次对官：皇帝于延英殿召问，先宰相，其他常参官以次俟对，谓之次对官。65 绅与京兆尹兼御史大夫韩愈争台参：唐制，京兆尹上任，按例须至御史台参谒。李逢吉想排挤李绅出朝，运用权谋，挑动韩愈与之相争。李逢吉荐李绅为御史中丞，随后荐韩愈为京兆尹兼御史大夫。因御史大夫位高于御史中丞，故不台参，于是李绅、韩愈果相争。66 丙戌：十月初五日。67 江西：方镇名，即江南西道，唐玄宗开元二十一年（公元七三三年）置，治所洪州，在今江西南昌。68 己丑：十月初八日。69 辛卯：十月初十日。70 壬辰：十月十一日。

【原文】

四年（甲辰，公元八二四年）

春，正月辛亥朔[71]，上始御含元殿[72]朝会。

初，柳泌等既诛，方士稍复因左右以进，上饵[73]其金石之药。有处士张皋者上疏，以为：“神虑澹则血气和，嗜欲胜则疾疢[74]作。药以攻疾，无疾不可饵也。昔孙思邈[75]有言：‘药势有所偏助，令人藏[76]气不平。借使有疾用药，犹须重慎。’庶人尚尔，况于天子！先帝信方士妄言，饵药致疾，此陛下所详知也，岂得复循其覆辙乎！今朝野之人纷纭窃议，但畏忤旨，莫敢进言。臣生长蓬艾[77]，麋鹿与游，无所邀求，但粗知忠义，欲裨万一耳！”上甚善其言，使求之，不获。

丁卯[78]，岭南奏黄洞蛮寇钦州，杀将吏。

庚午[79]，上疾复作。壬申，大渐[80]，命太子监国。宦官欲请郭太后临朝称制，太后曰：“昔武后称制，几危[3]社稷。我家世守忠义，非武氏之比也。太子虽少，但得贤宰相辅之，卿辈勿预朝政，何患国家不安！自古岂有女子为天下主而能致唐、虞之理乎！”取制书手裂之。太后兄太常卿[81]钊闻有是议，密上笺曰：“苟果徇[82]其请，臣请先帅诸子纳官爵归田里。”太后泣曰：“祖考[83]之庆[84]，钟[85]于吾兄。”是夕，上崩于寝殿。

癸酉[86]，以李逢吉摄冢宰[87]。

丙子[88]，敬宗即位于太极东序。

【校记】

［2］兼：原无此字。据章钰校，十二行本、乙十一行本皆有此字，今据补。

【语译】

四年（甲辰，公元八二四年）

春，正月初一日辛亥，穆宗第一次到含元殿朝会。

当初，柳泌等被杀以后，方士们渐渐又通过穆宗身边的人员得到进用，穆宗服食他们的金石药物。有名叫张皋的处士上疏，认为："思虑淡泊则血气就和畅，嗜欲过多则疾病就会发生。药物是用来治病的，没有病不应当吃药。从前孙思邈说：'药力偏助某个方面，令人内脏气血不得平和。即使有病用药，犹须慎重。'平民尚且如此，何况天子呢！先帝听信方士的胡言乱语，服药得病，这是陛下详细知道的，岂能重蹈覆辙！现在朝野的人们都私下纷纷议论，只是怕得罪皇上，没有人敢向您进言。臣生长在草野乡间，与麋鹿同游，没有什么要求，只略知忠义，想对国家补益万一而已！"穆宗认为张皋说得非常好，派人找他，没有找到。

正月十七日丁卯，岭南奏报黄洞蛮寇掠钦州，杀戮将吏。

正月二十日庚午，穆宗的旧病复发。二十二日壬申，病危，命太子监理国家政事。宦官想请郭太后临朝称制，太后说："从前武后称制主政，几乎使国家灭亡。我家世代坚守忠义，不是武氏那一类人。太子虽年少，但只须得到贤能宰相辅佐他，你们这些人不要干预朝政，用不着担心国家不安定！从古以来哪有女子为天下君主而能使国家治理得如唐、虞时代的呢！"随即把制书拿来亲手撕碎了。太后兄太常卿郭钊听到要太后称制的言论，秘密给太后写信说："假如真的依从了宦官的请求，臣请预先就带领诸子交出官爵返回乡里。"太后流着泪说："祖先的福庆，集中表现在哥哥身上。"当晚，穆宗在寝殿去世。

正月二十三日癸酉，任命李逢吉为代理冢宰。

正月二十六日丙子，敬宗在太极殿东厢正式即皇帝位。

初，穆宗之立，神策军士人赐钱五十千[89]。宰相议以太厚难继，乃下诏称："宿卫之勤，诚宜厚赏，属[90]频年[91]旱歉，御府空虚，边兵尚未给衣，沾恤[92]期于均济。神策军士人赐绢十匹、钱十千，畿内诸镇又减五千。仍出内库绫二百万匹付度支，充边军春衣。"时人善之。

自戊寅至庚辰[93]，上赐宦官服色及锦彩、金银甚众，或今日赐绿[94]，明日赐绯[95]。

【段旨】

以上为第四段，写唐穆宗步宪宗后尘，食金丹而亡，敬宗即位。

【注释】

⑪ 辛亥朔：正月初一日。⑫ 始御含元殿：谓穆宗即位已四年，至是始于正殿会见群臣。含元殿，东内正殿。⑬ 饵：吞服。⑭ 疢：病。⑮ 孙思邈（公元五八一至六八二年）：京兆华原（今陕西铜川市耀州区）人，名医，著有《千金方》三十卷。传见《旧唐书》卷一百九十一、《新唐书》卷一百九十六。⑯ 藏：同"脏"。⑰ 生长蓬艾：谓生长于乡间。蓬艾，两种草本植物，此处泛指野草，指乡间。⑱ 丁卯：正月十七日。⑲ 庚午：正月二

【原文】

初，穆宗既留李绅，李逢吉愈忌之。绅族子虞颇以文学知名，自言不乐仕进，隐居华阳川[96]。及从父耆为左拾遗，虞与耆书求荐，误达于绅，绅以书诮[97]之，且以语于众人。虞深怨之，乃诣逢吉，悉以绅平日密论逢吉之语告之。逢吉益怒，使虞与补阙张又新及从子前河阳掌书记[98]仲言[99]等伺求绅短，扬之于士大夫间，且言："绅潜察士大夫有群居议论者，辄指为朋党，白之于上。"由是士大夫多忌之。

及敬宗即位，逢吉与其党快绅失势，又恐上复用之，日夜谋议，思所以害绅者。楚州[100]刺史苏遇谓逢吉之党曰："主上初听政，必开延英，有次对官，惟此可防。"其党以为然，亟白逢吉曰："事迫矣，若

当初，穆宗即位，对神策军士每人赐钱五十千。宰相们商议，认为赏赐太丰厚，难以为继，于是穆宗下诏说："宿卫很辛苦，确实应当给以优厚的赏赐，适值连年干旱歉收，宫中府库空虚，边兵尚未供给衣服，布施的恩惠希望平均一些。神策军士每人赏赐绢十匹、钱十千，京畿内各镇又减少五千。仍然从内库取出绫二百万匹交给度支，用来作边军春衣。"当时人认为这件事办得好。

从正月二十八日戊寅到三十日庚辰，敬宗赏赐给宦官的服饰和锦彩、金银极多，有的今日赐绿色服，明日赐红色服。

十日。⑧⓪大渐：病危。⑧①太常卿：官名，太常寺掌宗庙礼乐祭祀之事，其正、副长官为卿、少卿。⑧②徇：依从。⑧③祖考：祖先。⑧④庆：善；福庆。⑧⑤钟：集聚。⑧⑥癸酉：正月二十三日。⑧⑦冢宰：宰相。⑧⑧丙子：正月二十六日。⑧⑨神策军士人赐钱五十千：事在宪宗元和十五年（公元八二〇年）。⑨⓪属：适值。⑨①频年：连年。⑨②沾恤：得益。⑨③自戊寅至庚辰：正月二十八日至三十日。⑨④赐绿：谓赐六、七品官位。六品服深绿，七品服浅绿。⑨⑤赐绯：谓赐四、五品官位。四品服深绯，五品服浅绯。

【校记】

[3]危：据章钰校，十二行本、乙十一行本皆作"倾"。

【语译】

当初，穆宗留下李绅以后，李逢吉更加嫉恨他。李绅的族子李虞颇以文学知名，自己说不喜欢当官，隐居在华阳川。等到他的叔父李耆担任了左拾遗，李虞写信给李耆请求推荐，信被误送到李绅手里，李绅写信讥讽李虞，并且把这件事告诉了众人。李虞深深怨恨李绅，于是到李逢吉那里，详细地把李绅平日秘密议论李逢吉的话告诉了他。李逢吉更加愤怒，指使李虞与补阙张又新及侄子前河阳掌书记李仲言等窥伺寻求李绅的短处，在士大夫之间散布，并且说："李绅在暗地里侦查群聚在一起议论的士大夫，就指为朋党，报告皇上。"因此，士大夫大多忌恨李绅。

等到敬宗即位，李逢吉和他的同党为李绅失去权势而高兴，又怕敬宗再用李绅，日夜商量谋划，思考陷害李绅的办法。楚州刺史苏遇对李逢吉的党羽说："主上初听政，必定开延英殿，召见次对官问话，只有这一招可以防止皇上复用李绅。"李逢吉的党羽认为可行，马上报告李逢吉说："事情很紧迫了，若是等到皇上听政，后悔都

俟听政，悔不可追！”逢吉乃令王守澄言于上曰：“陛下所以为储贰，臣备知之，皆逢吉之力也。如杜元颖、李绅辈，皆欲立深王⑩。”度支员外郎⑩李续之等继上章言之。上时年十六，疑未信。会逢吉亦有奏，言：“绅谋[4]不利于上，请加贬谪。”上犹再三覆问⑩，然后从之。

二月癸未⑩，贬绅为端州⑩司马。逢吉仍帅百官表贺，既退，百官复诣中书贺，逢吉方与张又新语，门者弗内⑩。良久，又新挥汗而出，旅揖⑩百官曰：“端溪⑩之事，又新不敢多让。”众骇愕辟易⑩，惮之。右拾遗内供奉吴思独不贺，逢吉怒，以思为吐蕃告哀使。丙戌⑩，贬翰林学士庞严⑪为信州⑫刺史，蒋防为汀州⑬刺史。严，寿州人，与防皆绅所引也。给事中于敖⑭素与严善，封还敕书。人为之惧，曰：“于给事为庞、蒋直冤，犯宰相怒，诚所难也！”及奏下，乃言贬之太轻，逢吉由是奖之。

张又新等犹忌绅，日上书言贬绅太轻，上许为杀之。朝臣莫敢言，独翰林侍读学士⑮韦处厚上疏，指述：“绅为逢吉之党所谗，人情叹骇。绅蒙先朝奖用，借使⑯有罪，犹宜容假⑰，以成三年无改之孝⑱，况无罪乎！”于是上稍开寤⑲。会阅禁中文书，有穆宗所封文书一箧，发之，得裴度、杜元颖、李绅疏请立上为太子。上乃嗟叹，悉焚人所上谮绅书，虽未即召还，后有言者，不复听矣。

【段旨】

以上为第五段，写唐敬宗如同乃父优柔寡断，虽识奸相李逢吉排挤李绅出朝，但只是嗟叹而不敢召还。

【注释】

⑯华阳川：地名，在虢州（今河南灵宝）华阳山南。⑰诮：讥讽。⑱掌书记：官名，节度、观察等使的属官，掌文书，位在判官之下。⑲仲言：李训（？至公元八三五年），字仲言。文宗太和九年（公元八三五年），从流配之人一年即跃升为宰相。谋诛宦官，事败被杀。传见《旧唐书》卷一百六十九、《新唐书》卷一百七十九。⑩楚州：州名，治所山阳，在今江苏淮安。⑩深王：指李察，宪宗第四子。元和元年（公元八〇六

来不及了！”李逢吉于是叫王守澄对敬宗说：“陛下当储君的原因，臣全都知道，都是李逢吉出的力。至于杜元颖、李绅他们，都想立深王。”度支员外郎李续之等接着上奏章说这件事。敬宗当时十六岁，有怀疑，不相信。恰好李逢吉也有奏章，说：“李绅谋划对陛下不利，请加贬谪。”敬宗仍然再三反复查问，之后还是听从了李逢吉的话。

二月初三日癸未，贬李绅为端州司马。李逢吉便率百官上表庆贺，退朝以后，百官又前往中书省祝贺，当时李逢吉正与张又新谈话，守门的人不让入内。过了好长时间，张又新擦着汗出来，向百官接连拱手作揖说：“端州这件事，又新不敢多谦让。”众人惊愕后退，都很怕他。唯独右拾遗内供奉吴思不去道贺，李逢吉很生气，让吴思任吐蕃告哀使。初六日丙戌，贬翰林学士庞严为信州刺史，蒋防为汀州刺史。庞严是寿州人，与蒋防都是李绅引荐的。给事中于敖一向与庞严交好，把敬宗的敕书封好退回。人们都为于敖担心，说：“于给事为庞、蒋申冤，触犯宰相发怒，真是难得！”等到奏章发下来，才知道于敖封还敕书是说贬得太轻，李逢吉因此夸奖了于敖。

张又新等人仍然忌恨李绅，每日上书说贬斥李绅太轻，敬宗答应处死李绅。朝臣没有人敢说话，只有翰林侍读学士韦处厚上疏，陈述说：“李绅为李逢吉一党的人所谗害，人们都叹息惊骇。李绅承蒙先朝奖励任用，即使有罪，还应该宽容，以实行三年不改变父亲成规的孝道，何况没有罪呢！”于是敬宗开始有所醒悟。恰巧翻阅宫中文书，看到穆宗封存的一箱文书，打开后，内有裴度、杜元颖、李绅请求立敬宗为太子的奏疏。敬宗于是感叹，把别人所上毁谤李绅的奏疏全部烧了，虽然没有立即召回李绅，但以后再有说李绅坏话的，就不再听了。

年）封，改名惊。传见《旧唐书》卷一百七十五、《新唐书》卷八十二。⑩②度支员外郎：官名，为户部第二司副长官，长官为郎中，掌财政收支。⑩③覆问：查问。⑩④癸未：二月初三日。⑩⑤端州：州名，治所高要，在今广东肇庆。⑩⑥内：通“纳”。⑩⑦旅揖：接连拱手作揖。⑩⑧端溪：县名，属端州，县治在今广东德庆，以产砚闻名。这里代指端州。⑩⑨辟易：惊退。⑪⓪丙戌：二月初六日。⑪①庞严：字子肃，寿州（今安徽寿县）人，官至太常少卿，权知京兆尹。传见《旧唐书》卷一百六十六、《新唐书》卷一百四。⑪②信州：州名，治所上饶，在今江西上饶。⑪③汀州：州名，治所长汀，在今福建长汀。⑪④于敖（公元七六五至八三〇年）：字蹈中，长庆四年（公元八二四年），以迎合丞相李逢吉，自给事中迁工、刑、户等部侍郎。传见《旧唐书》卷一百四十九、《新唐书》卷一百四。⑪⑤翰林侍读学士：官名，掌解答经史疑义。⑪⑥借使：假使；如果。⑪⑦容假：宽容。⑪⑧三年无改之孝：语出《论语·学而》：“三年无改于父之道，可谓孝矣。”⑪⑨开寤：觉悟；醒悟。寤，同“悟”。

【校记】

［4］谋：原无此字。据章钰校，十二行本、乙十一行本皆有此字，张敦仁《通鉴刊本识误》、张瑛《通鉴校勘记》同，今据补。

【原文】

己亥[120]，尊郭太后为太皇太后。

乙巳[121]，尊上母王妃为皇太后。太后，越州[122]人也。

丁未[123]，上幸中和殿击球，自是数游宴、击球、奏乐，赏赐宦官、乐人，不可悉纪。

三月壬子[124]，赦天下。诸道常贡之外，毋得进奉。

甲寅[125]，上始对宰相于延英殿。

初，牛元翼在襄阳[126]，数赂王庭凑以请其家，庭凑不与。闻元翼薨，甲子[127]，尽杀之。

上视朝每晏[128]，戊辰[129]，日绝高尚未坐。百官班于紫宸门外，老病者几至僵踣[130]。谏议大夫李渤白宰相曰："昨日疏论坐晚[131]，今晨愈甚，请出阁待罪于金吾仗[132]。"既坐班退，左拾遗刘栖楚[133]独留，进言曰："宪宗及先帝皆长君，四方犹多叛乱。陛下富于春秋，嗣位之初，当宵衣求理[134]。而嗜寝乐色，日晏方起，梓宫[135]在殡，鼓吹[136]日喧，令闻[137]未彰，恶声遐布。臣恐福祚之不长，请碎首玉阶，以谢谏职之旷。"遂以额叩龙墀[138]，见血不已，响闻阁外。李逢吉宣曰："刘栖楚休叩头，俟进止[139]！"栖楚捧首而起，更论宦官事，上连挥令出。栖楚曰："不用臣言，请继以死。"牛僧孺宣曰："所奏知，门外俟进止！"栖楚乃出，待罪于金吾仗，于是宰相赞成其言。上命中使就仗，并李渤宣慰令归。寻擢栖楚为起居舍人，仍赐绯。栖楚辞疾不拜，归东都。

庚午[140]，赐内教坊[141]钱万缗，以备行幸[142]。

夏，四月甲午[143]，淮南节度使王播罢盐铁转运使。

【语译】

二月十九日己亥，尊郭太后为太皇太后。

二月二十五日乙巳，尊母亲王妃为皇太后，太后是越州人。

二月二十七日丁未，敬宗到中和殿击球，从此一再游宴、击球、奏乐，赏赐宦官、乐人财物，不能一一记载。

三月初三日壬子，大赦天下。诸道除进奉常规贡品以外，不得再进奉财物。

三月初五日甲寅，敬宗第一次在延英殿召见宰相对答问题。

当初，牛元翼镇襄阳，多次送财物给王庭凑，请求释放他的家属，王庭凑不答应。听说牛元翼去世，三月十五日甲子，王庭凑把他的家属全部杀死了。

敬宗上朝常常很晚，三月十九日戊辰，太阳很高了尚未坐朝。百官在紫宸门外排着队，年老有病的人有的几至仆倒。谏议大夫李渤告诉宰相说："昨日上疏讲到坐朝太晚，今天早晨更晚了，请出阁的人留下来，向皇上进谏。"坐朝退班以后，左拾遗刘栖楚一个人留下来，向敬宗进谏说："宪宗和先帝穆宗都是年长的君主，四方还多有叛乱，陛下年纪很轻，继承皇位初期，应当勤政求治。然而贪睡好色，很晚才起床，梓宫在殡，就天天奏乐，好名声没有显现，坏名声却传得很远了。臣担心国家福寿不长，请让我死在玉阶之前，为没有尽到谏官的职责谢罪。"于是用额头叩殿中龙形台阶，血流不止，磕头声阁门外都能听到。李逢吉宣布旨意说："刘栖楚休要磕头，等候皇上的处置！"刘栖楚捧着头站起来，又讲宦官的事情，敬宗连连挥手让他出去。刘栖楚说："不采纳我说的，就请让我死在这里。"牛僧孺宣布旨意说："你上奏的皇上知道了，在门外等候处置！"刘栖楚才退出朝堂，在金吾仗中等待处理，这时宰相都赞成刘栖楚的话。敬宗命令中使到金吾仗，连同李渤一起安慰刘栖楚，叫他回家。不久，提升刘栖楚为起居舍人，还赐给他红色的官服。刘栖楚借口有病不接受，回到东都洛阳。

三月二十一日庚午，赏赐内教坊一万串钱，为皇上出巡做准备。

夏，四月十五日甲午，免去淮南节度使王播的盐铁转运使职务。

乙未[144]，以布衣姜洽为补阙，试大理评事[145]陆洿、布衣李虞、刘坚为拾遗。时李逢吉用事，所亲厚者张又新、李仲言、李续之、李虞、刘栖楚、姜洽及拾遗张权舆、程昔范，又有从而附丽[146]之者，时人恶逢吉者，目之为八关十六子[147]。

卜者苏玄明与染坊供人[148]张韶善，玄明谓韶曰："我为子卜，当升殿坐，与我共食。今主上昼夜球猎，多不在宫中，大事可图也。"韶以为然，乃与玄明谋结染工无赖者百余人，丙申[149]，匿兵于紫草[150]，车载以入银台门，伺夜作乱。未达所诣，有疑其重载而诘之者。韶急，即杀诘者，与其徒易服挥兵，大呼趣[151]禁庭。

上时在清思殿击球，诸宦者见之，惊骇，急入闭门，走白上。盗寻斩关而入。先是，右神策中尉梁守谦有宠于上，每两军角伎艺，上常佑右军。至是，上狼狈欲幸右军，左右曰："右军远，恐遇盗，不若幸左军近。"上从之。左神策中尉河中马存亮[152]闻上至，走出迎，捧上足涕泣，自负[153]上入军中，遣大将康艺全将骑卒入宫讨贼。上忧二太后[154]隔绝，存亮复以五百骑迎二太后至军。

张韶升清思殿，坐御榻，与苏玄明同食，曰："果如子言！"玄明惊曰："事止此邪！"韶惧而走。会康艺全与右军兵马使尚国忠引兵至，合击之，杀韶、玄明及其党，死者狼藉，逮夜始定，余党犹散匿禁苑中，明日，悉擒获之。

时宫门皆闭，上宿于左军。中外不知上所在，人情恇骇[155]。丁酉[156]，上还宫，宰相帅百官诣延英门贺，来者不过数十人。盗所历诸门，监门宦者三十五人法当死。己亥[157]，诏并杖之，仍不改职任。壬寅[158]，厚赏两军立功将士。

五月乙卯[159]，以吏部侍郎李程[160]，户部侍郎、判度支窦易直并同平章事。上问相于李逢吉，逢吉列上当时大臣有资望者，程为之首，故用之。上好治宫室，欲营别殿，制度甚广。李程谏，请以所具木石回奉山陵，上即从之。

六月己卯朔[161]，以左神策大将军康艺全为鄜坊[162]节度使。

四月十六日乙未，任命布衣姜洽为补阙，试大理评事陆洿、布衣李虞、刘坚为拾遗。当时李逢吉当权，他所亲近重视的人有张又新、李仲言、李续之、李虞、刘栖楚、姜洽及拾遗张权舆、程昔范，又有跟从依附他们的人，当时憎恨李逢吉的人，称他们为八关十六子。

占卜者苏玄明与染工张韶交情好，苏玄明向张韶说："我替你占卜过，你会到金殿上坐皇位，和我一起进食。现在皇上日夜击球、打猎，很多时候不在宫中，夺取他的皇位是可以做到的。"张韶认为对，于是和苏玄明商量，勾结染工中不务正业的一百多人，四月十七日丙申，把兵器藏在紫草中，用车载入银台门，等夜里作乱。还没有到达所去的地方，有人怀疑他们的车子装载着重物而盘问他们。张韶着急，就把盘问的人杀了，与他的同伙换了衣服举着武器，大声呼唤着奔向禁中。

敬宗当时在清思殿击球，那些宦官看见张韶等人，既震惊又骇异，急忙入内关上门，跑去报告敬宗。叛乱的人不久冲破宫门进到里面。此前，右神策军中尉梁守谦为敬宗所宠爱，每每两军比赛武艺，敬宗常常偏袒右军。到这时，敬宗狼狈之中想到右军去，身边侍从说："右军路远，怕遇上叛乱的人，不如到左军去路近。"敬宗听从了。左神策军中尉河中府人马存亮听说敬宗到来，跑出来迎接，捧着敬宗的脚直哭，亲自背着敬宗进入军营，派遣大将康艺全率领骑兵入宫讨贼。敬宗担心与两位太后分开了，马存亮又用五百名骑兵迎接两位太后到军中来。

张韶登上清思殿，坐在御榻上，与苏玄明共同吃饭，说："果然和你说得一样！"苏玄明吃惊地说："事情只能到此结束啊！"张韶害怕，逃走了。正好康艺全与右军兵马使尚国忠带领部队赶到，合兵攻打叛军，杀死了张韶、苏玄明和他们的党徒，死的人到处都是，到夜里才安定下来，残余的党徒还分散躲藏在禁苑中，第二天，全部抓了起来。

当时宫门都关闭了，敬宗住在左军中。朝廷内外不知道敬宗在什么地方，人心惶惶不安。四月十八日丁酉，敬宗回宫，宰相带领百官到延英门祝贺，参加的只有数十人。叛乱者所经过的那些宫门，守门的宦官三十五人依法应当处死。二十日己亥，诏令都只受杖罚，仍让他们担任原职。二十三日壬寅，重赏神策军左右两军立功将士。

五月初七日乙卯，任命吏部侍郎李程，户部侍郎、判度支窦易直并同平章事。敬宗询问李逢吉谁适合担任宰相，李逢吉列举当时大臣中有资望的人，以李程为首，所以敬宗任命李程为相。敬宗喜欢修建宫室，想营造别殿，规模很大。李程谏阻，请求把准备了的木材石料拿去修陵墓，敬宗立即听从了。

六月初一日己卯，任命左神策军大将军康艺全为鄜坊节度使。

【段旨】

以上为第六段，写唐敬宗好游宴击球，日晏方起，刘栖楚强谏不听，招致宫廷变乱。

【注释】

⑳ 己亥：二月十九日。㉑ 乙巳：二月二十五日。㉒ 越州：州名，治所山阴，在今浙江绍兴。㉓ 丁未：二月二十七日。㉔ 壬子：三月初三日。㉕ 甲寅：三月初五日。㉖ 牛元翼在襄阳：牛元翼出深州，镇襄阳，在长庆二年（公元八二二年）。襄阳，县名，县治在今湖北襄阳市襄城区。牛元翼为山南东道节度使，驻节于此。㉗ 甲子：三月十五日。㉘ 晏：晚。㉙ 戊辰：三月十九日。㉚ 踣：仆倒。㉛ 坐晚：指穆宗很晚方才上朝。㉜ 金吾仗：金吾卫左、右仪仗，在宣政殿前。㉝ 刘栖楚（？至公元八二七年）：原为镇州小吏，李逢吉擢为左拾遗，曾为逢吉中伤裴度、李绅。官至桂管观察使。传见《旧唐书》卷一百五十四、《新唐书》卷一百七十五。㉞ 宵衣求理：谓勤政求治。宵衣，天未亮而着衣。理，治。㉟ 梓宫：皇帝棺材，梓木为之，故称。㊱ 鼓吹：一种乐曲，即鼓吹乐，以鼓钲箫笳等演奏。亦指演奏这种音乐的乐队。㊲ 令闻：美誉。㊳ 龙墀：宫

【原文】

上闻王庭凑屠牛元翼家，叹宰辅非才，使凶贼纵暴。翰林学士韦处厚因上疏言："裴度勋高中夏[163]，声播外夷。若置之岩廊[164]，委其参决，河北、山东必禀朝算[165]。管仲曰[166]：'人离而听之则愚，合而听之则圣。'理乱之本，非有他术，顺人则理，违人则乱。伏承陛下当食叹息，恨无萧、曹[167]，今有一[5]裴度尚不能留，此冯唐所以谓汉文得廉颇、李牧不能用也[168]。夫御宰相，当委之，信之，亲之，礼之。于事不效，于国无劳，则置之散寮[169]，黜之远郡。如此，则在位者不敢不厉[170]，将进者不敢苟求。臣与逢吉素无私嫌，尝为裴度无辜贬官[171]。今之所陈，上答圣明，下达群议耳。"上见度奏状无平章事，以问处厚。处厚具言李逢吉排沮之状。上曰："何至是邪！"李程亦劝上加礼于度。丙申[172]，加度同平章事。

张韶之乱，马存亮功为多，存亮不自矜，委权[173]求出。秋，七月，

殿台阶，中间刻有龙形，两边供人行走，故称。⑬⑨进止：犹言处分。⑭⓪庚午：三月二十一日。⑭①教坊：官署名，武德年间后，禁中置内教坊，武后如意间，改称云韶府，开元间又置内教坊于蓬莱宫侧，负责教习演唱俗乐。⑭②行幸：皇帝出巡。⑭③甲午：四月十五日。⑭④乙未：四月十六日。⑭⑤评事：官名，为大理寺属官，与司直同掌出使、推按。从八品下。⑭⑥附丽：依附。⑭⑦八关十六子：自张又新至程昔范八人，附丽者又有八人，共十六个关子。关子，谓能通关节者。⑭⑧染坊供人：即染工。⑭⑨丙申：四月十七日。⑮⓪紫草：草名，其根可作染料。⑮①趣：同"趋"。⑮②马存亮：字季明，河中（今山西永济）人，以忠谨著称，为宦官中之贤者。官至淮南监军使、内飞龙使。传见《新唐书》卷二百七。⑮③负：背。⑮④二太后：敬宗祖母太皇太后郭氏、敬宗母皇太后王氏。两太后传见《旧唐书》卷五十二、《新唐书》卷七十七。⑮⑤恇骇：惊慌。⑮⑥丁酉：四月十八日。⑮⑦己亥：四月二十日。⑮⑧壬寅：四月二十三日。⑮⑨乙卯：五月初七日。⑯⓪李程：字表臣，唐宗室。历仕穆宗、敬宗、文宗、武宗四朝，官至宰相、仆射。传见《旧唐书》卷一百六十七、《新唐书》卷一百三十一。⑯①己卯朔：六月初一日。⑯②鄜坊：方镇名，肃宗上元二年（公元七六一年）分邠宁节度使所辖鄜、坊等州而置，治所坊州。德宗建中四年（公元七八三年），徙治鄜州，在今陕西富县。

【语译】

敬宗听说王庭凑屠杀了牛元翼全家，感叹宰相辅臣没有才能，致使凶贼肆暴。翰林学士韦处厚因而上书说："裴度的功勋超过全国的人，声誉传播到外夷。要是把他安置在朝廷中，把参政决策的权力交给他，河北、山东的割据势力一定会遵从朝廷的旨意。管仲说过：'人只听个别人的话就愚昧，兼听众人的话就聪明。'治乱的根本，并没有别的方法。顺乎人心，国家就能治理好；违反了人心，国家就会动乱。看到陛下在吃饭时叹息，遗憾没有萧何、曹参，如今有一个裴度尚且不能留在朝廷中，这就是冯唐所说的汉文帝得到廉颇、李牧也不能用。任用宰相，应当交给他职权，信任他，亲近他，尊重他。办事没有成效，对国家没有贡献，就把他安置在闲散的位置上，或贬黜到边远的州郡去。这样，那些在职的人不敢不努力，即将任职的也不敢苟且妄求。臣与李逢吉向来没有个人恩怨，曾被裴度在没有过错的情况下贬了官。现在所陈述的，在上是用以报答圣明的皇上，在下是转达了大家的意见而已。"敬宗见裴度奏状上无平章事官衔，就问韦处厚。韦处厚详细说明了李逢吉排挤裴度的情况。敬宗说："为何到了这个地步！"李程也劝敬宗对裴度加以礼遇。六月十八日丙申，加给裴度同平章事官衔。

平定张韶的叛乱，马存亮功劳最大，马存亮不自我夸耀，放弃兵权要求到地方

以存亮为淮南监军使。

夏绥[174]节度使李祐入为左金吾大将军，壬申[175]，进马百五十匹，上却之。甲戌[176]，侍御史温造于阁内奏弹祐违敕[177]进奉，请论如法，诏释之。祐谓人曰："吾夜半入蔡州城[178]取吴元济，未尝心动，今日胆落于温御史矣！"

八月丁卯朔[179]，安南奏黄蛮入寇。

龙州[180]刺史尉迟锐上言："牛心山[181]素称神异，有掘断处，请加补塞。"从之。役数万人于绝险之地，东川为之疲弊。

九月丁未[182]，波斯[183]李苏沙献沉香亭子材。左拾遗李汉[184]上言："此何异瑶台、琼室！"上虽怒，亦优容之。汉，道明[185]之六世孙也。

冬，十月戊戌[186]，翰林学士韦处厚谏上宴游曰："先帝以酒色致疾损寿，臣是时不死谏者，以陛下年已十五故也。今皇子才一岁，臣安敢畏死而不谏乎！"上感其言，赐锦彩百匹、银器四。

十一月戊午[187]，安南奏黄蛮与环王[188]合兵攻陷陆州，杀刺史葛维。

庚申[189]，葬睿圣文惠孝皇帝于光陵[190]，庙号穆宗。

王播以钱十万缗赂王守澄，求复领利权[191]。十二月癸未[192]，谏议大夫独孤朗[193]、张仲方[194]，起居郎[195]柳公权，起居舍人宋申锡[196]，拾遗李景让[197]、薛廷老[198]等[6]请开延英论其奸邪。上问："前廷争者不在中邪？"即日，除刘栖楚谏议大夫。景让，憕[199]之曾孙。廷老，河中人也。

十二月庚寅[200]，加天平节度使乌重胤同平章事。

乙未[201]，徐泗观察使[202]王智兴以上生日[203]，请于泗州[204]置戒坛[205]，度僧尼以资福[206]，许之。自元和以来，敕禁此弊。智兴欲聚货，首请置之。于是四方辐凑[207]，江、淮尤甚，智兴家赀由此累巨万。浙西观察使李德裕上言："若不钤制[208]，至降诞日[209]方停，计两浙、福建当失六十万丁[210]。"奏至，即日罢之。

是岁，回鹘崇德可汗卒，弟曷萨特勒立。

任职。秋，七月，任命马存亮为淮南监军使。

夏绥节度使李祐担任左金吾大将军，七月二十五日壬申，进献马一百五十匹，敬宗拒绝了。二十七日甲戌，侍御史温造在阁内上奏弹劾李祐违反敕令进奉马匹，请求按照法令治罪，诏令免予追究。李祐对人说：“我夜半攻入蔡州城捉拿吴元济，心里未曾惧怕，今天被温御史吓破了胆！”

八月丁卯朔，安南上奏黄洞蛮侵扰边境。

龙州刺史尉迟锐上奏说：“牛心山向来以神异著称，有被挖断的地方，请加填补。”敬宗依从了。在危险的地方使数万人服劳役，东川地方因这件事疲惫不堪。

九月初一日丁未，波斯李苏沙进献沉香亭子的材料。左拾遗李汉上奏说：“这和瑶台、琼室有什么不同呢！”敬宗虽然发怒，也宽容了他。李汉，是李道明的第六代孙。

冬，十月二十三日戊戌，翰林学士韦处厚劝谏敬宗宴游说：“先帝因为酒色引起疾病减短了寿命，臣当时不拼死进谏，是因为陛下已经十五岁了。现今皇子才一岁，臣哪里敢怕死而不进谏呢！”敬宗为他的话所感动，赏赐他锦彩一百匹、银器四件。

十一月十三日戊午，安南都护上奏黄洞蛮和环王联合出兵攻陷了陆州，杀了刺史葛维。

十一月十五日庚申，把睿圣文惠孝皇帝安葬在光陵，庙号穆宗。

王播用十万串钱贿赂王守澄，请求再次兼任盐铁转运使。十二月初九日癸未，谏议大夫独孤朗、张仲方，起居郎柳公权，起居舍人宋申锡，拾遗李景让、薛廷老等请求开延英殿讨论王播的奸邪情况。敬宗问道：“以前廷争的那个人怎么不在其中啊？”当天，任命刘栖楚为谏议大夫。李景让，是李憕的曾孙。薛廷老，是河中府人。

十二月十六日庚寅，加授天平节度使乌重胤同平章事。

十二月二十一日乙未，徐泗观察使王智兴因为敬宗的生日，请求在泗州设置戒坛，剃度僧尼以求福佑，敬宗答应了。自从元和年间以来，诏令禁止这种弊端。王智兴想聚敛财货，首次请求设置戒坛。于是四面八方的人都聚集到这里来受戒，江、淮一带来的人尤多，王智兴的家财由此积累到亿万钱。浙西观察使李德裕上奏说：“如果不加控制，到皇上生日那天才停止，计算两浙、福建应该失去六十万服役纳税的丁口。”奏章送到朝廷，立即停止剃度僧尼。

这一年，回鹘崇德可汗去世，弟弟曷萨特勒继位。

【段旨】

以上为第七段，写唐敬宗纳韦处厚之谏，起用裴度，听王智兴之请，剃度僧尼，是一个与善人处则为善，与恶人处则为恶的中庸之君。

【注释】

⑯³ 中夏：中国。⑯⁴ 岩廊：指朝廷。⑯⁵ 朝算：朝廷谋划。算，谋划、策划。⑯⁶ 管仲曰：所引管仲曰二句，语出《管子》卷十《君臣上》。⑯⁷ 萧、曹：萧何、曹参，皆西汉开国功臣。⑯⁸ 此冯唐句：此指冯唐谏说汉文帝用贤，史称冯唐论将。事详本书卷十五汉文帝十四年。⑯⁹ 散寮：散官。⑰⁰ 历：同“励”。努力。⑰¹ 尝为裴度无辜贬官：宪宗时，韦处厚为考功郎，韦贯之免相，韦处厚因为与韦贯之关系好，被免职，出刺开州。此即韦处厚所言“为裴度无辜贬官”事。⑰² 丙申：六月十八日。⑰³ 委权：放弃权力。⑰⁴ 夏绥：方镇名，唐德宗贞元三年（公元七八七年）置，治所夏州，在今陕西靖边北白城子。⑰⁵ 壬申：七月二十五日。⑰⁶ 甲戌：七月二十七日。⑰⁷ 违敕：指违背三月壬子之敕：“诸道常贡之外，毋得进奉。”⑰⁸ 夜半入蔡州城：李愬雪夜破蔡州城擒吴元济，时李祐为愬将。事见本书卷二百四十宪宗元和十二年。⑰⁹ 丁卯朔：八月丁丑朔，无丁卯日，疑记载有误。⑱⁰ 龙州：州名，治所江油，在今四川平武东南。⑱¹ 牛心山：山名，在龙州江油西一里。据说唐高祖李渊的祖父李虎葬于牛心山，人称“国之祖墓”，所以此山神异。⑱² 丁未：九月初一日。⑱³ 波斯：国名，即今伊朗。⑱⁴ 李汉：字南纪，唐宗室，韩愈子婿。官至吏部侍郎，坐牛党，贬汾州司马。传见《旧唐书》卷一百七十一、《新唐书》卷七十八。⑱⁵ 道明：李道明，唐高祖从兄之子，淮阳王道玄之弟。道玄死，无子，道明嗣王，官终郓州刺史。事附《旧唐书》卷六十、《新唐书》卷七十八《淮阳王道玄传》。⑱⁶ 戊戌：十月二十三日。⑱⁷ 戊午：十一月十三日。⑱⁸ 环王：古国名，即林邑，亦称占婆、占不劳。故址在今越南中南部。⑱⁹ 庚申：十一月十五日。⑲⁰ 光陵：穆宗陵墓，在同州奉先县（今陕西蒲城北）北十五里尧山。⑲¹ 复领利权：本年四月，王播罢盐铁转运使，今欲复领此职。⑲² 癸未：十二月初九日。⑲³ 独孤朗（？至公元八二七年）：文学家独孤及之子，官至工部侍郎。传见《旧唐书》卷一百六十八、《新唐书》卷一百六十二。⑲⁴ 张仲方：历

【原文】

敬宗[211]睿武昭愍孝皇帝

宝历元年（乙巳，公元八二五年）

春，正月辛亥[212]，上祀南郊[213]，还，御丹凤楼，赦天下，改元。

先是，鄠[214]令崔发闻外喧嚣，问之，曰：“五坊[215]人殴百姓。”发怒，命擒以入，曳之于庭。时已昏黑，良久，诘之，乃中使也。上怒，收发，系御史台。是日，发与诸囚立金鸡[216]下，忽有品官[217]数十人执

官京兆尹、秘书监等。传见《旧唐书》卷九十九、《新唐书》卷一百二十六。⑲⑮起居郎：官名，掌录天子起居法度。⑲⑯宋申锡：文宗朝任宰相，谋除宦官，未果，贬开州司马。传见《旧唐书》卷一百六十七、《新唐书》卷一百五十一。⑲⑰李景让：官至御史大夫。传见《旧唐书》卷一百八十七下、《新唐书》卷一百七十七。⑲⑱薛廷老（？至公元八三八年）：字商叟，河中宝鼎（今山西万荣西南）人，宝历中为右拾遗、史馆修撰，因论宰相李逢吉党人张权舆、程昔范不宜任谏官，逢吉怒，出薛廷老为临晋县令。文宗立，召为侍御史，拜翰林学士，迁给事中。传见《旧唐书》卷一百五十三、《新唐书》卷一百六十二。⑲⑲憕：李憕，太原文水（今山西文水东）人，玄宗天宝时官至礼部尚书、东都留守。安禄山陷洛阳，不屈，被害死。传见《旧唐书》卷一百八十七下、《新唐书》卷一百九十一。⑳⓪庚寅：十二月十六日。⑳①乙未：十二月二十一日。⑳②徐泗观察使：王智兴时为武宁节度使，领徐、泗、濠、宿四州，故兼徐泗观察使。⑳③上生日：唐敬宗生于元和四年（公元八〇九年）六月初九日，今王智兴于十二月请置戒坛，预请之也。⑳④泗州：州名，治所临淮，在今江苏盱眙淮水北岸。⑳⑤戒坛：剃度僧尼的法坛。凡初度僧尼，均诣戒坛受戒。泗州有大圣塔，受人敬事，王智兴即置戒坛于此。⑳⑥资福：祈福。指专为唐敬宗祈福而剃度僧尼为之诵经。⑳⑦辐凑：聚集。⑳⑧钤制：控制。⑳⑨降诞日：即生日。当时至敬宗六月初九日降诞日尚有半年。㉑⓪当失六十万丁：出家为僧，可逃避赋税，免除徭役，故人争剃度。

【校记】

［5］一：原无此字。据章钰校，十二行本、乙十一行本皆有此字，张敦仁《通鉴刊本识误》同，今据补。［6］等：原无此字。据章钰校，十二行本、乙十一行本皆有此字，今据补。

【语译】

敬宗睿武昭愍孝皇帝

宝历元年（乙巳，公元八二五年）

春，正月初七日辛亥，敬宗到南郊祭天，返回时，登上丹凤门城楼，大赦天下，改换年号。

此前，鄠县县令崔发听到外面喧闹，问旁人，回答说："是五坊的人殴打百姓。"崔发大怒，命令把打百姓的人抓进来，拖到厅堂上。当时天已昏黑，过了好一会，责问那人，原来是中使。敬宗大怒，把崔发抓起来，押在御史台。大赦这天，崔发和其他的囚犯站在金鸡竿下，忽然有品级的宦官数十人执木棒乱打崔发，脸被打破

梃乱捶发，破面折齿，绝气[218]乃去。数刻而苏，复有继来求击之者，台吏以席蔽之，仅免。上命复系发于台狱[219]而释诸囚。

中书侍郎、同平章事牛僧孺以上荒淫，嬖幸[220]用事，又畏罪不敢言，但累表求出。乙卯[221]，升鄂岳[222]为武昌军，以僧孺同平章事充武昌节度使。

中旨[223]复以王播兼盐铁转运使，谏官屡争之，上皆不纳。

牛僧孺过襄阳，山南东道节度使柳公绰服櫜鞬[224]候于馆舍。将佐谏曰："襄阳地高于夏口[225]，此礼太过。"公绰曰："奇章公[226]甫离台席[227]，方镇重宰相，所以尊朝廷也。"竟行之。

上游幸无常，昵比[228]群小，视朝月不再三[229]，大臣罕得进见。

二月壬午[230]，浙西观察使李德裕献《丹扆[231]六箴》：一曰《宵衣》，以讽视朝稀[7]晚；二曰《正服》，以讽服御乖异；三曰《罢献》，以讽征求玩好；四曰《纳诲》，以讽侮弃谠言[232]；五曰《辨邪》，以讽信任群小；六曰《防微》，以讽轻出游幸。其《纳诲箴》略曰："汉骜[233]流湎[234]，举白[235]浮钟[236]；魏叡侈汰[237]，陵霄作宫[238]。忠虽不忤，善亦不从。以规为瑱[239]，是谓塞聪[240]。"《防微箴》略[8]曰："乱臣猖獗，非可遽数[241]。玄服莫辨[242]，触瑟始仆[243]。柏谷微行[244]，豺豕[245]塞路。睹[246]貌献餐，斯可戒惧[247]。"上优诏答之。

上既复系崔发于狱，给事中李渤上言："县令不应曳中人，中人不应殴御囚[248]，其罪一也。然县令所犯在赦前，中人所犯在赦后。中人横暴，一至于此，若不早正刑书[249]，臣恐四方藩镇闻之，则慢易之心生矣！"谏议大夫张仲方上言，略曰："鸿恩将布于天下而不行御前，霈泽[250]遍被于昆虫而独遗崔发。"自余谏官论奏甚众，上皆不听。戊子[251]，李逢吉等从容言于上曰："崔发辄[252]曳中人，诚大不敬[253]，然其母，故相韦贯之[254]之姊也，年垂八十，自发下狱，积忧成疾。陛下方以孝理天下，此所宜矜念[255]。"上乃愍然[256]曰："比谏官但言发冤，未尝言其不敬，亦不言有老母，如卿所言，朕何为不赦之！"即命中使释其罪，送归家，仍慰劳其母，母对中使杖发四十。

了，牙齿被打掉了，众人以为崔发没气了才离开。过了几刻时间崔发苏醒，又有继续来要求打崔发的人，御史台的小吏用席子遮住崔发，才避免了再挨打。敬宗命令再把崔发关押在御史台的监狱中，而释放了其他囚犯。

中书侍郎、同平章事牛僧孺因敬宗荒淫无道，宠幸的人掌权，又怕获罪因而不敢直说，只是多次上表请求调到地方。正月十一日乙卯，升鄂岳地方为武昌军，任命牛僧孺同平章事充武昌军节度使。

宫中又直接下诏任命王播兼盐铁转运使，谏官多次争论这件事，敬宗都不采纳。

牛僧孺经过襄阳，山南东道节度使柳公绰戎装在客馆等候。将佐谏止说："襄阳的政治地位比夏口高，这种礼节太过分了。"柳公绰说："奇章公刚离开相位，方镇尊重宰相，也就是尊重朝廷。"最终照柳公绰的意见办了。

敬宗游玩没有节制，亲近群小，坐朝的时间一个月不过两三次，大臣都难得见到他。

二月初八日壬午，浙西观察使李德裕献《丹扆六箴》：一曰《宵衣》，是讽谏敬宗坐朝少，时间晚；二曰《正服》，是讽谏服饰的奇形怪状，不合礼制；三曰《罢献》，是讽谏征求珍奇玩好的东西；四曰《纳诲》，是讽谏轻视或不接受正直的劝谏；五曰《辨邪》，是讽谏信任群小；六曰《防微》，是讽谏轻易外出游玩。其中《纳诲箴》大略说："汉成帝刘骜沉溺于酒，终日干杯罚酒；魏明帝曹叡生活奢侈，修造的宫殿高入云霄。虽然不违背忠良之臣，但对于好的意见也不接受。把规劝的话当作塞耳的玉，这叫堵塞听觉。"《防微箴》大略说："乱臣猖獗，多得不是很快能数得完的。穿着黑色衣服的刺客分辨不出来，阴谋杀害皇帝的马何罗因触瑟跌倒了才被发现。汉武帝微服出行到柏谷，豺狼野猪塞满道路。店主夫人看到武帝形貌奇伟才献上食物。这些都应戒惧。"敬宗下诏书褒扬李德裕。

敬宗又把崔发投入监狱后，给事中李渤上奏说："县令不应该拖扯中人，中人不应该打御囚，他们所犯的罪是一样的。然而县令所犯的罪在大赦以前，中人所犯的罪在大赦以后。中人横暴，竟然到这种地步，若不及早按刑法治罪，臣恐怕四方藩镇听到了，那么轻慢朝廷之心就产生了！"谏议大夫张仲方上奏，大略说："大的恩惠将散布于天下而在御前没有施行，恩泽连昆虫也都沾了光而只有崔发被遗忘。"其余的谏官上奏议论的很多，敬宗都听不进去。二月十四日戊子，李逢吉等人闲谈时对敬宗说："崔发擅自拖扯中人，实在是犯了大不敬罪，然而他的母亲，是前宰相韦贯之的姐姐，快八十了，自从崔发坐牢后，积忧成疾。陛下正用孝来治理天下，这是应该怜悯顾念的。"敬宗于是哀怜地说："近来谏官只说崔发冤枉，没有讲到他的不敬罪，也没有讲到还有老母，像你说的这样，我为什么不赦免他呢！"随即命令中使赦免了崔发的罪，送他回家，又安慰他的母亲，他母亲当着中使的面打了崔发四十杖。

【段旨】

以上为第八段，写唐敬宗荒淫，嬖幸用事，惩治中人的县令崔发遭系狱。写牛僧孺畏懦离朝，李德裕献箴言讽谏。

【注释】

㉑①敬宗：李湛，穆宗长子。公元八二四至八二七年在位。㉑②辛亥：正月初七日。㉑③祀南郊：一种祭祀大典，正月上辛（上旬的辛日），祭天地于南郊以祈谷。㉑④鄠：县名，县治在今陕西西安市鄠邑区北。㉑⑤五坊：官署名，一曰雕坊，二曰鹘坊，三曰鹞坊，四曰鹰坊，五曰狗坊。闲厩使掌之，属殿中省。㉑⑥金鸡：唐制，大赦之日，刑部先集合囚徒于阙下，卫尉在宫城门之右设金鸡于竿，以示吉辰。囚徒至此受杖刑，然后宣布赦令。因鸡以黄金饰首，故名金鸡。㉑⑦品官：内侍省中有品级的宦官。㉑⑧绝气：气息断绝。㉑⑨台狱：御史台牢狱。㉒⓪嬖幸：帝王宠幸之人。㉒①乙卯：正月十一日。㉒②鄂岳：方镇名，唐代宗永泰元年（公元七六五年）置鄂岳观察使，宪宗元和元年（公元八〇六年）升为武昌军节度使，五年罢，现复置。治所鄂州，在今湖北武汉市武昌区。㉒③中旨：不由朝官请奏，直接由皇帝发出的诏书。㉒④櫜鞬：指代戎装。櫜，弓衣。鞬，箭袋。柳公绰戎装迎候，表示为之先驱。㉒⑤襄阳地高于夏口：山南东道治所襄阳，地势高于武昌治所夏口（即鄂州），意思是柳公绰为大镇节度使，地位高于牛僧孺，不应戎装迎候。㉒⑥奇章公：牛僧孺先祖牛弘相隋封奇章公，故以称僧孺。㉒⑦台席：相位。㉒⑧昵比：亲近偏袒。㉒⑨不再三：不过两三次。再，两次。㉓⓪壬午：二月初八日。㉓①丹扆：天子视

【原文】

三月辛酉㉕⑦，遣司门郎中于人文册回鹘㉕⑧曷萨特勒为爱登里啰汩没密於合毗伽昭礼可汗。

夏，四月癸巳㉕⑨，群臣上尊号曰文武大圣广孝皇帝，赦天下。赦文但云“左降官已经量移㉖⓪者，宜与量移”，不言未量移者。翰林学士韦处厚上言：“逢吉恐李绅量移，故有此处置。如此，则应㉖①近年流贬官，因李绅一人皆不得量移也。”上即追赦文改之，绅由是得移江州长史。

秋，七月甲辰㉖②，盐铁使王播进羡余㉖③绢百万匹。播领盐铁，诛求严急，正入㉖④不充而羡余相继。

朝处所立之赤色屏风。㉜ 谠言：正直的言论。㉝ 汉骜：指汉成帝刘骜。㉞ 流湎：沉溺于酒。㉟ 举白：干杯。白，罚酒所用酒杯。㊱ 浮钟：罚酒。浮，罚。事见本书卷三十一汉成帝永始二年。㊲ 魏叡侈汰：指魏明帝曹叡奢靡淫侈。㊳ 陵霄作宫：形容宫殿宏伟，高入云霄。事见本书卷七十三魏明帝青龙三年。㊴ 以规为瑱：把规谏当作塞耳之玉。瑱，冠冕上垂在两侧用以塞耳的玉。㊵ 聪：听觉。㊶ 非可遽数：不是很快能数得完的。遽，急遽。㊷ 玄服莫辨：汉宣帝时，霍光外孙任宣坐谋反诛，任宣之子任章亡在渭城，夜，玄服入庙，装扮成守门卫士。帝至，欲为逆，发觉，诛死。玄服，黑色衣服。莫辨，不可辨认，即认不出来。㊸ 触瑟始仆：汉武帝时，侍中马何罗欲为逆，袖藏白刃欲入天子卧内，触瑟而仆倒，行刺未果。事见本书卷二十二汉武帝后元元年。㊹ 柏谷微行：汉武帝微服出行，夜至柏谷，投宿旅店。店主疑帝为盗，聚少年欲攻之。主人妪睹帝状貌而异之，止其翁，杀鸡而为之食。事见本书卷十七汉武帝建元三年。㊺ 豕：野猪。㊻ 睹：目睹，看见。㊼ 戒惧：敬畏地引为鉴戒。㊽ 御囚：敕旨囚系的罪犯。㊾ 刑书：即刑法。㊿ 霈泽：恩泽。251 戊子：二月十四日。252 辄：擅自。253 大不敬：不敬皇帝的罪名，唐律把它列为十恶之一。254 韦贯之（公元七六〇至八二一年）：名纯，避宪宗讳，以字行，京兆（今陕西西安）人，宪宗朝宰相。传见《旧唐书》卷一百五十八、《新唐书》卷一百六十九。255 矜念：怜悯顾念。256 愍然：哀伤。

【校记】

［7］稀：原作“希”。据章钰校，十二行本、乙十一行本皆作“稀”，张瑛《通鉴校勘记》同，今据改。［8］略：原无此字。据章钰校，十二行本、乙十一行本皆有此字，今据补。

【语译】

三月十七日辛酉，派遣司门郎中于人文册封回鹘曷萨特勒为爱登里啰汨没密於合毗伽昭礼可汗。

夏，四月二十日癸巳，群臣给敬宗加上文武大圣广孝皇帝的尊号，大赦天下。赦文只说“左降官已经量移的人，应当予以量移”，没有言及未量移的人。翰林学士韦处厚上奏说：“李逢吉害怕李绅量移，所以有这样的处置。这样一来，当是近年来流贬的官吏，因为李绅一个人都不能量移了。”敬宗立即追回赦文进行了修改，李绅因此得移为江州长史。

秋，七月初二日甲辰，盐铁转运使王播进献羡余绢一百万匹。王播兼任盐铁转运使，搜刮严厉急迫，正额的赋税没有收足而羡余相继不断。

己未[265]，诏王播造竞渡船[266]二十艘，运材于京师造之，计用转运半年之费。谏议大夫张仲方等力谏，乃减其半。

谏官言京兆尹崔元略以诸父事内常侍崔潭峻。丁卯[267]，元略迁户部侍郎。

昭义节度使刘悟之去郓州也，以郓兵二千自随为亲兵。八月庚戌[268]，悟暴疾薨。子将作监主簿[269]从谏匿其丧，与大将刘武德及亲兵谋，以悟遗表求知留后。司马贾直言入责从谏曰："尔父提十二州地归朝廷[270]，其功非细，只以张汶之故[271]，自谓不洁[272]淋头，竟至羞死。尔孺子，何敢如此！父死不哭，何以为人！"从谏恐悚不能对，乃发丧。

初，陈留[273]人武昭罢石州[274]刺史，为袁王[275]府长史，郁郁怨执政。李逢吉与李程不相悦，水部郎中[276]李仍叔，程之族人，激怒之云：程欲与昭官，为逢吉所沮。昭因酒酣，对左金吾兵曹[277]茅汇言欲刺逢吉，为人所告。九月庚辰[278]，诏三司鞫之。前河阳掌书记李仲言谓汇曰："君言李程与昭谋则生，不然必死。"汇曰："冤死甘心！诬人自全，汇不为也！"狱成，冬，十月甲子[279]，武昭杖死，李仍叔贬道州[280]司马，李仲言流象州[281]，茅汇流崖州。

上欲幸骊山温汤[282]，左仆射李绛[283]、谏议大夫张仲方等屡谏不听。拾遗张权舆伏紫宸殿下，叩头谏曰："昔周幽王幸骊山，为犬戎所杀[284]；秦始皇葬骊山，国亡；玄宗宫骊山[285]而禄山乱；先帝幸骊山而[9]享年不长。"上曰："骊山若此之凶邪？我宜一往以验彼言。"十一月庚寅[286]，幸温汤。即日还宫，谓左右曰："彼叩头者之言，安足信哉！"

丙申[287]，立皇子普为晋王[288]。

朝廷得刘悟遗表，议者多言上党[289]内镇，与河朔异，不可许。左仆射李绛上疏，以为："兵机尚速，威断贵定，人情未一，乃可伐谋。刘悟死已数月，朝廷尚未处分，中外人意，共惜事机。今昭义兵众，必不尽与从谏同谋。纵使其半叶[290]同，尚有其半效顺。从谏未尝久典兵马，威惠未加于人。又此道[291]素贫，非时必无优赏。今朝廷但速除近泽潞一将充昭义节度使，令兼程赴镇。从谏未及布置，新使已至潞州，所谓'先人夺人之心[292]'也。新使既至，军心自有所系。

七月十七日己未，诏令王播制造竞渡船二十艘，把材料运到京师造船，计算要用去盐铁转运半年的收入。谏议大夫张仲方等极力谏阻，于是减少一半的费用。

谏官说京兆尹崔元略用对伯父叔父的礼节侍奉内常侍崔潭峻。七月二十五日丁卯，崔元略迁为户部侍郎。

昭义节度使刘悟离开郓州时，让郓兵二千人跟随自己作为亲兵。八月初十日庚戌，刘悟得暴病死了。他的儿子将作监主簿刘从谏秘不发丧，与大将刘武德及亲兵商量，想用刘悟的遗表请求担任留后。司马贾直言入府内责备刘从谏说："你的父亲拿着十二州土地归顺朝廷，他的功劳不小，仅因为张汶的缘故，自认为屎淋到自己头上了，竟至羞愧而死。你这个小孩子，怎么敢这么干！父亲死了不哭，怎么在社会上做人！"刘从谏惶恐而无话可说，于是发布刘悟死讯。

当初，陈留人武昭被免去石州刺史，改任袁王府长史，心情郁郁不乐，埋怨朝廷当权的人。李逢吉与李程二人不和，水部郎中李仍叔，是李程同族之人，激怒武昭说：李程想给你一个好官职，被李逢吉阻止了。武昭借着酒醉，对左金吾卫兵曹茅汇说想刺杀李逢吉，被人告发了。九月初十日庚辰，诏令三司审理此案。从前的河阳掌书记的李仲言对茅汇说："你说出李程与武昭合谋事就有生路，不然必死。"茅汇说："含冤而死，心甘情愿！诬陷别人，保全自己，茅汇不干！"狱事结案，冬，十月二十五日甲子，武昭杖死，李仍叔贬为道州司马，李仲言流放到象州，茅汇流放到崖州。

敬宗想到骊山温泉去，左仆射李绛、谏议大夫张仲方等屡次谏止都不听。拾遗张权舆伏在紫宸殿下，磕头谏说："从前周幽王到骊山，被犬戎所杀；秦始皇葬在骊山，国家灭亡；玄宗在骊山建华清宫而安禄山作乱；先帝穆宗到骊山而享年不长久。"敬宗说："骊山有这样凶险吗？我应当去一次，以验证你这些话。"十一月二十一日庚寅，到达温泉。当天返回宫中，对身边人说："那个磕头人讲的话，哪里值得相信！"

十一月二十七日丙申，立皇子李普为晋王。

朝廷收到刘悟的遗表，议论的人多半说上党昭义军是内地方镇，与河北诸镇不同，不应该允许它自置留后。左仆射李绛上奏疏，认为："兵机贵快，决断贵坚定，人心未一，才可以计谋讨伐。刘悟已死几个月了，朝廷尚未作出安排，朝廷内外的人心，都惋惜没有及时抓住时机。现在昭义的兵众，一定不会都和刘从谏同谋。即使有一半人和他同心协力，还有一半顺从朝廷。刘从谏未曾长久掌管军队，威风和恩惠还没有施加于将士。还有，此道向来贫穷，不是特殊的时节一定没有过多的赏赐。现在朝廷只要迅速任命邻近泽州、潞州的一员将领担任昭义节度使，命令他赶快赴镇上任。刘从谏还来不及布置，新节度使已经到达潞州，这就是前人所说的'行动在敌人之前而有夺取敌人的决心'。新的节度使到达后，军心就有所维系了。

从谏无位，何名主张，设使谋挠朝命，其将士必不肯从。今朝廷久无处分，彼军不晓朝廷之意，欲效顺则恐忽授从谏，欲同恶则恐别更除人。犹豫之间，若有奸人为之画策，虚张赏设[293]钱数，军士觊望，尤难指挥。伏望速赐裁断，仍先下明敕[294]，宣示军众，奖其从来忠节，赐新使缯五十万匹，使之赏设，续除刘从谏一刺史。从谏既粗有所得，必且择利而行，万无违拒。设不从命，臣亦以为不假攻讨。何则？臣闻从谏已禁山东三州军士不许自畜兵刀，足明群心殊未得一，帐下之事[295]亦在不疑。熟计利害，决无即授从谏之理。"时李逢吉、王守澄计议已定，竟不用绛等谋。十二月辛丑[296]，以从谏为昭义留后。刘悟烦苛，从谏济以宽厚，众颇[297]附之。

李绛好直言，李逢吉恶之。故事，仆射上日[298]，宰相送之，百官立班，中丞列位于廷，尚书以下每月当牙[299]。元和中，伊慎[300]为仆射，太常博士韦谦上言旧仪太重，削去之。御史中丞王播恃逢吉之势，与绛相遇于涂，不之避。绛引故事上言："仆射，国初为正宰相[301]，礼数至重。傥人才忝位，自宜别授贤良，若朝命守官，岂得有亏法制。乞下百官详定。"议者多从绛议。上听行旧仪。甲子[302]，以绛有足疾，除太子少师、分司。

言事者多称裴度贤，不宜弃之藩镇。上数遣使至兴元[303]劳问[304]度，密示以还期。度因求入朝，逢吉之党大惧。

【段旨】

以上为第九段，写唐敬宗偏听亲信，不纳忠言，轻授刘从谏节度，李绛反遭贬黜。

刘从谏没有职位，拿什么名义提出主张？假使刘从谏要阻挠朝廷的命令，他的将士必定不肯依从。现在朝廷久无处置，那些军众不明白朝廷的旨意，想效忠朝廷就怕忽然叫刘从谏做节度使，想同刘从谏一道行动又怕朝廷另外任命节度使。在犹豫不决的时候，要是有坏人为他们出谋划策，虚设犒赏的钱数，军士抱着获赏的希望，就更难指挥了。希望皇上赶快作出决定，先下一道明确的诏旨，告诉军众，奖赏该道从来就忠于朝廷的，赐新上任的节度使缯五十万匹，让他用来设置赏格，再授给刘从谏一个刺史的官职。刘从谏既然略有所得，一定会选择有利的事去做，肯定不会违抗。假设刘从谏不服从朝廷命令，臣也以为不用讨伐他。为什么呢？臣听说刘从谏已禁令山东三个州的军士，不许自己收藏武器，足以证明军心还不一致，他的部下有反对他的人，这应无疑问。仔细分析利害关系，绝对没有需要授予刘从谏以节镇之权的理由。”当时李逢吉、王守澄已经商量好了办法，终究没有采用李绛等的谋略。十二月初三日辛丑，任命刘从谏为昭义节度使留后。刘悟政令烦杂苛刻，刘从谏用宽厚来补救，部众于是归附他。

李绛喜欢讲直话，李逢吉厌恶他。按照旧例，仆射在上朝的那一天，宰相为仆射送行，百官排立班序，中丞列位廷中，尚书以下每月还要到牙门中去参拜。元和年间，伊慎为仆射，太常博士韦谦上奏说旧仪太繁重，废止了。御史中丞王播倚仗李逢吉的权势，和李绛在路上相遇，不回避他。李绛援引旧例上奏说：“仆射，国初是正宰相，礼数最庄重。倘若人才不胜任职位，就应当另外选择贤良的人担任，要是朝廷认为这人还可以任职，怎么能不遵守法制。请求交给百官议定。”参加讨论的人多数依从李绛的意见。敬宗听从按旧仪行事的意见。十二月二十六日甲子，因李绛有足疾，任命他为太子少师、分司东都。

进言时政的人大多称赞裴度贤能，不应当弃置藩镇。敬宗多次派遣使者到兴元去慰问裴度，秘密告诉他回朝的时间。裴度因而要求入朝，李逢吉的党羽大为恐惧。

【注释】

㉗辛酉：三月十七日。㉘册回鹘：是年，登啰羽录没密施句主毗伽崇德可汗卒，唐册封其弟曷萨特勒为毗伽昭礼可汗。㉙癸巳：四月二十日。㉚量移：贬到远方的官吏，遇赦，可酌情移至靠近京师的州县任职。㉛应：当是。㉜甲辰：七月初二日。㉝羡余：正税以外征收的财物，以赋税盈余的名义进贡朝廷，谓之羡余。㉞正入：常赋收入。㉟己未：七月十七日。㊱竞渡船：即端午节所划龙舟。㊲丁卯：七月二十五日。㊳庚戌：八月初十日。㊴将作监主簿：官名，将作监掌宫室、宗庙、陵园、官署等土木建筑，其长官为监、少监。主簿为其属官，掌监内官吏粮料、俸食等。㊵尔父提十

二州地归朝廷：指刘悟杀李师道，以淄、青十二州归朝廷事。见本书卷二百四十一宪宗元和十四年。㉗以张汶之故：昭义监军刘承偕与磁州刺史张汶密谋逐刘悟，以汶代之。谋泄，张汶为刘悟所杀。事见本书卷二百四十二穆宗长庆二年。㉗不洁：指屎。㉗陈留：县名，县治在今河南开封东陈留城。㉗石州：州名，治所离石，在今山西吕梁市离石区。㉗袁王：即李绅，唐顺宗第十九子。贞元二十一年（公元八〇五年）封，咸通元年（公元八六〇年）薨。传见《旧唐书》卷一百五十、《新唐书》卷八十二。㉗水部郎中：官名，水部为工部第四司，掌天下川渎陂池之政令，其正、副长官为郎中、员外郎。㉗左金吾兵曹：左金吾，指左金吾卫，十六卫之一。兵曹为其属官，兵曹参军事之省称，掌翊府、外府武官，兼掌畋猎的猎师。㉗庚辰：九月初十日。㉗甲子：十月二十五日。㉘道州：州名，治所营道，在今湖南道县西。㉘象州：州名，治所武化，在今广西象州东北。㉘温汤：温泉。㉘李绛（公元七六四至八三〇年）：字深之，赞皇（今属河北）人，唐宪宗朝宰相，官终山南西道节度使。传见《旧唐书》卷一百六十四、《新唐书》卷一百五十二。㉘周幽王幸骊山二句：事见《史记》卷四《周本纪》。周幽王，西周亡国之君，被犬戎所杀。㉘宫骊山：在骊山修筑宫室。宫，作动词用，指修建宫室。㉘庚寅：十一月二十一日。㉘丙申：十一月二十七日。㉘晋王：即李普，敬宗长

【原文】

二年（丙午，公元八二六年）

春，正月壬辰[305]，裴度自兴元入朝，李逢吉之党百计毁之。先是民间谣云："绯衣[306]小儿坦其腹，天上有口[307]被驱逐。"又，长安城中有横亘六冈，如乾象，度宅偶居第五冈[308]。张权舆上言："度名应图谶[309]，宅占冈原[310]，不召而来，其旨可见。"上虽年少，悉察其诬谤，待度益厚。

度初至京师，朝士填门，度留客饮。京兆尹刘栖楚附度耳语，侍御史崔咸[311]举觞罚度曰："丞相不应许所由官[312]呫嗫[313]耳语。"度笑而饮之。栖楚不自安，趋出。

二月丁未[314]，以度为司空、同平章事。度在中书，左右忽白失印，闻者失色，度饮酒自如。顷之，左右白复于故处得印，度不应。或问其故，度曰："此必吏人盗之以印书券耳，急之则投诸水火，缓之则复还故处。"人服其识量。

子，太和二年（公元八二八年）薨，年五岁。传见《旧唐书》卷一百七十五、《新唐书》卷八十二。㉘⑨上党：县名，县治在今山西长治。为潞州及昭义节度使治所，此指代昭义。㉙⓪叶：同“协”。㉙①此道：指昭义节度使。㉙②先人夺人之心：行动在敌人之前而有夺取敌人的决心。语出《左传·文公七年》：“先人有夺人之心。”㉙③赏设：犒赏。㉙④明敕：明诏。即鲜明地阐明朝廷主张的诏书。㉙⑤帐下之事：言帐下必有图谋从谏以立功朝廷的人。㉙⑥辛丑：十二月初三日。㉙⑦颇：遂。㉙⑧上日：上朝之日。㉙⑨牙：即牙参。在衙门排班，参见上司。㉚⓪伊慎（公元七四四至八一一年）：字寡悔，兖州（今山东济宁市兖州区）人，官至尚书右仆射。传见《旧唐书》卷一百五十一、《新唐书》卷一百七十。㉚①仆射二句：唐太宗曾任尚书令，自是此官不授人，而以左右仆射为尚书省长官，其任为正宰相。以后他官加参议朝政、同平章事等虽皆宰相之职，然非正宰相。㉚②甲子：十二月二十六日。㉚③兴元：府名，治所南郑，在今陕西汉中市南郑区。兴元又为山南西道节度使治所。㉚④劳问：慰劳问候。

【校记】

［9］而：原无此字。据章钰校，十二行本、乙十一行本皆有此字，今据补。

【语译】

二年（丙午，公元八二六年）

春，正月二十四日壬辰，裴度从兴元入朝，李逢吉的同党千方百计诋毁他。此前民间歌谣说：“绯衣小儿坦其腹，天上有口被驱逐。”还有，长安城中有横向的六条高坡，如《乾卦》六画的样子，裴度的住宅恰好处在第五条高坡末端。张权舆上奏说：“裴度之名和图谶相应，住宅在高亢平原上，没有被召就来京师，他的用意是看得出来的。”敬宗虽然年纪轻，但能全部觉察他们的诬陷和诽谤，更加厚待裴度。

裴度刚回到京师，朝廷士大夫挤满家门，裴度留他们饮酒。京兆尹刘栖楚贴近裴度的耳朵说话，侍御史崔咸举起酒杯要罚裴度饮酒，并说：“丞相不应当允许所由官细声耳语。”裴度笑着把罚酒饮了。刘栖楚感到不自在，快步离去。

二月初九日丁未，任命裴度为司空、同平章事。裴度在中书省，身边的人忽然告诉他官印不见了，听到这话的人脸色都变了，裴度饮酒自如。不一会儿，身边的人又告诉他在原地找到了官印，裴度也不答话。有人问他原因，裴度说：“这一定是吏人偷了去盖文书罢了，逼急了他就会把印丢在水火之中，事情缓办就能归还到原来的地方。”众人叹服他的见识和度量。

上自即位以来，欲幸东都，宰相及朝臣谏者甚众。上皆不听，决意必行，已令度支员外郎卢贞按视，修东都宫阙及道中行宫[315]。裴度从容言于上曰："国家本设两都，以备巡幸。自多难以来，兹事遂废。今宫阙、营垒、百司廨舍[316]率已荒阤[317]，陛下傥欲行幸，宜命有司岁月间徐加完葺[318]，然后可往。"上曰："从来言事者皆云不当往。如卿所言，不往亦可。"会朱克融、王庭凑皆请以兵匠助修东都。三月丁亥[319]，敕以修东都烦扰，罢之，召卢贞还。

先是，朝廷遣中使赐朱克融时服，克融以为疏[320]恶，执留敕使[321]。又奏"当道今岁将士春衣不足，乞度支给三十万端匹[322]"。又奏"欲将兵马及丁匠五千助修宫阙"。上患之，以问宰相，欲遣重臣宣慰，仍索敕使。裴度对曰："克融无礼已甚，殆将毙矣！譬如猛兽，自于山林中咆哮跳踉[323]，久当自困，必不敢辄离巢穴。愿陛下勿遣宣慰，亦勿索敕使。旬日之后，徐赐诏书云：'闻中官至彼，稍失去就，俟还，朕自有处分。时服，有司制造不谨，朕甚欲知之，已令区处[324]。其将士春衣，从来非朝廷征发，皆本道自备。朕不爱数十万匹物，但素无此例，不可独与范阳[325]。'所称助修宫阙，皆是虚语，若欲直挫其奸，宜云：'丁匠宜速遣来，已令所在排比供拟[326]。'彼得此诏，必苍黄失图[327]。若且示含容[328]，则云：'修宫阙事在有司，不假丁匠远来。'如是而已。不足劳圣虑也。"上悦，从之。

立才人[329]郭氏为贵妃。妃，晋王普之母也。

横海节度使李全略薨，其子副大使同捷[330]擅领留后，重赂邻道，以求承继。

夏，四月戊申[331]，以昭义留后刘从谏为节度使。

五月，幽州军乱，杀朱克融及其子延龄，军中立其少子延嗣主军务。

敬宗从即位以来，就想到东都去，宰相和朝臣谏阻的很多。敬宗都不听从，决意要去，已经命令度支员外郎卢贞先去察看，修整东都宫阙和沿途的行宫。裴度闲谈时对敬宗说："国家设两个都城，本是准备皇上巡幸的。自从发生几次叛乱以来，巡幸的事就停止了。今宫阙、营房、百官署舍大都已经荒废了，陛下倘若想到那里去，应当命令有关部门在一段时间里慢慢把它修缮好，然后可以去。"敬宗说："向来进言的人都说不应当去。像你说的这样，不去也可以。"适逢朱克融、王庭凑都请求派兵匠协助修复东都。三月二十日丁亥，诏敕说由于修复东都太烦扰了，放弃修复，把卢贞也召了回来。

此前，朝廷派遣中使赏赐朱克融时令衣服，朱克融认为粗恶，扣留了宣读诏书的中使。又上奏"本道今年将士春衣不足，请求度支发给三十万匹布"。又奏"想带兵马和工匠五千人帮助修缮宫阙"。敬宗忧虑这件事，就询问宰相，并说想派大臣去慰劳，并领回被扣留的使者。裴度回答说："朱克融无礼已甚，大概快要死了！好像一头猛兽，自己在山林中咆哮跳跃，时间久了自然疲倦，一定不敢随意离开巢穴。希望陛下不要派使者宣抚慰劳，也不要索要使者。十天半月以后，慢慢赐给朱克融诏书说：'听说中使到了你那里，行动稍有失礼，等他返回，朕自有处分。时令服装，有司制造不谨慎，朕很想了解毛病在哪里，已经命令处理。你那里将士的春衣，从来不是朝廷调发，都是本道自己备办。朕不吝惜数十万匹布物，只是向来没有这个先例，不能特地给范阳一个道。'朱克融所说的帮助修宫阙，都是空话，如果要直接挫败他的奸计，就应说：'工匠应该快些派来，已命令各地安排供给食宿。'朱克融得到这封诏书，必定仓皇失措。如果示以宽容，就说：'修宫阙的事有关方面会去办，不要借重你那里的工匠从远地赶来。'就这样便可以了。不值得圣上辛劳忧虑。"敬宗很高兴，依从了裴度的意见。

立才人郭氏为贵妃。郭妃，是晋王李普的生母。

横海节度使李全略去世，其子副大使李同捷擅自担任留后，厚礼贿赂相邻各道，以求继承父职。

夏，四月十一日戊申，任命昭义留后刘从谏为节度使。

五月，幽州军作乱，杀死了朱克融和他的儿子朱延龄，军中立他的小儿子朱延嗣主持军务。

【段旨】

以上为第十段，写裴度入朝重执相印，巧谏唐敬宗罢游幸东都，裴度又筹策拒绝幽州求索而朱克融果自毙。

【注释】

㉚⑤壬辰：正月二十四日。306绯衣：喻“裴”字。307天上有口：为“吴”字。谓裴度能擒吴元济，其才可用。308长安城中有横亘六冈三句：谓长安城中有六条平行高坡，像《乾卦》六爻，而裴度宅第坐落于第五条山坡，即在第五爻上。九五之位是“飞龙在天，利见大人”（见《周易·乾卦》），非常人可居，居则将有非常之事。309名应图谶：谓裴度姓名符应谣谶，有非常之相。图谶，方术之士制作的图符预言，此指绯衣小儿之谣。310宅占冈原：谓裴度住宅在高亢平原上，风水有圣人之位。311崔咸（？至公元八三四年）：字重易，博州博平（今山东高唐西南）人，官至秘书监。传见《新唐书》卷一百七十七。312所由官：指刘栖楚。唐人谓府县官为所由官。313呫嗫：细语声。314丁未：二月初九日。315道中行宫：自长安经华州、陕州至洛阳，沿道皆有行宫，如华阴之琼岳

【原文】

六月甲子[332]，上御三殿[333]，令左右军[334]、教坊[335]、内园[336]为击球、手搏、杂戏。戏酣[337]，有断臂、碎首者，夜漏数刻乃罢[338]。

己卯[339]，上幸兴福寺[340]，观沙门[341]文溆俗讲[342]。

癸未[343]，衡王[344]绚薨。

壬辰[345]，宣索左藏[346]见在银十万两、金七千两，悉贮内藏[347]，以便赐与。

道士赵归真说上以神仙，僧惟贞、齐贤、正简说上以祷祠求福，皆出入宫禁，上信用其言。山人杜景先请遍历江、岭，求访异人。有润州[348]人周息元，自言寿数百岁，上遣中使迎之。八月乙巳[349]，息元至京师，上馆之禁中山亭。

朱延嗣既得幽州，虐用其人，都知兵马使李载义[350]与弟牙内兵马使载宁共杀延嗣，并屠其家三百余人。载义权知留后，九月，数延嗣之罪以闻。载义，承乾[351]之后也。

庚申[352]，魏博节度使史宪诚妄奏李同捷为军士所逐，走归本道，请束身[353]归朝。寻奏同捷复归沧州。

宫、金城宫，郑县之神台宫，陕县之绣岭宫，渑池之芳桂宫，福昌之福昌宫，永宁之崎岫宫、兰峰宫，寿安之连昌宫、兴泰宫，等等。⑯廨舍：官署。⑰陁：废。⑱完葺：修整。⑲丁亥：三月二十日。⑳疏：粗。㉑执留敕使：拘留宣读诏书的中使。㉒端匹：量词。布帛六丈为端，四丈为匹。端匹连用，即"匹"。㉓跳踉：跳跃。㉔区处：处置；处理。㉕范阳：方镇名，即幽州镇。唐玄宗先天二年（公元七一三年）置，天宝元年（公元七四二年）更名范阳。治所幽州，在今北京。㉖排比供拟：安排供给食宿等。㉗苍黄失图：即仓皇失措，突然间无应变之策。苍黄，同"仓皇"。㉘含容：宽容。㉙才人：妃嫔称号。位于贵人、贵妃、贵嫔之下。㉚同捷：李同捷，横海节度使李全略之子。父死，擅领留后事。文宗立，拜兖海节度使，拒命。朝廷令武宁、义成等节度使出兵讨伐，降，传首京师。传见《旧唐书》卷一百四十三、《新唐书》卷二百十三。㉛戊申：四月十一日。

【语译】

六月二十八日甲子，敬宗登临三殿，命令左右军、教坊、内园进行击球、手搏和杂戏。玩得兴起，有折断手臂的，有打破头的，夜深方才散场。

七月十四日己卯，敬宗到兴福寺，观看沙门文溆通俗讲解佛经。

七月十八日癸未，衡王李绚去世。

七月二十七日壬辰，宣旨索取左藏现存银十万两、金七千两，全部存放到内藏，以便用于赏赐。

道士赵归真用神仙一类事劝说敬宗，僧人惟贞、齐贤、正简用祷祠求福一类事劝说敬宗，他们都出入宫禁，敬宗相信了他们的话。隐者杜景先请求敬宗让他周游江、岭等地，寻访异人。有润州人周息元，自称有数百岁年寿了，敬宗派中使去迎接他。八月初十日乙巳，周息元到达京师，敬宗安置他住在宫中山亭的客馆中。

朱延嗣取得了幽州之后，暴虐地对待民众，都知兵马使李载义和弟弟牙内兵马使李载宁一同杀了朱延嗣，并屠杀了朱延嗣家三百多人。李载义临时担任留后，九月，把朱延嗣的罪过一一报告朝廷。李载义，是李承乾的后代。

庚申日，魏博节度使史宪诚虚妄地上奏李同捷被军士驱逐，逃到本道来了，请求自缚归顺朝廷。不久上奏李同捷又回到沧州。

壬申㉞，以中书侍郎、同平章事李程同平章事，充河东节度使。

冬，十月己亥㉟[10]，以李载义为卢龙节度使。

十一月甲申㊱，以门下侍郎、同平章事李逢吉同平章事，充山南东道节度使。

上游戏无度，狎昵㊲群小㊳，善击球，好手搏，禁军及诸道争献力士。又以钱万缗付内园令召募力士，昼夜不离侧。又好深夜自捕狐狸。性复褊急，力士或恃恩不逊，辄配流㊴、籍没㊵，宦官小过，动遭捶挞，皆怨且惧。

十二月辛丑㊶，上夜猎还宫，与宦官刘克明㊷、田务澄、许文端及击球军将苏佐明、王嘉宪、石从宽、阎惟直等二十八人饮酒。上酒酣，入室更衣，殿上烛忽灭，苏佐明等弑上于室内。刘克明等矫称上旨，命翰林学士路隋㊸草遗制，以绛王㊹悟权句当㊺军国事。

壬寅㊻，宣遗制，绛王见宰相百官于紫宸外庑㊼。

【段旨】

以上为第十一段，写唐敬宗好神仙，食金丹，喜怒无常，被苏佐明等弑杀。

【注释】

㉜甲子：六月二十八日。㉝三殿：宫殿名，麟德殿之别名。㉞左右军：即左右神策军。㉟教坊：此为内教坊。㊱内园：宫内园圃，有内园小儿种植蔬菜瓜果。此指内园小儿。㊲戏酣：游戏高潮时。㊳夜漏数刻乃罢：直到夜间过了数刻才停止。铜壶滴漏计时，故称夜间时刻为夜漏。其计算单位为刻，一昼夜共一百刻。㊴己卯：七月十四日。㊵兴福寺：寺在修德坊，原为王君廓宅第，贞观八年（公元六三四年）太宗为太穆皇后追福，立为弘福寺，神龙元年（公元七〇五年）改名为兴福寺。㊶沙门：僧人。㊷俗讲：佛经的通俗讲解，即变文。㊸癸未：七月十八日。㊹衡王：指李绚，唐顺宗第十二子，贞元二十一年（公元八〇五年）封。传见《旧唐书》卷一百五十、《新唐书》卷八十二。㊺壬辰：七月二十七日。㊻左藏：府库名，唐太府寺有左、右藏。左藏掌钱帛、杂彩，右藏掌金玉、珠宝等。㊼内藏：府库名，皇室仓库。㊽润州：州名，治所丹徒，在今江苏镇江。㊾乙巳：八月初十日。㊿李载义（公元七八八至八三七年）：字方谷，官至河东节

九月初八日壬申，改任中书侍郎、同平章事李程为同平章事，充河东节度使。

冬，十月初五日己亥，任命李载义为卢龙节度使。

十一月二十一日甲申，改任门下侍郎、同平章事李逢吉为同平章事，充山南东道节度使。

敬宗游玩戏乐没有节制，亲昵群小，会打球，又喜欢徒手搏斗，禁军和各道争着进献大力士。又用钱一万缗交给内园，叫他们招募大力士，大力士昼夜不离敬宗身边。敬宗又喜欢在深夜亲自去捉狐狸。性情又狭隘急躁，大力士有的仗着皇上的恩宠而不谦虚，就被流放到边远地方并被没收财物入官，宦官稍有过错，动不动就挨鞭笞，大家既怨恨又惧怕。

十二月初八日辛丑，敬宗夜间打猎回宫，和宦官刘克明、田务澄、许文端及击球军将苏佐明、王嘉宪、石从宽、阎惟直等二十八人饮酒。敬宗喝足了酒，到室内去解大小便，殿上的灯烛忽然熄灭，苏佐明等在室内把敬宗杀死了。刘克明等假称敬宗的圣旨，命令翰林学士路隋起草遗诏，命绛王李悟临时掌理国家军政大事。

十二月初九日壬寅，宣布遗诏，绛王在紫宸殿外廊接见宰相百官。

度使。传见《旧唐书》卷一百八十、《新唐书》卷二百十二。㊿①承乾：即李承乾（？至公元六四五年），太宗长子，贞观十七年（公元六四三年）谋反，废为庶人。传见《旧唐书》卷七十六、《新唐书》卷八十。352庚申：九月乙丑朔，无庚申。疑为庚午，即九月初六日。353束身：自缚归顺。354壬申：九月初八日。355己亥：十月初五日。356甲申：十一月二十一日。357狎昵：亲昵。358群小：一群小人。指为击球、手搏、杂戏的左右军、教坊、内园诸人及内侍等。359配流：流放、发配有罪之人于边远荒僻之地。360籍没：没收财产入官。361辛丑：十二月初八日。362刘克明（？至公元八二六年）：宦官，得幸敬宗。后与苏佐明弑帝，矫诏绛王即位。枢密使王守澄等迎立江王，克明被杀。传见《新唐书》卷二百八。363路隋（公元七七五至八三五年）：字南式，唐文宗太和二年（公元八二八年）拜相，辅政七年。传见《旧唐书》卷一百五十九、《新唐书》卷一百四十二。364绛王：指李悟，宪宗第六子，元和元年（公元八〇六年）封，宝历二年（公元八二六年）被杀。传见《旧唐书》卷一百七十五、《新唐书》卷八十二。365句当：办理。366壬寅：十二月初九日。367庑：廊屋。

【校记】

［10］己亥：严衍《通鉴补》改作“乙亥”。

【原文】

克明等欲易置内侍之执权者，于是枢密使王守澄、杨承和，中尉魏从简、梁守谦定议，以卫兵迎江王[368]涵入宫，发左、右神策，飞龙兵进讨贼党，尽斩之。克明赴井，出而斩之。绛王为乱兵所害。

时事起苍猝，守澄以翰林学士韦处厚博通古今，一夕处置，皆与之共议。守澄等欲号令中外，而疑所以为辞。处厚曰："正名讨罪，于义何嫌！安可依违，有所讳避！"又问："江王当如何践阼[369]？"处厚曰："诘朝[370]，当以王教布告中外以已平内难，然后群臣三表劝进，以太皇太后令册命即皇帝位。"当时皆从其言，时不暇复问有司，凡百仪法，皆出于处厚，无不叶宜。

癸卯[371]，以裴度摄冢宰。百官谒见江王于紫宸外庑，王素服涕泣。甲辰[372]，见诸军使于少阳院[373]。赵归真等诸术士及敬宗时佞幸者，皆流岭南或边地。

乙巳[374]，文宗即位，更名昂。戊申[375]，尊母萧氏为皇太后，王太后为宝历太后。是时，郭太后居兴庆宫，王太后居义安殿，萧太后居大内，上性孝谨，事三宫如一，每得珍异之物，先荐郊庙[376]，次奉三宫，然后进御。萧太后，闽人也。

庚戌[377]，以翰林学士韦处厚为中书侍郎、同平章事。

上自为诸王，深知两朝[378]之弊。及即位，励精求治，去奢从俭。诏宫女非有职掌者皆出之，出三千余人。五坊鹰犬，准[379]元和故事，量留校猎[380]外，悉放之。有司供宫禁年支物，并准贞元故事。省教坊、翰林[381]、总监[382]冗食千二百余员[383]，停诸司新加衣粮[384]。御马坊场及近岁别贮钱谷、所占陂田，悉归之有司。先宣索组绣、雕镂之物，悉罢之。敬宗之世，每月视朝不过一二。上始复旧制，每奇日[385]未尝不视朝，对宰相群臣延访政事，久之方罢。待制官[386]旧虽设之，未尝召对，至是屡蒙延问。其辍朝、放朝皆用偶日，中外翕然[387]相贺，以为太平可冀。

【语译】

刘克明等人想更换掌权的宦官，于是枢密使王守澄、杨承和，中尉魏从简、梁守谦商定，使用禁卫兵迎接江王李涵入宫，征调左、右神策兵和飞龙兵进攻杀死敬宗的贼党，把他们都杀了。刘克明逃入井中，被拖出来杀死。绛王也被乱兵杀了。

当时乱事发生得突然，王守澄认为翰林学士韦处厚通晓古今大事，整晚的所有安排，都和韦处厚共同商量。王守澄等人想号令朝廷内外，而又疑虑该怎么讲。韦处厚说："名正言顺地讨伐罪人，对于大义来说有什么可怀疑的！怎能犹豫不决，有所顾忌！"又问："江王应当怎样登位？"韦处厚说："明天早上，应当用江王的教令布告中外，说已经平定了内难，然后群臣三次上表劝江王即位，再用太皇太后的命令，册命他即皇帝位。"大家都听从韦处厚的意见，没有时间再去问有关的部门，所有的仪制法式，都出自韦处厚，没有不恰当的。

十二月初十日癸卯，任命裴度代理冢宰。百官在紫宸殿外廊拜见江王，江王穿着白色衣服不停地涕泣。十一日甲辰，江王在少阳院接见各军使。赵归真等众位术士和敬宗时一班奸巧得幸的人，都被流放到岭南或边远之地。

十二月十二日乙巳，文宗即皇帝位，改名李昂。十五日戊申，尊生母萧氏为皇太后，王太后为宝历太后。当时，郭太后居兴庆宫，王太后居义安殿，萧太后居大内，文宗生性孝谨，侍奉三宫太后都一个样子，每次收到珍贵奇异的东西，首先祭祀天地和宗庙，其次奉献给三宫皇太后，然后自己享用。萧太后是福建人。

十二月十七日庚戌，任命翰林学士韦处厚为中书侍郎、同平章事。

文宗从做王的时候起，深知穆宗、敬宗两朝的弊病。等到即位做了皇帝，励精图治，去奢从俭。诏令没有职掌的宫女都放回家去，放出宫三千多人。五坊驯养的鹰犬，依照元和年间的规定，酌量留下狩猎需用的以外，其余全部放掉。有司供应宫禁中按年支给的物品，都按照贞元年间的旧例。裁减教坊、翰林院、苑总监闲散人员一千二百多人，停止宫内各司新增加的衣粮。御马坊场和近年另外贮存的钱谷、占有的陂田，都交给有关部门。以前宣诏索要的刺绣、雕刻物品，都免除。敬宗之世，每月上朝不过一两次。文宗开始恢复旧制，每逢单日没有不上朝的，面对宰相群臣询访国家大事，很久才结束。待制官过去虽然设置了，但未曾召见询问，到这个时候一再被召见询问。停止上朝或放假不朝都在双日，朝廷内外都互相道贺，认为太平盛世有希望了。

【段旨】

以上为第十二段，写宦官王守澄拥立唐文宗，初即位励精求治，去奢从俭，中外翕然望治。

【注释】

㊱㊳江王：指李涵，唐穆宗第二子，即文宗，即位更名昂。㊱㊴践阼：皇帝即位。阼，王位前之阶。㊲⓪诘朝：明日早上。㊲①癸卯：十二月初十日。㊲②甲辰：十二月十一

【原文】

文宗[388]元圣昭献孝皇帝上之上

太和[11]元年（丁未，公元八二七年）

春，二月乙巳[389]，赦天下，改元。

李同捷擅据沧景，朝廷经岁不问。同捷冀易世之后或加恩贷[390]。三月壬戌朔[391]，遣掌书记崔从长奉表与其弟同志、同巽俱入见，请遵朝旨。

上虽虚怀听纳，而不能坚决，与宰相议事已定，寻复中变。夏，四月丙辰[392]，韦处厚于延英极论之，因请避位[393]，上再三慰劳之。

忠武节度使王沛[394]薨。庚申[395]，以太仆卿高瑀[396]为忠武节度使。

自大历以来，节度使多出禁军。其禁军大将资高者，皆以倍称之息[397]贷钱于富室，以赂中尉，动逾亿万，然后得之，未尝由执政。至镇，则重敛以偿所负。及沛薨，裴度、韦处厚始奏以瑀代之。中外相贺曰："自今债帅鲜矣！"

五月丙子[398]，以天平节度使乌重胤为横海节度使，以前横海节度副使李同捷为兖海节度使。朝廷犹虑河南、北[399]节度使构扇[400]同捷使拒命，乃加魏博史宪诚同平章事。丁丑[401]，加卢龙李载义、平卢康志睦[402]、成德王庭凑检校官[403]。

盐铁使王播自淮南入朝，力图大用，所献银器以千计，绫绢以十万计。六月癸巳[404]，以播为左仆射、同平章事。

秋，七月癸酉[405]，葬睿武昭愍孝皇帝于庄陵[406]，庙号敬宗。

日。㊲少阳院：在皇城东北，太子所居，亦谓之东宫。㊲乙巳：十二月十二日。㊲戊申：十二月十五日。㊲荐郊庙：祭祀天地宗庙。㊲庚戌：十二月十七日。㊲两朝：谓穆宗、敬宗两朝。㊲准：依照。㊳校猎：本指以木栏围圈野兽而猎取之，此处泛指狩猎。㊳翰林：即翰林院，职掌枢要的秘书机构。㊳总监：诸苑总管。㊳冗食千二百余员：超额人员一千二百余人。冗食，吃闲饭的超额人员。㊳停诸司新加衣粮：敬宗滥施恩赐，新增宫内诸司之衣粮，现悉停发。诸司，宫内二十四司宦官机构。㊳奇日：单日。㊳待制官：翰林院属官，备顾问应对。㊳翕然：一致。

【语译】

文宗元圣昭献孝皇帝上之上

太和元年（丁未，公元八二七年）

春，二月十三日乙巳，大赦天下，改换年号。

李同捷擅自占据沧景，朝廷一年未追究。李同捷希望换了帝王之后或许会加恩宽恕。三月初一日壬戌，李同捷派遣掌书记崔从长带着奏表与他的弟弟李同志、李同巽一同入朝见天子，请求遵奉朝旨。

文宗虽虚怀纳谏，但是不能做到坚定不移，和宰相商议已经决定了的事情，不久又中途改变。夏，四月二十五日丙辰，韦处厚在延英殿极力谏诤，请求辞职，文宗再三安慰他。

忠武节度使王沛去世。四月二十九日庚申，任命太仆卿高瑀为忠武节度使。

自大历年间以来，节度使多半出自禁军。那些资历高的禁军大将，都用一倍的利息向富有之家借钱，用来贿赂神策军中尉，动不动就超过亿万贯，然后得到任命，未曾经过宰相。到了节镇，就加重聚敛以偿还所欠的债。到王沛死的时候，裴度、韦处厚才奏请用高瑀接替王沛。朝廷内外互相道贺说："从今以后靠借债当上节度使的人就少了！"

五月十五日丙子，任命天平节度使乌重胤为横海节度使，任命前横海节度副使李同捷为兖海节度使。朝廷还担心河南、河北节度使煽动李同捷让他不服从命令，于是加授魏博节度使史宪诚同平章事。十六日丁丑，加任卢龙节度使李载义、平卢节度使康志睦、成德节度使王庭凑检校官。

盐铁转运使王播从淮南回到朝廷，力求得到朝廷重用，他进献的银器以千计，绫绢以十万计。六月初三日癸巳，任命王播为左仆射、同平章事。

秋，七月十三日癸酉，在庄陵安葬睿武昭愍孝皇帝，庙号敬宗。

李同捷托为将士所留，不受诏。乙酉[407]，武宁节度使王智兴奏请将本军三万人，自备五月粮以讨同捷，许之。八月庚子[408]，削同捷官爵，命乌重胤、王智兴、康志睦、史宪诚、李载义与义成节度使李听、义武节度使张璠各帅本军讨之。

同捷遣其子弟以珍玩、女妓赂河北诸镇。戊午[409]，李载义执其侄，并所赂献之。

史宪诚与李全略为婚姻[410]，及同捷叛，密以粮助之。裴度不知其所为，谓宪诚无贰心。宪诚遣亲吏至中书请事，韦处厚谓曰："晋公[411]于上前以百口[412]保尔使主[413]。处厚则不然，但仰俟所为，自有朝典[414]耳。"宪诚惧，不敢复与同捷通。

王庭凑为同捷求节钺不获，乃助之为乱，出兵境上以挠[415]魏师[416]。又遣使厚赂沙陀[417]酋长朱邪执宜，欲与之连兵，执宜拒不受。

冬，十月，天平、横海节度使乌重胤击同捷，屡破之。

十一月丙寅[418]，重胤薨。庚辰[419]，以保义[420]节度使李寰为横海节度使，从王智兴之请也。

十二月庚戌[421]，加王智兴同平章事。

【段旨】

以上为第十三段，写李同捷据沧景叛乱。

【注释】

[388]文宗：唐穆宗第二子，敬宗之弟，本名涵，即位更名昂。公元八二七至八四〇年在位。[389]乙巳：二月十三日。[390]恩贷：加恩宽恕。[391]壬戌朔：三月初一日。[392]丙辰：四月二十五日。[393]避位：让位。[394]王沛（？至公元八二七年）：许州许昌（今河南许昌）人，历官兖海、忠武等节度使。传见《旧唐书》卷一百六十一、《新唐书》卷一百七十一。[395]庚申：四月二十九日。[396]高瑀（？至公元八三四年）：渤海蓨（今河北景县）人，历官忠武、武宁等节度使。传见《旧唐书》卷一百六十二、《新唐书》卷一百七十一。[397]倍称之息：一倍于本金的利息。倍，息钱倍于本钱。称，息钱与本钱相等。[398]丙

李同捷借口被将士留住，不接受诏命。七月二十五日乙酉，武宁节度使王智兴奏请率领本镇部队三万人，自备五个月的粮食以讨伐李同捷，朝廷答应了。八月十一日庚子，削除李同捷官爵，命令乌重胤、王智兴、康志睦、史宪诚、李载义和义成节度使李听、义武节度使张璠各率领本镇部队讨伐李同捷。

李同捷派遣他的子弟带着珍玩、女伎贿赂河北各藩镇。二十九日戊午，李载义抓住李同捷的侄子，连同他送的贿赂献给朝廷。

史宪诚与李全略是姻亲，等到李同捷反叛时，史宪诚秘密用粮食帮助他。裴度不知他干的这些事，便说史宪诚对朝廷无二心。史宪诚派亲信官吏到中书省请示政务，韦处厚对他说："晋国公在皇上面前用自己一百名家口担保你的主人无二心。我韦处厚就不那样，只看着你们的所作所为，自有朝廷的法典在那里。"史宪诚恐惧，不敢再和李同捷往来。

王庭凑替李同捷请求担任节度使未成功，于是帮助他作乱，出兵到边境上以阻挠魏博军。又派遣使者厚礼贿赂沙陀酋长朱邪执宜，想和他兵力联合，朱邪执宜拒绝了他的贿赂。

冬，十月，天平、横海节度使乌重胤攻打李同捷，多次打败了他。

十一月初八日丙寅，乌重胤去世。二十二日庚辰，任命保义节度使李寰为横海节度使，这是依从了王智兴的请求。

十二月二十三日庚戌，加授王智兴同平章事。

子：五月十五日。㊾河南、北：泛指黄河以南、以北地区。㊿构扇：煽动。401丁丑：五月十六日。402康志睦：字得众，灵州（今宁夏灵武西南）人，康日知子，历官平卢、泾原等节度使。传见《新唐书》卷一百四十八。403检校官：加官名，唐代后期，为了笼络方镇，往往加官三公、宰相等荣衔，带"检校"二字，省称检校官。404癸巳：六月初三日。405癸酉：七月十三日。406庄陵：敬宗陵墓，在京兆三原县西北五里，在今陕西富平西北。407乙酉：七月二十五日。408庚子：八月十一日。409戊午：八月二十九日。410婚姻：姻亲。411晋公：裴度封晋国公，故称。412百口：指全家。413使主：节度使为一道之主，故裴度对史宪诚的属吏称宪诚为使主。414朝典：朝廷典章。此谓将依法惩治。415挠：阻挠；阻遏。416魏师：魏博之军。417沙陀：部族名，西突厥别部，唐贞观中居于北庭蒲类之东（今新疆奇台东南），其地有大碛，名沙陀，因取以为名。贞元初徙至盐州，太和中迁至河东道北部。418丙寅：十一月初八日。419庚辰：十一月二十二日。420保义：方镇名，唐穆宗长庆三年（公元八二三年）割河中节度使所辖晋、慈二州置保义军，唐文宗太和元年（公元八二七年）废。治所晋州，在今山西临汾。421庚戌：十二月二十三日。

【校记】

［11］太和：原作“大和”。据章钰校，乙十一行本、孔天胤本皆作“太和”，今从改。

【原文】

二年（戊申，公元八二八年）

春，三月己卯[422]，王智兴攻棣州，焚其三门。

自元和之末，宦官益横，建置天子在其掌握，威权出人主之右，人莫敢言。辛巳[423][12]，上亲策制举人[424]，贤良方正[425]昌平刘蕡[426]对策，极言其祸，其略曰：“陛下宜先忧者，宫闱将变，社稷将危，天下将倾，海内将乱。”又曰：“陛下将杜篡弑之渐，则居正位而近正人，远刀锯之贱[427]，亲骨鲠之直，辅相得以专其任，庶职[428]得以守其官，奈何以亵近五六人总天下大政！祸稔萧墙[429]，奸生帷幄，臣恐曹节[430]、侯览[431]复生于今日。”又曰：“忠贤无腹心之寄，阍寺[432]持[13]废立之权，陷先君不得正其终，致陛下不得正其始[433]。”又曰：“威柄[434]陵夷[435]，藩臣跋扈。或有不达人臣之节，首乱者以安君为名；不究《春秋》之微[436]，称兵者以逐恶为义[437]。则政刑不由乎天子，征伐必自于诸侯。”又曰：“陛下何不塞[438]阴邪之路，屏[439]亵狎之臣，制侵陵[440]迫胁之心，复门户扫除之役，戒其所宜戒，忧其所宜忧！既不能治于前，当治于后，既不能正其始，当正其终，则可以虔奉典谟[441]，克承[442]丕构[443]矣。昔秦之亡也失于强暴，汉之亡也失于微弱。强暴则贼臣[444]畏死而害上，微弱则奸臣[445]窃权而震主。伏见敬宗皇帝不虞[446]亡秦之祸，不翦其萌。伏惟陛下深轸[447]亡汉之忧，以杜其渐，则祖宗之鸿业[448]可绍[449]，三、五之遐轨[450]可追矣。”又曰：“臣闻昔汉元帝即位之初，更制七十余事，其心甚诚，其称甚美。然而纪纲日紊[451]、国祚日衰、奸宄[452]日强、黎元[453]日困者，以其不能择贤明而任之，失其操柄也。”又曰：“陛下诚能揭[454]国权以归相，持兵柄以归将，则心无不达，行无不孚[455]矣。”又

【语译】

二年（戊申，公元八二八年）

春，三月二十三日己卯，王智兴攻打棣州，烧了棣州三处城门。

自从元和末年以来，宦官更加专横，天子的废立都在他们掌握之中，威权在君主之上，没有人敢说话。三月二十五日辛巳，文宗发制书亲自策问应试之人，应试贤良方正的昌平人刘蕡对策，极力说明宦官对国家的危害，大略是说："陛下应当首先忧虑的事是，宫廷中将有变乱，国家会遇到危险，天下将要倾覆，海内将要大乱。"又说："陛下想要杜绝弑君篡位的发生，就要居于正位而接近正直的人，疏远宦官一类低贱的人，亲近耿直忠良的贤人，使宰相得以专任其职，百官得以尽守其位，为什么要让亲近的五六个人总揽国家的大政呢！祸患在宫内酝酿，奸谋在帷幄间产生，臣担心在今天又会出现像曹节、侯览那样的宦官。"又说："忠良贤能的臣子没有得到完全信任，宦官却掌握了废立君主的大权，使得先君敬宗未能得到善终，致使陛下即位不能名正言顺。"又说："朝廷权力衰落，方镇藩臣却飞扬跋扈。有的不懂得做臣子的礼节，为首作乱的反以安定君主为名号；不探究《春秋》书中的微言大义，兴兵作乱的人还以驱逐恶人为借口。那么国家的赏罚大权已经不掌握在天子手中，军事上的征伐大事一定是由诸侯所决定了。"又说："陛下何不堵塞阴邪之人晋升的道路，屏退那些贱俗的宦官，控制他们欺凌胁迫之心，恢复他们打扫门户的工作，警惕应该警戒的事，忧虑应当担心的事！既然不能把以前的事办好，就应当把以后的事办好，既然不能有一个好的开头，就应当有一个好的结尾，这样就可以恭谨地遵奉纲纪，能承担国家大政了。从前秦朝的灭亡是由于强暴，汉朝的灭亡由于微弱。强暴则贼臣就会畏惧死亡而谋害主上，微弱则奸臣就会窃取权力而使主上感到不安。臣看到敬宗皇帝没有忧虑秦朝灭亡的祸患，因而未剪除发生祸患的根子。臣希望陛下痛心汉朝灭亡的忧患，早些防止它发生，那么祖宗的大业就可以继承，三皇五帝远古的法则就可以追求了。"又说："臣听说从前汉元帝刚即位的时候，改革七十多项旧制度，他的心意很诚恳，他的名誉很好。然而国纪朝纲一天比一天紊乱，国家政权一天比一天衰弱，犯法作乱之人一天比一天强大，黎民百姓一天比一天穷困，就是因为他不能选择贤明的人加以重用，丧失了统治国家的大权。"又说："陛下真能把国家的行政权力交给宰相，把兵权交给领军的大将，那么心里想的事一定能办到，

曰："法宜画一[456]，官宜正名。今分外官、中官之员，立南司、北司之局[457]，或犯禁于南则亡命于北，或正刑于外则破律于中，法出多门，人无所措，实由兵农势异，而中外法殊也。"又曰："今夏官[458]不知兵籍，止于奉朝请；六军[459]不主兵事，止于养勋阶[460]。军容[461]合中官之政，戎律[462]附内臣之职。首一戴武弁[463]，疾文吏如仇雠；足一蹈军门，视农夫如草芥。谋不足以翦除凶逆，而诈足以抑扬威福[464]；勇不足以镇卫社稷，而暴足以侵轶里闾[465]。羁绁藩臣[466]，干陵宰辅[467]，隳裂王度[468]，汩乱朝经[469]。张武夫之威[470]，上以制君父；假天子之命，下以御英豪。有藏奸观衅[471]之心，无伏节[472]死难之义，岂先王经文纬武之旨邪！"又曰："臣非不知言发而祸应[473]，计行而身戮，盖痛社稷之危，哀生人之困，岂忍姑息时忌，窃陛下一命[474]之宠哉！"

闰月丙戌朔[475]，史宪诚奏遣其子副大使唐[476]、都知兵马使亓志绍[477]将兵二万五千趣[478]德州讨李同捷。时宪诚欲助同捷，唐泣谏，且请发兵讨之，宪诚不能违。

甲午[479]，贤良方正裴休、李郃、李甘、杜牧、马植、崔玙、王式、崔慎由等二十二人中第，皆除官[480]。考官左散骑常侍[481]冯宿[482]等见刘蕡策，皆叹服，而畏宦官，不敢取。诏下，物论[483]嚣然[484]称屈。谏官、御史欲论奏，执政抑之。李郃曰："刘蕡下第，我辈登科，能无厚颜！"乃上疏，以为："蕡所对策，汉、魏以来无与为比。今有司以蕡指切左右，不敢以闻，恐忠良道穷，纲纪遂绝。况臣所对不及蕡远甚，乞回臣所授以旌蕡直[485]。"不报。蕡由是不得仕于朝，终于使府御史[486]。牧[487]，佑之孙。植[488]，勋之子。式，起之子[489]。慎由[490]，融之玄孙也。

【段旨】

以上为第十四段，写刘蕡对策，直言宦官之祸，主考官不敢取，刘蕡落第。

所作所为无不遵守诚信。”又说：“法令应当统一执行，官吏应当名实相副。现在分为外官、中官两部分，建立南司、北司两个系统，有的在南司犯法就逃往北司，有的在外官中要受刑罚而在中官中却可以不受法律制裁，法令各个部门不一样，人们不知怎么办才好，这实在是由于兵士和农民地位不一样而朝廷内外法令不相同的缘故。”又说：“现在兵部不知道士兵的情况，只是参加朝会而已；六军的将领不统领士兵作战，只是享受勋爵官阶的待遇。中官的政务集中到军容使，军中法纪附属于内臣的职务之中。头上把武士的帽子一戴，就把文官看成仇敌；脚刚踏进军队中，就把农夫看成草芥一般。计谋不能剪除凶逆，而奸诈却足够肆意作威作福；勇敢不足以保卫国家，暴逆却足以侵害乡里。随意控制藩镇大臣，欺凌宰相，毁坏王法，扰乱朝廷纲纪。扩展武夫的权力，对上控制君父；假借天子的名义，对下驾驭英豪。有藏奸观衅的心思，无殉节死难的义举，这难道是先王用文武两方面的人才治理国家的本意吗！”又说：“臣不是不知道话一出口，祸患随之而来，计议如果实行而本人就要被杀，实在是痛心国家危艰，哀惜生民的困苦，怎能忍受不去说那些犯忌讳的话而窃取陛下一命之官的恩惠啊！”

闰三月初一日丙戌，史宪诚上奏说派遣他的儿子副大使史唐、都知兵马使亓志绍带领二万五千人的部队前往德州讨伐李同捷。当时史宪诚想帮助李同捷，史唐涕泣谏阻，并且请求发兵去讨伐，史宪诚不能违背。

闰三月初九日甲午，应试贤良方正的裴休、李郃、李甘、杜牧、马植、崔玙、王式、崔慎由等二十二人中第，皆授予官职。考官左散骑常侍冯宿等人看到刘蕡的对策，都很赞叹佩服，但是惧怕宦官，不敢录取他。录取的诏令颁发后，舆论哗然，为刘蕡叫屈。谏官和御史想弹劾考官，被宰相阻止了。李郃说：“刘蕡落第，我们登科，能不羞愧吗！”于是上疏，认为：“刘蕡所写的对策，汉、魏以来没有哪个人比得上。现在有关部门由于刘蕡指责皇上身边的人，不敢把策文报告朝廷，这样恐怕忠良无路可走，国家的法纪便不存在了。况且臣所做的对策远远赶不上刘蕡，请求把臣所得官职收回转授给刘蕡，用来表彰他的正直。”朝廷没有回答。刘蕡因此不能在朝廷做官，最终只担任了节度使府御史。杜牧，是杜佑的孙子。马植，是马勋的儿子。王式，是王起的儿子。崔慎由，是崔融的玄孙。

【注释】

㊷㊷ 己卯：三月二十三日。423 辛巳：三月二十五日。424 上亲策制举人：唐文宗发制书亲自策问应试之人。425 贤良方正：制科名，此指应该科考试。426 刘蕡：字去华，昌平（今北京市昌平区）人，太和二年（公元八二八年）应贤良方正，论宦官危害，考官以为

对策超过西汉的晁错、董仲舒，但畏宦官而不敢录取。终柳州司户。传见《旧唐书》卷一百九十下、《新唐书》卷一百七十八。㊼刀锯之贱：指宦官。宦官乃刑余之人，地位卑下，故云“刀锯之贱”。㊽庶职：百官。㊾祸稔萧墙：祸乱起于宫室。萧墙，屏风。语出《论语·子路》：“吾恐季孙之忧，不在颛臾，而在萧墙之内也。”㊿曹节（？至公元一八一年）：汉桓、灵时中常侍。曾矫诏诛太傅陈蕃、大将军窦武，诬桓帝弟勃海王悝谋反等。㉛侯览（？至公元一七二年）：汉桓、灵时中常侍。挟持灵帝收捕党人司隶校尉李膺、太仆杜密等百余人下狱处死。曹、侯传见《后汉书》卷七十八《宦者传》。㉜阍寺：即宦官。㉝陷先君不得正其终二句：谓宦官弑敬宗而立今上。不得正其终，指唐敬宗之死非善终。不得正其始，指唐文宗之立不是正常继位。二句语出《穀梁传·定公元年》：“昭公之终，非正终也；定之始，非正始也。昭无正终，故定无正始。”㉞威柄：威势权柄。㉟陵夷：衰颓。㊱微：微旨。㊲逐恶为义：言强藩起兵作乱，往往以安定君位，驱逐君侧恶臣为借口。㊳塞：杜绝；堵塞。㊴屏：通“摒”，斥退。㊵陵：通“凌”。㊶虔奉典谟：恭谨地遵奉纲纪。典谟，《尚书》有典、谟、誓、诰、训，用以指代文化图籍、国家纲纪。㊷克承：能够承担。克，能。㊸丕构：大厦，喻国家政权。㊹贼臣：谓赵高，指像赵高一样的弑主宦官。㊺奸臣：汉代专国奸臣为外戚、宦官，此处专指宦官。㊻虞：忧虑。㊼轸：悲痛。㊽鸿业：大业。㊾绍：继承。㊿三、五之遐轨：三皇五帝之远古法则。㊿纪纲日紊：法纪日益混乱、败坏。㊿奸宄：犯法作乱之人。㊿黎元：黎民百姓。㊿揭：举。㊿孚：诚信。㊿画一：统一；一致。㊿外官、中官之员二句：唐代三省官署中书、门下、尚书位于宫城之南，谓之南司、南衙，其官员称外官。内侍省设在皇宫之北，谓之北司，北司皆宦官，亦称中官。㊿夏官：指兵部尚书。㊿六军：唐制，六军为左右羽林军、左右龙武军、左右神武军。这里泛指上将军、大将军、将军、统军等各级武官职位，有职无权，只不过用来安排人事，安置各种闲散人员罢了。㊿勋阶：勋爵、官阶。㊿军容：观军容使之省称。神策军的最高长官，以宦官充任。这里系泛指宦官充任的军容使，以及诸镇监军使。㊿戎律：军法。㊿首一戴武弁：头上一戴上军官帽。武弁，武士帽，这里指武职。㊿抑扬威福：肆意作威作福。指专擅朝政。㊿侵轶里闾：侵害乡里。㊿羁绁藩臣：控制藩镇大臣。羁，马络头。绁，缰绳。㊿干陵宰辅：欺凌宰相。㊿隳裂王度：毁坏王法。㊿汩乱朝经：扰乱朝纲。㊿张武夫之威：扩展武夫的权力。指宦官凭借方镇之势，以控制朝廷。张，伸展。㊿观衅：伺机而动。㊿伏节：殉节。㊿言发而祸应：话一出口，祸患随之而来。㊿一命：周时官阶从一命到九命，一命为最低一级的官。后世用来泛指低级官职。命，官阶。㊿丙戌朔：闰三月初一日。㊿副大使唐：节度副使史唐。史唐（公元八〇〇至八三九年），字得仁，史宪诚之子，后改名史孝章，官至邠宁节度使。曾谏其父尽忠朝廷，宪诚终为乱军所害，孝章得以善终。传见《旧唐书》卷一百八十一、《新唐书》卷一百四十八。⑰亓志绍：魏博镇大将。《通鉴考异》："《实录》或作'于志沼'，或作'开志沼'，或作'亓志绍'，《旧纪》作'开志绍'。《新纪》《传》作'亓志沼'，今从之。"⑱趣：通"趋"。⑲甲午：闰三月初九日。⑳裴休、李郃二句：裴休等二十二人对策后被选中为高第，全都拜授官职。裴休，字公美，宣宗时宰相，官终吏部尚书。传见《旧唐书》卷一百七十七、《新唐书》卷一百八十二。李郃，新、旧《唐书》无传。李甘，字和鼎，太和中任侍御史，因反对郑注为相，被贬封州司马。传见《旧唐书》卷一百七十一。崔玙，字朗士，官至兵部侍郎。传见《旧唐书》卷一百七十七。杜牧、马植、王式、崔慎由，皆权臣之子孙，注详后。㉑散骑常侍：官名，备顾问应对，与闻要政。唐代左散骑常侍隶门下省，右散骑常侍隶中书省。㉒冯宿（公元七六六至八三六年）：字拱之，时为左散骑常侍兼集贤殿学士。历官工部、刑部二侍郎，终官东川节度使。传见《旧唐书》卷一百六十八、《新唐书》卷一百七十七。㉓物论：舆论。㉔嚣然：哗然。指纷纷为刘蕡鸣不平。㉕乞回臣所授以旌蕡直：李郃上疏请求朝廷收回授予他的职位，改授给刘蕡以表彰他的正直。旌，表彰。㉖使府御史：以御史官阶寄禄于节度府为僚属。使府，节度使幕府。御史，幕僚所带寄禄官，亦称之为宪官。㉗牧：杜牧，字牧之，为德宗时宰相杜佑之孙，官至中书舍人。晚唐著名文学家，有《樊川集》二十卷行于世。传见《旧唐书》卷一百四十七、《新唐书》卷一百六十六。㉘植：马植，字存之，为德宗时凤州刺史马勋之子，唐宣宗时宰相，终官宣武节度使。马植传见《旧唐书》卷一百七十六、《新唐书》卷一百八十四。马勋事迹散见《旧唐书》卷一百十七、《新唐书》卷一百五十八、一百四十四。㉙式二句：王式、王起两人为历仕宪、穆、敬、文四朝的元老大臣王播亲族，传附《旧唐书》卷一百六十四、《新唐书》卷一百六十七。王起为王播之弟，历任穆、敬、文、武四朝，终官山南西道节度使。王式历文、武、宣、懿四朝，累历方任，终官左金吾大将军。《旧唐书》载王式为王播之子，则为王起之侄，《新唐书》载王式为王起之子。《资治通鉴》从《新唐书》。㉚慎由：崔慎由，字敬止，崔融之玄孙，宣宗朝宰相。传见《旧唐书》卷一百七十七、《新唐书》卷一百十四。崔融，仕武后、唐中宗两朝，终官国子司业。传见《旧唐书》卷九十四、《新唐书》卷一百十四。

【校记】

［12］辛巳：原无此二字。据章钰校，十二行本、乙十一行本皆有此二字，张敦仁《通鉴刊本识误》、张瑛《通鉴校勘记》同，今据补。［13］持：据章钰校，十二行本、乙十一行本皆作"恃"。

【原文】

夏，六月，晋王普⑷⑼薨。辛酉⑷⑼，赠[14]悼怀太子。

初，萧太后幼去乡里，有弟一人。上即位，命福建⑷⑼观察使求访，莫知所在。有茶纲役人⑷⑼萧洪，自言有姊流落，商人赵缜引之见太后近亲吕璋之妻，亦不能辩，与之俱见太后。上以为得真舅，甲子⑷⑼，以为太子洗马⑷⑼。

峰州⑷⑼刺史王升朝叛。庚辰⑷⑼，安南都护武陵⑷⑼韩约讨斩之。

王庭凑阴以兵及盐粮助李同捷，上欲讨之。秋，七月甲辰⑸⑼，诏中书集百官议其事。宰相以下莫敢违，卫尉卿⑸⑼殷侑⑸⑼独以为："庭凑虽附凶徒，事未甚露，宜且含容，专讨同捷。"己巳⑸⑼，下诏罪状庭凑，命邻道各严兵守备，听其自新。

九月丁亥⑸⑼，王智兴奏拔棣州。

李寰自晋州引兵赴镇，不戢⑸⑼士卒，所过残暴，至则拥兵不进，但坐索供馈。庚寅⑸⑼，以寰为夏绥节度使。

甲午⑸⑼，诏削夺王庭凑官爵，命诸军四面进讨。

加王智兴守司徒，以前夏绥节度使傅良弼为横海节度使。

岳王绲⑸⑼薨。

庚戌⑸⑼，容管奏安南军乱，逐都护韩约。

冬，十月，洋王忻⑸⑼薨。

魏博败横海兵于平原⑸⑼，遂拔之。

十一月癸未朔⑸⑼，易定节度使柳公济奏攻李同捷坚固寨⑸⑼，拔之，又破其兵于寨东。时河南、北诸军讨同捷久未成功，每有小胜，则虚张首虏以邀厚赏。朝廷竭力奉之，江、淮为之耗弊。

傅良弼至陕⑸⑼而薨。乙酉⑸⑼，以左金吾大将军李祐为横海节度使。

甲辰⑸⑼，禁中昭德寺火，延及宫人所居，烧死者数百人。

十二月丁巳⑸⑼，王智兴奏兵马使李君谋将兵济河，破无棣⑸⑼。

壬申⑸⑼，中书侍郎、同平章事韦处厚薨。

李同捷军势日蹙，王庭凑不能救，乃遣人说魏博大将亓志绍，使

【语译】

夏，六月，晋王李普去世。初七日辛酉，赠号悼怀太子。

当初，萧太后年幼离开乡里，有一个弟弟。文宗即位后，叫福建观察使寻找，不知道在什么地方。有一个征茶税的差人萧洪，自己说有姐姐流落在外，商人赵缜把萧洪带去和太后的近亲吕璋的妻子见面，也分不清真假，和他一同去谒见太后。文宗以为找到了真的舅舅，六月初十日甲子，任命他为太子洗马。

峰州刺史王升朝反叛。六月二十六日庚辰，安南都护武陵人韩约讨伐他，把他杀了。

王庭凑暗地里派兵和用盐粮帮助李同捷，文宗想讨伐他。秋，七月二十日甲辰，诏令中书省召集百官商议这件事。宰相以下的官吏没有人敢违背文宗，只有卫尉卿殷侑认为："王庭凑虽然附和凶徒，但这件事没有特别外露，应当暂时容忍，专力讨伐李同捷。"己巳日，下诏令宣布王庭凑的罪状，命令与成德临近的各道严兵防守，等待王庭凑改过自新。

九月初四日丁亥，王智兴上奏攻下了棣州。

李寰从晋州带兵往横海镇，没有管束士兵，任由他们残害经过的地方，到达后拥兵不进，只是驻守索取供应。初七日庚寅，任命李寰为夏绥节度使。

九月十一日甲午，下诏削去王庭凑的官爵，命令各路军队从四面进军讨伐。

加授王智兴守司徒的官衔，任命前夏绥节度使傅良弼为横海节度使。

岳王李绲去世。

九月二十七日庚戌，容管奏报安南军队叛乱，赶走了都护韩约。

冬，十月，洋王李忻去世。

魏博镇的军队在平原打败了横海镇的军队，于是攻取了平原县。

十一月初一日癸未，易定节度使柳公济上奏进攻李同捷的坚固寨，攻了下来，又在寨东打败了他的军队。当时河南、河北各路军队讨伐李同捷久未成功，每每打了小胜仗，就虚报斩首和俘虏的数字以求重赏。朝廷尽全力供应他们，江、淮一带因而衰敝不堪。

傅良弼到陕州就去世了。十一月初三日乙酉，任命左金吾大将军李祐为横海节度使。

十一月二十二日甲辰，禁中的昭德寺发生火灾，蔓延到了宫人居住的地方，烧死了几百人。

十二月初六日丁巳，王智兴上奏兵马使李君谋带兵渡河，攻下了无棣。

十二月二十一日壬申，中书侍郎、同平章事韦处厚去世。

李同捷的军情一天天急迫，王庭凑不能救援，于是派人去劝说魏博军的大将亓

杀史宪诚父子取魏博。志绍遂作乱，引所部兵二万人还逼魏州。丁丑⑳，命谏议大夫柏耆宣慰魏博，且发义成、河阳兵以讨志绍。

戊寅㉑，以翰林学士路隋为中书侍郎、同平章事。

辛巳㉒，史宪诚奏亓志绍兵屯永济㉓，告急求援。诏义成节度使李听帅沧州行营诸军以讨志绍。

【段旨】

以上为第十五段，写唐文宗诏命讨贼王庭凑，河北战事又起。

【注释】

㊾㉑晋王普：晋王李普，敬宗长子，宝历元年（公元八二五年）封。薨年仅五岁，文宗恻念不能自已，故赠悼怀太子。传见《旧唐书》卷一百七十五、《新唐书》卷八十二。492辛酉：六月初七日。493福建：方镇名，唐肃宗上元元年（公元七六〇年）置，治所福州，在今福建福州。494茶纲役人：征茶税的差人。茶纲，茶商贩运茶叶，以一定数额为一纲计征赋税，称茶纲。495甲子：六月初十日。496太子洗马：官名，东宫属官，掌经籍，出入侍从。497峰州：州名，属安南都护府，治所嘉宁，在今越南河内西北。498庚辰：六月二十六日。499武陵：县名，县治在今湖南常德。500甲辰：七月二十日。501卫尉卿：官名，卫尉寺掌兵器、仪仗等事，其正、副长官为卿、少卿。502殷侑（公元七六七至八三八年）：历官义昌、山南东道、忠武等节度使。传见《旧唐书》卷一百六十五、《新唐书》卷一百六十四。503己巳：七月乙酉朔，无己巳。己巳，八月十六日。〖按〗己巳，疑为乙巳之误。乙巳，七月二十一日。盖甲辰廷议王庭凑罪状，而于乙巳下诏。504丁亥：九月初四日。505戢：约束。506庚寅：九月初七日。507甲午：九月十一日。508岳王绲：岳王李绲，顺宗第十八子，贞元二十一年（公元八〇五年）封。传见《旧唐书》卷一百五十、《新唐书》卷八十二。509庚戌：九月二十七日。510洋王忻：洋王李忻，宪宗第五子，元和元年（公元八〇六年）封。传见《旧唐书》卷一百七十五、《新唐书》卷八十二。511平原：县名，县治在今山东平原。512癸未朔：十一月初一日。513坚固寨：寨名。李同捷为了抵抗官军，在沧州西筑此寨，以“坚固”为名。514陕：州名，治所陕县，在今河南三门峡市陕州区。515乙酉：十一月初三日。516甲辰：十一月二十二日。517丁巳：十二月初六日。518无棣：县名，县治在今河北盐山。519壬申：十二月二十一日。520丁丑：十二月二十六日。521戊寅：十二月二十七日。522辛巳：十二月三十日。523永济：县名，县治在今河北馆陶北。

志绍，让他杀死史宪诚父子，夺取魏博。亓志绍于是作乱，带领他的部队二万人回头进逼魏州。十二月二十六日丁丑，命令谏议大夫柏耆到魏博镇去安抚慰劳，并且征调义成、河阳二镇兵用来讨伐亓志绍。

十二月二十七日戊寅，任命翰林学士路隋为中书侍郎、同平章事。

十二月三十日辛巳，史宪诚上奏亓志绍的军队驻扎在永济，向朝廷告急求援。诏令义成节度使李听率领沧州行营各军讨伐亓志绍。

【校记】

［14］赠：原作“谥”。据章钰校，十二行本、乙十一行本皆作“赠”，今从改。

【研析】

本卷研析穆宗和敬宗二帝昏庸误国、宦官专皇权、刘蕡对策反对宦官三大史事。

第一，穆宗、敬宗二帝昏庸误国。宪宗用武，削平藩镇割据，收功实在穆宗即位之初。头一年，李师道授首，平卢平；穆宗即位当年，王承宗死，承元归命，成德平；明年刘总尽纳其土地士马，为僧以去，卢龙平。至是，河北三镇归唐，割据跋扈之风，消尽无余。穆宗赶上了旷世澄清的时代，当励精图治，重整唐室雄风，但穆宗游宴无节度，君不像一个君；所用之臣崔植、杜元颖等庸儒不知远略，臣不像一个臣；张弘靖出镇卢龙，骄贵不明政事，帅不像一个帅。未几，朱克融首乱，囚张弘靖，穆宗则授以卢龙节钺；史宪诚逼迫忠孝之田布以死，穆宗则授以魏博节钺；王庭凑杀忠诚平贼之田弘正，穆宗则授以成德节钺：于是河朔三镇再失，唐之不可以复兴而至灭亡，这是一个先兆。穆宗如彼，敬宗更如此，比穆宗还要骄恣而狂愚，成天与嬖幸打闹在一起，击球、酗酒，晏睡不早朝。历仕宪宗、穆宗、敬宗、文宗、武宗五朝的大宦官仇士良，在会昌三年（公元八四三年）致仕时告诫宦官们说：侍奉天子，不能让他有闲暇时间，一有闲暇，他就要看书，会见儒臣，就会纳谏，这样天子就会增长见识，深谋远虑，就不会再去追求享受、游山玩水，那么我们就不会受到宠信，就掌控不了大权了。穆宗、敬宗二帝正是在仇士良及其同伙的掌控之中，不问国事，不知创业之艰难，不恤黎庶之疾苦，错误地认为只要威权在手，就可任意胡为，就可控驭万方。敬宗整夜在殿中蹋球，卜者苏玄明与染坊杂役张韶轻易地发动了一场入宫坐御榻的闹剧，敬宗犹不知省，最后仍是在酗酒游宴中遭了宦官的毒手。穆宗二十六岁即位，三十岁食金丹中毒而亡，在位四年。敬宗十六岁即位，十九岁被宦官杀害，在位仅三年。一个是青年皇帝，一个是少年天子，都正当盛年而横死，完全是咎由自取。两代皇帝的荒淫，不但害了自身，因其为皇帝，更害了国家。敬宗之早死不幸，实乃唐王室社稷之福。设若敬宗不早死，唐王室将有可能毁于他之手。

第二，宦官专皇权。唐宪宗元和十五年（公元八二〇年），宪宗死，穆宗立，中唐政治结束，进入晚唐政治。宦官专皇权与朋党之争交织，是晚唐政治的特点。宪宗之死，为宦官所杀；穆宗之立，为宦官拥戴。事后，朝官无人声讨，由是宦官专权，以至于专皇权，开了废立皇帝的先例。

宦官专皇权，有一个渐进的过程。唐宪宗尊宠宦官，四贵权力足以与朝官争衡。主管宦官的内侍省在大内之北，称北司。唐宰相办公的尚书省在大内之南，称南衙、南司。习惯上，以北司为宦官之代称，南衙为宰相和朝官之代称。正常情况，太子之立是皇帝与宰辅大臣商定，按宗法制度是立嫡长子。太子之废立，皇帝即位，是国家大政，宦官没有插嘴的余地。中唐自肃宗以后，宦官权力日增，由于皇帝的宠信，宦官插足，但没有朝官的支持，宦官不具有单独废立的权力。宪宗元和六年（公元八二一年）十二月，宪宗之惠昭太子死，第二年七月，宪宗召群臣商议另立太子，当时有两个人选。一是澧王李恽，年长，但非嫡子；二是遂王李恒，年次李恽而为嫡子。朝官按宗法，主张立遂王李恒。但这时宦官已有能力插手，分为两派。最受宪宗宠信的吐突承璀与澧王李恽关系友好，主张立李恽。另一派大宦官梁守谦、王守澄想通过拥立太子与吐突承璀争权，支持朝官拥立李恒。当吐突承璀外出为淮南监军时，梁守谦与朝官的联合势力确立了李恒为太子。但是吐突承璀不死心，他回朝后极力主张更换太子。元和十五年正月，宪宗食金丹染疾，梁守谦、王守澄先下手为强，发动宫廷政变，杀了唐宪宗，立太子李恒为帝，是为穆宗。穆宗立，杀吐突承璀及澧王李恽。由于李恒是合法储君，又是朝官拥立的，投鼠忌器，不敢追究唐宪宗之死，于是开了宦官废立皇帝的恶例。敬宗宝历二年底（公元八二七年初），宦官刘克明杀敬宗，拥立绛王李悟，还以唐敬宗遗诏名义向百官宣布，以绛王李悟主持军国事务，李悟又在紫宸殿外厅接见宰相与百官，算是已经准备登位的皇帝了。枢密使王守澄、杨承和和中尉魏从简、梁守谦等四贵合议，紧急发动兵变，用禁军迎立江王李涵即皇帝位，杀宦官刘克明和李悟。江王即位是为文宗，更名李昂。这一次废立完全由宦官一手遮天导演，还翻了朝官的案，没有一个人敢吭声。这一事件，巩固了宦官专皇权的体制，直至唐亡，唐王室的皇帝逃不出宦官掌控的手心。

宦官专皇权，带来了三个严重的后果。一是皇帝感到自身难保，唐文宗就不甘心做傀儡，想从朝官方面取得一些力量来和宦官对抗，皇帝有了这一倾向，朝官也就敢和宦官对抗。唐文宗发动了两次诛灭宦官的行动，虽然失败了，但鼓励了南衙对抗北司，皇帝一得势就宠信宦官，用内朝控制外朝。皇帝在宦官与朝官之间摆动，激起南北司的斗争势同水火。二是宦官权重，吸引奸佞小人依附，分化朝官对立，加剧朋党斗争。朋党之争的实质是争夺仕途职位。唐高祖定制，“工商杂类，无预士流”。宦官的出身属于杂类，宦官权势扩张，朝官的职位遭侵夺，宦官的权力一直在上升，职官被侵夺的范围也一直在扩大。宦官统率神策军，给工商杂类大开方便之门，长安富家子弟纳贿宦官，便可入神策军籍。穆宗即位，重奖神策军士。随后又开禁，非正式取消杂类不得入仕的限制，允许神策军及京外各镇保荐有功将士，因此大批商贾、胥吏用贿赂取得朝官资格，士流无法抵制。宦官是工商杂类在政治上的代表，朝官是士流的代表，也就是宦官一方是官职的侵夺者，朝官一方是被侵夺者，南北司之争水火不容，根本原因就是在这里。三是宦官贪婪纳贿，政治腐败，激化社会矛盾。自唐代宗时起，节度使多从禁军派出。禁军大将用高利向富家借款，送给中尉，然后出朝做节度使，到镇后，加紧敲剥搜刮民财来还本付息，利息一般是本钱的三倍。时人称这种贿买来的节度使为债帅。节度要入朝为相，或得到加官荣衔，地方刺史等要入朝做京官，奸佞小人依附宦官，都要行贿赂。以上就是宦官专皇权带来的社会三害，造成唐统治集团内部的纷争不断，各方势力为争夺官位而狂斗，已得职位的官吏敲骨吸髓刻剥民众。这就是晚唐宦官专皇权带来的黑暗政治。穆宗、敬宗二帝之得位大宝与横死，确立了宦官专皇权的体制。

第三，刘蕡对策反对宦官。文宗太和二年（公元八二八年），文宗下诏求言，开举贤良方正科。名士刘蕡在对策中，旗帜鲜明地反对宦官。刘蕡说：法律应该统一，官位应该正名。现在官员分为外官、内官，政权分为南司、北司。在南司犯法，跑到北司就没有事；有的外官判了刑，内官认为无罪。法出多门，是非混乱，根源就是兵与农地位悬殊，中官外官各自有法。刘蕡还说：现在兵部不管军政，六军将领只存空名，军政大权全归中官掌控。头一戴武士帽，便把文官看作仇敌；脚一踏进军门，便把农夫看作草芥。这些武夫，依靠宦官势力，只会作威作福，欺压民众。宦官却依靠武夫的骄横挟制皇帝，再利用皇帝名义驱使朝官。这难道是先王经文纬武的治国原则吗？刘蕡要求文宗远离宦官，信任朝官，政权交给宰相，兵权交给将帅，这样才能拯救国家，维护皇权。刘蕡还说：不能因为个人安危，就不说这些话。为了国家，他是不能不说了。刘蕡对策，大长朝士志气，吐发人所难言之言，考官非常欣赏，但不敢录取。许多人替刘蕡抱不平，反映到宰相裴度那里，裴度为了局势稳定，没有上奏文宗，也保护了刘蕡未遭迫害。刘蕡虽然落第，却代表朝士大夫发出了郁结于心中的怨愤，也是朝官发动对宦官反击的信号。文宗达到了火力侦察的目的。他要依靠朝官来打击宦官，诛灭宦官。这次开举贤良方正科，吹响了文宗反击宦官的号角。

卷第二百四十四　唐纪六十

起屠维作噩（己酉，公元八二九年），尽昭阳赤奋若（癸丑，公元八三三年），凡五年。

【题解】

本卷记事起公元八二九年，迄公元八三三年，凡五年，当唐文宗太和三年至太和七年，是唐文宗执政的前期。唐文宗优于穆宗、敬宗两代皇帝，欲有一番作为，要摆脱宦官的控制，又厌恶朝官结朋党。太和三年（公元八二九年），文宗召浙西观察使李德裕入朝任兵部侍郎，裴度推荐他做宰相。不到二十天，李德裕就被李宗闵、牛僧孺排挤出朝，后任西川节度使，西疆稳固。吐蕃边将降唐，李德裕上安边之策，李宗闵、牛僧孺妒忌李德裕建功，不顾国家利益，败坏其事，迫令李德裕送还吐蕃降人，使数千名吐蕃降人遭屠。李宗闵、牛僧孺勾结宦官，文宗恶之。太和六年，牛僧孺被罢相，李德裕回朝任兵部尚书，第二年任相。李宗闵被李德裕排挤出朝，李党得势，牛党失势，这是牛李党争的第二回合。太和

【原文】

文宗元圣昭献孝皇帝上之下

太和三年（己酉，公元八二九年）

春，正月，亓志绍与成德合兵掠贝州①。

义成行营兵三千人先屯齐州，使之禹城②，中道溃叛，横海节度使李祐讨诛之。

李听、史唐合兵击亓志绍，破之，志绍将其众五千奔镇州③。

李载义奏攻沧州长芦④，拔之。

甲辰⑤，昭义奏亓志绍余众万五千人诣本道降，置之洺州⑥[1]。

二月，横海节度使李祐帅诸道行营兵击李同捷，破之，进攻德州。

武宁捉生兵马使⑦石雄⑧勇敢，爱士卒。王智兴残虐，军中欲逐智兴而立雄。智兴知之，因雄立功，奏请除刺史。丙辰⑨，以雄为壁州⑩刺史。

五年，文宗任命宋申锡为相，第一次谋诛宦官，宋申锡办事不密败下阵来。宦官王守澄使人诬告宋申锡谋立皇弟漳王李凑，欲兴大狱，文宗竟信以为真，把宋申锡交给王守澄治罪。朝官力争，宋申锡才免一死。这一冤案表明文宗也是一个昏聩之君，猜忌朝官甚于厌恶宦官，注定了他办不了大事。文宗虽平定沧景节度使李同捷之乱，但遇强镇则姑息，容忍何进滔犯上自立为魏博节度，成德王庭凑假意效顺复其官爵，卢龙兵马使杨志诚逐帅得节度，强化了河朔三镇的割据，受到司马光的批评。杜牧上奏《罪言》《原十六卫》《守论》等政论，论藩镇割据，切中时弊。

【语译】

文宗元圣昭献孝皇帝上之下

太和三年（己酉，公元八二九年）

春，正月，亓志绍与成德镇联合出兵抢掠贝州。

义成行营兵三千人先是屯驻齐州，命令他们开赴禹城，他们在途中叛变溃散，横海节度使李祐前去讨伐，把他们杀了。

李听和史唐合兵攻打亓志绍，打败了他，亓志绍带着他的部众五千人投奔镇州。

李载义上奏攻打沧州的长芦，把它攻下了。

正月二十三日甲辰，昭义上奏亓志绍余众一万五千人到本道投降，把他们安置在洺州。

二月，横海节度使李祐率领各道行营兵攻打李同捷，打败了他，进兵攻打德州。

武宁捉生兵马使石雄很勇敢，爱士卒。王智兴残酷暴虐，军中将士想驱逐王智兴而拥立石雄。王智兴知道此事后，借口说石雄立了战功，奏请任命他为刺史。二月初六日丙辰，朝廷任命石雄为壁州刺史。

史宪诚闻沧景将平而惧，其子唐劝之入朝。丙寅[11]，宪诚使唐奉表请入朝，且请以所管听命。

石雄既去武宁，王智兴悉杀军中与雄善者百余人。夏，四月戊午[12]，智兴奏雄摇动军情，请诛之。上知雄无罪，免死，长流白州[13]。

戊辰[14]，李载义奏攻沧州，破其罗城[15]。李祐拔德州，城中将卒三千余人奔镇州。李同捷与祐书请降，祐并奏其书。谏议大夫柏耆受诏宣慰行营，好张大声势以威制诸将，诸将已恶之矣。及李同捷请降于祐，祐遣大将万洪代守沧州。耆疑同捷之诈，自将数百骑驰入沧州，以事诛洪，取同捷及其家属诣京师。乙亥[16]，至将陵[17]，或言王庭凑欲以奇兵篡[18]同捷，乃斩同捷，传首，沧景悉平。

五月庚寅[19]，加李载义同平章事。诸道兵攻李同捷，三年，仅能下之。而柏耆径入城，取为己功，诸将疾之，争上表论列。辛卯[20]，贬耆为循州司户。李祐寻薨。

【段旨】

以上为第一段，写官军平定沧景李同捷之乱。

【注释】

①贝州：州名，治所清河，在今河北清河西北。②禹城：县名，县治在今山东禹城东北。③镇州：州名，治所真定府，在今河北正定。④长芦：县名，县治在今河北沧州。⑤甲辰：正月二十三日。⑥洺州：州名，治所永年，在今河北邯郸市永年区东南。⑦捉生兵马使：官名，军镇牙将之一，谓能活捉敌人。又有捉生将、捉生指挥使

【原文】

壬寅[21]，摄[22]魏博副使史唐奏改名孝章。

六月丙辰[23]，诏："镇州四面行营各归本道休息，但务保境，勿相

史宪诚听到沧景镇即将平定而恐惧，他的儿子史唐劝他到朝廷去。二月十六日丙寅，史宪诚派史唐带着奏表请求入朝，并且请求以他所管辖的地方听从朝廷的指令。

石雄离开武宁以后，王智兴把军队中和石雄要好的一百多人都杀掉了。夏，四月初九日戊午，王智兴上奏说石雄动摇军心，请求杀掉石雄。文宗知道石雄没有罪，赦免了他的死罪，长久流放到白州。

四月十九日戊辰，李载义上奏说攻打沧州，攻下了外城。李祐攻取了德州，城中将卒三千多人逃往镇州。李同捷写信给李祐请求投降，李祐把他的信一并奏呈文宗。谏议大夫柏耆受诏宣抚慰劳行营将士，他喜欢扩大声势来压制诸将，诸将已经讨厌他了。等到李同捷向李祐请求投降，李祐派大将万洪代守沧州。柏耆怀疑李同捷投降有诈，亲自率领数百名骑兵驰入沧州，借故杀了万洪，带着李同捷和他的家属前往京师。二十六日乙亥，到达将陵，柏耆听到有人说王庭凑想用奇兵救李同捷，于是把李同捷杀了，将他的头送到京城，沧景一带全部平定了。

五月十二日庚寅，加授李载义同平章事。各道部队进攻李同捷，经过三年，才攻下来。而柏耆径直进入沧州城，据之为自己的功劳，诸将都憎恨他，争相上表论说这件事。十三日辛卯，朝廷贬谪柏耆为循州司户参军。李祐不久去世了。

等。⑧石雄：本徐州牙将，以战功为壁州刺史，迁升河中、凤翔等节度使。传见《旧唐书》卷一百六十一、《新唐书》卷一百七十一。⑨丙辰：二月初六日。⑩壁州：州名，治所诺水，在今四川通江。⑪丙寅：二月十六日。⑫戊午：四月初九日。⑬白州：州名，治所博白，在今广西博白。⑭戊辰：四月十九日。⑮罗城：外城。⑯乙亥：四月二十六日。⑰将陵：县名，县治在今山东德州市陵城区北。⑱篡：夺取。⑲庚寅：五月十二日。⑳辛卯：五月十三日。

【校记】

［1］洺州：原作“洛州”。据章钰校，十二行本、乙十一行本、孔天胤本皆作“洺州”，今从改。

【语译】

五月二十四日壬寅，代理魏博副使的史唐上奏改名史孝章。

六月初八日丙辰，下诏说：“镇州四面的行营各自归还本道休息，只做保卫边

往来。惟庭凑效顺，为达章表，余皆勿受。”

辛酉㉔，以史宪诚为兼侍中、河中节度使，以李听兼魏博节度使。分相、卫、澶三州㉕，以史孝章为节度使。

初，李祐闻柏耆杀万洪，大惊，疾遂剧。上曰：“祐若死，是耆杀之也！”癸酉㉖，赐耆自尽。

河东节度使李程奏得王庭凑书，请纳景州㉗，又奏亓志绍自缢。

上遣中使赐史宪诚旌节，癸酉，至魏州。时李听自贝州还军馆陶㉘，迁延未进，宪诚竭府库以治行㉙。将士怒[2]，甲戌㉚，军乱，杀宪诚，奉牙内都知兵马使灵武何进滔㉛知留后。李听进至魏州，进滔拒之，不得入。秋，七月，进滔出兵击李听，听不为备，大败，溃走，昼夜兼行，趣浅口㉜，失亡过半，辎重兵械尽弃之。昭义兵救之，听仅而得免，归于滑台㉝。

河北久用兵，馈运不给，朝廷厌苦之。八月壬子㉞，以进滔为魏博节度使，复以相、卫、澶三州归之。

沧州承丧乱之余，骸骨蔽地，城空野旷，户口存者什无三四。癸丑㉟，以卫尉卿殷侑为齐、德、沧、景节度使㊱。侑至镇，与士卒同甘苦，招抚百姓，劝之耕桑，流散者稍稍复业。先是，本军三万人皆仰给度支，侑至一年，租税自能赡其半，二年，请悉罢度支给赐，三年之后，户口滋殖，仓廪充盈。

王庭凑因邻道微露请服之意。壬申㊲，赦庭凑及将士，复其官爵。

【段旨】

以上为第二段，写唐文宗姑息、容忍何进滔犯上自立为魏博节度，王庭凑阳奉阴违效顺，而复其官爵，于是魏博、成德两镇叛臣得以授节。

境之事，不要互相往来。只有王庭凑表示归顺的表章才可以传送，其他的都不要接受。”

六月十三日辛酉，任命史宪诚为兼侍中、河中节度使，任命李听兼魏博节度使。划分相、卫、澶三州为一道，任命史孝章为节度使。

当初，李祐听说柏耆杀了万洪，大惊，病就加重了。文宗说：“李祐如果死了，就是柏耆杀了他!”六月二十五日癸酉，赐柏耆自杀。

河东节度使李程上奏说收到王庭凑的书信，请求交出景州，又上奏说亓志绍自缢了。

文宗派遣中使赐给史宪诚旌节，六月二十五日癸酉，到达魏州。当时李听从贝州回军馆陶，拖延时间，没有向魏州进发，史宪诚竭尽府库所有钱财来置办行装。将士们很生气，二十六日甲戌，军中叛乱，杀死了史宪诚，推举牙内都知兵马使灵武人何进滔为留后。李听前进到魏州，何进滔抵御他，李听不能进城。秋，七月，何进滔出兵攻打李听，李听没有防备，大败，溃散逃走，日夜兼程，奔赴浅口，兵员损失过半，辎重兵械全都丢掉了。昭义兵来救援他，李听仅得脱身，回到滑台。

河北长期打仗，运送的粮饷供应不足，朝廷深为苦恼。八月初五日壬子，任命何进滔为魏博节度使，又把相、卫、澶三州也划归给他。

沧州在丧乱之后，尸骨遍地，城乡空旷，留存的户口不到十分之三四。八月初六日癸丑，任命卫尉卿殷侑为齐、德、沧、景节度使。殷侑到达镇府，和士卒同甘共苦，招抚百姓，鼓励他们农耕植桑，流散在外的人逐渐恢复本业。此前，本道军队三万人都要靠度支供给，殷侑到镇一年，租税收入就能自给一半，两年就请求完全不需要度支供给了，三年以后，户口增多，仓库充实。

王庭凑通过邻道稍露归服朝廷的意思。八月二十五日壬申，赦免王庭凑和他的将士，恢复他们的官爵。

【注释】

㉑壬寅：五月二十四日。㉒摄：代理。㉓丙辰：六月初八日。㉔辛酉：六月十三日。㉕分相、卫、澶三州：即分魏博镇的相、卫、澶三州，置相、卫、澶三州节度使，治所相州，在今河南安阳。当时魏博为河北大镇，领魏、博、洺、贝、相、卫、澶七州之地，唐文宗为了控制史宪诚，将其调离魏博为河中节度使，又分小魏博，置相、卫、澶三州节度使，以史宪诚之子史孝章为第一任节度使，以安其心。㉖癸酉：六月二十五日。㉗纳景州：景州本隶横海，因李同捷之乱，庭凑据有之。同捷既平，庭凑惧而交出。㉘馆陶：县名，县治在今河北馆陶。㉙竭府库以治行：竭尽府库所有钱财来置办行

装。史宪诚意在把魏博府库财物全部转运到河中。㉚ 甲戌：六月二十六日。㉛ 何进滔：（？至公元八四〇年）灵武（今宁夏灵武西南）人，为魏博牙内都知兵马使。史宪诚死，何进滔为众拥戴，诛为乱者，因留镇魏博十余年，民安之。传见《旧唐书》卷一百八十一、《新唐书》卷二百十。㉜ 浅口：镇名，在今河北馆陶西北。㉝ 滑台：城名，在今河南滑县东南。㉞ 壬子：八月初五日。㉟ 癸丑：八月初六日。㊱ 齐、德、沧、景节度使：德沧景节度使即横海军。是年，姑以齐州隶横海。㊲ 壬申：八月二十五日。

【原文】

征浙西观察使李德裕为兵部侍郎，裴度荐以为相。会吏部侍郎李宗闵有宦官之助，甲戌[38]，以宗闵同平章事。

上性俭素，九月辛巳[39]，命中尉以下毋得衣纱縠[40]绫罗，听朝之暇，惟以书史自娱，声乐游畋，未尝留意。驸马韦处仁尝着夹罗巾[41]，上谓曰："朕慕卿门地清素，故有选尚[42]。如此巾服，听[43]其他贵戚为之，卿不须尔。"

壬辰[44]，以李德裕为义成节度使。李宗闵恶其逼己，故出之。

冬，十月丙辰[45]，以李听为太子少师。

路隋言于上曰："宰相任重，不宜兼金谷琐碎之务，如杨国忠、元载、皇甫镈皆奸臣[46]，所为不足法也。"上以为然。于是裴度辞度支，上许之。

十一月甲午[47]，上祀圜丘，赦天下。四方毋得献奇巧之物，其纤丽布帛皆禁之，焚其机杼[48]。

【段旨】

以上为第三段，写唐文宗昏庸，李德裕入朝为相，不到二十天，又被牛党李宗闵排挤出京，此牛李党争第二回合。

【校记】

[2] 将士怒：原无此三字。据章钰校，十二行本、乙十一行本皆有此三字，张敦仁《通鉴刊本识误》同，今据补。

【语译】

征召浙西观察使李德裕为兵部侍郎，裴度推荐任命他为宰相。适逢吏部侍郎李宗闵有宦官的帮助，八月二十七日甲戌，任命李宗闵为同平章事。

文宗本性节俭朴素，九月初四日辛巳，命令中尉以下不得穿用纱縠绫罗，听朝以外的闲暇时间，只以经史书籍自悦，声乐游猎等事未曾留意。驸马韦处仁曾戴着夹罗巾，文宗对他说："朕羡慕你家门庭清贵朴素，所以选择你娶了公主。这样的头巾服饰，让其他贵戚使用，你不要这样。"

九月十五日壬辰，任命李德裕为义成节度使。李宗闵忌恨李德裕威胁到自己的职位，所以把他调出朝廷。

冬，十月初九日丙辰，任命李听为太子少师。

路隋对文宗说："宰相职责重大，不应当兼理钱谷等琐碎的事务，如杨国忠、元载、皇甫镈都是奸臣，他们所干的事不值得效法。"文宗认为是对的。于是宰相裴度辞去兼任度支的职务，文宗答应了。

十一月十八日甲午，文宗到圜丘祭天，大赦天下。命四方不许贡奉奇巧的东西，那些纤细华丽的布帛都禁止织造，烧掉织机。

【注释】

㊳甲戌：八月二十七日。㊴辛巳：九月初四日。㊵纱縠：一种轻薄起皱的丝织品。㊶夹罗巾：一种高级的丝制头巾。㊷选尚：指韦处仁尚穆宗女。胡注："处仁尚穆宗女新丰公主。"《新唐书》卷八十三《诸帝公主传》作"义丰公主"。㊸听：任凭。㊹壬辰：九月十五日。㊺丙辰：十月初九日。㊻杨国忠、元载、皇甫镈皆奸臣：杨国忠，唐玄宗时宰相。元载，肃、代二朝宰相。皇甫镈，唐宪宗朝宰相。三人皆唐代权臣，以宰相而兼度支，后皆不得善终，故路隋以为"所为不足法也"。㊼甲午：十一月十八日。㊽机杼：织布机。

【原文】

丙申[49]，西川[50]节度使杜元颖奏南诏入寇。元颖以旧相，文雅自高，不晓军事，专务蓄积，减削士卒衣粮。西南戍边之卒，衣食不足，皆入蛮境钞[51]盗以自给，蛮人反以衣食资之。由是蜀中虚实动静，蛮皆知之。南诏自嵯颠[52]谋大举入寇，边州屡以告，元颖不之信。嵯颠兵至，边城一无备御。蛮以蜀卒为乡导，袭陷嶲[53]、戎二州。甲辰[54]，元颖遣兵与战于邛州[55]南，蜀兵大败，蛮遂陷邛州。

武宁节度使王智兴入朝。

诏发东川[56]、兴元[57]、荆南[58]兵以救西川。十二月丁未朔[59]，又发鄂岳[60]、襄邓[61]、陈许[62]等兵继之。

以王智兴为忠武节度使。

己酉[63]，以东川节度使郭钊为西川节度使兼权东川节度事。

嵯颠自邛州引兵径抵[64]成都[65]，庚戌[66]，陷其外郭。杜元颖帅众保牙城以拒之，欲遁去[3]者数四。壬子[67]，贬元颖为邵州[68]刺史。

己未[69]，以右领军大将军[70]董重质[71]为神策、诸道西川行营节度使，又发太原、凤翔兵[72]赴西川。南诏寇东川，入梓州[73]西。郭钊[4]兵寡弱不能战，以书责嵯颠。嵯颠复书曰："杜元颖侵扰我，故兴兵报之耳。"与钊修好而退。

蛮留成都西郭十日，其始慰抚蜀人，市肆安堵[74]。将行，乃大掠子女、百工数万人及珍货而去。蜀人恐惧，往往赴江，流尸塞江而下。嵯颠自为军殿[75]，及大度水[76]，嵯颠谓蜀人曰："此南吾境也，听汝哭别乡国。"众皆恸哭，赴水死者以千计，自是南诏工巧埒[77]于蜀中。

嵯颠遣使上表，称："蛮比修职贡，岂敢犯边，正以杜元颖不恤军士，怨苦元颖，竞为乡导，祈我此行以诛虐帅。诛之不遂，无以慰蜀士之心，愿陛下诛之。"丁卯[78]，再贬元颖循州司马，诏董重质及诸道兵皆引还。郭钊至成都，与南诏立约，不相侵扰。诏遣中使以国信赐嵯颠。

【语译】

十一月二十日丙申，西川节度使杜元颖上奏说南诏侵犯边境。杜元颖自以为过去做过宰相，摆出一副文雅高傲的样子，不懂军事，专门从事积蓄家财，削减士卒的衣粮。西南地区守边的兵卒，衣食不足，都到蛮族境内去抢掠来维持生活，蛮人反而用衣食资助他们。因此蜀中虚实动静，蛮人全都知道。自从南诏嵯颠计谋大举入侵西川，西川边境的州官屡次报告，杜元颖不相信有这回事。嵯颠的军队到达边城，边城一点防备抵御都没有。蛮人用蜀卒为向导，袭击攻下了巂州和戎州。十一月二十八日甲辰，杜元颖派军队在邛州南与蛮人交战，蜀兵大败，蛮人于是攻占了邛州。

武宁节度使王智兴入朝。

下诏征发东川、兴元、荆南三节度使的军队用来援救西川。十二月初一日丁未，又征发鄂岳、襄邓、陈许等镇兵接着去援助。

任命王智兴为忠武节度使。

十二月初三日己酉，任命东川节度使郭钊为西川节度使兼东川节度使职事。

嵯颠从邛州带兵直接抵达成都，十二月初四日庚戌，攻陷外城。杜元颖率领兵众守卫牙城以抵抗蛮兵，多次想逃走。初六日壬子，贬谪杜元颖为邵州刺史。

十二月十三日己未，任命右领军大将军董重质为神策、诸道西川行营节度使，又征发太原、凤翔镇部队开赴西川。南诏入侵东川，进到梓州西面。郭钊的军队人少力弱，不能作战，便写信责备嵯颠。嵯颠回信说："杜元颖侵扰我，所以起兵报复他。"与郭钊和好后就退兵了。

蛮人留在成都西城外十天，起初尚抚慰蜀人，市场安稳。将要走开时，就大肆掠夺男女、百工数万人和珍贵财物而去。蜀人恐惧，常常投江自杀，漂流的尸体满江都是，顺江而下。嵯颠亲自为军队的后卫，到大渡河，嵯颠对蜀人说："这里南边就是我国边境，就让你们哭着告别家乡和国家吧。"蜀人全都痛哭，投水死的数以千计，从此南诏的能工巧匠和蜀中的差不多。

嵯颠派使者上奏表，说："我们近年一直进贡，哪里敢侵犯边界，只是因为杜元颖不体恤军士，军士怨恨元颖，争着当向导，请求我这次去杀掉暴虐的统帅。没有把杜氏杀掉，不能慰藉蜀地军士的心愿，希望陛下杀掉他。"十二月二十一日丁卯，又把杜元颖贬为循州司马，诏令董重质和诸道兵都率军返回本道。郭钊到达成都，与南诏订立和约，互相不侵扰。文宗下诏派遣中使把作为两国友好凭证的文书赐给嵯颠。

【段旨】

以上为第四段，写南诏侵扰西川。

【注释】

㊾丙申：十一月二十日。㊿西川：方镇名，治所成都，在今四川成都。(51)钞：抢夺。(52)嵯颠：本为南诏弄栋节度王，元和十一年（公元八一六年）杀其王劝龙晟，立其弟劝利，遂专国政。(53)嶲：州名，治所越嶲，在今四川西昌。(54)甲辰：十一月二十八日。(55)邛州：州名，治所临邛，在今四川邛崃。(56)东川：方镇名，唐肃宗置。治所在梓川，在今四川三台。(57)兴元：即山南西道，因驻节兴元府，故称。府治南郑，在今陕西汉中市南郑区。(58)荆南：方镇名，唐肃宗至德二载（公元七五七年）置。治所荆州，在今湖北荆州市荆州区。(59)丁未朔：十二月初一日。(60)鄂岳：即武昌军，辖鄂、岳、蕲、黄、安、申等州，省称鄂岳。(61)襄邓：即山南东道，辖襄、邓、均、房、安、复、隋、唐等州，省称襄邓。(62)陈许：即忠武军，辖陈、许、蔡三州，省称陈许。(63)己酉：十二

【原文】

四年（庚戌，公元八三〇年）

春，正月辛巳[79]，武昌节度使牛僧孺入朝。

戊子[80]，立子永为鲁王[81]。

李宗闵引荐牛僧孺，辛卯[82]，以僧孺为兵部尚书、同平章事。于是二人相与排摈李德裕之党，稍稍逐之。

南诏之寇成都也，诏山南西道发兵救之。兴元兵少，节度使李绛募兵千人赴之。未至，蛮退而还。

兴元兵有常额，诏新募兵悉罢之。二月乙卯[83]，绛悉召新军，谕以诏旨而遣之，仍赐以廪麦。皆怏怏[84]而退，往辞监军。监军杨叔元素恶绛不奉己，以赐物薄激之。众怒，大噪，掠库兵，趋使牙[85]。绛方与僚佐宴，不为备，走登北城。或劝缒而出，绛曰："吾为元帅，岂可逃去！"麾推官赵存约[86]令去。存约曰："存约受明公知，何可苟免！"牙将王景延与贼力战死，绛、存约及观察判官薛齐皆为乱兵所害，

月初三日。⑭径抵：径直抵达。⑮成都：都邑名，为成都府治所，在今四川成都。⑯庚戌：十二月初四日。⑰壬子：十二月初六日。⑱邵州：州名，治所邵阳，在今湖南邵阳。⑲己未：十二月十三日。⑳右领军大将军：官名，掌宫禁宿卫及仪仗。置上将军、大将军、将军等。㉑董重质（？至公元八三四年）：本淮西牙将，李愬擒吴元济，董重质请降。官至夏绥银宥节度使。传见《旧唐书》卷一百六十一。㉒发太原、凤翔兵：调发河东、凤翔两镇兵驰援。河东节度使驻节太原，云发太原兵，即是发河东兵。㉓梓州：东川节度使治所，在今四川三台。㉔市肆安堵：市中商店安稳无事。㉕自为军殿：自己作为军队的后尾，即走在队伍最后。㉖大度水：水名，在今四川西南部。㉗埒：相等。㉘丁卯：十二月二十一日。

【校记】

［3］去：原无此字。据章钰校，十二行本、乙十一行本皆有此字，今据补。［4］郭钊："郭"字原作"川"，属上句读。据章钰校，十二行本、乙十一行本皆无"川"字，而有"郭"字，今据改。胡三省注云："'钊'上当更有'郭'字，蜀本正如此。"

【语译】

四年（庚戌，公元八三〇年）

春，正月初六日辛巳，武昌节度使牛僧孺入朝。

正月十三日戊子，立皇子李永为鲁王。

李宗闵引荐牛僧孺为相，正月十六日辛卯，任命牛僧孺为兵部尚书、同平章事。于是二人联合排斥李德裕的党羽，逐渐把他们赶走。

南诏入侵成都时，诏令山南西道发兵救援。兴元镇兵少，节度使李绛招募士兵一千人前往。还未赶到，南诏人撤退而返回兴元。

兴元的驻军有一定的数额，朝廷诏令将新招募的士兵全部裁撤。二月初十日乙卯，李绛把新兵都召集在一起，把朝廷诏旨告诉他们并宣布遣散，仍然将仓库的麦子赐给他们。他们都不高兴地退了下来，到监军那里辞行。监军杨叔元向来就痛恨李绛不好好对待自己，就用赏赐的东西太少为理由来激怒新兵。新兵很生气，大声喧闹，抢夺兵器库的武器，奔向节度使府衙。李绛正在和同僚们饮宴，没有防备，逃走登上北边城墙。有人劝李绛用绳子吊出城外，李绛说："我是元帅，怎么可以逃去！"挥手叫推官赵存约离开。赵存约说："存约得到明公的知遇，怎么能苟且逃避此祸！"牙将王景延奋力与叛兵作战而死，李绛、赵存约和观察判官薛齐都被乱兵杀

贼遂屠绛家。

戊午[87]，叔元奏绛收新军募直[88]以致乱。庚申[89]，以尚书右丞温造为山南西道节度使。是时，三省官上疏共论李绛之冤，谏议大夫孔敏行[90]具陈[5]叔元激怒乱兵，上始悟。

三月乙亥朔[91]，以刑部尚书柳公绰为河东节度使。先是，回鹘入贡及互市，所过恐[6]其为变，常严兵[92]迎送防卫之。公绰至镇，回鹘遣梅录[93]李畅以马万匹互市，公绰但遣牙将单骑迎劳于境，至则大辟牙门，受其礼谒。畅感泣，戒其下，在路不敢驰猎，无所侵扰。

陉[94]北沙陀素骁勇，为九姓[95]、六州胡所畏伏。公绰奏以其酋长朱邪执宜为阴山[96]都督、代北[97]行营招抚使，使居云、朔[98]塞下，捍御北边。执宜与诸酋长入谒，公绰与之宴。执宜神彩[99]严整，进退有礼。公绰谓僚佐曰："执宜外严而内宽，言徐而理当，福禄人也。"执宜母妻入见，公绰使夫人与之饮酒，馈遗之。执宜感恩，为之尽力。塞下旧有废府[100]十一，执宜修之，使其部落三千人分守之，自是杂虏[101]不敢犯塞。

温造行至褒城[102]，遇兴元都将卫志忠征蛮归，造密与之谋诛乱者，以其兵八百人为牙队，五百人为前军，入府，分守诸门。己卯[103]，造视事，飨将士于牙门。造曰："吾欲问新军去留之意，宜悉使来前。"既劳问，命坐，行酒。志忠密以牙兵围之，既合，唱"杀"[104]。新军八百余人皆死。杨叔元起，拥造靴求生，造命囚之。其手杀绛者，斩之百段，余皆斩首，投尸汉水，以百首祭李绛，三十首祭死事者，具事以闻。己丑[105]，流杨叔元于康州[106]。

癸卯[107]，加淮南节度使段文昌同平章事，为荆南节度使。

害，乱兵于是杀死了李绛全家。

二月十三日戊午，杨叔元上奏说是李绛没收了招募新军的费用而导致新兵叛乱。十五日庚申，任命尚书右丞温造为山南西道节度使。这时，三省的官员都上疏共同说明李绛的冤屈，谏议大夫孔敏行详细说明杨叔元如何激怒乱兵，文宗才明白。

三月初一日乙亥，任命刑部尚书柳公绰为河东节度使。此前，回鹘来进贡和做买卖，所过之处担心回鹘人作乱，常常是整兵迎送，防备他们。柳公绰到镇后，回鹘派遣梅录李畅用一万匹马进行交易，柳公绰只派遣牙将单骑在边境上迎接慰劳，到达时就大开衙门，接受他们的礼谒。李畅感动得流泪，告诫他的部下，在路上不要奔跑射猎，一点也不侵扰百姓。

陉岭以北的沙陀部向来骁勇善战，为九姓、六州胡所惧服。柳公绰上奏任命他们的酋长朱邪执宜为阴山都督、代北行营招抚使，让他驻扎在云、朔地区的关塞之下，守卫北方边境。朱邪执宜和各酋长来拜见，柳公绰与他们宴饮。朱邪执宜神情庄严整肃，进退有礼。柳公绰对僚佐们说："朱邪执宜外表严肃而内心宽和，说话从容而合乎道理，是有福禄的人。"朱邪执宜的母亲和妻子进见时，柳公绰让夫人和她们一起饮酒，送给她们礼物。朱邪执宜感激所受到的恩惠，为柳公绰很尽力。塞下过去有十一座废弃了的宅院，朱邪执宜把它们修复了，派他部落中的三千人分别驻守，从此别的少数民族不敢侵犯边塞。

温造行进到褒城，遇到兴元都将卫志忠征讨蛮人回来，温造和卫志忠秘密商量诛杀叛乱新兵，把卫志忠部下八百名士兵作为牙府的卫队，五百人为先头部队，进入节度使府，分别守卫各道门。三月初五日己卯，温造正式上任，在牙门设宴招待将士。温造说："我想问一问新军愿留还是愿去的意向，应当让他们前来。"慰劳询问之后，叫他们坐下，开始上酒。卫志忠暗地命令牙兵包围他们，包围住了，大声喊"杀"。新军八百多人都被杀死。杨叔元站起来，抱着温造的脚乞求生路，温造命令把他囚禁起来。那个亲手杀死李绛的人，被碎尸百段，其余的人全都斩首，抛尸汉水，用一百颗人头祭奠李绛，三十颗人头祭奠死于战乱的人，然后把这件事报告了朝廷。十五日己丑，把杨叔元流放到康州。

三月二十九日癸卯，加授淮南节度使段文昌同平章事，担任荆南节度使。

【段旨】

以上为第五段，写河东节度使柳公绰诚信依礼待胡人，得其效力，山南西道节度使温造巧计诛乱兵。

【注释】

⑲ 辛巳：正月初六日。⑳ 戊子：正月十三日。㉑ 鲁王：指李永，文宗长子。太和四年（公元二三〇年）封鲁王太和，六年立为太子。开成三年（公元八三八年）薨，谥曰庄恪。传见《旧唐书》卷一百七十五、《新唐书》卷八十二。㉒ 辛卯：正月十六日。㉓ 乙卯：二月初十日。㉔ 怏怏：不乐意的样子。㉕ 使牙：节度使居处称使宅，办公处称使牙。牙，衙署。㉖ 赵存约（？至公元八三〇年）：懿宗朝宰相赵隐之父。事附《旧唐书》卷一百七十八《赵隐传》。㉗ 戊午：二月十三日。㉘ 收新军募直：收回招募新兵时所付的费用。㉙ 庚申：二月十五日。㉚ 孔敏行（？至公元八三五年）：字至之，越州山阴（今浙江绍兴）人，历任右拾遗、左补阙、司勋郎中、集贤殿学士、吏部郎中，官终谏议大夫。杨叔元激怒乱卒杀死李绛，人不敢发其事，敏行上书极谏，时论称美。传见《旧唐书》卷一百九十二、《新唐书》卷一百九十六。㉛ 乙亥朔：三月初一日。㉜ 严兵：整饬军队，保持戒备状态。㉝ 梅录：回鹘官名，军队中高级将领。㉞ 陉：即陉岭，又名句注山，在今山西代县北。元和中，沙陀徙居陉北。㉟ 九姓：指居于漠南，今内蒙古境内的回纥九大部落种姓，分别是药罗葛、胡咄葛、咄罗勿、貊歌息讫、阿勿嘀、葛萨、斛嗢

【原文】

奚[108]寇幽州，夏，四月丁未[109]，卢龙节度使李载义击破之。辛酉[110]，擒其王茹羯以献。

裴度以高年多疾，恳辞机政[111]。六月丁未[112]，以度为司徒、平章军国重事[113]，俟疾损[114]，三五日一入中书。

上患宦者强盛，宪宗、敬宗弑逆之党犹有在左右者。中尉王守澄尤专横，招权纳贿，上不能制。尝密与翰林学士宋申锡言之，申锡请渐除其逼[115]。上以申锡沈[116]厚忠谨，可倚以事，擢为尚书右丞。七月癸未[117]，以申锡同平章事。

初，裴度征淮西，奏李宗闵为观察判官，由是渐获进用。至是，怨度荐李德裕，因其谢病，九月壬午[118]，以度兼侍中，充山南东道节度使。

西川节度使郭钊以疾求代，冬，十月戊申[119]，以义成节度使李德裕为西川节度使。

素、药刎葛、奚耶刎。⑯阴山：山名。此指阴山府，初置于盐州（今陕西定边），以安顿内徙的沙陀，以酋长朱邪执宜为府兵马使。后沙陀迁至陉北神武川黄花堆（今山西山阴北），以朱邪执宜为阴山府都督，隶河东节度。故此时阴山府当在今山西北部云、朔二州一带。⑰代北：泛指代州以北地区。代州治所雁门，在今山西代县。⑱云、朔：皆州名。云州治所云中，在今山西大同。朔州治所善阳，在今山西朔州。⑲彩：通"采"。⑳废府：新、旧《唐书·柳公绰传》皆作"废栅"，当是。胡注："盖考之《唐志》，云、朔塞下无十一府也。"㉑杂虏：谓浑、回纥、鞑靼、奚、室韦等少数民族。㉒褒城：县名，县治在今陕西汉中西北。㉓己卯：三月初五日。㉔唱"杀"：大声喊"杀"，以此为诛乱号令。㉕己丑：三月十五日。㉖康州：州名，治所端溪，在今广东德庆。㉗癸卯：三月二十九日。

【校记】

［5］陈：原作"呈"。据章钰校，十二行本、乙十一行本皆作"陈"，今据改。［6］恐：据章钰校，十二行本、乙十一行本皆作"惧"。

【语译】

奚人入侵幽州，夏，四月初三日丁未，卢龙节度使李载义打败了奚人。十七日辛酉，抓获了奚人首领茹羯，献给了朝廷。

裴度由于年老多病，恳切要求辞去宰相职务。六月初五日丁未，朝廷改任裴度为司徒、平章军国重事，裴度等到疾病减轻后，三五天到中书省一次。

文宗忧虑宦官的强盛，杀死宪宗、敬宗的叛逆党羽还有一些人在自己身边。中尉王守澄尤其专横，招揽权势，接受贿赂，文宗控制不了。文宗曾秘密和翰林学士宋申锡讲过此事，宋申锡请求逐渐消除他们的威逼。文宗认为宋申锡沉静厚道，忠恪严谨，办事可以依靠，提升他为尚书右丞。七月十一日癸未，任命宋申锡同平章事。

当初，裴度征讨淮西时，奏用李宗闵担任观察判官，李宗闵由此逐渐得到重用。到这时，李宗闵埋怨裴度推荐李德裕为宰相，借着裴度因病辞相位的机会，于九月十一日壬午，让文宗任命裴度兼侍中，充山南东道节度使。

西川节度使郭钊因病请求替代，冬，十月初七日戊申，任命义成节度使李德裕为西川节度使。

蜀自南诏入寇，一方残弊，郭钊多病，未暇完补[120]。德裕至镇，作筹边楼，图蜀地形[121]，南入南诏，西达吐蕃。日召老于军旅、习边事者[122]，虽走卒蛮夷无所间[123]，访以山川城邑，道路险易，广狭远近，未逾月，皆若身尝涉历。

上命德裕修塞清溪关[124]，以断南诏入寇之路，或无土，则以石垒之。德裕上言："通蛮细路至多，不可塞，惟重兵镇守，可保无虞。但黎[125]、雅以来得万人，成都得二万人，精加训练，则蛮不敢动矣。边兵又不宜多，须力可临制。崔旰之杀郭英乂[126]，张朏之逐张延赏[127]，皆镇兵也。"时北兵皆归本道，惟河中、陈许三千人在成都，有诏来年三月亦归，蜀人恟惧[128]。德裕奏乞郑滑[129]五百人、陈许[130]千人以镇蜀，且言："蜀兵脆弱，新为蛮寇所困，皆破胆，不堪征戍。若北兵尽归，则与杜元颖时无异，蜀不可保。恐议者云蜀经蛮寇以来，已自增兵。向者蛮寇已逼，元颖始募市人为兵，得三千余人，徒有其数，实不可用。郭钊募北兵仅得百余人，臣复召募得二百余人，此外皆元颖旧兵也。恐议者又闻一夫当关之说[131]，以为清溪可塞[132]。臣访之蜀中老将，清溪之旁，大路有三，自余小径无数，皆东蛮临时为之开通。若言可塞，则是欺罔朝廷。要须大度水北更筑一城，迤逦接黎州[133]，以大兵守之方可。况闻南诏以所掠蜀人二千及金帛赂遗吐蕃，若使二虏知蜀虚实，连兵入寇，诚可深忧。其朝臣建言者，盖由祸不在身。望人责一状，留入堂案[134]，他日败事，不可令臣独当国宪[135]。"朝廷皆从其请。德裕乃练士卒，葺堡鄣，积粮储以备边，蜀人粗安。

是岁，勃海宣王[136]仁秀卒。子新德早死，孙彝震立，改元咸和。

【段旨】

以上为第六段，写李德裕镇西川，西疆稳固。

蜀地自从南诏侵扰后，整个地方残败衰敝，郭钊多病，顾不上治理。李德裕到镇后，修建一座筹边楼，绘出蜀地地形，南边到南诏，西边到吐蕃。每天召集长期在军队服役、熟悉边防事务的人，哪怕是走卒或蛮夷人也不嫌弃，向他们询问山川城邑，道路险易，宽狭远近，不超过一个月，都好像亲身到过那里一样。

文宗命令李德裕堵塞清溪关，以此切断南诏侵扰的道路，有的地方没有泥土，就用石头垒砌。李德裕上奏说："通往蛮区的小路极多，堵塞不了，只有重兵防守，才能保证不出差错。只要黎州、雅州以往得到一万人，成都得到两万人，精心加以训练，那么蛮人就不敢行动了。但是边地兵员又不宜太多，必须有能力驾驭他们。崔旰杀死郭英乂，张朏驱逐张延赏，都是镇兵所为。"当时北方的军队都返回本道，只有河中、陈许二道的三千人在成都，有诏令明年三月也要回去，蜀人很害怕。李德裕上奏请求留下郑滑道五百人、陈许道一千人用来镇守蜀地，并且说："蜀兵脆弱，新近被蛮人所败，都吓破了胆，不能胜任征讨戍守的任务。如果北方的军队全部回去，那么和杜元颖时一样，蜀地无法守得住。恐怕议论的人会说蜀地经过蛮人侵扰以后，已经自己增加了兵员。前时蛮寇已经逼近了，杜元颖才招募市肆中的人去当兵，得到了三千多人，空有这个人数，其实不能用来打仗。郭钊征募北方兵员只得到一百多人，臣又招募到二百多人，除此以外都是杜元颖旧有的兵士。恐怕议论的人又听说'一夫当关，万夫莫开'的说法，认为清溪关可以阻塞敌人。臣访问了蜀中的老将，得知清溪关的旁边，大路有三条，其他小路无数，都是东蛮临时需要而开通的。要是说可以阻塞，就是欺骗朝廷。重要的是必须在大渡河北面另外修筑一座城，曲折蜿蜒连接黎州，派重兵驻守方可安全。况且听说南诏把他们所抢掠的两千名蜀人和金帛等物送给吐蕃，如果让这两部夷人知道了蜀地虚实情况，连兵入寇，实在使人深为忧虑。那些提出建议的朝臣，大概是祸害不在他们身上。希望要他们每人留下一张文状，放在政事堂的档案中，将来事情失败了，不能叫臣一个人承担国法处治。"朝廷全部听从了李德裕的请求。李德裕于是训练士卒，修葺城堡亭障，储备粮食，用来防御边患，蜀人大体上安定下来。

这一年，勃海宣王仁秀去世。他的儿子新德早死，孙子彝震继立，改年号为咸和。

【注释】

⑩⑧ 奚：少数民族名，本东胡别种，汉时为匈奴所破，退保乌桓山，因称乌桓。隋、唐时称奚。贞观中内附，为置饶乐都督府，在今内蒙古老哈河上游及河北滦河中上游一带。贞元中徙至幽州界。⑩⑨ 丁未：四月初三日。⑪⓪ 辛酉：四月十七日。⑪① 机政：机要的国家政务。⑪② 丁未：六月初五日。⑪③ 平章军国重事：权宜所加官名，用以优礼裴度，仍主持军国大政，但不参与烦苛细务。裴度为司徒、平章军国重事，位在丞相之上。⑪④ 疾损：病情减轻。⑪⑤ 逼：指宦官以权势侵迫皇帝。⑪⑥ 沈：同“沉”。⑪⑦ 癸未：七月十一日。⑪⑧ 壬午：九月十一日。⑪⑨ 戊申：十月初七日。⑫⓪ 完补：修补；治理。⑫① 图蜀地形：绘制蜀地军事地图。⑫② 老于军旅、习边事者：长期在军中服役而熟悉边防事务的人。老，此指长时间。⑫③ 无所间：不嫌弃。此指李德裕不耻下问于习边事者，即便是走卒、蛮夷亦不嫌弃。⑫④ 清溪关：关名，自四川进入云南的重要关卡，在今四川汉源西南。⑫⑤ 黎：州名，治所汉源，在今四川汉源北。⑫⑥ 崔旰之杀郭英乂：崔旰，代宗时为西山兵马使，

【原文】

五年（辛亥，公元八三一年）

春，正月丁巳[137]，赐沧、齐、德节度名义昌军[138]。

庚申[139]，卢龙监军奏李载义与敕使宴于球场后院，副兵马使杨志诚[140]与其徒呼噪作乱，载义与子正元奔易州，志诚又杀莫州刺史张庆初。上召宰相谋之。牛僧孺曰：“范阳自安、史以来，非国所有，刘总暂[141]献其地，朝廷费钱八十万缗而无丝毫所获。今日志诚得之，犹前日载义得之也，因而抚之，使捍北狄，不必计其逆顺。”上从之。载义自易州赴京师，上以载义有平沧景之功，且事朝廷恭顺，二月壬辰[142]，以载义为太保[143]，同平章事如故。以杨志诚为卢龙留后。

臣光曰：“昔者圣人顺天理，察人情，知齐民[144]之莫能相治也，故置师长以正之；知群臣之莫能相使也，故建诸侯以制之；知列国之莫能相服也，故立天子以统之。天子之于万国，能褒善而黜恶[145]，抑强而扶弱[146]，抚服而惩违[147]，禁暴而诛乱[148]，然后发号

与西川节度使郭英义有隙，率兵攻成都。英义败走简州，被杀。事见本书卷二百二十四代宗永泰元年。崔旰官至灵州大都督、朔方节度使。传见《旧唐书》卷一百十七、《新唐书》卷一百四十四。郭传见《旧唐书》卷一百十七、《新唐书》卷一百三十三。㉗张朏之逐张延赏：张延赏（公元七二七至七八七年），德宗时为西川节度使，部将西山兵马使张朏率兵入成都为乱，延赏奔汉州，遣将讨之，斩朏，复归成都。事见本书卷二百二十九德宗建中四年。张延赏官至宰相。传见《旧唐书》卷一百二十九、《新唐书》卷一百二十七。㉘蜀人恟惧：蜀中人心惶惶，害怕撤走中原之兵，南诏复来入寇。㉙郑滑：即义成军。㉚陈许：即忠武军。㉛一夫当关之说：此指人言蜀道艰险，一夫当关，万夫莫开。㉜可塞：可以阻塞。㉝迤逦接黎州：黎州，在今四川汉源北，南距大渡河约百里。在大渡河边筑城，使之绵延相接，遥相呼应，以固边防。迤逦，曲折蜿蜒。㉞人责一状二句：凡言蜀中无虞者，每人留下一张文状，放在政事堂的档案中。案，文案。㉟独当国宪：独自承担责任，受国法惩处。宪，法。㊱勃海宣王：姓大，名仁秀，勃海第十代王，死后谥曰宣王。勃，亦作“渤”。

【语译】

五年（辛亥，公元八三一年）

春，正月十八日丁巳，赐给沧、齐、德节度名号为义昌军。

正月二十一日庚申，卢龙监军上奏说李载义与敕使在球场后院举行宴会，副兵马使杨志诚和他的党徒大喊大叫发动叛乱，李载义和他的儿子李正元逃往易州，杨志诚又杀了莫州刺史张庆初。文宗召集宰相商议这件事，牛僧孺说：“范阳自从安史之乱以来，就不是国家管辖的了，刘总暂时献出这块地方，朝廷花了八十万串钱而没有丝毫收获。今天杨志诚得到了它，如同前日李载义得到一样，顺着事势安抚他，使他去防御北狄，不必计较他的逆顺。”文宗听从了牛僧孺的建议。李载义从易州来到京师，文宗因为李载义有平定沧景的功劳，并且侍奉朝廷很恭顺，二月二十三日壬辰，任命李载义为太保，同平章事依旧。任命杨志诚为卢龙节度使留后。

臣司马光说：“过去圣人顺从天理，察知人情，知道平民不能自己管理好自己，所以就设置州县官来治理他们；知道群臣不能互相役使，所以就封建诸侯来驾驭他们；知道各诸侯国不能相互臣服，所以就设立天子来统领他们。天子对于众多的诸侯国，如果能够做到褒扬善人而贬黜恶人，抑制强暴而扶助弱小，安抚顺服的人而惩罚违法的人，禁止暴虐而诛杀叛逆，然后发号施令，而四海

施令，而四海之内莫不率从⑭也。《诗》曰：'勉勉我王，纲纪四方。'⑮载义藩屏大臣，有功于国，无罪而志诚逐之，此天子所宜治也。若一无所问，因以其土田爵位授之，则是将帅之废置杀生，皆出于士卒之手，天子虽在上，何[7]为哉！国家之有方镇，岂专利其财赋而已乎！如僧孺之言，姑息偷安之术耳，岂宰相佐天子御天下之道哉！"

【段旨】

以上为第七段，写司马光批评唐文宗姑息卢龙副兵马使杨志诚犯上逐帅得留后，只责相而不责君，非中肯之论。

【注释】

⑬丁巳：正月十八日。⑬义昌军：方镇名，唐文宗太和三年（公元八二九年）置沧齐德节度使，太和五年赐号义昌军。治所沧州，在今河北沧州东南。⑬庚申：正月二十一日。⑭杨志诚（？至公元八三四年）：本为卢龙牙将，逐李载义而为节度使。因

【原文】

新罗⑮王彦升卒，子景徽立。

上与宋申锡⑮谋诛宦官，申锡引吏部侍郎王璠⑮为京兆尹，以密旨谕之。璠泄其谋，郑注、王守澄知之，阴为之备。

上弟漳王⑮凑贤，有人望，注令神策都虞候豆卢著诬告申锡谋立漳王。戊戌⑮，守澄奏之。上以为信然，甚怒。守澄欲即遣二百骑屠申锡家，飞龙使⑮马存亮固争曰："如此，则京城自乱矣！宜召他相与议其事。"守澄乃止。

是日，旬休⑮，遣中使悉召宰相至中书东门。中使曰："所召无宋公名。"申锡知获罪，望延英⑮，以笏扣额[8]而退。宰相至延英，上示以守澄所奏，相顾愕眙⑮。上命守澄捕豆卢著所告十六宅⑯宫市品

之内没有不顺从的了。《诗经》中说：'勉勉我王，纲纪四方。'李载义是藩卫大臣，有功于国，没有什么过错而杨志诚驱逐了他，这是天子应当处理的事情。如果一点也不过问，把那里的土地官爵授给杨志诚，那么就成了将帅的废立或生死，全都由士卒来决定，天子虽然在上，但有什么作用呢！国家设置方镇，难道只是为了收取财赋吗！像牛僧孺那么说，只是姑息偷安的办法罢了，哪里是宰相辅佐天子治理天下的原则啊！"

私制天子服饰，图谋不轨，被诛。传见《旧唐书》卷一百八十、《新唐书》卷二百十二。⑭¹ 暂：暂时。⑭² 壬辰：二月二十三日。⑭³ 太保：官名，三师之一，无实职，仅为大臣加官。⑭⁴ 齐民：平民。⑭⁵ 褒善而黜恶：褒扬善人，贬黜恶人。⑭⁶ 抑强而扶弱：压制强暴，扶助弱小。⑭⁷ 抚服而惩违：安抚顺服的人，惩治违法的人。⑭⁸ 禁暴而诛乱：禁绝暴虐，诛除逆乱。⑭⁹ 率从：顺从。⑮⁰《诗》曰三句：谓周文王勤勉不倦治理天下。诗见《诗经·棫朴》。

【校记】

［7］何：据章钰校，十二行本、乙十一行本皆作"奚"。

【语译】

新罗王彦升去世，他的儿子景徽继位。

文宗和宋申锡谋划诛杀宦官，宋申锡引荐吏部侍郎王璠为京兆尹，把密旨告诉了他。王璠泄露了这一密谋，宦官郑注、王守澄知道了，暗中做了防备。

文宗的弟弟漳王李凑贤明，有声望，郑注指使神策军都虞候豆卢著诬告宋申锡阴谋拥立漳王为皇帝。二月二十九日戊戌，王守澄上奏了这件事。文宗以为是真的，极为愤怒。王守澄想随即派二百名骑兵屠杀宋申锡一家，飞龙使马存亮坚决诤谏说："这样，京城自身就要大乱！应当召集其他的宰相参加讨论这件事。"王守澄才停止了行动。

这天是旬休日，文宗派中使把宰相都召集到中书省东门。中使说："所召集的名单中没有宋公的名字。"宋申锡知道自己获罪，望着延英殿，用笏板扣着额头退了下去。宰相们到了延英殿，文宗把王守澄的奏折给他们看，他们相互惊视。文宗命令王守澄抓捕豆卢著所告十六宅宫市品官晏敬则和宋申锡的亲事王师文等人，在宫禁

官⑯晏敬则及申锡亲事⑯王师文等，于禁中鞫⑯之。师文亡命。三月庚子⑯，申锡罢为右庶子⑯。自宰相大臣无敢显言其冤者，独京兆尹崔琯⑯、大理卿王正雅⑯连上疏请出内狱付外廷核实，由是狱稍缓。正雅，翃⑯之子也。晏敬则等自诬服⑯，称申锡遣王师文达意于王，豫[9]结异日⑰之知。

狱成，壬寅⑰，上悉召师保以下及台省府寺大臣面询之。午际⑰，左常侍⑰崔玄亮⑰、给事中李固言⑰、谏议大夫王质⑰、补阙卢钧⑰、舒元褒⑰、蒋系⑰、裴休、韦温⑱等复请对于延英，乞以狱事付外覆按。上曰："吾已与大臣议之矣。"屡遣之出，不退。玄亮叩头流涕曰："杀一匹夫犹不可不重慎，况宰相乎！"上意稍解，曰："当更与宰相议之。"乃复召宰相入。牛僧孺曰："人臣不过⑱宰相，今申锡已为宰相，假使如所谋，复欲[10]何求⑱！申锡殆不至此。"郑注恐覆按诈觉，乃劝守澄请止⑱行贬黜。癸卯⑱，贬漳王凑为巢县⑱公，宋申锡为开州司马。存亮即日请致仕⑱。玄亮，磁州人。质，通⑱五世孙。系，乂⑱之子。元褒，江州人也。晏敬则等坐死及流窜者数十百人，申锡竟卒于贬所。

【段旨】

以上为第八段，写唐文宗欲诛宦官王守澄，宰相宋申锡办事不密，败下阵来。

【注释】

⑮新罗：国名，位于朝鲜半岛东南，后被北方邻国高丽所灭。⑮宋申锡：字庆臣，少孤贫，有文学，进士出身，长庆初拜监察御史，宝历二年（公元八二六年）转礼部员外郎，寻充翰林侍讲学士，供职内廷。文宗用以为相，谋诛王守澄，被宦官诬以谋反罪被贬开州司马。宋申锡死后，文宗于开成元年（公元八三六年）为其平反昭雪。传见《旧唐书》卷一百六十七、《新唐书》卷一百五十二。⑮王璠：字鲁玉，官至户部尚书、判度支。李训事败，璠亦坐斩。传见《旧唐书》卷一百六十九、《新唐书》卷一百七十九。⑮漳王：指李凑，唐穆宗第六子，长庆元年（公元八二一年）封。太和五年（公元八三一年）被诬勾结宋申锡图谋自立，贬巢县公。太和八年薨，赠齐王。开成三年追赠怀懿太子。传见《旧唐书》卷一百七十五、《新唐书》卷八十二。⑮戊戌：二月二十九日。⑮飞龙使：官名，掌飞龙院养马事，以宦者为之。⑮旬休：十天一旬，遇旬则下值休假一日，谓之旬

中审问他们。王师文逃走了。三月初二日庚子，宋申锡被免去宰相任右庶子。从宰相以下的大臣没有人敢明白地说宋申锡是被冤枉的，只有京兆尹崔琯、大理卿王正雅接连上疏请求把犯人从内狱放出交付外廷审核落实，这样一来审讯逐渐放缓。王正雅是王翃的儿子。晏敬则等人自诬认罪，说宋申锡派王师文向漳王表达心意，事先交结为日后的知心人。

狱事结案，三月初四日壬寅，文宗把太师、太保以下及台、省、府、寺等的大臣都召集起来，当面询问他们的意见。近于中午，左常侍崔玄亮，给事中李固言，谏议大夫王质，补阙卢钧、舒元褒、蒋系、裴休、韦温等又请求在延英殿对话，请求把审讯的结果交给外廷查验。文宗说："我已经和大臣们讨论过了。"多次催他们出去，他们不肯退下。崔玄亮磕头流泪说："杀一个平民百姓尚且不能不慎重，何况是宰相呢！"文宗的怒气稍稍缓解，说："应当再和宰相们商议这件事。"于是又把宰相们召进殿内。牛僧孺说："人臣的职位最高不超过宰相，现在宋申锡已为宰相。假使像他所谋划的那样，还想得到什么呢！宋申锡大概不至于这样。"郑注担心复查时暴露欺诈之事，于是劝王守澄请求文宗只对宋申锡贬官。初五日癸卯，贬谪漳王李凑为巢县公，宋申锡为开州司马。马存亮当天就请求退休。崔玄亮是磁州人。王质是王通的第五代孙。蒋系是蒋乂的儿子。舒元褒是江州人。晏敬则等因受到株连被处死及流窜的有几十到上百人，宋申锡最后死在贬地。

休。⑱ 望延英：当时宋申锡在中书省东门，与延英殿之间仅隔殿中外院、殿中内院，能够望见延英殿。⑲ 愕眙：惊视。⑳ 十六宅：诸王住宅。㉑ 宫市品官：此指十六宅市肆主管官吏。品官，有品位的官员。㉒ 亲事：宰相左右侍从官，参与机要之事。㉓ 鞫：审讯。㉔ 庚子：三月初二日。㉕ 庶子：官名，太子属官有左、右庶子，主管左、右春坊。左春坊比门下省，左庶子比侍中，掌侍从赞相，驳正启奏；右春坊比中书省，右庶子比中书令，掌献纳、启奏。㉖ 崔琯（？至公元八四五年）：字从律，历官京兆尹、兵部侍郎、山南西道节度使等。传见《旧唐书》卷一百七十七、《新唐书》卷一百八十二。㉗ 王正雅：字光谦，官至大理卿。传见《旧唐书》卷一百六十五、《新唐书》卷一百四十三。㉘ 翃：王翃（？至公元八〇二年），字宏肱，太原晋阳（今山西太原）人，官至福建观察使、东都留守。传见《旧唐书》卷一百五十七、《新唐书》卷一百四十三。㉙ 自诬服：自我诬毁而认罪。㉚ 异日：他日。㉛ 壬寅：三月初四日。㉜ 午际：午漏初刻，近于中午。㉝ 左常侍：官名，即左散骑常侍，隶门下省。㉞ 崔玄亮（公元七六七至八三三年）：字晦叔，磁州（今河北磁县）人，官至谏议大夫、虢州刺史。传见《旧唐书》卷一百六十五、《新唐书》卷一百六十四。㉟ 李固言：字仲枢，唐文宗朝两度为相，唐宣宗初拜太子太傅，分司东都。传见《旧

唐书》卷一百七十三、《新唐书》卷一百八十二。⑰⑥王质（公元七六九至八三六年）：字华卿，历官谏议大夫、宣州刺史。传见《旧唐书》卷一百六十三、《新唐书》卷一百六十四。⑰⑦卢钧：字子和，历官岭南等六节度使。传见《旧唐书》卷一百七十七、《新唐书》卷一百八十二。⑰⑧舒元褒：江州（今江西九江）人，官至司封员外郎。事附《新唐书》卷一百七十九《舒元舆传》。⑰⑨蒋系：官至山南东道节度使，预修《宪宗实录》。传见《旧唐书》卷一百四十九、《新唐书》卷一百三十二。⑱⓪韦温：字弘育，韦贯之之侄，官至宣歙观察使。传见《旧唐书》卷一百六十八、《新唐书》卷一百六十九。⑱①不过：不超过。⑱②复欲何求：还想谋求什么。⑱③止：只。⑱④癸卯：三月初五日。⑱⑤巢县：县名，县治在今安徽巢湖。⑱⑥致仕：辞官退休。⑱⑦通：王通，隋绛州龙门（今山西河津）人，王勃祖父，古代著名思想家，世称王通子，著《中说》传于世。传见《陈书》卷十七、《南史》卷二十三。⑱⑧乂：蒋乂，字德源，常州义兴（今江苏宜兴）人，官至秘书监，预修《德宗实录》。传见新、旧《唐书》，与蒋系同卷。

【原文】

夏，四月己丑[189]，以李载义为山南西道节度使，杨志诚为幽州节度使。

五月辛丑[190]，上以太庙两室破漏，逾年不葺，罚将作监[191]、度支判官、宗正卿[192]俸，亟命中使帅工徒，辍禁中营缮之材以葺之。左补阙韦温谏，以为："国家置百官，各有所司。苟为堕旷[193]，宜黜其人，更择能者代之。今旷官[194]者止于罚俸，而忧轸所切[195]即委内臣，是以宗庙为陛下所私，而百官皆为虚设也。"上善其言，即追止中使，命有司葺之。

丙辰[196]，西川节度使李德裕奏遣使诣南诏索所掠百姓，得四千人而还。

秋，八月戊寅[197]，以陕虢[198]观察使崔郾为鄂岳观察使。鄂岳地囊山带江，处百越[199]、巴[200]、蜀[201]、荆[202]、汉[203]之会，土多群盗，剽行舟[204]，无老幼必尽杀乃已。郾至，训卒治兵，作蒙冲[205]追讨，岁中，悉诛之。郾在陕，以宽仁为治，或经月不笞一人。及至鄂，严峻刑罚。或问其故，郾曰："陕土瘠民贫，吾抚之不暇，尚恐其惊。鄂地险民杂，夷俗慓狡[206]为奸，非用威刑，不能致治。政贵知变[207]，盖谓此也。"

【校记】

[8] 额：原作“头”。据章钰校，十二行本、乙十一行本皆作“额”，今据改。[9] 豫：原无此字。据章钰校，十二行本、乙十一行本皆有此字，张敦仁《通鉴刊本识误》同，今据补。[10] 欲：原作“与”。据章钰校，十二行本、乙十一行本皆作“欲”，张敦仁《通鉴刊本识误》同，今据改。

【语译】

夏，四月二十一日己丑，任命李载义为山南西道节度使，杨志诚为幽州节度使。

五月初四日辛丑，文宗因为太庙两间房子破漏，一年多没有修补，罚了将作监、度支判官、宗正卿的薪俸，急忙命令中使带领工匠，拿禁中停止营造房屋省下的材料来修补太庙。左补阙韦温谏阻，认为：“国家设置百官，各有各的职责。假使为官旷废懈怠，应当罢免这些人，另外选择有才能的接替。现在荒废职守的人只是罚了薪俸，而忧痛深切的事就交给内臣去办，这是把宗庙看成陛下私人的事，而百官都成了无用的摆设了。”文宗认为他的话说得好，当即追回中使，命有关部门修补太庙。

五月十九日丙辰，西川节度使李德裕上奏说，派使者到南诏去索取被抢去的百姓，要回来了四千人。

秋，八月十三日戊寅，改任陕虢观察使崔郾为鄂岳观察使。鄂岳地方有山有河，处在百越、巴、蜀、荆、汉交会地带，地方上有很多强盗团伙，抢劫来往船只，不论老幼一定要杀死才罢手。崔郾到任后，训练士卒，修整武器，建造战船追捕讨伐，一年之中，把群盗都杀了。崔郾在陕州任职时，用宽大仁慈的办法治理百姓，有时候一个多月都不鞭打一个人。到鄂州以后，用刑罚特别严峻。有人问他是什么原因，崔郾说：“陕州土地贫瘠，人民生活困苦，我抚恤他们都来不及，还担心惊吓了他们。鄂州土地险要、民众混杂，夷人的习性强悍奸猾，如果不用严厉的刑罚，便不能把地方治理好。为政贵在知权达变，讲的就是这种情况。”

西川节度使李德裕奏："蜀兵羸疾老弱者，从来终身不简[208]。臣命立五尺五寸之度，简去四千四百余人，复简募少壮者千人以慰其心。所募北兵已得千五百人，与土兵参居[209]，转相训习，日益精练。又，蜀工所作兵器，徒务华饰不堪用，臣今取工于别道以治之，无不坚利。"

九月，吐蕃维州[210]副使悉怛谋请降，尽帅其众奔成都，德裕遣行[211]维州刺史虞藏俭将兵入据其城。庚申[212]，具奏其状，且言："欲遣生羌三千，烧十三桥，捣西戎[213]腹心，可洗久耻，是韦皋没身恨不能致者[214]也。"事下尚书省，集百官议，皆请如德裕策。牛僧孺曰："吐蕃之境，四面各万里，失一维州，未能损其势。比来修好，约罢戍兵，中国御戎，守信为上。彼若来责曰：'何事失信？'养马蔚茹川[215]，上平凉阪[216]，万骑缀回中[217]，怒气直辞[218]，不三日至咸阳桥[219]。此时西南数千里外，得百维州何所用之！徒弃诚信，有害无利。此匹夫所不为，况天子乎！"上以为然。诏德裕以其城归吐蕃，执悉怛谋及所与偕来者悉归之。吐蕃尽诛之于境上，极其惨酷。德裕由是怨僧孺益深。

冬，十月戊寅[220]，李德裕奏南诏寇巂州，陷三县。

【段旨】

以上为第九段，写崔郾善为政，宽严相济，所镇无不安定。写牛僧孺沮败李德裕安边之策，致使吐蕃降人遭屠戮。

【注释】

⑱⑨己丑：四月二十一日。⑲⓪辛丑：五月初四日。⑲①将作监：官名，掌土木工匠之政。⑲②宗正卿：官名，宗正寺掌天子族亲属籍及陵园宗庙之事，其正、副长官为卿、少卿。⑲③堕旷：旷废懈怠。⑲④旷官：荒废职守。⑲⑤忧轸所切：忧痛深切。⑲⑥丙辰：五月十九日。⑲⑦戊寅：八月十三日。⑲⑧陕虢：方镇名，唐肃宗至德元载（公元七五六年）置，治所陕州，在今河南三门峡市陕州区。⑲⑨百越：此指百越所居之地，在今江、浙、闽、粤等省。⑳⓪巴：郡名，治所巴县，在今重庆市巴南区。⑳①蜀：郡名，治所成都，在今四川成都。巴蜀连用，指今四川全境与重庆市。⑳②荆：荆州，治所江陵，在今湖北江

西川节度使李德裕上奏："蜀兵中老弱病残的，从来终身不精简。臣命令竖立一个五尺五寸的标杆，按这标准有四千四百多人落选，又选募了年轻力壮的一千人，以安抚他们的情绪。招募的北方兵已经得到一千五百人，他们与当地士兵混杂在一起居住，互相训练学习，一天天精壮熟练。另外，蜀地工匠所制作的兵器，只注重外表好看但不堪使用，臣现在从其他道调来工匠制造兵器，没有不坚固锋利的。"

九月，吐蕃维州副使悉怛谋请求投降，率领全部部众投奔成都，李德裕派行维州刺史虞藏俭带兵到那里入城据守。二十五日庚申，把详细情况奏报朝廷，并且说："打算派生羌三千人，烧十三桥，直捣西戎的中心地带，可以洗雪长久以来的耻辱，这是韦皋终身遗憾没有实现的事情。"朝廷把这件事交给尚书省，召集百官商议，都请求按照李德裕的计划办理。牛僧孺说："吐蕃的国境，四边各万里，失去一个维州，不会损失他的力量。近来两国和好，商定撤去守边的军队，中国防御戎族，守信为上。他要是来责备说：'为什么不守信用？'然后在蔚茹川养马，登上平凉地方的山坡，千军万马连接在回中道上，气壮理直，要不了三天，军队就会到达咸阳桥。这个时候西南在数千里以外，就是得到一百个维州又有什么用呢！白白丢掉了诚信，有害无利。这是一般人所不做的事，何况是天子呢！"文宗认同牛僧孺的话。诏令李德裕把所占据的城池归还吐蕃，抓住悉怛谋，连同他所带来的人都送回去。吐蕃在边境上把这些人全部杀死，极其惨烈残酷。李德裕由此怨恨牛僧孺更深了。

冬，十月十四日戊寅，李德裕上奏南诏入侵嶲州，攻陷了三个县。

陵。⑳汉：汉水，从陕西流入湖北，至汉口汇入长江。㉔剽行舟：抢劫江中行船。㉕蒙冲：战船名，亦作艨艟。以生牛皮蒙船覆背，矢石不能败。㉖慓狡：强悍奸猾。㉗政贵知变：为政贵在知权达变。㉘简：选择。㉙参居：混杂居住。㉚维州：州名，治所薛城，在今四川理县东北。㉛行：兼摄；兼任。㉜庚申：九月二十五日。㉝西戎：泛指西北少数民族，包括吐蕃和西域诸国。㉞韦皋没身恨不能致者：韦皋（公元七四四至八〇五年），字城武，京兆万年（今陕西西安）人，唐德宗时，官至剑南西川节度使。多次出兵攻维州，不克，故曰"没身恨不能致者"。传见《旧唐书》卷一百四十、《新唐书》卷一百五十八。㉟蔚茹川：水名，亦称蔚茹水、蔚茹河。源出宁夏固原，流经中宁，入黄河。㊱平凉阪：即今甘肃平凉陇东高原。阪，原。㊲回中：地名，在今陕西陇县。古道路名，回中道自蔚茹川入萧关，经甘肃平凉至咸阳，为陇东高原与关中平原的交通要道。㊳怒气直辞：气壮理直。怒气，指愤怒之气激成高昂士气。直辞，理直。㊴咸阳桥：桥名，又名西渭桥，在今陕西咸阳南。㊵戊寅：十月十四日。

【原文】

六年（壬子，公元八三二年）

春，正月壬子[221]，诏以水旱降系囚[222]。群臣上尊号曰太和文武至德皇帝。右补阙韦温上疏，以为“今水旱为灾，恐非崇饰徽[223]称之时”。上善之，辞不受。

三月辛丑[224]，以武宁节度使王智兴兼侍中，充忠武节度使，以邠宁节度使李听[225]为武宁节度使[226]。

回鹘昭礼可汗[227]为其下所杀，从子胡特勒[228]立。

李听之前镇武宁也，有苍头为牙将[229]。至是，听先遣亲吏[230]至徐州慰劳将士，苍头不欲听复来，说军士杀其亲吏，脔食[231]之。听惧，以疾固辞。辛酉[232]，以前忠武节度使高瑀[233]为武宁节度使。

夏，五月甲辰[234]，李德裕奏修邛崃关[235]及移巂州理台登城[236]。

秋，七月，原王逵[237]薨。

冬，十月甲子[238]，立鲁王永[239]为太子。初，上以晋王普，敬宗长子，性谨愿，欲以为嗣。会薨，上痛惜之，故久不议建储，至是始行之。

十一月乙卯[240]，以荆南节度使段文昌为西川节度使。西川监军王践言入知枢密，数为上言：“缚送悉怛谋以快虏心，绝后来降者，非计也。”上亦悔之，尤[241]中书侍郎、同平章事牛僧孺失策。附李德裕者因言“僧孺与德裕有隙，害其功”。上益疏之。僧孺内不自安，会上御延英，谓宰相曰：“天下何时当太平，卿等亦有意于此乎？”僧孺对曰：“太平无象[242]。今四夷不至交侵，百姓不至流散，虽非至理[243]，亦谓小康[244]。陛下若别求太平，非臣等所及。”退谓同列曰：“主上责望如此，吾曹岂得久居此地乎！”因累表请罢。十二月乙丑[245]，以僧孺同平章事，充淮南节度使。

臣光曰：“君明臣忠，上令下从，俊良在位，佞邪黜远，礼修乐举[246]，刑清政平，奸宄消伏[247]，兵革偃戢[248]，诸侯顺附，四夷怀服[249]，时和年丰[11]，家给人足，此太平之象也。于斯之时，阍寺

【语译】

六年（壬子，公元八三二年）

春，正月十八日壬子，因为水旱灾，下诏减轻囚犯的刑罚。群臣给文宗上尊号“太和文武至德皇帝”。右补阙韦温上疏，认为“现今水旱成灾，恐怕不是尊饰美称之时”。文宗认为说得很好，对尊号推辞不受。

三月初八日辛丑，任命武宁节度使王智兴兼侍中，充任忠武节度使，任命邠宁节度使李听为武宁节度使。

回鹘昭礼可汗被他的部下杀了，其侄子胡特勒继位为可汗。

李听先前担任武宁节度使时，他的一个奴仆做了牙将。到这时，李听预先派遣亲信官吏到徐州去慰劳将士，那奴仆不愿意李听再来徐州，劝说军士把李听的亲信官吏杀了，切成肉块吃掉。李听很害怕，借口有病坚决辞职。三月二十八日辛酉，任命前忠武节度使高瑀为武宁节度使。

夏，五月十二日甲辰，李德裕上奏修缮邛崃关和把嶲州治所迁移到台登城。

秋，七月，原王李逵去世。

冬，十月初五日甲子，立鲁王李永为皇太子。当初，文宗认为晋王李普是敬宗的长子，性情谦谨善良，想把他作为继承人。恰巧他死了，文宗非常悲痛和惋惜，所以长期不提设立太子事，到这时才办这件事。

十一月二十七日乙卯，任命荆南节度使段文昌为西川节度使。西川监军王践言回到朝廷担任枢密使，多次对文宗说：“把悉怛谋捆起来送回吐蕃，让吐蕃心欢，使得以后再也没有人来投降了，这不是好计谋。”文宗也感到后悔，责怪中书侍郎、同平章事牛僧孺失策。依附李德裕的人乘机说“牛僧孺和李德裕有矛盾，所以阻碍他立功”。文宗由此更加疏远牛僧孺。牛僧孺内心很不自在，遇上文宗到延英殿，对宰相们说：“天下什么时候才会太平，你们对这个问题也留意了吗？”牛僧孺回答说：“太平没有具体标准。现在四方夷人不至于交替侵扰，百姓没有流离失所，虽然不是天下大治，但也可说是小康了。陛下要是另外追求太平，不是臣子们能做到的。”退下后对同僚们说：“主上提出了这样的要求和希望，我们岂能久在这个职位上呢！”因此多次上表请求辞职。十二月初七日乙丑，命牛僧孺带同平章事官衔，充任淮南节度使。

司马光说：“君主贤明，臣下忠心，上司命令，下级服从，俊逸贤良在位，贬斥疏远奸佞邪恶之人，礼乐整饬，政治刑法清平，奸宄销声匿迹，战争止息，诸侯都归顺朝廷，四夷归附，四季协调，年谷丰登，家给人足，这就是天下太

专权，胁君于内[250]，弗能远[251]也；藩镇阻兵[252]，陵慢于外[253]，弗能制[254]也；士卒杀逐主帅，拒命自立[255]，弗能诘[256]也；军旅岁兴[257]，赋敛日急，骨血纵横于原野，杼轴空竭于里闾[258]，而僧孺谓之太平，不亦诬乎！当文宗求治之时，僧孺任居承弼[259]，进则偷安取容以窃位，退则欺君诬世以盗名，罪孰大焉！”

【段旨】

以上为第十段，写牛僧孺遭文宗问责而辞仕，受到司马光的严厉批评，称牛僧孺“进则偷安取容以窃位，退则欺君诬世以盗名”，是一罪臣。

【注释】

㉑壬子：正月十八日。㉒降系囚：给服刑罪囚减刑。死罪降（减刑）为流放，流放以下降刑一等。㉓徽：美。㉔辛丑：三月初八日。㉕李听：唐德宗朝名将李晟之子，历官灵盐、义成等镇节度使，多立战功。讨王庭凑兵败魏博，罢官。复起为邠宁节度使，至是转武宁节度使，遭拒未赴任。终官太子太保。传见《旧唐书》卷一百三十三、《新唐书》卷一百五十四。㉖武宁节度使：徐、泗、濠三州节度使，宪宗元和二年（公元八〇七年）改为武宁军节度使。武宁军治所徐州，在今江苏徐州。㉗昭礼可汗：名曷萨特勒，公元八二五至八三一年在位。㉘胡特勒：继位后为彰信可汗，公元八三二至八三九年在位。㉙李听之前镇武宁也二句：苍头，家奴。据新、旧《唐书》之《李听本传》，在文宗太和六年（公元八三二年）之前，李听未曾任武宁节度使。故胡三省注疑此苍头牙将，乃李听兄李愿之苍头，升为牙将，故拒绝李听赴任。李愿素镇武宁。㉚亲吏：亲信部属。㉛脔食：切成肉块而食之。㉜辛酉：三月二十八日。㉝高瑀（？至公元八三四年）：历官陈、蔡二州刺史、太仆卿，领忠武节度使，徙节武宁军，所在有善政。传见《旧唐书》卷一百六十二、《新唐书》卷一百七十一。㉞甲辰：五月十二日。㉟邛崃关：关名，在今四川

【原文】

珍王诚[260]薨。

乙亥[261]，昭义节度使刘从谏入朝。

丁未[262]，以前西川节度使李德裕为兵部尚书。

平的景象。在这个时候，宦官专权，在朝廷中胁迫君主，不能被疏远；藩镇拥兵割据，在地方上傲慢无礼，不能被控制；士卒杀戮和驱逐主帅，抗拒朝命，自立为藩镇，不能受责问；战争年年发生，征收赋税日益紧迫，原野中到处是尸骨，百姓积蓄一空，牛僧孺却称作天下太平，不是骗人吗！当文宗皇帝要求治理好国家的时候，牛僧孺任居宰辅，进取时就苟且偷安来求得君主的欢喜以窃取官位，退守时就欺骗君主、蒙骗世人以盗取名声，罪过有比这还大的吗！”

荥经西南，距黎州六十里。㉟台登城：城名，在今四川西昌北。㊲原王逵：即代宗第十九子李逵，大历十年（公元七七五年）封。传见《旧唐书》卷一百十六、《新唐书》卷八十二。㊳甲子：十月初五日。㊴鲁王永：即文宗长子李永，开成三年（公元八三八年）暴薨，谥庄恪太子。传见《旧唐书》卷一百七十五、《新唐书》卷八十二。㊵乙卯：十一月二十七日。㊶尤：抱怨；责怪。㊷太平无象：天下太平没有具体标准。㊸至理：大治。㊹小康：小安。㊺乙丑：十二月初七日。㊻礼修乐举：礼乐整饬。㊼奸宄消伏：违法作乱的人销声匿迹。㊽兵革偃戢：战争止息。㊾四夷怀服：四方周边民族归附。㊿胁君于内：胁迫皇帝于朝内。251远：疏远，指疏远擅权的宦竖。252阻兵：拥兵割据。253陵慢于外：在地方上傲慢无礼。254制：控制，指控制跋扈不顺的藩镇。255拒命自立：拒绝朝命，自立为藩镇。256诘：责备；问罪。257军旅岁兴：战争年年发生。258杼轴空竭于里闾：百姓积蓄被征敛一空。杼轴，即机杼，指代纺织物，引申为百姓积蓄。杼，梭。轴，滚筒。259承弼：辅弼；宰相。

【校记】

［11］时和年丰：原无此四字。据章钰校，十二行本、乙十一行本皆有此四字，张敦仁《通鉴刊本识误》同，今据补。

【语译】

珍王李诚去世。

十二月十七日乙亥，昭义节度使刘从谏入朝。

丁未日，任命前西川节度使李德裕为兵部尚书。

初，李宗闵与德裕有隙，及德裕还自西川，上注意甚厚，朝夕且为相，宗闵百方沮之不能。京兆尹杜悰[263]，宗闵党也，尝诣宗闵，见其有忧色，曰："得非以大戎[264]乎？"宗闵曰："然。何以相救？"悰曰："悰有一策，可平宿憾[265]，恐公不能用。"宗闵曰："何如？"悰曰："德裕有文学而不由科第，常用此为慊慊[266]。若使之知举[267]，必喜矣。"宗闵默然有间[268]，曰："更思其次。"悰曰："不[269]则用为御史大夫。"宗闵曰："此则可矣。"悰再三与约，乃诣德裕。德裕迎揖曰："公何为访此寂寥[270]？"悰曰："靖安相公[271]令悰达意[272]。"即以大夫之命告之[273]。德裕惊喜泣下，曰："此大门官[274]，小子何足以当之！"寄谢重沓[275]。宗闵复与给事中杨虞卿谋之，事遂中止。虞卿，汝士之从弟也。

【段旨】

以上为第十一段，写牛僧孺被贬出朝，李德裕还朝任兵部尚书。

【注释】

[260]珍王诚：即李诚，德宗第十一子，永贞元年（公元八〇五年）封。传见《旧唐书》卷一百五十、《新唐书》卷八十二。《新唐书》"诚"作"諴"。[261]乙亥：十二月十七日。[262]丁未：十二月己未朔，无丁未。丁未，太和七年（公元八三三年）一月十九日。疑

【原文】

七年（癸丑，公元八三三年）

春，正月甲午[276]，加昭义节度使刘从谏同平章事，遣归镇。初，从谏以忠义自任，入朝，欲请他镇。既至，见朝廷事柄不一[277]，又士大夫多请托，心轻朝廷，故归而益骄。

徐州承王智兴之后，士卒骄悖，节度使高瑀不能制，上以为忧。甲寅[278]，以岭南节度使崔珙[279]为武宁节度使。珙至镇，宽猛适宜，徐人

当初，李宗闵与李德裕有隔阂，等到李德裕从西川回到京城，文宗对他情意深厚，很快就将任他为宰相，李宗闵用尽千方百计也不能阻止。京兆尹杜悰是李宗闵的同党，曾到李宗闵处，见他面有忧色，说："莫非是由于李德裕吗？"李宗闵说："是的。用什么办法挽救？"杜悰说："我有一个办法，可以平息过去的旧怨，只怕您不能采用。"李宗闵说："什么办法？"杜悰说："李德裕文学很好，但不是经由科第出身，常常因为这一点而感到不快。如果让他主持进士考试，他一定会高兴。"李宗闵沉默片刻，说："再想其他办法。"杜悰说："否则用他担任御史大夫。"李宗闵说："这个办法可行。"杜悰多次与李宗闵在一起商量，才到李德裕那里去。李德裕迎拜他说："公为什么访问我这落寞之人？"杜悰说："靖安相公要我转达他的心意。"马上将任命他为御史大夫的事告诉他。李德裕惊喜得流泪，说："这是大门官，小子我哪里担当得起！"一再请转告谢意。李宗闵又和给事中杨虞卿谋划这件事，这事又中途作罢。杨虞卿是杨汝士的堂弟。

"丁未"为"丁亥"之误。丁亥，十二月二十九日。㉖③杜悰：字永裕，杜佑之孙。武、宣二朝皆居相位。传见《旧唐书》卷一百四十七、《新唐书》卷一百六十六。㉖④大戎：隐语。李德裕为兵部尚书，掌戎政，故隐称之为"大戎"。㉖⑤宿憾：旧怨。㉖⑥慊慊：不快。㉖⑦知举：即知贡举，主持进士考试。㉖⑧有间：片刻。㉖⑨不：同"否"。㉗⓪寂寥：冷落；落寞。此李德裕自谦，意为自己是闲散落寞之人。㉗①靖安相公：李宗闵居靖安坊，时为宰相，故有此称。㉗②达意：传达心意。㉗③即以大夫之命告之：就把李宗闵打算任用李德裕为御史大夫的意思告知李德裕。㉗④大门官：指御史大夫。唐制，大朝会，御史大夫率其所属整理好百官班序，黎明列于宫门前，故称大门官。㉗⑤寄谢重沓：一再请转告谢意。

【语译】

七年（癸丑，公元八三三年）

春，正月初六日甲午，加授昭义节度使刘从谏同平章事官衔，让他回镇履职。当初，刘从谏自认对国家忠义，到朝廷后，想请求调到其他镇去。到了京城后，看到朝廷事权不一，士大夫又多所请托，内心便看不起朝廷，所以回镇后更加骄横。

徐州自从王智兴之后，士卒骄横悖逆，节度使高瑀不能控制，文宗对此很担心。正月二十六日甲寅，任命岭南节度使崔珙为武宁节度使。崔珙到镇后，宽严适中，

安之。珙，琯之弟也。

二月癸亥[280]，加卢龙节度使、检校工部尚书杨志诚检校吏部尚书。进奏官[281]徐迪诣宰相言："军中不识朝廷之制[282]，唯知尚书改仆射为迁，不知工部改吏部为美。敕使往，恐不得出[283]。"辞气甚慢，宰相不以为意。

丙戌[284]，以兵部尚书李德裕同平章事。德裕入谢，上与之论朋党事，对曰："方今朝士三分之一为朋党。"时给事中杨虞卿与从兄中书舍人汝士、弟户部郎中汉公[285]、中书舍人张元夫[286]、给事中萧澣等善交结，依附权要[287]，上干执政[288]，下挠[289]有司[290]，为士人求官及科第[291]无不如志。上闻而恶之，故与德裕言首及之，德裕因得以排其所不悦者。初，左散骑常侍张仲方尝驳李吉甫谥[292]，及德裕为相，仲方称疾不出。三月壬辰[293]，以仲方为宾客、分司[294]。

杨志诚怒不得仆射，留官告使[295]魏宝义并春衣使焦奉鸾，送奚、契丹使尹士恭。甲午[296]，遣牙将王文颖来谢恩并让官。丙申[297]，复以告身[298]并批答[299]赐之。文颖不受而去。

和王绮[300]薨。

庚戌[301]，以杨虞卿为常州[302]刺史，张元夫为汝州[303]刺史。他日，上复言及朋党，李宗闵曰："臣素知之，故虞卿辈臣皆不与美官。"李德裕曰："给、舍[304]非美官而何！"宗闵失色。丁巳[305]，以萧澣为郑州刺史。

夏，四月丙戌[306]，册回鹘新可汗为爱登里啰汩没密施合句禄毗伽彰信可汗。

六月乙巳[307]，以山南西道节度使李载义为河东节度使。先是，回鹘每入贡，所过暴掠，州县不敢诘，但严兵防卫而已。载义至镇，回鹘使者李畅入贡，载义谓之曰："可汗遣将军入贡，以固舅甥之好，非遣将军陵践上国也。将军不戢[308]部曲[309]，使为侵盗，载义亦得杀之，勿谓中国之法可忽也。"于是悉罢防卫兵，但使二卒守其门。畅畏服，不敢犯令。

壬申[310]，以工部尚书郑覃为御史大夫。初，李宗闵恶覃在禁中数言事，奏罢其侍讲[311]。上从容谓宰相曰："殷侑经术颇似郑覃。"宗闵对曰："覃、侑经术诚可尚，然论议不足听。"李德裕曰："覃、侑议

徐州人安定下来。崔珙是崔琯的弟弟。

二月初五日癸亥，加授卢龙节度使、检校工部尚书杨志诚为检校吏部尚书。进奏官徐迪到宰相那里说："军队中的人不懂得朝廷的制度，只知道尚书改为仆射是升官，不知道工部尚书改为吏部尚书是美事。敕使到那里去，恐怕不能出来。"说话口气很傲慢，宰相不把这种情况放在心上。

二月二十八日丙戌，任命兵部尚书李德裕为同平章事。李德裕入宫谢恩，文宗和他讨论朋党的事，他回答说："现在朝廷中的士大夫三分之一的人都有朋党关系。"当时给事中杨虞卿与堂兄中书舍人杨汝士、弟弟户部郎中杨汉公、中书舍人张元夫、给事中萧澣等善于交结，依附权要，对上干涉执政者，对下阻挠办事部司，为士人谋求官职和科举登第无不如意。文宗听说后很厌恶这种状况，所以和李德裕谈话时首先谈到此事，李德裕因此能够排斥他所不喜欢的人。当初，左散骑常侍张仲方曾驳斥过给李吉甫的谥号，等到李德裕做了宰相，张仲方说有病不出来视事。三月初五日壬辰，改任张仲方为太子宾客、分司东都。

杨志诚生气于没有得到仆射官职，扣留了官告使魏宝义和春衣使焦奉鸾，以及送奚、契丹使尹士恭。三月初七日甲午，派遣牙将王文颖到朝廷谢恩并辞让所加官职。初九日丙申，朝廷又把告身和批示不准辞官的文书赐给他。王文颖没有接受就离去了。

和王李绮去世。

三月二十三日庚戌，任命杨虞卿为常州刺史，张元夫为汝州刺史。后来，文宗又言及朋党事，李宗闵说："臣向来就了解他们，所以杨虞卿等人，臣都不给他们好官职。"李德裕说："给事中、中书舍人不是好官职又是什么呢！"李宗闵变了脸色。三十日丁巳，任命萧澣为郑州刺史。

夏，四月二十九日丙戌，册命回鹘新可汗为爱登里啰汨没密施合句禄毗伽彰信可汗。

六月乙巳日，任命山南西道节度使李载义为河东节度使。此前，回鹘每次入朝进贡，所经过的地方都遭到横暴的掳掠，州县长官不敢过问，只是整兵防卫而已。李载义到镇以后，回鹘使者李畅又来进贡，李载义对他说："可汗派将军来进贡，目的是巩固舅甥之间的友好关系，不是派将军来欺凌上国的。将军不约束部下兵士，让他们为非作歹，载义也能杀掉他们，不要认为中国的法纪是可以忽视的。"于是把防卫的军队都撤了，只让两个士兵守门。李畅既敬畏又叹服，不敢再违犯法令。

六月十六日壬申，任命工部尚书郑覃为御史大夫。当初，李宗闵不满郑覃在禁中多次向文宗议论政事，于是奏请罢免了郑覃的侍讲学士官职。文宗闲谈时对宰相们说："殷侑的经术很像郑覃。"李宗闵回答说："郑覃、殷侑的经术实在值得推崇，然而议论却不值得听取。"李德裕说："郑覃、殷侑的议论，其他的人不想听，只是陛下想听

论，他人不欲闻，惟陛下欲闻之。”后旬日，宣出[312]，除覃御史大夫。宗闵谓枢密使崔潭峻曰：“事一切宣出，安用中书！”潭峻曰：“八年天子[313]，听其自行事亦可矣。”宗闵愀然[314]而止。

乙亥[315]，以中书侍郎、同平章事李宗闵同平章事，充山南西道节度使。

秋，七月壬寅[316]，以右仆射王涯[317]同平章事兼度支、盐铁转运使。

宣武节度使杨元卿有疾，朝廷议除代。李德裕请徙刘从谏于宣武，因拔出上党，不使与山东连结，上以为未可。癸丑[318]，以左仆射李程为宣武节度使。

【段旨】

以上为第十二段，写李德裕入相，斥逐牛党，李宗闵被罢相出朝，此牛李党争第三回合。

【注释】

㉗⑥甲午：正月初六日。㉗⑦事柄不一：事权不统一，即政出多门。㉗⑧甲寅：正月二十六日。㉗⑨崔珙：武宗会昌初任宰相，宣宗时官至东都留守。传见《旧唐书》卷一百七十七、《新唐书》卷一百八十二。㉘⓪癸亥：二月初五日。㉘①进奏官：官名，藩镇置邸京师，大历起称上都知进奏院，置进奏官，掌章奏、诏令及文书的投递、承转。㉘②军中不识朝廷之制：此为卢龙节度使进奏官徐迪所发狂言，意谓藩镇军中，只知道改尚书为仆射是升官，不知道改工部尚书为吏部尚书是美称，恐怕朝廷使臣去卢龙宣布这一更改，就回不来了。㉘③恐不得出：指杨志诚不满升迁为检校吏部尚书而拘留朝使。〖按〗仆射为尚书省长官，故诸部尚书改仆射为升迁；而诸部尚书，自晋、宋以来，吏部为大尚书，其他诸部尚书不能与之平列，所以改工部尚书为吏部尚书也是升迁。诸藩进奏官自然明白此制，但徐迪不满足于此，故对宰相狂言。此乃朝纲不振，以下凌上之事。㉘④丙戌：二月二十八日。㉘⑤汉公：杨汉公，字用乂，唐文宗朝累官荆南节度使、工部尚书，被劾，降秘书监。唐宣宗时官至宣武、天平节度使。传见《旧唐书》卷一百七十六、《新唐书》卷一百七十五。㉘⑥张元夫：官至汝州刺史。事附《旧唐书》卷一百六十二《张正

到它。”十天后，文宗的诏命宣布了，任命郑覃为御史大夫。李宗闵对枢密使崔潭峻说：“一切政事都由皇上自己宣布，还用中书省干什么！”崔潭峻说：“做了八年的天子，听任他自己办理事情也是可以的。”李宗闵显出悲伤的样子，不说话了。

六月十九日乙亥，任命中书侍郎、同平章事李宗闵以同平章事的头衔，充任山南西道节度使。

秋，七月十七日壬寅，任命右仆射王涯同平章事兼度支、盐铁转运使。

宣武节度使杨元卿有病，朝廷讨论接替的人。李德裕请求把刘从谏徙任宣武，于是把上党地区架空了，不使他和山东联结，皇帝认为不能那么做。七月二十八日癸丑，任命左仆射李程为宣武节度使。

甫传》。㉘⑦权要：掌握要职的权贵。㉘⑧执政：指决策机关及其长官。㉘⑨挠：与上文“干”为互文，即干犯、阻挠。㉙⓪有司：具体的执行部门。㉙①科第：科举进士及第。这里指朋党为子弟亲朋关说考官，求取科第。㉙②张仲方尝驳李吉甫谥：张仲方，正直之臣。传见《新唐书》卷一百二十六。李吉甫，宪宗朝宰相，李德裕之父。李吉甫卒，有司谥曰敬宪。时张仲方为度支郎中，驳其谥太优。宪宗改谥李吉甫曰忠懿，而贬仲方为遂州司马。敬宗立，入朝任谏议大夫。今李德裕为相，故张仲方称疾不出。其时，张仲方为左散骑常侍。㉙③壬辰：三月初五日。㉙④分司：即分司东都，在东都洛阳执行职务。在此任官者亦称分司。㉙⑤官告使：与后面的春衣使，送奚、契丹使，皆朝廷以事权设之官。㉙⑥甲午：三月初七日。㉙⑦丙申：三月初九日。㉙⑧告身：任命文书，即委任状。㉙⑨批答：对让官不允的回文。此句指文宗不同意杨志诚让官，同时赐以委任文书及驳文。㉚⓪和王绮：即和王李绮，顺宗之子。传见《旧唐书》卷一百五十、《新唐书》卷八十二。㉚①庚戌：三月二十三日。㉚②常州：州名，治所晋陵，在今江苏常州。㉚③汝州：州名，治所梁县，在今河南汝州。㉚④给、舍：指给事中、中书舍人。㉚⑤丁巳：三月三十日。㉚⑥丙戌：四月二十九日。㉚⑦乙巳：六月丁巳朔，无乙巳。乙巳为乙丑之误，乙丑，六月初九日。㉚⑧戢：约束。㉚⑨部曲：部下士兵。㉛⓪壬申：六月十六日。㉛①侍讲：翰林侍讲学士的省称。时郑覃兼任此官。㉛②宣出：不由宰相提请，皇帝直接颁布任命的诏命，谓之宣出。㉛③八年天子：唐文宗即位，至是已八年。㉛④愀然：悲伤。㉛⑤乙亥：六月十九日。㉛⑥壬寅：七月十七日。㉛⑦王涯：字广津，唐宪宗、文宗二朝宰相，贪权恋位，苟合取容。李训败，株连及祸，冤死。传见《旧唐书》卷一百六十九、《新唐书》卷一百七十九。㉛⑧癸丑：七月二十八日。

【原文】

上患近世文士不通经术，李德裕请依杨绾[319]议，进士试论议，不试诗赋。德裕又言："昔玄宗以临淄王定内难[320]，自是疑忌宗室，不令出阁[321]。天下议皆以为幽闭骨肉[322]，亏伤人伦。向使天宝之末、建中之初，宗室散处方州，虽未能安定王室，尚可各全其生。所以悉为安禄山、朱泚所鱼肉者，由聚于一宫故也。陛下诚因册太子，制书听宗室年高属疏者出阁，且除诸州上佐[323]，使携其男女出外婚嫁。此则百年弊法，一旦因陛下去之，海内孰不欣悦！"上曰："兹事朕久知其不可，方今诸王岂无贤才，无所施耳！"八月庚寅[324]，册命太子，因下制："诸王自今以次出阁，授紧、望[325]州刺史，上佐。十六宅县主[326]，以时出适[327]。进士停试诗赋。"诸王出阁，竟以议所除官不决而罢。

【段旨】

以上为第十三段，写李德裕建言唐文宗革除圈禁皇室子孙的制度，未能彻底施行。

【注释】

[319]杨绾：字公权，华州华阴（今陕西华阴）人，唐代宗朝宰相，以德行著闻，世比之杨震、谢安。传见《旧唐书》卷一百十九、《新唐书》卷一百四十二。其奏议见本书卷二百二十二代宗广德元年。[320]定内难：指临淄王李隆基诛韦皇后、安乐公主等，恢复唐

【原文】

壬寅[328]，加幽州节度使杨志诚检校右仆射，仍别遣使慰谕之。

杜牧愤河朔三镇[329]之桀骜，而朝廷议者专事姑息，乃作书，名曰《罪言》[330]。大略以为："国家自天宝盗起，河北百余城不得尺寸，人望之若回鹘、吐蕃，无敢窥者。齐、梁、蔡[331]被其风流，因亦为寇。未尝五年间不战，焦焦然[332]七十余年矣。今上策莫如先自治，中策莫如

【语译】

文宗忧虑近世文士不通晓经术，李德裕请求根据杨绾的建议，进士考试时考论议，不考诗赋。李德裕又说："从前玄宗以临淄王的身份平定内难，从此猜疑宗室，不让他们离开朝廷。天下人议论都认为是幽闭骨肉，损害人间伦理。假使天宝末年、建中初年，宗室分散居住在各个州县，虽然不能安定王室，但还可以各自保全生命。他们所以被安禄山、朱泚所屠杀，就是由于聚集在一个地方。陛下如果趁着册立太子的机会，下令听凭宗室中年纪大、籍属疏远的人离开王宫，并且授予州府上等官职，让他们带着子女在外地完婚嫁娶，这就是把上百年来的坏制度，由陛下一朝消除，海内谁不欢欣呢！"文宗说："此事朕很久以前就知道不行，现今各王怎么会没有贤才，就是没有地方施展而已！"八月初七日庚寅，册立太子，于是下诏："诸王从今以后依次离开京城，授予紧州、望州刺史或州刺史的高级佐官。十六宅的县主，到年龄出嫁。进士考试停止考诗赋。"诸王出阁的事，最终由于讨论所授官职不能决定而作罢。

睿宗帝位。事见本书卷二百九睿宗景云元年。㉑出阁：皇子离开朝廷到封邑，或至外地任官。㉒幽闭骨肉：软禁亲属。㉓上佐：谓州郡上等佐吏，如别驾、长史、司马。㉔庚寅：八月初七日。㉕紧、望：州的等级之称。开元中，按地理、面积、人口、出产划分天下州府，除京都和都督、都护府外，有四辅（同、华、岐、蒲四州）、六雄（郑、陕、汴、绛、怀、魏）、十望（宋、亳、滑、许、汝、晋、洺、虢、卫、相十州）、十紧（秦、延、泾、邠、陇、汾、隰、慈、唐、邓十州），以及上、中、下州。㉖县主：诸王之女称县主。㉗出适：出阁嫁人。

【语译】

八月十九日壬寅，加授幽州节度使杨志诚检校右仆射，并另派使者去慰问他。

杜牧愤恨河北三镇的凶暴乖戾，而朝廷议政的大臣只知道姑息，于是写了一篇文章，名叫《罪言》。大概内容是说："国家自从天宝发生盗贼，河北一百多个城池，朝廷没有得到尺寸之地，人们把此地视同回鹘、吐蕃，没有人敢试图收回这些地方。齐、梁、蔡各地受到这些地方的影响，因此此地人也成为寇贼。这些地方没有超过五年不打仗的日子，焦急忧苦了七十多年。现在的上策没有比先从自治图强更好的了，

取魏，最下策为浪战[333]，不计地势，不审攻守是也。”

又伤府兵废坏[334]，作《原十六卫》[335]，以为：“国家始踵隋制，开十六卫[336]，自今观之，设官言无谓[337]者，其十六卫乎！本原事迹[338]，其实天下之大命也。贞观中，内[339]以十六卫蓄养武[12]臣，外开折冲、果毅府五百七十四[340]，以储兵伍。有事则戎臣[341]提兵居外[342]，无事则放兵居内[343]。其居内也，富贵恩泽以奉养[13]其身，所部之兵散舍诸府[344]。上府[345]不越[346]千二百人，三时[347]耕稼，一时[348]治武[349]，籍藏将府[350]，伍散田亩，力解势破，人人自爱，虽有蚩尤[351]为帅，亦不可使为乱耳。及其居外也，缘部之兵被檄乃来[352]，斧钺在前，爵赏在后，飘暴交捽[353]，岂暇异略[354]！虽有蚩尤为帅，亦无能为叛也。自贞观至于开元百三十年间，戎臣兵伍未始逆篡，此大圣人所以能柄统轻重，制鄣表里[355]，圣算神术[356]也。至于开元末，愚儒奏章曰：‘天下文胜[357]矣，请罢府兵。’武夫奏章曰：‘天下力强[358]矣，请搏四夷[359]。’于是府兵内铲[360]，边兵外作[361]，戎臣兵伍，湍奔矢往[362]，内无一人矣。尾大中干[363]，成燕偏重[364]，而天下掀然[365]，根萌烬然[366]，七圣[367]旰食[368]，求欲除之且不能也。由此观之，戎臣兵伍，岂可一日使出落钤[14]键[369]哉！然为国者不能无兵，居外则叛，居内则篡。使外不叛，内不篡，古今以还，法术最长，其置府立卫乎！近代以来，于其将也，弊复为甚，率皆市儿辈，多赍金玉，负倚幽阴[370]，折券[371]交货[372]所能致也，绝不识父兄礼义之教，复无慷慨感概之气。百城千里，一朝得之，其强杰愎勃[373]者则挠削法制，不使缚己，斩族忠良[374]，不使违己，力一势便[375]，罔不为寇。其阴泥巧狡[376]者，亦能家算口敛[377]，委于邪幸，由卿市公[378]，去郡得都[379]，四履所治[380]，指为别馆。或一夫不幸而寿，则戛割生人[381]，略匝天下[382]。是以天下兵乱不息，齐人干耗[383]，靡不由是矣。呜呼！文皇帝[384]十六卫之旨，其谁原而复之乎！”

中策没有比收复魏博更好的了，最下策是轻率地开战，那是不考虑地理形势，不明白攻守的不同。”

又叹息府兵制度被破坏，写了《原十六卫》，认为：“国家开始承袭隋朝的制度，设立十六卫，从现在情况看来，设置官职无意义的，恐怕就是十六卫了！追本溯源，它其实是国家最根本的命脉。贞观年间，朝廷中用十六卫来蓄养武臣，地方上设立折冲、果毅府五百七十四处，用来储备兵员。发生了战事，武臣领兵在外作战，无战事时就分散军队居住在内地。武臣在内地时，富贵恩泽养着身家，所带领的军队，分散驻扎在各都尉府。大的都尉府不超过一千二百人，春夏秋三季耕地种田，冬季练习武艺，名册收藏在都尉府，队伍散居在田园，力量被分散，人人自爱，哪怕是蚩尤来做统帅，也不能使他们起来作乱。等到武臣领兵在外时，因所统领的士兵是接受檄文才前来的，军纪立在前面，爵赏悬在后面，风吹日晒相交替，哪有空闲图谋不轨！哪怕是蚩尤做统帅，也不能使士兵反叛朝廷。从贞观到开元一百三十年之间，从武将到士卒，没有发生叛逆篡弑之事，这就是因为大圣人能够掌握国家大小权力，控制朝廷内外，有神机妙算。至于开元末年，那些愚昧的儒生在奏章中说：‘天下文治鼎盛了，请废除府兵制度。’那些武夫的奏章说：‘天下武力强大了，请攻打四夷。’于是府兵在内部被削除，边兵在外地兴乱，武臣和士兵，如同湍流奔赴，飞矢往来，朝内空无一人了。尾大不掉，外强中干，形成燕地安禄山势力偏大，而天下翻动，旧势力死灰复燃，从那以后七位皇帝宵衣旰食，想把他们平定但是没有能力做到。这样看来，武将士卒哪里能够一天让他们脱离控制啊！然而统治国家不能没有军队，可是有了军队，在地方上难免会发生叛乱，在朝廷中难免不发生篡弑这样的事。要使军队在外不叛，在内不篡，从古代到今天，办法最好的，就是置府立卫了！近代以来，对那些将领来说，弊病又很严重，他们大多是市井小人，因带着许多金银财宝，投靠宦官，毁弃债券，交纳财货而得到官职，决然没有受过父兄关于礼义的教育，又没有慷慨仗义的气魄。一旦得以统辖千里的土地、上百座城池，那些强悍凶残、违法悖乱的人就会不遵守法制，为了不让法制束缚自己，族灭忠良之臣，不让他们违抗自己，力量统一，形势便利，没有不叛乱的。那些阴险狡猾的人，也会敛取户税和人头税，交给邪恶宠幸之人，由列卿买到三公，离开州郡，得到都城，把辖境之内看作私人别墅。或许有那么一个人幸而长寿，那么就要宰割百姓，掠遍天下。所以天下兵乱不止，老百姓财力消耗殆尽，无不由于这个原因。唉！太宗皇帝建立十六卫府的宗旨，谁又去探究它而把它恢复呢！”

【段旨】

以上为第十四段，写杜牧论时政，在《罪言》与《原十六卫》两篇政论中讨论藩镇割据之祸形成的原因，一是朝廷姑息，二是府兵制败坏。

【注释】

(328)壬寅：八月十九日。(329)河朔三镇：即成德、魏博、卢龙三镇。(330)《罪言》：杜牧所写文章名，收入《樊川文集》。罪言，意谓论祸害的形成。(331)齐、梁、蔡：齐地为淄青节度使李正己，梁地为汴宋都虞候李灵曜，蔡地为淮西节度使李希烈和吴少诚等，这些人割据一方，反叛朝廷。(332)焦焦然：忧急的样子。(333)浪战：轻率作战。(334)府兵废坏：府兵制度废弃不行。府兵，一种寓兵于农的制度，平日务农，有事征调。(335)《原十六卫》：杜牧所写文章名，收入《樊川文集》。(336)开十六卫：设置十六卫军事指挥系统。开，设置。十六卫为左右卫、左右骁卫、左右武卫、左右威卫、左右领军卫、左右金吾卫、左右监门卫、左右千牛卫。每卫有上将军、大将军各一人，将军二人。(337)设官言无谓：贞元二年（公元七八六年）后，十六卫虽设官而无兵可掌，所以说“无谓”，毫无意义。(338)本原事迹：追本溯源。(339)内：指朝廷。十六卫属皇帝统管，故称内。(340)外开折冲、果毅府五百七十四：在地方设置折冲、果毅府五百七十四处，每府各置长官折冲都尉一人，副长官左右果毅都尉各一人，掌府兵操练、宿卫、戍边、作战等事。(341)戎臣：带兵的武将。(342)提兵居外：领兵出征在外。(343)放兵居内：分散居于内地。(344)散舍诸府：分散驻扎在各都尉府。(345)上府：大的都尉府。(346)越：超过。(347)三时：春、夏、秋三季。(348)一时：指冬季。(349)治武：练习武艺。(350)籍藏将府：名册收藏在都尉府。(351)蚩尤：传说中的九黎族首领，能呼风唤雨，与黄帝战于涿鹿，败死。(352)缘部之兵被檄乃来：因所统领的士兵是接受檄文才前来的。(353)飘暴交捽：风吹日晒相交。(354)岂暇异略：哪里有

【原文】

又作《战论》[385]，以为：“河北视天下，犹珠玑也；天下视河北，犹四支也[386]。河北气俗浑厚，果于战耕，加以土息[387]健马，便于驰敌，是以出则胜，处则饶，不窥天下之产，自可封殖[388]，亦犹大农之家，不待珠玑然后以为富也。国家无河北，则精甲、锐卒、利刀、良弓、健马无有也，是一支[389]，兵去矣。河东、盟津[390]、滑台[391]、大梁[392]、彭城[393]、东平[394]，尽宿厚兵以塞虏冲，不可他使，是二支，兵去矣。六镇之师，

空闲图谋不轨。异略，他图。㉟⑤制鄣表里：控制内外。鄣，同“障”。㊱圣算神术：谋划神机妙算。㊲文胜：文治鼎盛。㊳力强：武力强盛。㊴搏四夷：攻打四夷。㊵铲：铲除；消除。㊶边兵外作：边兵在外兴乱。作，兴起、作乱。㊷戎臣兵伍二句：谓军情紧急，将领与士兵调动频繁，如同急流奔赴，飞矢往来。㊸尾大中干：尾大不掉，外强中干。㊹成燕偏重：谓形成安禄山偏重之势。燕，范阳节度使所辖为古燕国之地，故以指代。㊺掀然：翻扰；翻动。㊻根萌烬然：树根发芽，死灰复燃。然，通“燃”。㊼七圣：指肃、代、德、顺、宪、穆、敬七世皇帝。㊽旰食：晚食，谓因政务繁杂而延误吃饭。㊾出落钤键：脱离控制。钤，锁。钤键即锁钥，引申为约束、控制。㊿幽阴：指宦官。㊶折券：毁弃债券，谓赊欠买官，到任付钱。㊷交货：即交纳钱财。㊸强杰愎勃：强悍凶残、违法悖乱。杰，通“桀”，凶残。勃，通“悖”。㊹不使缚己二句：为了不使自己受束缚，不惜族灭忠良之臣。㊺力一势便：力量划一，形势便利。㊻阴泥巧狡：阴险狡猾。泥，通“昵”。㊼家算口敛：户税和人头税。㊽由卿市公：从卿大夫到三公的官位都可以买到。㊾去郡得都：离开了州郡，得到了都城。郡谓列郡，都谓五都：长安、洛阳、凤翔、江陵、太原。㊿四履所治：谓辖境之内。四履，四境，语出《左传·僖公四年》：“赐我先君履，东至于海，西至于河，南至于穆陵，北至于无棣。”此召陵之盟，齐管仲对楚军主帅之言，指齐国受天子之命所管理的范围。㊶戛割生人：宰割百姓。㊷略匝天下：掠遍天下。㊸齐人干耗：人民消耗殆尽。㊹文皇帝：即唐太宗，谥曰文。

【校记】

［12］武：据章钰校，十二行本、乙十一行本皆作“戎”。［13］养：原无此字。据章钰校，十二行本、乙十一行本皆有此字，今据补。［14］钤：原误作“铃”。据章钰校，十二行本、乙十一行本皆作“钤”，今据改。

【语译】

又写了《战论》，认为：“从河北的角度来看全国，如同一颗宝珠；从国家的角度来看河北，犹如身体的四肢。河北地方风俗民情浑朴淳厚，善于耕战，加上出产健马，便于冲锋陷阵，所以出战就能取胜，居住的地方就很富有，不靠全国其他地方的物产，自己就可以培植，也就好比一家大农户，没有珠宝也很富有一样。国家没有河北地方，那么精甲、锐卒、利刀、良弓、健马就没有了，这是第一肢，国家丢失了一半兵力。河东、盟津、滑台、大梁、彭城、东平，都驻扎重兵用以防备敌人的进攻，不能派作他用，这是第二肢，国家又丢失了一半兵力。河东等六镇的军队，耗费的资财多达三亿钱，埋着头靠朝廷供给军需，他们横肱拱手什么事也不做，

厥数三亿㊿,低首仰给,横拱不为㊿,则沿淮已北,循河之南,东尽海,西叩洛㊿,赤地尽取㊿,才能应费㊿,是三支,财去矣。咸阳西北,戎夷大屯㊿,尽铲吴、越、荆、楚之饶以啖兵戍㊿,是四支,财去矣。天下四支尽解,头腹兀然㊿,其能以是久为安乎!今者诚能治其五败,则一战可定,四支可生。夫天下无事之时,殿寄大臣㊿偷安奉私,战士离落,兵甲钝弊,是不搜练㊿之过,其败一也。百人荷戈,仰食县官,则挟千夫之名,大将小裨㊿,操其余赢,以虏壮为幸,以师老㊿为娱,是执兵者常少,縻食常多,此不责实料食㊿之过,其败二也。战小胜则张皇㊿其功,奔走献状㊿,以邀上赏,或一日再赐,或一月累封,凯还未歌㊿,书品已崇㊿,爵命极矣,田宫㊿广矣,金缯溢矣㊿,子孙官矣,焉肯搜奇出死㊿,勤于我矣!此厚赏之过,其败三也。多丧兵士,颠翻大都,则跳身而来,刺邦而去㊿,回视刀锯㊿,气色甚安,一岁未更㊿,旋已立于坛墀之上㊿矣,此轻罚之过,其败四也。大将兵柄不得专,恩臣、敕使迭来挥之㊿,堂然㊿将陈㊿,殷然㊿将鼓,一则曰必为偃月㊿,一则曰必为鱼丽㊿,三军万夫,环旋翔羊㊿愰骇㊿之间,虏骑乘之,遂取吾之鼓旗,此不专任责成之过,其败五也。今者诚欲调持干戈㊿,洒扫垢污㊿,以为万世安[15],而乃踵前非,是不可为也。"

【段旨】

以上为第十五段,摘要杜牧《战论》,指出朝廷用兵有五弊,以致河朔不守,加之征讨是双倍损失国家的兵源与财富,形成恶性循环而争战无宁日。

【注释】

㊿《战论》:杜牧所写文章名,收入《樊川文集》。㊿河北视天下四句:从河北地方的立场来看国家,如同一颗宝珠;从国家的立场来看河北地方,如同身体的四肢。犹,如同。支,通"肢"。㊿息:生。㊿封殖:培植。㊿支:通"肢",此以国之兵与财喻人的手足四肢。㊿盟津:津渡名,又名孟津,河阳三城筑于附近,此指代河阳军。㊿滑台:城名,为滑州及义成节度使治所。此指代义成军。㊿大梁:城名,为汴州及宣武节度使治所,此指代宣武军。㊿彭城:县名,为徐州及武宁节度使治所,此指代武宁军。㊿东平:县

那么沿淮河以北，黄河以南，东到海边，西达洛阳，把这一大片土地上的东西全部拿来，仅能应付他们所需的费用，这是第三肢，财物去掉一大批。咸阳以西、以北各地，是防御戎夷驻扎大量军队的地方，全部搜刮吴、越、荆、楚等地的财富用来供应戍守的军队，是第四肢，又需要用去大批财物。天下的四肢全都肢解了，只留下光秃的头和身子，能凭这长久安定吗！现在假若能够革除五种弊病，那么只需一战就可使国家安定，四肢可以生长出来。天下太平无事的时候，身负朝廷寄托而独掌一方的大臣只知偷安徇私，战士流落离散，兵甲破损，这是不检阅训练的过错，它是第一种弊病。一百人当兵持戈，到国家领粮饷，就报一千人的名额，大小将领，贪占虚报的粮饷，他们以敌人强壮为好事，以军队疲惫厌战为快乐，拿武器的人常常很少，耗费粮饷的常常很多，这是不核实实际人数计算粮饷的过错，它是第二种弊病。打了小胜仗就夸大战功，奔走奏捷，以求得皇上的奖赏，有时一天两次赏赐，有时一个月几次封爵，凯歌还没有唱响，已授予高官，封爵大了，田地房屋宽广了，金银绸缎充溢，子孙都做了官，谁又愿意搜想奇策，出生入死，勤于国事呢！这是优厚奖赏的过错，它是第三种弊病。死了很多士兵，大都城覆灭了，就逃到京城来，去当州刺史，回头看到刑具，神气很安闲，没过一年，很快又站在拜将的坛墀之上，这是处罚太轻的过错，它是第四种弊病。大将的兵权不能专一，恩臣、敕使轮番指挥，将要摆出严整的军阵，将要敲响殷殷的战鼓，一个说一定要摆偃月阵，一个说一定要摆鱼丽阵，三军上万人，在回旋徘徊、惊骇不安之间，敌人的骑兵乘机杀来，于是夺去了我军旗帜战鼓，这就是不专任责成的过错，它是第五种弊病。现在要想调整军队，洗雪过去的耻辱，求得永久安宁，而又照着过去的错误办法去做，是不可能有作为的。”

名，为郓州及天平节度使治所，此指代天平军。㊽厥数三亿：谓每岁耗费多达三亿。厥，其。㊾横拱不为：谓六镇之师除了横肱拱手侍奉其主帅之外，其他什么事也不做。㊿洛：洛阳，都名，在今河南洛阳。398赤地尽取：把土地上的东西全部拿来。399才能应费：仅能应付所需费用。才，仅仅。400戎夷大屯：大量屯兵，以防戎夷。401尽铲吴、越、荆、楚之饶以啖兵戍：刮尽江南之财用以给食边境的屯兵。啖，给食。402兀然：光秃的样子。403殿寄大臣：受朝廷寄托而独掌一方的大臣，指节度使。404搜练：训练。405小裨：即裨将，副将。406师老：军队疲惫厌战。407责实料食：按军队的实际人数核计粮饷。408张皇：夸张炫耀。409献状：奏捷。410凯还未歌：即未奏凯歌，没有打胜仗。还，同“旋”。411书品已崇：谓授予高官。书品，书其官品。崇，高。412田宫：田宅。413金缯溢矣：赏赐的金银绸缎充满私宅。414搜奇出死：绞尽脑汁出奇制胜，拼死立功。415跳身而来二句：此二句意谓对战败将领处罚很轻，只是贬官而已。跳身而来，谓逃至京师。

刺邦而去，谓担任州刺史。⑯刀锯：刑具。⑰一岁未更：没过一年。更，过。⑱立于坛墠之上：谓复登拜将之坛。⑲恩臣、敕使迭来挥之：宦官轮番掌握兵权进行指挥。恩臣，指得恩宠的宦官。⑳堂然：严整的样子。㉑陈：通“阵”。㉒殷然：这里指鼓声殷殷。㉓偃月：阵名，半月形的战阵。布阵方法，中军偃居其中，向前张开两角。㉔鱼丽：阵名，以二十五乘兵车居前，以五人承其后以弥补缺漏，若鱼之相丽而进。丽，附。㉕翔羊：徜徉；徘徊。㉖愰骇：惊骇不安。㉗调持干戈：调整军队。㉘洒扫垢污：洗雪耻辱。

【原文】

又作《守论》㉙，以为：“今之议者[16]皆[17]曰：夫倔强之徒，吾以良将劲兵为衔策，高位美爵充饱其肠，安而不挠㉚，外而不拘㉛，亦犹豢扰㉜虎狼而不拂㉝其心，则忿气不萌㉞。此大历、贞元所以守邦也，亦何必疾战，焚煎吾民，然后以为快也。愚曰：大历、贞元之间，适以此为祸也。当是之时，有城数十，千百卒夫㉟，则朝廷别待之，贷㊱以法度。于是[18]阔视大言，自树一家，破制削法，角㊲为尊奢。天子养威而不问，有司守恬而不呵㊳。王侯通爵㊴，越录㊵受㊶之；觐聘㊷不来，几杖扶之㊸；逆息虏胤㊹，皇子嫔之㊺；装缘采饰，无不备之。是以地益广，兵益强，僭拟益甚，侈心益昌。于是土田名器㊻，分划殆尽，而贼夫贪心，未及畔岸㊼，遂有淫名㊽越号，或帝或王，盟诅㊾自立，恬淡不畏㊿，走兵四略以饱其志(51)者也。是以赵、魏、燕、齐卓起大唱，梁、蔡、吴、蜀蹑而和之(52)。其余混澒轩嚣(53)，欲相效者，往往而是。运遭孝武(54)，宵旰(55)不忘，前英后杰，夕思朝议，故能大者诛锄，小者惠来。不然，周、秦之郊(56)，几为犯猎(57)哉！大抵生人(58)油然(59)多欲，欲而不得则[19]怒，怒则争乱随之。是以教笞于家，刑罚于国，征伐于天下，此所以裁其欲而塞其争也。大历、贞元之间，尽反此道，提区区之有(60)而塞无涯(61)之争，是以首尾指支，几不能相运掉(62)也。今者不知非此，而反用以为经(63)，愚见为盗者，非止于河北而已。呜呼！大历、贞元守邦之术，永戒之哉！”

【校记】

［15］以为万世安：原无此句。据章钰校，十二行本、乙十一行本皆有此句，张敦仁《通鉴刊本识误》、张瑛《通鉴校勘记》同，今据补。

【语译】

又写了《守论》，认为："现在议政的人都说：那些专横跋扈的人，我们就用良将劲兵来约束他，用高官美爵满足他的欲望，让他安逸而不受到打扰，让他在外地而不受到限制，就好像驯养虎狼一样而不要违背他的心意，那么他就不会发怒。这就是大历、贞元年间守卫国家的政策，又何必要进行战争，使老百姓受煎熬，然后才觉得快慰呢。臣愚昧地认为：大历、贞元的时候，正是由于采取了这种政策才带来祸乱。在那个时候，据有几十座城池、千百名士卒的人，朝廷就特别对待他，在法度方面很宽容。于是他们就目中无人，狂妄自大，自成一股势力，破坏国家法制，争着使自己尊贵和奢侈。天子为了培育自己的威严而不去责问，有关部门为了保持安静而不去呵斥。把王侯的爵位，无功而越级授予他们。不到京城来朝见天子，就赐给几杖扶持；本为逆虏者的子嗣，却把皇女嫁给他们；装饰华彩，无不齐备。因此，他们的土地越大，兵力越强，超越本分和天子相比拟的思想就更严重，奢侈的愿望就更大。于是土地、名分和相应的礼制器物划分殆尽，叛贼的贪心并未得到满足，就有了僭越的名号，有的称帝，有的称王，通过盟誓宣布自立，安然无惧，驱使军队四处掳掠来满足自己的愿望。因而赵、魏、燕、齐首先起来倡导，梁、蔡、吴、蜀跟着附和。其余的混杂喧嚣，想效仿的人，到处都有。国运到了宪宗皇帝，宵衣旰食不忘治国，前后又出现了一些英雄豪杰，从早到晚商量筹划，所以能够把大的叛逆者平定，把小的反叛者招降归顺了。不然的话，京城及其附近，几乎要成为敌人的打猎场地了！一般生民天生多欲，欲念达不到就发怒，发怒就要发生争斗和战乱。所以在家庭用教导和打板子，在国家就用刑罚，在天下就用征伐，这都是制裁贪欲、堵塞争斗的手段。大历、贞元年间，完全不用这种办法，拿着一点点朝廷的土地、爵命想去堵塞无边无际的争夺，那是用头尾去指挥四肢，几乎不能运转了。现在不但不批评这种做法，反而把它当作常规，我认为这样下去，盗寇作乱就不仅河北一个地区了。唉！大历、贞元保卫国家的办法，应永远作为警戒而不能再用了啊！"

又注《孙子》[464]，为之序，以为："兵者，刑也，刑者，政事也，为夫子之徒，实仲由、冉有之事[465]也。不知自何代何人分为二道曰文、武，离而俱行，因使缙绅之士不敢言兵，或耻言之。苟有言者，世以为粗暴异人，人不比数[466]。呜呼！亡失根本，斯最为甚！《礼》曰：'四郊多垒，此卿大夫之辱也。'[467]历观自古，树立其国，灭亡其国，未始不由兵也。主兵者必圣贤、材能、多闻博识之士乃能有功，议于廊庙之上，兵形已成，然后付之于将。汉祖言[468]'指踪者人也，获兔者犬也'，此其是也。彼为相者曰：'兵非吾事，吾不当知。'君子曰：'勿居其位可也！'"

【段旨】

以上为第十六段，摘要杜牧《守论》与《孙子》注序论，指出朝廷姑息使藩镇坐大成尾大不掉之势，消除之法唯有坚决打击，不知兵者不应为宰相。

【注释】

㊾《守论》：杜牧所写文章名，收入《樊川文集》。㊿挠：打扰；扰乱。[431]拘：约束；限制。[432]豢扰：驯养。[433]拂：违背。[434]忿气不萌：怒气不生。[435]千百卒夫：成百上千的武夫。[436]贷：宽。[437]角：竞。[438]守恬而不呵：保持安宁而不斥责。[439]通爵：即爵位。[440]越录：无功越级授爵。[441]受：通"授"。[442]觐聘：诸侯朝见天子曰觐，诸侯之间修好曰聘。觐聘连用，即朝见。[443]几杖扶之：赐之几杖以供靠身扶持。此言对不朝者不斥责，反赐几杖以安其心。[444]逆息虏胤：叛臣藩将之子嗣。息，子。胤，继嗣。[445]皇子嫔之：把皇女嫁给他。嫔，皇帝之女出嫁。[446]名器：名分及相应的礼制器物。[447]畔岸：边际。[448]淫名：僭名。[449]盟诅：盟誓。[450]恬淡不畏：安然不惧。[451]饱其志：满足其贪欲之心。[452]是以赵、魏、燕、齐卓起大唱二句：赵、魏、燕、齐，分别指王武俊、田悦、朱滔、李纳相立为王。卓，高。梁、蔡、吴、蜀，分别指李希烈、吴元济、李锜、刘辟先后叛乱。蹑，追随。和，应和。[453]混澒轩嚣：混杂喧嚣。[454]孝武：即唐宪宗，谥号圣

又注释《孙子》，并为它写了序言，认为："甲兵就是刑罚，刑罚就是政事，作为孔夫子的学生来说，就是仲由、冉有的职事。不知从什么时代、什么人开始，分为文、武两门，分离而又并行，因而使得一般士大夫不敢议论打仗的事，或者以议兵为羞耻之事。如果有谈论兵事的，世人就认为他粗暴而不同于平常人，人们不与他相比类。唉！丢了根本，这就是最严重的！《礼记》中说：'四郊如有很多敌人的营垒，这就是卿大夫的耻辱。'观察自古以来，建立一个国家，灭亡一个国家，没有不是靠军队的。主持军队的人一定要聪明贤能、有才干、多闻博识，这样才能取得成功，他们在朝廷中讨论，拟订好了军事计划，然后交给将领去执行。汉高祖说'指示踪迹的是人，获取兔子的是狗'，就是这个道理。那些做宰相的说：'打仗不是我的职事，我不必知道。'君子说：'那就不要处在宰相的官位好了！'"

神章武孝皇帝。455 宵旰：即宵衣旰食，勤于政事。宵，夜。此指宵衣，未明穿衣。旰，日落时。此指旰食，很晚才吃饭。456 周、秦之郊：指河南、关内京畿之地。457 犯猎：打猎。458 生人：生民；人民。459 油然：自然而然。460 提区区之有：朝廷握有数量很少的土地、爵命。提，掌握。区区，微少。461 无涯：无边无际；无穷无尽。462 运掉：运转摆动。463 经：常规。464《孙子》:《孙子兵法》，春秋孙武撰。历代作注者甚多，宋人吉天保集有《孙子十家注》，杜牧为其中一家。465 仲由、冉有之事：指习武用兵，也应是儒者之事，即不能将文治与武事对立起来。仲由，字子路；冉有，名冉求，字子有。皆孔子弟子，长于戎阵。两人事详《史记》卷六十七《仲尼弟子列传》。466 比数：同列。467《礼》曰三句：见《礼记·曲礼上》。468 汉祖言：汉祖，指汉高祖刘邦。言，指刘邦对功臣的评论语。所言见《史记》卷五十三《萧相国世家》，文云："追杀兽兔者，狗也；而发踪指示兽处者，人也。"指踪，指示野兽的踪迹。

【校记】

［16］者：原无"者"字。据章钰校，十二行本、乙十一行本皆有此字，今据补。［17］皆：据章钰校，十二行本、乙十一行本皆作"咸"。［18］于是：据章钰校，十二行本、乙十一行本此下有"乎"字，张敦仁《通鉴刊本识误》同。［19］则：原误作"而"。据章钰校，十二行本、乙十一行本皆作"则"，当是，今据改。

【原文】

前邠宁行军司马郑注依倚王守澄，权势熏灼[469]，上深恶之。九月丙寅[470]，侍御史李款[471]阁内[472]奏弹注："内通敕使，外连朝士，两地往来[473]，卜射[474]财贿；昼伏夜动，干窃化权[475]，人不敢言，道路以目。请付法司。"旬日之间，章数十上。守澄匿注于右军[476]，左军中尉韦元素、枢密使杨承和、王践言皆恶注。左军将李弘楚说元素曰："郑注奸猾无双，卵𪨊[477]不除，使成羽翼，必为国患。今因御史所劾匿军中，弘楚请以中尉意，诈为有疾，召使治之，来则中尉延与坐，弘楚侍侧，伺中尉举目，擒出杖杀之。中尉因见上叩头请罪，具言其奸，杨、王必助中尉进言。况中尉有翼戴之功[478]，岂以除奸而获罪乎！"元素以为然，召之。注至，蠖屈鼠伏[479]，佞辞泉涌[480]，元素不觉执手款曲[481]，谛听忘倦。弘楚诇伺[482]往复[20]再三，元素不顾，以金帛厚遗注而遣之。弘楚怒曰："中尉失今日之断，必不免他日之祸矣！"因解军职去。顷之，疽发背卒。王涯之为相，注有力焉，且畏王守澄，遂寝李款之奏。守澄言注于上而释之。寻奏为侍御史，充右神策判官，朝野骇叹。

甲寅[483]，以前忠武节度使王智兴为河中节度使。

群臣以上即位八年，未受尊号，冬，十二月甲午[484]，上尊号曰太和文武仁圣皇帝。会有五坊中使[485]薛季稜自同、华[486]还，言闾阎凋弊。上叹曰："关中小稔，百姓尚尔，况江、淮比年大水，其人如何！吾无术以救之，敢崇虚名乎！"因以通天带[487]赏季稜。群臣凡四上表，竟不受。

庚子[488]，上始得风疾，不能言。于是王守澄荐昭义行军司马郑注善医，上征注至京师，饮其药，颇有验，遂有宠。

【语译】

从前的邠宁行军司马的郑注依靠王守澄，权势逼人，文宗很讨厌他。九月十三日丙寅，侍御史李款在阁内上奏弹劾郑注说："在宫内串通敕使，在外面勾结朝士，往来于南衙、北司之间，追逐财物；白天潜伏，夜晚出动，窃弄权柄，人们不敢说，在道路上只以目示意。请求将他交付执法部门查办。"十日之间，弹劾的章表有数十件上奏。王守澄把郑注藏匿在神策右军，神策军左军中尉韦元素、枢密使杨承和、王践言都讨厌郑注。左军将军李弘楚劝韦元素说："郑注奸猾无比，在毛羽未成的时候不除掉，让他羽翼形成，一定会成为国家的祸患。现在因被御史弹劾躲藏在神策军中，我请求用中尉的心意，假称有病，叫他来医治，来了以后中尉接待他坐下，我在旁边侍候，等待中尉举目示意，就抓出去用棍子打死。中尉随后拜见文宗磕头谢罪，把他的奸诈详细说明，杨承和、王践言一定会帮助中尉说话。况且中尉还有拥立皇上的功劳，难道会因为除去奸人而得罪吗!"韦元素认为说得对，就召见郑注。郑注到来，卑躬屈膝，阿谀之辞如泉水喷涌，韦元素不知不觉与郑注执手殷勤，用心听他说话而忘记了疲倦。李弘楚窥探情况，数次往返，韦元素并未看他，送了很多金银绸帛给郑注之后，打发他走了。李弘楚生气地说："中尉失去了今天的决断，一定免不了将来遭到灾祸!"随即辞掉军职离去。不久，背上长恶疮病死。王涯做宰相，郑注出了很大力气，并且惧怕王守澄，于是压下李款弹劾郑注的奏章。王守澄在文宗面前为郑注说好话，文宗就赦免了郑注。不久，王守澄又奏请他担任侍御史，充当右神策军判官，朝廷内外惊叹。

九月初一日甲寅，任命前忠武节度使王智兴为河中节度使。

群臣因文宗即位八年了，还未接受尊号，冬，十二月十二日甲午，呈上尊号称太和文武仁圣皇帝。适逢有五坊中使薛季稜从同州、华州归来，说民间破败凋敝。文宗感叹地说："关中有小的收成，百姓还那样苦，何况江、淮连年大水，那里的百姓怎么办啊！我没有办法拯救他们，岂敢崇尚虚名!"随即把通天宝带赏赐给薛季稜。群臣共上了四次奏表，文宗最终没有接受尊号。

十二月十八日庚子，文宗开始得了中风病，不能说话。于是王守澄推荐昭义行军司马郑注善医术，文宗把郑注征召到京师，服了他的药，很有效验，于是郑注得到文宗宠信。

【段旨】

以上为第十七段，写王守澄牢牢控制唐文宗，把同党奸佞小人郑注以治病为由安插在唐文宗身边为耳目。

【注释】

㊻⑨熏灼：气焰逼人。㊼⓪丙寅：九月十三日。㊼①李款：字言源，历官侍御史、江西观察使、澶王傅。传见《新唐书》卷一百十八、《旧唐书》卷一百七十一。㊼②阁内：便殿之内。㊼③两地往来：谓郑注往来于南衙、北司之间。㊼④卜射：追逐。㊼⑤干窃化权：窃弄权柄。㊼⑥右军：神策军分左、右二军，亦称左、右护军，长官为中尉，是最有权势的宦官。其时王守澄为右军中尉。㊼⑦卵𪃍：未出壳的雏鸟。㊼⑧翼戴之功：指韦元素拥立穆宗即位的功劳。事见本书卷二百四十一宪宗元和十五年。翼戴，辅佐拥戴。㊼⑨蠖屈鼠伏：形容卑躬屈节的样子。蠖屈，语出《易·系辞下》："尺蠖之屈，以求信也。"蠖，即尺蠖，虫名，行时屈伸其身，像尺量物，故名。㊽⓪佞辞泉涌：阿谀之辞如泉水喷涌。㊽①款曲：殷勤。㊽②诇伺：守候窥伺。㊽③甲寅：九月初一日。㊽④甲午：十二月十二日。㊽⑤五坊中使：为五坊采购鹰犬的宦官。㊽⑥同、华：同州、华州。㊽⑦通天带：以通天犀制作的革带。㊽⑧庚子：十二月十八日。

【校记】

[20]往复：原无此二字。据章钰校，十二行本、乙十一行本皆有此二字，今据补。

【研析】

本卷研析宋申锡冤案、司马光论牛僧孺致仕、杜牧政论三题。

第一，宋申锡冤案。大宦官王守澄拥立唐文宗，因护驾之功，被拜为骠骑大将军，并由枢密使转为神策军中尉，权势更盛，骄横跋扈，不可一世。朝廷内外对王守澄是重足而立，侧目而视。唐文宗目睹宪宗、敬宗两帝所遭宦官之祸，王守澄都是背后的罪魁祸首。现在王守澄走到了前台，唐文宗感到自身不安全，想除掉王守澄，于太和二年（公元八二八年）举贤良方正求言，试探朝士态度，得到回应。太和三年，浙西观察使李德裕被召入朝，任兵部尚书，裴度推荐李德裕做宰相，结果不到二十天，李德裕就被李宗闵排挤出朝，做义成节度使。李宗闵又引牛僧孺为相，二人合力斥逐朝中拥护李德裕的朝官，再迁转李德裕为西川节度使，使之离开朝廷更远一些。太和四年，裴度也被排挤出朝。牛僧孺、李宗闵这一朋党与宦官合势，唐文宗深感孤立，起用内廷的侍讲学士宋申锡为相，谋诛宦官。宋申锡联络京兆尹王璠、御史中丞宇文鼎，密谋策划。王璠受命捕拿郑注，王璠欲附宦官，反而向王守澄泄密。于是郑注策划先下手为强，由王守澄指使神策军小吏状告宋申锡谋反。罪证是宋申锡与文宗之弟、穆宗第六子漳王李凑友善，而李凑一向名声很好，遭到文宗的猜忌。王守澄以此诬告谋反。唐文宗心知肚明这是一桩冤案，他恼恨宋申锡办事不密露了馅，为了向王守澄表白，又为了除掉漳王李凑，竟下令处死宋申锡、李凑，以谋反罪抄斩满门。宰相们缄口无言，只有飞龙使马存亮，京兆尹崔琯，大理卿王正雅，左常侍崔玄亮，给事中李固言，谏议大夫王质，补阙卢钧、舒元褒、蒋系、裴休、韦温等冒死力争，要求案子由朝官审查。这时宰相牛僧孺也说了一句公道话。牛僧孺说：宰相是人臣的最高官职，宋申锡已做了宰相，他造反还想得到什么呢？宋申锡应该不会谋反。义正理顺，唐文宗没有话可说。郑注害怕追究下去，奸谋败露，劝王守澄奏请改宋申锡、李凑的死刑为贬逐。宋申锡贬为开州司马，李凑贬为巢县公。唐文宗的第一次反宦官就这样以失败收场。

俗话说，“伴君如伴虎”。宋申锡奉文宗之命谋诛宦官，事情败露，唐文宗为了推卸责任，又因一己猜忌之心，欲排除臆想的政敌，就要杀害同父之弟，竟以莫须有的罪名兴大狱，昏庸无能的皇帝比老虎还要凶恶。马存亮、崔琯、王正雅、崔玄亮、李固言等，也包括牛僧孺，他们良心未泯，冒犯龙颜，不顾自身的安危，制止了一场大冤狱，才使得宋申锡、李凑满门男女老少，合家数百口从刀下脱险。这些人是值得敬仰的英雄，他们的品德和高风亮节与那些落井下石的人有天壤之别，是应该发扬光大的。

第二，司马光论牛僧孺致仕。唐文宗太和六年（公元八三二年），文宗在延英殿召见大臣，责问何时可致太平。牛僧孺回答：治理达到太平的条件还不成熟，也不是臣等的能力，现今边境安宁，百姓没有四处漂泊，可以算小康。退朝后，牛僧孺多次请求辞位，唐文宗允准，出牛僧孺为淮南节度使，召西川节度使李德裕入朝为相。其背景是李德裕被牛僧孺、李宗闵排斥出朝，李德裕为义成节度使，再斥逐为西川节度使。李德裕镇西川，打败吐蕃侵扰，西疆稳固。文宗后悔，想召李德裕入朝，故以太平责问牛僧孺。牛僧孺也识时务，回答臣的才能只能治理达到小康，没能力达到太平，主动请辞，避免文宗做出罢相的激烈处理。君臣之间相处和谐，牛僧孺进退得当，不应受批评。可是司马光却在牛僧孺的辞仕上大做文章，指责牛僧孺上进入相是苟且偷安，窃取官位，辞职是蒙蔽人民，博取美名，是罪大恶极。司马光言辞如此激烈，是说牛僧孺无能力治国，还自称达“太平”。事实恰恰是牛僧孺表示无能力达到太平才提出辞职的，牛僧孺只说他的能力只能使国家达到小康。司马光捏造证据来批评牛僧孺，另有隐情。他把自己卷入的与王安石之间的党争，借牛李党争来指桑骂槐。大概是以牛僧孺比喻王安石，无能力治国到太平，却搞什么改革，最后下台，罪大恶极。如果不是这样，以司马光之才德，为何要给受批评的对象捏造证据呢！由此可见，正人君子一陷入党争，眼睛就蒙了。党同伐异，如一叶障目，不见泰山，应当引为借鉴。

第三，杜牧政论。杜牧，字牧之，晚唐著名文学家。京兆万年（今陕西西安）人，杜佑之孙。太和进士，授弘文馆校书郎。曾任江西、宣歙观察使、淮南节度使幕府。历任监察御史、湖州刺史，后入朝为司勋员外郎，官终中书舍人。杜牧生活在唐帝国走下坡路的晚唐时期，内忧外患使杜牧忧心如焚。他以济世之才自负，认真研究了“治乱兴亡之迹，财赋兵甲之事，地形之险易远近，古人之长短得失”(《上李中丞书》)。杜牧喜欢论政谈兵，主张削藩御敌，革除弊政，针砭朝廷腐败。《罪言》《原十六卫》《战论》《守论》等，就是杜牧留下的论治乱守战的政论。又注曹操所定《孙子兵法》十三篇，该书的序言也是一篇政论。司马光极为重视，摘引入《资治通鉴》。

《罪言》批评朝廷对河北三镇用兵是采取了最下策，不研究地形与攻守形势，盲目用兵，给国家和社会带来了深重灾难。上策是朝廷革新自强，中策是集中力量攻取河北南部的魏博一镇。在地理上，魏博镇靠近朝廷，若得魏博，外御卢龙、成德两镇，内屏河南诸镇，可加强朝廷势力。

《原十六卫》慨叹府兵制被破坏，代之以招募的雇佣兵而祸害无穷。杜牧认为府兵制，朝廷中央禁军十六卫用来储备武臣，即领兵将领，全国折冲与果毅府五百七十四处用来储备兵员，有了战事，武臣领兵作战，战争结束，兵员散归卫府；农闲训练，农忙耕作，国家负担轻，指挥灵便。募兵制，雇佣兵成为常备兵，国家负担沉重。武臣邀功，轻启边衅，重兵屯于边境，朝内空虚，河北三镇势力庞大，尾大不掉，形成藩镇割据。杜牧认为战乱是府兵制破坏造成的，要使天下安宁，就应恢复府兵制。

《战论》《守论》批评朝廷丢失河朔三镇，好比一个人丢了手脚四肢。杜牧把兵员和财赋比喻为支撑国家的四肢。丢失河北三镇，不仅河北的兵员、财赋没有了，而且朝廷动员全国的兵力讨伐，耗用财赋支持，又等于全国的兵员、财赋没有了，相当于国家没有了四肢。杜牧批评朝廷姑息养奸、承认藩镇割据的防守政策，又批评盲目用兵有五弊。杜牧认为，若朝廷整治官军的五弊，一战便可成功，重整朝纲了。

杜牧在《孙子注》的序言中，明确提出国家要重视武备，不懂军事的人不能做宰相。

统观杜牧的政论，充满忧国忧民的爱国热情。杜牧对于时弊的批评，如对政治腐败、用兵方略的论述都切中要害，但是得不到执行，因为杜牧没有揭示根本。最大的祸根是皇帝专制体制，个人意志大于法制。唐代的最大政治积弊是宦官专皇权，奸邪小人成了皇帝的代言人。宦官掌枢密，掌禁军，监军安插在各个方镇，这一特殊体制造成了宦官专皇权。宪宗、武宗对宦官稍加抑制，让贤明宰相发挥作用，政治、军事均见功效。皇权专制当时除不了，希望寄托在贤明君王上，而宦官掌控皇帝废立，就产生不了圣明君主。晚唐皇帝一代不如一代，只是在等待灭亡。我们不能苛求杜牧提出废皇权，但我们今天要体悟杜牧建言为何不能施行的根本原因。专制独裁是万恶之源。此外，任何一项好的制度，一旦废坏，便不可能恢复。唐初的府兵制被破坏，并不是如杜牧所说，不懂军事的文官一纸错误的奏言就破坏了府兵制。时过境迁，形势变化，改变原有制度，再走回头路是不可能的。因此杜牧主张恢复府兵制，也只是一番空言。

卷第二百四十五　唐纪六十一

起阏逢摄提格（甲寅，公元八三四年），尽强圉大荒落（丁巳，公元八三七年），凡四年。

【题解】

本卷记事起公元八三四年，迄公元八三七年，凡四年，当唐文宗太和八年至开成二年。这是唐文宗当政的中期，朝政的昏暗达到新高，宫中宦官主宰，外朝小人当道，郑注、李训两个奸诈小人垄断朝政，清流直臣尽数被驱出朝。宋申锡谋诛宦官失败，宦官王守澄安插郑注、李训两个奸佞监视唐文宗，郑注为医官诊治，李训为文宗讲《易经》。两小人探知文宗欲诛除宦官，认为有大利可图，转过身来以诛宦官为己任。文宗猜忌朝官，厌恶朋党，二人投文宗之好，内得皇帝之宠，外得宦官之助，以朋党之名斥逐清正朝官，凡不利于己者，皆以牛李之朋党斥逐，李宗闵、李德裕、路隋，三相皆被二人斥逐，又用暗杀手段诛宦官陈弘志、王守澄。郑注、李训二人炙手可热，威震朝廷。重要朝官都是二人的党徒，

【原文】

文宗元圣昭献孝皇帝中

太和八年（甲寅，公元八三四年）

春，正月，上疾小瘳。丁巳[①]，御太和殿见近臣，然神识耗减[②]，不能复故。

二月壬午朔[③]，日有食之。

夏，六月丙戌[④]，莒王纾[⑤]薨。

上以久旱，诏求致雨之方。司门员外郎[⑥]李中敏[⑦]上表，以为："仍岁[⑧]大旱，非圣德不至，直以宋申锡之冤滥[⑨]，郑注之奸邪。今致雨之方，莫若斩注而雪申锡。"表留中。中敏谢病归东都。

郯王经薨。

初，李仲言流象州[⑩]，遇赦，还东都。会留守李逢吉思复入相，仲言自言与郑注善，逢吉使仲言厚赂之。注引仲言见王守澄，守澄荐于上，云仲言善《易》，上召见之。时仲言有母服[⑪]，难入禁中。乃使衣

宰相王涯、贾悚，阿附取容。太和九年（公元八三五年），李训为相，郑注出任凤翔节度使，欲内外合势尽诛宦官，李训中途制造甘露之变，想独占功劳，并顺带除掉郑注。两小人同床异梦，势分而失败。宦官仇士良大杀朝官，功臣半空。唐文宗成了宦官俘虏，朝廷大权尽归北司，宰相以下朝官都被宦官仇视。开成元年（公元八三六年），昭义节度使刘从谏上奏声讨仇士良等罪恶，声言入朝清君侧，宦官才有所收敛，南衙才稍许有了些权力。从此，唐文宗被宦官监视，只能借酒浇愁，自谓受制家奴，比周赧王、汉献帝两个亡国之君还不如，整天郁闷忧愁直到驾崩，再没有什么作为了。

【语译】

文宗元圣昭献孝皇帝中

太和八年（甲寅，公元八三四年）

春，正月，文宗的病稍愈。初五日丁巳，文宗在太和殿接见近臣，记忆衰退，不能恢复到以前。

二月初一日壬午，发生日食。

夏，六月初七日丙戌，莒王李纾去世。

文宗因为长久干旱，下诏征求能够降雨的办法。司门员外郎李中敏上奏表，认为："连年大旱，不是皇上圣德不达，只是由于宋申锡的冤屈，郑注的奸邪。现在要天公下雨的办法，没有比杀了郑注给宋申锡昭雪更好的。"奏表被扣留在禁中。李中敏借口有病辞去官职，回东都去了。

郑王李经去世。

当初，李仲言流放到象州，遇上大赦，返回东都。适逢留守东都的李逢吉想再度做宰相，李仲言自我夸耀说和郑注很友好，李逢吉让李仲言用重金贿赂郑注。郑注带李仲言谒见王守澄，王守澄把李仲言推荐给文宗，说李仲言精于《易经》，文宗召见了李仲言。当时李仲言正在为母亲服丧，不便到禁中去。于是叫他穿着平民的

民服，号王山人。仲言仪状秀伟，倜傥尚气[12]，颇工文辞，有口辩，多权数。上见之，大悦，以为奇士，待遇日隆[13]。

仲言既除服[14]，秋，八月辛卯[15]，上欲以仲言为谏官，置之翰林。李德裕曰："仲言向所为，计陛下必尽知之，岂宜置之近侍?"上曰："然岂不容其改过?"对曰："臣闻惟颜回能不贰过[16]。彼圣贤之过，但思虑不至，或失中道[17]耳。至于仲言之恶，著于心本[18]，安能悛改[19]邪!"上曰："李逢吉荐之，朕不欲食言。"对曰："逢吉身为宰相，乃荐奸邪以误国，亦罪人也。"上曰："然则别除一官。"对曰："亦不可。"上顾王涯，涯对曰："可。"德裕挥手止之。上回顾适见，色殊不怿[20]而罢。始，涯闻上欲用仲言，草谏疏极愤激。既而见上意坚，且畏其党盛，遂中变[21]。

寻以仲言为四门助教[22]，给事中郑肃[23]、韩佽[24]封还敕书[25]。德裕将出中书，谓涯曰："且喜给事中封敕[26]。"涯即召肃、佽谓曰："李公适[27]留语[28]，令二阁老[29]不用封敕。"二人即行下[30]。明日，以白德裕，德裕惊曰："德裕不欲封还，当面闻，何必使人传言！且有司封驳[31]，岂复禀宰相意邪!"二人怅恨而去。

【段旨】

以上为第一段，写唐文宗信用奸佞，宰相王涯见风使舵。

【注释】

①丁巳：正月初五日。②神识耗减：记忆衰退。③壬午朔：二月初一日。④丙戌：六月初七日。⑤莒王纾：莒王李纾，唐顺宗第五子，贞元二十一年（公元八〇五年）封。传见《旧唐书》卷一百五十、《新唐书》卷八十二。⑥司门员外郎：官名，为刑部第四司司门司副主官。⑦李中敏：字藏之。传见《旧唐书》卷一百七十一、《新唐书》卷一百十八。⑧仍岁：连年。⑨冤滥：冤枉。⑩李仲言流象州：李仲言，前河阳掌书记，李逢吉同党，他教唆左金吾兵曹茅汇诬陷李程谋害李逢吉，茅汇不从，李仲言流放象州。事

服装，号称王山人。李仲言仪表状貌秀丽魁伟，倜傥不羁，崇尚豪气，擅长写文章，有口才，权术谋略也多。文宗见到他，很高兴，认为是奇才，恩遇一天比一天优厚。

李仲言服丧期满脱去丧服，秋，八月十三日辛卯，文宗想任命李仲言担任谏官，安置在翰林院。李德裕说："李仲言过去的所作所为，想必陛下全都知道，哪里能够置于近侍?"文宗说："难道不允许他改过自新?"李德裕回答说："臣听说只有颜回能够做到不再犯同样的错误。那些圣贤所犯的过错，只是考虑不全面，有时失去中庸之道。至于李仲言的奸恶，存在于他的心底，哪里能够悔改啊!"文宗说："李逢吉推荐他，朕不想食言。"李德裕回答说："逢吉身为宰相，而推荐奸邪之人来危害国家，他也是罪人。"文宗说："那么另外授给他一个官职。"李德裕回答说："也不行。"文宗回头看王涯，王涯回话说："可以。"李德裕挥手示意叫王涯不说话。文宗正好回头看见了，脸色变得很不高兴，结束了谈话。开始时，王涯听说文宗要任用李仲言，就起草上谏的奏疏，非常愤慨。继而看到文宗的意见很坚决，并且畏惧李仲言那派人的势力大，就中途改变了主意。

不久，任命李仲言为四门助教，给事中郑肃、韩佽把敕书封好驳回。李德裕将要离开中书省时，对王涯说："很高兴给事中把敕书封驳退回。"王涯随即叫来郑肃、韩佽说："李公刚才留下了话，叫二位阁老不必把敕书封退。"二人当即把敕书发下去了。第二天，告诉了李德裕，李德裕惊愕地说："德裕如果不想封驳退回去，就会当面交代，何必要叫别人转告!并且有关部门的封驳，难道还要遵从宰相的意见吗!"郑、韩二人悔恨遗憾地离开了。

见本书卷二百四十三敬宗宝历元年。⑪母服：为母守丧，着丧服。⑫倜傥尚气：洒脱不拘，崇尚豪气。⑬待遇日隆：恩遇一天天优厚。⑭除服：守丧期满，脱去孝服。⑮辛卯：八月十三日。⑯颜回能不贰过：语出《论语·雍也》。鲁哀公问，弟子孰为好学，孔子回答说："有颜回者好学，不迁怒，不贰过。"颜回，孔子弟子。事见《史记》卷六十七《仲尼弟子列传》。不贰过，不重犯同一过错。⑰中道：中庸之道。⑱心本：心根；心底。⑲悛改：悔改。⑳色殊不怿：脸色变得很不高兴。㉑中变：中途改变主意。㉒四门助教：官名。唐有六学：国子、太学、四门、律、书、算。四门博士掌教七品以上及侯伯子男之子弟，以及有才学之庶人子弟。助教协助博士讲学。㉓郑肃：字义敬，荥阳（今河南荥阳）人，唐文宗时累官吏部侍部、河中节度使。唐武宗时官至宰相。传见《旧唐书》卷一百七十六、《新唐书》卷一百十八。㉔韩佽（？至公元八三七年）：字相之，京兆长安（今陕西西安）人，官至桂管观察使。传见《旧唐书》卷一百一、《新唐书》卷

一百十八。㉕封还敕书：驳回任命李仲言为四门助教的敕书。唐制，凡诏令须经门下省复。〖按〗给事中认为诏令不当，则驳正封还。㉖封敕：封驳，指郑肃、韩佽封还敕书。㉗适：方才；刚才。㉘留语：谓李德裕将出中书之时留下话语。这里王涯故意颠倒李德裕之言，以取悦于上。㉙阁老：中书、门下两省官员相互称呼为阁老。㉚二人即行下：郑肃、韩佽立即下达任命李仲言为四门助教的敕令。㉛驳：批驳；反驳。

【原文】

九月辛亥㉜，征昭义节度副使郑注至京师。王守澄、李仲言、郑注皆恶李德裕，以山南西道节度使李宗闵与德裕不相悦，引宗闵以敌㉝之。壬戌㉞，诏征宗闵于兴元。

冬，十月辛巳㉟，幽州军乱，逐节度使杨志诚及监军李怀仵，推兵马使史元忠㊱主留务。

庚寅㊲，以李宗闵为中书侍郎、同平章事。甲午㊳，以中书侍郎、同平章事李德裕同平章事，充山南西道节度使。是日，以李仲言为翰林侍讲学士。给事中高铢㊴、郑肃、韩佽，谏议大夫郭承嘏㊵，中书舍人权璩㊶等争之，不能得。承嘏，晞㊷之孙。璩，德舆㊸之子也。

乙巳㊹，贡院㊺奏进士复试诗赋，从之。

李德裕见上自陈，请留京师。丙午㊻，以德裕为兵部尚书。

杨志诚过太原，李载义自殴击，欲杀之，幕僚谏救得免，杀其妻子及从行将卒。朝廷以载义有功，不问。载义母兄[1]葬幽州，志诚发取其财。载义奏乞取志诚心以祭母，不许。

十一月，成德节度使王庭凑薨，军中奉其子都知兵马使元逵㊼知留后。元逵改父所为，事朝廷礼甚谨。

史元忠献杨志诚所造衮衣及诸僭物。丁卯㊽，流志诚于岭南，道杀之。

李宗闵言李德裕制命已行，不宜自便㊾。乙亥㊿，复以德裕为镇海[51]节度使，不复兼平章事。时德裕、宗闵各有朋党，互相挤援[52]。上患之，每叹曰："去河北贼易，去朝廷[2]朋党难！"

【语译】

九月初三日辛亥，征召昭义节度副使郑注到京师。王守澄、李仲言、郑注都憎恨李德裕，因为山南西道节度使李宗闵和李德裕不和，他们就引来李宗闵对抗李德裕。十四日壬戌，下诏把在兴元的李宗闵征召回朝廷。

冬，十月初四日辛巳，幽州军队发生叛乱，驱逐了节度使杨志诚和监军李怀仵，推举兵马使史元忠主持留后事务。

十月十三日庚寅，任命李宗闵为中书侍郎、同平章事。十七日甲午，任命中书侍郎、同平章事李德裕为同平章事，充山南西道节度使。同一天，任命李仲言为翰林侍讲学士。给事中高铢、郑肃、韩佽，谏议大夫郭承嘏，中书舍人权璩等诤谏，没有能阻止住。郭承嘏是郭晞之孙。权璩是权德舆的儿子。

十月二十八日乙巳，贡院奏请进士恢复考诗赋，文宗听从了。

李德裕见到文宗时自我陈述，请求留在京师。二十九日丙午，任命李德裕为兵部尚书。

杨志诚经过太原时，李载义亲手殴打他，想把他杀掉，由于幕僚的进谏和援救得以免于一死，把杨志诚的妻儿和随行将卒都杀了。朝廷由于李载义有功劳，没有追究。李载义母亲的兄长葬于幽州，杨志诚发掘其墓以掠取财物。李载义上奏乞求取杨志诚的心脏用来祭祀母亲，文宗没有答应。

十一月，成德节度使王庭凑去世，军中拥立他的儿子都知兵马使王元逵为留后。王元逵一改他父亲的做法，侍奉朝廷的礼仪很恭谨。

史元忠献上杨志诚所制造的衮衣和其他僭物。十一月二十一日丁卯，把杨志诚流放岭南，在路上把他杀了。

李宗闵说任命李德裕的命令已经发出了，不应让他自己随意去留。十一月二十九日乙亥，又改任李德裕为镇海节度使，不再兼平章事。当时李德裕、李宗闵各有朋党，互相排挤或声援。文宗为此而担忧，常常叹息说："去掉河北叛贼容易，去掉朝廷朋党艰难！"

臣光曰："夫君子小人之不兼容，犹冰炭之不可同器而处也。故君子得位则斥小人，小人得势则排君子，此自然之理也。然君子进贤退不肖，其处心也公，其指事也实㊸。小人誉其所好，毁其所恶，其处心也私，其指事也诬。公且实者谓之正直，私且诬者谓之朋党，在人主所以辨之耳。是以明主在上，度德而叙位，量能而授官㊹，有功者赏，有罪者刑，奸不能惑，佞不能移。夫如是，则朋党何自而生哉！彼昏主则不然，明不能烛㊺，强不能断，邪正并进，毁誉交至，取舍不在于己㊻，威福潜移于人㊼。于是谗慝得志㊽，而朋党之议兴矣。

"夫木腐而蠹生，醯㊾酸而蜹㊿集，故朝廷有朋党，则人主当自咎，而不当以咎群臣也。文宗苟患群臣之朋党，何不察其所毁誉者为实为诬，所进退者为贤为不肖，其心为公为私，其人为君子为小人！苟实也，贤也，公也，君子也，匪徒用其言，又当进之(61)。诬也，不肖也，私也，小人也，匪徒弃其言，又当刑(62)之。如是，虽驱之使[3]为朋党，孰敢哉！释是不为，乃怨群臣之难治，是犹不种不芸(63)，而怨田之芜也。朝中之党且不能去，况河北贼乎！"

【段旨】

以上为第二段，写李宗闵入朝为相，李德裕罢相出朝，此牛李党争第四回合。写司马光抨击朋党之起，缘于人君昏庸，忠奸不分。

【注释】

㉜辛亥：九月初三日。㉝敌：对抗；抵拒。㉞壬戌：九月十四日。㉟辛巳：十月初四日。㊱史元忠：原为卢龙军兵马使，太和八年（公元八三四年）逐其节度使杨志诚，自称留后。太和九年拜副大使，知节度事。唐武宗会昌元年（公元八四一年）为偏将陈行泰所杀。传见《旧唐书》卷一百八十、《新唐书》卷二百十二。㊲庚寅：十月十三日。㊳甲午：十月十七日。㊴高铢：字权仲，累官至给事中，为李训、郑注所恶，出为浙东观察使。开成三年（公元八三八年）入为刑部侍郎。武宗时任吏部侍郎。传见《旧

臣司马光说："君子和小人的不能兼容，就好比冰块和炭火不能同放在一个容器里一样。所以君子得到官位时就排斥小人，小人得势后就排斥君子，这是自然的道理。然而君子引进贤能的人，贬退不肖的人，他的用心是公正的，他指陈之事是实实在在的。小人称誉他喜欢的人，毁谤不喜欢的人，他居心自私，指陈之事诬罔不实。公正而又实在就叫作正直，自私而又诬罔就叫作朋党，决定于人主怎么去分辨而已。所以处在上位的英明君主，衡量品德而叙列爵位，衡量才能而授给官职，有功劳的人给以奖赏，犯罪过的人给以刑罚，不为奸猾者迷惑，不为巧佞者动摇。如果这样，那么朋党从哪里产生啊！那些昏庸的君主就不这样，眼力看不清曲直，力量不能决断，坏人和好人一同进用，毁谤和称誉交至，取舍不由自己做主，威福暗地里由他人操纵。于是谗佞邪恶之人得志，而朋党的争论兴起。

"大凡木头腐朽，蛀虫就会产生，醋变质了，蚊虫就聚集起来。所以朝廷中有朋党，那么君主应当自责，而不应当归咎于群臣。文宗如果担忧群臣结成朋党，为什么不考察他们所毁誉的是实在的还是诬罔的，他们所推荐的是贤能的还是不肖的，他们的心思是为了国家还是为了自己，其人是君子还是小人！如果所据为实，进用者为贤，其心为公，其人为君子，朝廷不仅要采纳他的话，而且还应提拔他。如果所言诬罔，推荐的是不肖之人，其心为私，其人为小人，不但不应用他的主张，还应惩罚他。这样，即使驱赶他让他成为朋党，谁又敢呢！抛开这些不去办，而埋怨群臣难治，就好比不下种不除草，而埋怨田地荒芜。朝廷中的朋党尚且不能清除，何况河北的叛贼呢！"

唐书》卷一百六十八、《新唐书》卷一百七十七。㊵郭承嘏：字复卿，官至刑部侍郎。传见《旧唐书》卷一百六十五、《新唐书》卷一百三十七。㊶权璩：字大圭，官至中书舍人，后为李宗闵贬官辩解，贬阆州刺史。传见《旧唐书》卷一百四十八、《新唐书》卷一百六十五。㊷晞：郭晞（？至公元七九四年），华州郑县（今陕西渭南市华州区）人，郭子仪第三子。唐德宗时官至太子宾客。传见《旧唐书》卷一百二十、《新唐书》卷一百三十七。㊸德舆：权德舆（公元七五九至八一八年），字载之，天水略阳（今甘肃秦安东南）人，唐宪宗朝宰相。传见《旧唐书》卷一百四十八、《新唐书》卷一百六十五。㊹乙巳：十月二十八日。㊺贡院：主管科举考试之机构及其场所，隶属礼部。㊻丙午：十月二十九日。㊼元逵：王元逵，官至成德节度使。传见《旧唐书》卷一百四十二、《新唐书》卷二百十一。㊽丁卯：十一月二十一日。㊾不宜自便：不应自己随意，此指李德裕自请留京师事。㊿乙亥：十一月二十九日。51镇海：方镇名，建中二年（公元七八

一年）合浙江东、西二道置。52 互相挤援：谓非其党则相挤，同党则相援。53 指事也实：指陈之事实实在在。54 度德而叙位二句：典出《荀子·致士》："德以叙位，能以授官。"叙位，排列爵位的次序。55 明不能烛：眼力不能洞悉曲直。56 取舍不在于己：谓昏主优柔寡断，决断之权旁落于他人。57 威福潜移于人：帝王的赏罚之权无形中转移于旁人。58 谗慝得志：奸邪之人得行其志。59 醯：醋。60 蜹：通"蚋"，蚊。61 匪徒用其言二句：不仅仅是采纳他的话，还应当提拔他。62 刑：惩罚。63 不种不芸：不下种子，不除杂草。

【原文】

丙子[64]，李仲言请改名训。

幽州奏莫州军乱，刺史张元汎不知所在。

十二月己卯[65]，以昭义节度副使郑注为太仆卿。郭承嘏累上疏言其不可，上不听。于是注诈上表固辞。上遣中使再以告身赐之，不受。

癸未[66]，以史元忠为卢龙留后。

初，宋申锡与御史中丞宇文鼎受密诏诛郑注，使京兆尹王璠掩捕[67]之。璠密以堂帖[68]示王守澄，注由是得免，深德璠。璠又与李训善，于是训、注共荐之，自浙西观察使征为尚书左丞。

【段旨】

以上为第三段，写王璠出卖机密与宦竖相结。

【原文】

九年（乙卯，公元八三五年）

春，正月乙卯[69]，以王元逵为成德节度使。

巢公凑薨，追赠齐王。

【校记】

［1］兄：张敦仁《通鉴刊本识误》作“死”，据《新唐书·李载义传》，当是。［2］廷：据章钰校，十二行本、乙十一行本皆作“中”。［3］驱之使：据章钰校，此三字十二行本、乙十一行本、孔天胤本皆作“使之”。

【语译】

十一月三十日丙子，李仲言请求改名为李训。

幽州上奏说莫州军队叛乱，刺史张元汎不知在什么地方。

十二月初三日己卯，任命昭义节度副使郑注为太仆卿。郭承嘏多次上奏疏说此事不可以，文宗不听从。于是郑注假意上奏表坚决推辞。文宗派遣中使再次把告身赐给他，他不接受。

十二月初七日癸未，任命史元忠为卢龙节度使留后。

当初，宋申锡与御史中丞宇文鼎接受文宗的密诏诛杀郑注，派京兆尹王璠出其不意地逮捕郑注。王璠秘密地把杀郑注的政事堂公文给王守澄看，郑注因此才得免于一死，深深感激王璠。王璠又和李训交好，于是李训、郑注共同推荐王璠，使他从浙西观察使征召为尚书左丞。

【注释】

㉔丙子：十一月三十日。㉕己卯：十二月初三日。㉖癸未：十二月初七日。㉗掩捕：出其不意地逮捕。㉘堂帖：宰相所下文书，由政事堂发出，谓之堂帖。

【语译】

九年（乙卯，公元八三五年）

春，正月初九日乙卯，任命王元逵为成德节度使。

巢公李凑去世，追赠为齐王。

郑注上言秦地有灾，宜兴役以禳之⑳。辛卯㉑，发左、右神策千五百人浚曲江㉒及昆明池㉓。

三月，冀王绒㉔薨。

丙辰㉕，以史元忠为卢龙节度使。

初，李德裕为浙西观察使，漳王傅母㉖杜仲阳坐宋申锡事放归金陵㉗，诏德裕存处㉘之。会德裕已离浙西，牒㉙留后李蟾使如诏旨。至是，左丞王璠、户部侍郎李汉奏德裕厚赂仲阳，阴结漳王，图为不轨。上怒甚，召宰相及璠、汉、郑注等面质之。璠、汉等极口诬之。路隋曰："德裕不至有[4]此。果如所言，臣亦应得罪！"言者稍息。夏，四月，以德裕为宾客、分司。

癸巳㉚，以郑注守太仆卿兼御史大夫。注始受之，仍举仓部员外郎㉛李款自代曰："加臣之罪，虽于理而无辜，在款之诚，乃事君而尽节。"时人皆哂㉜之。

丙申㉝，以门下侍郎、同平章事路隋同平章事[5]，充镇海节度使，趣之赴镇，不得面辞，坐救李德裕故也。

初，京兆尹河南贾𫗧㉞性褊躁轻率，与李德裕有隙，而善于李宗闵、郑注。上巳㉟，赐百官宴于曲江。故事，尹于外门下马，揖御史。𫗧恃其贵势，乘马直入。殿中侍御史杨俭、苏特与之争，𫗧骂曰："黄面儿敢尔！"坐罚俸。𫗧耻之，求出，诏以为浙西观察使。尚未行，戊戌㊱，以𫗧为中书侍郎、同平章事。

庚子㊲，制以向日㊳上初得疾㊴，王涯呼李德裕奔问起居，德裕竟不至，又在西蜀征逋悬㊵钱三十万缗，百姓愁困，贬德裕袁州㊶长史。

【段旨】

以上为第四段，写郑注等群小诬陷李德裕，必欲置之死地，赖宰相路隋相救，李德裕得免于祸，再次遭贬。

郑注上奏说秦地有灾难，应当大兴劳役来禳除灾难。二月十六日辛卯，调发左、右神策一千五百人疏浚曲江和昆明池。

三月，冀王李絿去世。

十一日丙辰，任命史元忠为卢龙节度使。

当初，李德裕为浙西观察使，漳王的保姆杜仲阳因宋申锡事被牵连放回金陵，下诏让李德裕安置她。适逢李德裕已经离开浙西，行文给留后李蟾，叫他按诏令去办。到这时，左丞王璠、户部侍郎李汉上奏说李德裕大量贿赂杜仲阳，暗地勾结漳王，图谋不轨。文宗愤怒极了，召集宰相以及王璠、李汉、郑注等当面质问这回事。王璠、李汉等用尽口舌来诬陷李德裕。路隋说："李德裕不至于有这种事。如果真像他们所说的那样，臣也应当有罪！"诬陷的人渐渐平息。夏，四月，任命李德裕为太子宾客、分司东都。

四月十八日癸巳，任命郑注为太仆卿兼御史大夫。郑注起初接受了，后又推举仓部员外郎李款替代自己，并说："李款弹劾我，虽然按法理我是无罪，但李款忠诚，事君尽节。"当时的人听了都讥笑他。

四月二十一日丙申，任命门下侍郎、同平章事路隋为同平章事，充任镇海节度使，催促他赴镇上任，不得当面向皇上辞行，这是由于救李德裕的缘故。

当初，京兆尹河南人贾餗性情急躁轻率，和李德裕有嫌隙，而和李宗闵、郑注很友好。上巳节那天，文宗在曲江池赐宴百官。按照惯例，京兆尹在外门下马，向御史行揖礼。贾餗依仗着他受尊宠的地位和权势，乘马径直进去。殿中侍御史杨俭、苏特和他争论，贾餗骂着说："黄面儿胆敢如此！"因此被罚薪俸。贾餗为此事受了耻辱，要求调出朝廷，下诏任命他为浙西观察使。还没有成行，四月二十三日戊戌，任命贾餗为中书侍郎、同平章事。

四月二十五日庚子，诏令说由于前些时日皇上开始得病的时候，王涯叫李德裕赶去慰问起居，李德裕竟然没有到，又在西蜀曾征收拖欠的税钱三十万缗，百姓愁苦困乏，贬李德裕为袁州长史。

【注释】

⑲乙卯：正月初九日。⑳兴役以禳之：用大兴劳役的办法来祈福消灾。役，劳作之事。㉑辛卯：二月十六日。㉒曲江：池名，故址在今陕西西安东南，唐时为都中第一胜景，唐末水枯池废。㉓昆明池：湖名，故址在今陕西西安西南。原为汉武帝准备出征昆明国训练水军而开凿，唐太和以后干涸。㉔冀王絿：冀王李絿，唐顺宗第十子，贞元二十一年（公元八〇五年）封。传见《旧唐书》卷一百五十、《新唐书》卷八十二。㉕丙辰：三月十一日。㉖傅母：保姆。《旧唐书·李德裕传》作"养母"。㉗金陵：指丹

徒县，为润州及浙西治所，在今江苏镇江。⑱存处：存养安置。⑲牒：书札，用如动词。⑳癸巳：四月十八日。㉑仓部员外郎：官名，仓部为户部第四司，掌天下仓储出纳之政令，长官为郎中、员外郎。㉒哂：讥笑。㉓丙申：四月二十一日。㉔贾餗（？至公元八三五年）：字子美，官至宰相。是年李训、郑注败，被诛。传见《旧唐书》卷一百六十九、《新唐书》卷一百七十九。㉕上巳：节日名，阴历三月上旬巳日，魏晋以后只用三月初三日。是日修禊、踏青。唐贞元间置三令节，宴集百官，游览名胜。三巳为三节之一。㉖戊戌：四月二十三日。㉗庚子：四月二十五日。㉘向日：往日；前些时候。㉙初得疾：指太和七年（公元八三三年）十二月文宗患病事。㉚逋悬：拖欠。㉛袁州：州名，治所宜春，在今江西宜春。

【原文】

初，宋申锡获罪，宦官益横，上外虽包容，内不能堪。李训、郑注既得幸，揣知上意，训因进讲，数以微言动上。上见其才辨，意训可与谋大事，且以训、注皆因王守澄以进，冀宦官不之疑，遂密以诚告之。训、注遂以诛宦官为己任，二人相挟[92]，朝夕计议，所言于上无不从，声势烜[6]赫[93]。注多在禁中，或时休沐，宾客填门，赂遗山积。外人但知训、注倚宦官擅作威福，不知其与上有密谋也。

上之立也，右领军将军兴宁仇士良[94]有功，王守澄抑之，由是有隙。训、注为上谋，进擢士良以分守澄之权。五月乙丑[95]，以士良为左神策中尉，守澄不悦。

戊辰[96]，以左丞王璠为户部尚书，判度支。

【段旨】

以上为第五段，写唐文宗宠信奸佞小人郑注、李训，二度谋诛宦官王守澄。

【注释】

㉜相挟：相互依仗。㉝烜赫：显赫；盛大。㉞仇士良：循州兴宁（今广东兴宁）人，宦官，官至右骁卫大将军。先后杀二王（陈王、安王）、一妃（安王母杨贵妃）、四

【校记】

［4］有：据章钰校，十二行本、乙十一行本皆无此字。［5］同平章事：原无此四字。据章钰校，十二行本、乙十一行本、孔天胤本皆有此四字，张敦仁《通鉴刊本识误》同，今据补。

【语译】

当初，宋申锡获罪，宦官更加骄横，文宗表面上虽然包容，内心却不能忍受。李训、郑注得宠后，揣测到了皇上的心意，李训乘着进讲的机会，多次用暗示性的话来打动文宗。文宗看到他有才能，认为可以和李训谋划大事，并且由于李训、郑注都是通过王守澄引进的，宦官不会怀疑他们，于是就秘密地把心思告诉了他们。李训、郑注就以诛杀宦官作为自己的主要职责。两人相依恃，日夜密谋策划，他们向文宗说的话没有不听从的，声威权势显赫。郑注多数时间都在禁中，有时休假在家，宾客盈门，送来的贿赂堆积如山。外面的人只知道李训、郑注倚仗宦官擅自作威作福，而不知道他们与皇上有密谋。

文宗即位时，右领军将军兴宁人仇士良有功，王守澄压制他，因此产生嫌隙。李训、郑注为文宗谋划，提升仇士良来分出王守澄的一部分权力。五月二十一日乙丑，任命仇士良为左神策军中尉，王守澄很不高兴。

五月二十四日戊辰，任命尚书左丞王璠为户部尚书，兼管度支。

丞相（王涯、贾餗、舒元舆、李训），贪酷二十余年。传见《新唐书》卷二百七。⑮乙丑：五月二十一日。⑯戊辰：五月二十四日。

【校记】

［6］炟：据章钰校，乙十一行本、孔天胤本皆作“烜”，张敦仁《通鉴刊本识误》同。〖按〗胡三省注云：“炟，当割翻。一作‘烜’，况远翻。”

【原文】

京城讹言郑注为上合金丹，须小儿心肝，民间惊惧。上闻而恶之。郑注素恶京兆尹杨虞卿，与李训共构之，云此语出于虞卿家人。上怒，六月，下虞卿御史狱。注求为两省官，中书侍郎、同平章事李宗闵不许，注毁之于上。会宗闵救杨虞卿，上怒，叱出之。壬寅⑰，贬明州⑱刺史。

左神策中尉韦元素、枢密使杨承和、王践言久[7]居中用事，与王守澄争权不叶，李训、郑注因之出承和于西川，元素于淮南，践言于河东，皆为监军。

秋，七月甲辰朔⑲，贬杨虞卿虔州⑳司马。

庚戌㉑，作紫云楼于曲江。

辛亥㉒，以御史大夫李固言为门下侍郎、同平章事。

李训、郑注为上画太平之策，以为当先除宦官，次复河、湟㉓，次清河北，开陈方略，如指诸掌。上以为信然，宠任日隆。

初，李宗闵为吏部侍郎，因驸马都尉沈𥫗结女学士㉔宋若宪、知枢密杨承和得为相。及贬明州，郑注发其事。壬子㉕，再贬处州㉖长史。

著作郎㉗、分司㉘舒元舆㉙与李训善，训用事，召为右司郎中㉚兼侍御史知杂㉛，鞫杨虞卿狱。癸丑㉜，擢为御史中丞。元舆，元褒之兄也。

贬吏部侍郎李汉为汾州㉝刺史，刑部侍郎萧澣为遂州㉞刺史，皆坐李宗闵之党。

是时李训、郑注连逐三相㉟，威震天下，于是平生丝恩发怨无不报者㊱。

【语译】

京城谣传郑注为皇上配制金丹，需要小孩的心肝，民间惊惧。文宗听说后很讨厌。郑注向来讨厌京兆尹杨虞卿，于是和李训共同构陷他，说这一谣言出自杨虞卿的家人。文宗很生气，六月，把杨虞卿送进御史监狱。郑注想做两省的官职，中书侍郎、同平章事李宗闵不答应，郑注就在文宗面前诋毁李宗闵。适逢李宗闵救助杨虞卿，文宗很生气，把他呵斥出去。二十八日壬寅，贬为明州刺史。

左神策军中尉韦元素，枢密使杨承和、王践言长期在朝中主政，与王守澄争夺势力不能协调，李训、郑注因此借这个机会把杨承和调往西川，把韦元素派往淮南，把王践言调往河东，让他们都担任监军职务。

秋，七月初一日甲辰，贬谪杨虞卿为虔州司马。

七月初七日庚戌，在曲江池修建紫云楼。

七月初八日辛亥，任命御史大夫李固言为门下侍郎、同平章事。

李训、郑注为文宗筹划太平谋策，认为应当首先铲除宦官，其次是收复河、湟地区，再其次是扫清河北叛乱势力，陈述的方略，了如指掌。文宗认为确应如此，对他们一天比一天宠信。

当初，李宗闵任吏部侍郎，通过驸马都尉沈𫍽交结女学士宋若宪、知枢密杨承和而当了宰相。等到他被贬往明州，郑注揭发了这件事。七月初九日壬子，再贬为处州长史。

著作郎、东都分司舒元舆与李训交好，李训主政后，召他到京任右司郎中兼侍御史知杂，审理杨虞卿的案子。七月初十日癸丑，提升为御史中丞。舒元舆是舒元褒的哥哥。

贬谪吏部侍郎李汉为汾州刺史，刑部侍郎萧澣为遂州刺史，都因为是李宗闵的同党。

当时，李训、郑注接连赶走了三位宰相，威震天下，这时他们对平生细小的恩怨没有不回报的。

【段旨】

以上为第六段，写郑注、李训连逐李德裕、路隋、李宗闵三相，威震天下。

【注释】

⑰ 壬寅：六月二十八日。⑱ 明州：州名，治所鄮县，在今浙江宁波。⑲ 甲辰朔：七月初一日。⑳ 虔州：州名，治所赣县，在今江西赣州。㉑ 庚戌：七月初七日。㉒ 辛亥：七月初八日。㉓ 复河、湟：收复河、湟之地，即从吐蕃手中夺回河湟流域的鄯州、廓州等地，其地安史之乱时陷于吐蕃。河，指黄河。湟，指湟水，源出今青海海晏包呼图山，东南流经西宁、乐都，汇合大通河，注入黄河。㉔ 女学士：贝州清阳（今河北清河县）人宋廷芬有女五人，长若莘，次若昭、若伦、若宪、若荀，皆善属文，有名当世。德宗时召入宫中，不以妾侍命之，呼为学士，故称女学士。若莘、若昭、若宪先后掌管宫禁图籍。太和中，李训、郑注用事，恶宰相李宗闵，谮言宗闵因驸马都尉沈𥫗厚赂若宪求为宰相。帝怒，赐若宪死。训、注败，帝悟其谗，追恨不已。若宪事附《新唐书》卷七十七《宋若昭传》。㉕ 壬子：七月初九日。㉖ 处州：州名，治所括苍，在今浙江丽水东

【原文】

李训奏僧尼猥多[117]，耗蠹[118]公私。丁巳[119]，诏所在试僧尼诵经不中格者，皆勒归俗[120]，禁置寺及私度人[121]。

时人皆言郑注朝夕且为相，侍御史李甘[122]扬言于朝曰："白麻[123]出，我必坏之于庭！"癸亥[124]，贬甘封州[125]司马。然李训亦忌注，不欲使为相，事竟寝[126]。

甲子[127]，以国子博士[128]李训为兵部郎中、知制诰，依前侍讲学士。贬左金吾大将军[129]沈𥫗[130]为邵州[131]刺史。

八月丙子[132]，又贬李宗闵潮州[133]司户。赐宋若宪死。

丁丑[134]，以太仆卿郑注为工部尚书，充翰林侍讲学士。注好服鹿裘，以隐沦自处[135]，上以师友待之。注之初得幸，上尝问翰林学士、户部侍郎李珏[136]曰："卿知有郑注乎？亦尝与之言乎？"对曰："臣岂特知其姓名，兼深知其为人。其人奸邪，陛下宠之，恐无益圣德。臣忝[137]在近密[138]，安敢与此人交通！"戊寅[139]，贬珏江州刺史。再贬沈𥫗柳州[140]司户。

丙申[141]，诏以杨承和庇护宋申锡，韦元素、王践言与李宗闵、李德裕中外连结，受其赂遗，承和可驩州[142]安置，元素可象州安置，践言

南。⑩⑦著作郎：官名，主管著作局事及撰拟文字，属秘书省。⑩⑧分司：分设于东都洛阳的中央官员。⑩⑨舒元舆：婺州东阳（今浙江东阳）人，因依附李训、郑注而官至宰相。训、注败，被诛。传见《旧唐书》卷一百六十九、《新唐书》卷一百七十九。⑪⓪右司郎中：官名，尚书省置左、右司郎中，掌佐左、右丞处理省务。⑪①知杂：知杂事。唐例，侍御史六人，以任职长久的一人主台内事务，称为知杂。⑪②癸丑：七月初十日。⑪③汾州：州名，治所隰城，在今山西汾阳。⑪④遂州：州名，治所方义，在今四川遂宁。⑪⑤三相：指李德裕、路隋、李宗闵。⑪⑥丝恩发怨无不报者：细微的恩怨没有不回报的。这里侧重指细小仇怨都要报复。丝与发，皆细微。

【校记】

［7］久：原无此字。据章钰校，十二行本、乙十一行本、孔天胤本皆有此字，张敦仁《通鉴刊本识误》同，今据补。

【语译】

李训上奏说和尚、尼姑众多，耗费公私财物。七月十四日丁巳，诏令各地测试和尚、尼姑诵经不合格的，都勒令还俗，禁止设置新的寺庙和私自剃度平民为和尚。

当时的人都说郑注早晚要当宰相，侍御史李甘在朝堂中扬言说："任命宰相的白麻诏书一出现，我一定要在大庭广众中撕坏它！"七月二十日癸亥，李甘被贬为封州司马。然而李训也猜忌郑注，不想让他当宰相，这件事最终被搁置。

七月二十一日甲子，任命国子博士李训为兵部郎中、知制诰，仍然担任侍讲学士。贬左金吾大将军沈壕为邵州刺史。

八月初三日丙子，又贬李宗闵为潮州司户。宋若宪被赐死。

八月初四日丁丑，任命太仆卿郑注为工部尚书，充任翰林侍讲学士。郑注喜欢穿鹿皮毛衣，以隐士自居，文宗以师友相待。郑注刚得到宠幸时，文宗曾经问翰林学士、户部侍郎李珏说："你知道有郑注这个人吗？曾经和他谈过话吗？"李珏回答说："臣岂止知道他的姓名，并且深知他的为人。这个人奸巧邪恶，陛下宠信他，恐怕无益圣德。臣忝列皇上近臣，怎敢和他来往！"初五日戊寅，李珏被贬为江州刺史。再贬沈壕为柳州司户。

八月二十三日丙申，诏令因杨承和庇护宋申锡，韦元素、王践言与李宗闵、李德裕内外联结，接受贿赂，把杨承和安置在驩州，韦元素安置在象州，王践言安置在恩州，命令从他们现在的所在之地戴上枷锁送往安置的地方。杨虞卿、李汉、萧

可恩州[143]安置，令所在锢送[144]。杨虞卿、李汉、萧澣为朋党之首，贬虞卿虔州司户，汉汾州司马，澣遂州司马。寻遣使追赐承和、元素、践言死。时崔潭峻已卒，亦剖棺鞭尸。

己亥[145]，以前庐州[146]刺史罗立言[147]为司农少卿。立言赃吏，以赂结郑注而得之。

郑注之入翰林也，中书舍人高元裕[148]草制，言以医药奉君亲，注衔之，奏元裕尝出郊送李宗闵。壬寅[149]，贬元裕阆州[150]刺史。元裕，士廉之六世孙也。

时注与李训所恶朝士，皆指目为二李[151]之党，贬逐无虚日[152]，班列殆空，廷中恟恟[153]。上亦知之。训、注恐为人所摇，九月癸卯朔[154]，劝上下诏："应与德裕、宗闵亲旧及门生故吏，今日以前贬黜之外，余皆不问。"人情稍安。

【段旨】

以上为第七段，写郑注、李训两小人得志，大肆排斥异己，凡贬逐朝士，则指目为李德裕、李宗闵之党。

【注释】

⑪⑦猥多：众多。⑪⑧耗蠹：损耗。⑪⑨丁巳：七月十四日。⑫⓪皆勒归俗：一概勒令还俗。⑫①禁置寺及私度人：禁止建立新的寺院及僧尼私自剃度平民。〖按〗剃度有户籍的平民为僧尼，须申报主管部门批准。⑫②李甘：字和鼎，穆宗朝进士，官至侍御史，因倡言反对郑注为相被贬官。传见《旧唐书》卷一百七十一、《新唐书》卷一百十八。⑫③白麻：凡立后、建储、施赦、拜免将相等，诏书用白麻纸。此指任命诏书。⑫④癸亥：七月二十日。⑫⑤封州：州名，治所封川，在今广东封开东南。⑫⑥事竟寝：郑注入相的事最终被搁置。⑫⑦甲子：七月二十一日。⑫⑧国子博士：学官名，掌经学传授。⑫⑨左金吾大将军：左金吾卫大将军，十六卫之一，掌宫中、京城巡警及京烽候道路，正三品。⑬⓪沈𬪩：官至驸马都尉、左金吾大将军，李宗闵之党，遭郑注、李训排斥而贬官。⑬①邵州：州名，治所在今湖南邵阳。⑬②丙子：八月初三日。⑬③潮州：州名，治所海阳，在今广东潮州。⑬④丁

漪是朋党的首领，贬谪杨虞卿为虔州司户，李汉为汾州司马，萧澣为遂州司马。不久，又派遣使者追赐杨承和、韦元素、王践言自杀。当时崔潭峻已经死了，仍开棺鞭尸。

八月二十六日己亥，任命前庐州刺史罗立言为司农寺少卿。罗立言是贪官，用贿赂交结郑注而得到了这个官职。

郑注担任翰林的官职时，中书舍人高元裕起草任职命令，说郑注靠治病侍奉君亲，郑注因此仇恨高元裕，上奏说高元裕曾经到郊外送李宗闵。八月二十九日壬寅，将高元裕贬为阆州刺史。高元裕是高士廉的第六代子孙。

当时郑注和李训所不喜欢的朝廷士大夫，都被视为李德裕、李宗闵的党羽，贬谪放逐没有空闲一天，朝班序列中都快没有人了，朝廷动荡不安。文宗也知道这一情况。李训和郑注担心地位被别人动摇，九月初一日癸卯，劝说文宗下诏令："凡是李德裕、李宗闵的亲戚旧友和门生故吏，除今日以前贬黜的以外，其余的都不追究了。"人们的情绪才稍稍安定。

丑：八月初四日。⑬⑤以隐沦自处：指以隐士自居。隐沦，深藏。⑬⑥李珏（公元七八四至八五三年）：字待价，赵郡人，进士及第，穆宗朝官至左拾遗，直言敢谏。太和五年（公元八三一年），李宗闵、牛僧孺为相，与李珏亲厚，擢至工部尚书，充翰林侍讲学士。传见《旧唐书》卷一百七十三、《新唐书》卷一百八十二。⑬⑦忝：自谦语。辱；有愧于。⑬⑧在近密：列身近臣。⑬⑨戊寅：八月初五日。⑭⓪柳州：州名，治所马平，在今广西柳州。⑭①丙申：八月二十三日。⑭②驩州：州名，治所安南九德，在今越南荣市。⑭③恩州：州名，治所齐安，在今广东恩平。⑭④锢送：戴上枷锁送至目的地。⑭⑤己亥：八月二十六日。⑭⑥庐州：州名，治所合肥，在今安徽合肥。⑭⑦罗立言：历任庐州刺史、司农少卿，以财结交郑注，亦与李训交厚，训用为京兆少尹。训败，族诛。传见《旧唐书》卷一百六十九、《新唐书》卷一百七十九。⑭⑧高元裕（公元七七七至八五三年）：字景圭，唐太宗宰相高士廉之六世孙，官至山南东道节度使。传见《旧唐书》卷一百七十一、《新唐书》卷一百七十七。⑭⑨壬寅：八月二十九日。⑮⓪阆州：州名，治所阆中，在今四川阆中。⑮①二李：指李德裕、李宗闵。⑮②虚日：空闲之日。⑮③恟恟：同"汹汹"，动荡不安。⑮④癸卯朔：九月初一日。

【原文】

盐铁使王涯奏改江淮、岭南茶法，增其税。

庚申[155]，以凤翔节度使李听为忠武节度使，代杜悰。

宪宗之崩也，人皆言宦官陈弘志所为。时弘志为山南东道监军，李训为上谋召之，至青泥驿[156]，癸亥[157]，封杖[158]杀之。

郑注求为凤翔节度使，门下侍郎、同平章事李固言不可。丁卯[159]，以固言为山南西道节度使，注为凤翔节度使。李训虽因注得进，及势位俱盛，心颇忌注，谋欲中外协势以诛宦官，故出注于凤翔，其实俟既诛宦官，并图注也。

注欲取名家才望之士为参佐[160]，请礼部员外郎韦温为副使[161]，温不可。或曰："拒之必为患。"温曰："择祸莫若轻。拒之止于远贬，从之有不测之祸。"卒辞之。

戊辰[162]，以右神策中尉、行[163]右卫上将军[164]、知内侍省[165]事王守澄为左、右神策观军容使[166]兼十二卫统军。李训、郑注为上谋，以虚名尊守澄，实夺之权也。

己巳[167]，以御史中丞兼刑部侍郎舒元舆为刑部侍郎，兵部郎中知制诰、充翰林侍讲学士李训为礼部侍郎，并同平章事，仍命训三二日一入翰林讲《易》。元舆为中丞，凡训、注所恶者，则为之弹击[168]，由是得为相。又上惩李宗闵、李德裕多朋党，以贾竦及元舆皆孤寒[169]新进，故擢为相，庶其无党耳。

训起流人[170]，期年[171]致位宰相，天子倾意任之。训或在中书，或在翰林，天下事皆决于训。王涯辈承顺其风指[172]，惟恐不逮。自中尉、枢密、禁卫诸将，见训皆震慑[173]，迎拜叩首。

壬申[174]，以刑部郎中兼御史知杂李孝本[175]权知御史中丞。孝本，宗室之子，依训、注得进。

李听自恃勋旧，不礼于郑注。注代听镇凤翔，先遣牙将丹骏[176]至军中慰劳，诬奏听在镇贪虐。冬，十月乙亥[177]，以听为太子太保、分司，复以杜悰为忠武节度使。

【语译】

盐铁使王涯上奏请改革江淮、岭南茶法，增加茶税。

九月十八日庚申，任命凤翔节度使李听为忠武节度使，以代替杜悰。

宪宗的死，人们都说是宦官陈弘志杀害的。这时陈弘志担任山南东道监军，李训为文宗谋划召他回来，陈弘志走到青泥驿，九月二十一日癸亥，文宗密令用刑杖打死了陈弘志。

郑注请求担任凤翔节度使，门下侍郎、同平章事李固言不同意。九月二十五日丁卯，任命李固言为山南西道节度使，郑注为凤翔节度使。李训虽然通过郑注得到进用，但等到两人的权势和地位都很高以后，李训内心很忌妒郑注，想谋求中外协力以诛宦官，所以派郑注到凤翔去担任节度使，其内心是等到宦官被诛灭以后，一并除掉郑注。

郑注想用出身名家、才学又好的人为僚属，就请礼部员外郎韦温为节度副使，韦温不同意。有人对韦温说："拒绝他一定会带来祸患。"韦温说："选择轻的灾祸比较好。拒绝他最多是贬去边远的地方，顺从他就会有预想不到的灾祸。"最后推辞了副使的官职。

九月二十六日戊辰，任命右神策中尉、行右卫上将军、知内侍省事王守澄为左、右神策观军容使兼十二卫统军。李训、郑注为文宗谋划，用虚名来尊崇王守澄，其实是剥夺他的实权。

九月二十七日己巳，任命御史中丞兼刑部侍郎舒元舆为刑部侍郎，兵部郎中知制诰、充翰林侍讲学士李训为礼部侍郎，二人并同平章事，并命令李训三两天一次去翰林院给文宗讲《易》。舒元舆担任御史中丞的时候，凡是李训、郑注所厌恶的人，就帮助他们弹劾打击，因此做了宰相。另外文宗鉴于李宗闵、李德裕多朋党，认为贾𫗧和舒元舆都势孤力单，门第低下，刚刚晋升，所以提拔为宰相，希望他们不结朋党。

李训从流放官吏中兴起，一年就做到宰相的职位，天子全心全意信用他。李训有时在中书省，有时在翰林院，国家的重大事情都决定于他。王涯他们那一班人顺承他的意旨办事，只担心做不好。从中尉、枢密使到禁卫军各将领，看到李训都惊恐，忙着作揖磕头。

九月三十日壬申，任命刑部郎中兼御史知杂李孝本暂时代理御史中丞。李孝本是宗室的子孙，依靠李训、郑注得以进用。

李听自恃是有功的旧臣，不礼敬郑注。郑注接替李听为凤翔节度使，先派牙将丹骏到军队中慰劳将士，诬奏李听在镇贪财暴虐。冬，十月初三日乙亥，任命李听为太子太保、分司东都，又任命杜悰为忠武节度使。

郑注每自负经济之略，上问以富人之术，注无以对，乃请榷茶，于是以王涯兼榷茶使。涯知不可而不敢违，人甚苦之[178]。

郑注欲收僧尼之誉，固请罢沙汰[179]，从之。

李训、郑注密言于上，请除王守澄。辛巳[180]，遣中使李好古就第赐酖[181]，杀之，赠扬州大都督。训、注本因守澄进，卒谋而杀之，人皆快守澄之受佞而疾训、注之阴狡，于是元和之逆党略尽矣。

【段旨】

以上为第八段，写郑注、李训用卑劣手段助唐文宗诛杀元和逆党宦官陈弘志、王守澄及其党羽。

【注释】

⑮⑤庚申：九月十八日。⑮⑥青泥驿：地名，在今陕西蓝田。⑮⑦癸亥：九月二十一日。⑮⑧封杖：密赐杖刑。⑮⑨丁卯：九月二十五日。⑯⓪参佐：僚属；部下。⑯①副使：指节度副使。⑯②戊辰：九月二十六日。⑯③行：官制术语。高官兼低职曰行。⑯④右卫上将军：官名，左、右卫属十六卫，设上将军、大将军、将军，掌宫禁宿卫。⑯⑤内侍省：官

【原文】

乙酉[182]，郑注赴镇。

庚子[183]，以东都留守、司徒兼侍中裴度兼中书令，余如故。李训所奖拔，率皆狂险之士。然亦时取天下重望以顺人心，如裴度、令狐楚、郑覃皆累朝耆俊[184]，久为当路[185]所轧[186]，置之散地，训皆引居崇秩[187]。由是士大夫亦有望其真能致太平者，不惟天子惑之也。然识者见其横甚，知将败矣。

郑注常常自认为有经世济民的方略，文宗询问他使民众富庶的办法，郑注无话可答，就请求茶叶专卖，于是以王涯兼任榷茶使。王涯知道不能这么办而又不敢违抗，百姓都为此而感到痛苦。

郑注想获得和尚、尼姑的称赞，坚决请求停止淘汰和尚、尼姑，文宗同意了。

李训、郑注秘密向文宗说，请除掉王守澄。十月初九日辛巳，派遣中使李好古到王守澄家赐给毒酒，把王守澄毒死了，赠李好古扬州大都督的官衔。李训、郑注原来是通过王守澄才得到进用，最后设计杀了他，民众都以王守澄引进奸佞之人最终受报应而高兴，但又痛恨李训、郑注的阴险狡猾，至此，元和年间以来的逆党所剩无几了。

署名，掌宫廷内部事务，为宦官之职。其长官为监、少监、内侍。又有内常侍，通判省事。⑯观军容使：官名，为监军之最高职务。⑯己巳：九月二十七日。⑯弹击：弹劾抨击。⑯孤寒：孤谓势孤力单，寒谓门第低下。⑰训起流人：李训从流放之人中兴起。⑰期年：一年之间。⑰风指：意旨。指，通“旨”。⑰震慑：震惊恐惧。⑰壬申：九月三十日。⑰李孝本：宗室子，累官刑部郎中，依李训得进，权知御史中丞。训败，族诛。传见《旧唐书》卷一百六十九、《新唐书》卷一百七十九。⑰丹骏：人名。⑰乙亥：十月初三日。⑰人甚苦之：文宗问郑注，怎样使老百姓富有，郑注回答种茶征税。茶未种而税先有，百姓是以苦之。⑰罢沙汰：停止淘汰，指解除裁减僧尼的诏令。裁减僧尼为李训所奏请，见前七月十四日的丁巳诏。此言李训与郑注互相倾轧而造成政令屡变。⑱辛巳：十月初九日。⑱酖：同“鸩”，以鸩鸟羽毛浸泡的毒酒。

【语译】

十月十三日乙酉，郑注赴凤翔上任。

十月二十八日庚子，任命东都留守、司徒兼侍中裴度兼中书令，其余的官职依旧。李训所奖励提拔的人，大都是狂妄险恶的士子。但也不时选取在全国名声很大的人以顺应人们的心意，例如裴度、令狐楚、郑覃都是几朝的耆老俊彦，长期被当权的宰相所排挤，安排到闲散职位，李训把他们都引荐到很高的官位上。因此士大夫中也有希望他真正能使国家达到太平的，不只是天子被他迷惑。然而有见识的人看到李训骄横已甚，知道他即将败亡。

十一月丙午[188]，以大理卿郭行余[189]为邠宁节度使。

癸丑[190]，以河东节度使、同平章事李载义兼侍中。

丁巳[191]，以户部尚书、判度支王璠为河东节度使。

戊午[192]，以京兆尹李石[193]为户部侍郎、判度支，以京兆少尹罗立言权知府事。石，神符[194]之五世孙也。

己未[195]，以太府卿韩约为左金吾卫大将军。

始，郑注与李训谋，至镇，选壮士数百，皆持白棓[196]，怀其斧[197]，以为亲兵。是月戊辰[198]，王守澄葬于浐水[199]，注奏请入护葬事[200]，因以亲兵自随。仍奏令内臣[201]中尉以下尽集浐水送葬，注因阖门[202]，令亲兵斧之，使无遗类。约既定，训与其党谋："如此事成，则注专有其功。不若使行余、璠以赴镇为名，多募壮士为部曲，并用金吾、台府[203]吏卒，先期[204]诛宦者，已而并注去之。"行余、璠、立言、约及中丞李孝本，皆训素所厚也，故列置要地，独与是数人及舒元舆谋之，他人皆莫之知也。

壬戌[205]，上御紫宸殿。百官班定，韩约不报平安[206]，奏称："左金吾听事后石榴夜有甘露，臣递门奏讫[207]。"因蹈舞再拜，宰相亦帅百官称贺。训、元舆劝上亲往观之，以承天贶[208]，上许之。百官退，班于含元殿[209]。日加辰[210]，上乘软舆[211]出紫宸门，升含元殿。先命宰相及两省官诣左仗[212]视之，良久而还。训奏："臣与众人验之，殆非真甘露，未可遽宣布，恐天下称贺。"上曰："岂有是邪！"顾左、右中尉仇士良、鱼志弘帅诸宦者往视之。宦者既去，训遽召郭行余、王璠曰："来受敕旨！"璠股栗[213]不敢前，独行余拜殿下。时二人部曲数百，皆执兵立丹凤门外，训已先使人召之，令入受敕。独河东[8]兵入，邠宁兵竟不至。

仇士良等至左仗视甘露，韩约变色流汗，士良怪之曰："将军何为如是？"俄风吹幕起，见执兵者甚众，又闻兵仗声。士良等惊骇走出，门者欲闭之，士良叱之，关[214]不得上，士良等奔诣上告变。训见之，遽呼金吾卫士曰："来上殿卫乘舆者，人赏钱百缗！"宦者曰："事急矣，请陛下还宫！"即举软舆，迎上扶升舆，决[215]殿后罘罳[216]，疾趋北出。

十一月初五日丙午，任命大理卿郭行余为邠宁节度使。

十一月十二日癸丑，任命河东节度使、同平章事李载义兼侍中。

十一月十六日丁巳，任命户部尚书、判度支王璠为河东节度使。

十一月十七日戊午，任命京兆尹李石为户部侍郎、判度支，任命京兆少尹罗立言暂代府尹之职。李石是李神符的第五代孙。

十一月十八日己未，任命太府卿韩约为左金吾卫大将军。

最初，郑注和李训商量，郑注到凤翔镇后，挑选壮士数百人，都拿白木棒，怀中藏着斧子，作为亲兵。在十一月二十七日戊辰那天，王守澄下葬于浐水边的时候，郑注奏明文宗请求入京护送王守澄灵柩入葬，乘机带着亲兵一道去。同时奏请命令内臣中尉以下的宦官都一起到浐水边送葬，届时郑注乘机关上大门，命令亲兵用斧子砍杀宦官，一个也不放过。约定以后，李训和他的党羽商议："如果这样把事办成功了，那么郑注就会独占功劳。不如要郭行余、王璠用赴镇的名义大量招募壮士为部下，加上金吾卫和御史台的官吏士卒，在约定的日期之前把宦官杀掉，随后把郑注也一并除掉。"郭行余、王璠、罗立言、韩约和中丞李孝本，都是李训一向所厚待的人，所以把他们安置在重要职位上，只与这几位及舒元舆等谋划杀宦官事，其他的人都不知道这回事。

十一月二十一日壬戌，文宗到紫宸殿。百官按朝班排定以后，韩约不按规报告平安，而是上奏说："左金吾政事厅堂后面的石榴树上晚上降有甘露，臣已隔着宫门奏报完毕。"于是行舞蹈礼，拜了又拜，宰相也带领百官向文宗道贺。李训、舒元舆劝说文宗亲自前往观看，以承受上天的赐予，文宗答应了。百官退下后，又在含元殿以序排列。时间已过辰时，文宗坐着软轿从紫宸门出来，登上含元殿。首先命宰相和两省的官员到左仗去看甘露，隔了好一会才回来。李训上奏说："臣和大家检验了，大概不是真正的甘露，不要马上对外宣布，怕天下全都庆贺。"文宗说："难道有这样的事！"回头示意叫左、右中尉仇士良、鱼志弘带领那些宦官前去察看。宦官走了后，李训立刻召唤郭行余和王璠说："前来接受皇上的诏令！"王璠大腿发抖不敢向前，只有郭行余拜伏在殿下。当时两人有部下数百人，都拿着武器站立在丹凤门外面，李训已经预先派人召唤他们，命令进宫来接受皇上的命令。只有河东镇兵进来了，邠宁镇兵竟然没有到。

仇士良等到左仗察看甘露，韩约脸色变了，流着汗，仇士良感到奇怪，问他说："将军为什么这个样子？"一会儿帷幕被风吹起，看到拿武器的人很多，又听到兵器的声音。仇士良等人惊恐，往外跑，守门的人想关上门，仇士良呵斥他们，门闩没有闩上，仇士良等人跑到文宗那里报告事变。李训看到了，急忙呼叫金吾卫士兵说："到殿上来保护皇上的人，每人赏钱一百串！"宦官们说："事势危急了，请陛下回宫！"随即抬上软轿，迎接文宗坐上轿，冲开殿后的丝网，快速向北跑。李训攀着软

训攀舆呼曰："臣奏事未竟，陛下不可入宫！"金吾兵已登殿，罗立言帅京兆逻卒三百余自东来，李孝本帅御史台从人二百余自西来，皆登殿纵击，宦官流血呼冤，死伤者十余人。乘舆迤逦[217]入宣政门，训攀舆呼益急，上叱之。宦者郗志荣奋拳殴其胸，偃[218]于地。乘舆既入，门随阖，宦者皆呼万岁，百官骇愕散出。训知事不济，脱从吏绿衫衣之，走马而出，扬言于道曰："我何罪而窜谪[219]！"人不之疑。王涯、贾餗、舒元舆还中书，相谓曰："上且开延英，召吾属议之。"两省官诣宰相请其故，皆曰："不知何事，诸公各自便！"士良等知上豫[220]其谋，怨愤，出不逊语，上惭惧不复言。

士良等命左、右神策副使刘泰伦、魏仲卿等各帅禁兵五百人，露刃出阁门讨贼。王涯等将会食[221]，吏白："有兵自内出，逢人辄杀！"涯等狼狈步走，两省及金吾吏卒千余人填门争出。门寻阖，其不得出者六百余人皆死。士良等分兵闭宫门，索诸司，捕贼党。诸司吏卒及民酤贩[222]在中者皆死，死者又千余人，横尸流血，狼藉涂地，诸司印及图籍、帷幕、器皿俱尽。又遣骑各千余出城追亡者，又遣兵大索城中。舒元舆易服单骑出安化门[223]，禁兵追擒之。王涯徒步至永昌里茶肆，禁兵擒入左军。涯时年七十余，被以桎梏，掠治不胜苦，自诬服[224]，称与李训谋行大逆，尊立郑注。王璠归长兴里[9]私第，闭门，以其兵[225]自防。神策将至门，呼曰："王涯等谋反，欲起尚书为相[226]，鱼护军[227]令致意！"璠喜，出见之，将趋贺再三。璠知见绐[228]，涕泣而行。至左军，见王涯曰："二十兄[229]自反，胡为见引[230]？"涯曰："五弟昔为京兆尹，不漏言[231]于王守澄，岂有今日邪！"璠俯首不言。又收罗立言于太平里，及涯等亲属奴婢，皆入两军系之。户部员外郎李元皋，训之再从弟也，训实与之无恩，亦执而杀之。故岭南节度使胡证[232]家巨富，禁兵利其财，托以搜贾餗入其家，执其子溵，杀之。又入左常侍罗让[233]、詹事[234]浑鐬[235]、翰林学士黎埴等家，掠其赀财，扫地无遗。鐬，瑊之子也。坊市恶少年因之报私仇，杀人，剽掠[236]百货，互相攻劫，尘埃蔽天。

轿呼喊说:“臣奏事还没有完，陛下不能入宫!”金吾卫的士兵已经登殿，罗立言带领京兆尹的巡逻士卒三百多人从东边到来，李孝本带领御史台随从人员二百多人从西边到来，全都登殿大肆砍杀，宦官们身上流着血，大呼冤枉，死伤了十多人。文宗的轿子曲折进入宣政门，李训攀着轿子喊叫得更急迫，文宗呵斥他。宦官郗志荣挥拳打击他的胸部，李训仰面倒在地上。文宗入宫后，大门随即关上了，宦官们都高呼万岁，百官在惊骇中分散出宫。李训知道事变没有成功，脱下随从吏员的绿色衣衫穿上，驱马而出，在路上扬言说:“我有什么罪而要被贬谪流放!”没有人怀疑他。王涯、贾餗、舒元舆返回中书省，互相说:“皇上将要在延英殿开会，召集我们商议这件事。”两省的官员到宰相那里询问是怎么一回事，都说:“不知道是什么事，诸位各自随意吧!”仇士良等人知道文宗参与了杀宦官的谋划，又埋怨又愤慨，出语不敬，文宗既惭愧又恐惧，不再说话。

仇士良等命令左、右神策副使刘泰伦、魏仲卿等各自率领禁兵五百人，亮出刀锋出殿门讨伐叛贼。王涯等人将要会餐，有吏员报告:“有兵士从皇宫内出来，遇到人就杀!”王涯等人狼狈徒步逃跑，两省和金吾卫吏卒一千多人堵塞宫门争着出去。大门不久就被关闭，那些没有逃出的六百多人都被杀死。仇士良等分兵关闭宫门，搜索各司，逮捕贼党。诸司吏卒以及在禁中做买卖的平民都被杀，死去的又有一千余人，横尸流血，满地都是，各司印章和图书典籍、帷帐、器具全部毁坏。又派遣骑兵各一千多人出京城追捕逃跑的人，又派兵在城内大肆搜索。舒元舆换了衣服一个人骑马出安化门，禁兵追上捉住了他。王涯步行到永昌里茶馆中，禁兵抓住他送到左神策军中。王涯当时七十多岁，被戴上刑械，拷打得忍受不住痛苦，就自诬认罪，说是与李训阴谋进行大逆不道的事，尊立郑注为皇帝。王璠回到长兴里私宅，关上门，让他的兵士保卫自己。神策军的将领来到门口，喊道:“王涯等谋反，想起用尚书为宰相，鱼护军让我们传达他的意思!”王璠很高兴，出门相见，将领快步走上前再三祝贺。王璠知道被骗了，涕泣而行。到达神策军营中，看到王涯说:“二十兄自己谋反，为什么把我也牵连进去?”王涯说:“五弟过去任京兆尹时，不把消息泄露给王守澄，怎么会有今日的遭遇呢!”王璠低着头不言语。又在太平里搜捕了罗立言，以及王涯等人的亲属、奴婢，都送入两军囚系。户部员外郎李元皋是李训的远房弟弟，李训实际上对他没有什么恩德，他也被抓来杀死了。以前的岭南节度使胡证家里极为富有，禁兵贪图他的财货，借口搜捕贾餗进到他的家里，抓住他的儿子胡溵，把他杀了。又进入左散骑常侍罗让、詹事浑鐬、翰林学士黎埴等人家里，抢掠他们的财物，一扫而光。浑鐬，是浑瑊的儿子。街市上一些恶少乘机报私仇，杀人，抢夺百货，互相攻掠，尘埃蔽天。

【段旨】

以上为第九段，写唐文宗谋诛宦官的甘露之变失败，宦官仇士良、鱼弘志大杀朝官，功臣半空。

【注释】

⑱² 乙酉：十月十三日。⑱³ 庚子：十月二十八日。⑱⁴ 耆俊：耆老俊彦，年高卓越之人。⑱⁵ 当路：当权的人。⑱⁶ 轧：排挤。⑱⁷ 崇秩：高位。⑱⁸ 丙午：十一月初五日。⑱⁹ 郭行余：历官楚、汝二州刺史，大理卿。李训与之善，故擢为邠宁节度使，令其募兵，以诛宦官。训败，族诛。传见《旧唐书》卷一百六十九、《新唐书》卷一百七十九。⑲⁰ 癸丑：十一月十二日。⑲¹ 丁巳：十一月十六日。⑲² 戊午：十一月十七日。⑲³ 李石：字中玉，唐文宗时宰相，为仇士良刺客所伤，出为荆南节度使。武宗时为河东节度使、东都留守。传见《旧唐书》卷一百七十二、《新唐书》卷一百三十一。⑲⁴ 神符：李神符（公元五七九至六五一年），唐高祖从父弟，官至扬州大都督，封襄邑王。传见《旧唐书》卷六十、《新唐书》卷七十八。⑲⁵ 己未：十一月十八日。⑲⁶ 白棓：白色棒杖。棓，通“棒”。⑲⁷ 怀其斧：怀中藏着斧子。⑲⁸ 戊辰：十一月二十七日。⑲⁹ 浐水：水名，源出秦岭，至西安入灞水。此指浐水流经之陕西蓝田白鹿原，有汉文帝霸陵，王守澄葬于原之西南。⑳⁰ 请入护葬事：请求入京师护送王守澄灵柩入葬。⑳¹ 内臣：指宦官。⑳² 阖门：关门。⑳³ 金吾、台府：金吾卫和御史台官署。⑳⁴ 先期：在约定期限之前。⑳⁵ 壬戌：十一月二十一日。⑳⁶ 报平安：唐制。凡朝，皇帝既升御座，金吾将军奏“左右厢内外平安”。⑳⁷ 递门奏讫：言夜中闻奏，禁门已闭，隔门递入以奏。⑳⁸ 天贶：天赐。⑳⁹ 班于含元殿：紫宸

【原文】

癸亥[237]，百官入朝。日出，始开建福门[238]，惟听以从者一人自随，禁兵露刃夹道。至宣政门，尚未开。时无宰相御史知班，百官无复班列。上御紫宸殿，问：“宰相何为不来？”仇士良曰：“王涯等谋反系狱。”因以涯手状呈上，召左仆射令狐楚、右仆射郑覃等升殿示之。上悲愤不自胜，谓楚等曰：“是涯手书乎？”对曰：“是也！”“诚如此，罪不容诛[239]！”因命楚、覃留宿中书，参决机务。使楚草制宣告中外，楚叙王涯、贾悚反事浮汎[240]，仇士良等不悦，由是不得为相。

乃内殿，含元为前殿，帝欲往观甘露，故百官自紫宸退出，立班于含元殿。⑩日加辰：时间已过辰时。㉑软舆：软座轿子。㉒左仗：左金吾卫。㉓股栗：大腿颤抖。㉔关：门闩。㉕决：冲决；打开。㉖罘罳：用丝线或铜丝织成的网，置于檐窗，防止鸟雀飞入。㉗迤逦：曲折而行。㉘偃：仰倒。㉙窜谪：流放贬黜。㉚豫：参与。㉛会食：相聚而食。诸宰相每日会食于政事堂。㉜酤贩：贩卖。㉝安化门：长安城南面西头第一门。㉞诬服：无罪枉称有罪招供。诬，此为自诬。服，认罪。宰相王涯不愿受苦刑而自诬。㉟其兵：河东节度之兵。㊱欲起尚书为相：谓天子欲擢王璠为宰相。㊲鱼护军：即鱼弘志，时为右神策护军中尉。㊳见绐：被骗。㊴二十兄：王涯排行第二十。唐人惯以排行称人，下文"五弟"类同。㊵胡为见引：王璠责备王涯为什么牵连自己。王涯指责王璠投靠王守澄而出卖宋申锡，才有今日的报应，王璠无言以对。㊶漏言：指宋申锡欲诛宦官，王璠泄其谋。事见本书上卷太和五年。㊷胡证（公元七五八至八二八年）：字启中，河中河东（今山西永济）人，累官至户部尚书、判度支、岭南节度使。传见《旧唐书》卷一百六十三、《新唐书》卷一百六十四。㊸罗让：字景宣，苏州吴郡（今江苏苏州）人，官至福建、江西等观察使。传见《旧唐书》卷一百八十八、《新唐书》卷一百九十七。㊹詹事：官名，东宫官属之长，掌统三寺、十率府。㊺浑鐬：德宗时名将浑瑊之第三子，官终诸卫大将军。传附《旧唐书》卷一百三十四、《新唐书》卷一百五十五《浑瑊传》。㊻剽掠：抢劫。

【校记】

［8］河东：原脱"河"字。胡三省注云："'东'上逸'河'字。"据章钰校，孔天胤本有"河"字，今据补。［9］里：据章钰校，十二行本、乙十一行本、孔天胤本皆作"坊"。

【语译】

十一月二十二日癸亥，百官入宫朝见天子。太阳出来了，才打开建福门，只准许让一个随从人员跟随，禁兵亮出刀锋站在道两旁。到宣政门，还未开门。当时没有宰相、御史带领朝班，百官不再有朝班次序。文宗坐在紫宸殿上，问："宰相为什么不来？"仇士良说："王涯等人谋反，囚禁在监狱里。"接着就把王涯亲手写的罪状呈上，召左仆射令狐楚、右仆射郑覃等人上殿展示给文宗看。文宗悲愤得忍受不了，对令狐楚等人说："这是王涯亲手写的吗？"回答说："是的！"文宗说："真是这样，罪不容诛！"因而命令令狐楚和郑覃留在中书省过夜，参与决定国家机要大事。让令狐楚草拟制诏宣告朝廷内外，令狐楚叙述王涯、贾餗谋反的事情空洞浮泛，仇士良等人不高兴，令狐楚因此未能当上宰相。

时坊市剽掠者犹未止，命左、右神策将杨镇、靳遂良等各将五百人分屯通衢㉑，击鼓以警之，斩十余人，然后定。

贾餗变服潜民间经宿㉒，自知无所逃，素服乘驴诣兴安门㉓，自言："我宰相贾餗也，为奸人所污，可送我诣两军㉔。"门者执送西军㉕。李孝本改衣绿，犹服金带，以帽障面，单骑奔凤翔，至咸阳西，追擒之。

甲子㉖，以右仆射郑覃同平章事。

李训素与终南僧宗密善，往投之。宗密欲剃其发而匿之，其徒不可。训出山，将奔凤翔，为盩厔㉗镇遏使宋楚所擒，械送京师。至昆明池，训恐至军中更受酷辱，谓送者曰："得我则富贵矣！闻禁兵所在搜捕，汝必为所夺，不若取我首送之。"送者从之，斩其首以来。

乙丑㉘，以户部侍郎、判度支李石同平章事，仍判度支，前河东节度使李载义复旧任。

左神策出兵三百人，以李训首引王涯[10]、王璠、罗立言、郭行余，右神策出兵三百人，拥贾餗、舒元舆、李孝本献于庙社㉙，徇于两市㉚。命百官临视，腰斩于独柳之下，枭其首于兴安门外。亲属无问亲疏皆死，孩稚㉛无遗，妻女不死者没为官婢。百姓观者怨王涯榷茶，或诟詈㉜，或投瓦砾击之。

臣光曰："论者皆谓涯、餗有文学名声，初不知训、注之谋，横罹覆族之祸㉝，愤叹其冤[11]。臣独以为不然。夫颠危不扶，焉用彼相㉞！涯、餗安高位，饱重禄；训、注小人，穷奸究险㉟，力取将相。涯、餗与之比肩㊱，不以为耻，国家危殆，不以为忧，偷合苟容㊲，日复一日，自谓得保身之良策，莫我如也。若使人人如此而无祸，则奸臣孰不愿之哉！一旦祸生不虞㊳，足折刑剭㊴，盖天诛之也，士良安能族之哉！"

当时街市上抢掠的人还未停止，朝廷命令左、右神策将杨镇、靳遂良等各自率领五百人分别屯驻在大道上，击鼓警告那些坏人，杀了十多个人，然后安定下来。

贾𫗧换了衣服躲藏在民间过了一晚，自己知道没有地方逃，便穿着素色衣服，乘着驴子前往兴安门，说："我是宰相贾𫗧，被奸人所诬陷，可把我送到两军中去。"守门的人抓住他送往右神策军。李孝本改穿绿色衣服，依然佩戴金带，用帽子遮着脸，一人骑马奔往凤翔，到达咸阳西面，被追上抓捕了。

十一月二十三日甲子，任命右仆射郑覃为同平章事。

李训一向和终南山的和尚宗密交好，前去投奔他。宗密想剃去李训的头发把他藏起来，他的徒弟不答应。李训走出终南山，将奔赴凤翔，被盩厔镇遏使宋楚擒获，戴上刑械送往京师。到达昆明池，李训担心到军中会受到更残酷的凌辱，对押送的人说："抓到我的人就可富贵了！听说禁兵到处搜捕我，一定会把我从你们手中夺走，不如拿我的头去送往京城。"押送的人听从了，斩了他的头送来京师。

十一月二十四日乙丑，任命户部侍郎、判度支李石同平章事，仍兼判度支，前河东节度使李载义恢复原来的职务。

左神策军出兵三百人，用李训的头为引导，王涯、王璠、罗立言、郭行余等人随后，右神策军出兵三百人，拥着贾𫗧、舒元舆、李孝本到太庙和太社献礼，又在东西两市上示众。命令百官都到场观看，在独柳处把他们腰斩，割下头挂在兴安门外。他们的亲属不论亲疏全部处死，连小孩也不留下，妻女没有被处死的没为官府奴婢。观看的老百姓怨恨王涯加重茶税，有的咒骂他，有的投掷瓦片石头击打他。

臣司马光说："评论的人都说王涯、贾𫗧有文学名声，原本不知李训、郑注之谋，意外遭受灭族之祸，愤叹其冤。臣却认为不是这样。国家有颠覆的危险而不知扶持，要你这个宰相又有何用！王涯、贾𫗧安于高位，饱受重禄；李训、郑注这种小人，极端奸险，极力窃取将相之位。王涯、贾𫗧和他们并肩事主，不认为是羞耻，国家危险，不为之担忧，苟且偷安，日复一日，自认为得到了保身的好办法，别人比不上自己。如果人人都这样而没有灾祸，那么谁不愿意做奸臣呢！一旦发生意料不到的灾祸，鼎足断了，遭受刑戮，这是上天对他的惩罚，仇士良哪里能族灭他呢！"

【段旨】

以上为第十段，写宦官仇士良怨忿唐文宗而滥杀宰相王涯、贾𫗧等朝官，司马光评论认为王涯、贾𫗧尸位素餐，与郑注、李训等奸佞小人为伍，偷合苟容，罪有应得。

【注释】

㊲癸亥：十一月二十二日。㊳建福门：宫门名，在大明宫丹凤门的右侧。㊴诚如此二句：谓真是王涯亲自招供，罪该万死。㊵浮泛：空洞不实。㊶通衢：大路；交通要道。㊷经宿：过了一夜。㊸兴安门：大明宫南面西头第一门。㊹两军：左、右神策军。㊺西军：右神策军，在大明宫西面西内苑中。㊻甲子：十一月二十三日。㊼盩厔：县名，县治在今陕西周至。㊽乙丑：十一月二十四日。㊾庙社：太庙与太社。太庙在朱雀街东第一街东北第二坊，太社在朱雀街西第一街西北第二坊，东西相对。㊿两市：长安城中东市与西市。(251)孩稚：孩提；小孩。(252)诟詈：诟骂。(253)横罹覆族之祸：意外遭受灭族之祸。(254)颠危不扶二句：语出《论语·季氏》："危而不持，颠而不扶，则将焉

【原文】

王涯有再从弟[260]沐，家于江南，老且贫。闻涯为相，跨驴诣之，欲求一簿、尉[261]。留长安二岁余，始得一见，涯待之殊落莫[262]。久之，沐因嬖奴[263]以道所欲，涯许以微官，自是旦夕造[264]涯之门以俟命[265]。及涯家被收，沐适在其第，与涯俱腰斩。

舒元舆有族子守谦，愿[266]而敏，元舆爱之，从元舆者十年。一旦忽以非罪怒之，日加谴责，奴婢辈亦薄之。守谦不自安，求归江南，元舆亦不留，守谦悲叹而去。夕至昭应[267]，闻元舆收族，守谦独免。

是日，以令狐楚为盐铁转运使，左散骑常侍张仲方权知京兆尹。时数日之间，杀生除拜，皆决于两中尉[268]，上不豫知。

初，王守澄恶宦者田全操、刘行深、周元稹、薛士干、似先义逸、刘英誗等，李训、郑注因之遣分诣盐州、灵武、泾原[269]、夏州、振武[270]、凤翔巡边，命翰林学士顾师邕[271]为诏书赐六道，使杀之。会训败，六道得诏，皆废不行。丙寅[272]，以师邕为矫诏，下御史狱。

先是，郑注将亲兵五百，已发凤翔，至扶风[273]。扶风令韩辽知其谋，不供具[274]，携印及吏卒奔武功[275]。注知训已败，复还凤翔。仇士良等使人赍密敕授凤翔监军张仲清令取注。仲清惶惑，不知所为。押牙

用彼相矣。”㉕穷奸究险：极端奸险。㉖比肩：并肩。㉗偷合苟容：苟且迎合，以求容身。㉘不虞：不测。㉙足折刑剭：谓不能胜任，以致败事，而受刑戮。语出《易·鼎卦》，而字、义略有不同：“鼎折足，覆公𫗧，其形渥，凶。”𫗧，鼎中食物。渥，浸湿。温公作“剭”，即剭刑，诛大臣于屋下，不斩首示众。

【校记】

［10］王涯：两字间原有一空格。据章钰校，十二行本、乙十一行本、孔天胤本皆无空格，今据改。［11］愤叹其冤：原无此四字。据章钰校，十二行本、乙十一行本、孔天胤本皆有此四字，张敦仁《通鉴刊本识误》、张瑛《通鉴校勘记》同，今据补。

【语译】

王涯有个从祖兄弟王沐，居住江南，既年老又贫穷。听说王涯做了宰相，骑着驴子到他那里去，想得到一个主簿或县尉的小官职。他停留在长安两年多，才见到王涯一面，王涯待他特别冷淡。过了很久，王沐通过王涯亲宠的家奴把所求告诉了王涯，王涯答应给他一个小官，从此王沐早晚都到王涯的家里去等候任命。等到王涯的家里被抄没，王沐正好在他家，和王涯一同被腰斩。

舒元舆有同族晚辈叫舒守谦，忠厚老实而又聪敏，舒元舆很喜欢他，他随从舒元舆十年。忽然有一天，舒守谦没有过错而舒元舆生他的气，之后天天责骂，连奴婢们都看不起他。舒守谦很不自在，要求回到江南去，舒元舆也不挽留，舒守谦悲伤感叹地走了。晚上到达昭应，听说舒元舆被逮捕族灭，只有舒守谦免受牵连。

当天，任命令狐楚为盐铁转运使，左散骑常侍张仲方暂时代理京兆尹。在当时那几天时间里，杀人拜官都由神策军两中尉决定，文宗不知道这些事。

当初，王守澄讨厌宦官田全操、刘行深、周元稹、薛士干、似先义逸、刘英誗等，李训、郑注因而把他们分派到盐州、灵武、泾原、夏州、振武、凤翔等地去巡视边防，命令翰林学士顾师邕起草诏书赐给六道，要他们杀死派去的宦官。遇上李训失败，六道得到的诏书，都废弃没有执行。十一月二十五日丙寅，因为顾师邕伪造诏书，把他关押在御史监狱。

此前，郑注带领亲兵五百人，已经从凤翔出发，到达扶风。扶风县令韩辽知道郑注的阴谋，不提供给养，带着官印和吏卒奔赴武功。郑注得知李训已经失败，又返回凤翔。仇士良等叫人带着密诏交给凤翔监军张仲清，命令他抓捕郑注。张仲清

李叔和说仲清曰："叔和为公以好召注，屏其从兵，于坐取之，事立定矣！"仲清从之，伏甲以待注。注恃其兵卫，遂诣仲清。叔和稍引其从兵，享之于外，注独与数人入。既啜[276]茶，叔和抽刀斩注，因闭外门，悉诛其亲兵。乃出密敕，宣示将士，遂灭注家，并杀副使钱可复[277]、节度判官卢简能[278]、观察判官萧杰[279]、掌书记卢弘茂等及其枝党，死者千余人。可复，徽之子。简能，纶[280]之子。杰，俛之弟也。朝廷未知注死，丁卯[281]，诏削夺注官爵，令邻道按兵观变。以左神策大将军陈君奕为凤翔节度使。戊辰[282]夜，张仲清遣李叔和等以注首入献，枭于兴安门，人情稍安，京师诸军始各还营。

诏将士讨贼有功及娖队[283]者，官爵赐赉[284]各有差。右神策军获韩约于崇义坊，己巳[285]，斩之。仇士良等各进阶迁官有差。自是天下事皆决于北司，宰相行文书而已。宦官气益盛，迫胁天子，下视宰相，陵暴朝士如草芥。每延英议事，士良等动[286]引训、注折[287]宰相。郑覃、李石曰："训、注诚为乱首，但不知训、注始因何人得进？"宦者稍屈，搢绅赖之。

【段旨】

以上为第十一段，写郑注、李训以谋杀宦官受宠，以被宦官所杀而终，两人共谋大敌而同床异梦，其败也固宜。

【注释】

㉖⓪再从弟：从祖兄弟。㉖①簿、尉：主簿、丞、尉一类的官职。㉖②落莫：冷落。㉖③嬖奴：指王涯的受宠家奴。㉖④造：至。㉖⑤俟命：等待任命。㉖⑥愿：忠厚老实。㉖⑦昭应：县名，县治在今陕西西安市临潼区。㉖⑧两中尉：指仇士良、鱼弘志。㉖⑨泾原：方镇名，大历三年（公元七六八年）置，治所泾州，在今甘肃泾川北。乾宁元年（公元八九四年）赐号彰义军。㉗⓪振武：方镇名，乾元元年（公元七五八年）置，治所单于都护府，在今

惶恐疑惑，不知怎么办。押牙李叔和劝张仲清说："我为你用友好的名义把郑注请来，让他的随从兵士屏退，在座位上杀了他，大事马上就办成了！"张仲清听从了，埋伏甲士等待郑注。郑注仗着他的卫士，就前往张仲清那里。李叔和逐渐引导郑注的随从兵士在外面宴饮，郑注和几个人进到里面。随后喝茶，李叔和抽刀杀了郑注，接着关上外门，把郑注的亲兵全都杀了。于是拿出朝廷的密诏，向将士们宣布，于是灭了郑注全家，并杀了副使钱可复、节度判官卢简能、观察判官萧杰、掌书记卢弘茂等人以及郑注的党羽，杀死的有一千多人。钱可复是钱徽的儿子。卢简能是卢纶的儿子。萧杰是萧俛的弟弟。朝廷不知道郑注死了，十一月二十六日丁卯，下诏削除郑注的官爵，命令相邻各道按兵不动，观察变化。任命左神策大将军陈君奕为凤翔节度使。二十七日戊辰晚上，张仲清派遣李叔和等把郑注的头献给朝廷，被悬挂在兴安门，人情渐渐安定，京师各处的军队才各自回到军营。

下诏对讨贼有功劳和抓捕逃犯的将士，赐给官爵和赏赐，各有一定的等级。右神策军在崇义坊抓获了韩约，十一月二十八日己巳，把他杀了。仇士良等人各都按功劳晋级升官。从此国家大事都由北司决定，宰相在文书上例行签名罢了。宦官气势越来越大，威胁天子，藐视宰相，对待朝廷士大夫如草芥一般，任意欺压和凌辱。每次在延英殿讨论国事，仇士良等人动不动就拿李训、郑注来指责宰相。郑覃、李石说："李训、郑注诚然是祸乱的头目，但是不知道李训、郑注开始是靠什么人升官的？"宦官稍微被抑制，士大夫才有了依靠。

内蒙古和林格尔西北。㉗① 顾师邕：字睦之，官至翰林学士。受李训命拟诏书，训败，以矫诏罪流放，赐死。传见《新唐书》卷一百七十九。㉗② 丙寅：十一月二十五日。㉗③ 扶风：县名，县治在今陕西扶风。㉗④ 供具：提供给养；供应食物用品。㉗⑤ 武功：县名，县治在今陕西武功西北。㉗⑥ 啜：饮。㉗⑦ 钱可复：累官至礼部郎中、凤翔节度副使。传见《旧唐书》卷一百六十八、《新唐书》卷一百七十七。㉗⑧ 卢简能：累官至监察御史、凤翔节度判官。传见《旧唐书》卷一百六十三。㉗⑨ 萧杰：人名，累官至主客员外郎、凤翔观察判官。传见《旧唐书》卷一百七十三。㉘⓪ 纶：卢纶，字允言，河中蒲（今山西永济西南）人，以诗知名，大历十才子之一。唐德宗曾召于禁中，令和御制诗，拜户部郎中。方欲委之掌诰，会卒。传见《旧唐书》卷一百六十三、《新唐书》卷二百三。㉘① 丁卯：十一月二十六日。㉘② 戊辰：十一月二十七日。㉘③ 婕队：捉拿逃亡的人。婕，通"捉"。队，通"坠"。㉘④ 赐赉：赏赐。㉘⑤ 己巳：十一月二十八日。㉘⑥ 动：往往；每每。㉘⑦ 折：指责。

【原文】

时中书惟有空垣破屋，百物皆阙。江西、湖南献衣粮百二十分，充宰相召募从人[288]。辛未[289]，李石上言："宰相若忠正无邪，神灵所祐，纵遇盗贼，亦不能伤。若内怀奸罔[290]，虽兵卫甚设，鬼得而诛之。臣愿竭赤心以报国，止循故事，以金吾卒导从足矣，其两道所献衣粮，并乞停寝[291]。"从之。

十二月壬申朔[292]，顾师邕流儋州[293]，至商山[294]，赐死。

榷茶使令狐楚奏罢榷茶，从之。

度支奏籍郑注家赀，得绢百余万匹，他物称是[295]。

庚辰[296]，上问宰相："坊市安未？"李石对曰："渐安。然比日寒冽[297]特甚，盖刑杀太过所致。"郑覃曰："罪人周亲[298]前已皆死，其余殆不足问。"时宦官深怨李训等，凡与之有瓜葛亲[299]，或暂[300]蒙奖引者，诛贬不已，故二相言之。

李训、郑注既诛，召六道巡边使[301]。田全操追忿训、注之谋，在道扬言："我入城，凡儒服者，无贵贱当尽杀之！"癸未[302]，全操等乘驿疾驱入金光门[303]。京城讹言有寇至，士民惊噪纵横[304]走，尘埃四起。两省诸司官闻之，皆奔散，有不及束带袜而乘马者。

郑覃、李石在中书，顾吏卒稍稍逃去。覃谓石曰："耳目[305]颇异，宜且出避之。"石曰："宰相位尊望重，人心所属，不可轻也。今事虚实未可知，坚坐镇之，庶几[306]可定。若宰相亦走，则中外乱矣。且果有祸乱，避亦不免。"覃然之。石坐视文案，沛然[307]自若。

敕使[308]相继传呼："闭皇城[309]诸司门！"左金吾大将军陈君赏帅其众立望仙门[310]下，谓敕使曰："贼至，闭门未晚。请徐观其变，不宜示弱。"至晡[311]后乃定。是日，坊市恶少年皆衣绯皂[312]，持弓刀北望，见皇城门闭，即欲剽掠，非石与君赏镇之，京城几再乱矣。时两省官应入直[313]者，皆与其家人辞诀[314]。

甲申[315]，敕罢修曲江亭馆。

丁亥[316]，诏："逆人亲党，自非前已就戮及指名收捕者，余一切

【语译】

当时中书省只有空墙破屋，所有物品都欠缺。江西、湖南奉献衣粮一百二十份，供宰相招募随从人员。十一月三十日辛未，李石上奏说："宰相如果忠正而不邪恶，神灵会保佑他，即使遇到盗贼，也不能伤害他。如果内怀奸诈，虽然设置很多兵卫，鬼怪也能抓获杀死他。臣愿竭尽赤心以报效国家，只按过去的惯例，用金吾卫的士卒为引导和随从就足够了，那些两道所献的衣粮，请求一并停止送来。"朝廷同意了。

十二月初一日壬申，顾师邕被流放儋州，到达商山，被赐死。

榷茶使令狐楚上奏请求停止收茶税，文宗答应了。

度支上奏没收郑注家产情况，获得绢一百多万匹，其他财物价值与之相当。

十二月初九日庚辰，文宗询问宰相："坊市安定了没有？"李石回答说："逐渐安定。然而近日寒冷得特别厉害，大概是杀人太多所造成的。"郑覃说："罪人的至亲前时已经都处死了，其余的人恐怕不必追究。"当时宦官深深地仇恨李训等人，凡是与他们有一点点沾亲带故，或是暂时受到奖拔的人，诛杀、贬谪不已，所以两位宰相谈到这件事。

李训、郑注被杀后，召回六道巡边使。田全操记恨李训、郑注的阴谋，在路上扬言说："我进入京城，凡是穿儒生衣服的人，不分贵贱，要全杀掉他们！"十二月十二日癸未，田全操等人乘着驿站供给的车马飞奔进入金光门。京城谣传有强盗进来了，官民惊慌喧闹纷纷逃走，尘埃四起。两省各衙门的官员听到这件事，都跑散了，有的乘马人来不及束上衣带、穿上鞋袜。

郑覃、李石在中书省，看到官吏和士卒渐渐逃走。郑覃对李石说："我听到的情况很不寻常，应当暂且出去躲一躲。"李石说："宰相的地位威望很重要，人心所系，不可轻视。当今的事情是真是假还不知道，坚定坐镇在此，或许可以安定。如果宰相也逃走，那么朝廷内外就乱了。况且果真有祸乱，躲避也不能脱身。"郑覃认为很对。李石坐着看文件，泰然自若。

敕使一个接一个传话呼喊："关闭皇城各衙门的大门！"左金吾大将军陈君赏带领部众站在望仙门下，对敕使说："贼寇到了，关门也不晚。请让我们慢慢观察形势的变化，不应当表示软弱。"到申时才安定下来。这一天，坊市作恶的少年都穿着浅红色的制服，拿着弓箭和刀向北张望，如果看见皇宫城门关闭了，就想进行抢掠，要不是李石和陈君赏镇定下来，京城几乎又要大乱了。当时应当去值班的两省官员，走的时候都与家里人辞行诀别。

十二月十三日甲申，下令停止修建曲江池的亭台馆舍。

十二月十六日丁亥，下诏："叛逆人的亲属党羽，不是前已被杀和指名收捕的

不问。诸司官吏[12]虽为所胁从，涉于诖误㉛⑦，皆赦之。他人无得妄[13]相告言及相恐愒㉛⑧。见亡匿者，勿复追捕，三日内各听自归本司。”

时禁军暴横，京兆尹张仲方不敢诘。宰相以其不胜任，出为华州刺史，以司农卿薛元赏㉛⑨代之。元赏常㉜⓪诣李石第，闻石方坐听事与一人争辩甚喧。元赏使觇㉜①之，云有神策军将诉事。元赏趋入，责石曰：“相公辅佐天子，纪纲四海，今近不能制一军将，使无礼如此，何以镇服四夷！”即趋出上马，命左右擒军将，俟于下马桥㉜②。元赏至，则已解衣跽㉜③之矣。其党诉于仇士良，士良遣宦者召之曰：“中尉屈大尹㉜④。”元赏曰：“属有公事，行当继至。”遂杖杀之。乃白服㉜⑤见士良，士良曰：“痴书生何敢杖杀禁军大将！”元赏曰：“中尉，大臣也，宰相，亦大臣也，宰相之人若无礼于中尉，如之何？中尉之人无礼于宰相，庸可恕乎！中尉与国同体㉜⑥，当为国惜法。元赏已囚服而来，惟中尉死生之！”士良知军将已死，无可如何，乃呼酒与元赏欢饮而罢。

初，武元衡之死，诏出内库弓矢、陌刀㉜⑦给金吾仗，使卫从宰相，至建福门而退。至是，悉罢之。

【段旨】

以上为第十二段，写宰相李石、京兆尹薛元赏以正气裁抑宦官，遏制滥杀，维护了京师秩序。

【注释】

㉘⑧充宰相召募从人：作为宰相招募护卫亲兵的费用。从人，指随从护卫之人。㉘⑨辛未：十一月三十日。㉙⓪奸罔：奸诈。㉙①停寝：停止。㉙②壬申朔：十二月初一日。㉙③儋州：州名，治所义伦，在今海南儋州西北。㉙④商山：山名，在今陕西商洛市商州区东。㉙⑤称是：价值相等。㉙⑥庚辰：十二月初九日。㉙⑦寒冽：寒冷。㉙⑧周亲：至亲。㉙⑨瓜葛亲：谓中表及同族兄弟子侄等。㉚⓪暂：暂且；暂时。㉚①六道巡边使：李训、郑注所遣至盐州等六道的中使田全操等六人。巡边使，指随事任命的专使。㉚②癸未：十二月十二

人，其余一切人都不追究。各衙门官吏虽然被胁迫跟从，受了连累，但全都赦免。别人不得妄自对他们进行控告和恐吓。现在逃亡的人，不要再追捕他们，在三天之内让他们各自回到本衙门去。”

当时禁军暴虐蛮横，京兆尹张仲方不敢过问。宰相觉得他不称职，外任为华州刺史，任命司农卿薛元赏接替张仲方的职务。薛元赏曾经到李石宅第，听到李石正坐在厅堂上与一个人大声争论。薛元赏叫人察看一下，说是有神策军将领诉说事情。薛元赏快步走进去，责备李石说：“相公辅佐天子，统领四海，现在连身边的一个军将也不能驾驭，让他如此无礼，又怎么能够去镇服四夷！”随即快步出来骑上马，命令左右随从抓住军将，在下马桥等候。薛元赏到达下马桥，军将则已脱衣长跪在那里了。军将的同党报告给了仇士良，仇士良派宦官召薛元赏说：“中尉有请大尹。”薛元赏说：“正有公事在身，等一会儿就到。”于是用棍棒打死了军将。薛元赏就穿着白色衣服去拜见仇士良，仇士良说：“痴书生怎么敢杖杀禁军大将！”薛元赏说：“中尉是大臣，宰相也是大臣，宰相的手下人倘若对中尉不讲礼貌，怎么办？中尉手下人无礼于宰相，难道可以宽恕吗！中尉和国家是一体的，应当为国家爱护法制。元赏已经穿了囚服来了，是生是死只在中尉！”仇士良知道军将已经死了，没有办法了，于是叫人取来酒食和薛元赏欢饮作罢。

当初，武元衡被暗杀，下诏把内库的弓箭和长刀交给金吾卫，让他们保卫宰相，到达建福门后退回。到现在，把他们全部撤掉了。

日。㉚③金光门：长安城西面北头第二门。㉚④纵横：杂乱貌。㉚⑤耳目：犹言听闻。㉚⑥庶几：或许。㉚⑦沛然：安然；安暇。㉚⑧敕使：皇帝使者。㉚⑨皇城：唐京师长安有三重城墙。最外一道城墙即京城；内第二道城墙即皇城；再内第三道城墙即宫城，又名子城。㉛⓪望仙门：宫城南门之一，即大明宫南面第五门，在丹凤门的左侧。㉛①晡：即申时，下午三点至五点。㉛②衣绯皂：穿浅红色制服，打扮成公差模样。㉛③入直：入门下、中书两省值班办公。㉛④辞诀：告别；永别。㉛⑤甲申：十二月十三日。㉛⑥丁亥：十二月十六日。㉛⑦诖误：连累。㉛⑧恐愒：恐吓。㉛⑨薛元赏：太和初，任司农少卿、汉州刺史。以政绩迁司农卿、京兆尹。出为武宁节度使，罢泗口杂税，人以为便。后徙邠宁节度使。会昌中，复拜京兆尹。元赏长于吏事，能针砭时弊，进工部尚书，领诸道盐铁转运使，官终昭义节度使。传见《新唐书》卷一百九十七。㉜⓪常：通“尝”。㉜①觇：窥视；探看。㉜②下马桥：桥名，在宫城建福门北。㉜③跽：长跪，即直身而跪。㉜④中尉屈大尹：谓中尉仇士良有要事相商，委屈京兆尹去一趟。㉜⑤白服：素服，以示待罪。㉜⑥同体：犹言一体，喻关系密切。㉜⑦陌刀：长刀。

【校记】

[12] 吏：原脱。据章钰校，十二行本、乙十一行本、孔天胤本皆有此字，张敦仁《通鉴刊本识误》同，今据补。[13] 妄：原无此字。据章钰校，十二行本、乙十一行本皆有此字，张敦仁《通鉴刊本识误》同，今据补。

【原文】

开成元年（丙辰，公元八三六年）

春，正月辛丑朔[328]，上御宣政殿，赦天下，改元。

仇士良请以神策仗卫殿门，谏议大夫冯定[329]言其不可，乃止。定，宿之弟也。

二月癸未[330]，上与宰相语，患四方表奏华而不典。李石对曰："古人因事为文，今人以文害事。"

昭义节度使刘从谏上表请王涯等罪名，且言："涯等儒生，荷国荣宠[331]，咸欲保身全族，安肯构逆！训等实欲讨除内臣，两中尉自为救死之谋，遂致相杀，诬以反逆，诚恐非辜。设若[332]宰相实有异图[333]，当委之有司，正其刑典，岂有内臣擅领甲兵，恣行剽劫，延及士庶，横被杀伤，流血千门[334]，僵尸万计，搜罗枝蔓，中外恫疑[335]。臣欲身诣阙庭[336]，面陈臧否[337]，恐并陷孥戮[338]，事亦无成。谨当修饰封疆[339]，训练士卒，内为陛下心腹，外为陛下藩垣[340]。如奸臣难制，誓以死清君侧[341]！"丙申[342]，加从谏检校司徒。

天德军[343]奏吐谷浑三千帐诣丰州降。

三月壬寅[344]，以袁州长史李德裕为滁州[345]刺史。

左仆射令狐楚从容奏："王涯等既伏辜，其家夷灭[346]，遗骸弃捐[347]，请官为收瘗，以顺阳和之气[348]。"上惨然久之，命京兆收葬涯等十一人于城西，各赐衣[14]一袭[349]。仇士良潜使人发之，弃骨于渭水[350]。

丁未[351]，皇城留守郭皎奏："诸司仪仗有锋刃者，请皆输军器使[352]，遇立仗[353]别给仪刀[354]。"从之。

【语译】

开成元年（丙辰，公元八三六年）

春，正月初一日辛丑，文宗驾临宣政殿，大赦天下，改年号为开成。

仇士良请求用神策兵仗守卫殿门，谏议大夫冯定说不能那样，这才作罢。冯定是冯宿的弟弟。

二月十三日癸未，文宗和宰相谈话，担忧四方上奏的章表华而不实。李石回答说："古人为了记叙事情而写文章，今人为了文章漂亮而妨碍了叙事的真实性。"

昭义节度使刘从谏上奏表质问王涯等人的罪名，并且说："王涯等是儒生，身负国家的荣誉和恩宠，都想保全身家性命，怎么肯去作逆！李训等人实际上是想诛讨宦官，两个中尉自己为了安全而采取的计谋，以致互相残杀，诬告他们谋反，恐怕不是他们的罪过。假设宰相真正有非分之谋，应当交给有关衙门，按法律判刑，哪里有内臣擅自带领军队，肆意进行抢劫，连累到士大夫和百姓，意外地被杀死杀伤，宫门内外到处流血，尸体以万计，搜捕有牵连的人，朝廷内外惊恐疑惑。臣想亲自到朝廷来，面陈善恶，又担心也遭杀身灭族之祸，也成不了事。我会整饬疆界，训练好兵卒，对内为陛下心腹之臣，对外为陛下之藩篱。如有奸臣难以制服，誓死清除君王身边的奸佞亲信！"二月二十六日丙申，加给刘从谏检校司徒官衔。

天德军上奏吐谷浑三千帐士卒到丰州投降。

三月初三日壬寅，改任袁州长史李德裕为滁州刺史。

左仆射令狐楚闲谈时奏言："王涯等人服罪后，他的家族被夷灭，遗骨被抛弃，请命官府将尸骨搜集埋葬，以顺应阳和之气。"文宗悲伤了很久，命令京兆尹在城西收葬王涯等十一人，各赐衣服一套。仇士良暗地叫人把坟墓挖开，把尸骨抛弃到渭水中。

三月初八日丁未，皇城留守郭皎上奏说："各衙门仪仗武器中有刀锋的，请送到军器库使那里去，遇上需要陈设仪仗时另外给予仪刀。"文宗听从了。

刘从谏复遣牙将焦楚长上表让官，称："臣之所陈，系国大体。可听则涯等宜蒙湔洗㉟，不可听则赏典不宜妄加，安有死冤不申而生者荷禄！"因暴扬㊱仇士良等罪恶。辛酉㊲，上召见楚长，慰谕遣之。时士良等恣横，朝臣日忧破家。及从谏表至，士良等惮之。由是郑覃、李石粗㊳能秉政，天子倚之亦差㊴以自强。

夏，四月己卯㊵，以潮州司户李宗闵为衡州司马。凡李训所[15]指为李德裕、宗闵党者，稍稍[16]收复㊶之。

淄王协㊷薨。

甲午㊸，以山南西道节度使李固言为门下侍郎、同平章事，以左仆射令狐楚代之。

戊戌㊹，上与宰相从容论诗之工拙。郑覃曰："诗之工者，无若三百篇㊺，皆国人作之以刺美时政，王者采之以观风俗耳，不闻王者为诗也。后代辞人之诗，华而不实，无补于事。陈后主㊻、隋炀帝㊼皆工于诗，不免亡国，陛下何取焉！"覃笃于经术，上甚重之。

己酉㊽，上御紫宸殿，宰相因奏事拜谢，外间因讹言："天子欲令宰相掌禁兵，已拜恩矣。"由是中外㊾复有猜阻㊿，人情恟恟，士民不敢解衣寝者数日。乙丑(371)，李石奏请召仇士良等面释其疑。上为召士良等出，上及石等共谕释之，使毋疑惧，然后事解。

【段旨】

以上为第十三段，写昭义节度使刘从谏上表请雪王涯罪名，暴扬仇士良罪恶，声言清君侧，宦官气焰稍稍收敛。

【注释】

(328)辛丑朔：正月初一日。(329)冯定（？至公元八四六年）：字介夫，婺州东阳（今浙江东阳）人，与兄冯宿俱以文学知名。历官国子司业、谏议大夫、卫尉卿。其作品《黑水碑》《画鹤记》流传至新罗等国。传见《旧唐书》卷一百六十八、《新唐书》卷一百七十七。(330)癸未：二月十三日。(331)荷国荣宠：身负国家的荣誉和恩宠。(332)设若：假若；假

刘从谏又派牙将焦楚长呈上奏表推辞加给他的官职，表中说："臣所陈述的，关系到国家大事。能采纳的话，那么王涯等人就应当得到洗雪罪名，不能采纳的话，那么赏赐的恩典不应当随便加给，哪里有死者的冤案没有申雪而活着的人却蒙受禄位的事！"接着揭露了仇士良等人的罪恶。三月二十二日辛酉，文宗召见了焦楚长，好言相慰后打发他回去了。当时仇士良等人恣纵横行，朝臣每天都担心家破人亡。等到刘从谏的奏表到了以后，仇士良等有所畏惧。因此，郑覃、李石略微能够掌握朝政，天子依靠他们也尚可自立。

夏，四月初十日己卯，任命潮州司户李宗闵为衡州司马。凡是李训所指斥为李德裕、李宗闵同党的人，逐渐被召回复职。

淄王李协去世。

四月二十五日甲午，任命山南西道节度使李固言为门下侍郎、同平章事，以左仆射令狐楚接替李固言原来的职务。

四月二十九日戊戌，文宗和宰相闲谈时讨论诗的好坏。郑覃说："最好的诗，莫过《诗经》三百篇，那都是国人写出来用以讽刺或赞美时政，国君把它搜集起来以观察风俗民情的，没有听说国君自己也去写诗。后代词人写的诗，华而不实，对国政无所补益。陈后主、隋炀帝都会写诗，不免亡国，陛下又能取法什么呢！"郑覃对经学研究很深，文宗很敬重他。

五月十一日己酉，文宗驾临紫宸殿，宰相因奏事拜谢，外面借此造谣说："天子想让宰相掌握禁兵，宰相已拜谢皇上的恩遇了。"因此，朝廷内官与朝外百官互相猜疑，人心惶恐不安，官民几天晚上不敢脱衣服睡觉。二十七日乙丑，李石上奏请求召集仇士良等人当面解释彼此的疑虑。文宗把仇士良等人召唤出来，文宗和李石等共同解释，让大家没有猜疑恐惧，然后这件事才化解了。

如。㉝异图：非分的谋划，指反叛。㉞千门：指称宫门。㉟中外恫疑：朝廷内外惊恐疑惑。㊱阙庭：指朝廷。㊲臧否：善恶；好坏。㊳孥戮：戮及子孙。㊴修饰封疆：整饬疆界。㊵藩垣：护卫国家的藩篱。㊶清君侧：清除君王身边的奸佞亲信。㊷丙申：二月二十六日。㊸天德军：军镇名，治所在今内蒙古乌拉特前旗东北。㊹壬寅：三月初三日。㊺滁州：州名，治所清流，在今安徽滁州。㊻夷灭：诛灭；消灭。㊼弃捐：抛弃。㊽请官为收瘗二句：此处两句是化用《礼记·月令》，"孟春之月，天气下降，地气上腾"，"是月也，掩骼埋胔"，意为春天阳气上升，要掩埋地上的尸骨。收瘗，收尸埋葬。阳和之气，春天的暖气。㊾一袭：一套。㊿渭水：水名，源出甘肃渭源，入陕，横贯渭河平原，至潼关入黄河。(351)丁未：三月初八日。(352)军器使：官名，即军器库使，掌

内廷武器，宦官之职。㉝立仗：陈设仪仗。㉞仪刀：仪仗所用之刀，以木为之，饰以金银，用于仪式，故名。㉟湔洗：洗涤；洗雪。㊱暴扬：宣扬；揭露。㊲辛酉：三月二十二日。㊳粗：略微；稍微。㊴差：尚可。㊵己卯：四月初十日。㊶收复：召回复职。㊷淄王协：淄王李协，宪宗第十四子，长庆元年（公元八二一年）封。传见《旧唐书》卷一百七十五、《新唐书》卷八十二。㊸甲午：四月二十五日。㊹戊戌：四月二十九日。㊺三百篇：即《诗经》，共三百零五篇，此以整数称之。㊻陈后主：即陈叔宝（公元五五三至六〇四年），南朝陈的末代皇帝，公元五八二至五八九年在位。㊼隋炀帝：隋朝的末代皇帝杨广（公元五六九至六一八年），公元六〇四至六一八年在位。㊽己酉：五月十一日。㊾中外：中，内官、宦官。外，外朝百官。㊿猜阻：猜疑。(371)乙丑：五月二十七日。

【原文】

闰月乙酉(372)，以太子太保、分司李听为河中节度使。上尝叹曰："付之兵不疑，置之散地不怨，惟听为可以然。"

乙未(373)，李固言荐崔球(374)为起居舍人，郑覃再三以为不可。上曰："公事勿相违！"覃曰："若宰相尽同，则事必有欺陛下者矣！"

李孝本二女配没右军(375)，上取之入宫。秋，七月，右拾遗魏謩(376)上疏，以为："陛下不迩(377)声色，屡出宫女以配鳏夫。窃闻数月以来，教坊(378)选试以百数，庄宅(379)收市犹未已。又召李孝本女入宫，不避宗姓，大兴物论，臣窃惜之。昔汉光武一顾列女屏风，宋弘犹正色抗言，光武即撤之(380)。陛下岂可不思宋弘之言，欲居光武之下乎？"上即出孝本女，擢謩为补阙，曰："朕选市女子，以赐诸王耳。怜孝本女[17]髫龀(381)孤露(382)，故收养宫中。謩于疑似之间皆能尽言，可谓爱我，不忝厥祖(383)矣。"命中书优为制辞以赏之。謩，徵之五世孙也。

鄜坊节度使萧洪(384)诈称太后弟，事觉，八月甲辰(385)，流驩州，于道赐死。赵缜、吕璋等皆流岭南。

初，李训知洪之诈，洪惧，辟训兄仲京(386)置幕府。先是，自神策军出为节度使者，军中皆资其行装，至镇，三倍偿之。有自左军(387)出镇鄜坊未偿而死者，军中征之于洪。洪恃训之势，不与。又征于死者

【校记】

［14］衣：原无此字。据章钰校，十二行本、乙十一行本、孔天胤本皆有此字，张瑛《通鉴校勘记》同，今据补。［15］所：原无此字。据章钰校，十二行本、乙十一行本皆有此字，今据补。［16］稍稍："稍"字原不重。据章钰校，十二行本、乙十一行本、孔天胤本"稍"字皆重，今据改。

【语译】

闰五月十七日乙酉，任命太子太保、分司李听为河中节度使。文宗曾经感叹说："交给他兵权不会被猜疑，放置在闲散的职位上不会埋怨，只有李听可以做到这个样子。"

闰五月二十七日乙未，李固言推荐崔球为起居舍人，郑覃一再认为不可以。文宗说："公事不要相互唱反调！"郑覃说："如果宰相的意见全都相同，那么事情一定有欺骗陛下的了！"

李孝本的两个女儿籍没后发配到右神策军，文宗把她们收入宫中。秋，七月，右拾遗魏謩上疏，认为："陛下不近声色，多次放出宫女配给没有妻子的人。我私下听说近几个月以来，教坊使选试女子数以百计，庄宅使收买女子还没有停止。又把李孝本的女儿召入宫中，同宗同姓也不回避，议论大起，臣私下为此事而叹息。从前汉光武帝只回头看画了列女的屏风一次，宋弘尚且严肃地进谏，汉光武帝马上撤去了屏风。陛下怎能不想想宋弘的话，想做比不上汉光武的人吗？"文宗随即放出了李孝本的女儿，提拔魏謩为补阙官，并说："朕选取女子，是为了赏赐给各王子而已。朕同情李孝本的女儿幼小孤单，所以把她们收养在宫中。魏謩在怀疑中能畅所欲言，是对我的爱护，无愧于他的祖先了。"命令中书省官好好写制书褒奖魏謩。魏謩是魏徵的第五代孙。

鄜坊节度使萧洪假称是太后的弟弟，事情被揭露，八月初七日甲辰，流放驩州，在路上被赐死。赵缜、吕璋等人都流放到岭南。

起初，李训知道萧洪的诈骗，萧洪很害怕，便征聘李训的哥哥李仲京安置在幕府。此前，从神策军调出去担任节度使的人，军中都资助他办好行李物品，到达方镇以后，用三倍的钱来偿付行装费用。有个从左神策军去鄜坊任节度使的人没有偿还行装费就死了，军中就向萧洪索取行装钱。萧洪仗着李训的权势，不给钱。神策

之子，洪教其子遮宰相自言，训判绝之。仇士良由是恨洪。

太后有异母弟在闽中，孱弱不能自达[388]。有闽人萧本从之得其内外族讳，因士良进达于上，且发洪之诈，洪由是得罪。上以本为真太后弟，戊申[389]，擢为右赞善大夫[390]。

九月丁丑[391]，李石为上言宋申锡忠直，为谗人所诬，窜死遐荒[392]，未蒙昭雪。上俯首久之，既而流涕泫然[393]曰："兹事朕久知其误。奸人逼我，以社稷大计，兄弟几不能保[394]，况申锡，仅全腰领[395]耳。非独内臣，外廷亦有助之者。皆由朕之不明，向使遇汉昭帝，必无此冤[396]矣！"郑覃、李固言亦共言其冤，上深痛恨，有惭色。庚辰[397]，诏悉复申锡官爵，以其子慎微为成固[398]尉。

李石用金部员外郎[399]韩益判度支桉，益坐赃三千余缗，系狱。石曰："臣始以益颇晓钱谷，故用之，不知其贪乃如是！"上曰："宰相但知人则用，有过则惩，如此则人易得。卿所用人不掩其恶，可谓至公。从前宰相用人好曲蔽其过，不欲人弹劾，此大病也。"冬，十一月丁巳[400]，贬益梧州[401]司户。

上自甘露之变，意忽忽不乐，两军球鞠[402]之会什减六七，虽宴享音伎杂遝[403]盈庭，未尝解颜。闲居或徘徊眺望，或独语叹息。壬午[404]，上于延英谓宰相曰："朕每与卿等论天下事，则不免愁。"对曰："为理[405]者不可以速成。"上曰："朕每读书，耻为凡主。"李石曰："方今内外之臣，其间小人尚多疑阻，愿陛下更以宽御之。彼有公清奉法如刘弘逸、薛季稜者，陛下亦宜褒赏，以劝为善。"甲申[406]，上复谓宰相曰："我与卿等论天下事，有势未得行者，退但饮醇酒求醉耳！"对曰："此皆臣等之罪也。"

有司以左藏[407]积弊日久，请行检勘，且言官典[408]罪在赦前者，请宥之，上许之。既而果得缯帛妄称渍污者，敕赦之。给事中狄兼謩封还敕书曰："官典犯赃，理不可赦。"上谕之曰："有司请检之初，朕既许之矣。与其失信，宁失罪人。卿能奉职，朕甚嘉之。"

军又向死者的儿子索取钱款，萧洪教死者的儿子拦着宰相自己申诉，李训判决不必给钱。仇士良因此憎恨萧洪。

太后有异母弟在闽中，懦弱而不能把自己的情况上达朝廷。有个闽人叫萧本的，从他那里了解到内外亲族的姓名，通过仇士良报告给文宗，并且揭发了萧洪的欺诈，萧洪由此获罪。文宗以为萧本是太后的真弟弟，八月十一日戊申，提拔他为右赞善大夫。

九月十一日丁丑，李石向文宗说宋申锡忠贞正直，被奸谗之人所诬陷，流窜边远之地死去，没有得到昭雪。文宗低头好久，接着泪流满面说："这件事朕很早就知道办错了。奸人逼迫着我，为了社稷大事，我兄弟漳王几乎不能保命，何况宋申锡，仅仅保住了不被杀头而已。当时不只是内臣为奸，朝官中也有帮助他们的人。这些都由于我不能明察，假使遇上汉昭帝，一定不会有这种冤枉了！"郑覃、李固言也一起说宋申锡冤枉，文宗非常懊悔，面有愧色。十四日庚辰，下诏完全恢复宋申锡的官爵，任命他的儿子宋慎微为成固县尉。

李石任用金部员外郎韩益管理度支的文案，韩益因贪赃三千多串钱被关进牢狱。李石说："臣原先因韩益通晓钱谷之事，所以任用他，不知道他贪污竟然到这个样子！"文宗说："宰相只须知人就任用，有过错就惩罚，这样人才就容易得到。你任用人不掩盖过错，可以说极为公正。从前宰相任用人喜欢回护掩盖他的过错，不想让别人弹劾他，这是很大的弊病。"冬，十一月丁巳日，贬谪韩益为梧州司户。

文宗从甘露之变以后，心中闷闷不乐，两军踢球的场次十减六七，即使宴会音乐伎艺纷杂满殿庭，也不能使他高兴。他闲居时或徘徊眺望，或自言自语，唉声叹气。十一月十七日壬午，文宗在延英殿对宰相说："朕每次与你们讨论国家大事，就免不了忧愁。"宰相回答说："治理天下不能急于求成。"文宗说："朕每次读书，以做一个平凡的君主为耻。"李石说："当今朝廷内外的臣子，其中小人还有很多猜疑，希望陛下改用宽容的态度对待他们。他们中有公正清廉守法如刘弘逸、薛季稜那样的人，陛下也应当表扬奖赏，以此来勉励他们。"十九日甲申，文宗又对宰相们说："我与你们讨论天下大事，有些在目前形势下不能实行的，退朝后只有用酒来麻醉自己而已！"宰相回答说："这些都是我们的罪过。"

有关部门认为左藏库存在的弊病很久了，请求进行检验查勘，并且说主管官员的罪过在大赦以前的，请免了他们的罪，文宗答应了。不久，果然清查出有将好缯帛假说是渍污了而乘机贪污的，敕令赦免他们的罪。给事中狄兼謩把敕书封好退还说："主管的官员犯贪赃罪，按理是不能赦免的。"文宗告诉他说："有关部门请求检查之前的事不治罪，朕已经答应了。与其失信，宁愿漏网罪人。你能奉行职守，朕很赞赏你。"

十二月庚戌[409]，以华州刺史卢钧[410]为岭南节度使。李石言于上曰："卢钧除岭南，朝士皆相贺，以为岭南富饶之地，近岁皆厚赂北司而得之，今北司不挠朝权，陛下亦宜有以褒之。庶几内外奉法，此致理之本也。"上从之。钧至镇，以清惠著名。

己未[411]，淑王纵[412]薨。

【段旨】

以上为第十四段，写甘露之变后唐文宗纳谏思治，对受制于宦官与奸佞有所醒悟而又无可奈何。

【注释】

㊲乙酉：闰五月十七日。㊳乙未：闰五月二十七日。㊴崔球：字叔休，崔珙之弟。武宗会昌中任凤翔节度判官，入朝为尚书郎。传见《旧唐书》卷一百七十七。㊵右军：右神策军。㊶魏謩（公元七九三至八五八年）：字申之，钜鹿（今河北巨鹿）人，为唐初名相魏徵第五世孙。文宗朝官至谏议大夫，宣宗朝宰相。传见《旧唐书》卷一百七十六、《新唐书》卷九十七。㊷迩：近。㊸教坊：即教坊司，唐内诸司之一。此指其主官教坊使。㊹庄宅：即庄宅司，唐内诸司之一。此指其主官庄宅使。㊺昔汉光武一顾列女屏风三句：宋弘，汉光武帝大司空。一日，宋弘进宫，见御座有新制屏风，图画一群美女，光武帝观赏不已。宋弘谏曰："未见好德如好色者。"光武帝立即撤去屏风。事详《后汉书》卷二十六《宋弘传》。㊻髫龀：童年。髫，小儿垂发。龀，小儿换齿。㊼孤露：父亡或父母双亡称孤露。㊽不忝厥祖：无愧于其祖。㊾萧洪：福建茶纲役人。事见本书卷二百四十三唐文宗太和二年。㊿甲辰：八月初七日。㊱仲京：李仲京，李训之兄，为萧洪府判官，擢监察御史。训败，投奔刘从谏。唐武宗会昌四年（公元八四四年）处斩。事附《新唐书》卷二百十四《刘从谏传》。㊲左军：左神策军。㊳孱弱不能自达：懦弱

【原文】

二年（丁巳，公元八三七年）

春，二月己未[413]，上谓宰相："荐人勿问亲疏。朕闻窦易直[414]为相，

十二月十五日庚戌，任命华州刺史卢钧为岭南节度使。李石向文宗进言说："卢钧被任命为岭南节度使，朝中官员都互相道贺，认为岭南是个富饶的地方，近年来都是大量贿赂北司才能得到这个职务，现在北司不阻挠朝廷行使任人的权力，陛下也应当对他们有所褒奖。但愿朝廷内外的官吏都遵守法纪，这是治理好国家的根本。"文宗听从了。卢钧到任后，以清廉恩惠而著名。

十二月二十四日己未，溆王李纵去世。

而不能把自己的情况上报于朝廷。㊴戊申：八月十一日。㊵赞善大夫：官名，太子属官，分左右，职掌传令、礼仪，以及规谏过失。㊶丁丑：九月十一日。㊷遐荒：边远之地。㊸泫然：泪流满面的样子。㊹兄弟几不能保：指漳王凑，文宗之弟，被贬为巢县公。㊺全腰领：谓免于刑戮。㊻向使遇汉昭帝二句：指昭帝兄燕王旦、姐盖主及左将军上官桀共谋，告霍光谋反，昭帝识其诈，奸计遂不得行。事见《汉书》卷六十八《霍光传》。㊼庚辰：九月十四日。㊽成固：县名，县治在今陕西城固。㊾金部员外郎：官名，金部为户部第三司，掌全国库藏钱帛出纳账簿的审核及度量衡事，正、副长官为郎中、员外郎。㊿丁巳：十一月丙寅朔，无丁巳，疑为丁丑。丁丑，十一月十二日。⑷⓪①梧州：州名，治所苍梧，在今广西梧州。⑷⓪②球鞠：踢球。⑷⓪③杂遝：众多纷乱的样子。⑷⓪④壬午：十一月十七日。⑷⓪⑤理：治。⑷⓪⑥甲申：十一月十九日。⑷⓪⑦左藏：国库之一，掌钱帛、天下赋调。⑷⓪⑧官典：主管。⑷⓪⑨庚戌：十二月十五日。⑷①⓪卢钧：字子和，历仕唐文宗、唐武宗、唐宣宗三朝，先后任岭南、昭义、宣武、河东、山南东、山南西道节度使，官终太子太师。传见《旧唐书》卷一百七十七、《新唐书》卷一百八十二。⑷①①己未：十二月二十四日。⑷①②溆王纵：溆王李纵，顺宗第四子，贞元二十一年（公元八〇五年）封。传见《旧唐书》卷一百五十、《新唐书》卷八十二。

【校记】

[17] 孝本女：据章钰校，此下十二行本、乙十一行本、孔天胤本皆有"宗枝"二字，张敦仁《通鉴刊本识误》同。

【语译】

二年（丁巳，公元八三七年）

春，二月二十五日己未，文宗对宰相说："推荐人不要问亲疏。我听说窦易直任

未尝用亲故。若亲故果才⑮，避嫌而弃之，是亦不为至公⑯也。”

均王纬⑰薨。

三月，有彗星出于张⑱，长八丈余。壬申⑲，诏撤乐减膳，以一日之膳分充十日。

夏，四月甲辰⑳，上对中书舍人、翰林学士兼侍书柳公权等[18]于便殿，上举衫袖示之曰：“此衣已三浣㉑矣。”众皆美上之俭德，公权独无言。上问其故，对曰：“陛下贵为天子，富有四海，当进贤退不肖，纳谏诤，明赏罚，乃可以致雍熙㉒。服浣濯之衣，乃末节耳。”上曰：“朕知舍人不应复为谏议㉓，以卿有诤臣㉔风采，须屈卿为之。”乙巳㉕，以公权为谏议大夫，余如故。

戊戌㉖，以翰林学士、工部侍郎陈夷行㉗同平章事。

六月，河阳军乱，节度使李泳奔怀州。军士焚府署，杀泳二子，大掠数日方止。泳，长安市人，寓籍禁军，以赂得方镇。所至恃所交结，贪残不法，其下不堪命，故作乱。丁未㉘，贬泳澧州㉙长史。戊申㉚，以左金吾将军李执方为河阳节度使。

秋，七月癸亥㉛，振武奏党项三百余帐剽掠逃去。

给事中韦温为太子侍读㉜，晨诣东宫，日中乃得见。温谏曰：“太子当鸡鸣而起，问安视膳㉝，不宜专事宴安㉞。”太子不能用其言，温乃辞侍读。辛未㉟，罢守本官。

振武突厥百五十帐叛，剽掠营田。戊寅㊱，节度使刘沔㊲击破之。

八月庚戌㊳，以昭仪㊴王氏为德妃㊵，昭容杨氏为贤妃。立敬宗之子休复为梁王，执中为襄王，言杨为杞王，成美为陈王。癸丑㊶，立皇子宗俭为蒋王。

河阳军士既逐李泳，日相扇，欲为乱。九月，李执方索得首乱者七十余人，悉斩之，余党分隶外镇，然后定。

冬，十月，国子监《石经》㊷成。

福建奏晋江㊸百姓萧弘称太后族人，诏御史台按之。

宰相，未曾用过亲戚故旧。要是亲戚故旧果真有才干，为了避免嫌疑而弃用，这也不是很公平。”

均王李纬去世。

三月，有彗星出现在张宿，有八丈多长。初九日壬申，下诏令撤去音乐，减少膳食，把一天的膳食分作十天享用。

夏，四月十一日甲辰，文宗在便殿面对中书舍人、翰林学士兼侍书柳公权等，文宗举起衣衫的袖子展示给柳公权看，并说：“这件衣服已经洗了三次了。”大家都赞美文宗节俭的美德，只有柳公权没有说话。文宗问他原因，柳公权回答说：“陛下贵为天子，富有四海，应当选拔贤能的人，斥退不贤能的人，采纳直言正谏，赏罚分明，这样才能达到国家太平和乐。穿洗过的衣服，只是细枝末节的事而已。”文宗说：“朕知道中书舍人不应当再为谏议大夫，因你有直言敢谏的大臣风采，必须委屈你去担任。”十二日乙巳，任命柳公权为谏议大夫，其余官职不变。

四月初五日戊戌，任命翰林学士、工部侍郎陈夷行同平章事。

六月，河阳军叛乱，节度使李泳逃往怀州。军士烧了节度使衙门，杀死李泳的两个儿子，大抢数日才停止。李泳是长安坊市中人，在禁军中登记了名籍，凭借贿赂得到节度使的职位。所到之处，依靠交结朋友，贪污残暴，不守法度，他的部下忍受不了他的政令，所以发动叛乱。十五日丁未，贬李泳为澧州长史。十六日戊申，任命左金吾将军李执方为河阳节度使。

秋，七月初二日癸亥，振武节度使上奏党项有三百多个军帐大肆抢劫以后逃走了。

给事中韦温为太子侍读官，早晨前往东宫，中午才见到太子。韦温进谏说：“太子应当鸡鸣时就起床，去向皇上请安，察看皇上的饮食情况，不应当只从事饮宴逸乐。”太子不听他的话，韦温就提出辞去侍读的职务。七月初十日辛未，免去了侍读，只任本官给事中。

振武军所属突厥一百五十个军帐叛乱，抢掠营田。七月十七日戊寅，节度使刘沔打败了他们。

八月十九日庚戌，以昭仪王氏为德妃，昭容杨氏为贤妃。立敬宗的儿子李休复为梁王，李执中为襄王，李言杨为杞王，李成美为陈王。二十二日癸丑，立皇子李宗俭为蒋王。

河阳镇军士赶走李泳以后，天天互相煽动，想要作乱。九月，李执方搜捕到带头谋乱的七十多人，把他们全杀了，其余的党徒分别送到其他的镇安置，然后安定下来。

冬，十月，国子监雕刻的《石经》完成。

福建上奏说晋江百姓萧弘说是萧太后的族人，下诏要御史台查验。

戊申[444]，以门下侍郎、同平章事李固言同平章事，充西川节度使。

甲寅[445]，御史台奏萧弘诈妄。诏递归[446]乡里，不之罪，冀得其真[447]。

【段旨】

以上为第十五段，写唐文宗节俭，河阳军乱，太子李永贪睡不成器，为太子暴毙张本。

【注释】

⑬己未：二月二十五日。⑭窦易直：字宗玄，京兆人，穆宗朝官至宰相，清廉正直，不用亲党。传见《旧唐书》卷一百六十七、《新唐书》卷一百五十一。⑮果才：果真有才。⑯至公：最高的公正、公平。⑰均王纬：均王李纬，顺宗第三子，贞元二十一年（公元八〇五年）封。传与淑王纵同。⑱张：星宿名，二十八宿之一，位于南方。⑲壬申：三月初九日。⑳甲辰：四月十一日。㉑浣：洗濯。㉒雍熙：和乐，喻天下太平。㉓舍人不应复为谏议：舍人，指中书舍人。谏议，指谏议大夫。中书舍人职位高于谏议大夫，为文士之美官。柳公权已为中书舍人，无故不应降为谏议大夫。唐文宗欲其兼任此职以备拾遗补过，故有此言。㉔诤臣：直言敢谏之臣。㉕乙巳：四月十二日。㉖戊戌：四月初五日。㉗陈夷行（？至公元八四三年）：字周道，颍川（今河南许昌）人，历任唐文宗、唐武宗两朝宰相。传见《旧唐书》卷一百七十三、《新唐书》卷一百八十一。㉘丁未：六月十五日。㉙澧州：州名，治所澧阳，在今湖南澧县东南。㉚戊申：六月十六日。㉛癸亥：七月初二日。㉜太子侍读：官名，无定员，掌讲导经学。㉝问安视膳：谓太子应早起向父皇问安，察看父皇饮食。典出《礼记》卷八《文王世子》："文王之为世子……鸡初鸣而衣服，至于寝门外，问内竖之御者曰：'今日安否何如?'内竖曰：'安。'文王乃喜。"又"食上，必在，视寒暖之节；食下，问所膳"。㉞宴安：饮宴逸乐。㉟辛未：七月初十日。㊱戊寅：七月十七日。㊲刘沔：字子汪，徐州彭城（今江苏徐州）人，文宗太和末，累官泾原、振武节度使。唐武宗会昌时先后任河东、义成、忠武节度使。刘沔骁勇善战，曾破党项，败回鹘，在西北边境屡立战功。传见《旧唐书》卷一百六十一、《新唐书》卷一百七十一。㊳庚戌：八月十九日。㊴昭仪：与后一句的"昭容"都是后妃官名，位次夫人。㊵德妃：与后一句的"贤妃"同为后妃官名，为夫人，位次皇后。㊶癸丑：八月二十二日。㊷《石经》：郑覃以宰相判国子祭酒，仿东汉蔡邕刊刻《石经》故事，命于国子监两廊刻《石壁九经》，又加《孝经》

十月十八日戊申，任命门下侍郎、同平章事李固言为同平章事，充任西川节度使。

十月二十四日甲寅，御史台上奏说萧弘诈伪。诏令所经各地传送萧弘回乡里，不治他的罪，希望能找到太后真正的亲人。

《论语》《尔雅》为十二经（无《孟子》），作为定本。这就是历史上著名的唐刻《开成石经》。㊸晋江：县名，县治在今福建泉州。㊹戊申：十月十八日。㊺甲寅：十月二十四日。㊻递归：令所过驿站给食，乘驿车而归。㊼冀得其真：希望访得太后真正的弟弟。

【校记】

［18］等：原无此字。据章钰校，十二行本、乙十一行本皆有此字，今据补。

【研析】

本卷研析牛李党争与甘露之变两件大事。

第一，牛李党争。唐中央官僚主要由两种人组成，一是门荫出身，二是进士及第出身。门荫靠祖上的功德，是士族和累世官宦之后。门荫官僚用人主要倾向于没落的门阀士族。进士出身，是科举入仕，多出身庶族。科举同榜进士称同年，进士对主考官称座主，主考官对被录取的进士称门生。同科进士与主考官以及推荐的公卿，很容易结成亲密关系，互相援引，形成一个小圈子，共同排斥圈外的人。这种小圈子被称为朋党。门荫出身与进士出身两种官员之间明争暗斗，由来已久，而宦官专皇权，宦官代表工商杂类人入仕，奸佞小人依附宦官入仕，挤占朝官位子，因此在唐代形成了很复杂的朋党斗争与南北司斗争。其中历时最长、斗争最为激烈的是所谓牛李党争。牛党领袖为牛僧孺、李宗闵，李党领袖为李德裕、郑覃。双方领军人物都历仕宪宗、穆宗、敬宗、文宗、武宗五朝，多次轮番入主相位，牛党得势，排斥李党，李党得势，排斥牛党。

牛党领军牛僧孺系牛仙客之后，牛仙客出身胥吏，目不知书，玄宗朝贵为宰相，仍受人冷眼，故牛僧孺冒称隋吏部尚书牛弘之后。牛僧孺、李宗闵、杨嗣复三人都是德宗贞元二十一年（公元八〇五年）同年进士，为权德舆的门生，因此三人“情义相得，进退取舍，多与之同”（《旧唐书·杨嗣复传》）。牛党核心人物是李宗闵，牛僧孺居其次，因最为寒庶，故举为牛党代表。李德裕为赵郡士族之后，祖李栖筠，御史大夫，父李吉甫，元和初宰相。李德裕年轻时，“耻与诸生同乡赋，不喜科试”（《旧唐书·李德裕传》），以门荫入仕。

牛李两党的分歧主要表现在两个方面：一是用人。牛党重辞藻文章，主张科举入仕，代表庶族利益。李党主张门荫用公卿子弟，郑覃多次向文宗建议废科举，代表门阀士族利益。在用人上，李党是倒退的。二是对待藩镇。牛党主张姑息，李党主张平叛。武宗强力平叛，是李党最得势的时期。

牛李结怨始于唐宪宗元和三年（公元八〇八年），宪宗诏举贤良方正科，牛僧孺、李宗闵同登榜首，两人在对策中讥评时政，宰相李吉甫恨之，泣诉于宪宗说主考不公，遭贬官，李宗闵、牛僧孺被冷落七年之久，直到李吉甫死后才被起用。杨嗣复之父杨於陵，第一主考，由户部侍郎贬为岭南节度。李德裕为李吉甫之子。两党结怨，互斗，直到武宗会昌六年（公元八四六年）结束，前后四十年，历经了六个回合。穆宗长庆元年（公元八二一年），右补阙杨汝士与礼部侍郎钱徽掌贡举，李宗闵之婿苏巢、杨汝士之弟杨殷士被录取，翰林学士李德裕联合元稹、李绅上奏考官受请托，李宗闵、杨汝士、钱徽遭贬逐，这是第一回合。李德裕排斥李宗闵出朝，当时李宗闵任中书舍人，二李结怨。长庆三年，李德裕与牛僧孺二人皆有入相之望，穆宗自择牛僧孺为相，李德裕认为是宰相李逢吉援引牛僧孺排斥自己，牛李之怨由是加深。文宗太和三年（公元八二九年）李德裕、李宗闵同时入相，李宗闵依附宦官，二十天就把李德裕排挤出朝。第二年，李宗闵引牛僧孺再入相，共同清洗李党，这是第二回合。文宗太和六年，牛僧孺罢相，李德裕还京任兵部尚书，李宗闵与杨汝士从弟杨虞卿共同阻挡李德裕入相失败。太和七年，李德裕入相，李宗闵被罢出朝，这是第三回合。太和八年，唐文宗信用郑注，又引李宗闵入相，李德裕被罢出朝，这是第四回合。牛李两党在朝互相排挤，不断升级，唐文宗时时长叹：去河北贼易，去朝廷朋党难。司马光评论说：朋党之起，缘于君主昏庸，忠奸不分。有一定道理。唐文宗不分忠奸，用李宗闵朋党斥逐李德裕朋党就是一个错误。李宗闵依附宦官，李德裕与宦官有距离，又有贤才，李党得势对朝廷有利。郑注、李训两个凶狡之徒，依附宦官入朝，最后唐文宗重用这两个人，既谋诛宦官，又统统排斥牛李两党。文宗想的是一箭双雕，既杀宦官，又逐朋党，如此昏聩，怎能不偾事。唐文宗把自己玩完，成了宦官俘虏，抱憾离世。武宗即位，用兵藩镇，起用李德裕为相，李党得势，大力排斥牛党。从会昌元年到会昌四年，牛党五位宰相李宗闵、牛僧孺、崔珙、杨嗣复、李珏不断遭贬逐，这是第五回合。会昌六年，武宗死，宣宗立，李德裕立即遭贬逐，武宗所逐牛党五相，同日量移，这是第六回合。不久，两党领袖李德裕、牛僧孺、李宗闵均死于贬所。至此，牛李党争结束，前后历四十年。但朝廷的朋党之争并没有结束，而是日益加剧，直至唐亡。

牛李党争从总体上看，是君子与君子之争，是朝士庶族官僚与士族官僚之间争官位，尤其是争宰辅执政大臣之位。李宗闵依附宦官较深，牛党多奸邪之士，而牛僧孺本人还较为清正。李德裕不依附宦官，以才能赢得皇帝信任，但李德裕在文宗朝入相仍得力于枢密使杨钦义。李德裕在方镇任上用秉正品德与权谋交好监军，也

是他入相的资本。在宦官专皇权的唐代，任何贤士大夫完全脱离宦官的影响是不可能的。会昌年间，李德裕处理藩镇和边境事件都收到功效，南司威望提高，北司相对退缩。这时，唐朝声威有再展之势，但由于武宗在位短促，再展之势夭折，李德裕以悲剧告终，一贬再贬，死于崖州，在今海南海口南。

第二，甘露之变。所谓甘露之变，是唐文宗第二次谋诛宦官引发的政治事件。文宗所用非人，郑注、李训两个凶狡人谋事，两人同床异梦，以失败告终。

郑注，绛州翼城人，以医术游长安权贵之门。本姓鱼，冒姓郑氏士族，故时人称之为鱼郑。隆贵时，人们目之为“水族”，水为阴，以郑注为阴险人。郑注依附宦官王守澄，谋害宋申锡，挫败唐文宗第一次诛宦官。李训，字子垂，初名仲言，陇西成纪（在今甘肃秦安）人，士族，肃宗时宰相李揆之族孙，敬宗朝宰相李逢吉之侄。进士及第入仕，阴险善谋，曾因事被流放，回京后通过贿赂郑注投靠王守澄，得以东山再起。郑注精通医术，李训精通《易经》，王守澄将两人荐之于唐文宗，目的是安插两人在文宗身边为自己的耳目。两人都是野心家，认为投靠宦官，不如投靠皇帝。文宗拜郑注为太仆卿兼御史大夫，时时入宫侍疾。李训被拜为四门助教，迁国子《周易》博士，充翰林侍讲学士。两人倒戈，反被唐文宗任用来反击宦官。两人为唐文宗策划太平盛世的方略，先除宦官，次复河、湟，再次清河北，说得头头是道，唐文宗深信不疑，对两人宠遇日隆。两人先拿牛、李的两党人物开刀，既扫清宦官在朝中的势力，又培植自己的朋党。郑注引李宗闵入相逐走李德裕、路隋，随后逐走李宗闵，连逐三相，威震天下。郑、李两人对不合心意的人都指目为牛党李党的人，尽行驱逐，而安插自己的同类。同时引荐谋诛宦官的舒元舆、郭行余、王璠、罗立言、韩约、贾餗、裴度等人，博取声誉，赢得人心，所以当时“天下之人，有冀训以致太平者”(《旧唐书·李训本传》) 的赞誉。

接着，两人又利用宦官内部争权的矛盾，把反对王守澄的韦元素、杨承和、王践言三人外出到方镇为监军，不久处死。追究宪宗之死，把当年毒杀宪宗的宦官陈弘志处死。再利用仇士良与王守澄争权的矛盾，劝文宗升任王守澄为左右神策军观军容使，明升暗降解除王守澄神策军中尉的职务，剥夺了王守澄的军权，而任用仇士良为中尉抗衡王守澄。太和九年（公元八三五年）十月，免去王守澄观军容使之职，赐死王守澄，秘不发丧。郑注和李训的这一系列行动，表现了十分干练的政治才能，中尉、枢密、禁卫诸将都十分敬畏李训。

郑注、李训谋诛全部宦官。其时李训为相，出郑注任凤翔节度使，原计划内外合谋诛宦官。郑注到凤翔选凤翔兵数百人作为亲兵，等下葬王守澄时，唐文宗令全部宦官去会葬，郑注纵亲兵全诛宦官。李训靠郑注引荐得势，这时他的野心要独占大功，诛了宦官，再除郑注。李训不让郑注抢功，他上奏文宗，称左金吾大厅后石榴树上有甘露。十一月二十一日，唐文宗在紫宸殿接见百官，文宗令李训率众官去察看。李训回来说不像是真甘露，文宗故作惊讶，令左右中尉仇士良、鱼弘志率领众官再去察看。仇士良到了左金吾大厅，发现李训事先埋伏的甲士，立即逃回殿上，劫夺唐文宗入宫，派出神策军血洗朝官。宰相贾竦、王涯以及中书、门下两省和各部官吏被杀的有一千多人，朝廷为之一空。李训出逃被捕杀，郑注也在军中被杀。这一场反宦官的宫廷血案，史称甘露之变。

唐文宗有灭宦官之志，却无灭宦官的能力。他忠奸不分，是非不明，既恨宦官，又猜忌功臣宿将，放着裴度、李德裕不用，却任用出尔反尔的凶狡小人李训、郑注。唐文宗又意气用事，诛杀王守澄以后，如果外出仇士良去做监军，一个一个诛杀元恶，不宠信宦官，也就了结了。文宗要全灭宦官，而宦官掌握军权，监军布满方镇，成了一个体系，代表一种社会势力。看不到宦官与神策的关系，全灭宦官是愚笨的行为。郑注、李训合谋，中途变卦，同床异梦；文宗急于求成，出尔反尔，赞同李训的阴谋，采用冒险行为，也是失败的原因。甘露之变以后，朝廷大权全归北司，唐文宗被宦官看管。文宗临终，感叹自己受制家奴，还不如周赧王、汉献帝两个亡国之君，算是他悲苦的自省。

卷第二百四十六　唐纪六十二

起著雍敦牂（戊午，公元八三八年），尽玄黓阉茂（壬戌，公元八四二年），凡五年。

【题解】

本卷记事起公元八三八年，迄公元八四二年，凡五年，当唐文宗开成三年至唐武宗会昌二年。五年间史事，前三年载唐文宗晚年执政，后二年载唐武宗初即位带来政治的新气象。唐文宗在甘露之变以后，受宦官监视，形同被软禁宫中。但文宗并不甘心做家奴的羔羊，他还想有一番作为，念念不忘诛除宦官，这是文宗强于穆宗、敬宗两代皇帝的地方。故文宗晚年思贤治国，任用李石、薛延赏为相，稳定了局面。此时文宗还能纳谏改过，罢祥瑞，放郭旼二女出宫。但文宗过分切齿朋党，刚愎而愚，往往是忠奸不分，是非不明，惩治朋党站在了奸人一边。宰相不睦，杨嗣复与李珏为一党，他们与宦官勾结，是真朋党；郑覃与陈夷

【原文】

文宗元圣昭献孝皇帝下

开成三年（戊午，公元八三八年）

春，正月甲子[①]，李石入朝，中涂[②]有盗射之，微伤，左右奔散。石马惊，驰归第。又有盗邀击[③]于坊门[④]，断其马尾，仅而得免。上闻之大惊，命神策六军[⑤]遣兵防卫，敕中外捕盗甚急，竟[⑥]无所获。乙丑[⑦]，百官入朝者九人而已。京城数日方安。

丁卯[⑧]，追赠故齐王凑为怀懿太子。

戊申[⑨]，以盐铁转运使、户部尚书杨嗣复[⑩]，户部侍郎、判户部[⑪]李珏并同平章事，判、使如故[⑫]。嗣复，於陵之子也。

中书侍郎、同平章事李石承甘露之乱，人情危惧，宦官恣横，忘

行二人清正廉直，不似杨嗣复阿谀柔顺。结果唐文宗贬抑了郑覃、陈夷行，助长了奸人气焰，最终在宦官压抑下遗恨辞世。武宗即位，任用李德裕为相，信任专一，颇有成效。武宗能纳谏收回成命。仇士良敌视枢密刘弘逸、薛季稜，进谗言于武宗下令赐死二人，李德裕等宰臣强谏，武宗收回成命，并下诏诛杀大臣应由御史台按问。此时西域黠戛斯兴起，打败回鹘，唐边将欲趁机打击回鹘邀功。唐武宗支持李德裕安抚的主张，分化回鹘，打击乌介可汗，一战成功。武宗倚重外朝，削弱宦官权力，政治出现了新气象。

【语译】

文宗元圣昭献孝皇帝下

开成三年（戊午，公元八三八年）

春，正月初五日甲子，李石去上朝，路上有强盗用箭射他，受了小伤，左右侍从逃散了。李石的马受到惊吓，跑回家去。又有强盗在里坊门口拦击，把他的马尾巴割断了，李石幸免于一死。文宗听了大为惊骇，命令神策等六军派兵防卫，敕令朝廷内外紧急搜捕强盗，最终一个也没有抓到。初六日乙丑，百官进宫上朝的只有九个人而已。京城几天后才安定下来。

正月初八日丁卯，追赠已故的齐王李凑为怀懿太子。

二月二十日戊申，任命盐铁转运使、户部尚书杨嗣复，户部侍郎、判户部李珏都为同平章事，原职判户部和盐铁使不变。杨嗣复是杨於陵的儿子。

中书侍郎、同平章事李石在甘露之乱以后，人情畏惧，宦官恣横，他不计较个

身徇国[13]，故纪纲粗立[14]。仇士良深恶之，潜遣盗杀之，不果。石惧，累表[15]称疾辞位，上深知其故而无如之何。丙子[16]，以石同平章事，充[17]荆南节度使。

陈夷行性介直[18]，恶杨嗣复为人，每议政事，多相诋斥。壬辰[19]，夷行以足疾辞位，不许。

上命起居舍人魏謩献其祖文贞公[20]笏。郑覃曰："在人不在笏。"上曰："亦甘棠之比[21]也。"

杨嗣复欲援进[22]李宗闵，恐为郑覃所沮，乃先令宦官讽上。上临朝，谓宰相曰："宗闵积年在外[23]，宜与一官。"郑覃曰："陛下若怜宗闵之远，止可移近北数百里，不宜再用。用之，臣请先避位。"陈夷行曰："宗闵向以朋党乱政，陛下何爱此纤人[24]！"杨嗣复曰："事贵得中[25]，不可但徇爱憎。"上曰："可与一州。"覃曰："与州太优，止可洪州[26]司马耳。"因与嗣复互相诋讦[27]以为党。上曰："与一州无伤。"覃等退，上谓起居郎周敬复、舍人魏謩曰："宰相喧争[28]如此，可乎？"对曰："诚为不可。然覃等尽忠愤激，不自觉耳。"丁酉[29]，以衡州司马李宗闵为杭州[30]刺史。李固言与杨嗣复、李珏善，故引居大政以排郑覃、陈夷行，每议政之际，是非锋起[31]，上不能决也。

【段旨】

以上为第一段，写唐文宗思贤治国，却又忠奸不明，是非不辨。

【注释】

①甲子：正月初五日。②涂：通"途"。③邀击：拦击。④坊门：长安城内居住处有一百零六坊，坊皆有门，按时启闭。⑤神策六军：左右羽林军、左右龙武军、左右神策军，皆为禁军，统称神策六军。⑥竟：终究；最终。⑦乙丑：正月初六日。⑧丁卯：正月初八日。⑨戊申：二月二十日。⑩杨嗣复：字继之，杨於陵之子。文宗朝宰相，武宗时贬潮州刺史。传见《旧唐书》卷一百七十六、《新唐书》卷一百七十四。⑪判户部：主持户部政务。以低职兼任高职谓"判"。户部长官为尚书，正三品；侍郎为副

人安危，献身国家，所以国家政纲法制大体建立起来。仇士良深深痛恨李石，暗中派强盗刺杀他，没有成功。李石很害怕，多次上奏表说身体有病，请求辞去职位，唐文宗深知其中缘故，但也没有办法。正月十七日丙子，任命李石同平章事，实任荆南节度使。

陈夷行性情耿直，讨厌杨嗣复的为人，每次讨论国家政事，二人多半互相诋毁排斥。二月初四日壬辰，陈夷行借口脚有病要求辞去相位，文宗没有答应。

文宗命令起居舍人魏謩献出祖先文贞公魏徵用过的笏板。郑覃说："往事在人不在笏。"文宗说："也不过是想如甘棠的故事一样见物思人而已。"

杨嗣复想引进李宗闵，担心被郑覃阻挠，于是先让宦官暗示皇上。文宗坐朝时，对宰相说："李宗闵多年在外，应当给他一个官职。"郑覃说："陛下倘若怜惜李宗闵流放太远，只可向北方移近数百里，不应当再任用。如果任用他，臣请求先退职。"陈夷行说："李宗闵过去利用朋党扰乱朝政，陛下为什么怜爱这种小人！"杨嗣复说："处理事情贵在公正允当，不应当只由爱憎。"文宗说："可给李宗闵一个州刺史。"郑覃说："给州刺史太优厚，只可给他洪州司马。"因而和杨嗣复互相诋毁，认为对方是朋党。文宗说："给李宗闵一个州刺史没有什么害处。"郑覃等走了以后，文宗对起居郎周敬复、舍人魏謩说："宰相这样喧哗争执可以吗？"他们回答说："实在不可以，然而郑覃等人由于尽忠而有所愤激，自己不觉察而已。"二月初九日丁酉，任命衡州司马李宗闵为杭州刺史。李固言和杨嗣复、李珏很友好，所以推举他们为宰相，用以排斥郑覃和陈夷行，每当在讨论国家大事时，是非之争蜂起，文宗不能裁决。

职，正四品。李珏以侍郎之职掌理户部，故云"判"。⑫ 判、使如故：判，指李珏所任判户部。使，指杨嗣复所任盐铁转运使。两人现为宰相，原任官如故。⑬ 徇国：献身国事。徇，通"殉"，献身。⑭ 纪纲粗立：国家政纲法制大体建立起来。⑮ 累表：多次上表。⑯ 丙子：正月十七日。⑰ 充：实任职务。高官实任低级职务叫"充"。⑱ 介直：耿直；正直。⑲ 壬辰：二月初四日。⑳ 文贞公：魏徵谥曰文贞。㉑ 甘棠之比：喻爱人及物。甘棠，周武王时，召公奭巡行南国，憩于甘棠树下，后人思其德，爱此树而不敢剪伐。见《诗经·甘棠》。㉒ 援进：引进。㉓ 积年在外：李宗闵自太和九年（公元八三五年）贬为明州刺史，至此已三年。㉔ 纤人：小人。㉕ 中：谓公正、恰当。㉖ 洪州：州名，治所豫章，在今江西南昌。㉗ 诋讦：诋毁揭发。㉘ 喧争：喧哗争执。㉙ 丁酉：二月初九日。㉚ 杭州：州名，治所钱塘，在今浙江杭州。㉛ 锋起：像群蜂并飞，纷纷而起。锋，通"蜂"。

【原文】

三月，牂柯[32]寇涪州[33]清溪镇，镇兵击却之。

初，太和之末，杜悰为凤翔节度使，有诏沙汰僧尼。时有五色云见于岐山[34]，近法门寺[35]。民间讹言佛骨[36]降祥，以僧尼不安之故。监军欲奏之，悰曰："云物变色，何常之有！佛若果爱僧尼，当见于京师。"未几，获白兔，监军又欲奏之，曰："此西方之瑞也。"悰曰："野兽未驯，且宜畜之。"旬日而毙。监军不悦，以为掩蔽圣德，独画图献之。及郑注代悰镇凤翔，奏紫云见，又献白雉[37]。是岁，八月，有甘露降于紫宸殿前樱桃之上，上亲采而尝之，百官称贺。其十一月，遂有金吾甘露之变。

及悰为工部尚书、判度支，河中奏驺虞[38]见，百官称贺。上谓悰曰："李训、郑注皆因瑞以售其乱，乃知瑞物非国之庆。卿前在凤翔，不奏白兔，真先觉也。"对曰："昔河出图，伏羲以画八卦，洛出书，大禹以叙九畴[39]，皆有益于人，故足尚也。至于禽兽草木之瑞，何时无之！刘聪[40]桀逆，黄龙三见；石季龙[41]暴虐，得苍麟十六、白鹿七，以驾芝盖[42]。以是观之，瑞岂在德！玄宗尝为潞州[43]别驾[44]，及即位，潞州奏十九瑞。玄宗曰：'朕在潞州，惟知勤职业，此等瑞物，皆不知也。'愿陛下专以百姓富安为国庆，自余不足取也。"上善之。它日，谓宰相曰："时和年丰，是为上瑞。嘉禾灵芝，诚何益于事！"宰相因言："《春秋》记灾异以儆[45]人君，而不书祥瑞，用此故也！"

夏，五月乙亥[46]，诏："诸道有瑞，皆无得以闻，亦勿申牒所司[47]。其腊[48]飨太庙及飨太清宫[49]，元日[50]受朝奏祥瑞，皆停。"

【语译】

三月，牂柯人侵犯涪州清溪镇，镇兵击退了他们。

当初，在太和末年，杜悰为凤翔节度使，有诏令淘汰和尚、尼姑。当时有五色云出现于岐山，接近法门寺。民间传说这是由于和尚、尼姑不安宁而导致的佛骨显现祥瑞。监军想上奏文宗，杜悰说："云气改变颜色，有什么祥瑞可言！佛若是果真爱护和尚、尼姑，征兆应当出现在京师。"不久，捕获了白色兔子，监军又想上奏，说："这是西方出现的祥瑞。"杜悰说："野兽还没有驯养好，应该暂且畜养它。"十天后兔子死了。监军不高兴，认为这是掩蔽了皇上的圣德，独自画成图画献给文宗。等到郑注接替杜悰为凤翔节度使，上奏说出现紫色云，又献上白色的雉鸡。这一年的八月，有甘露降在紫宸殿前樱桃树上，文宗亲自采来尝了，百官都向他道贺。同年十一月，就发生了在金吾仗的甘露之变。

等到杜悰担任工部尚书、判度支时，河中道又上奏说有驺虞在当地出现，百官都向皇上道贺。文宗对杜悰说："李训、郑注都是借祥瑞来制造变乱，这才知道所谓祥瑞不是国家的吉庆。你以前在凤翔时，不上报获白兔的事，真是先知先觉。"杜悰回答说："过去黄河出图，伏羲用它画成八卦，洛水出书，大禹用它制定九项治国法则，都对人们有好处，所以值得称道。至于禽兽草木的瑞征，什么时候没有！刘聪凶暴悖逆，黄龙三次出现；石季龙残暴酷虐，得到十六只苍麟、七只白鹿，用来驾驶帝王的车子。由此看来，祥瑞出现哪在于有德！玄宗曾为潞州别驾，等到即帝位，潞州上奏十九种瑞应。玄宗说：'朕在潞州，只知道辛勤从事本职之事，此等瑞物，都不知道。'希望陛下专心把百姓的富足安定作为国家的喜庆，其他都是不值得听取的。"文宗很认同他的话。有一天，文宗对宰相说："时和年丰，这就是上瑞。嘉禾灵芝，对于国家大事实在一点好处也没有！"宰相于是说："《春秋》书中记载灾异之事用来警戒人君，而不记载祥瑞之事，就是这个缘故！"

夏，五月十九日乙亥，下诏说："各道出现瑞征，都不要向朝廷上报，也不要具文呈报有关部门。腊日祭祀太庙和太清宫，元旦朝会，上奏祥瑞事，全都停止。"

【段旨】

以上为第二段，写唐文宗纳谏罢祥瑞。

【注释】

㉜牂柯：指牂柯国，在今贵州中西部，其族为牂柯蛮。㉝涪州：州名，治所涪陵，在今重庆市涪陵区。㉞岐山：山名，在今陕西岐山县东北。㉟法门寺：唐代著名大寺，在今陕西扶风。㊱佛骨：佛牙，相传是释迦牟尼的牙齿，在法门寺护国真身塔内。㊲雉：野鸡。㊳驺虞：传说中不杀生的义兽，白色黑斑，状似虎。㊴河出图四句：相传上古有龙马负图出于黄河，谓之"河图"；有神龟负文出于洛水，谓之"洛书"。伏羲据"河图"而作八卦，大禹据"洛书"而成九畴。九畴，九项治国法则。㊵刘聪（？至公元三

【原文】

初，灵武节度使王晏平[51]自盗赃七千余缗[52]，上以其父智兴有功，免死，长流康州。晏平密请于魏、镇、幽三节度使[53]，使上表雪己。上不得已，六月壬寅[54]，改永州[55]司户。

八月己亥[56]，嘉王运[57]薨。

太子永之母王德妃[58]无宠，为杨贤妃所谮而死。太子颇好游宴，昵近[59]小人，贤妃日夜毁之。九月壬戌[60]，上开延英，召宰相及两省、御史、郎官，疏太子过恶，议废之，曰："是宜为天子乎？"群臣皆言："太子年少，容有改过。国本至重，岂可轻动！"御史中丞狄兼謩论之尤切，至于涕泣。给事中韦温曰："陛下惟一子，不教，陷之至是，岂独太子之过乎！"癸亥[61]，翰林学士六人、神策六军军使十六人复上表论之，上意稍解。是夕，太子始得归少阳院，如京使[62]王少华等及宦官、宫人坐流死者数十人。

义武节度使张璠在镇十五年，为幽、镇所惮。及有疾，请入朝，朝廷未及制置，疾甚，戒其子元益举族归朝，毋得效河北故事。及薨，军中欲立元益，观察留后李士季不可，众杀之，又杀大将十余人。壬申[63]，以易州刺史李仲迁为义武节度使。义武马军都虞候何清朝自拔归朝，癸酉[64]，以为仪州[65]刺史。

朝廷以义昌节度使李彦佐在镇久[66]，甲戌[67]，以德州刺史刘约为节度副使，欲以代之。

一八年）：十六国汉国第二代皇帝，公元三一〇至三一八年在位。传见《晋书》卷一百二、《魏书》卷九十五。㊶石季龙：即石虎（公元二九五至三四九年），字季龙，因避唐讳，故称字。十六国后赵第三位皇帝，公元三三五至三四九年在位。传见《晋书》卷一百六、《魏书》卷九十五。㊷芝盖：车盖。此指帝王之车。㊸潞州：州名，治所上党，在今山西长治。㊹别驾：官名，州刺史重要佐吏，位于司马之上，掌佐州务。㊺儆：警戒。㊻乙亥：五月十九日。㊼申牒所司：具文呈报有司。㊽腊：祭名。唐制：孟春、孟夏、孟秋、孟冬四季举行腊祭，享于太庙。㊾太清宫：唐玄宗命两京及诸州各置玄元皇帝（老子的尊号）庙，在西京者称太清宫，在诸州者称太微宫。㊿元日：正月初一日。

【语译】

当初，灵武节度使王晏平自盗赃款七千多串，文宗因他父亲王智兴过去有功，免了王晏平的死罪，远流康州。王晏平秘密向魏博、镇州、幽州三节度使请求，让他们上表朝廷为自己昭雪。文宗不得已，于六月十六日壬寅，改任其为永州司户。

八月十四日己亥，嘉王李运去世。

太子李永的母亲王德妃失宠，被杨贤妃谮毁而死。太子很喜欢游乐饮宴，亲近小人，杨贤妃日夜诋毁他。九月初七日壬戌，文宗在延英殿召开会议，叫来宰相和两省官员、御史、郎官等，陈述太子的罪行，讨论废掉他，并说："这样的人合适为天子吗？"群臣都说："太子年轻，容许他改过自新。国家的根本极为重要，怎么可以轻易变动！"御史中丞狄兼謩论述得尤其恳切，以至于流下了眼泪。给事中韦温说："陛下只有一个儿子，没有好好教育，使他变成这个样子，哪里只是太子一人的过错呢！"初八日癸亥，翰林学士六人、神策军等六军军使十六人又上表论说这件事，文宗废太子的心意才稍稍缓和。当天晚上，太子才得以回到少阳院，如京使王少华等和宦官、宫人因牵涉而流放或处死的有数十人。

义武节度使张璠在镇任职十五年，被幽、镇二镇所惧怕。等到他生了病，请求回到朝廷，朝廷还没有来得及安排他的位置，他病情加重，告诫儿子张元益带全家返回朝廷，不要学河北诸镇过去父死子继的旧例。张璠死了以后，军队中想拥立张元益，观察留后李士季不同意，大家把他杀了，又杀了大将十多个人。九月十七日壬申，任命易州刺史李仲迁为义武节度使。义武马军都虞候何清朝独自从军中跑回朝廷，十八日癸酉，任命他为仪州刺史。

朝廷因义昌节度使李彦佐在镇太久，九月十九日甲戌，任命德州刺史刘约为节度副使，打算让他替代李彦佐。

开成以来，神策将吏迁官多不闻奏，直牒中书令覆奏施行⑱，迁改殆无虚日。癸未⑲，始诏神策将吏改官皆先奏闻，状至中书，然后检勘⑳施行。

冬，十月，易定㉑监军奏军中不纳李仲迁，请以张元益为留后。

太子永犹不悛㉒，庚子㉓，暴薨，谥曰庄恪。

乙巳㉔，以左金吾大将军郭旼为邠宁节度使。

宰相议发兵讨易定。上曰："易定地狭人贫，军资半仰度支，急之则靡所不为，缓之则自生变，但谨备四境以俟之。"乃除张元益代州刺史。顷之，军中果有异议，乃上表以不便李仲迁为辞，朝廷为之罢仲迁。十一月壬戌㉕[1]，诏俟元益出定州，其义武将士始谋立元益者，皆赦不问。

以义昌节度使李彦佐为天平节度使，以刘约为义昌节度使。

丁卯㉖，张元益出定州。

【段旨】

以上为第三段，写唐文宗太子李永游宴不悛而暴薨，义武节度换帅不听朝命。

【注释】

㊿王晏平：自幼随父从军，以讨横海李同捷叛乱之功，任灵武节度使。传见《旧唐书》卷一百五十六、《新唐书》卷一百七十二。52自盗赃七千余缗：《新唐书·王晏平传》云："父丧，擅取马四百、兵械七千自卫归洛阳，御史劾之。"《旧唐书》略同。53三节度使：指魏帅何进滔、镇帅王元逵、幽帅史元忠。54壬寅：六月十六日。55永州：州名，治所零陵，在今湖南永州。56己亥：八月十四日。57嘉王运：嘉王李运，代宗第十五子，大历十年（公元七七五年）封。传见《旧唐书》卷一百十六、《新唐书》卷八十二。两书本传皆作"贞元十七年薨"，存疑待考。58德妃：唐承隋制，置贵妃、淑妃、德妃、贤妃各一人，为夫人，正一品。59昵近：亲近。60壬戌：九月初七日。61癸亥：九月初

开成年间以来，神策军将吏晋升官职大多不奏闻文宗，直接发文到中书省上奏备案执行，迁升改任几乎一天也没有间断过。九月二十八日癸未，才开始诏令神策军将吏晋升官职都要先报告皇上，把他的行状送到中书省，然后经过检查核对付诸执行。

冬，十月，易定监军上奏说军队中不接受李仲迁为节度使，请求任命张元益为留后。

太子李永还是不悔改，十月十六日庚子，突然死去，谥号庄恪。

十月二十一日乙巳，任命左金吾大将军郭旼为邠宁节度使。

宰相商议发兵讨伐易定叛军。文宗说："易定地域狭窄，民众贫穷，军费半数仰赖度支，逼迫急了就会无所不为，宽缓一点他们内部就会自生变化，只要在它的四周严加防范以等待变化就可以了。"于是任命张元益为代州刺史。不久，军队中果然有不同的意见，于是上表说李仲迁不适宜任此职，朝廷为此免去了李仲迁的节度使。十一月初八日壬戌，下诏等待张元益离开定州，那些义武军将士中谋划拥立张元益的人，都赦免他们的罪过而不追究。

任命义昌节度使李彦佐为天平节度使，任命刘约为义昌节度使。

十一月十三日丁卯，张元益离开定州。

八日。62 如京使：官名，职事不详。一说以朝官转内职，用文士以通晓政事，参见《职官分纪》卷四十四《如京师副使》。一说以武臣为之，为例转之官，参见《宋史》卷十二《职官志九》。63 壬申：九月十七日。64 癸酉：九月十八日。65 仪州：州名，治所辽山，在今山西左权。66 在镇久：太和六年（公元八三二年）李彦佐代殷侑镇义昌，至是已六年。67 甲戌：九月十九日。68 直牒中书令覆奏施行：谓神策军将吏升迁，不先奏请，直接以公文形式通令中书省执行，只不过由中书上奏备案而已。甘露事变之后，宦官专横如此。69 癸未：九月二十八日。70 检勘：谓检查核对履历。71 易定：即义武军，辖易、定二州。72 悛：悔改。73 庚子：十月十六日。74 乙巳：十月二十一日。75 壬戌：十一月初八日。76 丁卯：十一月十三日。

【校记】

［1］壬戌：原无此二字。据章钰校，十二行本、乙十一行本、孔天胤本皆有此二字，张敦仁《通鉴刊本识误》同，今据补。

【原文】

庚午[77]，上问翰林学士柳公权以外议，对曰："郭旼除邠宁，外间颇以为疑。"上曰："旼，尚父[78]之侄，太后[79]叔父，在官无过，自金吾作小镇，外间何尤焉？"对曰："非谓旼不应为节度使也。闻陛下近取旼二女入宫，有之乎？"上曰："然。入参太皇太后耳。"公权曰："外间不知，皆云旼纳女后宫，故得方镇。"上俯首良久[80]，曰："然则奈何？"对曰："独有自南内[81]遣归其家，则外议自息矣！"是日，太皇太后遣中使送二女还旼家。

上好诗，尝欲置诗学士，李珏曰："今之诗人浮薄[82]，无益于理。"乃止。

甲戌[83]，以蔡州刺史韩威为义武节度使。

河东节度使、司徒、中书令裴度以疾求归东都[84]。十二月辛丑[85]，诏度入知政事，遣中使敦谕上道[86]。

郑覃累表辞位。丙午[87]，诏：三五日一入中书。

是岁，吐蕃彝泰赞普卒，弟达磨立。彝泰多病，委政大臣，由是仅能自守，久不为边患。达磨荒淫残虐，国人不附，灾异[88]相继，吐蕃益衰。

【段旨】

以上为第四段，写唐文宗自省，闻过则改。

【注释】

⑦庚午：十一月十六日。⑱尚父：即郭子仪，唐德宗尊为尚父。郭旼是郭子仪的侄

【原文】

四年（己未，公元八三九年）

春，闰正月己亥[89]，裴度至京师，以疾归第[90]，不能入见。上劳问

【语译】

十一月十六日庚午，文宗询问翰林学士柳公权外面有些什么议论，柳公权回答说："郭旼授官邠宁节度使，外边的人很是疑惑不解。"文宗说："郭旼是尚父郭子仪的侄子，郭太后的叔父，在职期间没有过错，从金吾大将军去任小镇的节度使，外边的人有什么可责怪的呢？"柳公权回答说："不是说郭旼不应当做节度使。听说陛下最近把郭旼的两个女儿召进皇宫，有这回事吗？"文宗说："是的。只是参拜太皇太后而已。"柳公权说："外边的人不知道，都说郭旼把女儿献给后宫，所以得到方镇的官职。"文宗低头沉思很久，说："那么该怎么办呢？"柳公权回答说："只有从太后南宫遣送她们回家，那么外边的议论自然就平息了！"当天，太皇太后派遣中使送二女返回郭旼家里。

文宗喜欢诗，曾经想设置诗学士，李珏说："现今的诗人轻浮浅薄，无益于治理国家。"于是作罢。

十一月二十日甲戌，任命蔡州刺史韩威为义武节度使。

河东节度使、司徒、中书令裴度因为有病要求返回东都。十二月十七日辛丑，下诏让裴度回朝参知政事，并派遣中使敦促吩咐他上路。

郑覃多次上表辞职。十二月二十二日丙午，下诏：三五天到中书省去一次。

这一年，吐蕃彝泰赞普去世，他的弟弟达磨继立。彝泰多病，把政事委任大臣，因此仅能自我防守，长期没有侵犯唐朝边境。达磨荒淫残虐，国人不肯归附，灾害变异相继，吐蕃更加衰弱了。

儿。⑲ 太后：即唐宪宗懿安皇后郭氏，郭子仪孙女，穆宗之母。穆宗尊为皇太后，敬宗尊为太皇太后。⑳ 俯首良久：低头思考很长一段时间。㉑ 南内：即兴庆宫，太后所居，在大明宫之南，故名。㉒ 浮薄：轻浮浅薄。㉓ 甲戌：十一月二十日。㉔ 求归东都：裴度有宅第在东都集贤里，号绿野堂。㉕ 辛丑：十二月十七日。㉖ 敦谕上道：敦促吩咐裴度登程入京。㉗ 丙午：十二月二十二日。㉘ 灾异：指自然灾害和某些反常的自然现象，如火灾、地震、日食、月食等。

【语译】

四年（己未，公元八三九年）

春，闰正月十六日己亥，裴度到达京师，因病回到家里，不能上朝拜见皇上。

赐赉，使者旁午[91]。三月丙戌[92]，薨，谥曰文忠。上怪度无遗表，问其家，得半藁[93]，以储嗣未定为忧，言不及私。度身貌不逾中人，而威望远达四夷。四夷见唐使，辄问度老少用舍[94]。以身系国家轻重如郭子仪者二十余年。

夏，四月戊辰[95]，上称判度支杜悰之才，杨嗣复、李珏因请除悰户部尚书。陈夷行曰："恩旨当由上出，自古失其国者[2]，未始不由权在臣下也。"珏曰："陛下尝语臣云，人主当择宰相，不当疑宰相。"五月丁亥[96]，上与宰相论政事，陈夷行复言不宜使威权[3]在下。李珏曰："夷行意疑宰相中有弄陛下威权者耳。臣屡求退，苟得王傅[97]，臣之幸也。"郑覃曰："陛下开成元年、二年政事殊美，三年、四年渐不如前。"杨嗣复曰："元年、二年郑覃、夷行用事，三年、四年臣与李珏同之，罪皆在臣。"因叩头曰："臣不敢更入中书[98]！"遂趋出。上遣中[4]使召还，劳之曰："郑覃失言，卿何遽尔！"覃起谢曰："臣愚拙，意亦不属嗣复。而遽如是，乃嗣复不容臣耳！"嗣复曰："覃言政事一年不如一年，非独臣应得罪，亦上累圣德。"退，三上表辞位，上遣中使召出之，癸巳[99]，始入朝。丙申[100]，门下侍郎、同平章事郑覃罢为右仆射，陈夷行罢为吏部侍郎。覃性清俭，夷行亦耿介，故嗣复等深疾之。

上以盐铁推官、检校礼部员外郎姚勖[101]能鞫疑狱[102]，命权知[103]职方员外郎[104]。右丞韦温不听，上奏称："郎官朝廷清选[105]，不宜以赏能吏。"上乃以勖检校[106]礼部郎中，依前盐铁推官。六月丁丑[107]，上以其事问宰相杨嗣复，对曰："温志在澄清流品[108]。若有吏能者皆不得清流，则天下之事孰为陛下理之！恐似衰晋之风。"然上素重温，终不夺其所守。

文宗慰问赏赐，使者来往交错。三月初四日丙戌，裴度去世，谥号文忠。文宗奇怪裴度没有遗表，问他的家里人，得到一半的遗表草稿，稿中担忧皇上还没有确定继承人，所说没有提及私事。裴度的身材相貌不过中等人，但是威望远达四夷。四夷见到唐使，总要问裴度年纪多大，是否受任用。如郭子仪一样，他的任用与否关系到国家的安危达二十多年。

夏，四月十七日戊辰，文宗称赞判度支杜悰的才能，杨嗣复、李珏因而请求任命杜悰为户部尚书。陈夷行说："恩旨应当由皇上发出，自古以来丧失国家的人，没有不是由于权在臣下的。"李珏说："陛下曾经对臣说，人主应当选择宰相，不应当怀疑宰相。"五月初七日丁亥，文宗与宰相讨论政事，陈夷行又说不应当使威权在于臣下。李珏说："陈夷行的意思是怀疑在宰相中有窃弄陛下威权的人。臣多次要求退位，如果得到王傅的职位，就是臣的幸事了。"郑覃说："陛下在开成元年、二年时政事办理得很好，三年、四年就逐渐不如以前。"杨嗣复说："元年、二年是郑覃、陈夷行主持政事，三年、四年是臣与李珏共同主持政事，罪过都在臣的身上。"于是磕头说："臣不敢再到中书省！"于是快步退了出去。文宗派中使把他叫回来，安慰他说："郑覃失言，你为什么突然这样呢！"郑覃站起来谢罪说："臣愚昧笨拙，刚才的意思也不是针对嗣复。他突然这样做，是嗣复不能容忍下臣了！"杨嗣复说："郑覃说政事一年不如一年，不仅仅臣应获罪，也连累皇上圣德。"退朝后，三次上表辞职，文宗派中使召他出来，十三日癸巳，才上朝。十六日丙申，门下侍郎、同平章事郑覃被免职，改任右仆射，陈夷行被免职，改任吏部侍郎。郑覃品性清俭，夷行也耿直，所以杨嗣复等人深深地忌恨他们。

文宗认为盐铁推官、检校礼部员外郎姚勖能审决疑案，命他暂代职方员外郎。右丞韦温不听从，上奏说："郎官是朝廷中清贵职位，不应当用它来赏赐给能干的吏员。"文宗于是命他为检校礼部郎中，盐铁推官一职不变。六月二十七日丁丑，文宗拿此事询问宰相杨嗣复，杨嗣复回答说："韦温的意思是要把官员的流品分别得很清楚。要是有能力的官吏都得不到清贵的品位，那么国家的政事谁来为陛下办理呢！恐怕会形成类似衰弱的晋朝那样的风气。"然而皇帝一向看重韦温，终究没有改变他坚持的意见。

【段旨】

以上为第五段，写宰相不睦，唐文宗分不清贤愚，总是倒向奸诈的一方。

【注释】

⑧⑨己亥：闰正月十六日。⑨⓪归第：此为长安平乐里宅第。⑨①旁午：交错，指劳问使者一批批交错而来。⑨②丙戌：三月初四日。⑨③藁：同“稿”。⑨④老少用舍：犹言年龄几何，天子用否。⑨⑤戊辰：四月十七日。⑨⑥丁亥：五月初七日。⑨⑦王傅：职在闲散，自宰臣以下贬官者，有时居任此职。⑨⑧入中书：指入政事堂，堂在中书省。⑨⑨癸巳：五月十三日。⑩⓪丙申：五月十六日。⑩①姚勖：字斯勤，陕州硖石（今河南三门峡市东南）人，名相姚崇曾孙。累官湖、常二州刺史，终夔王傅。传见《新唐书》卷一百二十四。⑩②鞫疑狱：审决疑案。⑩③权知：代理。⑩④职方员外郎：官名，职方为兵部第二司，掌疆域图

【原文】

秋，七月癸未[109]，以张元益为左骁卫将军，以其母侯莫陈氏为赵国太夫人，赐绢二百匹。易定之乱，侯莫陈氏说谕将士，且戒元益以顺朝命，故赏之。

甲辰[110]，以太常卿崔郸[111]同中书门下平章事。郸，郾之弟也。

八月辛亥[112]，鄜王憬[113]薨。

癸酉[114]，昭义节度使刘从谏上言：“萧本诈称太后弟，上下皆称萧弘是真。以本来自左军[115]，故弘为台司所抑[116]。今弘诣臣，求臣上闻。乞追弘赴阙，与本对推，以正真伪。”诏三司鞫之。

冬，十月乙卯[117]，上就起居舍人魏謩取记注[118]观之。謩不可，曰：“记注兼书善恶，所以儆戒人君。陛下但力为善，不必观史。”上曰：“朕向尝观之。”对曰：“此向日史官之罪也。若陛下自观史，则史官必有所讳避，何以取信于后！”上乃止。

杨妃请立皇弟安王溶为嗣，上谋于宰相，李珏非之。丙寅[119]，立敬宗少子陈王成美[120]为皇太子。

丁卯[121]，上幸会宁殿作乐，有童子缘橦[122]，一夫来往走其下如狂。上怪之，左右曰：“其父也。”上泫然流涕曰：“朕贵为天子，不能全一子[123]！”召教坊刘楚材等四人、宫人张十十等十人责之曰：“构会[124]太

籍及四夷归化事。正长官为郎中，副长官为员外郎。⑩⑤清选：清贵之官。下文“清流”亦此义。⑩⑥检校：唐制，凡带“检校”二字，皆为加官荣衔，有职无权。故姚勖为检校礼部郎中，韦温不再争。⑩⑦丁丑：六月二十七日。⑩⑧流品：品类。

【校记】

［2］者：原无此字。据章钰校，十二行本、乙十一行本、孔天胤本皆有此字，今据补。［3］权：原作“福”。据章钰校，十二行本、乙十一行本、孔天胤本皆作“权”，今从改。［4］中：原无此字。据章钰校，十二行本、乙十一行本、孔天胤本皆有此字，今据补。〖按〗下文又言“上遣中使”，此处当有“中”字。

【语译】

秋，七月初四日癸未，任命张元益为左骁卫将军，以他的母亲侯莫陈氏为赵国太夫人，赏赐绢二百匹。在易定军事叛乱中，侯莫陈氏劝导将士，并且告诫张元益顺从朝廷的命令，所以奖赏她。

七月二十五日甲辰，任命太常卿崔郸为同中书门下平章事。崔郸是崔郾的弟弟。

八月初二日辛亥，鄜王李憬去世。

八月二十四日癸酉，昭义节度使刘从谏进言：“萧本假称是太后的弟弟，上下的人都说萧弘是真的。因为萧本是左神策引入的，所以萧弘被御史台压下去了。如今萧弘到臣这里，请求臣奏报皇上。请求把萧弘追回朝廷，与萧本面对面质询，以辨真伪。”下诏由三司审理这个案子。

冬，十月初七日乙卯，文宗到起居舍人魏謩那里索取起居注观看。魏謩不同意，说：“起居注兼记善恶，用来警戒人君。陛下只要努力做善事，不必看史官的记载。”文宗说：“朕过去曾经看过。”魏謩回答说：“这是过去史官的过错。如果陛下自己要看史官的记载，那么史官一定会有所避讳，凭什么让后人相信记载是真实的呢！”于是文宗作罢。

杨妃请求立皇弟安王李溶为继承人，文宗和宰相谋议，李珏不赞成。十月十八日丙寅，立敬宗少子陈王李成美为皇太子。

十月十九日丁卯，文宗到会宁殿游乐，有童子表演爬竿，有一个男子在下面来回跑动像发疯一样。文宗觉得奇怪，身边的人说：“那是童子的父亲。”文宗泪流满面说：“朕贵为天子，不能保全一个儿子！”叫来教坊刘楚材等四人、宫人张十十等十人，责备他们说：“设计陷害太子，全是你们这些人。现在又立了太子，还想像过去

子，皆尔曹也。今更立太子，复欲尔邪？”执以付吏。己巳[125]，皆杀之。上因是感伤，旧疾遂增。

十一月，三司按萧本、萧弘皆非真太后弟。本除名，流爱州[126]，弘流儋州。而太后真弟在闽中，终不能自达。

乙亥[127]，上疾少间，坐思政殿，召当直学士周墀[128]，赐之酒，因问曰：“朕可方[129]前代何主？”对曰：“陛下尧、舜之主也。”上曰：“朕岂敢比尧、舜！所以问卿者，何如周赧[130]、汉献[131]耳？”墀惊曰：“彼亡国之主，岂可比圣德！”上曰：“赧、献受制于强诸侯，今朕受制于家奴，以此言之，朕殆不如！”因泣下沾[132]襟。墀伏地流涕，自是不复视朝。

是岁，天下户口四百九十九万六千七百五十二。

回鹘相安允合、特勒[133]柴革谋作乱，彰信可汗杀之。相掘罗勿[134]将兵在外，以马三百赂沙陀朱邪赤心，借其兵共攻可汗。可汗兵败自杀，国人立㕎馺特勒为可汗。会岁疫，大雪，羊马多死，回鹘遂衰。赤心，执宜之子也。

【段旨】

以上为第六段，写唐文宗在宦官压制下带着遗恨辞世。

【注释】

⑩⑨癸未：七月初四日。⑪⓪甲辰：七月二十五日。⑪⑪崔郸：历官兵部侍郎、宰相，终淮南节度使。传见《旧唐书》卷一百五十五、《新唐书》卷一百六十三。⑪⑫辛亥：八月初二日。⑪⑬鄜王憬：鄜王李憬，唐宪宗子，长庆元年（公元八二一年）封。传见《旧唐书》卷一百七十五、《新唐书》卷八十二。⑪⑭癸酉：八月二十四日。⑪⑮以本来自左军：萧本由左军中尉仇士良引进给皇上。事见本书上卷开成元年。⑪⑯弘为台司所抑：指御史台查验萧弘欺诈假冒。事见本书上卷开成二年。台司，指御史台官员。⑪⑰乙卯：十月初七日。⑪⑱记注：即起居注。⑪⑲丙寅：十月十八日。⑫⓪陈王成美：陈王李成美，唐敬宗少

那样做吗?”把他们抓起来交给狱吏。二十一日己巳，把他们全都杀了。文宗因为这件事很伤感，旧病便加剧了。

十一月，三司审查萧本、萧弘都不是太后的真弟弟。萧本被削除官籍，流放到爱州，萧弘被流放到儋州。然而太后的真弟弟在闽中，最终不能自己上闻朝廷。

十月二十七日乙亥，文宗的病稍好一点，坐在思政殿，召来值班的学士周墀，赐给他酒，接着问他说:“朕可以和前代的什么君主相比?”周墀回答说:“陛下是尧、舜一类的君主。”文宗说:“朕岂敢和尧、舜相比！所以问你的原因，就是说比周赧王和汉献帝怎么样?”周墀吃惊地说:“那是亡国的君主，哪里能够和皇上的圣德相比!”文宗说:“周赧王、汉献帝受制于强大的诸侯，现今朕受制于家奴，以这点来说，朕恐怕还不如他们!”于是眼泪落下，沾满了衣襟。周墀伏地流泪，文宗从此不再上朝视事。

这一年，全国户口是四百九十九万六千七百五十二户。

回鹘相安允合、特勒柴革阴谋作乱，彰信可汗杀了他们。相掘罗勿带兵在外地，用三百匹马贿赂沙陀首领朱邪赤心，借他的军队一起进攻可汗。可汗兵败自杀，国人立㕎馺特勒为可汗。碰上这年发生瘟疫，下大雪，羊和马大多死去，回鹘便衰落了。朱邪赤心是朱邪执宜的儿子。

子，文宗之侄。开成二年（公元八三七年）封，开成四年立为太子，典册未具而敬宗崩，仇士良立武宗，杀陈王于邸。传见《旧唐书》卷一百七十五、《新唐书》卷八十二。⑫¹ 丁卯：十月十九日。⑫² 缘橦：杂技名，爬竿。⑫³ 不能全一子：指太子永死于非命。宫省事秘，外人莫知其详。⑫⁴ 构会：设计陷害。⑫⁵ 己巳：十月二十一日。⑫⁶ 爱州：州名，治所安南都护府九真郡，在今越南清化。⑫⁷ 乙亥：十月二十七日。⑫⁸ 周墀：字德升，汝南（今河南汝南县西）人，唐文宗时官至翰林学士、中书舍人，唐武宗时任义成节度使，宣宗时拜宰相。传见《旧唐书》卷一百七十六、《新唐书》卷一百八十二。⑫⁹ 方：比拟。⑬⁰ 周赧：周赧王（? 至公元前二五六年），名延，东周末代国君。⑬¹ 汉献：汉献帝刘协（公元一八一至二三四年），东汉末代皇帝，曹丕篡汉后被废为山阳公。⑬² 沾：浸湿。⑬³ 特勒：突厥、回鹘称亲王为特勒，位次可汗，以可汗子弟充任。当作“特勤”。⑬⁴ 掘罗勿：人名，回鹘相，因杀彰信可汗导致回鹘破败。

【原文】

五年（庚申，公元八四〇年）

春，正月己卯[135]，诏立颍王瀍[136]为皇太弟，应军国事权令句当[137]。且言太子成美年尚冲幼[138]，未渐师资[139]，可复封陈王[140]。时上疾甚，命知枢密刘弘逸、薛季稜引杨嗣复、李珏至禁中，欲奉太子监国。中尉仇士良、鱼弘志以太子之立，功不在已，乃言太子幼，且有疾，更议所立。李珏曰："太子位已定，岂得中变！"士良、弘志遂矫诏[141]立瀍为太弟。是日，士良、弘志将兵诣十六宅，迎颍王至少阳院，百官谒见于思贤殿。瀍沈毅有断，喜愠不形于色，与安王溶皆素为上所厚，异于诸王。

辛巳[142]，上崩于太和殿。以杨嗣复摄冢宰[143]。

癸未[144]，仇士良说太弟赐杨贤妃、安王溶[145]、陈王成美死。敕大行[146]以十四日殡[147]，成服[148]。谏议大夫裴夷直[149]上言期日太远[150]，不听。时仇士良等追怨文宗[151]，凡乐工及内侍得幸于文宗者，诛贬相继。夷直复上言："陛下自藩维[152]继统，是宜俨然在疚[153]，以哀慕为心，速行丧礼，早议大政，以慰天下。而未及数日，屡诛戮先帝近臣，惊率土[154]之视听，伤先帝之神灵，人情何瞻！国体至重，若使此辈无罪，固不可刑。若其有罪，彼已在天网之内，无所逃伏，旬日之外行之何晚！"不听。

辛卯[155]，文宗始大敛[156]。武宗即位。甲午[157]，追尊[158]上母韦妃为皇太后。

二月乙卯[159]，赦天下。

丙寅[160]，谥韦太后曰宣懿。

夏，五月己卯[161]，门下侍郎、同平章事杨嗣复罢为吏部尚书，以刑部尚书崔珙同平章事兼盐铁转运使。

秋，八月壬戌[162]，葬元圣昭献孝皇帝于章陵[163]，庙号文宗。

【语译】

五年（庚申，公元八四〇年）

春，正月初二日己卯，下诏立颍王李瀍为皇太弟，一切军国大事暂时让他办理。并且说太子李成美年纪还小，未经师傅疏导，可以再封为陈王。当时文宗病危，命令知枢密刘弘逸、薛季稜带领杨嗣复、李珏到禁中，想让他们奉侍太子监理国事。中尉仇士良、鱼弘志认为立太子的事，不是自己的功劳，就说太子年纪小，并且有病，另外商议所立人选。李珏说："太子的地位已经确定，岂能中途改变！"仇士良、鱼弘志于是假传诏命立李瀍为太弟。当天，士良、弘志带着军队到十六宅，迎接颍王到少阳院，百官在思贤殿拜见他。颍王沉毅果断，喜怒不形于色，与安王李溶都向来为文宗所厚待，不同于其他诸王。

正月初四日辛巳，文宗在太和殿去世。任命杨嗣复代行冢宰之职。

正月初六日癸未，仇士良劝说皇太弟赐杨贤妃、安王李溶、陈王李成美死。敕令十四日为死去的文宗殡殓，每人按规定穿上丧服。谏议大夫裴夷直上奏说规定成服的日期太远了，没有被接受。当时仇士良等人追怨文宗，凡是得到文宗宠幸的乐工和内侍，一个接一个被诛杀或贬谪。裴夷直又进言："陛下由藩王继承国家大统之位，应当如同在忧病之中，内心要哀伤和思慕，赶快举行丧礼，早日商议大政，用以安慰天下民心。然而不到几天，多次诛杀先帝近臣，使得天下百姓都为之惊恐，伤害先帝的神灵，人心还仰望什么呢！国家的体统最重要，如果这些人没有罪过，本不可以刑杀。如果他们有罪，他们已经处在国家法网之中，没有地方可以躲藏，短时间之后处置他们有什么晚的！"皇太弟不听从他的意见。

正月十四日辛卯，文宗才入殓。武宗即皇帝位。十七日甲午，追尊武宗的母亲韦妃为皇太后。

二月初八日乙卯，大赦天下。

二月十九日丙寅，给韦太后的谥号叫宣懿。

夏，五月初四日己卯，门下侍郎、同平章事杨嗣复免职，改任吏部尚书，任命刑部尚书崔珙为同平章事兼盐铁转运使。

秋，八月十九日壬戌，将元圣昭献孝皇帝葬于章陵，庙号文宗。

【段旨】

以上为第七段，写宦官仇士良易置皇储，唐文宗崩，武宗立，杀文宗所立皇储及亲近者。

【注释】

⑬⑤ 己卯：正月初二日。⑬⑥ 颍王瀍：颍王李瀍，后改名炎，唐穆宗第五子，长庆元年（公元八二一年）封。开成五年（公元八四〇年）文宗崩，颍王瀍以皇太弟即位，是为唐武宗。⑬⑦ 句当：办理。⑬⑧ 冲幼：幼小。冲，童。⑬⑨ 未渐师资：未经师傅疏导。⑭⓪ 可复封陈王：以上为仇士良、鱼弘志矫诏内容，以下为当时事情真相。⑭① 矫诏：假传圣旨。⑭② 辛巳：正月初四日。⑭③ 摄冢宰：临时担任首辅，处理军国大事。⑭④ 癸未：正月初六日。⑭⑤ 安王溶：安王李溶，唐穆宗第八子，母杨贤妃，长庆元年封。开成四年，杨贤妃请立安王为嗣，以故被杀。⑭⑥ 大行：帝死未葬称大行。⑭⑦ 殡：将死者放入棺材。⑭⑧ 成服：丧礼，殡之次日，各服丧服规定的冠衰屦，谓之成服。⑭⑨ 裴夷直：历官中书舍人，

【原文】

庚午⑯④，门下侍郎、同平章事李珏坐为山陵使龙輴⑯⑤陷，罢为太常卿。贬京兆尹敬昕为郴州司马。

义武军乱，逐节度使陈君赏。君赏募勇士数百人，复入军城，诛乱者。

初，上之立非宰相意，故杨嗣复、李珏相继罢去，召淮南节度使李德裕入朝。九月甲戌朔⑯⑥，至京师。丁丑⑯⑦，以德裕为门下侍郎、同平章事。

庚辰⑯⑧，德裕入谢⑯⑨，言于上曰："致理⑰⓪之要，在于辩群臣之邪正。夫邪正二者，势不相容，正人指邪人为邪，邪人亦指正人为邪，人主辩之甚难。臣以为正人如松柏，特立不倚，邪人如藤萝，非附他物不能自起。故正人一心事君，而邪人竞为朋党。先帝深知朋党之患，然所用卒皆朋党之人，良由执心不定，故奸邪[5]得乘间⑰①而入也。夫宰相不能人人忠良，或为欺罔，主心始疑，于是旁询小臣，以察执政。如德宗末年，所听任者惟裴延龄⑰②辈，宰相署敕⑰③而已，此政事所以日乱也。陛下诚能慎择贤才以为宰相，有奸罔者立黜去，常令政事皆出中书，推心委任，坚定不移，则天下何忧不理哉！"又曰："先帝于

杭、江、华等州刺史，终散骑常侍。传见《新唐书》卷一百四十八。⑮⓪ 期日太远：按丧礼，殡在死后第三日，成服在既殡之明日，即死后第四日，如果不计算死之日，成服则在死后第三日，谓之全三日。现在敕大行十四日殡，成服，故云日期太远。⑮① 追怨文宗：以甘露之事怨恨文宗。⑮② 藩维：犹言藩国、藩王。⑮③ 俨然在疚：如同在忧病之中。⑮④ 率土：谓四海。语出《诗经·北山》："率土之滨，莫非王臣。"率，循。⑮⑤ 辛卯：正月十四日。⑮⑥ 始大敛：皇帝死十一天而始大敛，不合礼仪。大敛，遗体入棺。⑮⑦ 甲午：正月十七日。⑮⑧ 追尊：武宗之母韦氏，穆宗之妃。武宗立，韦妃已追封尊崇为皇太后，加谥曰宣懿。⑮⑨ 乙卯：二月初八日。⑯⓪ 丙寅：二月十九日。⑯① 己卯：五月初四日。⑯② 壬戌：八月十九日。⑯③ 章陵：唐文宗陵墓，在今陕西富平北。

【语译】

八月二十七日庚午，门下侍郎、同平章事李珏因为担任山陵使让装载天子灵柩的柩车下陷，被罢免官职，改任太常卿。贬谪京兆尹敬昕为郴州司马。

义武军叛乱，驱逐了节度使陈君赏。陈君赏招募勇士数百人，又回到军城，杀掉了叛乱的人。

当初，武宗继位不是宰相的主意，所以宰相杨嗣复、李珏相继免官离去，召淮南节度使李德裕回到朝廷。九月初一日甲戌，抵达京师。初四日丁丑，任命李德裕为门下侍郎、同平章事。

九月初七日庚辰，李德裕入朝谢恩，对武宗说："达到太平盛世的关键，在于分清楚群臣中好人和坏人。大凡好人与坏人，势不相容，好人指坏人为坏人，坏人也指好人为坏人，人主辨别他们极难。臣认为好人如同松柏，独自挺立而不依靠他物，坏人如同藤萝，不依附其他物体就不能自己立起来。所以好人一心服侍君主，而坏人争着结成朋党。先帝深知朋党之害，然而所任用的终归都是朋党之人，实在是由于在心中没有定见，所以奸邪得以乘机而入。宰相不能说人人都是忠良，有的欺上罔君，君主心中才开始怀疑，于是向旁边的小臣打听情况，以考察宰相的好坏。例如在德宗末年，皇上所信任的人只有裴延龄一批人，宰相在敕令上签署而已，这就是政事一天比一天混乱的原因。陛下真正能够谨慎地选择贤才担任宰相，有奸诈欺罔行为的人立刻罢免，经常使政事都经过中书省下达，推心置腹地加以任用，坚定不移，那么国家何必担心治理不好啊！"又说："先帝对大臣喜怒不形于色，小过错都

大臣好为形迹[174]，小过皆含容[175]不言，日累月积，以至祸败。兹事大误，愿陛下以为戒！臣等有罪，陛下当面诘之。事苟无实，得以辩明，若其有实，辞理自穷。小过则容其悛改，大罪则加之诛谴，如此，君臣之际无疑间矣。”上嘉纳之。

初，德裕在淮南，敕召监军杨钦义[176]，人皆言必知枢密[177]，德裕待之无加礼，钦义心衔[178]之。一旦，独延钦义，置酒中堂，情礼极厚，陈珍玩数床，罢酒，皆以赠之，钦义大喜过望。行至汴州，敕复还淮南，钦义尽以所饷[179]归之。德裕曰：“此何直[180]！”卒以与之，其后钦义竟知枢密。德裕柄用[181]，钦义颇有力焉。

【段旨】

以上为第八段，写李德裕论奸邪之分及识别之法，以及权谋。

【注释】

[164]庚午：八月二十七日。[165]龙辅：车辕上绘有龙形的天子柩车。[166]甲戌朔：九月初一日。[167]丁丑：九月初四日。[168]庚辰：九月初七日。[169]入谢：入朝谢恩。[170]致理：致治，达到太平盛世。[171]乘间：乘机会，钻空子。[172]裴延龄（公元七二七至七九六年）：官至户部侍郎、判度支，专剥下附上，唐德宗用之不疑。传见《旧唐书》卷一百三十五、《新唐书》卷一百六十七。[173]署敕：在诏令上签署。[174]好为形迹：对人爱憎藏于心，

【原文】

初，伊吾[182]之西，焉耆[183]之北，有黠戛斯[184]部落，即古之坚昆，唐初结骨也。后更号黠戛斯，乾元中为回鹘所破，自是隔阂不通中国。其君长曰阿热，建牙[185]青山[186]，去回鹘牙，橐驼[187]行四十日。其人悍勇，吐蕃、回鹘常赂遗之，假以官号。回鹘既衰，阿热始自称可汗。回鹘遣相国将兵击之，连兵二十余年，数为黠戛斯所败，詈回鹘曰：

包容不说，日积月累，以致酿成大祸而身败名裂。这种做法是重大错误，希望陛下引以为戒！臣等有罪，陛下应当当面质问。事情如果不真实，就要说清楚，要是真正有那么回事，自然会理屈词穷。小的过错就容他悔改，大的罪过就对他加以谴责或诛戮，这样，君臣之间就没有猜疑和嫌隙了。”武宗嘉奖并采纳了李德裕的意见。

当初，李德裕在淮南时，有敕命征召监军杨钦义，人们都说他一定担任枢密使。李德裕对待他没有更多的礼遇，杨钦义怀恨李德裕。有一天，李德裕单独邀请杨钦义，在中堂摆上酒席，情意和礼节都极厚重，陈列出来好几床珍玩，酒宴结束，全部赠送给了杨钦义，杨钦义大喜过望。走到汴州时，敕命他再回到淮南去，杨钦义把李德裕所馈赠的礼品全都退还给他。李德裕说：“这些东西值几个钱！”最终还是给了杨钦义，后来杨钦义终究还是当上了枢密使。李德裕被任用掌权，杨钦义出了很大力气。

喜怒不形于色。指唐文宗为了照顾臣下面子，臣下有过深藏于心，积久而发，招致祸败。⑰⑤ 含容：包容。⑰⑥ 杨钦义：唐德宗贞元末中尉杨志廉之子。文宗时任淮南监军，武宗立入朝任枢密使，至宣宗朝任中尉，为一位极有权势的宦官。事见《旧唐书》卷一百八十四《杨复恭传》。⑰⑦ 知枢密：任枢密使。⑰⑧ 衔：怀恨。⑰⑨ 饷：馈赠。⑱⓪ 此何直：言此物所值能几何。⑱① 柄用：被皇帝信用而掌权柄。

【校记】

［5］奸邪：原作“奸人”。据章钰校，十二行本、乙十一行本皆作“奸邪”，张敦仁《通鉴刊本识误》同，今据改。

【语译】

当初，在伊吾的西边，焉耆的北边，有黠戛斯部落，就是古代的坚昆，唐初的结骨。后改名叫黠戛斯，乾元年间被回鹘打败，从此以后被隔绝而没有和唐朝来往。他的君长名阿热，在青山地方建立王庭，距离回鹘王庭，骑骆驼要走四十天。黠戛斯人强悍勇猛，吐蕃、回鹘常常送礼物给他们，并给他们官号。回鹘衰落以后，阿热开始自称为可汗。回鹘派遣相国带兵攻打他，接连打了二十多年，多次被黠戛斯

“汝运尽矣，我必取汝金帐！”金帐者，回鹘可汗所居帐也。

及掘罗勿杀彰信可汗[6]，立𠪚馺⑱，回鹘别将句录莫贺引黠戛斯十万骑攻回鹘，大破之，杀𠪚馺及掘罗勿，焚其牙帐荡尽，回鹘诸部逃散，其相馺职、特勒庞等十五部西奔葛逻禄⑱，一支奔吐蕃，一支奔安西。可汗兄弟嗢没斯等及其相赤心、仆固、特勒那颉啜各帅其众抵天德⑲塞下，就杂虏贸易谷食，且求内附。冬，十月丙辰⑲，天德军使温德彝奏：“回鹘溃兵侵逼西城⑲，亘六十里，不见其后。边人以回鹘猥至，恐惧不安。”诏振武节度使刘沔屯云迦关⑲以备之。

魏博节度使何进滔薨，军中推其子都知兵马使重顺⑲知留后。

萧太后⑲徙居兴庆宫积庆殿，号积庆太后。

十一月癸酉朔⑲，上幸云阳⑲校猎。

故事，新天子即位，两省⑲官同署名。上之即位也，谏议大夫裴夷直漏名，由是出为杭州刺史。

开府仪同三司、左卫上将军兼内谒者监⑲仇士良请以开府荫其子为千牛⑳。给事中李中敏判曰：“开府阶诚宜荫子⑳，谒者监何由有儿？”士良惭恚。李德裕亦以中敏为杨嗣复之党，恶之，出为婺州刺史。

十二月庚申⑳，以何重顺知魏博留后事。

立皇子峻为杞王。

【段旨】

以上为第九段，写北方黠戛斯兴起，回鹘衰败。

【注释】

⑱伊吾：古地名，在今新疆哈密。⑱焉耆：西域国名、军镇名，在今新疆焉耆西南。⑱黠戛斯：部族名，上古称坚昆，唐初称结骨，后更号黠戛斯。主要分布在剑河流域（今俄罗斯叶尼塞河）。唐贞观二十二年（公元六四八年）内附，唐以其地置坚昆都督府。⑱建牙：建立牙帐，即王庭。⑱青山：山名，在今俄罗斯叶尼塞河西。⑱橐驼：骆驼。⑱及掘罗勿杀彰信可汗二句：事见前开成四年（公元八三九年）。⑱葛逻禄：部族名，分布在金山西南、北庭西北，在今新疆准噶尔盆地以北。唐高宗显庆二年（公元六五七年）

打败，黠戛斯诟骂回鹘说：“你们的国运到头了，我们一定要夺取你们的金帐！”金帐就是回鹘可汗所居的帐幕。

等到掘罗勿杀死彰信可汗，立㕎馺为可汗，回鹘别将句录莫贺带领黠戛斯的十万骑兵攻打回鹘，大破回鹘兵，杀掉㕎馺和掘罗勿，把回鹘的牙帐扫荡一空，回鹘各部逃散，它的国相馺职、特勒庞等十五部向西奔往葛逻禄，一支跑向吐蕃，一支跑往安西。可汗的兄弟嗢没斯等和他们的国相赤心、仆固、特勒那颉啜各自带领自己的部众抵达天德军边塞，到各部胡人那里买粮食，并且要求归附唐朝。冬，十月十四日丙辰，天德军使温德彝上奏：“回鹘溃兵侵扰，逼近西受降城，连绵六十里，还看不到尽头。边境民众由于回鹘的大量到来，恐惧不安。”诏令振武节度使刘沔屯驻云迦关来防备回鹘。

魏博节度使何进滔去世，军队中推举他的儿子都知兵马使何重顺担任留后。

萧太后徙居兴庆宫的积庆殿，号称积庆太后。

十一月初一日癸酉，武宗到云阳狩猎。

旧例，新天子即位，两省官共同签名。武宗即位时，谏议大夫裴夷直漏了签名，因此调出为杭州刺史。

开府仪同三司、左卫上将军兼内谒者监仇士良请求凭开府官衔的资格封荫他的儿子为千牛备身。给事中李中敏批道：“开府的官阶确实应当封荫儿子，但是谒者监怎么会有儿子呢？”仇士良既羞惭又愤恨。李德裕也由于李中敏是杨嗣复的同党，很讨厌他，把他调出去担任婺州刺史。

十二月十八日庚申，任命何重顺主持魏博留后职事。

立皇子李峻为杞王。

于其地置阴山州、玄池州、大漠州三都督府。⑲⓪ 天德：军镇名，即天德军，治所在今内蒙古乌拉特前旗东北。⑲① 丙辰：十月十四日。⑲② 西城：即朔方西受降城，在今内蒙古乌拉特中旗西南乌加河北岸。⑲③ 云迦关：关名，在单于都护府，约今内蒙古和林格尔一带。⑲④ 重顺：何重顺（？至公元八六六年），魏博节度使何进滔之子。父死，继任，赐名弘敬，唐懿宗初封楚国公。传见《旧唐书》卷一百八十一、《新唐书》卷二百十。⑲⑤ 萧太后：唐文宗之母。⑲⑥ 癸酉朔：十一月初一日。⑲⑦ 云阳：县名，县治在今陕西淳化东南。⑲⑧ 两省：指中书省、门下省。⑲⑨ 内谒者监：内官名，内侍省属官，掌仪法、宣奏、承敕令等。⑳⓪ 千牛：官名，即千牛备身，为十六卫之左、右千牛卫属官，掌执御刀，宿卫侍从。⑳① 开府阶诚宜荫子：唐制，从五品以上皆得荫子。开府仪同三司为文臣散官第一阶，从一品，宜得荫子。⑳② 庚申：十二月十八日。

【校记】

[6] 可汗：原无此二字。据章钰校，十二行本、乙十一行本皆有此二字，张敦仁《通鉴刊本识误》、张瑛《通鉴校勘记》同，今据补。

【原文】

武宗[203]至道昭肃孝皇帝上[7]

会昌元年（辛酉，公元八四一年）

春，正月辛巳[204]，上祀圜丘，赦天下，改元。

刘沔奏回鹘已退，诏沔还镇[205]。

二月，回鹘十三部近牙帐者立乌希特勒为乌介可汗，南保错子山[206]。

三月甲戌[207]，以御史大夫陈夷行为门下侍郎、同平章事。

初，知枢密刘弘逸、薛季稜有宠于文宗，仇士良恶之。上之立，非二人及宰相意，故杨嗣复出为湖南观察使，李珏出为桂管观察使。士良屡谮弘逸等于上，劝上除之。乙未[208]，赐弘逸、季稜死，遣中使就潭、桂州[209]诛嗣复及珏。户部尚书杜悰奔马见李德裕曰："天子年少，新即位，兹事不宜手滑[210]！"丙申[211]，德裕与崔珙、崔郸、陈夷行三上奏，又邀枢密使至中书，使入奏。以为："德宗疑刘晏[212]动摇东宫而杀之，中外咸以为冤，两河不臣者由兹恐惧，得以为辞。德宗后悔，录其子孙[213]。文宗疑宋申锡交通藩邸，窜谪[214]至死。既而追悔，为之出涕。嗣复、珏等若有罪恶，乞更加重贬。必不可容，亦当先行讯鞫，俟罪状著白[215]，诛之未晚。今不谋于臣等，遽遣使诛之，人情莫不震骇，愿开延英赐对！"至晡时，开延英，召德裕等入。

德裕等泣涕极言[216]："陛下宜重慎此举，毋致后悔！"上曰："朕不悔。"三命之坐，德裕等曰："臣等愿陛下免二人于死，勿使既死而众以为冤。今未奉圣旨，臣等不敢坐。"久之，上乃曰："特为卿等释之。"德裕等跃下阶舞蹈。上召升坐，叹曰："朕嗣位之际，宰相何尝比

【语译】

武宗至道昭肃孝皇帝上

会昌元年（辛酉，公元八四一年）

春，正月初九日辛巳，武宗到圜丘举行祭天仪式，大赦天下，改年号为会昌。

刘沔上奏说回鹘已经撤退，诏令刘沔回到驻地。

二月，回鹘靠近牙帐的十三个部落立乌希特勒为乌介可汗，向南守卫错子山。

三月初三日甲戌，任命御史大夫陈夷行为门下侍郎、同平章事。

当初，知枢密刘弘逸、薛季稜受文宗宠信，仇士良怨恨他们。武宗的继位，不是他们二人和宰相的主意，所以杨嗣复被贬出为湖南观察使，李珏被贬出为桂管观察使。仇士良多次在武宗面前谮害刘弘逸等人，劝说武宗杀掉他们。三月二十四日乙未，赐刘弘逸、薛季稜死，又派遣中使到潭州、桂州去诛杀杨嗣复和李珏。户部尚书杜悰驱马去见李德裕说："天子年少，新即位，此事不应当随便处置！"二十五日丙申，李德裕和崔珙、崔郸、陈夷行三次上奏本，又邀请枢密使到中书省，让他入朝上奏武宗。认为："德宗怀疑刘晏要改换太子而把他杀了，朝廷内外都认为他冤枉，两河地区那些不驯服的臣子由此而恐惧，就用它来做借口对抗中央。德宗后悔，录用刘晏子孙。文宗怀疑宋申锡和藩王交往，把他流放到外地直到他死。不久也感到后悔，为此而流泪。杨嗣复、李珏等人如有罪恶，请求再加贬谪。一定不能宽容的话，也应当先进行审问，等到罪状清楚了，再杀也不迟。现在不和臣等商量，急忙派使者杀他们，人们没有不震惊恐惧的，希望在延英殿召集臣等商讨此事！"到傍晚时，在延英殿召李德裕等人入内议事。

李德裕等人流着眼泪竭力进言："陛下应当特别慎重地对待这件事，不要导致将来后悔！"武宗说："朕不后悔。"三次命令他们坐下，李德裕等说："臣等希望陛下赦免二人的死罪，不要在人死了以后使众人认为是冤枉的。现在未接奉圣旨，臣等不敢坐。"好一会，武宗才说："特地为了你们，赦免他们的死罪。"李德裕等人跳下台阶行舞蹈礼。武宗叫他们入座，感叹地说："朕继承帝位的时候，宰相们何尝和我站

数㉑⑦！李珏、季稜志在陈王，嗣复、弘逸志在安王。陈王犹是文宗遗意，安王则专附杨妃。嗣复仍与妃书云：‘姑何不效则天临朝㉑⑧！’向使安王得志，朕那复有今日！”德裕等曰：“兹事暧昧，虚实难知。”上曰：“杨妃尝有疾，文宗听㉑⑨其弟玄思入侍月余，以此得通指㉒⓪意[8]。朕细询内人，情状皎然㉒①，非虚也。”遂追还二使㉒②，更贬嗣复为潮州刺史，李珏为昭州㉒③刺史，裴夷直为驩州司户。

夏，六月乙巳㉒④，诏：“自今臣下论人罪恶，并应请付御史台按问，毋得乞留中㉒⑤，以杜谗邪。”

【段旨】

以上为第十段，写唐武宗能纳谏更改成命，下诏诛杀大臣应由御史台按问。

【注释】

⑳③武宗：名炎，唐穆宗第五子，公元八四一至八四六年在位。⑳④辛巳：正月初九日。⑳⑤还镇：谓从云迦关回振武军。⑳⑥错子山：山名，在释迦泊西三百里。释迦泊在中受降城（今内蒙古包头西南）西北塞外。⑳⑦甲戌：三月初三日。⑳⑧乙未：三月二十四日。⑳⑨潭、桂州：即潭州、桂州。潭州治所长沙，在今湖南长沙。桂州治所始安，在今广西桂林。㉑⓪手滑：任意放手处置。㉑①丙申：三月二十五日。㉑②刘晏（公元七一八至七八〇年）：字士安，曹州南华（今山东菏泽西北）人，唐肃宗时任户部侍郎、判度支。唐

【原文】

以魏博留后何重顺为节度使。

上命道士赵归真等于三殿㉒⑥建九天道场，亲授法箓㉒⑦。右拾遗王哲上疏切谏，坐贬河南府㉒⑧士曹㉒⑨。

秋，八月，加仇士良观军容使。

天德军使田牟㉓⓪、监军韦仲平欲击回鹘以求功㉓①，奏称：“回鹘叛将嗢没斯等侵逼塞下，吐谷浑、沙陀、党项皆世与为仇，请自出兵驱

在一起！李珏、薛季稜的意愿是立陈王，杨嗣复、刘弘逸的意愿是立安王。立陈王还可以说是文宗本来的意愿，立安王就是一心依附杨妃。杨嗣复还给杨妃写信说：'您为什么不仿效武则天临朝称制呢！'如果安王得志，朕哪里还有今天！"李德裕等人说："这件事暧昧不清，真假难知。"武宗说："杨妃曾经有病，文宗听任她的弟弟玄思入宫侍候一个多月，这样杨嗣复和杨妃得以沟通想法。朕详细询问过内侍诸人，情况明明白白，不是虚假的事。"于是把派出的两位中使追回来，改贬杨嗣复为潮州刺史，李珏为昭州刺史，裴夷直为驩州司户。

夏，六月初六日乙巳，下诏说："从今以后，臣下论定人的罪恶，都应当交付御史台审问，不得请求留在禁中，以杜绝坏人从中作祟。"

代宗立，任宰相。唐德宗即位，杨炎诬晏谋立韩王为太子，以摇东宫，赐死。传见《旧唐书》卷一百二十三、《新唐书》卷一百四十九。㉑③录其子孙：德宗冤杀刘晏，后悔，录其二子刘执经为太常博士，刘宗经为秘书郎。录，着籍叙用。㉑④窜谪：流放。㉑⑤著白：暴露清楚。㉑⑥极言：竭力进言；尽情说出。㉑⑦何尝比数：何曾与我站在一起。比数，同列。㉑⑧临朝：当朝处理政事。㉑⑨听：听任；任凭。㉒⓪指：同"旨"。㉒①皎然：清楚。㉒②二使：指二中使，一往潭州，一往桂州。㉒③昭州：州名，治所平乐，在今广西平乐。㉒④乙巳：六月初六日。㉒⑤留中：把奏章扣留在禁中。

【校记】

［7］上：原脱。据章钰校，十二行本、乙十一行本、孔天胤本皆有此字，今据补。［8］指意：据章钰校，十二行本、乙十一行本皆作"意指"。

【语译】

任命魏博镇留后何重顺为节度使。

武宗命令道士赵归真等人在三殿设置九天道场，武宗亲自接受法箓。右拾遗王哲上疏恳切谏阻，被贬为河南府士曹参军。

秋，八月，加给仇士良观军容使官衔。

天德军使田牟、监军韦仲平想通过攻打回鹘立功，上奏说："回鹘叛将嗢没斯等人入侵逼近塞下，吐谷浑、沙陀、党项等族都与他们世代为仇，请求各自出兵赶走

逐。”上命朝臣议之。议者皆以为嗢没斯等[9]叛可汗而来，不可受。宜如牟等所请，击之便。上以问宰相，李德裕以为：“穷鸟入怀，犹当活之。况回鹘屡建大功㉜，今为邻国所破，部落离散，穷无所归，远依天子，无秋毫犯塞，奈何乘其困而击之！宜遣使者镇抚，运粮食以赐之，此汉宣帝所以服呼韩邪㉝也。”陈夷行曰：“此所谓借寇兵资盗粮㉞也，不如击之。”德裕曰：“彼吐谷浑等各有部落，见利则锐敏争进，不利则鸟惊鱼散，各走巢穴，安肯守死为国家用！今天德城兵才千余，若战不利，城陷必矣。不若以恩义抚而安之，必不为患。纵使侵暴边境，亦须俟[10]征诸道大兵讨之，岂可独使天德击之乎！”

时诏以鸿胪卿㉟张贾为巡边使，使察回鹘情伪㊱，未还。上问德裕曰：“嗢没斯等请降，可保信乎？”对曰：“朝中之人，臣不敢保，况敢保数千里外戎狄之心乎！然谓之叛将，则恐不可。若可汗在国，嗢没斯等帅众而来，则于体㊲固不可受。今闻其国败乱无主，将相逃散，或奔吐蕃，或奔葛逻禄，惟此一支远依大国。观其表辞，危迫恳切，岂可谓之叛将乎！况嗢没斯等自去年九月至天德，今年二月始立乌介㊳，自无君臣之分。愿且诏河东、振武严兵保境以备之，俟其攻犯城镇，然后以武力驱除。或于吐谷浑等部中少[11]有抄掠，听自仇报，亦未可助以官军。仍诏田牟、仲平毋得邀功生事，常令不失大信，怀柔得宜，彼虽戎狄，必知感恩。”辛酉㊴，诏田牟约勒㊵将士及杂虏㊶，毋得先犯回鹘。九月戊辰朔㊷，诏河东、振武严兵以备之。牟，布之弟也。

癸巳㊸，卢龙军乱，杀节度使史元忠，推牙将[12]陈行泰主留务。

李德裕请遣使慰抚回鹘，且运粮三万斛以赐之，上以为疑。闰月己亥㊹，开延英，召宰相议之。陈夷行于候对之所㊺，屡言资盗粮不可。德裕曰：“今征兵未集，天德孤危。傥不以此粮啖㊻饥虏，且使安静，万一天德陷没，咎将谁归！”夷行至上前，遂不敢言，上乃许以谷二万斛赈之。

回鹘兵。”武宗命令朝臣讨论这件事。议论的人都认为嗢没斯等背叛可汗到边境来，不可以接受。应当如田牟等所请求的那样，击退他们较为妥当。武宗拿此事询问宰相，李德裕认为：“困窘的鸟雀落入怀中，还应当救活它。何况回鹘屡次为国家建立大功，现在被邻国打败，部落离散，穷途末路，没有归宿，从远地跑来投靠天子，对边塞秋毫无犯，为什么趁着他们困窘的时候进攻他们呢！应当派遣使者守护安抚他们，运粮食给他们，这就是汉宣帝所以征服匈奴呼韩邪单于的办法。”陈夷行说：“这是叫作把武器借给敌寇，用粮食资助强盗，不如进攻他们。”李德裕又说：“那吐谷浑等各有自己的部落，看到有利可图时就会迅速凶猛地进攻，在不利的时候就会如惊鸟一样飞走，如鱼一样游散，各自逃回巢穴，哪里会拼死为国家所用！现在天德城士兵只有一千多人，如果战争没有获胜，城池一定陷落。不如用恩义去安抚他们，一定不会有祸患。即使他们侵暴边境，也须等待征调各道的大军讨伐他们，怎么可以单独让天德军去进攻他们呢！”

当时诏令鸿胪卿张贾为巡边使，让他察看回鹘的虚实，还没有回来。武宗问李德裕说：“嗢没斯等人请求投降，可以保证诚信吗？”李德裕回答说：“朝廷中的人，臣都不敢担保，何况担保数千里外戎狄的心思呢！然而称嗢没斯为叛将，恐怕不可以。如果可汗在国君的位子上，嗢没斯等带领兵众而来，那么就规矩而言固然不可接受。现在听说回鹘国家败乱无主，将、相逃散，有的投奔吐蕃，有的投奔葛逻禄，只有这一支从远方来依附我们这个大国。看嗢没斯的奏表言辞，急迫恳切，怎么可以称他为叛将呢！况且嗢没斯等人去年九月到了天德军，今年二月才拥立乌介，他们自然没有君臣的名分。希望暂且诏令河东、振武两镇整饬军队，保护边境，防备他们，等他们来侵犯城镇，然后用武力把他们驱逐出去。吐谷浑等部落中稍有抢掠行为的，听任他们自己互相报复，也不要派官军去帮助某一方。仍诏令田牟、韦仲平不得为获取战功而制造事端，要长久维持不丧失国家的信用之状态，安抚适宜，他们虽是戎狄，也一定知道感谢朝廷恩德。”八月二十四日辛酉，诏令田牟约束将士和其他少数民族，不得先去侵犯回鹘人。九月初一日戊辰，诏令河东、振武两镇整饬军队防备回鹘。田牟是田布的弟弟。

九月二十六日癸巳，卢龙军叛乱，杀害了节度使史元忠，推举牙将陈行泰主持留后事务。

李德裕请求派遣特使抚慰回鹘，并且运送粮三万斛赐给他们，武宗对这件事还有疑虑。闰九月初三日己亥，在延英殿开会，召集宰相商议这件事。陈夷行在等待召对之处，多次说资给强盗粮食不可行。李德裕说：“现在征调的军队尚未集中，天德军孤立危险。如果不用这些粮食给饥饿的回鹘吃，暂时让他们安静下来，万一天德陷落，将来谁担当这个罪责！”陈夷行到武宗面前，就不敢说话了，武宗于是答应拿出二万斛谷来赈济回鹘。

【段旨】

以上为第十一段，写李德裕安抚回鹘。

【注释】

㉖三殿：唐麟德殿三面有门，故又称三殿。方镇及外国使者来朝，宴请在三殿进行。㉗法箓：符箓，道教的秘文。㉘河南府：府名，治所洛阳，在今河南洛阳东北。㉙士曹：官名，即士曹司士参军事，掌津梁、舟车、舍宅、百工众艺之事。㉚田牟：田弘正之子，田布之弟。历官武宁、兖海、天平等节度使。传见《旧唐书》卷一百四十一、《新唐书》卷一百四十八。㉛求功：立功。㉜屡建大功：指回鹘助唐室收复两京，平定安史之乱。㉝服呼韩邪：指南匈奴呼韩邪单于率众归附汉朝。事见本书卷二十七汉宣帝甘露三年。服，使动用法，指使呼韩邪归服。㉞借寇兵资盗粮：把武器借给敌

【原文】

以前山南东道节度使、同平章事牛僧孺为太子太师[247]。先是，汉水溢，坏襄州[248]民居，故李德裕以为僧孺罪而废之[249]。

卢龙军复乱，杀陈行泰，立牙将张绛。

初，陈行泰逐史元忠，遣监军傔[250]以军中大将表来求节钺。李德裕曰："河朔事势，臣所熟谙。比来朝廷遣使赐诏常太速，故军情遂固。若置之数月不问，必自生变。今请留监军傔，勿遣使以观之。"既而军中果杀行泰，立张绛，复求节钺，朝廷亦不问。会雄武军[251]使张仲武[252]起兵击绛，且遣军吏吴仲舒奉表诣京师，称绛惨虐，请以本军讨之。

冬，十月，仲舒至京师。诏宰相问状，仲舒言："行泰、绛皆游客[253]，故人心不附。仲武幽州旧将，性忠义，通书，习戎事，人心向之。向者张绛初杀行泰，召仲武，欲以留务让之，牙中一二百人不可。仲武行至昌平[254]，绛复却之。今计仲武才发雄武，军中已逐绛矣。"李德裕问："雄武士卒几何？"对曰："军士八百，外有土团[255]五百人。"德裕曰："兵少，何以立功？"对曰："在得人心。苟人心不从，兵三万何益！"德裕又问："万一不克，如何？"对曰："幽州粮食皆在妫州及北边七镇[256]，万一未能入，则据居庸关[257]，绝其粮道，幽州自困矣。"

寇，用粮食资助强盗。语出《史记》卷八十七《李斯列传》："借寇兵而赍盗粮。"㉟鸿胪卿：官名，鸿胪寺掌四夷朝会册封及凶礼丧葬之事，其长官为卿，副长官为少卿。㊱察回鹘情伪：谓张贾名为巡视边境，实乃侦察回鹘虚实真伪。㊲体：规矩。㊳乌介：人名，回鹘部落大人，被立为可汗。㊴辛酉：八月二十四日。㊵约勒：约束。㊶杂虏：指吐谷浑、沙陀、党项等部落。㊷戊辰朔：九月初一日。㊸癸巳：九月二十六日。㊹己亥：闰九月初三日。㊺候对之所：等候召对之处所。㊻啖：吃；给吃。

【校记】

［9］等：原无此字。据章钰校，十二行本、乙十一行本皆有此字，今据补。［10］俟：原无此字。据章钰校，十二行本、乙十一行本、孔天胤本皆有此字，今据补。［11］少：据章钰校，十二行本、乙十一行本皆作"小"。［12］牙将：原无此二字。据章钰校，十二行本、乙十一行本皆有此二字，张瑛《通鉴校勘记》同，今据补。

【语译】

任命前山南东道节度使、同平章事牛僧孺为太子太师。此前，汉水泛滥，毁坏了襄州居民的房屋，所以李德裕认为是牛僧孺的罪过而把他改任闲职。

卢龙军又叛乱，杀了陈行泰，立牙将张绛。

当初，陈行泰驱逐史元忠，派遣监军的侍从用军中大将的名义上奏表要求节钺。李德裕说："河朔形势，臣很了解。近年朝廷派使者赐诏令常常太快了，所以军事形势就稳固下来。如果摆在那里几个月不过问，自身一定会发生变化。现在请把监军的侍从留下，不派遣使者，观察一下他们。"不久军中果然杀了陈行泰，拥立张绛，又向朝廷请求节钺，朝廷也不理会。恰巧雄武军使张仲武起兵讨伐张绛，并且派遣军吏吴仲舒携带奏表前往京师，说张绛残酷暴虐，请求统领本部军队讨伐张绛。

冬，十月，吴仲舒到达京师。诏令宰相询问情况，吴仲舒说："陈行泰、张绛都是外来客，所以人心不归附他们。张仲武是幽州的老将领，本性忠义，通晓书文，熟习武事，人心都向着他。前时张绛刚杀了陈行泰，召唤张仲武，想把留后一职让给张仲武，衙中有一两百人不同意。张仲武到了昌平，张绛又叫他退回去。现在估计张仲武才从雄武军驻地出发，卢龙军中已经驱逐张绛了。"李德裕问："雄武军有多少兵员?"吴仲舒回答说："军士八百人，另外有土团五百人。"李德裕说："兵士少，怎么去建立功业?"回答说："在于获得人心。如果人心不顺从，有三万名兵士又有什么用!"李德裕又问："万一不能打败张绛，怎么办?"吴仲舒回答说："幽州的粮食都在妫州和北边七镇，万一不能进入幽州城，就据守居庸关，断绝他的粮道，幽州自然陷入困境了。"

德裕奏："行泰、绛皆使大将上表，胁朝廷，邀节钺，故不可与。今仲武先自[13]发兵为朝廷讨乱，与之则似有名。"乃以仲武知卢龙留后。仲武寻克幽州。

【段旨】

以上为第十二段，写李德裕借水灾罢牛僧孺山南东道节度使，夺其兵权。写李德裕善处置，讨平卢龙军乱。

【注释】

㉔⑦太子太师：东宫官属。东宫掌教谕太子之官有三师、三少。三师为太师、太傅、太保，从一品。三少为少师、少傅、少保，正二品。㉔⑧襄州：州名，治所襄阳，在今湖北襄阳市襄城区。㉔⑨废之：谓使任散职太子少师，居官无权。㉕⓪傔：即傔从。指监军的侍从。㉕①雄武军：军镇名，在今天津市蓟州区北。㉕②张仲武：范阳（今河北涿州）人，

【原文】

上校猎㉕⑧咸阳㉕⑨。

十一月，李德裕上言："今回鹘破亡，太和公主㉖⓪[14]未知所在，若不遣使访问，则戎狄必谓国家降主虏庭，本非爱惜，既负公主，又伤虏情。请遣通事舍人㉖①苗缜赍诏诣嗢没斯，令转达公主，兼可卜嗢没斯逆顺之情。"从之。

上颇好田[15]猎及武戏㉖②，五坊小儿得出入禁中，赏赐甚厚。尝谒郭太后㉖③，从容问为天子之道，太后劝以纳谏。上退，悉取谏疏阅之，多谏游猎。自是上出畋稍稀，五坊无复横赐㉖④。

癸亥㉖⑤，以中书侍郎、同平章事崔郸同平章事，充西川节度使。

初，黠戛斯既破回鹘，得太和公主。自谓李陵㉖⑥之后，与唐同姓，遣达干㉖⑦十人奉公主归之于唐。回鹘乌介可汗引兵邀击达干，尽杀之，质公主㉖⑧，南度碛㉖⑨，屯天德军境上。公主遣使上表，言可汗已立，求

李德裕上奏说："陈行泰、张绛都让大将上表，胁迫朝廷，求取节钺，所以不能给。现在张仲武首先自己发兵为朝廷讨伐叛乱者，给他节钺似乎是有名义的。"于是就任命张仲武代理卢龙留后。张仲武不久攻下了幽州。

范阳旧将张光朝之子，历任雄武军使、卢龙节度副大使。传见《旧唐书》卷一百八十、《新唐书》卷二百十二。㉓游客：谓陈行泰、张绛为外来客，非幽州旧将。㉔昌平：县名，县治在今北京市昌平区。㉕土团：召集当地人组成的武装集团。㉖北边七镇：幽州北边为檀州，有大王、北来、保要、鹿固、赤城、邀虏、石子蚫七镇，在今北京市密云区、平谷区境内。㉗居庸关：关名，在今北京市昌平区西北。

【校记】

［13］先自：原无此二字。据章钰校，十二行本、乙十一行本皆有此二字，张敦仁《通鉴刊本识误》、张瑛《通鉴校勘记》同，今据补。

【语译】

武宗到咸阳狩猎。

十一月，李德裕上奏说："现在回鹘败亡，太和公主不知在什么地方，如果不派遣使者去询问，那么戎狄之人一定会说国家把公主下嫁虏庭，本来就不是爱惜公主，这样既对不起公主，又伤害了外虏的情感。请派遣通事舍人苗缜带着诏书前往嗢没斯那里，让他转达公主，同时可以测试嗢没斯是真归顺还是假归顺的情况。"武宗答应了。

武宗很喜欢狩猎和武戏，五坊小儿能够出入禁中，赏赐很丰厚。武宗曾拜谒郭太后，闲谈中问及做天子的规则，太后劝他要纳谏。武宗回来后，把进谏的奏疏都拿来看，大多是谏止游猎。从此武宗出去打猎的次数逐渐减少，五坊小儿也得不到随意的赏赐了。

十一月二十七日癸亥，任命中书侍郎、同平章事崔郸为同平章事，充任西川节度使。

当初，黠戛斯打败了回鹘，获得了太和公主。黠戛斯人自称是李陵的后代，和唐朝皇帝同姓，于是派遣达干十人奉送公主返回唐朝。回鹘乌介可汗带兵拦击达干，把他们都杀了，把公主作为人质，向南越过沙漠，屯驻在天德军边境上。公主派遣

册命。乌介又使其相颉干伽斯等上表，借振武一城以居公主、可汗。十二月庚辰㉗⓪，制遣右金吾大将军王会等慰问回鹘，仍赈米二万斛。又赐乌介可汗敕书，谕以“宜帅部众渐复旧疆，漂寓塞垣㉗①，殊非良计”。又云：“欲借振武一城，前代未有此比㉗②。或欲别迁善地，求大国声援，亦须且[16]于漠南驻止。朕当许公主入觐㉗③，亲问事宜。傥须应接㉗④，必无所吝。”

【段旨】

以上为第十三段，写李德裕羁縻回鹘。

【注释】

㉕⑧校猎：设栅围兽，然后猎取。㉕⑨咸阳：县名，县治在今陕西咸阳东北。㉖⓪太和公主：唐宪宗之女、唐穆宗之妹。长庆元年（公元八二一年）嫁回鹘崇德可汗，会昌三年（公元八四三年）回归。传见《新唐书》卷八十三。㉖①通事舍人：官名，中书省属官，掌朝见引纳、殿庭通奏。㉖②武戏：指踢球、骑射、手搏等。㉖③郭太后：唐宪宗懿安皇后。郭子仪孙女，唐穆宗之母，唐武宗祖母。㉖④横赐：随意赐给。㉖⑤癸亥：十一月二十七日。㉖⑥李陵（？至公元前七四年）：字少卿，汉名将李广之孙，官至骑都尉。汉武帝

【原文】

二年（壬戌，公元八四二年）

春，正月，以张仲武为卢龙节度使。

朝廷以回鹘屯天德、振武北境，以兵部郎中李拭㉗⑤为巡边使，察将帅能否。拭，鄘㉗⑥之子也。

二月，淮南节度使李绅入朝。丁丑㉗⑦，以绅为中书侍郎、同平章事、判度支。

河东节度使苻澈修杷头烽㉗⑧旧戍以备回鹘。李德裕奏请增兵镇守，及修东、中二受降城㉗⑨，以壮天德形势，从之。

使者呈上奏表，说是可汗已经即位，请求册封。乌介又派他的宰相颉干伽斯等上表，要求借振武一城来让公主、可汗居住。十二月十四日庚辰，朝廷下诏派遣右金吾大将军王会等人慰问回鹘，还赈济他们二万斛米。又赏赐乌介可汗敕书，告谕他“应当带领部下逐渐恢复旧有的疆域，漂流寄居在边塞地方，不是好办法”。又说：“想借振武的一座城，前代没有此例。或许想另外迁到好的地方去，要求大国援助，也必须暂时在漠南停驻。朕会允许公主入京朝见，亲自询问有关诸事。倘若需要接应，一定不会吝惜。”

天汉二年（公元前九九年），李陵率步卒五千出居延击匈奴，战败投降。单于以女妻之，立为右校王。㉖达干：突厥大臣称谓之一，回鹘、黠戛斯等因之。㉘质公主：以公主为人质。㉙碛：沙漠。㉚庚辰：十二月十四日。㉛漂寓塞垣：漂泊流寓在边塞地带。㉜此比：此例。㉝觐：朝见。㉞应接：照应、迎接。

【校记】

［14］太和公主：原作“大和公主”。据章钰校，十二行本、乙十一行本皆作“太和公主”，今从改。下同。［15］田：据章钰校，十二行本、乙十一行本、孔天胤本皆作“畋”。〖按〗二字通。［16］且：原无此字。据章钰校，十二行本、乙十一行本、孔天胤本皆有此字，今据补。

【语译】

二年（壬戌，公元八四二年）

春，正月，任命张仲武为卢龙节度使。

朝廷因回鹘屯驻在天德、振武军的北面边境上，就任命兵部郎中李拭为巡边使，去考察将帅是否能干。李拭是李鄘的儿子。

二月，淮南节度使李绅回朝。十二日丁丑，任命李绅为中书侍郎、同平章事、判度支。

河东节度派苻澈修整杷头烽旧戍用来防备回鹘。李德裕奏请增兵防守，以及修整东、中二受降城，用来壮大天德军形势，朝廷同意了。

右散骑常侍柳公权素与李德裕善，崔珙奏为集贤学士[280]、判院事。德裕以恩非己出，因事左迁公权为太子詹事。

回鹘复奏求粮，及寻勘[281]吐谷浑、党项所掠，又借振武城。诏遣内使杨观赐可汗书，谕以城不可借，余当应接处置。

三月戊申[282][17]，李拭巡边还，称振武节度使刘沔有威略，可任大事。时河东节度使苻澈疾病，庚申[283]，以沔代之。以金吾上将军李忠顺为振武节度使。遣将作少监苗缜册命乌介可汗，使徐行[284]，驻于河东，俟可汗位定，然后进。既而可汗屡侵扰边境，缜竟不行。

回鹘嗢没斯以赤心桀黠难知[285]，先告田牟云，赤心谋犯塞。乃诱赤心并仆固杀之，那颉啜收赤心之众七千帐东走。河东奏："回鹘兵至横水[286]，杀掠兵民，今退屯释迦泊[287]东。"李德裕上言："释迦泊西距可汗帐三百里，未知此兵为那颉[288]所部，为可汗遣来。宜且指此兵云不受可汗指挥，擅掠边鄙。密诏刘沔、仲武先经略此兵，如可以讨逐，事亦有名。摧此一支，可汗必自知惧。"

夏，四月庚辰[289]，天德都防御使田牟奏："回鹘侵扰不已，不俟朝旨，已出兵三千拒之。"壬午[290]，李德裕奏："田牟殊不知兵！戎狄长于野战[291]，短于攻城，牟但应坚守，以待诸道兵集。今全军出战，万一失利，城中空虚，何以自固！望亟遣中使止之。如已交锋，即诏云、朔、天德以来羌[292]、浑各出兵奋击回鹘，凡所虏获，并令自取。回鹘羁旅[293]二年，粮食乏绝，人心易动。宜诏田牟招诱降者，给粮转致太原，不可留于天德。嗢没斯情[18]伪虽未可知，然要早加官赏。纵使不诚，亦足为反间。且欲奖其忠义，为讨伐之名，令远近诸蕃知但责可汗犯顺，非欲尽灭回鹘。石雄善战无敌，请以为天德都团练副使，佐田牟用兵。"上皆从其言。

初，太和中，河西党项扰边。文宗召石雄于白州[294]，隶振武军为裨将，屡立战功。以王智兴故，未甚进擢。至是，德裕举用之。

甲申[295]，嗢没斯帅其国特勒、宰相等二千二百余人来降。

上信任李德裕，观军容使仇士良恶之。会上将受尊号，御丹凤楼

右散骑常侍柳公权一向和李德裕相友好，崔珙保奏柳公权为集贤学士、判院事。李德裕认为提拔之恩不是出于自己，因而借故把柳公权降职为太子詹事。

回鹘又上奏求取粮食，以及查找吐谷浑、党项所抢走的东西，又要求借振武城。武宗下诏派遣内使杨观赐给可汗国书，告诉他振武城是不能借的，其余的要求答应安排处理。

三月十三日戊申，李拭巡边返回，说振武节度使刘沔有勇有谋，可以担当大事。当时河东节度使苻澈病重，二十五日庚申，让刘沔替代苻澈的职务。任命金吾上将军李忠顺为振武节度使。派遣将作少监苗缜去册封乌介可汗，要他缓慢前行，在河东镇屯驻下来，等可汗之位稳定了，然后前进。不久，可汗多次侵扰边境，苗缜最终没有成行。

回鹘嗢没斯认为赤心这个人凶悍狡猾，难以捉摸，预先告诉田牟说，赤心谋划侵犯边塞。于是诱杀了赤心和仆固，那颉啜收合赤心的部众七千帐向东边逃去。河东镇上奏说："回鹘兵到达横水，杀掠兵民，现在后撤屯驻在释迦泊的东边。"李德裕上奏说："释迦泊西距可汗驻地三百里，不知道这一部分军队是那颉啜所统领的，还是可汗派来的。应当暂时把这支军队指云不受可汗指挥，擅自抢掠边界。秘密诏令刘沔、张仲武先治理这支军队，假如可以讨伐驱逐他们，此事也有正当名义。摧垮这一支军队，可汗一定会感到惧怕。"

夏，四月十六日庚辰，天德都防御使田牟上奏说："回鹘侵扰不停，我没有等待朝廷旨令，已派出三千人抵抗他们。"十八日壬午，李德裕上奏说："田牟太不懂得用兵！戎狄擅长野战，短于攻城，田牟只应坚守城池，以等待其他各道军队齐集。现在全军出战，万一失利，城中空虚，拿什么来固守！希望马上派遣中使阻止田牟那么做。如果已经打起来了，立即诏令云州、朔州、天德军等处的羌、浑族人各出兵奋力进攻回鹘，凡是俘获的东西，都归自己所有。回鹘在外游处两年了，粮食缺乏，人心容易动摇。应当诏令田牟招诱来投降的人，供给他们粮食，把他们送到太原去，不能够留在天德。嗢没斯的投降是真是假虽然还不了解，但要早一点给他们官爵和赏赐。即使他们不是诚心投降，也足可以离间回鹘各部之间的关系。并且要通过奖赏嗢没斯的忠义，作为讨伐的名义，使远近各少数民族了解这样做只是谴责可汗不服从朝廷，不是想要把回鹘族全部消灭。石雄善战无敌，请求任命他为天德军都团练副使，协助田牟用兵。"武宗全部采纳了李德裕的意见。

当初，在太和年间，河西党项骚扰边境。文宗从白州把石雄召来，隶属振武军，担任裨将，石雄多次立有战功。因为王智兴的缘故，没有很大的提升。到这时，李德裕才推举重用他。

四月二十日甲申，嗢没斯率领他们国家的特勒、宰相等二千二百余人前来投降。

武宗信任李德裕，观军容使仇士良却忌恨李德裕。适逢武宗将要接受尊号，驾

宣赦。或告士良，宰相与度支议草制减禁军衣粮及马刍粟。士良扬言于众曰："如此，至日，军士必于楼前喧哗！"德裕闻之，乙酉[296]，乞开延英自诉。上怒，遽遣中使宣谕两军："赦书初无此事。且赦书皆出朕意，非由宰相，尔安得此言！"士良乃惶愧称谢。丁亥[297]，群臣上尊号曰仁圣文武至神大孝皇帝，赦天下。

五月戊申[298]，遣鸿胪卿张贾安抚嗢没斯等，以嗢没斯为左金吾大将军、怀化郡王，其次酋长官赏有差。赐其部众米五千斛，绢三千匹。

那颉啜帅其众自振武、大同[299]，东因室韦[300]、黑沙[301]，南趣[302]雄武军，窥幽州。卢龙节度使张仲武遣其弟仲至将兵三万迎击，大破之，斩首捕虏不可胜计，悉收降其七千帐，分配诸道。那颉啜走，乌介可汗获而杀之。

【段旨】

以上为第十四段，写唐军破灭回鹘那颉啜部。

【注释】

㉗⑤李拭：历官河东、凤翔节度使。事附《新唐书》卷一百四十六《李鄘传》。㉗⑥鄘：李鄘（？至公元八二〇年），字建侯，历任京兆尹，凤翔、河东、淮南等节度使。传见《旧唐书》卷一百五十七、《新唐书》卷一百四十六。㉗⑦丁丑：二月十二日。㉗⑧杷头烽：烽火台名。胡注："杷头烽北临大碛，东望云、朔，西望振武。"㉗⑨东、中二受降城：皆城名，东受降城在今内蒙古托克托南，中受降城在今内蒙古包头西南。二城皆筑于唐中宗景龙二年（公元七〇八年），此次为整修。㉘⓪集贤学士：官名，即集贤殿书院学士，其下有直学士，掌图书秘籍。元和四年（公元八〇九年）起，以年高资重的学士判院事。㉘①寻勘：查找。㉘②戊申：三月十三日。㉘③庚申：三月二十五日。㉘④使徐行：令苗缜缓行，拖延时间。㉘⑤桀黠难知：凶悍狡猾，难以捉摸。㉘⑥横水：水名，故道在今山西

临丹凤楼宣布大赦。有人告诉仇士良，宰相和度支商量为皇上起草诏令，减少供给禁军的衣粮和马的草料。仇士良在群众中扬言说：“这么做的话，到那一天，军士一定会在楼前喧闹！”李德裕听到了，四月二十一日乙酉，请求在延英殿开会自我申诉。武宗很生气，即刻派遣中使告谕两军说：“赦书本来没有这回事。而且赦书都是出自朕的旨意，不是经过宰相提出来的，你们从哪里得知这种话！”仇士良于是又惶恐又惭愧地向武宗谢罪。二十三日丁亥，群臣奉上尊号称仁圣文武至神大孝皇帝，大赦天下。

五月十四日戊申，派遣鸿胪卿张贾安抚嗢没斯等人，任命嗢没斯为左金吾大将军、怀化郡王，其他的酋长官吏依等级得到赏赐。赏给他部下兵众米五千斛，绢三千匹。

那颉啜带领他的部众从振武、大同出发，向东沿着室韦、黑沙，向南往雄武军进发，窥伺幽州。卢龙节度使张仲武派遣弟弟张仲至带领三万人迎击，大败他们，杀死的、俘虏的敌人数也数不清，投降的七千帐兵员全都接受，分配到各道。那颉啜逃跑后，被乌介可汗抓获杀死了。

大同西北，清代已湮没。㉘⑦释迦泊：地名，在中受降城西北塞外。㉘⑧那颉：人名，即前文那颉啜，回鹘部落大人。㉘⑨庚辰：四月十六日。㉙⓪壬午：四月十八日。㉙①野战：在野外作战。㉙②羌：即党项，又称党项羌。㉙③羁旅：客居在外。此指回鹘离开故土，流窜在外。㉙④召石雄于白州：石雄与王智兴不睦，被流放于白州。事见本书卷二百四十四唐文宗太和三年。㉙⑤甲申：四月二十日。㉙⑥乙酉：四月二十一日。㉙⑦丁亥：四月二十三日。㉙⑧戊申：五月十四日。㉙⑨大同：军镇名，即大同军，治所马邑，在今山西朔州东北。㉚⓪室韦：部族名，契丹之别种，主要分布在黑龙江上游及额尔古纳河一带，有二十余部。此指迁至幽州塞外的黑车子室韦。㉚①黑沙：城名，在今山西大同西北。㉚②趣：通“趋”，趋进，奔赴。

【校记】

［17］戊申：原无此二字。据章钰校，十二行本、乙十一行本、孔天胤本皆有此二字，张瑛《通鉴校勘记》同，今据补。［18］情：据章钰校，十二行本、乙十一行本皆作“诚”。

【原文】

时乌介众虽衰减，尚号十万，驻牙于大同军北闾门山。杨观自回鹘还，可汗表求[303]粮食、牛羊，且请执送[304]唱没斯等。诏报以“粮食听自以马价于振武籴三千石；牛，稼穑之资，中国禁人屠宰；羊，中国所鲜，出于北边杂虏，国家未尝科调[305]。唱没斯自本国初破，先投塞下，不随可汗已及二年。虑彼[306]猜嫌，穷迫归命。前可汗正以猜虐无亲，致内离外叛。今可汗失地远客，尤宜深矫前非。若复骨肉相残，则可汗左右信臣谁敢自保！朕务在兼爱，已受其降，于可汗不失恩慈，于朝廷免亏信义，岂不两全事体，深叶[307]良图”。

唱没斯入朝。六月甲申[308]，以唱没斯所部为归义军，以唱没斯为左金吾大将军，充军使。

门下侍郎、同平章事陈夷行罢为左仆射。秋，七月，以尚书右丞李让夷[309]为中书侍郎、同平章事。

岚州[310]人田满川据州城作乱，刘沔讨诛之。

唱没斯请置家太原，与诸弟竭力捍边[311]。诏刘沔存抚[312]其家。

乌介可汗复遣其相上表，借兵助复国，又借天德城。诏不许。

初，可汗往来天德、振武之间，剽掠羌、浑，又屯杷头烽北。朝廷屡遣使谕之，使还漠南，可汗不奉诏。李德裕以为：“那颉啜屯于山北[313]，乌介恐其与奚、契丹连谋邀遮[314]，故不敢远离塞下。望敕张仲武谕奚、契丹[315]与回鹘共灭那颉啜，使得北还。”及那颉啜死，可汗犹不去。议者又以为回鹘待马价。诏尽以马价给之，又不去。八月，可汗帅众过杷头烽南，突入大同川[316]，驱掠河东杂虏牛马数万，转斗至云州城门。刺史张献节闭城自守，吐谷浑、党项皆挈家入山避之。庚午[317]，诏发陈[318]、许、徐、汝、襄阳[319]等兵屯太原及振武、天德，俟来春驱逐回鹘。

丁丑[320]，赐唱没斯与其弟阿历支、习勿啜、乌罗思皆姓李氏，名思忠、思贞、思义、思礼，国相爱邪勿姓爱，名弘顺，仍以弘顺为归义军副使。

上遣回鹘石戒直[321]还其国，赐可汗书，谕以“自彼国为纥吃斯[322]所

【语译】

当时乌介可汗的部众虽然减少了，还是号称十万人，牙帐驻扎在大同军北面的闾门山。杨观从回鹘返回，所带可汗奏表请求给予粮食、牛羊，并且要求押送嗢没斯等人。武宗下诏回复说“粮食允许他们用自己卖马的钱，在振武军地方购买三千石；牛是耕田的牲畜，中国禁止百姓屠宰；羊在中国少有，出自北边杂虏，国家没有分派征调。嗢没斯从他的国家破败开始，最先投奔塞下，不跟随可汗已有两年。担心可汗猜忌他，在穷迫之中归服于我。前任可汗正是因为猜忌暴虐而失去亲信，以致内离外叛。现在可汗丧失本地，远客他乡，尤其应该彻底改变以前的错误。如果又是骨肉相残，那么可汗左右亲信的臣子谁敢自保没有危险！朕一心力求兼爱，已经接受了嗢没斯的归降，这对于可汗来说不会丧失恩慈，对于朝廷来说也不丧失信义，这难道不是事情两全其美，与良策深相符合”。

嗢没斯来到朝廷。六月二十一日甲申，命名嗢没斯所统率的部队为归义军，任命嗢没斯为左金吾大将军，充任军使。

门下侍郎、同平章事陈夷行免职，担任左仆射。秋，七月，任命尚书右丞李让夷为中书侍郎、同平章事。

岚州人田满川占据州城作乱，刘沔讨伐并杀了他。

嗢没斯请求把家安置在太原，和他的各个弟弟竭力保卫边境。诏令刘沔存问安抚他的家庭。

乌介可汗又派遣他的宰相上表，请求借兵帮助恢复国家，又要借取天德城。武宗下诏不同意。

当初，可汗往来于天德、振武之间，抢掠羌族和吐谷浑，又屯驻杷头烽北面。朝廷多次派遣使者告谕他，让他返回漠南，可汗不奉行诏令。李德裕认为：“那颉啜屯驻在阴山北面，乌介担心他与奚和契丹合谋拦路截击，所以不敢离开塞下太远。希望敕令张仲武告谕奚和契丹，与回鹘共同消灭那颉啜，使得乌介能回到北边去。”等到那颉啜死了，可汗还是不离开塞下。议政的人又认为回鹘是在等待卖马的钱。武宗下诏把买马的钱全部给了他，他还是不离开。八月，可汗带领部众越过杷头烽南，突入大同川，驱赶抢掠河东道境内杂虏的牛马数万只，辗转战斗达到云州城门。刺史张献节闭城自守，吐谷浑、党项都带着家小到山里去躲避回鹘。初九日庚午，诏命征发陈州、许州、徐州、汝州、襄阳等道兵屯驻太原及振武军、天德军，等到来年春天赶走回鹘。

八月十六日丁丑，赐嗢没斯和他的弟弟阿历支、习勿啜、乌罗思都姓李氏，名思忠、思贞、思义、思礼，国相爱邪勿姓爱，名叫弘顺，仍然以弘顺为归义军副使。

武宗派遣回鹘石戒直返回他的国家，赐给可汗诏书，告谕说“自从你的国家被

破，来投边境，抚纳无所不至。今可汗尚此近塞，未议还蕃，或侵掠云、朔等州，或钞击羌、浑诸部。遥揣深意，似恃姻好之情㉓，每观踪由㉔，实怀驰突㉕之计。中外将相咸请诛翦，朕情深屈己，未忍幸灾。可汗宜速择良图，无贻后悔”。

上又命李德裕代刘沔答回鹘相颉干迦斯书，以为："回鹘远来依投，当效呼韩邪遣子入侍㉖，身自入朝。及令[19]太和公主入谒太皇太后，求哀乞怜，则我之救恤㉗，无所愧怀㉘。而乃睥睨㉙边城，桀骜自若，邀求过望，如在本蕃。又深入边境，侵暴不已。求援继好，岂宜如是！来书又云胡人易动难安，若令忿怒，不可复制。回鹘为纥吃斯所破，举国将相遗骸弃于草莽，累代可汗坟墓，隔在天涯。回鹘忿怒之心，不施于彼㉚，而蔑弃㉛仁义，逞志中华，天地神祇㉜岂容如此[20]！昔郅支不事大汉，竟自夷灭㉝，往事之戒，得不在怀！"

戊子㉞，李德裕等上言："若如前诏，河东等三道㉟严兵守备，俟来春驱逐，乘回鹘人困马羸㊱之时，又官军免盛寒之苦，则幽州兵宜令止屯本道以俟诏命。若虑河冰既合，回鹘复有驰突，须早驱逐，则当及天时未寒，决策于数日[21]之间。以河朔兵益河东兵，必令收功于两月之内。今闻外议纷纭，互有异同，傥不一询群情，终为浮辞所挠。望令公卿集议！"诏从之。时议者多以为宜俟来春。

九月，以刘沔兼招抚回鹘使，如须驱逐，其诸道行营兵权令指挥。以张仲武为东面招抚回鹘使，其当道㊲行营兵及奚、契丹、室韦等并自指挥。以李思忠为河西㊳党项都将回鹘西南面招讨使，皆会军于太原。令沔屯雁门关㊴。

纥吃斯打败以后，前来投至我国边境地区，安抚接纳没有不周到的。现在可汗还在近处边塞，没有提出回到本地去，有时侵掠云、朔等州，有时抢劫羌、浑诸部。远远地推测你的深意，好像依仗着姻亲友好的情意，但每次观察你的踪迹由来，其实是心怀奔突侵扰的计谋。朝廷内外的将相都请求加以诛讨，朕由于情意深厚，便抑制自己，不忍看到你的灾祸。可汗应当赶快做出好的抉择，不要留下遗憾”。

武宗又命李德裕代刘沔写回答回鹘相颉干迦斯的信，认为：“回鹘从远地前来投靠朝廷，应当仿效呼韩邪送儿子入朝侍卫，亲自朝见天子。并令太和公主入朝拜见太皇太后，乞求哀怜，那么我们的救助抚恤，就无愧于心了。而你们却斜目窥伺我边城，凶暴乖戾依然如故，提出过分的要求，好像在本土一样。又深入我边境地区，侵扰抢掠不止。要求援助以延续友好关系，哪能像这样！来信又说胡人容易骚动，很难安定，假若引起愤怒，就不能再控制了。回鹘被纥吃斯所败，全国将相的遗骨遗弃草野，历代可汗的坟墓，相隔天涯。回鹘愤怒的心情，不去向那里发泄，却蔑视抛弃仁义，在我中华大地逞其威风，天地神祇怎么能容许这样！从前匈奴郅支单于不奉事大汉，最终被消灭，往事的鉴戒，怎能不放在心中！”

八月二十七日戊子，李德裕等上奏说：“要是按照上次诏令，河东等三道整饬军防，驻守防备，等待来年春天赶走回鹘，乘他人困马羸之时，另外官军也可免去酷寒之苦，幽州兵应当让他们只屯驻在本道内以等待诏命。如果考虑到黄河结冰后，回鹘又会驰骋侵扰，应该及早驱逐他们的话，就当趁天气还未寒冷，在数日内就应决定计策。利用河朔兵来增强河东兵，一定要在两个月之内就见功效。现在听到外边议论纷纷，互有异同，如果不征求一下大家的意见，终究会被那些夸夸其谈破坏大事。希望令公卿大臣集体讨论一番！”诏令依从这么办。当时讨论的人大多认为应当等到来春。

九月，任命刘沔兼招抚回鹘使，如果需要作战，诸道行营的军队暂时由他来指挥。任命张仲武为东面招抚回鹘使，本道行营兵和奚、契丹、室韦等一并由他自己指挥。任命李思忠为河西党项都将回鹘西南面招讨使，各军都在太原会合。命令刘沔屯驻雁门关。

【段旨】

以上为第十五段，写李德裕运筹帷幄，谋划围歼回鹘乌介可汗。

【注释】

㉓表求：上表请求。㉔执送：囚送；押送。㉕科调：分派征调。㉖彼：指乌介可汗。㉗叶：相协；相合。㉘甲申：六月二十一日。㉙李让夷：字达心，唐文宗时历任谏议大夫、中书舍人，唐武宗时官至宰相，唐宣宗时官终淮南节度使。传见《旧唐书》卷一百七十六、《新唐书》卷一百八十一。㉚岚州：州名，治所宜芳，在今山西岚县北。㉛捍边：保卫边境。㉜存抚：存问安抚。㉝山北：当为阴山之北。㉞邀遮：拦遮；阻断。㉟契丹：部族名，东胡别种。居黄水及土护真水一带，在今内蒙古西拉木伦河及老哈河一带。贞观二十二年（公元六四八年）于此置松漠都督府，治所在今内蒙古巴林左旗西南，唐肃宗上元以后废。㊱大同川：水名，在今内蒙古乌梁素海东。㊲庚午：八月初九日。㊳陈：州名，治所宛丘，在今河南淮阳。㊴襄阳：郡名，天宝、至德间改襄州为襄阳郡，故襄州、襄阳互称。治所襄阳，在今湖北襄阳市襄城区。㊵丁丑：八月十六日。㊶石戒直：回鹘人，久在长安，熟悉京师之事，此时自行请求奉使回国，武宗令其将诏书交给乌介可汗。《旧唐书·武宗纪》载赐乌介诏云："石戒直久在京城，备知人实愤惋，发于诚恳，固请自行。嘉其深见事机，不能违阻。可汗审自问遂，速择良

【原文】

初，奚、契丹羁属㊵回鹘，各有监使，岁督其贡赋，且诇㊶唐事。张仲武遣牙将石公绪统二部，尽杀回鹘监使等八百余人。仲武破那颉啜，得室韦酋长妻子。室韦以金帛羊马赎之，仲武不受，曰："但杀回鹘[22]监使则归之！"

癸卯㊷，李德裕等奏："河东奏事官孙俦适至，云回鹘移营近南四十里。刘沔以为此必契丹不与之同，恐为其掩袭㊸故也。据此事势，正堪驱除。臣等问孙俦，若与幽州合势，迫逐回鹘，更须益几兵？俦言不须多益兵，唯大同兵少，得易定千人助之足矣。"上皆从之。诏河东、幽州、振武、天德各出大兵，移营稍前，以迫回鹘。

上闻太子少傅白居易名，欲相之，以问李德裕。德裕素恶居易㊹，乃言"居易衰病，不任㊺朝谒。其从父弟左司员外郎敏中㊻，辞学不减居易，且有器识"。甲辰㊼，以敏中为翰林学士。

图，无至不悛，以贻后悔。”㉜纥吃斯：即黠戛斯，音译之异。㉝恃姻好之情：谓以太和公主为人质来要挟中国。㉞踪由：踪迹由来。㉟驰突：奔驰突击。㊱呼韩邪遣子入侍：指汉宣帝甘露二年（公元前五二年）呼韩邪遣子入侍，甘露三年亲自入朝拜见天子之事。㊲救恤：救济。㊳无所愧怀：无愧于心。㊴睥睨：斜视。㊵彼：指纥吃斯。㊶蔑弃：蔑视抛弃。㊷神祇：神灵。㊸昔郅支不事大汉二句：指汉元帝建昭三年（公元前三六年）郅支单于被诛，传首京师之事。㊹戊子：八月二十七日。㊺三道：指河东、卢龙、振武三节度使。㊻羸：瘦。㊼当道：本道。㊽河西：此为北河之西。黄河自内蒙古磴口以下，分为南北两支，北支称本河，即今乌加河，时为黄河正流。㊾雁门关：关名，亦名陉岭关、西陉关，故址在今山西代县西北雁门关西雁门山上。

【校记】

［19］令：原作“今”。据章钰校，十二行本、乙十一行本、孔天胤本皆作“令”，今据改。［20］如此：据章钰校，十二行本、乙十一行本于此二字下皆有“事”字。［21］日：原作“月”。据章钰校，十二行本、乙十一行本、孔天胤本皆作“日”，今据改。

【语译】

起初，奚和契丹附属于回鹘，各部都派有监使，每年督促他们缴纳贡赋，并且刺探唐朝的情况。张仲武派遣牙将石公绪统领二部，把回鹘派来的监使等八百多人全都杀了。张仲武打败那颉啜，俘获了室韦酋长的妻儿。室韦用金帛羊马来赎取，张仲武不接受，说：“只要杀掉回鹘监使就让他们回去！”

九月十二日癸卯，李德裕等人上奏：“河东奏事官孙俦刚刚来到，他说回鹘把军营向南移近了四十里。刘沔认为这必定是契丹不和回鹘同心，回鹘担心被契丹袭击的缘故。根据这种形势，正是应当驱逐回鹘的时候。臣等询问孙俦，如果和幽州合力，赶走回鹘，再要增加多少兵力？孙俦说不需要增加更多兵力，只是大同兵力少，得到易定军一千人的帮助就足够了。”武宗都听从了他们的意见。下诏河东、幽州、振武、天德各派出大军，把军营向前稍稍移动，以逼近回鹘。

武宗听到太子少傅白居易的名声，想任命他为宰相，以此询问李德裕。李德裕向来厌恶白居易，就说“白居易衰老多病，不堪上朝拜谒。他的堂弟左司员外郎白敏中，辞章学问不比白居易差，并且有气度识见”。九月十三日甲辰，任命白敏中为翰林学士。

李思忠请与契苾[348]、沙陀、吐谷浑六千骑合势击回鹘。乙巳[349]，以银州[350]刺史何清朝、蔚州刺史契苾通分将河东蕃兵诣振武，受李思忠指挥。通，何力[351]之五世孙。

冬，十月丁卯[352]，立皇子岘为益王，岐为兖王。

黠戛斯遣将军踏布合祖等至天德军，言：“先遣都吕施合等[353]奉公主归之大唐，至今无声问[354]，不知得达[355]，或为奸人所隔。今出兵求索，上天入地，期于必得[356]。”又言：“将徙就合罗川[357]，居回鹘故国[358]，兼已得安西、北庭达靼[359]等五部落。”

十一月辛卯朔[360]，昭义节度使刘从谏上言，请出部[23]兵五千讨回鹘。诏不许。

上遣使赐太和公主冬衣，命李德裕为书赐公主，略曰：“先朝割爱降婚[361]，义宁家国[362]，谓回鹘必能御侮[363]，安静塞垣[364]。今回鹘所为，甚不循理[365]。每马首南向，姑[366]得不畏高祖、太宗之威灵！欲侵扰边疆，岂不思太皇太后[367]之慈爱！为其国母，足得指挥。若回鹘不能禀命，则是弃绝姻好[368]，今日已[369]后，不得以姑为词[370]！”

上幸泾阳[371]校猎。乙卯[372]，谏议大夫高少逸[373]、郑朗[374]于阁中谏曰：“陛下比来游猎稍频，出城太远，侵星夜归[375]，万机旷废[376]。”上改容谢之。少逸等出，上谓宰相曰：“本置谏官使之论事，朕欲时时闻之。”宰相皆贺。己未[377]，以少逸为给事中，朗为左谏议大夫。

刘沔、张仲武固称盛寒未可进兵，请待岁首[378]；李忠顺独请与李思忠俱进。十二月丙寅[379]，李德裕奏请遣思忠进屯保大栅[380]，从之。

【段旨】

以上为第十六段，写李德裕受命赐书回鹘太和公主，责以大义。

李思忠请求和契苾、沙陀、吐谷浑六千名骑兵合力攻打回鹘。九月十四日乙巳，命令银州刺史何清朝、蔚州刺史契苾通分别率领河东蕃兵前往振武，接受李思忠的指挥。契苾通是契苾何力的第五代孙。

冬，十月初七日丁卯，立皇子李岘为益王，李岐为兖王。

黠戛斯派遣将军踏布合祖等到达天德军，说："先前派遣都吕施合等奉送公主回大唐来，至今没有消息，不知到达了没有，或是被奸人所隔绝。现在出兵寻找，哪怕是上天入地，期望一定找到。"又说："将迁到合罗川来，居住在回鹘原来的国土上，同时已获得安西、北庭达靼等五部落。"

十一月初一日辛卯，昭义节度使刘从谏上奏说，请求出动部下五千名士卒讨伐回鹘。武宗下诏不允许。

武宗派遣使者赐太和公主冬衣，命李德裕起草书信给公主，大意是说："先朝割爱下嫁，顾全大义，使国家安宁，以为回鹘必定能抵御外侮，安宁边塞。现今回鹘所为，极为不遵守道理。每次向南侵扰的时候，姑姑能不畏惧高祖、太宗的威灵吗！想侵扰边疆时，难道不想一想太皇太后的慈爱吗！作为回鹘的国母，是足以指挥他们的。倘若回鹘不能听从您的命令，那就是弃绝姻亲友好，从今以后，就不得借口姑姑的关系说话了！"

武宗到泾阳狩猎。十一月二十五日乙卯，谏议大夫高少逸、郑朗在阁中进谏说："陛下近来游猎稍微频繁，出城太远，早出晚归，政事荒废。"武宗以惭愧的脸色向他们道谢。高少逸等人退出来，武宗对宰相说："本来设置谏官，是让他们讨论国事，朕想经常听到他们的言论。"宰相都向武宗道贺。二十九日己未，任命高少逸为给事中，郑朗为左谏议大夫。

刘沔、张仲武坚持说盛寒不能出兵，请等到来年岁首；只有李忠顺请求和李思忠一同进兵。十二月初七日丙寅，李德裕奏请派遣李思忠进驻保大栅，武宗听从了。

【注释】

㉞⓪羁属：附属。㉞①诇：刺探。㉞②癸卯：九月十二日。㉞③掩袭：乘人不备，突然袭击。㉞④素恶居易：白居易与李宗闵友善，并非朋党，而李德裕以朋党视居易而恶之，荐其堂弟白敏中入翰林。后李德裕失势，白敏中为相，对李德裕落井下石。㉞⑤不任：不堪。㉞⑥敏中：白敏中，字用晦，会昌初任侍御史，转左司员外郎。及李德裕执政，举荐为翰林学士，迁中书舍人。宣宗、懿宗时两度入相。传见《旧唐书》卷一百六十六、《新唐书》卷一百十九。㉞⑦甲辰：九月十三日。㉞⑧契苾：部族名，位于多览葛之南（今蒙古乌兰巴托以南）。原为铁勒属部，贞观六年（公元六三二年）内附，永徽四年（公元六

五三年）以其部为贺兰都督府。㊾乙巳：九月十四日。㊿银州：州名，治所儒林，在今陕西榆林市横山区东。(351)何力：即契苾何力（？至公元六七七年），其先铁勒别部之酋长，贞观六年率众千余内附，置其部于甘、凉二州，本人入卫京师。先后讨平吐谷浑、突厥叛乱，出征高丽，官至镇军大将军、行左卫大将军，封凉国公。传见《旧唐书》卷一百九、《新唐书》卷一百十。(352)丁卯：十月初七日。(353)都吕施合等：即被乌介可汗所杀之黠戛斯十达干。(354)声问：音信。(355)得达：已经到达。(356)期于必得：期望必定能够找到。(357)合罗川：水名，在乌德鞬山（今蒙古杭爱山）西北。(358)回鹘故国：原在薛延陀北娑陵水（今蒙古色楞格河）一带，开元中徙至乌德鞬山（今蒙古杭爱山）一带。(359)达靼：部族名，又名塔塔尔，本靺鞨别部，曾先后被突厥、回鹘所役属。回鹘破灭，鞑靼在其故地崛起。(360)辛卯朔：十一月初一日。(361)先朝割爱降婚：先朝，指太和公主出嫁之朝，即穆宗朝。割爱降婚，割舍手足之恩爱，下嫁回鹘。(362)义宁家国：顾全大义，使国家安宁。(363)御侮：抵抗外敌入侵。(364)安静塞垣：谓保卫边境。(365)循理：遵守道理。(366)姑：指太和公主。公主乃宪宗之女，穆宗之妹，于武宗为姑。(367)太皇太后：即宪宗懿安皇后郭氏。(368)姻好：姻亲之好。(369)已：同“以”。(370)为词：作为托词、借口。(371)泾阳：县名，

【原文】

丁卯[381]，吐蕃遣其臣论普热来告达磨赞普之丧，命将作少监李璟为吊祭使。

刘沔奏移军云州。

李忠顺奏击回鹘，破之。

丙戌[382]，立皇子峄为德王，嵯为昌王。

初，吐蕃达磨赞普有佞幸之臣，以为相。达磨卒，无子，佞相立其妃綝氏兄尚延力之子乞离胡为赞普，才三岁，佞相与妃共制国事，吐蕃老臣数十人皆不得预政事。首相结都那见乞离胡不拜，曰：“赞普宗族甚多，而立綝氏子，国人谁服其令！鬼神谁飨其祀！国必亡矣！比年灾异之多，乃为此也。老夫无权，不得正其乱以报先赞普之德，有死而已！”拔刀剺面[383]，恸哭而出。佞相杀之，灭其族，国人愤怒。又不遣使诣唐求册立。

洛门川[384]讨击使论恐热性悍忍，多诈谋，乃属其徒告之曰：“贼舍国族立綝氏，专害忠良，以胁众臣，且无大唐册命，何名赞普！吾当与汝属举义兵，入诛綝妃及用事者，以正国家。天道助顺，功无不

县治在今陕西泾阳。372 乙卯：十一月二十五日。373 高少逸：山南东道节度使高元裕之兄，官至工部尚书。传见《旧唐书》卷一百七十一、《新唐书》卷一百七十七。374 郑朗（？至公元八五七年）：字有融，父珣瑜、兄覃皆任宰相。朗于唐宣宗时亦居相位。传见《旧唐书》卷一百七十三、《新唐书》卷一百六十五。375 侵星夜归：早出晚归。侵，渐近。376 万机旷废：政事荒废。377 己未：十一月二十九日。378 请待岁首：等待来年正月。即第二年正月。379 丙寅：十二月初七日。380 保大栅：寨垒名，在振武军之北，今内蒙古托克托之北。

【校记】

［22］回鹘：原无此二字。据章钰校，十二行本、乙十一行本、孔天胤本皆有此二字，张敦仁《通鉴刊本识误》、张瑛《通鉴校勘记》同，今据补。［23］部：据章钰校，十二行本、孔天胤本皆作“步”。

【语译】

十二月初八日丁卯，吐蕃派遣它的大臣论普热来报告达磨赞普的丧讯，朝廷命令将作少监李璟为吊祭使。

刘沔上奏移军云州。

李忠顺上奏说进攻回鹘，打败了它。

十二月二十七日丙戌，立皇子李峄为德王，李嵯为昌王。

当初，吐蕃达磨赞普有佞幸大臣，被任命为宰相。达磨去世，没有儿子，这位佞幸宰相立达磨妃綝氏的哥哥尚延力的儿子乞离胡为赞普，才三岁，佞相和妃共同掌管国事，吐蕃国的老臣数十人都不能参与政事。首相结都那见乞离胡不下拜，说：“赞普宗族很多，却立綝氏的儿子为国君，国人谁服从他的命令！鬼神哪个接受他的祭祀！国家必定会灭亡！近年来灾异很多，就是因为这个缘故。老夫无权，不能够纠正国家的混乱以报答先赞普的恩德，只有一死罢了！”于是拔出刀来划自己的脸，痛哭着出去了。佞相把他杀了，灭了他的家族，国人愤怒。又不派遣使者到唐朝来请求册封。

洛门川讨击使论恐热性情强悍残忍，阴谋诡计多，于是召集他的徒属告诉他们说：“奸贼抛弃国族而立綝氏为国君，专门残害忠良，威胁众臣，并且又没有大唐的册封，怎么能称赞普呢！我要和你们一道大举义兵，到朝中杀了綝妃和执政的人，

成。”遂说三部落㊳㊿，得万骑。是岁，与青海节度使㊳㊿同盟举兵，自称国相。

至渭州，遇国相尚思罗屯薄寒山㊳㊼，恐热击之，思罗弃辎重西奔松州㊳㊽。恐热遂屠渭州。思罗发苏毗㊳㊾、吐谷浑、羊同㊴⓪等兵，合八万，保洮水㊴①，焚桥拒之。恐热至，隔水语苏毗等曰：“贼臣乱国，天遣我来诛之，汝曹奈何助逆！我今已为宰相，国内兵我皆得制之，汝不从，将灭汝部落！”苏毗等疑不战。恐热引骁骑涉水，苏毗等皆降。思罗西走，追获杀之。恐热尽并其众，合十余万。自渭州[24]至松州，所过残灭，尸相枕藉㊴②。

【段旨】

以上为第十七段，写吐蕃内乱。

【注释】

㊳① 丁卯：十二月初八日。㊳② 丙戌：十二月二十七日。㊳③ 剺面：以刀划脸流血，表示哀痛，这是回鹘、吐蕃等部族的风俗。㊳④ 洛门川：水名，即落门水，在今甘肃武山县东。㊳⑤ 三部落：指吐蕃分居在河西、陇右的部落。一说指吐谷浑、党项、嗢末。㊳⑥ 青海节度使：吐蕃所置，治所西海城，在今青海海晏。㊳⑦ 薄寒山：山名，在今甘肃陇西县西南。㊳⑧ 松州：州名，治所嘉诚，在今四川松潘。㊳⑨ 苏毗：部族名，本西羌族，位于鹘莽峡（今青海唐古拉山口）以东，牦牛河（今通天河）以西。后为吐蕃所并。㊴⓪ 羊同：部族名，本西羌族，入西藏后居住在后藏阿里一带。后为吐蕃所灭。㊴① 洮水：水名，源出青海、甘肃交界的西倾山，流经甘肃临潭、临洮等县，北入黄河。㊴② 尸相枕藉：尸体堆积，纵横相枕。

【校记】

[24] 渭州：原作“渭川”。据章钰校，十二行本、乙十一行本皆作“渭州”，张敦仁《通鉴刊本识误》同，今据改。

使国家走上正轨。天道帮助顺天行事的人，我们一定会大功告成的。”于是劝说三个部落，得到一万名骑兵。这一年，他和青海节度使结成同盟一起发兵，自称是国相。

到达渭州，遇上国相尚思罗屯驻在薄寒山，论恐热攻打他，尚思罗丢弃辎重向西逃往松州。论恐热就大肆屠杀渭州群众。尚思罗征发苏毗、吐谷浑、羊同等部兵众，加起来有八万人，在洮水防卫，烧了大桥，抵抗论恐热。论恐热到来，隔着洮水向苏毗等部的人说：“贼臣乱国，上天派我来诛灭他，你们为什么帮助叛逆者！我现今已为宰相，国内的军队我都能控制，你们不服从的话，就要消灭你们的部落！”苏毗等部犹豫不战。论恐热带领骁骑渡过洮水，苏毗等部落都投降了。尚思罗向西逃跑，论恐热追赶，抓获了尚思罗并且把他杀了。论恐热把尚思罗的部众全都合并起来，共有十多万人。从渭州到松州，军队经过的地方，百姓被残杀灭绝，尸体纵横相枕。

【研析】

本卷研析李石辞仕、太子李永之死、仇士良杀二王一妃四宰相、李德裕入相等史事，从细微侧面研析晚唐宦官专皇权的政治特点。

第一，李石辞仕。李石，字中玉，陇西人，元和十三年（公元八一八年）进士及第。甘露之变时，李石任户部侍郎，判度支事。甘露之变，仇士良大杀朝官，朝廷半空。李石与郑覃奉命于危难之际，受命为相收拾乱局。此时仇士良目空一切，把文宗皇帝都不放在眼里。每逢君臣在延英殿议事，仇士良趾高气扬训斥朝官，动辄以李训、郑注事来讥讽宰臣。李石、郑覃毫不示弱，反唇相讥说：李训、郑注确实是乱贼之首，但不知这两个奸人是依靠何人进用的？仇士良理亏，气焰有所收敛。李训、郑注被诛灭后，六道巡边使奉召回朝，巡边使之一田全操在回京路上扬言，说：我回到京城，要把穿儒服的人，无论贵贱，全都杀光。田全操等入城之日，京城谣言强盗来了，百姓奔逃，中书、门下两省的官员也跑光了。郑覃、李石在中书省办公，部属、卫士都跑光了，郑覃招呼李石快躲避，李石说：宰相位尊望重，人心所系，不可轻动。宰相一走，全城可真要大乱了。再说，祸乱真的来了，躲避也没有用。李石、郑覃端坐办公，十分镇定。宫中传出文宗皇帝敕令，关闭宫门。左金吾大将军陈君赏也沉着地站在皇宫望仙门，对敕使说：强盗来了再关门也不晚，不能示弱。午后晡时，全城安静下来。当天，城中坊市无赖之徒，手拿武器，只要皇宫城门关闭就动手抢劫。李石、陈君赏的镇定，使京城避免了一场大混乱。李石之勇，胜于两军。

李石在仇士良气焰熏灼时，能做到不同宦官同流合污，面临乱局，如磐石般坚稳，安定民心，稳定了局势，是一位难得的宰相。仇士良恨之入骨，派刺客暗杀，刺客的箭射偏了，刀砍断了马尾，李石侥幸死里逃生。李石被迫辞相，出朝为荆南节度使。李石在身处京师便生命不保的情况下，回避仇士良，是明智之举。这只能说明当时宦官的专横，不能苛责李石胆怯。司马光说，李石"忘身徇国，故纪纲粗立"。王夫之评论说，武宗定祸乱，是李石、郑覃奠定的基础，称赞李石是"静正诚笃之大臣"（《读通鉴论》卷二十六）。这些评价无疑是中肯的。

第二，太子李永之死。唐文宗有两个儿子，太子李永和蒋王李宗俭。李永，王德妃所生，文宗太和四年（公元八三〇年）立为鲁王，太和六年立为太子。这时杨贤妃得宠，排斥太子，说坏话，文宗一度引见大臣要废太子。大臣固争，保住了太子。没多久，太子突然死了，连文宗也不清楚是怎么回事，时在开成三年（公元八三八年）。有一天，文宗在会宁殿观看杂技表演，看到一个小演员表演爬竿，一个男子围着竿子团团转，像是发疯一样。文宗感到奇怪，左右的人解释说，木杆下转圈的那个人，是在保护表演的小演员，他是小演员的父亲。文宗大受感动，悲楚地说：朕贵为天子，却不能保护儿子。文宗把说太子坏话的十几个官人全召集起来训话说：你们陷害太子，朕另一个太子，你们还敢陷害吗？随后将这些官人全部处死。仇士良仇视文宗，更担心太子即位算自己的账，必欲置之死地而安心。文宗太子李永之死，一方面是文宗的昏庸糊涂，不能辨是非，一方面是宦官完全掌控了皇权，暗杀施加到皇太子头上，皇帝破不了案。由此可见宦官的横行暴虐，与唐王朝政治的腐败昏暗。唐文宗晚年能纳谏改过，与杜悰问对罢祥瑞，听柳公权之说让郭旼二女出宫回家。此时文宗思贤治国，还后悔没有汉昭帝之明，让宋申锡蒙冤。文宗是一个向上有进取心的皇帝，可惜觉悟为时太晚，他已经成了家奴宦官囚犯，被软禁在皇宫动弹不得。太子死后一年多，文宗也郁郁而终。

第三，仇士良杀二王一妃四宰相。仇士良，字匡美，循州兴宁（今广东兴宁）人。永贞元年（公元八〇五年）入宫，历仕顺宗、宪宗、穆宗、敬宗、文宗、武宗六代皇帝，死于会昌三年（公元八四三年），前后四十年。历官平卢、凤翔监军、内外五坊使、左神策军中尉、左街功德使、右骁卫大将军、骠骑大将军、楚国公、观军容使兼统左右神策军，知内侍省，死赠扬州大都督。仇士良是唐代最凶恶的大宦官，他挟帝杀王废相，恶贯满盈，却得善终。史称仇士良"杀二王一妃四宰相，贪酷二十余年，亦有术自将，恩礼不衰"（《新唐书·仇士良传》）。

仇士良借甘露之变，肆意杀戮宰相四人：王涯、贾竦、舒元舆、李孝本。大臣有罪，一般是皇帝赐死。四宰相并没有参与甘露之变，却被仇士良在闹市腰斩，悬首兴安门示众，前史所未有。仇士良把唐文宗视为囚虏，出言不逊，将其囚于深宫，

不得自由。有一天深夜，仇士良派小宦官宣召值班的翰林学士崔慎由进宫，逼使崔慎由草诏废掉文宗。崔慎由誓死不从，仇士良不能勉强。仇士良打开后门，带崔慎由进入一座小殿，文宗正坐在里面，惊恐万状。仇士良恶狠狠地数落文宗的过失，对文宗说：今天不是崔学士，你就不能坐在这儿了。文宗垂着脑袋，不敢说一句话。仇士良送出崔慎由，告诉说：你要泄露出去，小心你全家的性命。崔慎由回到家，还惊魂不定，立刻把刚才发生的事记录下来，藏于箱底，临终才告诉儿子崔胤。因此崔胤最恨宦官，最后将宦官一网打尽，这是后话。

开成五年（公元八四〇年）正月初二日，文宗病重，命枢密使刘弘逸、薛季稜引宰相杨嗣复、李珏至皇宫，商议欲奉太子李成美监国。李成美是敬宗的少子，文宗之侄。文宗太子李永死后，杨贤妃请立文宗之弟安王李溶，宰相李珏反对，才改立陈王李成美。仇士良认为太子之立不是自己的功劳，得知文宗要太子监国，以太子李成美年幼为借口，改封陈王，另立太子。仇士良不听宰相李珏的意见，擅自假传圣旨，立穆宗子颍王李瀍为皇太弟，带领神策军从十六宅迎请李瀍到少阳院与百官见面，监管军国事务。正月初四日文宗去世，正月初六日仇士良处死杨贤妃、安王李溶、陈王李成美。仇士良还大杀亲近文宗的内侍和供奉文宗的乐工，用以泄愤。仇士良还以枢密使和宰相反对立武宗为由，劝武宗诛杀。由于李德裕的力谏泣请，宰相杨嗣复、李珏免死，两枢密刘弘逸、薛季稜仍被处死。

武宗即位，改名李炎。仇士良自以为立武宗有功，还想继续为所欲为。这一次仇士良的算盘打错了。武宗聪明睿智，他想振兴唐室，在位期间注意于抑制藩镇、削弱宦官，立即起用西川节度使李德裕入朝为相。仇士良感到恐惧，但他并不死心，想找一个机会给这一对君臣出难题，进行火力侦察。仇士良得知李德裕草诏削减禁军衣粮及马刍粟的事，于是趁武宗在丹凤楼接受尊号的机会，企图煽动禁军闹事。他对禁军说："宰相要削减你们的钱粮，赶快到丹凤楼前向皇帝请愿。"李德裕把消息报告了武宗。武宗立即派中使宣谕神策军："削减钱粮是谣言，不要听信。如果是诏书下达，也是皇帝的旨意，与宰相不相干。"禁军知道了真相，安定下来，纷纷散去。仇士良又羞又愧，拜谢而去。这一事件给仇士良敲了警钟，皇帝英明，宰相贤能，不好玩弄。老奸巨猾的仇士良还算识时务，在会昌三年（公元八四三年）以老病为由致仕，武宗批准。仇士良临别，向送行的宦官传授掌控皇帝的方法，就是引导皇帝游宴好色。皇帝只知玩乐不知读书，不上朝，不见大臣，就只能依靠宦官了。

仇士良的一席话道出了历史上宦官专权的秘密。宦官的地位是皇帝家奴，是朝士大夫看不上眼的人。但宦官可以借皇权以肆虐。仇士良贪酷有术，穆宗、敬宗，包括文宗，被仇士良的奉迎游乐击倒，迷了心智，成了昏庸皇帝，宦官就得势了。仇士良借皇权杀二王一妃四宰相，不可一世。武宗正襟危坐，耳聪目明，不听信谗言，皇权不旁落，宦官家奴的本色就露出来了。仇士良的沉浮，揭示了宦官制度是封建社会的一颗毒瘤。宦官毒瘤依附于皇权，是专制制度的产物。专制不除，杀灭了宦官，还会产生新宦官。皇帝开明，宦官制度是良性肿瘤；皇帝昏聩，宦官制度必然是恶性肿瘤。即使完全切除恶性肿瘤，这个人的生命也时日不多。所以东汉末，袁绍杀灭宦官，东汉亡；唐末，崔胤杀灭宦官，唐亡。

仇士良死后第二年，即会昌四年（公元八四四年），其丑行被一一揭发出来，在他家里抄出了数千件兵器和万贯家财。武宗下令削去官爵，籍没家资。仇士良这个名字被钉在了历史的耻辱柱上。

第四，李德裕入相。南衙与北司对立，朝官与宦官争斗，两者都是唐政权的基础，不可断然决裂。宰相依附宦官，不得士人心，宰相触犯宦官，势必丢相位。在宦官专皇权的情况下，入相的人要洁身自好是不可能的。如何与宦官打交道，是复杂的政治斗争，既有品德的问题，又有策略技术问题。李德裕制约宦官，显示了高超的才能。李德裕任淮南节度使，监军杨钦义奉召还京，风传杨钦义回朝做枢密使，李德裕和平时一样，并不加礼，杨钦义很不满意。等到临行时，李德裕送别，赠送重礼，杨钦义喜出望外。杨钦义回到汴州，得到朝廷新敕令，杨钦义仍返淮南做监军。杨钦义把重礼退还李德裕，李德裕不接受。不久，杨钦义果然被任用为枢密使。李德裕不因杨钦义将做枢密使而特意巴结，也不因杨钦义没做枢密使就收回礼物，在其临行送礼表示同僚的情谊，李德裕表现的坦荡胸怀使杨钦义感动，这其实也是李德裕的一种权术。归根结底，是李德裕的才干与人格魅力使杨钦义心服，让他不敢用炎凉态度来对待李德裕。李德裕做西川节度使，他的人格魅力也征服了崔潭峻、王践言两位监军，崔与王都能支持李德裕的用兵，并向皇上报告李德裕的忠心正直。李德裕能够入相，杨钦义出了力，但不是李德裕的请托，与依附宦官的朝官有很大的区别。李德裕入相后，敢于上奏武宗请求政事要出于中书，逼使仇士良引病致仕。李德裕也没提出要杀尽宦官，做冒险的事，而是以正义临之，利用形势与宦官之间的矛盾加以适当的抑制，不激化矛盾，和衷共事，这是高明的办法。范文澜指出："这样对待宦官，在唐后期，应该说是较为适当的态度。"（《中国通史》）当然，李德裕也免不了有政敌以朋党为口实来攻击他，正如王夫之所说，李德裕"虽欲辞托身宦竖之丑而不可得"了，但"唐自肃宗以来，内竖之不得专政者，仅见于会昌"，极力称赞李德裕的能力。（《读通鉴论》卷二十六）李德裕为了发挥自己的才能为国尽力，在宦官炙手可热的形势下，搞好与宦官的关系，就未能免俗了，用王夫之的话说，即由于"唐之积弊，已成乎极重难反之势"（《读通鉴论》卷二十六）。皇帝都要向宦官低头，所以怎能苛责李德裕呢！有人说，李德裕为君子而不纯，这话是中肯的。

卷第二百四十七　唐纪六十三

起昭阳大渊献（癸亥，公元八四三年），尽阏逢困敦（甲子，公元八四四年）七月，凡一年有奇。

【题解】

本卷记事起公元八四三年，迄公元八四四年七月，凡一年又七个月，当唐武宗会昌三年至会昌四年七月。这一年多的短暂时间，却是唐王朝政治取得振兴最有成绩的一个时期。显著成绩有三个方面。第一，武宗信任李德裕，让其放手作为，于是得以倚重外朝，相对削弱了宦官权力。会昌三年（公元八四三年），武宗不与枢密使商量，直接任命崔铉为宰相，破坏了老规矩。不久又逼令大宦官仇士良致仕，第二年籍没了他的家资。第二，武宗御边，大败回鹘，羁縻黠戛斯，安抚党项，削弱吐蕃，做得有声有色，大展国威。第三，强力裁制藩镇，坚决用兵泽潞，不接受刘稹归降，取得全面胜利，杜绝了内地军镇自立节度的行为。会昌年间的这一短暂振兴，给衰败的唐王朝打了一剂强心针，延续了唐王朝的统治。李德裕富有政治、军事才能，又善于听取有识之士的建言，深得武宗信任，故能取得成功。李德裕用兵泽潞，杜牧上书献平强藩之策，李德裕多用其策。李德裕既不依附宦官，又能与之和谐相处，缓和了上层统治集团的斗争，显示了李德裕高超的政治才能。

【原文】

武宗至道昭肃孝皇帝中

会昌三年（癸亥，公元八四三年）

春，正月，回鹘乌介可汗帅众侵逼振武，刘沔遣麟州刺史石雄、都知兵马使王逢[①]帅沙陀朱邪赤心[②]三部及契苾、拓跋三千骑袭其牙帐，沔自以大军继之。雄至振武，登城望回鹘之众寡，见毡车[③]数十乘，从者皆衣朱碧[④]，类华人[⑤]。使谍[⑥]问之，曰:“公主帐也。”雄使谍告之曰:“公主至此，家也，当求归路。今将出兵击可汗，请公主潜与侍从相保[⑦]，驻车勿动!”雄乃凿城为十余穴[⑧]，引兵夜出，直攻可汗牙帐。至其帐下，虏乃觉之。可汗大惊，不知所为，弃辎重走。雄追击之，庚子[⑨]，大破回鹘于杀胡山[⑩]。可汗被疮[⑪]，与数百骑遁去，雄迎太和公主

【语译】

武宗至道昭肃孝皇帝中

会昌三年（癸亥，公元八四三年）

春，正月，回鹘乌介可汗率领部众入侵逼近振武，刘沔派遣麟州刺史石雄、都知兵马使王逢率领沙陀朱邪赤心三部及契苾、拓跋三千骑袭击可汗的牙帐，刘沔自己带领大军继踵其后。石雄到达振武，登上城头观察回鹘兵有多少，看到数十辆毡车，随从人员都穿着红色绿色的服装，类似华人。打发侦查人员去问他们，回答说："是公主的帐幕。"石雄让侦查人员告诉公主说："公主到这里，就到家了，应当寻求回朝的办法。现在将要出兵攻打可汗，请公主暗地与侍从互相保护，停下车，不要移动！"石雄于是把城墙凿开十多个洞，带兵夜出，直攻可汗牙帐。到达可汗的帐下，回鹘人才发觉。可汗大惊，不知道怎么办，抛弃辎重逃走。石雄追击他，十一日庚子，在杀胡山大败回鹘部队。可汗受伤，与数百骑逃走，石雄迎接太和公主而归

以⑫归。斩首万级，降其部落二万余人。丙午⑬，刘沔捷奏至⑭。

李思忠⑮入朝，自以回鹘降将，惧边将猜忌，乞并弟思贞⑯等及爱弘顺⑰皆归阙庭⑱。上从之[1]。

庚戌⑲，以石雄为丰州都防御使。

乌介可汗走保⑳黑车子㉑族，其溃兵多诣幽州降。

二月庚申朔㉒，日有食之。

诏停归义军㉓，以其士卒分隶诸道为骑兵，优给粮赐。

【段旨】

以上为第一段，写官军大破回鹘乌介可汗。

【注释】

①王逢：许州许昌（今河南许昌）人，历任忠武军都知兵马使、节度使等。传见《旧唐书》卷一百六十一、《新唐书》卷一百七十一。②朱邪赤心（？至公元八八七年）：沙陀族，姓朱邪，李克用之父。历任代北行营招抚使、振武节度使等，以功赐名李国昌。事见《旧五代史》卷二十五、《新五代史》卷四、《新唐书》卷二百十八。③毡车：以毡为篷帷的车子。④衣朱碧：穿红着绿。⑤类华人：像是汉人。⑥谍：间谍。⑦保：保护。⑧穴：孔洞。⑨庚子：正月十一日。⑩杀胡山：山名。胡注："杀胡山即黑山。"在

【原文】

辛未㉔，黠戛斯遣使者注吾合索㉕献名马二，诏太仆卿赵蕃饮劳之。甲戌㉖，上引对㉗，班在勃海㉘使之上。

上欲令赵蕃就黠戛斯求安西、北庭，李德裕等上言："安西去京师七千余里，北庭五千余里，借使㉙得之，当复置都护，以唐兵万人戍之。不知此兵于何处追发㉚？馈运从何道得通？此乃用实费以易虚名，非计也。"上乃止。

中书侍郎、同平章事崔珙罢为右仆射。

黠戛斯求册命㉛。李德裕奏，宜与之结欢，令自将兵求杀使者罪

还。杀了一万人，使其部落二万余人投降。十七日丙午，刘沔报捷的奏章送到朝廷。

李思忠入朝时，认为自己是回鹘降将，害怕边将猜忌，请求连同弟弟思贞等人，以及爱弘顺都回到朝廷。武宗答应了他的请求。

正月二十一日庚戌，任命石雄为丰州都防御使。

乌介可汗跑去依附黑车子族，他部下溃散的士兵大多前往幽州投降。

二月初一日庚申，日食。

诏令停止设置归义军，把该军的士卒分别隶属诸道为骑兵，从优赏赐他们粮饷。

振武北塞外，即在今内蒙古和林格尔西北。⑪被疮：受到创伤。疮，通“创”。⑫以：而。⑬丙午：正月十七日。⑭捷奏至：报捷的奏章送到朝廷。⑮李思忠：嗢没斯。事见本书上卷会昌二年。⑯思贞：李思贞，即阿历支。⑰爱弘顺：爱邪勿。⑱阙庭：朝廷。⑲庚戌：正月二十一日。⑳保：归附；依附。㉑黑车子：室韦之一部。在今内蒙古巴林左旗以西，呼和浩特东北。㉒庚申朔：二月初一日。㉓停归义军：会昌二年（公元八四二年）以嗢没斯所部为归义军，现嗢没斯等入朝，于是撤销该军镇。

【校记】

［1］上从之：原无此三字。据章钰校，十二行本、乙十一行本、孔天胤本皆有此三字，张敦仁《通鉴刊本识误》、张瑛《通鉴校勘记》同，今据补。

【语译】

二月十二日辛未，黠戛斯派遣使者注吾合索贡献名马两匹，诏令太仆卿赵蕃设饮宴慰劳他。十五日甲戌，武宗接见问话，将其官班排列在勃海使者的上首。

武宗想让赵蕃去向黠戛斯索取安西、北庭二地，李德裕等上奏说：“安西离京师七千余里，北庭离京师五千余里，即使得到那两个地方，应当又设置都护府，用唐兵一万人戍守它。不知道这些兵从哪里再派遣？粮饷从什么道路运过去？这是用实实在在的耗费来换取虚名，不是好计策。”武宗这才作罢了。

中书侍郎、同平章事崔珙免职，担任右仆射。

黠戛斯请求册命。李德裕上奏说，应当和黠戛斯结交友好，让他自己带兵追究

人㉜及讨黑车子。上恐加㉝可汗之名即不修臣礼，踵回鹘故事㉞求岁遗㉟及卖马，犹豫未决。德裕奏:“黠戛斯已自称可汗，今欲借其力，恐不可吝此名。回鹘有平安、史之功，故岁赐绢二万匹，且与之和市㊱。黠戛斯未尝有功于中国，岂敢遽求赂遗乎！若虑其不臣㊲，当与之约，必如回鹘称臣，乃行册命。又当叙同姓㊳以亲之，使执子孙之礼。”上从之。

庚寅㊴，太和公主至京师，改封安定大长公主㊵，诏宰相帅百官迎谒于章敬寺前。公主诣光顺门，去盛服，脱簪珥㊶，谢回鹘负恩、和蕃[2]无状之罪㊷。上遣中使㊸慰谕㊹,然后入宫。阳安等六公主㊺不来慰问安定公主，各罚俸物及封绢㊻。

赐魏博节度使何重顺名弘敬。

三月，以太仆卿赵蕃为安抚黠戛斯使。上命李德裕草《赐黠戛斯可汗书》，谕以“贞观二十一年㊼，黠戛斯先君身自入朝，授左屯卫将军、坚昆㊽都督，迄于天宝，朝贡不绝。比为回鹘所隔，回鹘凌虐诸蕃，可汗能复仇雪怨，茂功㊾壮节㊿，近古无俦[51]。今回鹘残兵不满千人，散投山谷。可汗既与为怨，须尽歼夷[52]，傥[53]留余烬[54]，必生后患。又闻可汗受氏之源，与我同族[55]，国家承[56]北平太守[57]之后，可汗乃都尉[58]苗裔，以此合族，尊卑可知。今欲册命可汗，特加美号，缘未知可汗之意，且遣谕怀[59]。待赵蕃回日，别命使展礼[60]。”自回鹘至塞上及黠戛斯入贡，每有诏敕，上多命德裕草之。德裕请委翰林学士，上曰:“学士不能尽人意，须卿自为之。”

【段旨】

以上为第二段，写唐武宗纳李德裕之策，羁縻黠戛斯。

杀使者的罪魁祸首并讨伐黑车子族。武宗担心加封黠戛斯可汗名号以后对方就不遵守臣子的礼节，沿用回鹘的旧例，每年要朝廷的赏赐并卖马给朝廷，犹豫不决。李德裕上奏："黠戛斯已经自称可汗，现在想借助他的兵力，恐怕不能吝惜这个名号。回鹘有协助平定安史之乱的功劳，所以每年赏赐绢二万匹，并且与它进行马匹交易。黠戛斯对中国没有功劳，哪里敢立刻要求赠送财物呢！如果担心他不称臣，应当和他订下誓约，一定要像回鹘一样称臣，才进行册命。还应当叙列为同姓，使他亲近朝廷，让他施行子孙之礼。"武宗听从了。

三月初一日庚寅，太和公主到达京师，改封为安定大长公主，诏命宰相带领百官在章敬寺前迎接谒见。公主到达光顺门，脱掉盛装，取下簪珥，对回鹘背负国恩、自己和蕃无功而谢罪。武宗派遣中使好话宽慰，然后才进宫。阳安等六位公主没有前来慰问安定公主，各人都被罚俸物和绢帛。

赐魏博节度使何重顺名弘敬。

三月，任命太仆卿赵蕃为安抚黠戛斯使。武宗命令李德裕起草《赐黠戛斯可汗书》，晓谕说："贞观二十一年，黠戛斯先君亲自入朝，授予他左屯卫将军、坚昆都督，到天宝年间，朝贡没有间断。近年来被回鹘所阻隔，回鹘欺压虐待诸蕃，可汗能够复仇雪恨，丰功高节，近古无与伦比。现在回鹘残兵不到一千人，散居山谷。可汗既然和他们是仇家，应该全部消灭他们，如果留下余孽，必生后患。又听说可汗得到姓氏的源头，和我朝是同一姓族，我接续北平太守李广之后，可汗是都尉李陵的后裔，这样在一个族内，尊卑也就很清楚了。如今打算册命可汗，特别加封美号，但不了解可汗的心意，姑且派遣使臣告谕我的想法。等到赵蕃返京之日，另派使者举行册命之礼。"自从回鹘到塞上和黠戛斯来朝廷进贡，每有诏敕，武宗大多命李德裕起草。李德裕请求交给翰林学士去做，武宗说："学士起草的文字不能尽如人意，需要请你亲自起草。"

【注释】

㉔辛未：二月十二日。㉕注吾合索：人名，姓注吾。《新唐书·回鹘传》"索"作"素"。㉖甲戌：二月十五日。㉗引对：皇帝召见臣下对答所问。㉘勃海：即渤海，少数民族政权名，唐朝靺鞨族所建立，最盛时辖境从今松花江以南至日本海。㉙借使：即使。㉚追发：事后派遣。㉛求册命：请求唐室册封为可汗。㉜求杀使者罪人：黠戛斯遣使者送太和公主，为回鹘乌介可汗所杀。事见本书上卷武宗会昌元年。㉝加：给予册封。㉞踵回鹘故事：因袭回鹘旧例。㉟岁遗：唐肃宗借回鹘兵平安史之乱，约定每年送绢二万匹作酬谢，谓之岁遗。㊱和市：官府议价购买市场货物。唐代宗借回鹘兵讨史朝

义，唐立马市，收买回鹘马作为酬报。每年最高额为十万匹，一马四十匹绢。回鹘多以病弱马充数，是一种不等价交易。㊲虑其不臣：担心黠戛斯不向唐朝称臣。㊳叙同姓：谓黠戛斯与唐同姓，为汉代李广之后。详后“受氏之源，与我同族”等语。㊴庚寅：三月初一日。㊵安定大长公主：《新唐书·诸帝公主传》作“安定公主”。㊶簪珥：插发髻的首饰和耳环。㊷谢回鹘负恩、和蕃无状之罪：唐公主入蕃谓之“和蕃公主”，今太和公主因回鹘犯边，故自罪和蕃无功。无状，无功。㊸中使：宫中派出的使者，以宦官充任。㊹慰谕：以好话宽慰。㊺六公主：据胡注，不来慰问安定大长公主的共有以下七公主：唐顺宗女阳安公主，太和公主之姑；唐宪宗女宣城、真宁、义宁、临真、真源公主；唐穆宗女义昌公主，太和公主之侄。“六”字当作“七”。㊻俸物及封绢：宗室所得的俸钱以外的物品和绢帛。㊼二十一年：胡注：“当作‘二十二年’。”〖按〗《新唐

【原文】

刘沔奏：“归义军回鹘三千余人及酋长四十三人准诏[61]分隶诸道，皆大呼，连营据滹沱河[62]，不肯从命，已尽诛之。回鹘降幽州者前后三万余人，皆散隶诸道。”

李德裕追论[63]维州悉怛谋事[64]云：“维州据高山绝顶，三面临江，在戎虏平川之冲[65]，是汉地入兵之路。初，河、陇[66]并[3]没，唯此独存。吐蕃潜以妇人嫁此州门者，二十年后，两男长成，窃开垒门[67]，引兵夜入，遂为所陷，号曰无忧城。从此得并力于西边[68]，更无虞于南路[69]。凭陵近甸[70]，旰食[71]累朝[72]。贞元中，韦皋欲经略河、湟[73]，须此城为始。万旅尽锐，急攻数年，虽擒论莽热[74]而还，城坚卒不可克。

“臣初到西蜀，外扬国威，中缉[75]边备。其维州熟臣[76]信令，空壁来归。臣始受其降，南蛮震慑，山西八国[77]，皆愿内属。其吐蕃合水[78]、栖鸡[79]等城，既失险阨，自须抽归，可减八处镇兵[80]，坐收千余里旧地。且维州未降前一年，吐蕃犹围鲁州[81]，岂顾盟约！臣受降之初，指天为誓，面许奏闻，各加酬赏。当时不与臣者[82]望风疾[83]臣，诏臣执送悉怛谋等，令彼自戮，臣宁[84]忍以三百余人命弃信偷安！累表陈论，乞垂矜舍[85]。答诏严切[86]，竟令执还。体备三木[87]，舆于竹

书·回鹘传下》与胡注同，即公元六四八年。㊽坚昆：羁縻都督府名，贞观二十二年在黠戛斯部设置坚昆都督，故地在今俄罗斯叶尼塞河上游。㊾茂功：丰功。㊿壮节：壮烈的节操。51无俦：无与伦比。52歼夷：诛尽；消灭。53傥：假使。54余烬：喻残兵余孽。55受氏之源二句：谓追溯先祖姓氏，黠戛斯与唐同出一族。因唐室李氏为汉李广之后，黠戛斯可汗为李广之孙李陵之后，所以为同族。56承：接续。57北平太守：指李广。58都尉：指李广孙骑都尉李陵。59且遣谕怀：姑且派遣使臣告谕我的心意。60展礼：行礼，谓举行册封典礼。

【校记】

［2］蕃：据章钰校，十二行本、乙十一行本、孔天胤本皆作“亲”。

【语译】

刘沔上奏：“归义军回鹘三千余人和酋长四十三人按照诏令分隶诸道，他们都大喊大叫，连接各营据守滹沱河，不肯听从命令，已经把他们都杀了。投降幽州的回鹘人前后三万余人，都散属各道。”

李德裕重新审议维州悉怛谋一事说：“维州城建在高山绝顶上面，三面临江，在戎虏平原大川的要冲之地，是汉人进兵之路。当初，河西、陇右都失陷了，只有这个地方还归朝廷管辖。吐蕃暗地将一妇人嫁给此州守城门的人，二十年后，她的两个男孩长大成人，偷偷打开城寨大门，引导吐蕃兵在夜里进入，城就被攻下了，号称无忧城。从这以后，吐蕃就能全力在西边发展，不再担心南面。吐蕃侵扰京畿，使得几朝旰食。贞元年间，韦皋想把河、湟一带失地收回来，行动须从此城开始。万名精锐部队，紧急攻打数年，虽然抓了论莽热回来，州城坚固，但终究未能攻下。

“臣初到西蜀时，对外宣扬国威，对内修缮边防守备。维州守将熟知臣讲信用，放弃壁垒前来投降。臣刚刚接受他们投降时，南蛮震恐，西山的八个小国，都愿归附朝廷。吐蕃的合水、栖鸡等城，失去了险要的屏障后，自然要抽调驻军回去，而我方可减少八处镇兵，坐着收回千余里旧地。况且维州未降前一年，吐蕃还包围了鲁州，他们哪里顾念盟约！臣刚接受维州将领投降时，指天发誓，当面答应报告朝廷，每人各加奖赏。当时不赞同我的人看到有关臣的一点名声就嫉恨臣，诏令臣把悉怛谋等人抓起来送回吐蕃去，让他们杀掉，臣难道能忍受置三百多人的性命不顾，抛弃信用，苟且偷安！臣多次上奏表陈述论说，乞求怜悯宽宥。回答的诏命很严厉，终究还是把他们抓起来送回去了。他们的身体戴上刑具，用竹筐抬着。等到即将上

畚[88]。及将就路，冤叫呜呜。将吏对臣，无不陨涕[89]。其部送者更为蕃帅讥诮，云既已降彼，何用[4]送来！复以此降人戮于汉境之上，恣行残忍，用固携离[90]。至乃掷其婴孩，承以枪槊[91]。绝忠款[92]之路，快凶虐之情，从古已来，未有此事。虽时更[93]一纪[94]，而运属千年[95]，乞追奖忠魂，各加褒赠！"诏赠悉怛谋右卫将军。

【段旨】

以上为第三段，写李德裕为悉怛谋申冤求取褒赠。

【注释】

⑥1 准诏：按照诏令。⑥2 滹沱河：水名，源出山西繁峙东大戏山，流经代县、定襄（此段即归义军连营占据之处），进河北汇入大清河。⑥3 追论：重新审议。⑥4 悉怛谋事：李德裕为西川节度使时，接受吐蕃维州守将悉怛谋降唐，遭到牛僧孺反对，令将降人送还吐蕃。⑥5 冲：交通要道。⑥6 河、陇：河西与陇右。河西，指今甘肃、青海两省黄河以西，即河西走廊与湟水流域。陇右，指今陇山以西地区。⑥7 垒门：寨门。⑥8 并力于西边：谓吐蕃专心致力侵扰唐的西部疆域岐、陇、邠、泾、灵、夏诸州。⑥9 无虞于南路：谓吐蕃得维州要塞，就不必戒备其南路西川。⑦0 凭陵近甸：谓侵扰进逼京畿。甸，都城郊外之地。⑦1 旰食：晚食。言有吐蕃之忧，不得早食。⑦2 累朝：谓吐蕃占有维州，成为唐代历朝之忧患。⑦3 河、湟：河西与湟水流域。即今甘肃河西走廊与青海湟水两岸。⑦4 论莽热：人名，吐蕃大相。贞元十八年（公元八〇二年）率兵十万人解维州之围，兵败被擒。事见本书卷二百三十六德宗贞元十八年。⑦5 缉：缉理；整治。⑦6 熟臣：

【原文】

臣光曰："论者多疑维州之取舍，不能决牛、李之是非。臣以为昔荀吴围鼓[96]，鼓人或请以城叛，吴弗许，曰：'或以吾城叛，吾所甚恶也。人以城来，吾独何好焉！吾不可以欲城而迩奸[97]。'使鼓人杀叛者而缮守备。是时唐新与吐蕃修好而纳其维州，

路时，呜呜喊冤。将吏们对着臣，没有一个不落泪的。那些押送的人反被蕃帅讥笑，说是既然投降你们了，为什么送来！又把投降的人在汉人边境上杀死，任意使用残忍的手段，以此坚决制止吐蕃人有二心。甚至有把婴孩抛起，让他落在枪矛上扎死的。断绝了献纳忠诚之路，使凶暴残虐者感到快意，自古以来，没有过这种事。虽然时间经过了十二年，却是千载一遇的好机会，请求追奖忠魂，每人都加以褒赠！”诏令追赠悉怛谋为右卫将军。

《旧唐书·李德裕传》“熟”作“执”。执臣，执事之臣，指悉怛谋。⑺ 山西八国：即西山八国，计羌女、诃陵、南水、白狗、逋租、弱水、清远、咄霸八酋长国。在今四川大金川一带。⑻ 合水：城名，即合江守捉城，在今四川阿坝藏族羌族自治州西北。⑼ 栖鸡：城名，故址当在今四川阿坝藏族羌族自治州西。⑽ 八处镇兵：指唐设防西山八国的守军。⑾ 鲁州：州名，六胡州之一，在关内道宥州西境，今内蒙古鄂托克旗西。⑿ 不与臣者：不赞同我的人。⒀ 疾：通“嫉”。⒁ 宁：难道。⒂ 乞垂矜舍：请求给予怜悯宽宥。⒃ 严切：严厉急迫。⒄ 体备三木：身受枷及桎、梏三种刑具。⒅ 舆于竹畚：用竹筐抬运。⒆ 陨涕：落泪。⒇ 用固携离：以这种残虐方法坚决制止吐蕃人有二心。(91) 槊：长矛。(92) 忠款：忠诚。(93) 更：经过。(94) 一纪：十二年为一纪。唐文宗太和五年（公元八三一年）悉怛谋死，至是年恰十二年。(95) 运属千年：谓千载一遇之幸运。属，会、遇。

【校记】

［3］并：据章钰校，十二行本、乙十一行本、孔天胤本皆作“尽”。［4］用：据章钰校，十二行本、乙十一行本皆作“须”。

【语译】

臣司马光说：“议论的人大多疑惑维州的取舍问题，不能判定牛僧孺、李德裕谁是谁非。臣以为从前荀吴围攻鼓国时，鼓人中有愿意叛变献城的，荀吴不答应，说：‘有人把我们的城池献出而背叛的话，我是很憎恨的。别人把城献出来，我为什么独独喜欢这样呢！我不可以想要得到城池而接近奸人。’让鼓国人杀掉背叛的人而把守备工作做好。那个时候唐朝刚与吐蕃修好而接纳维州投降，

以利言之，则维州小而信大；以害言之，则维州缓而关中急。然则为唐计者，宜何先乎？悉怛谋在唐则为向化[98]，在吐蕃不免为叛臣，其受诛也又何矜焉！且德裕所言者利也，僧孺所言者义也，匹夫徇利[99]而忘义犹耻之，况天子乎！譬如邻人有牛，逸[100]而入于家，或劝其兄归之，或劝其弟攘[101]之。劝归者曰：'攘之不义也，且致讼。'劝攘者曰：'彼尝攘吾羊矣，何义之拘[102]！牛，大畜也，鬻[103]之可以富家。'以是观之，牛、李之是非，端[104]可见矣。"

【段旨】

以上为第四段，写司马光用空洞的义利观评论引渡悉怛谋事件，是非颠倒，乃迂腐之论。

【原文】

夏，四月辛未[105]，李德裕乞退就闲局[106]。上曰："卿每辞位，使我旬日[107]不得所[108]。今大事皆未就[109]，卿岂得求去！"

初，昭义节度使刘从谏累表言仇士良罪恶，士良亦言从谏窥伺朝廷[110]。及上即位，从谏有马高九尺[111]，献之，上不受。从谏以为士良所为，怒杀其马，由是与朝廷相猜恨。遂招纳亡命，缮完[112]兵械，邻境皆潜为之备。

从谏榷[113]马牧及商旅，岁入钱五万缗，又卖铁煮盐亦数万缗。大商皆假以牙职[114]，使通好诸道，因为贩易[115]。商人倚从谏势，所至多陵轹[116]将吏，诸道皆恶之。

从谏疾病，谓妻裴氏[117]曰："吾以忠直事朝廷，而朝廷不明我志，诸道皆不我与[118]。我死，他人主此军[119]，则吾家无炊火[120]矣！"乃与幕

从利的方面说，维州利小，守信利大；从害的方面说，维州危害缓慢，关中危害急切。然而为唐朝的利害打算的话，应当以哪个为先呢？悉怛谋对唐朝来说是归向王化，对吐蕃来说不免为叛臣，他的被杀又有什么值得怜惜呢！并且李德裕所讲的是利，牛僧孺所讲的是义，一般民众对取财而忘义还认为可耻，何况是天子呢！譬如邻人有牛，跑到自己家里来了，有人劝他哥哥归还邻人，有人劝他弟弟占为己有。劝归还的人说：'占为己有是不义的，并且会引起争讼。'劝占为己有的人说：'邻人曾经窃取我家的羊，有什么道义可拘束！牛是大牲畜，卖掉它可以使家中富有。'由此看来，牛、李两家的是非，头绪可以看出来了。"

【注释】

⑯荀吴围鼓：荀吴围攻鼓国而不接受鼓人的叛降。事见《左传·昭公十五年》。荀吴，晋臣。鼓，国名，故址在今河北晋州。⑰欲城而迩奸：想要得到城邑而接近奸人。⑱向化：归向教化。⑲徇利：取利。⑳逸：跑失。㉑攘：窃取。㉒何义之拘：有什么道义可拘束呢。㉓鬻：卖。㉔端：苗头，此指牛李是非的头绪。

【语译】

夏，四月十三日辛未，李德裕请求退下来担任闲散官。武宗说："卿每次辞宰相职位，使我十天不得安处。现在国家大事都未办妥，卿哪里能请求离开！"

当初，昭义节度使刘从谏多次上表讲仇士良所犯的罪恶，仇士良也说刘从谏窥伺朝廷。等到武宗即位，刘从谏有一匹九尺高的马，献给武宗，武宗不接受。刘从谏以为是仇士良所为，愤怒地把马杀掉，从此与朝廷互相猜忌。于是刘从谏招收亡命之徒，修缮兵械，邻境全都暗中做了防备。

刘从谏向养马者和商贾收税，每年收入五万串钱，又卖铁煮盐，也有数万串钱。对大商人都给予衙中职务，让他们去各道联络友情，趁机贩卖货物。商人们倚仗着刘从谏的权势，所到之处多欺压将吏，诸道都厌恶这些商人。

刘从谏病重，对妻子裴氏说："我忠诚正直地侍奉朝廷，而朝廷不了解我的心意，各道都不帮助我。我死了，别人来担任节度使，那么我们家将要断烟火了！"于

客张谷、陈扬庭[121]谋效河北诸镇[122]，以弟右骁卫将军[123]从素之子稹[124]为牙内都知兵马使，从子匡周为中军兵马使，孔目[125]官王协为押牙亲军[5]兵马使，以奴李士贵为使宅十将兵马使，刘守义、刘守忠、董可武、崔玄度分将牙兵。谷，郓州人。扬庭，洪州人也。

从谏寻薨，稹秘不发丧。王协为稹谋曰："正当如宝历年样[126]为之，不出百日，旌节自至。但严奉[127]监军，厚遗敕使，四境勿出兵，城中暗为备而已。"使押牙姜崟奏求国医[128]。上遣中使解朝政以医往[6]问疾[129]。稹又逼监军崔士康奏称从谏疾病，请命其子稹为留后。上遣供奉官[130]薛士干往谕指云："恐从谏疾未平，宜且就东都疗之。俟稍瘳，别有任使。仍遣稹入朝，必厚加官爵。"

上以泽潞[131]事谋于宰相，宰相多以为[132]："回鹘余烬未灭，边境[7]犹须警备，复讨泽潞，国力不支，请以刘稹权知军事。"谏官及群臣上言者亦然。李德裕独曰："泽潞事体[133]与河朔三镇不同。河朔习乱已久，人心难化。是故累朝以来，置之度外[134]。泽潞近处心腹[135]，一军素称忠义，尝破走朱滔，擒卢从史[136]。顷时[137]多用儒臣为帅，如李抱真成立此军[138]，德宗犹不许承袭，使李缄[139]护丧归东都。敬宗不恤[140]国务，宰相又无远略，刘悟之死，因循以授从谏。从谏跋扈难制，累上表迫胁朝廷。今垂死之际，复以兵权擅付竖子[141]。朝廷若又因而授之，则四方诸镇谁不思效其所为，天子威令不复行矣！"上曰："卿以何术制之？果可克[142]否？"对曰："稹所恃者河朔三镇。但得镇、魏不与之同，则稹无能为也。若遣重臣往谕王元逵、何弘敬，以河朔自艰难以来[143]，列圣[144]许其传袭，已成故事，与泽潞不同。今朝廷将加兵泽潞，不欲更出禁军至山东[145]。其山东三州[146]隶昭义者，委两镇攻之，兼令遍谕将士，以贼平之日厚加官赏。苟两镇听命，不从旁沮桡[147]官军，则稹必成擒[148]矣。"上喜曰："吾与德裕同之，保无后悔。"遂决意讨稹，群臣言者不复入[149]矣。

是和府中门客张谷、陈扬庭谋划，仿效河北诸镇的做法，任命他弟弟右骁卫将军刘从素的儿子刘稹为牙内都知兵马使，侄子刘匡周为中军兵马使，孔目官王协为押牙亲军兵马使，以奴仆李士贵为使宅十将兵马使，刘守义、刘守忠、董可武、崔玄度分别率领牙兵。张谷是郓州人。陈扬庭是洪州人。

刘从谏不久去世，刘稹隐秘其事而不将丧事发布。王协替刘稹谋划说："只要照宝历年间那样去做，不到一百天，旌节自然到来。但是要严密地侍奉监军，送优厚的财物给敕使，四境不要出兵，城中暗地里做好防备就可以了。"派押牙姜崟上奏章请求国医来治病。武宗派遣中使解朝政带着国医前往探视病情。刘稹又逼迫监军崔士康上奏说刘从谏病重，请任命他的儿子刘稹为留后。武宗派遣供奉官薛士干前往宣布旨意说："担心刘从谏疾病没有平复，应当暂去东都治疗。等到病情稍有好转，另有任用。还是要刘稹到朝廷，一定厚加官爵。"

武宗拿泽潞镇这件事和宰相们一起商量，宰相多数认为："回鹘的残余势力没有消灭，边境上还要警戒防备，又去讨伐泽潞，国力不能支持，请让刘稹暂时主持军务。"谏官和向朝廷进言的群臣也认为是这样。只有李德裕一个人说："泽潞事体与河朔三镇不同。河朔习惯作乱已久，心难以向化。所以几朝以来，置之度外。泽潞镇近处心腹之地，这支军队向来说得上是忠义的，曾经打跑了朱滔，擒获了卢从史。近时多用儒臣为统帅，例如李抱真成立了这支军队，德宗尚且不允许世袭，李抱真死后，叫李缄护丧回到东都。敬宗不忧虑国事，宰相又没有长远打算，刘悟死后，因循守旧把军权交给他儿子刘从谏。刘从谏跋扈专横，难以控制，多次上奏表胁迫朝廷。现在临死之时，又把兵权擅自交给那个小子。朝廷要是就此授职给他儿子，那么四方各镇谁不想仿效他的所作所为，天子的权威诏令再也不能得到遵行了！"武宗说："卿用什么办法去制服他？果真能够战胜他吗？"李德裕回答说："刘稹所依靠的是河朔三镇。只要镇州镇与魏博镇不和他同心，那么刘稹就不能有所作为。如果派遣重臣前往告谕镇州主帅王元逵、魏博主帅何弘敬，说是河朔地方自从国家大难以来，各朝皇帝允许他们传位世袭，已经成为旧例，与泽潞镇情况不同。现在朝廷将要对泽潞用兵，不想再派禁军到山东去。山东属昭义军的三个州，委派你们两镇去攻打它，同时让他们广泛告谕将士，在叛贼讨平之时，加官厚赏。如果两镇服从朝廷命令，不从旁阻挠官军，那么刘稹一定会被擒获的。"武宗高兴地说："我和德裕同一条心，保证不会后悔。"于是决心讨伐刘稹，群臣有上言的再也不采纳了。

【段旨】

以上为第五段，写唐武宗采纳李德裕谋略，用兵泽潞，杜绝内地军镇自为节度。

【注释】

⑩⑤辛未：四月十三日。⑩⑥闲局：不治事的闲散官。⑩⑦旬日：整十天，比喻较长时间。⑩⑧不得所：不知怎样安置自己。意思是整天惶恐，不得安处。⑩⑨未就：没有办妥。⑪⓪窥伺朝廷：谓刘从谏暗中侦视朝廷，一旦有可乘之机就图谋不轨。⑪①马高九尺：《周礼·夏官·瘦人》载记："马八尺以上为龙，七尺以上为騋，六尺以上为马。"马高九尺，世所稀有。⑪②缮完：修治整齐，即充分准备。⑪③榷：征税。⑪④假以牙职：将节度使衙前将校之职加授给大商贾。假，借予，指给商贾以加官之号。⑪⑤因为贩易：趁机而贩卖交易。⑪⑥陵轹：欺压。⑪⑦裴氏：唐肃宗宰相裴冕之支孙。传附《新唐书》卷二百十四《刘稹传》。⑪⑧与：助。⑪⑨主此军：谓担任昭义军节度使。⑫⓪无炊火：断烟火，即谓断绝后嗣。⑫①张谷、陈扬庭：皆刘从谏幕僚。张谷事附《新唐书》卷二百十四《刘稹传》。⑫②效河北诸镇：谓仿效河北三镇，父死子继，世袭节度。⑫③右骁卫将军：官名，左、右骁卫属十六卫之一，掌宫廷警卫。其长官为上将军、大将军、将军。⑫④稹：即刘稹，昭义节度使刘从谏之侄。刘从谏死，刘稹自领留后，招致讨伐，失败被族灭。传见《旧唐书》卷一百六十一、《新唐书》卷二百十四。⑫⑤孔目：官名，掌文书档案。⑫⑥如宝历年样：唐敬宗宝历元年（公元八二五年），刘悟死，子从谏袭为节度。事见本书卷二百四十三。⑫⑦严奉：即软禁。表示恭敬侍奉，暗中严加监管。⑫⑧国医：御医。⑫⑨以医往问疾：带领医生前来探视病情。⑬⓪供奉官：在皇帝身边供职的人。此为宦者担任的内侍者

【原文】

上命德裕草诏赐成德节度使王元逵、魏博节度使何弘敬，其略曰："泽潞一镇，与卿事体不同，勿为子孙之谋，欲存辅车[150]之势。但能显立功效，自然福及后昆[151]。"丁丑[152]，上临朝，称其语要切[153]，曰："当如此直告之是也！"又赐张仲武诏，以"回鹘余烬未灭，塞上多虞[154]，专委卿御侮"。元逵、弘敬得诏，悚息[155]听命。

解朝政至上党，刘稹见朝政曰："相公[156]危困，不任拜诏[157]。"朝政欲突入[158]，兵马使刘武德、董可武蹑帘而立[159]。朝政恐有他变，遽走出。稹赠赆[160]直数千缗，复遣牙将梁叔文入谢。薛士干入境，俱不问从谏之疾，直为已知其死之意。都押牙郭谊[161]等乃大出军，至龙泉驿[162]迎候敕使，请用河朔事体。又见监军言之，崔士康懦怯，不敢违。于是

供奉官。⑬① 泽潞：即昭义军，领泽、潞、邢、洺、磁等州，简称泽潞。⑬② 宰相多以为：宰相们大多认为。〖按〗唐朝宰相不止一人，亦无固定名额，皇帝可随时指定，给以同平章事名义，即为宰相。⑬③ 事体：事情状况。⑬④ 度外：法度之外。⑬⑤ 近处心腹：靠近朝廷的重要之地。⑬⑥ 卢从史：德宗、宪宗两朝泽潞节度使。元和三年（公元八〇八年）贬州司马，赐死。传见《旧唐书》卷一百三十二、《新唐书》卷一百四十一。⑬⑦ 顷时：近时。⑬⑧ 李抱真成立此军：事见本书卷二百二十三唐代宗永泰元年。李抱真（公元七三三至七九四年），字太玄，官至昭义节度使。传见《旧唐书》卷一百三十二、《新唐书》卷一百三十八。⑬⑨ 李缄：抱真子，父死，欲为留后，不许，遂护丧归东都。事附新、旧《唐书·李抱真传》。⑭⓪ 恤：忧虑。⑭① 竖子：小子。指刘稹。⑭② 克：战胜。⑭③ 自艰难以来：谓自安史之乱以来。⑭④ 列圣：指唐代宗、唐德宗以来各朝皇帝。⑭⑤ 山东：太行山以东。⑭⑥ 山东三州：指邢、洺、磁三州，隶属昭义。⑭⑦ 沮桡：阻扰破坏。沮，阻止。桡，通“挠”。⑭⑧ 必成擒：必定被擒。⑭⑨ 入：纳。

【校记】

［5］亲军：原误作“亲事”。严衍《通鉴补》改作“亲军”，当是，今据校正。［6］往：原无此字。据章钰校，十二行本、乙十一行本皆有此字，今据补。［7］境：据章钰校，十二行本、乙十一行本皆作“鄙”。

【语译】

武宗命令李德裕起草诏书赐给成德节度使王元逵、魏博节度使何弘敬，大意说：“泽潞这个镇，与你们镇情况不同，不要专为子孙打算，想保存辅车相依的形势。只要建立显著的功劳，自然福泽就会传到后代子孙。”四月十九日丁丑，武宗临朝，称赞德裕所草诏书简要而切中要害，说：“应当这样率直地告谕他们才是！”又赐给张仲武诏书，说“回鹘的残余势力尚未消灭，塞上多忧，专门委托你抵御外侮”。王元逵、何弘敬得到诏书后，非常惶恐，听从朝廷命令。

解朝政到达上党，刘稹见到解朝政说：“相公病危困顿，不堪跪拜接诏。”解朝政想冲到府内去，兵马使刘武德、董可武紧靠门帘站立。解朝政害怕有其他事变，急忙跑了出来。刘稹赠给他价值几千串钱的告别礼物，又派遣牙将梁叔文入朝道谢。薛士干进入潞州境内，全不询问刘从谏的病情，直接表示已知道刘从谏死了的意思。都押牙郭谊等于是出动大批军队，到龙泉驿迎候奉敕的使者，请求沿用河朔的情况办事。又见了监军，说了这件事，崔士康懦弱胆怯，不敢违抗。于是将吏扶着刘稹

将吏扶稹出见士众，发丧。士干竟不得入牙门，稹亦不受敕命。谊，兖州人也。解朝政复命，上怒，杖之，配⑯³恭陵⑯⁴，囚姜崟、梁叔文。

辛巳⑯⁵，始为从谏辍朝⑯⁶，赠太傅，诏刘稹护丧归东都。又召见刘从素，令以书谕稹，稹不从。丁亥⑯⁷，以忠武节度使王茂元⑯⁸为河阳节度使，邠宁节度使王宰⑯⁹为忠武节度使。茂元，栖曜⑰⁰之子。宰，智兴之子也。

【段旨】

以上为第六段，写唐武宗严旨责令刘稹入朝。

【注释】

⑮⁰辅车：即辅车相依。语出《左传·僖公五年》："辅车相依，唇亡齿寒。"辅，面颊。车，牙床。⑮¹后昆：后代子孙。⑮²丁丑：四月十九日。⑮³要切：简要而切中要害。⑮⁴虞：忧虑。⑮⁵悚息：恐惧喘息。⑮⁶相公：谓刘从谏。⑮⁷不任拜诏：不能拜谢诏书。任，堪。⑮⁸突入：冲入。⑮⁹蹑帘而立：紧靠门帘站立。⑯⁰贶：礼物。⑯¹郭谊：刘从谏都押牙。从谏死，拥稹继任。稹兵败，杀稹向朝廷邀功，被诛死。事附《新唐书》

【原文】

黄州⑰¹刺史杜牧上李德裕书，自言："尝问淮西将董重质以三州⑰²之众四岁不破⑰³之由，重质以为由朝廷征兵太杂，客军⑰⁴数少，既不能自成一军，事须帖付地主⑰⁵。势羸力弱，心志不一，多致败亡。故初战二年以来[8]，战则必胜，是多杀客军。及二年已后，客军殚少⑰⁶，止⑰⁷与陈许⑰⁸、河阳全军⑰⁹相搏，纵使唐州兵⑱⁰不能因虚取城，蔡州事力亦不支矣。其时朝廷若使鄂州、寿州、唐州只保境，不用进战，但用陈许、郑滑⑱¹两道全军，帖⑱²以宣、润弩手，令其守隘，即不出一岁，无蔡州矣。今者上党之叛，复与淮西不同。淮西为寇仅⑱³五十岁，其人味为寇之腴⑱⁴，见为寇之利，风俗益固，气焰已成，

出来接见士众，发布刘从谏丧事的消息。薛士干最终未能进入牙门，刘稹也不接受敕命。郭谊是兖州人。解朝政回朝复命，武宗大怒，用棍棒打他，发配到恭陵去服劳役，囚禁了姜崟、梁叔文。

四月二十三日辛巳，武宗才为刘从谏之死停止朝会，追赠他为太傅，诏令刘稹护丧回到东都。又召见刘从素，命令他写信晓谕刘稹，刘稹不听从。二十九日丁亥，任命忠武节度使王茂元为河阳节度使，邠宁节度使王宰为忠武节度使。王茂元是王栖曜的儿子。王宰是王智兴的儿子。

卷二百十四《刘稹传》。⑯ 龙泉驿：地名，在今山西屯留东南康庄。⑯ 配：发配。⑯ 恭陵：陵墓名，唐高宗太子李弘，年二十四而薨。谥为孝敬皇帝，葬恭陵，在今河南偃师南。⑯ 辛巳：四月二十三日。⑯ 辍朝：停止视朝。唐例，朝廷重臣及藩镇大员卒，天子为之辍朝。⑯ 丁亥：四月二十九日。⑯ 王茂元（？至公元八四三年）：濮州濮阳（今河南濮阳）人，历官陈许、河阳节度使。传见《旧唐书》卷一百五十二、《新唐书》卷一百七十。⑯ 王宰：本名王晏宰，历任邠宁、忠武、河东节度使。传见《旧唐书》卷一百五十六、《新唐书》卷一百七十二。⑰ 栖曜：即王栖曜（？至公元八〇三年），官至鄜坊节度使。在新、旧《唐书》中与其子王茂元同传，见《旧唐书》卷一百五十二、《新唐书》卷一百七十。

【语译】

黄州刺史杜牧向李德裕上书，自言道："曾经询问过淮西将领董重质，用三州的兵众四年时间没有攻破蔡州的原因，董重质认为是由于朝廷征调的军队太杂乱，外地调来军队数量少，既然自己不能组成一支军队，遇事就只能依附当地势力。势单力薄，心志不一，导致很多失败伤亡。所以初战两年以来，淮西军逢战必胜，被杀的多半是客军。等到两年以后，客军已经很少，仅和陈许、河阳两支军队战斗，即使唐州兵不能因空虚而夺取蔡州城，蔡州的军事力量也支持不住了。当时朝廷如果让鄂州、寿州、唐州的军队只守卫边境，不用进兵作战，只用陈许、郑滑两道的全部军队，加上宣、润二州弓弩手，命令他们守住关隘，那么不超过一年时间，就没有蔡州了。现在上党的叛乱，又与淮西不同。淮西为寇接近五十年，那里的人尝到了叛乱的甜头，看到了叛乱为寇的利益，叛乱的习俗更加顽固，气焰已经形成，自

自以为天下之兵莫与我敌，根深源阔，取之固难。夫上党则不然，自安、史南下，不甚附隶[185]，建中[186]之后，每奋忠义。是以兒公[187]抱真能窘田悦[188]，走朱滔[189]，常以孤穷寒苦之军，横折[190]河朔强梁[191]之众。以此证验，人心忠赤，习尚专一[192]，可以尽见。刘悟卒，从谏求继，与扶同者[193]，只郓州随来中军二千耳。值宝历多故[194]，因以授之。今才二十余岁，风俗未改[195]，故老[196]尚存，虽欲劫之，必不用命。今成德、魏博虽尽节[197]效顺，亦不过围一城，攻一堡，系累稚老[198]而已。若使河阳万人为垒，窒[199]天井[200]之口，高壁深堑，勿与之战，只以忠武[201]、武宁[202]两军，帖以青州五千精甲，宣、润二千弩手，径捣[203]上党，不过数月，必覆其巢穴矣。”时德裕制置[204]泽潞，亦颇采牧言。

【段旨】

以上为第七段，写杜牧上书李德裕献平定强藩的策略。

【注释】

⑰黄州：州名，治所黄冈，在今湖北黄冈。⑰三州：指淮西节度使所辖申、光、蔡三州。⑰不破：谓未被朝廷军队攻破。⑰客军：从外地调来作战的军队。⑰帖付地主：依附当地主人，即地方势力。⑰殚少：极少。⑰止：只；仅。⑰陈许：指当时讨伐淮西吴元济的李光颜之兵。⑰河阳全军：谓乌重胤之兵。⑱唐州兵：谓李愬之兵。⑱郑滑：即薛平之兵。⑱帖：益；增添。⑱仅：近；几乎。⑱味为寇之腴：尝到叛逆作乱的甜头。⑱不甚附隶：指唐肃宗时，安禄山大将蔡希德曾率兵攻上党，上党拒不附贼。⑱建中：唐德宗第一个年号（公元七八〇至七八三年）。⑱兒公：李抱真封号。兒，同“倪”。⑱窘田悦：陷田悦于困境。窘，困迫。建中二年（公元七八一年），魏博节度使

【原文】

上虽外尊宠仇士良，内实忌恶之。士良颇觉之，遂以老病求散秩[205]，诏以左卫上将军兼内侍监、知省事[206]。

己认为天下的军队没有谁能与我为敌，根深蒂固，要攻下它必定困难。上党的情况就不是这样，自从安、史南下，上党就不大依附贼寇，建中年间以后，每每奋发出对朝廷的忠义。所以兒公李抱真使田悦陷于困境，打跑了朱滔，常用孤寒穷苦的军队，任情挫败河朔强横的兵众。以这些事例证明，人心是忠诚的，习尚是专一的，可以完全看得到。刘悟死后，刘从谏要求继职，赞同支持他的人，只有郓州跟随来的中军二千人而已。正赶上宝历年间国家多事，因而就授予刘从谏旌节。到现在才二十余年，风俗没有改变，故老还在，虽然想劫持他们，但他们一定不会服从命令。现在成德、魏博虽然能守臣节为朝廷效力，也不过围一城，攻一堡，俘获一些老少之人而已。如果让河阳出一万人修筑堡垒，堵住天井关这个隘口，高壁深堑，不与敌人交战，只用忠武、武宁两支军队，加上青州的五千精甲，宣、润的两千弓弩手，径直进攻上党，不超过几个月，一定能灭了他们的巢穴。”当时李德裕经营策划泽潞，采纳了不少杜牧的主张。

田悦叛乱，李抱真与河东节度使马燧出兵，多次打败田悦。⑱⑨ 走朱滔：唐德宗兴元元年（公元七八四年），卢龙节度使朱滔为响应其兄朱泚称帝，围攻贝州，为李抱真与成德节度使王武俊所败，逃归幽州。⑲⓪ 横折：任情摧折。⑲① 强梁：强横；凶暴。⑲② 习尚专一：谓习性风尚专一倾向朝廷。⑲③ 扶同者：指支持刘从谏割据的人。扶同，扶持赞同。⑲④ 宝历多故：指唐敬宗即位，宰相李逢吉专权，排斥异己，故准刘从谏袭领昭义军。宝历，唐敬宗年号（公元八二五至八二六年）。⑲⑤ 风俗未改：指忠于朝廷，遵守文教之风没有改变，不若河朔三镇，割据成习惯。⑲⑥ 故老：元老旧臣。⑲⑦ 尽节：竭尽忠贞之节操。⑲⑧ 系累稚老：俘获老小。系累，捆绑。⑲⑨ 窒：堵塞。⑳⓪ 天井：关名，故址在今山西晋城南太行山上，亦名太行关，为南入怀州、洛阳之险隘。⑳① 忠武：即王宰之陈许兵。⑳② 武宁：即李彦佐之徐州兵。⑳③ 径捣：直接攻击。⑳④ 制置：经营筹划。

【校记】

［8］以来：原无此二字。据章钰校，十二行本、乙十一行本皆有此二字，今据补。

【语译】

武宗虽然表面上尊宠仇士良，内心实际上忌恨他。仇士良颇有觉察，于是托词年老多病求任散职，诏令以左卫上将军兼内侍监，主持内侍省事。

李德裕言于上曰："议者皆云刘悟有功㉗，稹未可亟诛㉘，宜全恩礼。请下百官议，以尽人情。"上曰："悟亦何功，当时迫于救死耳，非素心㉙徇国也。借使㉚有功，父子为将相二十余年，国家报㉛之足矣，稹何得复自立！朕以为凡有功当显赏㉜，有罪亦不可苟免㉝也。"德裕曰："陛下之言，诚得理国之要㉞。"

五月，李德裕言太子宾客、分司李宗闵与刘从谏交通㉟，不宜置㊱之东都。戊戌㊲，以宗闵为湖州刺史。

河阳节度使王茂元以步骑三千守万善㊳，河东节度使刘沔步骑二千守芒车关㊴，步兵一千五百军㊵榆社㊶，成德节度使王元逵以步骑三千守临洺㊷，掠㊸尧山㊹，河中节度使陈夷行以步骑一千守翼城㊺，步兵五百益[9]冀氏㊻。辛丑㊼，制㊽削夺刘从谏及子稹官爵，以元逵为泽潞北面招讨使，何弘敬为南面招讨使，与夷行、刘沔、茂元合力攻讨。

先是，河朔[10]诸镇有自立者，朝廷必先有吊祭使，次册赠使㊾、宣慰使继往商度㊿军情。必不可与节(231)，则别除一官。俟军中不听出，然后始用兵。故常及半岁，军中得缮完为备(232)。至是，宰相亦欲且遣使开谕，上即命下诏讨之。王元逵受诏之日，出师屯赵州(233)。

【段旨】

以上为第八段，写刘稹不听命入朝，唐武宗即行征讨。

【注释】

(205)散秩：即散官。有官秩而无固定职守之官员。(206)知省事：主持内侍省事务。(207)有功：指刘悟诛李师道，从而结束淄青、平卢叛乱。(208)亟诛：急迫讨伐。(209)素心：本心。(210)借使：即使。(211)报：回报；酬报。(212)显赏：公开重赏。(213)苟免：随便免罪。(214)理国之要：治国的要领。(215)交通：交接；往来。(216)置：安置。(217)戊戌：五月初十日。(218)万善：镇名，在今河南沁阳北。(219)芒车关：关名，在今山西武乡东北。(220)军：驻屯。(221)榆

李德裕对武宗说："议论的人都说刘悟有功，刘稹不能急忙讨伐，应保全对他家的恩惠礼遇。请把这事交付百官评议，让大家充分发表意见。"武宗说："刘悟有什么功劳，当时是迫于挽救自己的死亡而已，并不是本心报国。即使有功劳，父子担任将相二十多年，国家回报他们也足够了，刘稹怎么能够又自立为节度使！朕认为凡是有功的人应当公开奖赏，有罪的人也不能随便免罪。"李德裕说："陛下的话，确实把握了治理国家的要领。"

五月，李德裕说太子宾客、分司李宗闵与刘从谏交往，不应当安置在东都。初十日戊戌，任命李宗闵为湖州刺史。

河阳节度使王茂元利用步兵骑兵三千人守卫万善，河东节度使刘沔利用步兵骑兵二千人守卫芒车关，步兵一千五百人屯驻榆社县，成德节度使王元逵利用步兵骑兵三千人守卫临洺县，抢掠尧山，河中节度使陈夷行利用步兵骑兵一千人守卫翼城，步兵五百人抢掠冀氏。五月十三日辛丑，下制诏削去刘从谏和他儿子刘稹的官爵，任命王元逵为泽潞北面招讨使，何弘敬为南面招讨使，与陈夷行、刘沔、王茂元合力讨伐刘稹。

此前，河朔诸镇如有自立的人，朝廷一定先派去吊祭使，然后又派去册赠使、宣慰使相继前往商量军事形势。一定不可赐给旌节的，就另外授任一个官职。等到军队不让使者离开，然后才开始用兵讨伐。所以常常要拖半年时间，军中得以修缮整治，做好防备。到刘稹这件事，宰相也想暂时派使者开导劝谕，而皇上却随即下诏讨伐刘稹。王元逵接到诏令之日，就出兵屯驻赵州。

社：县名，县治在今山西榆社。㉒临洺：县名，县治在今河北邯郸市永年区。㉓掠：攻击。㉔尧山：县名，县治在今河北隆尧西尧城。㉕翼城：县名，县治在今山西翼城。㉖冀氏：县名，县治在今山西安泽东南。㉗辛丑：五月十三日。㉘制：皇帝命令。㉙册赠使：朝廷所派对已故节度使宣布册功、赠官或谥号的专使。㉚商度：商量估测。㉛节：指节度使符节。㉜缮完为备：修葺整治城郭兵器等，做好防备。㉝赵州：州名，治所平棘，在今河北赵县。

【校记】

［9］益：严衍《通鉴补》"益"改作"掠"，当是。［10］朔：据章钰校，十二行本、乙十一行本皆作"北"。

【原文】

壬寅[234]，以翰林学士承旨[235]崔铉[236]为中书侍郎、同平章事。铉，元略之子也。上夜召学士韦琮[237]，以铉名授之，令草制，宰相、枢密皆不之知。时枢密使刘行深、杨钦义皆愿悫[238]，不敢预事。老宦者尤[239]之曰："此由刘、杨懦怯，堕败旧风[240]故也。"琮，乾度[241]之子也。

以武宁节度使李彦佐为晋绛[242]行营诸军节度招讨使。

刘沔自代州还太原[243]。

筑望仙观[244]于禁中。

六月，王茂元遣兵马使马继等将步骑二千军于天井关南科斗店，刘稹遣衙内十将薛茂卿将亲军二千拒之。

黠戛斯可汗遣将军温仵合入贡。上赐之书，谕以速平回鹘、黑车子，乃遣使行册命。

癸酉[245]，仇士良以左卫上将军、内侍监致仕[246]。其党送归私第，士良教以固权宠[247]之术曰："天子不可令闲，常宜以奢靡娱其耳目[248]，使日新月盛，无暇更及他事，然后吾辈可以得志[249]。慎勿使之读书，亲近儒生。彼见前代兴亡，心知忧惧，则吾辈疏斥[250]矣。"其党拜谢而去。

丙子[251]，诏王元逵、李彦佐、刘沔、王茂元、何弘敬以[252]七月中旬五道齐进，刘稹求降皆不得受。又诏刘沔自将兵取仰车关[253]路，以临贼境。

【段旨】

以上为第九段，写大宦官仇士良致仕，教唆宦官控制人君之术。写朝廷发兵五路征讨泽潞刘稹。

【注释】

㉞④ 壬寅：五月十四日。[235] 翰林学士承旨：官名，位在诸学士之上，凡大诏令、大废置等重要政事，皆得专受专对，他人无得参与。[236] 崔铉：字台硕，博陵（今河北蠡县南）人，武宗、宣宗两朝宰相，官终荆南节度使。传见《旧唐书》卷一百六十三、《新唐书》卷一百六十。[237] 韦琮：字礼玉，历官户部侍郎、翰林学士承旨、宰相。传见《新

【语译】

五月十四日壬寅，任命翰林学士承旨崔铉为中书侍郎、同平章事。崔铉是崔元略的儿子。武宗夜里召见学士韦琮，把崔铉的名字交给他，命令他起草任职制书，宰相和枢密使都不知道这件事。当时枢密使刘行深、杨钦义都谨慎忠厚，不敢预事。老宦者责怪他俩说："这是由于刘行深、杨钦义软弱胆小，败坏原有惯例导致的。"韦琮是韦乾度的儿子。

任命武宁节度使李彦佐为晋绛行营诸军节度招讨使。

刘沔从代州返回太原。

在禁中修建望仙观。

六月，王茂元派遣兵马使马继等带领步兵骑兵二千人屯驻天井关南面的科斗店，刘稹派遣衙内十将薛茂卿率领亲军二千人抵抗马继的军队。

黠戛斯可汗派遣将军温仵合到朝廷进贡。武宗赐给他书信，告谕他要赶快平定回鹘、黑车子，于是朝廷派遣使者正式册命他为可汗。

六月十六日癸酉，仇士良以左卫上将军、内侍监的职位退休。他的党徒送他回到私宅，仇士良教给他们巩固权宠的办法说："不要使天子闲着，常常应当用奢华靡丽的事使他耳目娱悦，要不断变换不同的花样，使他没有闲暇顾及其他的事，然后我们才能得志。千万不要让天子读书，亲近儒生。他看到前代的兴亡，心里知道担忧恐惧，那么我们就会被疏远了。"党徒们拜谢赐教后离开了。

六月十九日丙子，诏令王元逵、李彦佐、刘沔、王茂元、何弘敬在七月中旬，五路并进，刘稹请求投降都不准接受。又诏令刘沔亲自带兵走仰车关这条路，到达叛贼的边境。

唐书》卷一百八十二。㉓⑧ 愿悫：谨慎忠厚。㉓⑨ 尤：责怪。㉔⓪ 堕败旧风：败坏了原有的制度、惯例。唐自中期以来，朝廷每有大事，须经枢密使同意方可实行。今枢密使刘行深等不敢预事，故曰"堕败旧风"。㉔① 乾度：即韦乾度，唐宪宗时任吏部郎中。㉔② 绛：州名，治所正平，在今山西新绛。㉔③ 自代州还太原：刘沔为河东节度使，驻节太原。会昌二年（公元八四二年）屯军代州防回鹘，现回鹘已被击败逃走，故还军。㉔④ 望仙观：道观名，又称望仙楼，会昌三年筑于宫中，包括附属廊舍，共五百三十九间。㉔⑤ 癸酉：六月十六日。㉔⑥ 致仕：退休；辞官回家。㉔⑦ 固权宠：巩固权势宠幸。㉔⑧ 娱其耳目：使其耳目愉悦。㉔⑨ 得志：得行其所欲。㉕⓪ 疏斥：疏远弃逐。㉕① 丙子：六月十九日。㉕② 以：于；在。㉕③ 仰车关：芒车关。

【原文】

吐蕃鄯州[254]节度使尚婢婢世为吐蕃相，婢婢好读书，不乐仕进[255]，国人敬之。年四十余，彝泰赞普强起之，使镇鄯州。婢婢宽厚沈勇[256]，有谋略，训练士卒多精勇。

论恐热虽名义兵[257]，实谋篡国。忌婢婢，恐袭其后，欲先灭之。是月，大举兵击婢婢，旌旗、杂畜千里不绝。至镇西[258]，大风震[259]电，天火烧杀裨将十余人，杂畜以百数。恐热恶之，盘桓不进。婢婢谓其下曰："恐热之来，视我如蝼蚁，以为不足屠也。今遇天灾，犹豫不进，吾不如迎伏[260]以却[261]之，使其志益骄而不为备，然后可图也。"乃遣使以金帛、牛酒犒师[262]，且致书言："相公举义兵以匡[263]国难，阖[264]境之内，孰不向风[265]！苟遣一介[266]，赐之折简[267]，敢不承命！何必远辱士众，亲临下藩！婢婢资性愚僻[268]，惟嗜读书。先赞普授以藩维[269]，诚为非据[270]，夙夜惭惕[271]，惟求退居。相公若赐以骸骨，听归田里，乃惬[272]平生之素愿也。"恐热得书喜，遍示诸将曰："婢婢惟把书卷，安知用兵！待吾得国，当位以宰相，坐之于家，亦无所用也。"乃复为书，勤厚[273]答之，引兵归。婢婢闻之，抚髀[274]笑曰："我国无主，则归大唐，岂能事此犬鼠乎！"

【段旨】

以上为第十段，写吐蕃鄯州节度使尚婢婢智拒论恐热。

【语译】

吐蕃鄯州节度使尚婢婢世代担任吐蕃宰相。尚婢婢喜欢读书，不乐意做官，国人很敬重他。年纪四十多岁了，国君彝泰赞普勉强把他请出来，要他担任鄯州镇节度使。尚婢婢宽厚沉勇，有谋略，训练的士卒多精悍勇敢。

论恐热虽然名为义兵，实际上是谋划篡夺国家权力。他猜忌尚婢婢，担心他从后面袭击自己，想先把他消灭掉。这个月，大量调动军队进攻尚婢婢，旌旗、牲畜绵延千里。到达镇西时，遇上大风雷电，雷电烧死裨将十多人，牲畜数以百计。论恐热对这起灾祸很厌恶，徘徊不前。尚婢婢对部下说："论恐热前来时，把我们当蝼蚁看待，认为不花大力气就可以把我们消灭掉。现在遇上天灾，犹豫不前，我们不如迎接他，服从他，让他退走，使他更骄傲而不作防备，然后就可以谋划收拾他了。"于是派人送金银绸帛和牛酒犒赏论恐热的军队，并且写信给他说："相公举义兵以拯救国难，全境之内，谁不闻风服从！只要派一个甲士，赐给一封书信，谁敢不接受命令！何必从远处带着士兵，亲自到我这个地方来！婢婢天资本性就很愚陋，只喜欢读书。先赞普授予我藩国，实在不应占有，早晚都感到羞惭恐惧，只想退下来安居林下。相公要是放过我，让我回到田野去，就满足了我平生的意愿。"论恐热收到书信以后很高兴，把它给每一个将领看，并说："婢婢只能手持书卷，哪里知道用兵打仗！等到我得到了国家，应当让他位处宰相，叫他坐在家里，也没有什么大用处。"于是又写了信，殷勤厚道地答复了尚婢婢，带兵回去了。尚婢婢听说后，拍着大腿笑道："我国没有君主，就归附大唐，哪里能够侍奉这个犬鼠呢！"

【注释】

㉕④鄯州：州名，治所湟水，在今青海海东市乐都区。㉕⑤仕进：进身做官。㉕⑥沈勇：沉稳勇敢。沈，同"沉"。㉕⑦义兵：论恐热以讨綝氏而起兵，故称"义兵"。事见本书上卷会昌二年。㉕⑧镇西：军镇名，治所枹罕，在今甘肃临夏东北。㉕⑨震：雷。㉖⓪伏：同"服"，服从。指态度谦逊。㉖①却：使退。㉖②犒师：以酒食慰劳军队。㉖③匡：挽救。㉖④阖：全。㉖⑤向风：闻风服从。㉖⑥一介：一人。㉖⑦折简：犹言书信。㉖⑧愚僻：愚陋。㉖⑨藩维：藩国。㉗⓪非据：不应占有。㉗①惭惕：羞愧恐惧。㉗②惬：满足。㉗③勤厚：殷勤厚意。㉗④髀：大腿。

【原文】

秋，七月，以山南东道节度使卢钧为昭义节度招抚使。朝廷以钧在襄阳[275]宽厚有惠政，得众心，故使领昭义以招怀[276]之。

上遣刑部侍郎兼御史中丞李回[277]宣慰河北三镇，令幽州[278]乘秋早平回鹘，镇、魏[279]早平泽潞。回，太祖之八世孙[280]也。

甲辰[281]，李德裕言于上曰："臣见向日河朔用兵，诸道利于出境仰给度支[282]，或阴与贼通，借一县一栅据之，自以为功，坐食转输[283]，延引岁时[284]。今请赐诸军诏指，令王元逵取邢州[285]，何弘敬取洺州，王茂元取泽州[286]，李彦佐、刘沔取潞州，毋得取县。"上从之。

晋绛行营节度使李彦佐自发徐州，行甚缓，又请休兵于绛州，兼请益兵。李德裕言于上曰："彦佐逗遛[287]顾望[288]，殊无讨贼之意，所请皆不可许。宜赐诏切责[289]，令进军翼城。"上从之。德裕因请以天德防御使石雄为彦佐之副，俟至军中，令代之。乙巳[290]，以雄为晋绛行营节度副使，仍诏彦佐进屯翼城。

刘稹上表自陈："亡父从谏为李训雪冤[291]，言仇士良罪恶，由此为权幸所疾，谓臣父潜怀异志，臣所以不敢举族归朝。乞陛下稍垂宽察，活臣一方[292]。"何弘敬亦为之奏雪[293]，皆不报[294]。李回至河朔，何弘敬、王元逵、张仲武皆具櫜鞬郊迎，立于道左，不敢令人控马[295]，让制使[296]先行，自兵兴以来[297]，未之有也。回明辩[298]有胆气，三镇无不奉诏。

王元逵奏拔宣务栅[299]，击尧山。刘稹遣兵救尧山，元逵击败之。诏切责李彦佐、刘沔、王茂元，使速进兵逼贼境，且称元逵之功以激厉[300]之。加元逵同平章事。

八月乙丑[301]，昭义大将李丕[302]来降。议者或谓贼故遣丕降，欲以疑误官军。李德裕言于上曰："自用兵半年，未有降者，今安问诚之与诈！且须厚赏[303]以劝将来，但不可[11]置之要地[304]耳。"

上从容言："文宗好听外议[305]，谏官言事多不著名，有如匿名书[306]。"李德裕曰："臣顷在中书[307]，文宗犹不尔[308]。此乃李训、郑注教文宗以术御下[309]，遂成此风。人主但当推诚任人，有欺罔者，威以明刑[310]，孰敢哉！"上善之。

王元逵前锋入邢州境已逾月，何弘敬犹未出师。元逵屡有密表，

【语译】

秋，七月，任命山南东道节度使卢钧为昭义节度招抚使。朝廷因为卢钧在襄阳宽厚有惠政，能得民心，所以派他担任昭义节度使以安抚百姓。

武宗派遣刑部侍郎兼御史中丞李回宣慰河北三镇，命令幽州镇乘秋天及早平定回鹘，镇州镇和魏博镇及早平定泽潞。李回是太祖李虎的第八代孙。

七月十七日甲辰，李德裕对武宗说："臣见到从前河朔地方打仗，各道认为军队出境后由度支供给粮饷最为有利，有的暗中和叛贼往来，借一个县或一个栅寨占据着，自己认为有功劳，坐着享受度支运来的军粮，拖延时日。现在请赐给诸军诏令，命令王元逵夺取邢州，何弘敬夺取洺州，王茂元夺取泽州，李彦佐、刘沔夺取潞州，不准夺取县城。"武宗听从了。

晋绛行营节度使李彦佐从徐州出发后，行动极为缓慢，又请求在绛州让士兵休息，还请求增加兵员。李德裕对武宗说："李彦佐逗留观望，全无讨伐叛贼的意思，他的请求都不能答应。应当下诏严厉责备他，命令他进军翼城。"武宗听从了。李德裕接着请求让天德防御使石雄为李彦佐的副手，等到石雄到达军中，令他取代李彦佐的职务。七月十八日乙巳，任命石雄为晋绛行营节度副使，仍诏令李彦佐进驻翼城。

刘稹上奏表自我陈述说："亡父从谏为李训昭雪冤案，指出了仇士良的罪恶，由此被宦官仇恨，说臣父暗地里对朝廷怀有异心，臣因此不敢全家回到朝廷。乞求陛下稍作了解，使臣生存于一隅。"何弘敬也帮刘稹上奏请求洗雪冤枉，朝廷都没有回答。李回到达河朔，何弘敬、王元逵、张仲武都准备好车马到郊区迎接，站立在道左，不敢让人为自己牵马，以便让制使先行，自从安史之乱以来，没有过这种情况。李回明辨，有胆量，三镇没有不奉行诏旨的。

王元逵上奏说攻下了宣务栅，正在攻打尧山。刘稹派兵援救尧山，王元逵打败了他。下诏切责李彦佐、刘沔、王茂元，要他们赶快进兵逼近贼境，并且称赞王元逵的功劳用以激励他们。加任王元逵同平章事。

八月初九日乙丑，昭义军大将李丕前来投降。议论的人中有的说是叛贼故意派遣李丕投降，想用这个办法疑惑官军。李德裕对武宗说："自从打仗的半年以来，没有投降的人，现在哪要问是真降还是欺诈！只需要用厚重的奖赏以鼓励将来投降的人，只是不能把这种人安置在重要的地方就可以了。"

武宗闲谈时说："文宗喜欢听取朝廷外面的议论，谏官提出意见时多半不署名，如同匿名信。"李德裕说："臣往时在中书省时，文宗还不是这个样子。这是李训、郑注教文宗用权术驾驭臣下，于是形成这种风气。人主只应推诚用人，有欺诈的，以人主之威，公开施加刑罚，谁敢再欺骗啊！"武宗称赞李德裕说得好。

王元逵的前锋部队进入邢州境内已经过了一个月，何弘敬还没有出兵。王元逵多

称弘敬怀两端[311]。丁卯[312]，李德裕上言："忠武累战有功，军声颇振。王宰[313]年力方壮，谋略可称。请赐弘敬诏，以'河阳、河东皆阂山险[314]，未能进军，贼屡出兵焚掠晋、绛。今遣王宰将忠武全军径[315]魏博，直抵磁州，以分贼势'。弘敬必惧，此攻心伐谋之术[316]也。"从之。诏宰悉选步骑精兵自相、魏趣磁州。

甲戌[317]，薛茂卿破科斗寨[318]，擒河阳大将马继等，焚掠小寨一十七，距怀州[319]才十余里。茂卿以无刘稹之命，故不敢入。时议者鼎沸[320]，以为刘悟有功，不可绝其嗣。又，从谏养精兵十万，粮支十年，如何可取！上亦疑之，以问李德裕，对曰："小小进退，兵家之常，愿陛下勿听外议，则成功必矣！"上乃谓宰相曰："为我语朝士：有上疏沮议者，我必于贼境上斩之！"议者乃止。

何弘敬闻王宰将至，恐忠武兵入魏境，军中有变，苍黄[321]出师。丙子[322]，弘敬奏，已自将全军度漳水[323]，趣磁州。

【段旨】

以上为第十一段，写官军受挫，李德裕劝唐武宗坚定征讨，又用计迫使魏博节度使何弘敬进兵征讨。

【注释】

㉗⑤襄阳：郡名，治所襄阳，在今湖北襄阳市襄城区，为山南东道治所。㉗⑥招怀：招抚安慰。㉗⑦李回：字昭度，唐宗室，会昌五年（公元八四五年）任宰相。唐宣宗大中元年（公元八四七年），因为与李德裕亲善，贬湖南观察使，再贬抚州刺史。传见《旧唐书》卷一百七十三、《新唐书》卷一百三十一。㉗⑧幽州：即三镇之卢龙。㉗⑨镇、魏：即三镇之成德、魏博。㉘⓪太祖之八世孙：太祖李虎第六子李祎生李德良，再传六世至李回，故云八世。㉘①甲辰：七月十七日。㉘②出境仰给度支：唐制，诸道节度使奉命出征，离开守境，则由中央财政供给军饷。度支，户部第二司，掌国家财政收支。㉘③转输：指度支运输供给的军粮。㉘④延引岁时：延长时日，指拖延战事。㉘⑤邢州：州名，治所龙冈，在今河北邢台。㉘⑥泽州：州名，治所晋城，在今山西晋城。㉘⑦逗遛：徘徊不进。遛，通"留"。㉘⑧顾望：观望。㉘⑨切责：严厉责备。㉙⓪乙巳：七月十八日。㉙①为李训雪冤：李训谋诛宦官，引刘从谏为外援。故甘露事变后，刘从谏上书，认为宰相王涯、李训等被诛，是由于仇士良的诬陷。事见本书卷二百四十五唐文宗开成元年。㉙②活臣一方：使我能生存于一隅，即活在泽潞地域。㉙③奏

次秘密上表，说何弘敬心怀观望。八月十一日丁卯，李德裕上奏说："忠武军多次作战有功，军队的声威很高。王宰正值年轻力壮，谋略也好。请下诏何弘敬，说明'河阳、河东都阻隔山险，不便进军，叛贼多次出兵焚烧抢掠晋、绛等地。现在派遣王宰带领整个忠武军部队穿过魏博，直抵磁州，用以分散叛贼的力量'。何弘敬一定害怕，这是攻心伐谋的办法。"武宗依从了。下诏让王宰精心挑选步兵骑兵从相州、魏州赶赴磁州。

八月十八日甲戌，薛茂卿攻下科斗寨，抓获河阳军大将马继等人，焚掠小堡寨十七个，部队离怀州才十余里。薛茂卿因为没有刘稹的命令，所以不敢攻入怀州。当时议论的人像鼎水沸腾，都认为刘悟有功劳，不应断绝了他的后嗣。还有，刘从谏蓄养十万精兵，粮食可以支撑十年，怎么能攻取他！武宗也怀疑，就询问李德裕，李德裕回答说："小小的胜败，这是兵家常事，希望陛下不要听信外面的议论，那么就一定能够成功！"武宗于是对宰相说："替我去告诉朝廷的士大夫们：凡是向朝廷上疏阻挠战事的人，我一定在叛贼边境上杀了他！"持异议的人这才不说了。

何弘敬听说王宰将要到来，担心忠武兵到了魏地，军中发生动乱，就匆忙出兵。八月二十日丙子，何弘敬上奏，已经亲自率领全军渡过了漳水，奔赴磁州。

雪：上书雪冤。㉔皆不报：一律不回答，即朝廷拒绝刘稹及何弘敬的请求。㉕控马：谓听任李回骑马前行，不敢阻拦。㉖制使：朝廷使臣称制使，以区别宦官使者之称敕使。㉗自兵兴以来：谓安史之乱以来。㉘明辩：能辨别清楚是非善恶。辩，通"辨"。㉙宣务栅：地名，在尧山县东北，今河北隆尧西北。㉚厉：同"励"。㉛乙丑：八月初九日。㉜李丕：原昭义军大将。刘稹拥兵自立，丕投降朝廷，官至鄜坊节度使。传见《新唐书》卷二百十四。㉝厚赏：重赏。㉞要地：要害之地。㉟外议：即朝外的议论。㊱匿名书：匿名信。㊲顷在中书：往时在中书省。李德裕在唐文宗太和七年（公元八三三年）二月至太和八年九月任宰相。顷，往时。㊳不尔：不如此。㊴御下：驾驭臣下。㊵威以明刑：以人主之威，公开施加刑罚。㊶怀两端：心怀观望，脚踏两条船。㊷丁卯：八月十一日。㊸王宰：王智兴之子，又名王晏宰，出征刘稹最年轻骁勇的将领，官至太原节度使。传见《旧唐书》卷一百五十六、《新唐书》卷一百七十二。㊹阂山险：指河阳阻于天井关之险，河东阻于石会关、芒车关之险。阂，阻隔、阻碍。㊺径：经过；穿过。㊻此攻心伐谋之术：这是攻破何弘敬的心理、破坏他的计谋的办法。何弘敬阳奉阴违，持两端而不出兵讨贼，现命令王宰率全军穿过何弘敬的辖境，何必然被迫出兵，从而破坏其心术。㊼甲戌：八月十八日。㊽科斗寨：寨名，位于天井关南之科斗店，在今山西晋城南。㊾怀州：州名，治所河内，在今河南沁阳。㊿鼎沸：嘈杂混乱。㉑苍黄：同"仓皇"，匆忙，慌张。㉒丙子：八月二十日。㉓漳水：水名，源于山西平定南之少山，中经河北磁县（即何弘敬渡河处），至天津入渤海。

【校记】

［11］可：原作“要”。据章钰校，十二行本、乙十一行本、孔天胤本皆作“可”，张敦仁《通鉴刊本识误》同，今据改。

【原文】

庚辰㉔，李德裕上言：“河阳兵力寡弱，自科斗店之败，贼势愈炽。王茂元复有疾，人情危怯，欲退保怀州。臣窃见元和㉕以来，诸贼常视官军寡弱之处，并力攻之，一军不支，然后更攻他处。今魏博未与贼战，西军㉖阂险不进，故贼得并兵[12]南下㉗。若河阳退缩，不惟亏沮㉘军声，兼恐震惊洛师㉙。望诏王宰更不之磁州，亟以忠武军应援河阳，不惟捍蔽㉚东都，兼可临制㉛魏博。若虑[13]全军供饷难给，且令发先锋五千人赴河阳，亦足张声势。”甲申㉜，又奏请敕王宰以全军继进，仍急以器械缯帛助河阳窘乏。上皆从之。

王茂元军万善，刘稹遣牙将张巨、刘公直等会薛茂卿共攻之，期以九月朔㉝围万善。乙酉㉞，公直等潜师先过万善南五里，焚雍店。巨引兵继之，过万善，觇㉟知城中守备单弱，欲专有功，遂攻之。日昃㊱，城且拔，乃使人告公直等。时义成军适至㊲，茂元困急，欲帅众弃城走。都虞候孟章遮马[14]谏曰：“贼众自有前却㊳，半在雍店，半在此，乃乱兵耳。今义成军才至，尚未食，闻仆射㊴走，则自溃矣。愿且强㊵留！”茂元乃止。会日暮，公直等不至。巨引兵退，始登山㊶，微雨晦黑㊷，自相惊曰：“追兵近矣！”皆走，人马相践，坠崖谷死者甚众。

上以王茂元、王宰两节度使共处河阳非宜㊸，庚寅㊹，李德裕等奏：“茂元习吏事而非将才，请以宰为河阳行营攻讨使㊺。茂元病愈，止令镇河阳，病困亦免他虞㊻。”九月辛卯㊼，以宰兼河阳行营攻讨使。

何弘敬奏拔肥乡、平恩㊽，杀伤甚众。得刘稹榜帖㊾，皆谓官军为

【语译】

八月二十四日庚辰，李德裕上奏说："河阳的兵力又少又弱，从科斗店失败以后，叛贼的势力更大了。王茂元又有病，人心恐惧，想撤退守卫怀州。臣看到从元和时期以来，各处叛贼常常看到官军弱小的地方，集中兵力进攻，打败了一支官军后，然后再转攻其他地方。现在魏博军还未与叛贼作战，泽潞西面的官军被险隘阻隔而不能前进，所以叛贼能合并兵力南下。如果河阳退缩不前，不仅有损军队士气，恐怕还使洛阳同时受到惊骇。希望诏令王宰改变进军路线不前往磁州，赶快带领忠武军支援河阳，不只是捍卫东都，同时还可控制魏博。如果担心全军的粮饷难以满足，暂时要他调发先锋五千人奔赴河阳，也足以扩大声势。"二十八日甲申，又奏请武宗敕令王宰带领全军继续前进，仍然要赶快用器械绸帛援助河阳，解决他们的困乏。武宗全都依从了。

王茂元驻扎在万善，刘稹派遣牙将张巨、刘公直等会同薛茂卿共同进攻他，约定九月初一日围攻万善。八月二十九日乙酉，刘公直等暗地带军队先越过万善南五里，烧了雍店。张巨带军队继刘公直之后，绕过万善，窥知城里守备力量单薄，想独自占有攻城的功劳，就攻打万善。到太阳偏西时，快要把城攻下来了，才派人告诉刘公直等人。当时义成军刚刚开到，王茂元危急，想带领军队放弃万善城逃走。都虞候孟章拦马谏阻说："叛贼的军队本身就有前有后，一半在雍店，一半在这里，这是杂乱的队伍而已。现在义成军刚刚到，还没有吃饭，听说仆射你逃走了，那么就自我溃散了。希望暂且勉为其难地留下来！"王茂元这才没有逃走。恰好到了傍晚，刘公直等没有到来。张巨带兵撤退，开始登山时，下着小雨，天色昏暗，士兵自相惊扰说："追兵很近了！"大家全都逃走，人马互相践踏，落到山崖下跌死的人很多。

武宗觉得王茂元、王宰两个节度使都待在河阳地方不合适，九月初四日庚寅，李德裕等人上奏说："王茂元熟习文职而不是将才，请任命王宰为河阳行营攻讨使。茂元病好以后，只让他镇守河阳，病没有好，免得有其他想法。"初五日辛卯，正式任命王宰兼任河阳行营攻讨使。

何弘敬上奏攻取了肥乡、平恩，杀伤很多敌人。得到刘稹张贴的告示，都称

贼，云遇之即须痛杀。癸巳[350]，上谓宰相："何弘敬已克[351]两县，可释前疑。既有杀伤，虽欲持两端，不可得已。"乃加弘敬检校左仆射。

丙午[352]，河阳奏王茂元薨。李德裕奏："王宰止可令以忠武节度使将万善营兵，不可使兼领河阳，恐其不爱河阳州县，恣为侵扰。又，河阳节度先领怀州刺史，常以判官摄事，割河南五县租赋隶河阳[353]。不若遂以五县[15]置孟州[354]，其怀州别置刺史。俟昭义平日，仍割泽州隶河阳节度，则太行之险不在昭义，而河阳遂为重镇，东都无复忧矣。"上采其言。戊申[355]，以河南尹[356]敬昕为河阳节度、怀孟观察使，王宰将行营以捍敌，昕供馈饷而已。

庚戌[357]，以石雄代李彦佐为晋绛行营节度使，令自冀氏取潞州，仍分兵屯翼城以备侵轶[358]。

是月，吐蕃论恐热屯大夏川[359]，尚婢婢遣其将厖结心及莽罗薛吕将精兵五万击之。至河州[360]南，莽罗薛吕伏兵四万于险阻，厖结心伏万人于柳林中，以千骑登山，飞矢系书骂之。恐热怒，将兵数万追之。厖结心阳[361]败走，时为马乏不进之状。恐热追之益急，不觉行数十里。伏兵发，断其归路，夹击之。会大风飞沙，溪谷皆溢，恐热大败，伏尸五十里，溺死者不可胜数，恐热单骑遁归。

石雄代李彦佐之明日，即引兵逾乌岭[362]，破五寨，杀获千计。时王宰军万善，刘沔军石会[363]，皆顾望未进。上得雄捷书，喜甚。冬，十月庚申[364]，临朝，谓宰相曰："雄真良将！"李德裕因言："比年[365]前潞州市[366]有男子磬折唱[367]曰：'石雄七千人至矣！'刘从谏以为妖言，斩之。破潞州者必雄也。"诏赐雄帛为优赏[368]，雄悉置军门，自依士卒例先取一匹，余悉分将士，故士卒乐为之致死[369]。

官军为贼，说是碰到了就应狠狠地杀戮。九月初七日癸巳，武宗对宰相说：“何弘敬已经攻下两县，以前的怀疑可以消除了。既然有杀伤，虽想保持两面讨好的观望态度，但已经不可能了。”于是加任何弘敬检校左仆射。

九月二十日丙午，河阳上奏说王茂元去世。李德裕上奏说：“王宰只能让他以忠武节度使的名义统率万善的军队，不能让他兼任河阳节度使，担心他不爱护河阳州县，恣意侵扰。另外，河阳节度使原先兼领怀州刺史，常常是用判官代理政事，分割河南五县的租税隶属河阳。不如乘机将五县设置为孟州，怀州另设刺史。等到昭义平定时，还是分割泽州隶属河阳节度使，那么太行山之险不在昭义境内，而河阳就成了重要方镇，东都不再担忧了。”武宗采纳这个意见。二十二日戊申，任命河南尹敬昕为河阳节度、怀孟观察使，王宰率领行营兵马抵抗敌人，敬昕只是供给粮饷而已。

九月二十四日庚戌，任命石雄替代李彦佐为晋绛行营节度使，命令他从冀氏夺取潞州，仍然要分出一支兵力屯驻翼城，防备敌人侵袭。

这个月，吐蕃论恐热屯驻大夏川，尚婢婢派遣他的大将厐结心和莽罗薛吕率领精兵五万人攻打论恐热。到达河州南面，莽罗薛吕在险要的地方埋伏了四万名士兵，厐结心在柳林中埋伏了一万人，派了一千名骑兵登上山顶，用飞箭系着书信詈骂论恐热。论恐热大怒，带领几万人追赶他们。厐结心假装败走，不时做出马疲乏了不能前进的样子。论恐热追赶他们更加紧急，不知不觉走了数十里。埋伏的军队突然跑了出来，切断了论恐热的归路，前后夹击。又遇上大风飞沙，山谷河水泛滥，论恐热大败，死尸横陈五十里，被淹死的不计其数，论恐热单骑逃回去了。

石雄接替李彦佐为节度使的第二天，就带兵越过乌岭，攻破五个寨子，杀死和俘虏了上千人。当时王宰驻扎在万善，刘沔屯驻在石会，都徘徊观望没有进军。武宗收到石雄的报捷书信，非常高兴。冬，十月初五日庚申，上朝时，对宰相说：“石雄真是良将！”李德裕接着说：“几年前潞州街市上有一个男子弓着身子唱道：‘石雄七千人到了！’刘从谏认为是妖言，把他杀了。攻下潞州的人一定是石雄。”诏令赐给石雄绸帛作为厚赏，石雄把绸帛都摆在军门前，自己按照士卒的成规先拿了一匹，其余的都分配给将士，所以士卒都愿意为石雄出死力。

【段旨】

以上为第十二段，写官军王宰、石雄两路取胜。

【注释】

㉔庚辰：八月二十四日。㉕元和：唐宪宗年号（公元八〇六至八二〇年）。㉖西军：即河东刘沔与晋绛李彦佐之兵。㉗南下：谓自太行南下怀州。㉘亏沮：损坏；败坏。㉙洛师：即东都洛阳。㉚捍蔽：捍卫、屏藩。㉛临制：监临控制。㉜甲申：八月二十八日。㉝九月朔：九月初一日。㉞乙酉：八月二十九日。㉟觇：窥视。㊱日昃：日西斜。㊲义成军适至：王宰以忠武军合义成兵援河阳，此时恰好赶到。㊳前却：有前有后。㊴仆射：为王茂元加官。㊵强：勉强。㊶登山：胡注："登太行阪也。"㊷晦黑：昏暗；昏黑。㊸非宜：不合适；不恰当。㊹庚寅：九月初四日。㊺攻讨使：官名，掌军队征讨作战之事，事罢即撤销。㊻他虞：其他想法。㊼辛卯：九月初五日。㊽肥乡、平恩：皆县名，肥乡县治在今河北邯郸市肥乡区，平恩县治在今河北曲周东南。㊾榜帖：告示。㊿癸巳：九月初七日。(351)克：拔；攻下。(352)丙午：九月二十日。(353)割河南五县租赋隶河阳：建中二年（公元七八一年）正月置河阳三城节度使，六月又割河南府的河阳、河清、济源、温、王屋五县租赋归于河阳三城，而五县的隶属关系仍归河南府。事见本书卷二百二十七德宗建中二年。(354)孟州：州名，以河阳等五县所置之州，治所河阳，

【原文】

初，刘沔破回鹘，得太和公主。张仲武疾之，由是有隙。上使李回至幽州和解之，仲武意终不平。朝廷恐其以私憾[370]败事，辛未[371]，徙沔为义成节度使，以前荆南节度使李石为河东节度使。

党项寇盐州，以前武宁节度使李彦佐为朔方灵盐节度使。十一月，邠宁奏党项入寇。李德裕奏："党项愈炽[372]，不可不为区处[373]。闻党项分隶诸镇[374]，剽掠于此，则亡逃归彼[375]。节度使各利其驼马[376]，不为擒送，以此无由禁戢[377]。臣屡奏不若使一镇统之，陛下以为一镇专领党项权太重。臣今请以皇子兼统诸道，择中朝[378]廉干之臣为之副，居于夏州，理其辞讼[379]，庶为得宜。"乃以兖王岐[380]为灵、夏等六道[381]元帅，兼安抚党项大使，又以御史中丞李回为安抚党项副使，史馆修撰郑亚[382]为元帅判官，令赍诏往安抚党项及六镇百姓。

在今河南孟州南。㉟⑤戊申：九月二十二日。㊱⑥尹：官名。唐制，州升为府，其长官改刺史而称尹，专总府事，副长官为少尹，佐助府事。㉟⑦庚戌：九月二十四日。㉟⑧侵轶：侵扰、突袭。㉟⑨大夏川：水名，在今甘肃和政、康乐二县境内。㊱⓪河州：州名，治所枹罕，在今甘肃临夏。㊱①阳：通“佯”，假装。㊱②乌岭：山名，在今山西翼城东北。㊱③石会：关名，在今山西榆社西。㊱④庚申：十月初五日。㊱⑤比年：近年。㊱⑥市：市井。㊱⑦磬折唱：弓着身子唱。磬折，弯腰如磬之形。㊱⑧优赏：超过规定加厚奖赏。㊱⑨致死：效死；拼命。

【校记】

［12］兵：据章钰校，十二行本、乙十一行本、孔天胤本皆作“力”。［13］虑：原误作“令”。据章钰校，十二行本、乙十一行本、孔天胤本皆作“虑”，张敦仁《通鉴刊本识误》同，今据校正。［14］遮马：原无此二字。据章钰校，十二行本、乙十一行本、孔天胤本皆有此二字，张瑛《通鉴校勘记》同，今据补。［15］以五县：原无此三字。据章钰校，十二行本、乙十一行本、孔天胤本皆有此三字，张敦仁《通鉴刊本识误》同，今据补。

【语译】

当初，刘沔打败回鹘，得到了太和公主。张仲武忌妒刘沔，从此两人产生了隔阂。武宗派李回到幽州调解他们之间的关系，张仲武心里始终愤愤不平。朝廷怕他们由于私恨而败坏国家大事，十月十六日辛未，调刘沔为义成节度使，任命前荆南节度使李石为河东节度使。

党项侵犯盐州，任命前武宁节度使李彦佐为朔方灵盐节度使。十一月，邠宁又上奏说党项入侵。李德裕上奏说：“党项为害愈来愈烈，不能不作处置。听说党项分属各镇，在这里抢掠以后，就逃到那里去。节度使贪图他们的骆驼、马匹，不把他们捉拿押送，因此没办法禁止他们侵扰。臣多次上奏，不如让一个镇统管他们，陛下认为归一镇专领党项权力太大。臣现在请求由皇子兼理有党项的那几个道，选择朝廷中廉洁能干的大臣为副手，居住在夏州，处理他们的诉讼，或许比较适宜。”于是任命兖王李岐为灵、夏等六道元帅，兼安抚党项大使，又任命御史中丞李回为安抚党项副使，史馆修撰郑亚为元帅判官，命令他们带着诏书前往安抚党项和六镇百姓。

【段旨】

以上为第十三段，写李德裕安抚党项。

【注释】

⑶⑺⓪私憾：私人之间的怨恨。⑶⑺①辛未：十月十六日。⑶⑺②炽：势盛。⑶⑺③区处：处置。⑶⑺④分隶诸镇：时绥、银、灵、盐、夏、邠、宁、延、麟、胜、庆等州皆有党项，分别隶属于

【原文】

安南经略使武浑役[383]将士治城，将士作乱，烧城楼，劫府库。浑奔广州，监军段士则抚安乱众。

忠武军素号精勇，王宰治军严整，昭义人甚惮之。薛茂卿以科斗寨之功，意望超迁[384]。或谓刘稹曰："留后所求者节耳。茂卿太深入，多杀官军，激怒朝廷，此节所以来益迟也。"由是无赏。茂卿愠怼[385]，密与王宰通谋。十二月丁巳[386]，宰引兵攻天井关，茂卿小战，遽引兵走，宰遂克天井关守之。关东西寨闻茂卿不守，皆退走，宰遂焚大小箕村[387]。茂卿入泽州，密使谍召宰进攻泽州，当为内应。宰疑，不敢进，失期不至，茂卿拊膺[388]顿足而已。稹知之，诱茂卿至潞州，杀之，并其族[389]。以兵马使刘公直代茂卿，安全庆守乌岭，李佐尧守雕黄岭[390]，郭僚守石会，康良佺守武乡[391]。僚，谊之侄也。

戊辰[392]，王宰进攻泽州，与刘公直战，不利，公直乘胜复天井关。甲戌[393]，宰进击公直，大破之，遂围陵川[394]，克之。河东奏克石会关。

【段旨】

以上为第十四段，写王宰进兵迟缓，错失一举攻下泽州的良机。

各藩镇。㉟剽掠于此二句：谓党项人在甲州劫掠后逃到乙州归附，乙州节度贪其驼马，不递解遣送回甲州，这就是造成不能禁止剽掠的原因。376驼马：骆驼与马匹。377禁戢：指禁止抄掠。378中朝：朝中。379辞讼：诉讼。380兖王岐：兖王李岐，武宗子，会昌二年（公元八四二年）封。传见《旧唐书》卷一百七十五、《新唐书》卷八十二。381六道：即盐州、夏州、灵州、泾原、振武、邠宁。下文"六镇"，即此六道。382郑亚：字子佐，荥阳（今河南荥阳）人，官至桂管观察使。大中二年（公元八四八年）因李德裕事，贬循州刺史。传附《旧唐书》卷一百七十八《郑畋传》。

【语译】

安南经略使武浑差遣将士修缮城池，将士作乱，焚烧城楼，抢劫府库。武浑逃往广州，监军段士则抚慰安定了作乱的士众。

忠武军向来号称精勇，王宰治军严整，昭义人很惧怕他们。薛茂卿因为攻打科斗寨之功，希望越级提拔。有人对刘稹说："留后所追求的是旌节而已。薛茂卿太深入对方阵地，杀死了很多官兵，激怒了朝廷，这就是节度使旌节迟迟没有送来的原因。"因此，薛茂卿没有奖赏。薛茂卿很气愤怨恨，就秘密与王宰联络谋划。十二月初三日丁巳，王宰带兵攻打天井关，薛茂卿略作交战，就匆忙带兵逃走了，王宰于是攻下天井关并驻守在那里。关东关西的营寨听说薛茂卿没有守住天井关，全都退走，王宰于是焚烧了大小箕村。薛茂卿回到泽州，秘密派间谍叫王宰进攻泽州，他愿为内应。王宰有怀疑，不敢进攻，过了约定时间没有到来，薛茂卿捶胸顿足而已。刘稹知道了这回事，诱骗薛茂卿到潞州，将他杀了，连同他的族人一并处死。命令兵马使刘公直接替薛茂卿的职务，派安全庆守卫乌岭，李佐尧守卫雕黄岭，郭僚守卫石会，康良佺守卫武乡。郭僚，是郭谊的侄子。

十二月十四日戊辰，王宰进攻泽州，与刘公直交战，被打败了，刘公直乘胜收复了天井关。二十日甲戌，王宰进兵攻打刘公直，把他打得大败，于是包围陵川，把它攻了下来。河东镇上奏说攻下了石会关。

【注释】

383役：驱使。384超迁：超升；破格提升。385愠怼：恼怒怨恨。386丁巳：十二月初三日。387大小箕村：地名，在天井关西北。388拊膺：拍胸。389并其族：连其族人一并杀戮。390雕黄岭：山名，在今山西长子西。391武乡：县名，县治在今山西武乡南。392戊辰：十二月十四日。393甲戌：十二月二十日。394陵川：县名，县治在今山西陵川。

【原文】

洺州刺史李恬，石之从兄也。石至太原，刘稹遣军将贾群诣石，以恬书与石云："稹愿举族归命[395]相公，奉从谏丧归葬东都。"石囚群，以其书闻。李德裕上言："今官军四合，捷书日至，贼势穷蹙[396]。故伪输诚款[397]，冀以缓师，稍得自完，复来侵轶。望诏石答恬书云：'前书未敢闻奏。若郎君诚能悔过，举族面缚[398]，待罪境上，则石当亲往受降，护送归阙。若虚为诚款，先求解兵，次望洗雪，则石必不敢以百口[399]保人。'仍望诏诸道，乘其上下离心，速进兵攻讨，不过旬朔[400]，必内自生变。"上从之。右拾遗崔碣[401]上疏请受其降，上怒，贬碣邓城[402]令。

初，刘沔破回鹘，留兵三千戍横水栅[403]。河东行营都知兵马使王逢奏乞益榆社兵[404]，诏河东以兵二千赴之。时河东无兵，守仓库者及工匠皆出从军。李石召横水戍卒千五百人，使都将杨弁将之诣逢。壬午[405]，戍卒至太原[406]。先是，军士出征，人给绢二匹。刘沔之去，竭府库自随，石初至，军用乏，以己绢益之，人才得一匹。时已岁尽，军士求过正旦[407]而行，监军吕义忠累牒趣之[408]。杨弁因众心之怒，又知城中空虚，遂作乱。

【段旨】

以上为第十五段，写朝廷不接受刘稹归降，太原府发生河东兵变。

【注释】

[395]归命：归顺。[396]穷蹙：窘迫。[397]诚款：忠诚。[398]举族面缚：全族背缚出降。面缚，即背缚，两手反绑于背而面向前，表示投降。[399]百口：谓全家或全族。[400]旬朔：十

【语译】

洺州刺史李恬是李石的堂兄。李石到太原任节度使，刘稹派军将贾群前往李石那里，把李恬的书信交给李石说："我刘稹愿意带领全家归顺相公，奉送刘从谏灵柩归葬东都。"李石囚禁贾群，把刘稹的书信上报朝廷。李德裕进言："现在官军四面合围，报捷的书信每天到来，叛贼的情势窘迫。所以假装诚心归降，希望延缓官军的进攻，逐渐得以休整，再来侵犯。希望诏令李石回答李恬的书信说：'前次书信未敢向朝廷奏报。要是郎君真正能够悔过，全家反捆着双手，在边境等待治罪，那么李石当亲自前去接受投降，护送你们回到京城。要是虚作忠诚，先要求撤军，再希望洗雪罪恶，那么李石一定不敢拿全家百口来为别人做担保。'仍然希望诏令各道，乘刘稹上下离心，急速进兵讨伐，不超过十天个把月，他们内部一定自生变乱。"武宗听从了。右拾遗崔碣上疏请求接受刘稹投降，武宗大怒，把崔碣贬为邓城令。

当初，刘沔打败回鹘，留下三千人戍守横水栅。河东行营都知兵马使王逢上奏请求增加榆社的兵员，诏令河东派二千人前往榆社。当时河东镇没有兵员，守仓库的人和工匠都被派去当兵。李石征调横水栅的戍卒一千五百人，派都将杨弁带领他们前往王逢那里。十二月二十八日壬午，征调的戍卒到达太原。此前，军士出征，每人给绢二匹。刘沔离开太原时，把府库中的财物全部带走了，李石刚到任，军用物资匮乏，拿出自己的绢帛增加数额，军士们每人才分得一匹。当时已是岁末，军士们要求过了农历正月初一日出发，监军吕义忠多次行文催促他们启程。杨弁乘军士们心中恼怒，又知道城中兵力空虚，就发动了叛乱。

天或一月。㊱崔碣：字东标，博陵安平（今河北安平）人，官至陕虢观察使，后贬怀州司马。传见《新唐书》卷一百二十。㊲邓城：县名，县治在今湖北襄阳西北。㊳横水栅：栅名，在今内蒙古杭锦旗西北。㊴乞益榆社兵：当时王逢以河东兵屯驻榆社。本年五月刘沔留河东步兵一千五百人驻屯榆社，兵少，故王逢请求增加兵员。㊵壬午：十二月二十八日。㊶戍卒至太原：从横水栅赴榆社途中须经太原。㊷正旦：正月初一日。㊸累牒趣之：多次行文催促启程。

【原文】

四年（甲子，公元八四四年）

春，正月乙酉朔[409]，杨弁帅其众剽掠[16]城市，杀都头[410]梁季叶，李石奔汾州。弁据军府，释贾群之囚，使其侄与之俱诣刘稹，约为兄弟，稹大喜。石会关守将杨珍闻太原乱，复以关降于稹[411]。

戊子[412]，吕义忠遣使言状，朝议喧然。或言两地皆应罢兵[413]，王宰又上言："游弈将[414]得刘稹表，臣近遣人至泽潞，贼有意归附。若许招纳，乞降诏命。"李德裕上言："宰擅受稹表，遣人入贼中，曾不闻奏，观宰意似欲擅招抚之功。昔韩信破田荣[415]，李靖擒颉利[416]，皆因其请降，潜兵掩袭[417]。止可令王宰失信，岂得损朝廷威命！建立奇功，实在今日，必不可以太原小扰，失此事机。望即遣供奉官至行营，督其进兵，掩其无备。必须刘稹与诸将皆举族面缚，方可受纳。兼遣供奉官至晋绛行营，密谕石雄以王宰若纳刘稹，则雄无功可纪[418]。雄于垂成[419]之际，须自取奇功，勿失此便。"又为相府与宰书，言："昔王承宗虽逆命，犹遣弟承恭奉表诣张相[420]祈哀[421]，又遣其子知感、知信入朝，宪宗犹未之许。今刘稹不诣尚书面缚，又不遣血属[422]祈哀，置章表于衢路[423]之间，游弈将不即毁除，实恐非是。况稹与杨弁通奸[424]，逆状如此，而将帅大臣容受其诈，是私惠归于臣下，不赦在于朝廷，事体之间，交[425]恐不可。自今更有章表，宜即所在焚之。惟面缚而来，始可容受。"德裕又上言："太原人心从来忠顺，止是贫虚，赏犒不足。况千五百人何能为事！必不可姑息宽纵。且用兵未罢，深虑所在动心。顷张延赏为张朏所逐[426]，逃奔汉州[427]，还入成都。望诏李石、义忠还赴太原行营，召旁近之兵讨除乱者。"上皆从之。

是时，李石已至晋州，诏复还太原。辛卯[428]，诏王逢悉留太原兵守榆社，以易定千骑、宣武兖海步兵三千[17]讨杨弁。又诏王元逵以步骑五千自土门[429]入，应接逢军。忻州刺史李丕奏："杨弁遣人来为游说，臣已斩之，兼断其北出之路[430]，发兵讨之。"

【语译】

四年（甲子，公元八四四年）

春，正月初一日乙酉，杨弁带领他的部众抢劫城市，杀死都头梁季叶，李石逃往汾州。杨弁占据节度使府，释放了被囚禁的贾群，叫侄儿陪同贾群一起前往刘稹那里，和刘稹结为兄弟，刘稹大为高兴。石会关守将杨珍听说太原叛乱，又献上石会关投降刘稹。

正月初四日戊子，吕义忠派遣使者报告情况，朝廷中议论纷纷。有的人说太原、泽潞两地都应当罢兵，王宰又进言："游弈将得到刘稹的表章，臣近日派人到了泽潞镇，叛贼有意归附朝廷。要是允许招降接纳，请求下达诏命。"李德裕上奏说："王宰擅自接受刘稹的表章，派人到叛贼中去，竟然不报告朝廷，观察王宰的用意，似乎是想独占招抚叛贼的功劳。从前韩信打败齐王田荣，李靖擒获颉利可汗，都是趁他们请降的时机，暗中派兵掩袭。只能使王宰失信于刘稹，怎么能损坏朝廷威严的诏命！建立奇功，确在今日，一定不要因为太原的小动乱，失去了这个好机会。希望立即派供奉官到王宰行营，督促他进兵，乘刘稹无备突然袭击。必须让刘稹和他的将领们都带领全族人一起反绑着手前来投降，才能接受他们。同时派遣供奉官到晋绛行营，秘密告谕石雄，王宰如果接纳刘稹投降，那么石雄就没有功劳可记。石雄在将要成功之际，需要自己建立奇功，不要失去这个好机会。"李德裕又以宰相府的名义给王宰写信，说："从前王承宗虽然违抗诏命，还派遣他的弟弟王承恭奉表前往张相那里祈求哀怜，又派遣他的儿子王知感、王知信入朝，宪宗仍然没有答应不讨伐他。现在刘稹不反绑着手去见尚书，又不派遣血缘亲属到朝廷祈求哀怜，把表示愿归附的表章放在大路上，游弈将不立即销毁，实在是错误的。何况刘稹与杨弁勾结为奸，这样悖逆朝廷，而将相大臣还容忍他这种欺诈，这样是臣下得到刘稹私人恩惠，而朝廷却蒙受了不赦罪的恶名，事情处理当中，怕是一定不可以的。从今以后再有刘稹表章，应立即当场烧掉。只有面缚前来，才能接受投降。"李德裕又进言："太原的人心从来忠顺朝廷，只是因为贫困，赏赐不够才引起变乱。况且一千五百人能做出什么来！一定不要姑息放纵他们。况且目前战事没有停止，很担心各地人心动摇。不久前张延赏被张朏驱逐，逃跑到汉州，不久回到了成都。希望诏令李石、吕义忠还是回到太原行营，叫附近的军队讨平作乱的人。"武宗都听从了。

这时，李石已经到达晋州，诏令他再返回太原。正月初七日辛卯，诏令王逢把太原的部队都留下来守卫榆社，用易定的一千名骑兵和宣武、兖海的三千名步兵讨伐杨弁。又诏令王元逵用步兵骑兵五千人从土门关进入河东，接应王逢的军队。忻州刺史李丕上奏说："杨弁派人来替他游说，臣已把来使杀了，同时切断了杨弁北出之路，并发兵讨伐他。"

辛丑[431]，上与宰相议太原事，李德裕曰："今太原兵皆在外，为乱者止千余人，诸州镇必无应者，计不日诛翦。惟应速诏王逢进军，至城下，必自有变。"上曰："仲武见镇、魏讨泽潞有功，必有慕羡之心，使之讨太原何如？"德裕对曰："镇州趣太原路最便近[432]。仲武去年讨回鹘，与太原争功，恐其不戢[433]士卒，平人[434]受害。"乃止。

上遣中使马元实至太原，晓谕乱兵，且觇其强弱。杨弁与之酣饮三日，且赂之。戊申[435]，元实自太原还，上遣诣宰相议之。元实于众中大言："相公须早与之节！"李德裕曰："何故？"元实曰："自牙门至柳子列[436]十五里曳地光明甲[437]，若之何取之？"德裕曰："李相[438]正以太原无兵，故发横水兵赴榆社，库中之甲尽在行营，弁何能遽致如此之众乎？"元实曰："太原人劲悍，皆可为兵，弁召募所致耳。"德裕曰："召募须有货财，李相止以欠军士绢一匹，无从可得，故致此乱，弁何从得之？"元实辞屈。德裕曰："从其有十五里光明甲，必须杀此贼！"因奏称："杨弁微贼[439]，决不可恕。如国力不及，宁舍刘稹。"河东兵戍榆社者闻朝廷令客军取太原，恐妻孥为所屠灭，乃拥监军吕义忠自取太原。壬子[440]，克之，生擒杨弁，尽诛乱卒。

【段旨】

以上为第十六段，写朝廷平定太原兵变。

【注释】

⑨乙酉朔：正月初一日。⑩都头：武官名，此为都知兵马使之省称。唐末田令孜募神策新军为五十四都，每都领军称都头。⑪复以关降于稹：石会关在太原与潞州之间，杨弁作乱，派人与刘稹联合，石会关就孤立无援，难以固守，故又投降于刘稹。⑫戊子：正月初四日。⑬两地皆应罢兵：即不攻讨刘稹和平定杨弁之乱。两地，指潞州和太原。⑭游弈将：官名，掌巡逻侦察。⑮韩信破田荣：指楚汉相争时，汉将韩信破齐事。田荣，当作"田横"。事见本书卷十汉高祖四年。⑯李靖擒颉利：颉利，即突厥颉利可汗，唐高祖、太宗时常犯边境。贞观四年（公元六三〇年）被李靖打败，俘至京师。事见本书卷一百九十三太宗贞观四年。⑰掩袭：乘其不备而袭击。⑱纪：同"记"。⑲垂

正月十七日辛丑，武宗与宰相商议太原叛乱一事，李德裕说："现在太原的军队都在外地，作乱的人只有一千多人，各州镇一定没有响应的人，估计没有几天就可消灭。只是应迅速诏令王逢进军，部队抵达潞州城下时，刘稹内部必定会发生变乱。"武宗说："张仲武看到镇州、魏博讨伐泽潞有功，一定会有羡慕的想法，派遣他讨伐太原行不行？"李德裕回答说："镇州到太原去的路线最近最方便。张仲武去年讨伐回鹘，与太原争功，担心他不能约束士卒，使太原的平民受到伤害。"于是调张仲武的事就作罢了。

武宗派遣中使马元实到太原去，晓谕乱兵，并且察看乱兵的强弱。杨弁和马元实畅饮了三天，并且送给他财物。正月二十四日戊申，马元实从太原返回朝廷，武宗派他到宰相那里商议太原事件。马元实在众人中大声说："相公们应当快一点送给杨弁符节！"李德裕说："为什么？"马元实说："从牙门到柳子列这十五里路上，都是光亮拖地的铠甲士兵，有什么办法可以打败他？"李德裕说："李石宰相正是由于太原无兵，所以抽调横水栅兵前往榆社，兵库中的盔甲都在行营中，杨弁怎么能很快得到这样多的甲士？"马元实说："太原人强劲剽悍，都可以当兵，杨弁招募得来的吧。"李德裕说："招募兵员需要有钱财，李石宰相只是因为欠军士一匹绢，没有办法取得，所以导致这场乱子，杨弁从什么地方得到大批财物？"马元实无话可说了。李德裕说："从他拥有十五里光明甲这一点，就必须杀掉这个叛贼！"接着上奏说："杨弁这个微贱的叛贼，绝不可饶恕。如果国家力量达不到，宁可放弃征讨刘稹。"戍守榆社的河东镇士兵听说朝廷命令其他地方镇兵去夺取太原，担心妻室儿女被他们屠杀，于是拥戴监军吕义忠去夺回太原。二十八日壬子，攻下太原，活捉了杨弁，杀死了叛乱的全部士卒。

成：即将成功。⑳张相：指张弘靖，时为检校吏部尚书、同平章事、河东节度使。其受降王承宗事，见本书卷二百四十宪宗元和十三年。㉑祈哀：祈请哀怜，即请求宽赦。㉒血属：有血缘关系的亲属。㉓衢路：大路。㉔通奸：勾结为奸。㉕交：《广雅·释诂四》载："交，定也。"㉖张延赏为张朏所逐：事见本书卷二百二十九唐德宗建中四年。张延赏时为剑南西川节度使，张朏为剑南西川兵马使。㉗汉州：州名，治所雒县，在今四川广汉。㉘辛卯：正月初七日。㉙土门：地名，即井陉口，在今河北石家庄市鹿泉区西南。㉚断其北出之路：忻州在太原之北，杨弁经忻州北出，则可煽动羌、吐谷浑、回鹘等与之叛乱，故断其路。㉛辛丑：正月十七日。㉜路最便近：镇州至太原四百三十里。时张仲武为卢龙节度使，驻节幽州。唐武宗之意，使仲武出兵经镇州趋太原。㉝戢：整顿；约束。㉞平人：平民。㉟戊申：正月二十四日。㊱柳子列：地名，因其地植柳树而名。当在太原附近。㊲曳地光明甲：铠甲光亮拖地。㊳李相：即李石。李石曾为唐文宗朝宰相，故称。㊴微贼：杨弁起于卒伍，故称。㊵壬子：正月二十八日。

【校记】

［16］掠：原作“剠”。据章钰校，十二行本、乙十一行本、孔天胤本皆作“掠”，今从众本。〖按〗二字同，《资治通鉴》胡刻本亦多作“掠”。［17］三千：据章钰校，十二行本作“二千”。

【原文】

二月甲寅朔[441]，日有食之。

乙卯[442]，吕义忠奏克太原。丙辰[443]，李德裕言于上曰："王宰久应取泽州，今已迁延两月。盖宰与石雄素不相[18]叶[444]，今得泽州，距上党犹二百里，而石雄所屯距上党才百五十里。宰恐攻泽州缀[445]昭义大军，而雄得乘虚入上党独有其功耳。又宰生子晏实，其父智兴爱而子之。晏实今为磁州刺史，为刘稹所质[446]。宰之顾望不敢进，或为此也。"上命德裕草诏赐宰，督其进兵。且曰："朕顾兹小寇，终不贷[447]刑。亦知晏实是卿爱弟[448]，将申大义，在抑私怀[449]。"

丁巳[450]，以李石为太子少傅、分司，以河中节度使崔元式[451]为河东节度使，石雄为河中节度使。元式，元略之弟也。

己未[452]，石雄拔良马[453]等三寨一堡。

辛酉[454]，太原献杨弁及其党五十四人，皆斩于狗脊岭[455]。

壬申[456]，李德裕言于上曰："事固有激发而成功者，陛下命王宰趣磁州，而何弘敬出师；遣客军讨太原，而戍兵先取杨弁。今王宰久不进军，请徙刘沔镇河阳，仍令以义成精兵二千直抵万善，处宰肘腋之下。若宰识朝廷此意，必不敢淹留[457]；若宰进军，沔以重兵在南，声势亦壮。"上曰："善！"戊寅[458]，以义成节度使刘沔为河阳节度使。

王逢击昭义将康良佺，败之。良佺弃石会关，退屯鼓腰岭[459]。

黠戛斯遣将军谛德伊斯难珠等入贡，言欲徙居回鹘牙帐，请发兵之期，集会之地。上赐诏，谕以"今秋可汗击回鹘、黑车子之时，当令幽州、太原、振武、天德四镇出兵要路[460]，邀其亡逸，便申册命，并依回鹘故事"。

【语译】

二月初一日甲寅，发生日食。

二月初二日乙卯，吕义忠上奏攻下了太原。初三日丙辰，李德裕对武宗说："王宰早就应该攻取泽州，现在已经拖延了两个月。大概是由于王宰与石雄向来不相协调，现在取得泽州，距离上党还有二百里路，而石雄所驻扎的地方距离上党才一百五十里。王宰担心攻打泽州时昭义大军被牵制，而石雄得以乘着潞州兵力空虚攻入上党，独有战功。另外王宰的亲生儿子王晏实，因王智兴喜爱而作为儿子养着。王晏实今任磁州刺史，被刘稹扣为人质。王宰观望而不敢进军，或许是由于这些原因。"武宗命李德裕起草诏书给王宰，督促他进兵。并且说："朕对刘稹这个小贼寇，终究不会宽恕他。也知道晏实是你的爱弟，应当申明国家大义，把私情放在一边。"

二月初四日丁巳，任命李石为太子少傅、分司东都，任命河中节度使崔元式为河东节度使，石雄为河中节度使。崔元式是崔元略的弟弟。

二月初六日己未，石雄攻下了良马寨等三个寨子、一个敌堡。

二月初八日辛酉，太原献上杨弁和他的同党五十四人，都在狗脊岭斩首。

二月十九日壬申，李德裕对武宗说："事情本有利用激励而获得成功的，陛下命令王宰开赴磁州，而何弘敬出兵对敌；派遣客军讨伐太原，而河东戍兵先擒获了杨弁。现在王宰久不进军，请把刘沔调走担任河阳节度使，还命令他带领义成军的精兵二千人直抵万善，处于王宰的肘腋之下。如果王宰意识到了朝廷这样做的用意，一定不敢再滞留；如果王宰进军的话，刘沔有重兵驻扎在南面，声势也更壮大。"武宗说："很好！"二十五日戊寅，任命义成军节度使刘沔为河阳节度使。

王逢进攻昭义军将领康良佺，打败了他。康良佺放弃了石会关，撤退屯驻鼓腰岭。

黠戛斯派遣将军谛德伊斯难珠等向朝廷进贡，说是想迁居到回鹘国可汗的牙帐去，请定出兵的日期，会集的地点。武宗赐给黠戛斯诏书，告诉他"今年秋天可汗进攻回鹘、黑车子时，朝廷会命令幽州、太原、振武、天德四镇出兵驻守在交通要道上，拦击回鹘逃亡的人员，同时按照过去册命回鹘的旧例，正式举行册命可汗的典礼"。

朝廷以回鹘衰微，吐蕃内乱，议复河、湟四镇[461]十八州[462]。乃以给事中刘蒙[463]为巡边使[464]，使之先备器械糗粮[465]及诇吐蕃守兵众寡；又令天德、振武、河东训卒砺兵[466]，以俟今秋黠戛斯击回鹘，邀其溃败之众南来者。皆委蒙与节度团练使详议以闻。蒙，晏之孙也。

以道士赵归真为右街道门教授先生。

吐蕃论恐热之将岌藏丰赞恶恐热残忍，降于尚婢婢。恐热发兵击婢婢于鄯州，婢婢分兵为五道拒之。恐热退保东谷[467]，婢婢为木栅围之，绝其水原[468]。恐热将百余骑突围走保薄寒山，余众皆降于婢婢。

夏，四月，王宰进攻泽州。

【段旨】

以上为第十七段，写在朝廷敦促下，王宰、石雄两军进逼刘稹。写吐蕃论恐热全军败没。

【注释】

㊶甲寅朔：二月初一日。㊷乙卯：二月初二日。㊸丙辰：二月初三日。㊹不相叶：王宰父智兴忌石雄得军心，奏其动摇军情，流白州。事见本书卷二百四十四唐文宗太和三年。故此王宰与石雄不相协。叶，同“协”。㊺缀：牵制。㊻质：作为人质。㊼贷：宽免。㊽晏实是卿爱弟：王智兴有九子，其中晏平、宰二子最知名。宰有子晏实，王智兴自己抚养，视为己子，所取名有“晏”字，与诸父齿。所以这里有“晏实是卿爱弟”之语。㊾私怀：私情。㊿丁巳：二月初四日。[451]崔元式：崔铉叔父，武宗朝历官河东、义

【原文】

上好神仙，道士赵归真得幸，谏官屡以为言。丙子[469]，李德裕亦谏曰：“归真，敬宗朝罪人[470]，不宜亲近。”上曰：“朕宫中无事时，与之谈道涤烦[471]耳。至于政事，朕必问卿等与次对官，虽百归真不能惑也。”

朝廷因回鹘已经衰败，吐蕃又发生了内乱，于是商议收复河、湟地区四镇十八州。于是任命给事中刘蒙为巡边使，让他预先准备器械干粮并且侦察吐蕃守兵多少；又命令天德、振武、河东等镇训练士卒，磨砺兵器，以等待秋天黠戛斯进攻回鹘时，拦击向南逃窜的回鹘溃败人员。这些事都委派刘蒙和节度团练使详细讨论后报告朝廷。刘蒙是刘晏的孙子。

任命道士赵归真为右街道门教授先生。

吐蕃论恐热的将领岌藏丰赞憎恨论恐热残忍，投降了尚婢婢。论恐热发兵在鄯州进攻尚婢婢，尚婢婢分兵为五路抵抗论恐热。论恐热退守东谷，尚婢婢用木栅包围了他，切断了他的水源。论恐热带领一百多名骑兵突围逃走，驻守薄寒山，其余的部众都投降了尚婢婢。

夏，四月，王宰进攻泽州。

成节度使，宣宗朝宰相。传见《旧唐书》卷一百六十三、《新唐书》卷一百六十。㊷己未：二月初六日。㊸良马：寨名，位潞州西，在今山西长子西北。㊹辛酉：二月初八日。㊺狗脊岭：地名。胡注："按宋白《续通典》，狗脊岭在京城东市。"㊻壬申：二月十九日。㊼淹留：滞留。㊽戊寅：二月二十五日。㊾鼓腰岭：地名，位于石会关之南，在今山西武乡西北。㊿要路：主要通道。461河、湟四镇：河西、陇右、凉州、沙州。462十八州：秦、原、河、渭、兰、鄯、阶、成、洮、岷、临、廓、叠、宕、甘、凉、瓜、沙。463刘蒙：官至大理卿。传见《新唐书》卷一百四十九。464巡边使：官名，朝廷所派巡视边防事务的专使。465糗粮：干粮。466训卒砺兵：训练士卒，整治武器。467东谷：地名，在今甘肃和政北。468原：通"源"。

【校记】

［18］相：据章钰校，十二行本、乙十一行本皆无此字。

【语译】

武宗喜好神仙方术，道士赵归真得到宠爱，谏官多次就此事向武宗进言。四月二十三日丙子，李德裕也劝谏说："赵归真是敬宗朝犯了罪的人，不应当亲近他。"武宗说："朕在宫中无事时，和他谈论道术以消除烦恼而已。至于政事，朕必定询问你们这些人和次对官，哪怕是一百个赵归真，也不能迷惑我。"李德裕说："小人们看

德裕曰："小人见势利所在，则奔趣之，如夜蛾之投烛。闻旬日以来，归真之门，车马辐凑，愿陛下深戒之。"

戊寅[472]，以左仆射王起同平章事，充山南西道节度使。起以文臣未尝执政，直除使相[473]，前无此比，固辞。上曰："宰相无内外之异，朕有阙失，卿飞表[474]以闻。"

李德裕以州县佐官太冗[475]，奏令吏部郎中柳仲郢[476]裁减。六月，仲郢奏减一千二百一十四员。仲郢，公绰之子也。

宦官有发仇士良宿恶，于其家得兵仗[477]数千。诏削其官爵，籍没家赀。

秋，七月辛卯[478]，上与李德裕议以王逢将兵屯翼城。上曰："闻逢用法太严，有诸？"对曰："臣亦尝以此诘之，逢言：'前有白刃，法不严，其谁肯进！'"上曰："言亦有理，卿更召而戒之。"德裕因言刘稹不可赦。上曰："固然。"德裕曰："昔李怀光未平，京师蝗旱，米斗千钱，太仓米供天子及六宫无数旬之储。德宗集百官，遣中使马钦绪询之。左散骑常侍李泌[479]取桐叶挎破[480]，以授钦绪献之。德宗召问其故，对曰：'陛下与怀光君臣之分，如此叶不可复合矣！'由是德宗意定。既破怀光，遂用为相[481]，独任数年。"上曰："亦大是奇士。"

上闻扬州[482]倡女善为酒令，敕淮南监军选十七人献之。监军请节度使杜悰同选，且欲更择良家美女，教而献之。悰曰："监军自受敕，悰不敢预闻！"监军再三请之，不从。监军怒，具表其状。上览表默然。左右请并敕节度使同选。上曰："敕藩方选倡女入宫，岂圣天子所为！杜悰不徇[483]监军意，得大臣体[484]，真宰相才也。朕甚愧之！"遽敕监军勿复选。甲辰[485]，以悰同平章事兼度支、盐铁转运使。及悰中谢[486]，上劳之曰："卿不从监军之言，朕知卿有致君[487]之心。今相卿，如得一魏徵矣！"

到有权势有利益的地方，就会奔向它，好像夜晚飞蛾扑向烛火一样。听说几天以来，赵归真家门前，车马聚集，希望陛下深深警惕。”

四月二十五日戊寅，任命左仆射王起同平章事，充任山南西道节度使。王起认为自己是文职官员，未曾执政，直接任命为节度使、同平章事，以前没有这种例子，坚决推辞。武宗说：“宰相无内外之别，朕有过失，卿飞速上表奏闻。”

李德裕认为州县佐贰官太多太滥，奏请令吏部郎中柳仲郢裁减。六月，柳仲郢奏报减去一千二百一十四员。柳仲郢是柳公绰的儿子。

宦官中有人揭发仇士良过去的罪恶，在他的家里得到兵器数千件。下诏削去他的官爵，没收他的家财。

秋，七月初十日辛卯，武宗和李德裕商议派王逢领兵屯驻翼城。武宗说：“听说王逢执行法令太严厉，有这回事吗？”李德裕回答说：“臣也曾就这个问题询问过王逢，王逢说：‘前面有寒光闪闪的刀刃，法令不严厉，谁愿意向前冲锋！’”武宗说：“话说得也有道理，卿在召见他时也告诫一下。”李德裕接着讲到刘稹不能赦免。武宗说：“本来是这样。”李德裕说：“从前李怀光没有平定，京师发生蝗灾和旱灾，一斗米一千钱，太仓的米粮连供应天子和六宫几十天的储备都没有。德宗召集百官，派遣中使马钦绪询问他们对讨伐李怀光的意见。左散骑常侍李泌拿来一片桐叶把它揉破，交给马钦绪叫他献给皇上。德宗召李泌来询问其用意，李泌回答说：‘陛下与李怀光之间的君臣名分，就像这片叶子一样，不能再合拢在一起了！’从此德宗讨伐李怀光的主意才坚定下来。平定李怀光以后，就用李泌为宰相，独自主持朝政数年。”武宗说：“也真是奇才。”

武宗听说扬州地方的歌舞女擅长酒令，就敕令淮南监军挑选十七个人送到宫中来。监军请节度使杜悰一同挑选，并且想另外选择良家美女，教会她们酒令以后献给武宗。杜悰说：“监军自己接受了敕令，杜悰不敢参与此事！”监军再三请求他，他不听从。监军大怒，上表报告朝廷。武宗看到奏表沉默不语。身边的人请求武宗敕令节度使也参加挑选。武宗说：“敕令藩镇大臣挑选歌舞女入宫，难道是圣明天子做的事！杜悰不屈从监军的意见，符合大臣的身份，真正是具有做宰相的才能。朕非常惭愧！”立即命令监军不要挑选歌舞女了。七月二十三日甲辰，任命杜悰同平章事兼度支、盐铁转运使。到杜悰入朝谢恩的时候，武宗慰劳他说：“卿没有听从监军的话，朕知道卿有效忠君主之心。现在任命卿为宰相，犹如得到一个魏徵了！”

【段旨】

以上为第十八段，写唐武宗好神仙，敕淮南监军选美，但能听谏而节制。写仇士良被削夺官职，家资被籍没。

【注释】

⑲丙子：四月二十三日。⑳敬宗朝罪人：唐敬宗宝历二年（公元八二六年），赵归真被流放岭南。㉑涤烦：消除烦恼。㉒戊寅：四月二十五日。㉓直除使相：从文臣直接被任命为节度使、同平章事。㉔飞表：急报章表。㉕冗：冗余。㉖柳仲郢：字谕蒙，京兆华原（今陕西铜川市耀州区）人，历官京兆尹、河南尹，剑南东川、山南西道、天平军等节度使。传见《旧唐书》卷一百六十五、《新唐书》卷一百六十三。㉗兵仗：兵器。㉘辛卯：七月初十日。㉙李泌（公元七二一至七八九年）：字长源，京兆（今陕西西安）人，历仕肃宗、代宗、德宗三朝，官至宰相。传见《旧唐书》卷一百三十、《新唐书》卷一百三十九。㉚抟破：揉破。㉛遂用为相：贞元三年（公元七八七年）李泌为相，贞元九年卒于官。㉜扬州：州名，治所江都，在今江苏扬州。㉝徇：曲从。㉞体：体统；身份。㉟甲辰：七月二十三日。㊱中谢：官员接受任命后，入朝谢恩。㊲致君：谓效忠于君。

【研析】

本卷研析李德裕御边、悉怛谋事件的是非、朝廷用兵泽潞等三件史事。

第一，李德裕御边。唐朝后期，国力衰竭，对内用兵藩镇，如果与周边民族不睦，势将卷入两线作战，唐国力将不堪重负。当时周边民族衰弱，不愿与唐朝作战。李德裕为相，专力平藩镇，主张与周边民族结和，严厉制止边将兴事邀功。但是该出手时就出手，对侵犯唐疆的敌人坚决打击，绝不手软。李德裕的剿抚并用策略收到了功效。边境安宁，为李德裕用兵泽潞奠定了基础。

北方回鹘被西邻黠戛斯打败，诸部逃散。开成五年（公元八四〇年），回鹘的一部分贵族嗢没斯等部到天德军请求内附。天德军驻节天德城，在中受降城西北三十里，即今内蒙古包头西黄河北岸。天德军使田牟请求出击。当时武宗初立，李德裕为相，力排众议，坚请武宗约束田牟，不许邀功生事。会昌二年（公元八四二年），嗢没斯等入朝。回鹘乌介可汗率所部侵扰天德、振武两军边塞。第二年，会昌三年，唐军大破乌介可汗，乌介逃走。李德裕约束边将邀功，设计分化敌军，部署既定，对顽敌一战成功。

回鹘西边的黠戛斯打败回鹘，也在会昌三年（公元八四三年），送太和公主还唐，求册封。太和公主，宪宗第十七女，下嫁回鹘崇德可汗。回鹘乱，为黠戛斯所得，遣使送回唐朝以示好。黠戛斯要求唐朝册封可汗，武宗初不同意，并想向黠戛斯讨回安西、北庭。李德裕上奏，指出当时唐朝国力，无力戍守安西、北庭两都护府，求地引来纠纷，不是上策。黠戛斯已经自称可汗，求唐册封，是借重唐朝以提高在西方的身价。不如顺水推舟，以册封名义要求黠戛斯如同回鹘一样，向唐称臣，守子孙之礼，借其力攻击回鹘。武宗采纳了，唐朝得利。太和公主回朝后，武宗改封其为安定大长公主，给予了隆重的礼遇。

击败回鹘乌介可汗，表现了李德裕善于用兵；结和黠戛斯，表现了李德裕精于政治。西北党项寇盐州，李德裕不用兵将其安抚。李德裕御边，针对不同情况，采用不同的策略，收到功效，提高了唐朝的威望。

第二，悉怛谋事件的是非。悉怛谋是吐蕃镇守维州（今四川理县）的边将。文宗太和五年（公元八三一年），向西川节度使请降。李德裕上靖边破吐蕃之策，欲乘胜出击吐蕃，受到牛僧孺的排斥。其时牛僧孺为相，不愿李德裕建功，说："两国之间不可失信，不要贪一州之地引发吐蕃大举攻唐。"牛僧孺还夸大吐蕃强大，说吐蕃攻唐，三天时间就到达长安，西川远离数千里，救不了驾。唐文宗认为牛僧孺说得对，诏令李德裕不受降，把维州及降人退还吐蕃。吐蕃杀一儆百，把悉怛谋等数百人残杀在边境之上。不受降，可退还土地，绝不应送还降人，这也是失信，而且是贱视生命。其后吐蕃分裂内战，失败的一方，也不向唐朝请降，认为唐王朝无信义，靠不住。再说，吐蕃乘安史之乱，夺取唐朝河西大片土地，吐蕃守信，就应归还唐朝。两国相交，一方不守信，而要求另一方守信，没这道理。牛僧孺的守信之说，是片面道理，不能成立。儒家传统的义利之辨将两者对立，其实最高境界的利与义，两者是统一的，两国相交，利与义应是双赢互信。司马光用抽象的义利之辩，说牛僧孺讲的是信，李德裕守的是利，信大利小，肯定牛僧孺，否定李德裕，貌似有理，其实不对。牛僧孺和司马光，夸大吐蕃力量，是不实之词，也是以利害立论。由此可见，利与义是不能断然分割的，胡三省对司马光的话，做了点睛的评论。胡三省说："元祐之初，弃米脂等四寨以与西夏，盖当时国论大指如此。"（《资治通鉴》胡注）会昌三年（公元八四三年），李德裕重提悉怛谋事件，要唐朝廷为之平反，封赠悉怛谋以慰忠魂。武宗追封悉怛谋为右卫将军，为这一事件的是非画上明确的句号。

第三，朝廷用兵泽潞。泽潞是昭义镇的代称。昭义镇共辖五州，泽、潞两州为核心，在今山西境内。泽州治所晋城，在今山西晋城。潞州治上党，在今山西潞城。另有三州在河北，为邢、洺、磁三州。邢州治所龙冈，在今河北邢台。洺州治所永年，在今河北邯郸市永年区。磁州治所滏阳，在今河北磁县。节度使驻潞州。昭义节度使刘从谏参与郑注谋诛宦官，郑注失败，刘从谏上书朝廷斥责仇士良。武宗为仇士良所立，于是刘从谏暗中策划割据。会昌三年（公元八四三年），刘从谏死，使侄儿刘稹继位，效河北三镇自立留后，请求朝廷授节。李德裕坚决主张用兵，不准许内地节度使世袭。武宗采纳，用兵泽潞。黄州刺史杜牧上书李德裕献平乱之策，吸取以往朝廷用多镇兵力平乱，互相观望，都不用力，官军虽多，心不齐，结果打败仗。用兵泽潞，只需河阳出兵一万为官军堡垒，堵住天井关隘口，坚壁不与贼战，再用忠武、武宁两镇军队，加上青州五千精甲，从宣、润提调两千弓弩手，集中兵

力直取上党，要不了几个月就可攻下贼人的巢穴。李德裕采纳了。成德、魏博、平卢河北三镇，要引援同类，对朝廷阳奉阴违，他们的本心是支持泽潞割据。李德裕用兵泽潞的主力军采用杜牧的策略，主攻方向不用三镇之兵。平卢守境，专力防御北方，成德、魏博两镇，只限于攻取泽潞镇的河北三州，他们即使不用力，也使泽潞孤立。对于宦官监军，以往每军监使选用精兵为护身的牙兵，比例为十分之一。两军交战，监军使有精兵卫队护身，逼近前线在阵后高处观望，一见不利，就掉头逃跑，自乱阵脚。李德裕与枢密使杨钦义协商，请监军使，第一，不得干预军政，第二，监军的卫队只抽取百分之一的士兵，有功一体受赏。监军使的卫队少了，不敢深入前沿阵地，只在后面，同样得到奖赏，有利无害。官军攻战的主体明确，少了监军使的捣乱，作战效率提高，取得了平叛的成功。会昌四年，泽潞诸将杀刘稹请降，朝廷收复了昭义镇。

会昌年间，李德裕为相，御边打败回鹘，平乱收复昭义镇建立了卓越的功勋。朝廷的声望提高，南衙的地位提升，北司退缩，两者相对平衡，延伸至宣宗朝，稳定局面维持了二十余年。李德裕是晚唐的中兴名臣，当之无愧。但李德裕有一个最大的弱点，即保持朋党积习。会昌二年（公元八四二年），唐武宗想用白居易为相，白居易妻族杨氏属于李宗闵一党，白居易又与元稹交好，李德裕切齿，以白居易老病为由，引用白居易堂弟白敏中为相，排斥了白居易。实际上白居易本人并没有卷入朋党之争，他在唐文宗朝为了避免朋党牵累，主动求做闲散官，无意仕进。当时白居易已七十一岁，又患了中风病三四年，已无能力为相。武宗欲用白居易为相，只是一个奖励，无碍李德裕办事。倒是白敏中是李宗闵之党，宣宗即位，李德裕吃尽了白敏中的苦头。李德裕心胸狭窄，咎由自取。

卷第二百四十八　唐纪六十四

起阏逢困敦（甲子，公元八四四年）闰月，尽屠维大荒落（己巳，公元八四九年），凡五年有奇。

【题解】

本卷记事起公元八四四年闰七月，迄公元八四九年，凡五年又六个月，当唐武宗会昌四年至唐宣宗大中三年。即本卷又是记载两朝皇帝交替之间的史事。前两年多的时段，是会昌初中兴政治的延续，政治上有两大成就：一是全面彻底平定了泽潞的割据之乱，二是唐武宗灭佛。唐武宗与李德裕，可称为有唐一代的明君贤相，又鱼水相投，设若假以时日，有唐中兴有望。可惜武宗好神仙，服食金丹，年三十三中毒死亡；李德裕仇视牛党，加之有功骄恣而四面树敌，也断了前程。会昌之治伴随武宗之死而终结，宣宗即位，立即斥逐李德裕。白敏中是李德裕提拔的宰相，他没有效法西汉曹参的萧规曹随，维护唐室难得一现的大好局面，而是投宣宗之好，对李德裕恩将仇报，将之一贬再贬，置李德裕于死地。会昌之治也被全盘推翻，佞佛之风再炽，世风与政治迅速衰败。从此，唐王朝一蹶不振。

【原文】

武宗至道昭肃孝皇帝下

会昌四年（甲子，公元八四四年）

闰月壬戌①，以中书侍郎、同平章事李绅同平章事，充淮南节度使。

李德裕奏："镇州奏事官高迪密陈②意见二事：其一，以为'贼中好为偷兵术③，潜抽诸处兵聚于一处，官军多就迫逐④，以致失利。经一两月，又偷兵诣它处。官军须知此情，自非来攻城栅，慎勿与战。彼淹留不过三日，须散归旧屯，如此数四⑤空归，自然丧气。官军密遣谍者诇其抽兵之处，乘虚袭之，无不捷矣'。其二，'镇、魏屯兵虽多，终不能分贼势，何则？下营⑥不离故处，每三两月一深入，烧掠而去。贼但固守城栅，城外百姓，贼亦不惜。宜令进营据其要害，以渐逼之。若止如今日，贼中殊⑦不以为惧'。望诏诸将各使知之。"

【语译】

武宗至道昭肃孝皇帝下

会昌四年（甲子，公元八四四年）

闰七月十一日壬戌，任命中书侍郎、同平章事李绅为同平章事，充任淮南节度使。

李德裕上奏说："镇州奏事官高迪秘密陈告两条建议：第一条，认为'叛贼喜欢偷着调整部署，暗中把各处的兵员抽调到一个地方，官军多被逼迫，被驱赶，以致官军失败。过一两个月，又偷着抽调兵员到另一个地方。官军应该了解这一情况，如果不是来进攻城栅，就千万不要与他们交战。他们滞留不过三天，需要回到旧的驻地，如果这样多次空手回去，自然就会灰心丧气。官军秘密派遣间谍侦察他们抽调兵员的地方，乘虚袭击他们，没有不打胜仗的'。第二条，'镇、魏两节度使屯驻的兵员虽然多，终究不能分散贼军的力量，为什么呢？官军扎营不能离开原来的老地方，每隔两三个月才深入叛贼境内一次，烧杀抢掠一番就回营了。叛贼只是固守城栅，城外的老百姓，他们也不顾惜。应当命令把营地向前推进，占据叛贼的要害地方，用以逐渐逼近叛贼。要是只像现在这个样子，叛贼一点也不感到惧怕'。希望诏令诸将，使他们都了解这些情况。"

刘稹腹心将高文端降，言贼中乏食，令妇人挼⑧穗舂之以给军。德裕访文端破贼之策，文端以为："官军今直攻泽州，恐多杀士卒，城未易得。泽州兵约万五千人，贼常分兵太半⑨，潜伏山谷，伺官军攻城疲弊，则四集⑩救之，官军必失利。今请令陈许军过干河⑪立寨，自寨城连延筑为夹城⑫，环绕泽州，日遣大军布陈于外以捍⑬救兵。贼见围城将合，必出大战，待其败北，然后乘势可取。"德裕奏请诏示王宰。

文端又言："固镇寨⑭四崖悬绝，势不可攻。然寨中无水，皆饮涧水，在寨东南[1]约一里许。宜令王逢进兵逼之，绝其水道，不过三日，贼必弃寨遁去，官军即可追蹑。前十五里至青龙寨⑮，亦四崖悬绝，水在寨外，可以前法取也。其东十五里则沁州城⑯。"德裕奏请诏示王逢。

文端又言："都头王钊将万兵戍洺州，刘稹既族薛茂卿，又诛邢洺救援兵马使谈朝义兄弟三人，钊自是疑惧。稹遣使召之，钊不肯入，士卒皆哗噪，钊必不为稹用。但钊及士卒家属皆在潞州，又士卒恐已[2]降为官军所杀，招之必不肯来。惟有谕意于钊，使引兵入潞州取稹，事成之日，许除别道⑰节度使，仍厚有赐与，庶几⑱肯从。"德裕奏请诏何弘敬潜遣人谕以此意。

【段旨】

以上为第一段，写泽潞叛军战术被官军破解，大将投降，面临灭亡。

【注释】

①壬戌：闰七月十一日。②密陈：秘密陈述。③偷兵术：指偷着调整部署。④就迫逐：谓被逼迫，被驱赶。⑤数四：三四次；多次。⑥下营：扎营。⑦殊：甚；很。⑧挼：揉搓。⑨太半：大半。⑩四集：四面集中。⑪干河：河名，在今山西翼城南，西北流入浍水。⑫夹城：指连接营寨的交通甬道墙，为双层墙，中有通道。城，城

刘稹的心腹将领高文端投降，说叛贼粮食缺乏，叫妇人去搓谷穗、舂去壳，供给军队。李德裕向高文端询问破贼的计策，高文端认为："官军现在直接进攻泽州，恐怕会死伤很多士兵，城池不容易得到。泽州约有兵员一万五千人，叛贼常常分出一大半兵员，潜伏在山谷中，窥伺官军攻城疲弊了，就从四面八方来援救守城之人，这样官军一定失利。现在请命令陈许军渡过干河建立营寨，从寨城起环绕泽州，连接筑成夹城，每天派遣大军在外面布下军阵，用来抵御从山谷而来的叛贼救兵。叛贼看到围城的官军即将合围，一定会出城大战，等到他们败逃时，然后乘胜就可夺取该城。"李德裕奏请下诏告诉王宰这个策略。

高文端又说："固镇寨四周是悬崖绝壁，从形势上看是不能进攻的。然而寨中没有水源，都饮用山涧水，山涧在寨子东南面约一里远的地方。应当叫王逢进兵逼近山涧，断绝叛贼的水源，不过三天，叛贼一定弃寨逃走，官军即可追击他们。向前十五里路到达青龙寨，也是四面悬崖绝壁，水源在寨子外面，可以用前面的办法夺取那个寨子。它的东面十五里就是沁州城。"李德裕奏请把这个情况下诏告诉王逢。

高文端又说："都头王钊带领一万人的军队戍守洺州，刘稹已经把薛茂卿灭族，又杀了邢洺救援兵马使谈朝义兄弟三人，王钊从此疑虑忧惧。刘稹派使者召唤他，王钊不肯去见他，士卒们都喧闹起来，王钊必定不为刘稹卖力。但是王钊和士卒们的家属都在潞州，另外士卒们害怕投降后被官军杀害，要招降他们一定不肯前来。只有向王钊暗示，让他带兵进入潞州杀死刘稹，事情成功时，答应任命他为别道节度使，还有优厚的赏赐，或许他会答应的。"李德裕奏请下诏给何弘敬，暗中派人把这个意思告知王钊。

墙。⑬捍：抵御。⑭固镇寨：寨名，在今河北武安西。胡注："《九域志》：磁州武安县有固镇镇。"⑮青龙寨：寨名，在今河北临城。⑯沁州城：即沁源县城，为沁州治所，在今山西沁源。⑰别道：泽潞以外的其他方镇。⑱庶几：或许。

【校记】

［1］南：原无此字。据章钰校，十二行本、乙十一行本、孔天胤本皆有此字，张敦仁《通鉴刊本识误》同，今据补。［2］已：原作"巳"，显系误字。据文义，当作"已"或"己"，今校改作"已"。

【原文】

刘稹年少懦弱，押牙王协、宅内兵马使李士贵用事，专聚货财，府库充溢，而将士有功无赏，由是人心离怨⑲。刘从谏妻裴氏，冕⑳之支孙也，忧稹将败，其弟问典兵在山东，欲召之，使掌军政。士贵恐问至夺己权，且泄其奸状，乃曰："山东之事仰成于五舅㉑，若召之，是无三州㉒也。"乃止。

王协荐王钊为洺州都知兵马使。钊得众心，而多不遵使府约束。同列高元武、安玉言其有贰心，稹召之，钊辞以"到洺州未立少功㉓，实所惭恨，乞留数月，然后诣府"。许之。

王协请税商人㉔，每州遣军将一人主之。名为税商，实籍编户家赀㉕，至于什器㉖无所遗，皆估㉗为绢匹，十分取其二，率㉘高其估。民竭浮财㉙及糗粮输之，不能充，皆忷忷不安。

军将刘溪尤贪残，刘从谏弃不用。溪厚赂王协，协以邢州富商最多，命溪主之。裴问所将兵号"夜飞"，多富商子弟，溪至，悉拘其父兄。军士诉于问，问为之请，溪不许，以不逊语答之。问怒，密与麾下谋杀溪归国㉚，并告刺史崔嘏㉛，嘏从之。丙子㉜，嘏、问闭城，斩城中大将四人，请降于王元逵。时高元武在党山㉝，闻之，亦降。

先是，使府赐洺州军士布，人一端，寻有帖以折冬赐。会税商军将至洺州，王钊因人不安，谓军士曰："留后㉞年少，政非己出。今仓库充实，足支十年，岂可不少散之以慰劳苦之士！使帖不可用也。"乃擅开仓库，给士卒人绢一匹，谷十二石，士卒大喜，钊遂闭城请降于何弘敬。安玉在磁州闻二州降，亦降于弘敬。尧山都知兵马使魏元谈等降于王元逵，元逵以其久不下，皆杀之。

八月辛卯㉟，镇、魏奏邢、洺、磁三州降，宰相入贺。李德裕曰："昭义根本尽在山东，三州降，则上党不日有变矣。"上曰："郭谊必枭㊱刘稹以自赎。"德裕曰："诚如圣料。"上曰："于今所宜先处者何事？"德裕请以给事中[3]卢弘止㊲[4]为三州留后，曰："万一镇、魏请

【语译】

刘稹年少懦弱，押牙王协、宅内兵马使李士贵执政，专门聚敛财货，府库装满了钱财，而将士有功也没有赏赐，因此人心离散抱怨。刘从谏的妻子裴氏是裴冕的支系孙女，忧虑刘稹即将失败，她的弟弟裴问在山东掌兵，就想召弟弟前来，让他执掌军政大权。李士贵担心裴问到达后夺了自己的权力，并且暴露自己所做的坏事，于是说："山东三州的军政大事全仰仗五舅，要是召他来，这等于是没有山东三州了。"这才作罢。

王协推荐王钊为洺州都知兵马使。王钊很得军心，却多半不遵守节度使府的约束。同王钊共事的高元武、安玉说王钊有二心。刘稹召他去潞州，王钊借口说"到洺州未立微功，实在惭愧遗憾，请求留几个月，然后前往节度使府"。刘稹答应了。

王协请求向商人征税，每州派一名军将主持这件事。名义上是向商人征税，实际上是登记百姓的家产，以至于什物器具都不遗漏，全估价为绢匹，十分中取其二分，一般估的价值都比原物价值高。民众把浮财和干粮全部拿出来纳税，还不够数，都纷扰不安。

军将刘溪特别贪婪残暴，刘从谏不任用他。刘溪用厚礼贿赂王协，王协认为邢州富商最多，就要刘溪主持邢州征税之事。裴问所带领的兵士号"夜飞"，多半是富商的子弟，刘溪到达邢州后，把他们的父兄全都抓起来。军士向裴问诉说，裴问为他们向刘溪请求放人，刘溪不答应，还用不客气的话回答裴问。裴问大怒，秘密与部下谋划杀掉刘溪，归附朝廷，并告诉刺史崔嘏，崔嘏也同意了。闰七月二十五日丙子，崔嘏、裴问关闭城门，斩城中大将四人，向王元逵请求投降。当时高元武在党山，听到了这个消息，也投降了。

此前，节度使府送给洺州士兵布，每人一端，不久有文告说以此当作冬季的赏赐。适逢征收商税的军将到洺州，王钊乘人心不安，对军士们说："留后年纪轻，政令不是他本人作出的。现在仓库里财物充盈，足可用十年，怎能不稍稍拿出一些来以慰劳辛苦的将士呢！节度使府发的文告不能照办。"于是擅自打开仓库，分给士卒每人绢一匹，谷十二石，士卒很高兴，王钊于是关闭城门向何弘敬请求投降。安玉在磁州听说邢州、洺州都投降了，也向何弘敬投降。尧山都知兵马使魏元谈等投降王元逵，王元逵因他们很久不降服，把他们都杀掉了。

八月十一日辛卯，镇、魏两节度使上奏说邢、洺、磁三州都投降了，宰相入朝向武宗道贺。李德裕说："昭义的基本力量都在太行山以东，邢、洺、磁三州投降了，那么上党不久定会发生变乱。"武宗说："郭谊一定会杀了刘稹用来为自己赎罪。"李德裕说："确实会和圣上所预料的一样。"武宗说："现在应当首先处理的是什么事呢？"李德裕请求任命给事中卢弘止为三州留后，他说："万一镇、魏二镇请求占有三

占三州，朝廷难于可否。”上从之。诏山南东道兼昭义节度使卢钧乘驿㊳赴镇。

【段旨】

以上为第二段，写邢、洺、磁三州降，泽潞丧失山东三州屏障，大门洞开。

【注释】

⑲离怨：离散、怨恨。⑳冕：裴冕，肃宗、代宗两朝宰相。传见《旧唐书》卷一百十三、《新唐书》卷一百四十。㉑五舅：裴问排行第五，故称。㉒三州：指昭义所辖山东邢、洺、磁三州。㉓少功：小功。㉔税商人：向商人征税。㉕籍编户家赀：登记百姓家产。编户，即编户之民、百姓。㉖什器：家常所用杂物。㉗估：估价。㉘率：大抵；一般。㉙浮财：指能流通的钱财等动产。㉚归国：谓归附朝廷。㉛崔嘏：字乾锡，历官邢州刺史、中书舍人。李德裕贬潮州司马，嘏草拟制书，坐不尽言其罪，贬端州刺史。传见《新唐书》卷一百八十。㉜丙子：闰七月二十五日。㉝高元武在党山：据《旧

【原文】

潞人闻三州降，大惧。郭谊、王协谋杀刘稹以自赎。稹再从兄中军使㊴匡周兼押牙，谊患之，言于稹曰：“十三郎㊵在牙院㊶，诸将皆莫敢言事，恐为十三郎所疑而获罪，以此失山东。今诚得十三郎不入，则诸将始敢尽言，采于众人，必获长策。”稹召匡周谕之，使称疾不入。匡周怒曰：“我在院中，故诸将不敢有异图。我出院，家必灭矣！”稹固请之。匡周不得已，弹指㊷而出。

谊令稹所亲董可武说稹曰：“山东之叛，事由五舅，城中人人谁敢相保！留后今欲何如？”稹曰：“今城中尚有五万人，且当闭门坚守耳。”可武曰：“非良策也。留后不若束身归朝，如张元益㊸，不失作刺史。且以郭谊为留后，俟得节之日，徐奉太夫人㊹及室家金帛归之东都，不亦善乎？”稹曰：“谊安肯如是？”可武曰：“可武已与之重誓，必

州，朝廷很难表示同意还是不同意。”武宗听从了。下诏让山南东道兼昭义节度使卢钧乘驿站车马赴昭义镇上任。

唐书·武宗纪》：“王元逵奏邢州刺史裴问、别将高元武以城降。”与《资治通鉴》异。党山，胡注：“恐当作‘尧山’。”㉞留后：指刘稹。㉟辛卯：八月十一日。㊱枭：斩首悬于木上示众，此处为斩杀之意。㊲卢弘止：字子强，大历十才子卢纶第三子。历官给事中、工部、户部侍郎，官终宣武节度使。传见《旧唐书》卷一百六十三、《新唐书》卷一百七十七。㊳乘驿：乘用驿站车马。

【校记】

［3］给事中：原无此三字。据章钰校，十二行本、乙十一行本、孔天胤本皆有此三字，张敦仁《通鉴刊本识误》、张瑛《通鉴校勘记》同，今据补。［4］卢弘止：据章钰校，孔天胤本作“卢弘正”，下同。〖按〗新、旧《唐书》或作“卢弘正”，或作“卢弘止”。疑“正”字是。

【语译】

潞州人得知山东三州投降了，大为恐惧。郭谊、王协谋划杀掉刘稹来为自己赎罪。刘稹的堂兄中军使刘匡周兼任押牙，郭谊担忧他，便对刘稹说：“十三郎在押牙办公处，诸将都不敢向你发表意见，担心被十三郎怀疑而得罪，因此丧失了山东三州。现在要是让十三郎不入押牙办公处，那么诸将才敢尽情发表意见，在众人中采纳好建议，一定会得到好计策。”刘稹召来刘匡周告诉他这一意见，要他借口有病不到押牙办公处。刘匡周发怒说：“我在押牙办公处，所以诸将才不敢有异图。我离开押牙办公处，家族一定要被消灭了！”刘稹坚持请他退出。刘匡周不得已，愤愤地弹击手指作响，离开了节度使府。

郭谊叫刘稹的亲信董可武劝刘稹说：“山东三州背叛，这事是由五舅引起的，城中每一个人谁敢担保他不是坏人！留后今后想怎么办？”刘稹说：“现在城里还有五万人，暂且闭门坚守而已。”董可武说：“这不是好办法。留后不如约束自己，归附朝廷，如同张元益一样，不失去做刺史的机会。暂时让郭谊担任留后，等他得到了节度使旌节以后，再慢慢奉送太夫人和家室及金银绢帛回到东都去，不是很好吗？”刘稹说：“郭谊怎么会愿意这样做呢？”董可武说：“可武已经和他郑重地立了誓言，一

不负也。”乃引谊入。稹与之密约既定，乃白其母。母曰：“归朝诚为佳事，但恨已晚。吾有弟不能保，安能保郭谊！汝自图之！”稹乃素服出门，以母命署谊都知兵马使。王协已戒[45]诸将列于外厅，谊拜谢稹已，出见诸将，稹治装[46]于内厅。李士贵闻之，帅后院兵数千攻谊。谊叱之曰：“何不自取赏物，乃欲与李士贵同死乎！”军士乃退，共杀士贵。谊易置将吏，部署军士，一夕俱定。

明日，使董可武入谒稹曰：“请议公事。”稹曰：“何不言之！”可武曰：“恐惊太夫人。”乃引稹步出牙门，至北宅[47]，置酒作乐。酒酣，乃言：“今日之事欲全太尉[48]一家，须留后自图去就，则朝廷必垂矜闵。”稹曰：“如所言，稹之心也。”可武遂前执其手，崔玄度自后斩之，因收稹宗族，匡周以下至襁褓中子皆杀之。又杀刘从谏父子所厚善者张谷、陈扬庭、李仲京[49]、郭台、王羽、韩茂章、茂实、王渥、贾庠等凡十二家，并其子侄甥婿无遗。仲京，训之兄。台，行余之子。羽，涯之从孙。茂章、茂实，约之子。渥，璠之子。庠，竦之子也。甘露之乱[50]，仲京等亡归从谏，从谏抚养之。凡军中有小嫌[51]者，谊日有所诛，流血成泥。乃函稹首，遣使奉表及书，降于王宰。首过泽州，刘公直举营恸哭，亦降于宰。

【段旨】

以上为第三段，写泽潞大将郭谊、王协卖主求荣，杀刘稹投降。

【注释】

㊴中军使：官名，统领中军事务。中军，节度使直属的精锐亲军。㊵十三郎：刘匡周排行十三，故称。㊶牙院：押牙办公处所。㊷弹指：弹击手指，表示愤怒。㊸如张

定不会违背的。”于是把郭谊带了进来。刘稹与郭谊把密约商量确定以后，便告诉他母亲。他母亲说：“归附朝廷诚然是一件好事，但遗憾的是已经晚了。我的弟弟都不能保证他无二心，哪里能够保证郭谊！你自己去筹划吧！”刘稹就穿着素色衣服出门，以母亲的名义任命郭谊为都知兵马使。王协已经命令诸将排列在外厅，郭谊拜谢刘稹完毕，出外会见诸将，刘稹在内厅整理行装。李士贵听到这件事，率领后院的数千名士兵进攻郭谊。郭谊斥责他们说：“为什么自己不去获取赏赐的财物，难道想和李士贵一同去死吗！”军士于是退走，一起把李士贵杀了。郭谊调换将吏，部署军士，一个晚上全都安定了。

第二天，郭谊派董可武入见刘稹说：“请去讨论公事。”刘稹说：“何不就在这里说！”董可武说：“担心惊吓了太夫人。”于是带领刘稹步行出牙门，到达北宅，置酒奏乐。正当喝得痛快，董可武说：“今天要做的事是想保全太尉一家，须留后自己去找一个安身的地方，那么朝廷一定会怜悯爱惜的。”刘稹说：“像你那么说，正是我的心愿。”董可武就向前握住他的手，崔玄度从后面杀了他，随即收捕刘稹的宗族，从刘匡周以下到尚在襁褓中的幼儿全都杀死。又杀了和刘从谏父子关系深厚的张谷、陈扬庭、李仲京、郭台、王羽、韩茂章、韩茂实、王渥、贾庠等共十二家，以及他们的子侄甥婿等，一个也不遗漏。李仲京是李训的哥哥。郭台是郭行余的儿子。王羽是王涯的侄孙。韩茂章、韩茂实是韩约的儿子。王渥是王璠的儿子。贾庠是贾𫗧的儿子。甘露之变以后，李仲京等人逃到刘从谏那里，刘从谏抚慰收养了他们。凡是军队中稍有仇怨的人，郭谊每天杀掉一些，血流成渠。于是把刘稹的头盛好，派使者拿着章表和书信，向王宰投降了。刘稹首级经过泽州时，刘公直全营士兵痛哭，也投降了王宰。

元益：元益之父张璠为义武节度使。璠死，军中欲立元益，朝廷不准，任命为代州刺史，元益遂离义武。事见本书卷二百四十六唐文宗开成五年。㊹ 太夫人：对刘稹之母裴氏的尊称。㊺ 戒：命令。㊻ 治装：整理行装。㊼ 北宅：昭义节度使别宅，在使宅之北，故称北宅。㊽ 太尉：即刘悟。悟死，赠太尉。㊾ 李仲京：李训之兄，官至监察御史。事附《新唐书》卷二百十四《刘稹传》。㊿ 甘露之乱：公元八三五年，李训、郑注以看甘露为名，谋杀宦官，事败被诛，史称甘露之变。事见本书卷二百四十五文宗太和九年。51 嫌：仇怨。

【原文】

乙未⑫，宰以状闻。丙申⑬，宰相入贺。李德裕奏："今不须复置邢、洺、磁留后，但遣卢弘止宣慰三州及成德、魏博两道。"上曰："郭谊宜如何处之？"德裕对[5]曰："刘稹骙⑭孺子耳，阻兵⑮拒命，皆谊为之谋主。及势孤力屈，又卖稹以求赏。此而不诛，何以惩恶！宜及诸军在境，并谊等诛之！"上曰："朕意亦以为然。"乃诏石雄将七千人入潞州，以应谣言⑯。杜悰以馈运不给，谓谊等可赦。上熟视不应。德裕曰："今春泽潞未平，太原复扰，自非圣断坚定，二寇何由可平！外议以为若在先朝，赦之久矣。"上曰："卿不知文宗心地⑰不与卿合，安能议乎！"罢卢钧山南东道，专为昭义节度使。

戊戌⑱，刘稹传首至京师。诏："昭义五州给复⑲一年，军行所过州县免今年秋税。昭义自刘从谏以来，横增赋敛，悉从蠲免。所籍土团⑳，并纵遣㉑归农。诸道将士有功者，等级加赏㉒。"

郭谊既杀刘稹，日望旌节，既久不闻问㉓，乃曰："必移他镇。"于是阅鞍马，治行装。及闻石雄将至，惧失色㉔。雄至，谊等参贺毕，敕使张仲清曰："郭都知㉕告身来日当至，诸高班㉖告身在此，晚牙来受之。"乃以河中兵㉗环球场。晚牙㉘，谊等至，唱名㉙引入，凡诸将桀黠㉚拒官军者，悉执送京师。加何弘敬同平章事。丁未㉛，诏发刘从谏尸㉜，暴㉝于潞州市三日，石雄取其尸置球场斩锉㉞之。

戊申㉟，加李德裕太尉、赵国公。德裕固辞。上曰："恨无官赏卿耳！卿若不应得，朕必不与卿。"

初，李德裕以"韩全义㊱以来，将帅出征屡败，其弊有三：一者，诏令下军前者[6]，日有三四，宰相多不预闻。二者，监军各以意见指挥军事，将帅不得专进退㊲。三者，每军各有宦者为监使，悉选军中骁勇数百为牙队，其在陈战斗者皆怯弱之士。每战监使自有信旗㊳，乘高立马，以牙队㊴自卫，视军势小却㊵，辄引旗先走㊶，陈㊷从而溃"。德裕乃与枢密使杨钦义、刘行深议，约敕㊸监军不得预军政，每兵千

【语译】

八月十五日乙未，王宰上奏郭谊投降等事。十六日丙申，宰相入朝向武宗祝贺。李德裕上奏说："现在不需要再设置邢、洺、磁留后，只派遣卢弘止宣慰三州和成德、魏博两个道。"武宗说："郭谊应当如何处置？"李德裕回答说："刘稹不过是一个痴呆小子而已，拥兵抗拒朝命，都是郭谊充当主谋。郭谊等到势孤力竭，又出卖刘稹来求得奖赏。这种人不杀掉，如何惩戒恶人！应当趁各路军队还在潞州境内，把郭谊等人一起杀掉！"武宗说："朕的意思也认为要这么办。"于是下诏让石雄带领七千人进入潞州，以应和谣言。杜悰认为粮饷运输跟不上，说郭谊等人可以赦免。武宗长时间看着他不作回答。李德裕说："今年春天泽潞没有平定，太原又发生变乱，如果不是圣上决断坚定，二处寇贼怎么能平定呢！外面有议论说，如果发生在前朝，早就赦免他们了。"武宗说："你不了解文宗心地与你不合，哪里能这样议论！"免去卢钧山南东道的职务，专门担任昭义节度使。

八月十八日戊戌，刘稹的首级传送到了京师。武宗下诏："昭义所辖的五个州免征一年赋役，军队所经过的州县免除今年的秋税。昭义地方从刘从谏以来随意增加的赋税，一概都免除。所有登记在册的当地团兵，全部遣散回乡务农。各道立了功的将士，按等级给予奖赏。"

郭谊杀了刘稹以后，每天都在盼望被任命为节度使的旌节，已经好久没有听到朝廷的消息，就说："一定是调到其他镇去。"于是检视鞍马，准备行装。等到听说石雄即将到来，大惊失色。石雄到达，郭谊等参见拜贺完了，敕使张仲清说："郭都知的授官文书改日就会到，各位高班的授官文书就在这里，晚上衙门集会时会收到。"于是派河中镇的军队环绕球场。傍晚坐衙治事时，郭谊等到来，喊着名字把人带进去，凡是桀骜狡猾抗拒官军的将领，都被抓捕送往京师。加给何弘敬同平章事的官衔。八月二十七日丁未，下诏发掘出刘从谏的尸体，在潞州市场曝尸三天，石雄取来刘从谏的尸体放在球场中剁碎了。

八月二十八日戊申，加给李德裕太尉、赵国公官爵。李德裕坚决推辞。武宗说："遗憾的是没有官职奖赏卿了！卿要是不应该获得，朕一定不会给卿的。"

当初，李德裕认为"自韩全义以来，将帅出征时屡次失败，其中有三个方面的弊病：第一，向军队下发的诏令，一天有三四道，宰相多半不参与其中。第二，监军各人根据自己的意见指挥军事，将帅不能独自掌控军队进退。第三，每军各有宦官担任监使，他们都在军队中挑选几百名骁勇的军士为牙队，而留在阵地上作战的人都是胆小懦弱的士兵。每次战斗，监使自己拿着信旗，乘马站在高处，由牙队保卫着自己，看到军队稍有后退，就打着信旗先跑了，军阵随着也就溃散了"。李德裕于是和枢密使杨钦义、刘行深商议，告诫并约束监军不得干预军事行动，在每一千

人听监使取十人自卫，有功随例沾赏[84]。二枢密皆以为然，白上行之。自御回鹘至泽潞罢兵，皆守此制，自非[85]中书进诏意[86]，更无他诏自中[87]出者。号令既简，将帅得以施其谋略，故所向有功。

自用兵以来，河北三镇每遣使者至京师，李德裕常面谕之曰："河朔兵力虽强，不能自立，须借朝廷官爵威命[88]以安军情。归语汝使，与其使大将邀宣慰敕使以求官爵，何如自奋忠义，立功立事，结知[89]明主，使恩出朝廷，不亦荣乎！且以耳目所及者言之，李载义在幽州，为国家尽忠平沧景[90]，及为军中所逐，不失作节度使[91]，后镇太原[92]，位至宰相[93]。杨志诚遣大将遮敕使马求官，及为军中所逐，朝廷竟不赦其罪[94]。此二人祸福足以观矣。"德裕复以其言白上。上曰："要当如此明告之。"由是三镇不敢有异志。

【段旨】

以上为第四段，写李德裕调度有方，策略得当，军事、政治双管齐下，为讨平泽潞立了首功。

【注释】

[52]乙未：八月十五日。[53]丙申：八月十六日。[54]骙：愚；呆。[55]阻兵：拥兵。[56]谣言：即潞州市男子磬折所唱："石雄七千人至矣。"事见本书卷二百四十七唐武宗会昌三年。[57]心地：存心。[58]戊戌：八月十八日。[59]给复：免征赋役。[60]所籍土团：登记入册的本地团兵。[61]纵遣：释放遣散。[62]等级加赏：按等次级别予以奖赏。[63]不闻问：听不到朝廷的消息。[64]惧失色：惊恐而改变面色。[65]郭都知：即郭谊，时为都知兵马使。[66]诸高班：谓诸将。高班，位次高的官员。[67]河中兵：石雄率领的进入潞州的军队。[68]晚牙：即晚衙。方镇及州县长官一日早晚两次坐衙治事，傍晚一次称晚衙。[69]唱名：高声呼名。[70]桀黠：桀骜狡猾。[71]丁未：八月二十七日。[72]发刘从谏尸：掘开刘从谏的坟墓取尸。发，掘。[73]暴：通"曝"，暴露。[74]斩锉：刀斩锉磨，此指戮尸。[75]戊申：八月二十八日。[76]韩全义：官至夏绥银宥节度使。贞元十四年（公元七九八年），淮西吴少诚叛，韩全义率十七镇之师讨伐。全义不懂战略，号令全由监军做主，遂败于溵

个士兵中听任监使选取十人为卫士，有功劳时按规定分得奖赏。两位枢密使都认为应该这样办，便报告武宗推行。从抵御回鹘开始到泽潞打仗结束，都执行了这个制度，如果不是中书省进呈的为皇上草拟的诏书，就没有其他诏书从宫中发出。号令简要以后，将帅就能够施展他们的谋略，所以军队指向哪里，都能取得成功。

自从用兵作战以来，河北三镇每次派使者到达京师，李德裕常常当面晓谕他们说："河朔地方兵力虽然强大，但不能独立自主，必须依靠朝廷官爵诏命来安定军心。回去告诉你们的节度使，与其派遣大将请求宣慰敕使以求官爵，何不自己振奋忠义之心，建立功业，为明主所了解，使授官爵的恩惠由朝廷发出，不是很光荣吗！就从耳目所见所闻来说，李载义在幽州，为国家尽忠，平定沧景之乱，等到被军队赶走时，仍旧担任了节度使官职，后来镇守太原，官至宰相。杨志诚派遣大将拦着敕使的马求官，等到被军队士兵赶走后，朝廷终究没有赦免他的罪行。从这两个人的祸福情况就足以得到启示了。"李德裕又将这些话向武宗说了。武宗说："应当这样明白地告诉他们。"从此，河北三镇就不敢有反叛的想法了。

水。传见《旧唐书》卷一百六十二、《新唐书》卷一百四十一。⑰ 专进退：独自掌控军队进退。⑱ 信旗：信号旗，用以指挥军队进退。⑲ 牙队：护卫亲兵，是从众军中精挑的勇敢之士。⑳ 小却：稍有退却。㉑ 引旗先走：带着旗子先跑。㉒ 陈：同"阵"。㉓ 约敕：告诫约束。㉔ 沾赏：分得赏赐。㉕ 自非：如果不是。㉖ 中书进诏意：中书省进奏的为皇帝草拟的诏书。㉗ 中：指禁中。㉘ 威命：威严的命令，指朝廷诏命。㉙ 结知：结交而使了解。㉚ 平沧景：唐文宗太和元年（公元八二七年），李同捷据沧景叛，卢龙节度使李载义等奉命讨伐，三年叛平。㉛ 不失作节度使：太和五年，李载义为其兵马使杨志诚所逐，朝廷任命其为山南西道节度使。㉜ 后镇太原：太和七年，李载义调任河东节度使。㉝ 位至宰相：太和三年以平沧景功，加李载义同平章事。载义事见本书卷二百四十四至二百四十六。㉞ 不赦其罪：杨志诚逐李载义，任卢龙节度使。太和八年亦为部下所逐，因曾私制天子衮服，流放岭南，途中诛死。事见本书卷二百四十四至二百四十五。

【校记】

［5］对：原无此字。据章钰校，十二行本、乙十一行本、孔天胤本皆有此字，张敦仁《通鉴刊本识误》同，今据补。［6］者：原无此字。据章钰校，十二行本、乙十一行本、孔天胤本皆有此字，张敦仁《通鉴刊本识误》同，今据补。

【原文】

九月，诏以泽州隶河阳节度。

丁巳㊵，卢钧入潞州。钧素宽厚爱人，刘稹未平，钧已领昭义节度。襄州士卒㊶在行营㊷者，与潞人战，常对陈扬钧之美。及赴镇㊸，入天井关，昭义散卒归之者，钧皆厚抚之，人情大洽，昭义遂安。

刘稹将郭谊、王协、刘公直、安全庆、李道德、李佐尧、刘武德、董可武等至京师，皆斩之。

臣光曰："董重质之在淮西㊹，郭谊之在昭义，吴元济、刘稹，如木偶人在伎儿[100]之手耳。彼二人者[7]，始则劝人为乱，终则卖主规利[101]，其死固有余罪。然宪宗用之于前，武宗诛之于后，臣愚以为皆失之。何则？赏奸，非义也；杀降，非信也。失义与信，何以为国！昔汉光武待王郎、刘盆子止于不死，知其非力竭则不降故也。樊崇、徐宣、王元、牛邯之徒，岂非助乱之人乎？而光武不[8]杀[102]，盖以既受其降，则不可复诛故也。若既赦而复逃亡叛乱，则其死固无辞矣！如谊等免死流之远方，没齿不还，可矣，杀之，非也。"

【段旨】

以上为第五段，写卖主求荣的泽潞叛将被斩，司马光评论认为朝廷处置失宜，赏奸、杀降丧失信义。

【注释】

㊵丁巳：九月初七日。㊶襄州士卒：即卢钧属下士兵。卢原为山南东道节度使，辖襄、钧、房、复等州。㊷行营：谓行军打仗的营垒。㊸赴镇：到昭义镇上任。㊹董重质之在淮西：董重质原淮西大将，为吴元济反叛出谋划策。后吴元济要归顺朝廷，被董阻止。在李愬入蔡州擒元济前夕，董投降。事见本书卷二百三十九至二百四十唐宪宗元和

【语译】

九月，下诏把泽州划归河阳节度使管辖。

九月初七日丁巳，卢钧进入潞州。卢钧向来宽厚爱护士众，刘稹还没有平定时，卢钧已经兼任昭义节度使。襄州带来的士卒在征讨行营与潞州兵交战时，常常在阵地上宣扬卢钧的美德。等到卢钧去昭义镇上任，通过天井关，昭义军流散士卒归附卢钧的，卢钧对他们都厚加抚慰，人心大为欢洽，于是昭义安定下来。

刘稹的将领郭谊、王协、刘公直、安全庆、李道德、李佐尧、刘武德、董可武等押到京师，全都斩首。

臣司马光说："董重质在淮西，郭谊在昭义的时候，吴元济、刘稹就像木偶人在杂技演员手中一样罢了。这两个人，开始时劝说主人作乱，最后便卖主牟利，他们的死本来是死有余辜。然而宪宗任用他们在前，武宗诛杀他们在后，臣的愚见认为这两种做法都是失误的。为什么呢？奖赏奸人，不是义；杀死降者，不是信。失去了义和信，用什么治理国家！从前汉光武帝对待王郎、刘盆子，只是答应不杀他们，这是了解他们不是在势穷力尽的时候是不会投降的缘故。樊崇、徐宣、王元、牛邯那班人，难道不是帮助作乱的人吗？但是汉光武帝不杀他们，那是认为既然接受了他们投降，就不应当又杀他们的缘故。要是已经赦免而又逃亡叛乱，那么处死他们就没有话可说了！像郭谊等人，不杀他们而流放到边远的地方去，到老死都不许回乡，就可以了，杀死他们是不对的。"

九年至元和十二年。⑩⓪伎儿：杂技演员。⑩①规利：图利。⑩②光武不杀：指东汉开国皇帝光武帝刘秀不杀王郎、刘盆子、樊崇、徐宣、王元、牛邯等敌对首领。新莽末，天下纷乱，王郎诈称汉成帝子刘子舆，称帝于邯郸；刘盆子被赤眉军奉为皇帝；樊崇、徐宣皆赤眉军首领；王元、牛邯均为西州割据者隗嚣的部将。上述诸人先后被汉光武帝打败而投降，光武帝受降而不杀。

【校记】

［7］者：原无此字。据章钰校，十二行本、乙十一行本皆有此字，张敦仁《通鉴刊本识误》同，今据补。［8］不：据章钰校，十二行本、乙十一行本皆作"弗"。

【原文】

王羽、贾庠等已为谊所杀，李德裕复下诏称“逆贼王涯、贾悚等已就昭义诛其子孙”，宣告中外，识者非之[103]。刘从谏妻裴氏亦赐死。又令昭义降将李丕、高文端、王钊等疏昭义将士与刘稹同恶者，悉诛之，死者甚众。卢钧疑其枉滥[104]，奏请宽之，不从。

昭义属城有尝无礼于王元逵者，元逵推求[105]得二十余人，斩之。余众惧，复闭城自守。戊辰[106]，李德裕等奏：“寇孽既平，尽为国家城镇，岂可令元逵穷兵[107]攻讨！望遣中使赐城内将士敕，招安之。仍诏元逵引兵归镇，并诏卢钧自遣使安抚。”从之。

乙亥[108]，李德裕等请上尊号，且言：“自古帝王，成大功必告天地。又，宣懿太后[109]祔庙[110]，陛下未尝亲谒。”上瞿然[111]曰：“郊庙之礼，诚宜亟行。至于徽[112]称，非所敢当！”凡五上表，乃许之。

李德裕奏：“据幽州奏事官言：诇知回鹘上下离心，可汗欲之安西，其部落言亲戚皆在唐，不如归唐。又与室韦已相失[113]，计其不日来降，或自相残灭。望遣识事[114]中使赐仲武诏，谕以镇、魏已平昭义，惟回鹘未灭，仲武犹带北面招讨使，宜早思立功。”

李德裕怨太子太傅、东都留守牛僧孺，湖州刺史李宗闵，言于上曰：“刘从谏据上党十年，太和中入朝。僧孺、宗闵执政，不留之，加宰相纵去[115]，以成今日之患，竭天下力乃能取之，皆二人之罪也。”德裕又使人于潞州求僧孺、宗闵与从谏交通书疏[116]，无所得，乃令孔目官郑庆言从谏每得僧孺、宗闵书疏，皆自焚毁。诏追庆下御史台按问[117]，中丞李回、知杂[118]郑亚以为信然。河南少尹吕述与德裕书，言稹破报至[119]，僧孺出声叹恨。德裕奏述书，上大怒，以僧孺为太子少保、分司，宗闵为漳州[120]刺史。戊子[121]，再贬僧孺汀州刺史，宗闵漳州长史。

上幸鄠校猎。

十一月，复贬牛僧孺循州长史，李[9]宗闵长流[122]封州[123]。

十二月，以忠武节度使王宰为河东节度使，河中节度使石雄为河阳节度使。

上幸云阳校猎。

【语译】

王羽、贾庠等人已经被郭谊杀了，李德裕又通过武宗下诏说“逆贼王涯、贾𫗧等人的子孙投靠在昭义的也已被诛杀”，宣告中外，有识见的人责怪李德裕这样做。刘从谏的妻子裴氏也被处死。又叫昭义降将李丕、高文端、王钊等人陈述昭义将士中和刘稹一起干坏事的人，都将他们杀掉了，死亡的人很多。卢钧怀疑其中有不该杀的人被冤枉，上奏请求宽宥，武宗不同意。

昭义所属城市中有曾对王元逵不礼貌的人，王元逵追查出二十多人，把他们杀了。其他的人感到恐惧，又关闭城门自我守卫。九月十八日戊辰，李德裕等上奏说：“贼寇已经平定了，都是国家的城镇，怎么能让王元逵竭尽兵力去攻讨它！希望派遣中使赐给城内将士敕令，招抚安定他们。并诏令王元逵带领军队回到本镇去，同时诏令卢钧派遣使者安抚人心。”武宗听从了。

九月二十五日乙亥，李德裕等请求给武宗上尊号，并且说：“自古以来的帝王，成就大功业时一定祭告天地。另外，宣懿太后神主入祖庙祭祀，陛下未曾亲自去拜谒。”武宗惊愕地说：“到祖庙去祭祀的典礼，实在应当赶快举行。至于美称，不是我敢于接受的！”共上了五次奏表，武宗才同意接受。

李德裕上奏说：“据幽州奏事官说：探听到回鹘上下离心，可汗想前往安西，他的部落中有人说，亲戚都在唐朝，不如归附唐朝。同时他们与室韦已经失和，估计他们不久会前来投降，或者内部自相残杀。希望派遣懂得事理的中使赐给张仲武诏书，告诉他镇州、魏博两节度使已平定了昭义叛乱，只有回鹘没有消灭，仲武还带着北面招讨使的官衔，应当早些考虑建立功业。”

李德裕怨恨太子太傅、东都留守牛僧孺，湖州刺史李宗闵，对武宗说：“刘从谏占据上党十年，太和年间回到了京城。当时是牛僧孺、李宗闵担任宰相，没有把刘从谏留下来，加给他宰相官衔，放他回去了，以致造成今天这样的祸乱，竭尽了全国的力量才战胜了敌人，这都是牛、李二人的罪过。”李德裕又派人在潞州寻找牛僧孺、李宗闵和刘从谏交往的书信，没有得到什么，就要孔目官郑庆说刘从谏每次收到牛僧孺、李宗闵的书信，都自己烧毁了。下诏把郑庆交给御史台追究审讯，御史中丞李回、知杂郑亚认为真有那么回事。河南少尹吕述给李德裕写信，说刘稹失败的消息传来时，牛僧孺出声叹恨。李德裕把吕述的信奏上武宗，武宗大怒，以牛僧孺为太子少保、分司东都，李宗闵为漳州刺史。戊子日，再贬牛僧孺为汀州刺史，李宗闵为漳州长史。

武宗到鄠县狩猎。

十一月，又贬牛僧孺为循州长史，李宗闵流放远地封州。

十二月，任命忠武节度使王宰为河东节度使，河中节度使石雄为河阳节度使。

武宗到云阳狩猎。

【段旨】

以上为第六段，写李德裕报复旧恨，一贬再贬牛僧孺，李宗闵，此牛李党争第五回合。

【注释】

⑩识者非之：王、贾的子孙投靠昭义，并非叛逆，遭到族灭已属不幸；李德裕又彰明其罪，更属过分，故受到有识之士的非难。⑩枉滥：指滥施刑狱而使许多人蒙冤。枉，冤枉。⑩推求：追查。⑩戊辰：九月十八日。⑩穷兵：竭尽兵力。⑩乙亥：九月二十五日。⑩宣懿太后：穆宗妃韦氏乃唐武宗生母，被追谥为宣懿太后。⑪祔庙：将死

【原文】

五年（乙丑，公元八四五年）

春，正月己酉朔[124]，群臣上尊号曰仁圣文武章天成功神德明道大孝皇帝，尊号始无“道”字，中旨[125]令加之。庚戌[126]，上谒太庙。辛亥[127]，祀昊天[128]上帝，赦天下。

筑望仙台于南郊。

庚申[129]，义安太后[130]王氏崩。

以秘书监卢弘宣[131]为义武节度使。弘宣性宽厚而难犯，为政简易，其下便之。河北之法，军中偶语[132]者斩。弘宣至，除其法。诏赐粟三十万斛，在飞狐[133]西，计运致之费逾于粟价，弘宣遣吏守之。会春旱，弘宣命军民随意自往取之。粟皆入境，约秋稔[134]偿之。时成德、魏博皆饥，独易定之境无害。

淮南节度使李绅按江都[135]令吴湘盗用程粮钱[136]，强娶所部百姓颜悦女，估其资装[137]为赃，罪当死。湘，武陵[138]之兄子也，李德裕素恶武陵。议者多言其冤，谏官请覆按[139]。诏遣监察御史崔元藻[140]、李稠覆之。还言：“湘盗程粮钱有实。颜悦本衢州[141]人，尝为青州牙推，妻亦士族，与前狱异。”德裕以为无与夺[142]，二月，贬元藻端州司户，稠汀州司户。

者神主附于祖庙，以受祭祀。宣懿太后祔太庙穆宗之室。⑪ 瞿然：惊愕的样子。⑫ 徽：美。⑬ 相失：互相失和，即相恶。⑭ 识事：懂得事理。⑮ 加宰相纵去：唐文宗太和六年（公元八三二年），昭义节度使刘从谏入朝。太和七年加从谏同平章事，遣归镇。⑯ 书疏：书信；信札。⑰ 追庆下御史台按问：把郑庆交付御史台追究审讯。⑱ 知杂：御史台有侍御史六人，以久任此官者一人知杂事。⑲ 稹破报至：谓刘稹灭亡的捷报送至东都。⑳ 漳州：州名，治所龙溪，在今福建漳州。㉑ 戊子：九月辛亥朔，无戊子。戊子，十月初九日。㉒ 长流：流放到远方。㉓ 封州：州名，州治封川县，在今广东封开东南。

【校记】

［9］李：原无此字。据章钰校，十二行本、乙十一行本皆有此字，今据补。

【语译】

五年（乙丑，公元八四五年）

春，正月初一日己酉，群臣给武宗献上尊号称仁圣文武章天成功神德明道大孝皇帝，尊号中原来没有“道”字，宫中有旨意加上的。初二日庚戌，武宗拜谒太庙。初三日辛亥，祭祀昊天上帝，大赦天下。

在京城南郊修筑望仙台。

正月十二日庚申，义安太后王氏去世。

任命秘书监卢弘宣为义武节度使。卢弘宣性情宽厚，不可欺凌，处理政事简单易行，他的下属感到很方便。河北地区法律规定，军中聚众私语处斩。卢弘宣到来，废除了这条法规。朝廷诏令赐该道粟三十万斛，粮食在飞狐西边，计算起来运到本镇的费用超过了粟的价钱，卢弘宣就派官吏看守着。遇上春旱，卢弘宣命令军民自己随意前去取用。粟米全都运回本道，规定秋天谷物成熟后归还政府。当时成德、魏博两镇都闹饥荒，只有易定镇没有受到损害。

淮南节度使李绅查到江都县令吴湘盗窃了官员差旅费，强迫迎娶辖区内百姓颜悦的女儿为妻，估计他的资财衣装是赃物，罪当处死。吴湘是吴武陵哥哥的儿子，李德裕向来就仇恨吴武陵。议论的人多半说吴湘冤枉，谏官请求重新查验。朝廷下诏派监察御史崔元藻、李稠二人来复查这个案子。他们回朝说：“吴湘盗用官员差旅费是实有其事。颜悦本来是衢州人，曾担任过青州牙推，妻子也出身士族，这些与以前的狱词不同。”李德裕认为他们模棱两可，二月，贬谪崔元藻为端州司户，李稠

不复更推[143]，亦不付法司详断，即如绅奏，处湘死。谏议大夫柳仲郢、敬晦[144]皆上疏争之，不纳。稠，晋江人。晦，昕之弟也。

李德裕以柳仲郢为京兆尹，素与牛僧孺善，谢德裕曰："不意太尉恩奖及此，仰报厚德，敢不如奇章公门馆[145]！"德裕不以为嫌[146]。

夏，四月壬寅[147]，以陕虢观察使李拭为册黠戛斯可汗使。

五月壬戌[148]，葬恭僖皇后于光陵柏城之外[149]。

门下侍郎、同平章事杜悰罢为右仆射，中书侍郎、同平章事崔铉罢为户部尚书。乙丑[150]，以户部侍郎李回为中书侍郎、同平章事，判户部如故。

祠部奏括[151]天下寺四千六百，兰若[152]四万，僧尼二十六万五百。

诏册黠戛斯可汗为宗英雄武诚明可汗。

秋，七月丙午朔[153]，日有食之。

上恶僧尼耗蠹[154]天下，欲去之，道士赵归真等复劝之。乃先毁山野招提[155]、兰若。至是[10]，敕上都[156]、东都两街[157]各留二寺，每寺留僧三十人；天下节度、观察使治所及同、华、商[158]、汝州各留一寺，分为三等[159]：上等留僧二十人，中等留十人，下等五人，余僧及尼并大秦穆护[160]、祆僧[161]皆勒归俗。寺非应留者，立期令所在毁撤，仍遣御史分道督之。财货田产并没官，寺材以葺公廨[162]驿舍，铜像、钟磬以铸钱。

以山南东道节度使郑肃检校右仆射、同平章事。

诏发昭义骑兵五百、步兵千五百戍振武，节度使卢钧出至裴村[163]饯之。潞卒素骄，惮于远戍，乘醉，回旗入城，闭门大噪，钧奔潞城[164]以避之。监军王惟直自出晓谕，乱兵击之，伤，旬日而卒。李德裕奏："请诏河东节度使王宰以步骑一千守石会关，三千自仪州路据武安[165]，以断邢、洺之路。又令河阳节度使石雄引兵守泽州，河中节度使韦恭甫发步骑千人戍晋州。如此，贼必无能为[166]。"皆从之。

八月，李德裕等奏："东都九庙[167]神主[168]二十六，今贮于太微宫[169]小屋，请以废寺材复修太庙。"

壬午[170]，诏陈释教[171]之弊，宣告中外。凡天下所毁寺四千六百余区[172]，归俗僧尼二十六万五百人，大秦穆护、祆僧二千余人，毁招提、

为汀州司户。对吴湘也不再推究案情，也不交给有关司法部门详加处理，就按照李绅上奏的意见，把吴湘处死。谏议大夫柳仲郢、敬晦都上疏争辩这个案子，没有采纳。李稠是晋江人。敬晦是敬昕的弟弟。

李德裕任命柳仲郢为京兆尹，柳仲郢向来同牛僧孺友善，他向李德裕致谢说："想不到太尉恩奖我到这种程度，为了报答您的大德，怎敢不像对待牛僧孺那样来对待您！"李德裕并不嫌忌他说这种话。

夏，四月二十六日壬寅，任命陕虢观察使李拭为册黠戛斯可汗使。

五月十六日壬戌，在光陵柏城的外边安葬了恭僖皇后。

门下侍郎、同平章事杜悰免职，担任右仆射，中书侍郎、同平章事崔铉免职，担任户部尚书。五月十九日乙丑，任命户部侍郎李回为中书侍郎、同平章事，仍兼任户部职务。

祠部奏报说总计全国有佛寺四千六百座，兰若四万座，僧尼二十六万五百人。

诏令册封黠戛斯可汗为宗英雄武诚明可汗。

秋，七月初一日丙午，发生日食。

武宗憎恶和尚、尼姑耗损国家财物，想除掉他们，道士赵归真等人又劝说武宗这样做。于是先毁掉山野的招提、兰若。敕令上都、东都两街各留两所寺院，每寺留下三十名僧人；全国节度使、观察使治所以及同、华、商、汝等州各留一所寺院，寺又分三等：上等寺留僧二十人，中等寺留十人，下等寺留五人，其余的和尚、尼姑以及大秦国传教士、祆教僧众等都勒令还俗。不应保留的寺庙，规定日期令该地拆毁，还要派遣御史分别到各道去监督执行。财货田产都由官府没收，寺庙建筑材料用来修缮官舍和驿站房屋，铜像、钟磬用来铸造钱币。

任命山南东道节度使郑肃为检校右仆射、同平章事。

朝廷下诏令征调昭义镇骑兵五百名、步兵一千五百名戍守振武镇，节度使卢钧出城到裴村为他们饯行。潞州士卒向来骄横，畏惧到边远地方去戍守，乘着酒醉，打着旗子回到城内，关上城门大闹，卢钧跑往潞城县躲避。监军王惟直亲自出面告诫他们，乱兵攻打他，负了伤，十天就死了。李德裕上奏说："请诏令河东节度使王宰派步兵骑兵一千人守石会关，派三千人从仪州路出发去据守武安县，以截断邢、洺二州到潞州的道路。另外命令河阳节度使石雄带兵驻守泽州，河中节度使韦恭甫调发步兵骑兵一千人戍守晋州。这样，叛贼一定不能有什么作为。"武宗都听从了。

八月，李德裕等奏言："东都九庙神主二十六，现在存放在太微宫的小屋内，请求用废弃寺院的建筑材料重修太庙。"

八月初七日壬午，下诏陈述释教的各种弊端，宣告中外。全国共拆毁寺庙四千六百多处，还俗的僧尼有二十六万五百人，大秦传教士、祆教僧人二千多人，

兰若四万余区。收良田数千万顷，奴婢十五万人。所留僧皆隶主客[173]，不隶祠部。百官奉表称贺。寻又诏东都止留僧二十人，诸道留二十人者减其半，留十人者减三人，留五人者更不留[174]。

五台[175]僧多亡奔幽州。李德裕召进奏官谓曰："汝趣白本使，五台僧为将必不如幽州将，为卒必不如幽州卒，何为虚取容纳之名，染于人口[176]！独不见近日刘从谏招聚无算[177]闲人，竟有何益！"张仲武乃封二刀付居庸关[178]，曰："有游僧入境则斩之。"

主客郎中韦博[179]以为事不宜太过。李德裕恶之，出为灵武节度副使。

【段旨】

以上为第七段，写唐武宗灭佛。

【注释】

⑫④己酉朔：正月初一日。⑫⑤中旨：直接由宫中发出的皇帝旨意。⑫⑥庚戌：正月初二日。⑫⑦辛亥：正月初三日。⑫⑧昊天：即天。昊，大。⑫⑨庚申：正月十二日。⑬⓪义安太后：即唐穆宗恭僖皇后，生唐敬宗。唐文宗即位之初，以敬宗年号称之为宝历太后；太和五年（公元八三一年）又以其所居义安殿称之为义安太后。传见《旧唐书》卷五十二、《新唐书》卷七十七。⑬①卢弘宣：字子章，历任给事中、剑南东川、义武等节度使。传见《新唐书》卷一百九十七。⑬②偶语：相对私语。⑬③飞狐：县名，县治在今河北涞源。⑬④秋稔：秋天谷物成熟。⑬⑤江都：县名，县治在今江苏扬州。⑬⑥程粮钱：官吏公出，计里程给粮，粮重不便长途携带，折算成钱，叫程粮钱。近似今日的旅差费。⑬⑦资装：资财衣物。⑬⑧武陵：吴武陵，信州（今江西上饶）人，历任太学博士、韶州刺史。传见《新唐书》卷二百三。⑬⑨覆按：再次审查；重新查验。⑭⓪崔元藻：历任监察御史、武功令等。事附《新唐书》卷一百八十一《李绅传》。⑭①衢州：州名，治所信安，在今浙江衢州。⑭②无与夺：无决断，即模棱两可。⑭③不复更推：不再重新推究案情。⑭④敬晦：字日彰，河中河东（今山西永济）人，唐武宗时任谏议大夫，唐宣宗时任御史中丞、刑部侍郎、兖州节度使。传见《新唐书》卷一百七十七。⑭⑤敢不如奇章公门馆：意思是

毁掉招提、兰若四万多处。国家没收良田数千万顷，奴婢十五万人。所留下的僧侣都隶属主客郎中管理，不隶属祠部。百官都上表称贺。不久，又诏令东都只留僧侣二十人，各道原规定留二十人的减少一半，留十人的减少三人，留五人的改为不留一人。

五台山的僧侣多数逃往幽州。李德裕叫来幽州进奏官，对他说："你赶快告诉本镇节度使，五台山和尚当将领一定不如幽州的将领，当兵卒一定比不上幽州的兵卒，为什么空要一个收容他们的名声，让人们口出骂语！难道看不见近期刘从谏招募无数闲杂人员，最终有什么好处！"张仲武于是封了两把刀交给居庸关的守将，说道："有游僧入境，就杀了他。"

主客郎中韦博认为毁佛的事不宜做得太过分。李德裕厌恶他，调出为灵武节度副使。

怎敢不像对待牛僧孺那样来对待您呢。奇章公是僧孺先祖牛弘的封号，人们亦用来称僧孺。⑭⑥嫌：猜忌。⑭⑦壬寅：四月二十六日。⑭⑧壬戌：五月十六日。⑭⑨柏城之外：恭僖皇后原是唐穆宗妃子，故不合葬，而陪葬于光陵柏城之外。柏城，皇帝陵园种柏树，周围筑墙，称作柏城。⑮⓪乙丑：五月十九日。⑮①括：总括。⑮②兰若：私人所建之寺庙称兰若或招提。⑮③丙午朔：七月初一日。⑮④耗蠹：耗损。⑮⑤招提：四方之僧称招提僧，四方僧之住处称招提僧房，一般用作寺院别称。⑮⑥上都：唐朝称长安为上都。⑮⑦两街：左街和右街。⑮⑧商：州名，治所上洛，在今陕西商洛。⑮⑨分为三等：谓寺庙分为三等。上等寺庙所在地有镇州、魏博、淮南、西川、山南东道、荆南、岭南、汴宋、幽州、东川、鄂岳、浙西、浙东、宣歙、湖南、江西、河南府；中等有山南西道、河东、郑滑、陈许、潞磁、郓曹、徐泗、凤翔、兖海、淄青、沧齐、易定、福建、同华州；下等有桂管、邕管、黔中、安南、汝、金、商州、容管。⑯⓪大秦穆护：罗马帝国拜火教传教士。⑯①祆僧：祆教僧人。祆教即拜火教，流行于古波斯及中亚一带，认为世界有善恶二道。把火作为善与光明的象征来崇拜，故称拜火教。南北朝时传入中国，称祆教。⑯②公廨：官署。⑯③裴村：地名，位于上党城西，在今山西长治西。⑯④潞城：县名，县治在今山西长治市潞城区。⑯⑤武安：县名，县治在今河北武安。⑯⑥必无能为：谓潞州四境皆分兵把守（王宰守北、东，石雄守南，韦恭甫守西），乱兵无法逃奔他镇，一定不会有什么作为。⑯⑦东都九庙：太庙原只立于京城，唐中宗神龙元年（公元七〇五年）又立太庙于东都，从此东西二都皆有庙。唐高祖武德元年（公元六一八年）始立四庙，唐太宗时立六庙，唐睿宗时立七庙，至玄宗开元十年（公元七二二年）定为九庙。⑯⑧神主：已故帝、后之牌位。⑯⑨太微宫：即老君庙。唐高宗乾封元年（公元六六六年）追尊老子为太上玄

元皇帝。唐玄宗开元二十九年命两京诸州各置玄元皇帝庙，天宝二年（公元七四三年）改称西京玄元庙为太微宫。⑰壬午：八月初七日。⑰释教：即佛教。佛祖姓释迦，故佛教亦称释教。⑰区：处所。⑰主客：官署名，为礼部所属第四司，掌藩国朝聘之事，其正、副长官为主客郎中、员外郎。释教出自天竺国，故隶属主客。⑰更不留：改为不留一僧。⑰五台：山名，在今山西五台。⑰染于人口：让人们口出骂语。染，沾污。⑰无算：无数。⑰居庸关：关名，即今北京市昌平区西北居庸关。⑰韦博：字大业，京兆万年（今陕西西安）人，历官谏议大夫、京兆尹、平卢、昭义等节度使。传见《新唐书》卷一百七十七。

【原文】

昭义乱兵奉都将李文矩为帅，文矩不从，乱兵亦不敢害。文矩稍以祸福谕之，乱兵渐听命，乃遣人谢卢钧于潞城。钧还入上党，复遣之戍振武。行一驿[180]，乃潜选兵追之。明日，及于太平驿[181]，尽杀之。具以状闻，且请罢河东、河阳兵[182]在境上者，从之。

九月，诏修东都太庙。

李德裕请置备边库，令户部岁入钱帛十二万缗匹，度支盐铁岁入钱帛十二万缗匹，明年减其三之一，凡诸道所进助军财货皆入焉，以度支郎中判之。

王才人[183]宠冠后庭，上欲立以为后。李德裕以才人寒族，且无子，恐不厌[184]天下之望，乃止。

上饵方士金丹，性加躁急，喜怒不常。冬，十月，上问李德裕以外事，对曰："陛下威断不测，外人颇惊惧。向者寇逆暴横，固宜以威制之。今天下既平，愿陛下以宽理之。但使得罪者无怨，为善者不惊，则为宽矣。"

以衡山[185]道士刘玄静为银青光禄大夫[186]、崇玄馆学士[187]，赐号广成先生，为之治崇玄馆，置吏铸印。玄静固辞，乞还山，许之。

李德裕秉政日久，好徇爱憎，人多怨之。自杜悰、崔铉罢相，宦官左右言其太专，上亦不悦。给事中韦弘质上疏，言宰相权重，不应更领三司钱谷。德裕奏称："制置职业[188]，人主之柄。弘质受人教导，

【校记】

[10]至是：原无此二字。据章钰校，十二行本、乙十一行本、孔天胤本皆有此二字，张敦仁《通鉴刊本识误》同，今据补。

【语译】

昭义军的乱兵拥戴都将李文矩为统帅，李文矩不答应，乱兵也不敢杀害他。李文矩逐渐用利害关系开导他们，乱兵慢慢听从命令了，于是派人到潞城向卢钧谢罪。卢钧回到上党城，还是派遣那些人去守卫振武。他们走了一个驿站的路程，就暗地选派一支军队追赶他们。第二天，在太平驿追上了，把他们全部杀掉。卢钧把详细情况报告朝廷，并且请求撤去在境上的河东、河阳驻军，武宗听从了。

九月，下诏修建东都太庙。

李德裕请求设置备边库，命令户部每年存入钱十二万缗，帛十二万匹，度支和盐铁二处每年存入钱十二万缗，帛十二万匹，第二年减少三分之一，凡是各道所进奉的助军财货都存放库中，由度支郎中兼管。

王才人在后宫中最受宠幸，武宗想把她立为皇后。李德裕认为王才人出身寒门，又没有儿子，担心不符合天下人的愿望，武宗于是作罢。

武宗服食了方士的金丹，性情更加暴躁，喜怒无常。冬，十月，武宗向李德裕询问外面的事情，李德裕回答说："陛下裁决事务威严果断，不可预测，外面的人们很惊恐。过去逆贼横暴，固然应当用威力制裁他们。现在国家已经安定，希望陛下用宽缓的办法来治理。只要让获罪的人没有怨言，做善事的人不惊恐，就是宽缓之政了。"

以衡山道士刘玄静为银青光禄大夫、崇玄馆学士，赐号广成先生，并为他修建崇玄馆，设置属吏，铸造印玺。刘玄静坚决拒绝，请求回山，武宗答应了。

李德裕掌握政权的时间长了，喜欢凭爱憎办事，很多人怨恨他。自从杜悰、崔铉免去宰相职位以后，武宗身边的宦官近侍说李德裕太专权了，武宗也不喜欢李德裕。给事中韦弘质上疏，说宰相的权力过重，不应该再兼管三司钱谷之事。李德裕上奏称："安排官职和工作，是皇上的权力。韦弘质受他人的教唆和诱导，所谓低贱

所谓贱人[189]图柄臣[190]，非所宜言。”十二月，弘质坐贬官，由是众怒愈甚。

上自秋冬以来，觉有疾，而道士以为换骨。上秘其事，外人但怪上希复游猎，宰相奏事者亦不敢久留。诏罢来年正旦朝会[191]。

吐蕃论恐热复纠合诸部击尚婢婢，婢婢遣厖结藏将兵五千拒之。恐热大败，与数十骑遁去。婢婢传檄[192]河、湟，数[193]恐热残虐之罪曰：“汝辈本唐人，吐蕃无主，则相与[194]归唐，毋为恐热所猎如狐兔也。”于是诸部从恐热者稍稍引去[195]。

是岁，天下户四百九十五万五千一百五十一。

朝廷虽为党项置使[196]，党项侵盗不已，攻陷邠、宁[197]、盐州界城堡，屯叱利寨。宰相请遣使宣慰。上决意讨之。

【段旨】

以上为第八段，写李德裕骄恣树敌，唐武宗求仙服食金丹。

【注释】

⑱⓪一驿：唐制，凡三十里置驿，故一驿为三十里。⑱①太平驿：驿站名，位于上党之北，在今山西襄垣西南。⑱②河东、河阳兵：即王宰、石雄为堵截昭义乱卒所率之兵。⑱③才人：妃嫔名，唐玄宗以后内官分为四等：妃、六仪、美人、才人。⑱④厌：满足；

【原文】

六年（丙寅，公元八四六年）

春，二月庚辰[198]，以夏州节度使米暨为东北道招讨党项使。

上疾久未平，以为汉火德，改“洛”为“雒”[199]；唐土德，不可以王气胜君名，三月，下诏改名炎[200]。

上自正月乙卯[201]不视朝，宰相请见，不许。中外忧惧。

的人算计掌权的大臣，这不是他应该说的话。”十二月，韦弘质因而被贬官，从此人们更加怨恨李德裕。

武宗从秋冬以来，感觉有病，而道士认为是换骨。武宗将这件事对外保密，外面的人只是奇怪武宗很少外出游猎，宰相奏事时也不敢停留太久。诏令取消来年正月初一的朝会。

吐蕃论恐热又纠合诸部进攻尚婢婢，尚婢婢派遣厖结藏带领士兵五千人抵抗他。论恐热大败，和数十骑逃走了。尚婢婢向河、湟发檄文，列举论恐热残虐的罪行，并说：“你们这些人本是唐朝人，现今吐蕃没有君主，就应当一起归附唐朝，不要像狐狸、兔子一样被论恐热所猎取。”于是跟随论恐热的各部落渐渐离去。

这一年，全国户口四百九十五万五千一百五十一户。

朝廷虽然为了招抚党项设置了使节，但是党项还是侵掠不止，攻陷了邠、宁、盐州边界的城堡，屯驻在叱利寨。宰相请求派遣使者宣抚慰问。武宗决意讨伐他们。

符合。⑱⑤衡山：山名，在今湖南衡山县西。⑱⑥光禄大夫：官名，无职事散官，加银章青绶者，称银青光禄大夫。⑱⑦崇玄馆学士：宗教官员，在崇玄馆内教授玄学生。⑱⑧制置职业：安排官职和工作。⑱⑨贱人：地位低下的人。⑲⓪柄臣：指执政大臣。⑲①正旦朝会：正月初一皇帝接受群臣朝贺。⑲②传檄：传送公文。檄，一种用以征召、晓谕或声讨的文书。⑲③数：列举。⑲④相与：共同；一起。⑲⑤稍稍引去：渐渐离去。⑲⑥为党项置使：武宗派侍御史为安抚党项使，分三部招抚党项，崔彦曾安抚邠、宁、延三州；李鄠安抚盐、夏、长泽等州；郑贺安抚灵武、麟、胜等州。⑲⑦邠、宁：皆州名。邠州治所新平，在今陕西彬州。宁州治所定安，在今甘肃宁县。

【语译】

六年（丙寅，公元八四六年）

春，二月初九日庚辰，任命夏州节度使米暨为东北道招讨党项使。

武宗的病久未平复，认为汉朝是火德，不使水克火，就改“洛阳”为“雒阳”；唐朝是土德，不可让王气胜君名，三月，下诏改名为“炎”。

武宗从正月十三日乙卯不上朝视事，宰相请求接见，不答应。朝廷内外忧惧。

初，宪宗纳李锜[202]妾郑氏，生光王怡。怡幼时，宫中皆以为不慧[203]。太和[204]以后，益自韬匿[205]，群居游处，未尝发言。文宗幸十六宅宴集，好诱其言以为戏笑，号曰光叔[11]。上性豪迈，尤所不礼。及上疾笃，旬日不能言。诸宦官密于禁中定策，辛酉[206]，下诏称："皇子冲幼，须选贤德，光王怡可立为皇太叔，更名忱，应[207]军国政事令权句当。"太叔见百官，哀戚满容，裁决庶务，咸当于理，人始知有隐德焉。

甲子[208]，上崩。以李德裕摄冢宰。丁卯[209]，宣宗即位。宣宗素恶李德裕之专，即位之日，德裕奉册。既罢，谓左右曰："适[210]近我者非太尉邪？每顾我，使我毛发洒淅[211]。"夏，四月辛未朔[212]，上始听政。

尊母郑氏为皇太后。

壬申[213]，以门下侍郎、同平章事[12]李德裕同平章事，充荆南节度使。德裕秉权日久，位重有功，众不谓其遽罢，闻之莫不惊骇。甲戌[214]，贬工部尚书、判盐铁转运使薛元赏为忠州[215]刺史，弟京兆少尹、权知府事元龟为崖州司户，皆德裕之党也。

杖杀道士赵归真等数人，流罗浮山人轩辕集于岭南。

五月乙巳[216]，赦天下。上京[217]两街先听留[218]两寺外，更各增置八寺，僧、尼依前隶功德使[219]，不隶主客，所度僧、尼仍令祠部给牒[220]。

以翰林学士、兵部侍郎白敏中同平章事。

辛酉[221]，立皇子温为郓王，渼为雍王，泾为雅王，滋为夔王，沂为庆王。

六月，礼仪使[222]奏"请复代宗神主[223]于太庙，以敬宗、文宗、武宗同为一代，于庙东增置两室，为九代十一室"。从之。

秋，七月壬寅[224]，淮南节度使李绅薨。

回鹘乌介可汗之众稍稍降散及冻馁[225]死，所余不及三千人。国相逸隐啜杀乌介于金山[226]，立其弟特勒遏捻为可汗。

八月壬申[227]，葬至道昭肃孝皇帝于端陵[228]，庙号武宗。

初，武宗疾困，顾王才人曰："我死，汝当如何？"对曰："愿从陛下于九泉！"武宗以巾授之。武宗崩，才人即缢[229]。上闻而矜之，赠贵妃，葬于端陵柏城之内。

当初，宪宗把李锜的妾郑氏收入宫中，生下光王李怡。李怡幼时，宫中的人都认为他不聪明。从太和年间以后，光王更加深藏不露，和大家一起居处游玩，没有讲过什么话。文宗临幸十六宅参加宴会，喜欢引诱光王发言来取乐，称他为光叔。武宗性情豪迈，更是对光王不讲礼节。等到武宗病重时，十天不能说话了。那些宦官秘密在禁中定下计谋，三月二十日辛酉，下诏说："皇子年幼，需要选择贤德的人为继承者，光王李怡可立为皇太叔，改名李忱，国家的一切军政大事都交给他暂时办理。"太叔接见百官时，满脸悲戚，处理众多的政务，都合乎事理，人们才知道他过去隐藏了自己的才德。

三月二十三日甲子，武宗去世。由李德裕摄代冢宰。二十六日丁卯，宣宗即皇帝位。宣宗向来讨厌李德裕的专权，即位的那天，李德裕送上册命文书。礼仪结束以后，宣宗对身边的人说："刚刚在我旁边的人不是李太尉吗？他每次看我时，使我毛发寒栗。"夏，四月初一日辛未，宣宗开始处理政事。

宣宗尊崇生母郑氏为皇太后。

四月初二日壬申，改任门下侍郎、同平章事李德裕为同平章事，充任荆南节度使。李德裕掌权时间长久，地位贵重而有功劳，大家不认为他会突然被罢去宰相，听到这消息没有人不感到惊异。初四日甲戌，贬谪工部尚书、判盐铁转运使薛元赏为忠州刺史，他的弟弟京兆少尹、权知府事薛元龟为崖州司户，他们都是李德裕的同党。

用杖打死道士赵归真等数人，把罗浮山人轩辕集流放到岭南。

五月初五日乙巳，大赦天下。上京两街除以前允许保留的两寺以外，再允许各街增置八寺，僧、尼依据旧制隶属功德使，不隶属主客，所剃度的僧、尼仍令祠部发给度牒。

任命翰林学士、兵部侍郎白敏中同平章事。

五月二十一日辛酉，立皇子李温为郓王，李渼为雍王，李泾为雅王，李滋为夔王，李沂为庆王。

六月，礼仪使上奏"请求在太庙恢复代宗神主，因为敬宗、文宗、武宗同为一代，在太庙东边增加两间房屋，成为九代十一室"。宣宗听从了。

秋，七月初三日壬寅，淮南节度使李绅去世。

回鹘乌介可汗的部众，渐渐地投降散失以及冻饿而死，剩下来的不到三千人。国相逸隐啜在金山杀了乌介，立他的弟弟特勒遏捻为可汗。

八月初三日壬申，葬至道昭肃孝皇帝于端陵，庙号武宗。

当初，武宗病重时，看着王才人说："我死了以后，你打算怎么办？"王才人回答说："愿意随从陛下于九泉！"武宗把一条帛巾给了她。武宗死了后，王才人立刻自缢而死。宣宗听到后很怜悯她，赠为贵妃，埋葬在端陵柏城里面。

以循州司马牛僧孺为衡州长史，封州流人李宗闵为郴州司马，恩州司马崔珙为安州长史，潮州刺史杨嗣复为江州刺史，昭州刺史李珏为郴州刺史。僧孺等五相皆武宗所贬逐，至是，同日北迁。宗闵未离封州而卒。

九月，以荆南节度使李德裕为东都留守，解平章事。以中书侍郎、同平章事郑肃同平章事，充荆南节度使。以兵部侍郎、判度支卢商㉚为中书侍郎、同平章事。商，翰㉛之族孙也。

【段旨】

以上为第九段，写唐武宗死，宣宗立，李德裕遭贬。写李党失势，武宗所逐牛党同日量移，牛李党争至此结束，此为第六回合。写自宪宗元和三年（公元八〇八年）至武宗会昌六年（公元八四六年），两党争斗，凡四十年。

【注释】

⑱庚辰：二月初九日。⑲改"洛"为"雒"：汉光武帝改洛阳为雒阳。按照五德相胜说，水胜火，"洛"旁从水，西汉火德，故改。⑳唐土德四句：唐以土德王天下，即所谓王气；唐武宗名瀍，瀍旁从水，土胜水，即所谓以王气胜君名，故唐武宗久病不愈。今改名炎，炎从火，按五行相生说，火生土，用作君主之名可生王气。㉑乙卯：正月十三日。㉒李锜：唐宗室。唐德宗时官至润州刺史、镇海军节度使。唐宪宗时，被召入朝为尚书左仆射。锜无意入京师，遂起兵，谋据江东，为属下所擒，腰斩于长安。传见《旧唐书》卷一百十二、《新唐书》卷二百二十四上。㉓慧：聪明。㉔太和：唐文宗第一个年号（公元八二七至八三五年）。㉕韬匿：隐晦不外露。㉖辛酉：三月二十日。㉗应：一切。㉘甲子：三月二十三日。㉙丁卯：三月二十六日。㉚适：刚才。㉛洒淅：寒栗；发抖。㉜辛未朔：四月初一日。㉝壬申：四月初二日。㉞甲戌：四月初四日。㉟忠州：州名，治所临江，在今重庆市忠县。㊱乙巳：五月初五日。㊲上京：首都。㊳听留：允

【原文】

册黠戛斯可汗使者以国丧未行。或以为僻远小国，不足与之抗衡，回鹘未平，不应遽有建置㉜。诏百官集议，事遂寝。

任命循州司马牛僧孺为衡州长史，流放到封州的李宗闵为郴州司马，恩州司马崔珙为安州长史，潮州刺史杨嗣复为江州刺史，昭州刺史李珏为郴州刺史。牛僧孺等五位宰相都是被武宗贬逐的，到这时，同一天向北迁转。李宗闵没有离开封州就死了。

九月，任命荆南节度使李德裕为东都留守，解除平章事官衔。任命中书侍郎、同平章事郑肃为同平章事，充任荆南节度使。任命兵部侍郎、判度支卢商为中书侍郎、同平章事。卢商是卢翰的族孙。

许保留。㉑⑨功德使：官名，贞元四年（公元七八八年）置左、右街功德使，东都功德使，修功德使，管理僧尼。会昌二年（公元八四二年）划归主客管理，现又隶属于功德使。㉒⓪牒：即度牒，官府所发之僧尼出家凭证。凭度牒可免赋税、徭役。㉒①辛酉：五月二十一日。㉒②礼仪使：官名，朝廷举行大礼，以大臣掌其事，称礼仪使。㉒③复代宗神主：唐自开元起，定太庙为九室，立九位神主。此后皇帝去世，神主祔庙，则迁出前代一位神主。按“有功者不迁，亲尽者则毁”（《新唐书·礼乐志三》）的原则，太祖、高祖、太宗不迁，其他以亲尽为序。开成五年（公元八四〇年）文宗祔庙，代宗神主迁于别室，今请复还于太庙。㉒④壬寅：七月初三日。㉒⑤馁：饥饿。㉒⑥金山：山名，即今阿尔泰山，位于中国新疆与俄罗斯和蒙古国边界。㉒⑦壬申：八月初三日。㉒⑧端陵：唐武宗陵，在今陕西三原东北。㉒⑨缢：吊死。㉓⓪卢商（公元七八九至八五九年）：字为臣，范阳（今北京）人，唐武宗时官至东川节度使。唐宣宗即位任宰相，后出为武昌军节度使。传见《旧唐书》卷一百七十六、《新唐书》卷一百八十二。㉓①翰：卢翰，唐德宗朝宰相。

【校记】

［11］号曰光叔：原无此四字。据章钰校，十二行本、乙十一行本、孔天胤本皆有此四字，张敦仁《通鉴刊本识误》、张瑛《通鉴校勘记》同，今据补。［12］同平章事：原作“同平章政事”。据章钰校，十二行本、乙十一行本皆无“政”字，今据删。

【语译】

册封黠戛斯可汗的使者因为国丧而未能成行。有人认为僻远地方的小国，不值得和它平起平坐，回鹘尚未平定，不应当马上就对它册封。下诏要百官讨论，这件事便搁置下来。

蛮寇安南，经略使裴元裕帅邻道兵讨之。

以右常侍李景让为浙西观察使。

初，景让母郑氏，性严明，早寡，家贫，居于东都。诸子皆幼，母自教之。宅后古墙因雨隤陷㉝，得钱盈船，奴婢喜，走告母。母往，焚香祝之曰："吾闻无劳而获，身之灾也。天必以先君余庆㉞，矜其贫而赐之，则愿诸孤他日学问有成，乃其志也，此不敢取！"遽命掩而筑之。三子景让、景温㉟、景庄，皆举进士及第。景让官[13]达㊱，发已斑白，小有过，不免捶楚㊲。

景让在浙西，有左都押牙迕景让意，景让杖之而毙。军中愤怒，将为变。母闻之，景让方视事，母出坐听事，立景让于庭而责之曰："天子付汝以方面㊳，国家刑法，岂得以为汝喜怒之资，妄杀无罪之人乎！万一致一方不宁，岂惟上负朝廷，使垂年㊴之母衔羞入地，何以见汝之先人乎！"命左右褫㊵其衣坐之，将挞其背。将佐皆为之请，拜且泣，久乃释之，军中由是遂安。

景庄老于场屋㊶，每被黜，母辄挞景让，然景让终不肯属主司㊷，曰："朝廷取士自有公道，岂敢效人求关节乎！"久之，宰相谓主司曰："李景庄今岁不可不收，可怜彼翁每岁受挞。"由是始及第。

冬，十月，礼院㊸奏禘祭㊹祝文㊺于穆、敬、文、武四室，但称"嗣皇帝臣某昭告㊻"，从之。

甲申㊼，上受《三洞法箓》㊽于衡山道士刘玄静。

十二月戊辰朔㊾，日有食之。

【段旨】

以上为第十段，写李景让母郑氏教子有方，临难不惊。

蛮人侵犯安南，经略使裴元裕率领邻道兵讨伐他们。

任命右常侍李景让为浙西观察使。

当初，李景让的母亲郑氏，性格严厉精明，早年守寡，家境清贫，住在东都。几个儿子年纪都小，母亲亲自教育他们。住宅后面的老墙因为下雨倒塌，从里面得到了一船钱，奴婢们很高兴，跑去告诉李景让的母亲。她到发现钱的地方，烧香祷告说："我听说不劳而获，是自身的灾害。上天一定是因为先君的遗泽，怜悯他后人的贫穷而赏赐的，那是希望几个孤儿将来学问取得成就，这就是他的心愿，这些钱不敢取用！"急忙命令把钱掩盖起来，在上面筑上墙。她的三个儿子景让、景温、景庄，都考上了进士。李景让的官位显贵，虽然头发已经斑白，有小过错，也免不了挨母亲的板子。

李景让任浙西观察使时，有左都押牙违背了李景让的想法，李景让用棍杖把他打死了。军中愤怒，将要发动变乱。李景让的母亲听说了这件事，李景让正在处理政事，他的母亲出来坐在厅堂，让李景让站在庭中，责备他说："天子把一方交给你治理，国家的刑法，怎能成为你表达喜怒的工具，来乱杀无罪的人呢！万一引起一方不安，哪里只是对上辜负了朝廷，也会使年老的我带着羞惭死去，拿什么去见你的祖先啊！"命令身边的人剥去李景让的上衣，让他坐在那里，将要鞭打他的脊背。将佐们都为李景让求情，一面下拜一面哭，很久，李景让的母亲才放过李景让，军中由此就安定下来了。

李景庄屡试不中，每一次考试失败，母亲就鞭打李景让，然而李景让始终不肯向主考官求情，说道："朝廷取士自有公正的标准，哪里敢仿效别人求助疏通关节呢！"过了很久，宰相对主考官说："李景庄今年不可不录取了，可怜他的哥哥每年都要受到鞭打。"由此才考取了进士。

冬，十月，礼院上奏说，在禘祭的祝文中，对于穆、敬、文、武四个庙室，只称"嗣皇帝臣某昭告"，宣宗听从了。

十月十六日甲申，宣宗在衡山道士刘玄静那里接受了《三洞法箓》。

十二月初一日戊辰，发生日食。

【注释】

㉜建置：指册命黠戛斯可汗。㉝隤陷：倒塌陷落。㉞余庆：遗泽，即可延及后人的恩泽。㉟景温：李景温，字德己，历任谏议大夫、福建观察使、尚书右丞等官。传附《旧唐书》卷一百八十七下、《新唐书》卷一百七十七《李景让传》。㊱达：显贵。㊲捶楚：打板子。㊳方面：指一方军政事务。㊴垂年：老年。㊵褫：剥去。㊶老于场屋：谓

屡试不中。场屋，贡院、科场。㉔② 主司：主考官。㉔③ 礼院：官署名，属太常寺，掌制定礼仪。㉔④ 禘祭：祭名，五年一次的宗庙大祭。㉔⑤ 祝文：祭祀时的祝祷文辞。㉔⑥ 嗣皇帝臣某昭告：宣宗是穆宗之弟，敬、文、武三宗之叔，故称“臣某昭告”，而不用“再拜言”的格式。㉔⑦ 甲申：十月十六日。㉔⑧《三洞法箓》：书名，道教的秘籍。㉔⑨ 戊辰朔：十二月初一日。

【原文】

宣宗㉕⓪元圣至明成武献文睿智章仁神聪懿道大孝皇帝上

大中元年（丁卯，公元八四七年）

春，正月甲寅㉕①，上祀圜丘，赦天下，改元。

二月庚午㉕②[14]，加卢龙节度使张仲武同平章事，赏其屡[15]破回鹘也。

癸未㉕③，上以旱故，减膳彻㉕④乐，出宫女，纵鹰隼㉕⑤，止营缮㉕⑥，命中书侍郎、同平章事卢商与御史中丞封敖㉕⑦疏理京城系囚㉕⑧。大理卿马植奏称：“卢商等务行宽宥，凡抵极法㉕⑨者[16]，一切免死。彼官典犯赃及故杀人㉖⓪，平日大赦所不免，今因疏理而原㉖①之，使贪吏无所惩畏，死者衔冤无告，恐非所以消旱灾、致和气也。昔周饥克殷而年丰，卫旱讨邢而雨降㉖②。是则诛罪戮奸，式㉖③合天意，雪冤决滞㉖④，乃副圣心也，乞再加裁定。”诏两省五品以上议㉖⑤之。

初，李德裕执政，引白敏中为翰林学士。及武宗崩，德裕失势，敏中乘上下之怒㉖⑥，竭力排之，使其党李咸讼德裕罪，德裕由是自东都留守以太子少保、分司。

左谏议大夫张鹭等上言：“陛下以旱理系囚，虑有冤滞。今所原死罪，无冤可雪，恐凶险侥幸之徒常思水旱为灾，宜如马植所奏。”诏从之，皆论如法。以植为刑部侍郎，充盐铁转运使。

植素以文学政事有名于时，李德裕不之重。及白敏中秉政，凡德裕所薄者，皆不次用之㉖⑦。以卢商为武昌节度使，以刑部尚书、判度支崔元式为门下侍郎，翰林学士、户部侍郎韦琮为中书侍郎，并同平章事。

【校记】

［13］官：据章钰校，十二行本、乙十一行本、孔天胤本皆作“宦”。

【语译】

宣宗元圣至明成武献文睿智章仁神聪懿道大孝皇帝上

大中元年（丁卯，公元八四七年）

春，正月十七日甲寅，宣宗祭天，大赦天下，改年号为大中。

二月初四日庚午，加任卢龙节度使张仲武为同平章事，奖赏他多次打败回鹘的功劳。

二月十七日癸未，宣宗由于发生旱灾的缘故，减省膳食，撤去音乐，放出部分宫女，释放猎兽的老鹰，停止修建宫室，又命令中书侍郎、同平章事卢商与御史中丞封敖清理京城关押的囚犯。大理卿马植上奏说：“卢商等人尽力执行宽大的政策，凡是犯了死罪的，一概都免死。国家法令规定犯贪污和故意杀人罪的，平常大赦时都不能赦免，现在借着清理刑事案件原宥了他们，使得贪赃的官吏也不怕惩罚了，含冤死去的人无处申告，这恐怕不是用来消除旱灾、达到祥和气氛的好办法。从前周王朝闹饥荒，攻下殷朝后年成好了，卫国大旱，讨平邢国后竟下了大雨。这么看来，诛杀有罪，处死奸人，是合乎天意的，洗雪冤枉审结积案，是符合圣上心意的，请求再进行一次审慎的决定。”诏令中书、门下两省五品以上的官员讨论这件事。

当初，李德裕掌权，引荐白敏中为翰林学士。等到武宗去世，李德裕失势，白敏中借着朝廷上下对李德裕的恼怒，竭尽全力排斥他，叫李德裕的同党李咸揭发李德裕的罪恶，李德裕因此从东都留守降职为太子少保、分司东都。

左谏议大夫张鹭等进言：“陛下由于旱灾清理关押的囚徒，担心有冤枉未雪的人。现在所宽恕的犯死罪的人，没有什么冤枉需要昭雪，恐怕那些凶险而心怀侥幸的人，常常会盼望发生水旱灾害，应该照马植奏请的那样为好。”宣宗下诏采纳了这一建议，都按法律论处了罪犯。任命马植为刑部侍郎，充任盐铁转运使。

马植向来由于文学政事而在当时很著名，李德裕不重视他。等到白敏中执政，凡是李德裕轻视的人，白敏中都破格擢用他们。任命卢商为武昌节度使，任命刑部尚书、判度支崔元式为门下侍郎，翰林学士、户部侍郎韦琮为中书侍郎，两人都授同平章事官衔。

闰月[268]，敕："应会昌五年所废寺，有僧能营葺者，听自居之，有司毋得禁止。"是时君、相务反会昌之政[269]，故僧、尼之弊皆复其旧。

己酉[270]，积庆太后[271]萧氏崩。

五月，幽州节度使张仲武大破诸奚。

吐蕃论恐热乘武宗之丧，诱党项及回鹘余众寇河西[272]。诏河东节度使王宰将代北诸军[273]击之。宰以沙陀朱邪赤心为前锋，自麟州[274]济河，与恐热战于盐州，破走之。

六月，以鸿胪卿李业为册黠戛斯英武诚明可汗使。

上请白敏中曰："朕昔从宪宗之丧，道遇风雨，百官、六宫四散避去，惟山陵使长而多髯，攀灵驾不去，谁也？"对曰："令狐楚。"上曰："有子乎？"对曰："长子绪[275]今为随州刺史。"上曰："堪为相乎？"对曰："绪少病风痹[276]。次子绹[277]，前湖州[278]刺史，有才器[279]。"上即擢为考功郎中[280]、知制诰。绹入谢，上问以元和故事，绹条对甚悉，上悦，遂有大用之意。

秋，八月丙申[281]，以门下侍郎、同平章事李回同平章事，充西川节度使。

葬贞献皇后于光陵之侧。

上敦睦[282]兄弟，作雍和殿于十六宅，数临幸，置酒作乐，击球尽欢。诸王有疾，常亲至卧内[283]存问，忧形于色。

突厥[284]掠漕米[285]及行商，振武节度使史宪忠[286]击破之。

九月丁卯[287]，以金吾大将军郑光为平卢节度使。光[288]，润州人，太后之弟也。

乙酉[289]，前永宁[290]尉[291]吴汝纳[292]讼其弟湘罪不至死，"李绅与李德裕相表里，欺罔武宗，枉杀臣弟[293]，乞召江州司户崔元藻等对辨"。丁亥[294]，敕御史台鞫实[295]以闻。冬，十二月庚戌[296]，御史台奏，据崔元藻所列吴湘冤状，如吴汝纳之言。戊午[297]，贬太子少保、分司李德裕为潮州司马。

吏部奏，会昌四年所减州县官内复增三百八十三员。

闰三月，宣宗下敕令："凡是会昌五年所废弃的佛寺，有僧人能修缮的，听任他自己居住，有关部门不得禁止。"当时宣宗和宰相一心对会昌年间的政事反其道而行之，所以僧、尼的弊病又都照老样子恢复了。

四月十五日己酉，积庆太后萧氏去世。

五月，幽州节度使张仲武大败诸奚。

吐蕃论恐热趁着武宗去世，引诱党项和回鹘残余的部众侵犯河西。朝廷下诏河东节度使王宰率领代北各部军队进击他们。王宰任命沙陀朱邪赤心为前锋，从麟州渡过黄河，与论恐热战于盐州，打败并赶走了论恐热。

六月，任命鸿胪卿李业为册黠戛斯英武诚明可汗使。

宣宗询问白敏中说："朕从前跟随宪宗的送丧行列，路上遭遇风雨，百官和六宫人员都四散躲避风雨去了，只有高个子多胡子的山陵使，攀附着灵驾没有离开，他是谁？"白敏中回答说："令狐楚。"宣宗说："他有儿子吗？"回答说："长子令狐绪，现在是随州刺史。"宣宗说："能任宰相吗？"回答说："令狐绪小时得了风痹病。次子令狐绹，以前担任湖州刺史，有才能和器度。"宣宗立即提拔令狐绹为考功郎中、知制诰。令狐绹入朝谢恩，宣宗问他元和年间的旧事，令狐绹一条一条回答得很详细，宣宗很高兴，于是有重用他的意思。

秋，八月初三日丙申，任命门下侍郎、同平章事李回为同平章事，充任西川节度使。

把贞献皇后安葬在光陵的旁边。

宣宗对兄弟们很亲厚和睦，在十六宅建雍和殿，多次亲临，设酒宴，奏音乐，击球，极尽欢娱。诸王有病，常常亲自到卧室去慰问，表现出很担忧的样子。

突厥抢掠漕米和行商，振武节度使史宪忠打败了突厥。

九月初五日丁卯，任命金吾大将军郑光为平卢节度使。郑光，润州人，是郑太后的弟弟。

九月二十三日乙酉，前永宁尉吴汝纳申诉他的弟弟吴湘所犯的不是死罪，"李绅和李德裕内外勾结，欺骗瞒过了武宗，冤枉杀了臣的弟弟，请求召集江州司户崔元藻等人当面辨明其冤"。二十五日丁亥，敕令御史台审查实情报告朝廷。冬，十二月十九日庚戌，御史台回奏，根据崔元藻所列举的吴湘冤状，同吴汝纳说的一样。二十七日戊午，贬太子少保、分司李德裕为潮州司马。

吏部上奏，会昌四年所减州县官的数目内再增三百八十三员。

【段旨】

以上为第十一段，写白敏中为相，恩将仇报，一再贬逐李德裕，尽翻会昌的善政，佞佛之风又炽。

【注释】

[250] 宣宗：名怡，即位改名忱，唐宪宗第十二子，唐代第十七位皇帝，公元八四六至八五九年在位。谥为“圣武献文孝皇帝”，唐懿宗咸通十三年（公元八七二年）追谥为“元圣至明成武献文睿智章仁神聪懿道大孝皇帝”。[251] 甲寅：正月十七日。[252] 庚午：二月初四日。[253] 癸未：二月十七日。[254] 彻：同“撤”，撤除。[255] 纵鹰隼：放掉鹰鹞，以示不再打猎。[256] 止营缮：停止修建宫室。[257] 封敖：官至户部尚书。传见《旧唐书》卷一百六十八、《新唐书》卷一百七十七。[258] 疏理京城系囚：清理京师的在押囚犯。[259] 抵极法：触犯极刑，即犯死罪。抵，触犯。[260] 官典犯赃及故杀人：唐律，官吏贪污受贿以及故意杀人，遇大赦亦不免罪。官典，国家典制、国家法令。[261] 原：原宥；赦罪。[262] 昔周饥二句：纣暴虐，周武王出兵伐纣，春秋时邢国侵犯卫国，卫出兵讨邢，都是有道伐无道，故能解除天灾而有丰年。详见《左传·僖公十九年》。卫、邢，皆春秋国名。[263] 式：乃。[264] 决滞：审结积案。[265] 两省五品以上议：指中书省自中书舍人、门下省自给事中以上的官员，皆参决平狱。[266] 上下之怒：指唐宣宗和大臣对李德裕专权的不满。[267] 不次用之：不按通常次序，即破格任用官员。[268] 闰月：本年闰三月。[269] 务反会昌之政：对会昌年间的政务措施，必反其道而行之。[270] 己酉：四月十五日。[271] 积庆太后：即唐穆宗贞献皇后，唐文宗之母。原居大内，唐武宗时徙居积庆宫，故又称积庆太后。[272] 河西：地区名，指今陕北黄河西岸地区。[273] 代北诸军：指在代州以北的羌、浑、契苾、沙陀等蕃兵。[274] 麟州：州名，治所新秦，在今陕西神木北。[275] 绪：令狐绪，令狐楚的长子，历任随、寿、汝三州刺史。传见《旧唐书》卷一百七十二、《新唐书》卷一百七十二。[276] 风痹：手足麻木症。[277] 绹：令狐绹，字子直，大中四年（公元八五〇年）为相，辅政十年。唐懿宗时为河

【原文】

二年（戊辰，公元八四八年）

正月甲子[298]，群臣上尊号曰圣敬文思和武光孝皇帝，赦天下。

初，李德裕执政，有荐丁柔立[299]清直可任谏官者，德裕不能用。上即位，柔立为右补阙。德裕贬潮州，柔立上疏讼其冤。丙寅[300]，坐阿附[301]贬南阳[302]尉。

西川节度使李回、桂管观察使郑亚坐前不能直吴湘冤[303]，乙酉[304]，回左迁[305]湖南观察使，亚贬循州刺史，李绅追夺三任告身[306]。中书舍人崔嘏坐草李德裕制不尽言其罪，己丑[307]，贬端州刺史。

中、宣武、淮南等节度使。唐僖宗时任凤翔节度使。与令狐绪同传。㉗⑧湖州：州名，治所乌程，在今浙江湖州市吴兴区。㉗⑨才器：才能与器度。㉘⓪考功郎中：官名，考功为礼部第四司，掌考核官吏优劣、功过，正、副长官为考功郎中、员外郎。㉘①丙申：八月初三日。㉘②敦睦：亲厚和睦。㉘③卧内：寝室。㉘④突厥：突厥消亡已久，此突厥当是归附唐室活动在边地的残余部落。㉘⑤漕米：官府漕运之米。㉘⑥史宪忠：字符贞，魏博节度使史宪诚之弟，历任泾原、朔方、振武等节度使。传见《新唐书》卷一百四十八。㉘⑦丁卯：九月初五日。㉘⑧光：郑光，宣宗母孝明皇太后之弟。官终右羽林统军兼太子太保。传见《新唐书》卷二百六。㉘⑨乙酉：九月二十三日。㉙⓪永宁：县名，县治在今河南洛宁东北。㉙①尉：县尉，官名，掌一县治安。㉙②吴汝纳：故韶州刺史吴武陵之侄，官至左拾遗。传见《旧唐书》卷一百七十三。㉙③枉杀臣弟：淮南节度使李绅按问江都令吴湘盗用程粮钱，判死刑。李德裕不顾官员反对，亦不交付司法机构详加审断而处死吴湘。事见本书卷二百四十八唐武宗会昌五年。㉙④丁亥：九月二十五日。㉙⑤鞫实：审问实情。㉙⑥庚戌：十二月十九日。㉙⑦戊午：十二月二十七日。

【校记】

［14］庚午：原无此二字。据章钰校，十二行本、乙十一行本皆有此二字，张敦仁《通鉴刊本识误》、张瑛《通鉴校勘记》同，今据补。［15］屡：原无此字。据章钰校，十二行本、乙十一行本、孔天胤本皆有此字，张敦仁《通鉴刊本识误》同，今据补。［16］者：原无此字。据章钰校，十二行本、乙十一行本、孔天胤本皆有此字，张敦仁《通鉴刊本识误》同，今据补。

【语译】

二年（戊辰，公元八四八年）

正月初三日甲子，群臣给宣宗献上尊号称圣敬文思和武光孝皇帝，大赦天下。

当初，李德裕掌朝廷大权，有人推荐丁柔立清廉正直，可以担任谏官，李德裕没有采纳。宣宗即位后，丁柔立为右补阙。李德裕被贬到潮州，丁柔立上疏申诉李德裕的冤屈。正月初五日丙寅，丁柔立犯了阿附罪，贬为南阳县尉。

西川节度使李回、桂管观察使郑亚都因为以前不能正确处理吴湘冤案，正月二十四日乙酉，李回被降职为湖南观察使，郑亚被贬为循州刺史，李绅被追夺三任告身。中书舍人崔嘏因起草关于李德裕的制书时没有全部言明他的罪恶，二十八日己丑，贬为端州刺史。

回鹘遏捻可汗[308]仰给于奚王石舍朗，及张仲武大破奚众，回鹘无所得食，日益耗散。至是，所存贵人[17]以下不满五百人，依于室韦。使者入贺正[309]，过幽州，张仲武使归取遏捻等。遏捻闻之，夜与妻葛禄、子特勒毒斯等九骑西走，余众追之不及，相与大哭。室韦分回鹘余众为七，七姓[310]共分之。居三日，黠戛斯遣其相阿播帅诸胡兵号七万来取回鹘，大破室韦，悉收回鹘余众归碛北[311]。犹有数帐潜窜山林，钞盗诸胡。其别部庞勒，先在安西，亦自称可汗，居甘州[312]，总碛西诸城，种落微弱，时入献见[313]。

二月庚子[314]，以知制诰令狐绹为翰林学士。上尝以太宗所撰《金镜》[315][18]授绹，使读之，"至乱未尝不任不肖，至治未尝不任忠贤"，上止之曰："凡求致太平，当以此言为首。"又书《贞观政要》[316]于屏风，每正色拱手而读之。上欲知百官名数，令狐绹曰："六品已下，官卑数多，皆吏部注拟[317]。五品以上，则政府制授[318]，各有籍，命曰具员。"上命宰相作《具员御览》五卷，上之，常置于案上。

立皇子泽为濮王。上欲作五王院于大明宫[319]，以处皇子之幼者，召术士[320]柴岳明使相其地[321]。岳明对曰："臣庶之家，迁徙不常，故有自阳宅[322]入阴宅，阴宅入阳宅。刑克[323]祸福，师有其说。今陛下深拱法宫[324]，万神拥卫，阴阳书本不言帝王家。"上善其言，赐束帛遣之。

夏，五月己未朔[325]，日有食之。

门下侍郎、同平章事崔元式罢为户部尚书。以兵部侍郎、判度支、户部周墀，刑部侍郎、盐铁转运使马植并同平章事。

初，墀为义成节度使，辟韦澳[326]为判官。及为相，谓澳曰："力小任重，何以相助?"澳曰："愿相公无权。"墀愕然，不知所谓。澳曰："官赏刑罚，与天下共其可否，勿以己之爱憎喜怒移之，天下自理，何权之有!"墀深然之。澳，贯之之子也。

己卯[327]，太皇太后郭氏[328]崩于兴庆宫。

六月，礼院检讨官[329]王皞贬句容[330]令。

初，宪宗之崩，上疑郭太后预其谋。又，郑太后本郭太后侍儿，有宿怨[331]，故上即位，待郭太后礼殊薄[332]。郭太后意怏怏[333]，一日，登

回鹘遏捻可汗依靠奚王石舍朗供给；当张仲武大破奚族部众以后，回鹘无处得到食物，人口日益减少离散。到这时，残留的人从贵人以下还不到五百人，依附于室韦。回鹘使者来朝廷祝贺正旦，经过幽州，张仲武叫使者回去把遏捻等人抓起来。遏捻听到这个消息，连夜与妻葛禄、子特勒毒斯等九骑向西逃走，余下的部众没有追上，一起大哭。室韦把回鹘余下的人分为七部分，由七姓分别管辖。过了三天，黠戛斯派遣他的宰相阿播带领诸胡兵号称七万人来进攻回鹘，大败室韦，把回鹘余众全部抓获回到漠北。还有几个帐的回鹘人悄悄逃到山林，抢掠胡人的财物。他们另一部分叫庞勒的，原先住在安西，也自称可汗，迁居甘州，总领漠西各城的回鹘人，部落很弱小，不时到朝廷来进贡谒见。

二月初十日庚子，任命知制诰令狐绹为翰林学士。宣宗曾把太宗所撰写的《金镜》交给令狐绹，叫他诵读，当读到“最乱的政治没有不信任无德无才的，最好的政治没有不信任忠诚贤能的”，宣宗叫他停住，说道：“凡是想达到天下太平，应当把这两句话放在最前头。”又把《贞观政要》书写在屏风上，每每面色严肃恭敬地拱手诵读它。宣宗想知道百官的姓名、人数，令狐绹说：“六品以下，官职卑微，人数众多，都由吏部记名任命。五品以上，是由朝廷任命，各人都有簿籍，称之为具员。”宣宗于是叫宰相作《具员御览》五卷呈交上来，常常摆在书案上。

立皇子李泽为濮王。宣宗想在大明宫内修建五王宅院，用来安置年幼皇子，叫来风水术士柴岳明，让他观察选择地址。柴岳明回答说：“平民百姓的家庭，常常迁移不定，所以有从建住宅的地方迁到修坟墓的地方，从修坟墓的地方迁到建住宅的地方的。地支相刑、五行相克因而带来不同的祸福，先师是有这方面理论的。现在陛下深居正殿，有万神护卫，阴阳家的书籍原本不涉及帝王家。”宣宗认为柴岳明的话讲得好，赏赐他五匹绸帛打发他走了。

夏，五月初一日己未，发生了日食。

门下侍郎、同平章事崔元式免职，担任户部尚书。任命兵部侍郎、判度支、户部周墀，刑部侍郎、盐铁转运使马植并同平章事。

当初，周墀为义成节度使，聘请韦澳为判官。等到担任宰相，对韦澳说：“我能力小责任重，你用什么来帮助我？”韦澳回答说：“希望相公不要使用权力。”周墀很惊愕，不知道所说的是什么意思。韦澳说：“奖赏与处罚，与全国民众意见一致，不要凭着自己的爱憎喜怒而有所改变，天下自然就治好了，何必要使用权力呢！”周墀深深地感到韦澳的话说得对。韦澳是韦贯之的儿子。

五月二十一日己卯，太皇太后郭氏在兴庆宫去世。

六月，礼院检讨官王皞被贬为句容县令。

当初，宪宗驾崩，宣宗怀疑郭太后参与了谋划。还有，郑太后本来是郭太后的侍儿，她们之间过去就有怨隙，所以宣宗即位以后，对待郭太后非常不礼敬。郭太

勤政楼，欲自陨㉞。上闻之，大怒。是夕，崩，外人颇有异论。

上以郑太后故，不欲以郭后祔宪宗，有司请葬景陵外园。皞奏宜合葬景陵，神主配宪宗室。奏入，上大怒。白敏中召皞诘之，皞曰："太皇太后，汾阳王㉟之孙，宪宗在东宫为正妃，逮事顺宗为妇㊱。宪宗厌代㊲之夕，事出暧昧㊳。太皇太后母天下㊴，历五朝㊵，岂得以暧昧之事遽废正嫡㊶之礼乎！"敏中怒甚，皞辞气愈厉。诸相会食㊷，周墀立于敏中之门以俟之。敏中使谢曰："方为一书生所苦，公第㊸[19]先行。"墀入，至敏中厅问其事，见皞争辨方急。墀举手加颡㊹，叹皞孤直㊺。明日，皞坐贬官。

秋，九月甲子㊻，再贬潮州司马李德裕为崖州司户，湖南观察使李回为贺州㊼刺史。

前凤翔节度使石雄诣政府㊽自陈黑山、乌岭之功㊾，求一镇以终老。执政以雄李德裕所荐，曰："向日之功，朝廷以蒲、孟、岐三镇㊿酬之，足矣。"除左神武统军[20]。雄怏怏而薨。

【段旨】

以上为第十二段，写唐宣宗思治，却又不分是非功过，打击前朝功臣。

【注释】

㉘甲子：正月初三日。㉙丁柔立：官终南阳尉。传见《新唐书》卷一百八十。㉚丙寅：正月初五日。㉛阿附：阿谀依附。㉜南阳：县名，县治在今河南南阳。㉝不能直吴湘冤：不能公正处置吴湘冤案。㉞乙酉：正月二十四日。㉟左迁：降职。㊱追夺三任告身：即削去生前三项官职。三任是：检校右仆射、平章事、淮南节度使。告身，委任册书。㊲己丑：正月二十八日。㊳遏捻可汗：人名，乌介可汗之弟。会昌六年（公元八四六年），乌介被唐军击溃，往依黑车子室韦，为其相逸隐啜所杀。其余众立遏捻为可汗，其食用皆依赖奚王石舍朗供给。㊴使者入贺正：回鹘使者入唐朝贺元旦。正，元正、元旦。㊵七姓：室韦有岭西部、山北部、骆丹部、黄头部、如者部、婆莴部、讷北

后怏怏不乐，有一天，登上勤政楼，想跳楼自杀。宣宗听到这个消息，大怒。当天晚上，郭太后去世，外面的人颇有不同的议论。

宣宗因为郑太后的缘故，不想让郭太后和宪宗合葬在一起，有关部门请求葬在景陵的外园。王皞上奏说应当合葬在景陵，神主配享宪宗室。奏疏呈上后，宣宗大怒。白敏中叫来王皞责问，王皞说：“太皇太后是汾阳王郭子仪的孙女，宪宗为太子时她是正妃，作为媳妇侍奉过顺宗。宪宗去世的那个晚上，到底出了什么事也弄不清楚。太皇太后作为国母，经历了穆宗、敬宗、文宗、武宗和宣宗五朝，怎么能因不明不白的事就匆忙废除对待正嫡的礼仪呢！”白敏中极为愤怒，而王皞说话的语气也更加严厉。宰相们聚餐，周墀站在白敏中的门口等待他。白敏中叫人辞谢他说：“刚才被一个书生气得太厉害，公先走好了。”周墀进去后，到白敏中办公的地方询问是什么事，看见王皞正在急切地争辩着。周墀举手放到额头上，赞叹王皞忠直。第二天，王皞因此被贬官。

秋，九月初八日甲子，又贬谪潮州司马李德裕为崖州司户，湖南观察使李回为贺州刺史。

前凤翔节度使石雄到宰相政事堂亲自陈述在黑山、乌岭的战功，要求做个节度使一直到死。宰相们认为石雄是李德裕推荐的人，对石雄说：“过去建立的功劳，朝廷任命你担任了蒲、孟、岐三镇的节度使来酬答你，已经足够了。”于是任命石雄为左神武统军。石雄怏怏不乐而死去。

部，凡七姓。(311)碛北：即漠北，指蒙古高原大沙漠以北。(312)甘州：州名，治所在今甘肃张掖。(313)献见：进献贡品，谒见朝廷。(314)庚子：二月初十日。(315)《金镜》：书名，唐太宗李世民著。(316)《贞观政要》：书名，唐吴兢撰。(317)注拟：注册姓名履历，考询而拟定官职。(318)制授：唐制，授三品以下、五品以上官称制授，即以其名上中书、门下两省审核，然后下制授官。(319)大明宫：宫殿名，又称东内。内有含元、宣政、紫宸三殿。宣政殿左右为中书、门下二省。自唐高宗后，皇帝常居东内。(320)术士：方术之士，讲阴阳灾异占卜星相的人。(321)相其地：观察地势，看风水好坏。(322)阳宅：风水先生以墓地为阴宅，以住宅为阳宅。(323)刑克：指星相家的三刑相胜和五行相克。三刑相胜谓：巳酉丑刑申酉戌，则巳刑申，酉刑酉，丑刑戌；寅午戌刑巳午未，则寅刑巳，午刑午，戌刑未；申子辰刑寅卯辰，则申刑寅，子刑卯，辰刑辰；亥卯未刑亥子丑，则亥刑亥，卯刑子，未刑丑。五行相克谓金克木，木克土，土克水，水克火，火克金。(324)深拱法宫：深居宫室。法宫，帝王的正殿、正室。(325)己未朔：五月初一日。(326)韦澳：字子斐，唐宪宗宰相韦贯

之之子，历任兵部侍郎、京兆尹、河阳节度使等。传见《旧唐书》卷一百五十八、《新唐书》卷一百六十九。㉗己卯：五月二十一日。㉘太皇太后郭氏：即唐宪宗懿安皇后，唐穆宗之母，郭子仪之孙，代宗长女升平公主之女。传见《旧唐书》卷五十二、《新唐书》卷七十七。㉙检讨官：官名，掌修撰。唐于集贤殿书院、礼院设置。㉚句容：县名，县治在今江苏句容。㉛宿怨：旧怨。㉜礼殊薄：礼仪特别薄，意谓不为礼。㉝怏怏：不快乐、郁闷的样子。㉞自陨：跳楼自杀。㉟汾阳王：即郭子仪，曾封为汾阳王。㊱妇：儿媳。㊲厌代：帝王去世。㊳暧昧：模糊不清。㊴母天下：为天下之母。㊵五朝：即穆、敬、文、武、宣宗。㊶正嫡：正室；嫡妻。㊷会食：聚餐；集体用餐。㊸第：但；只。㊹举手加颡：表示敬重的一种动作。颡，额。㊺孤直：孤高耿直。㊻甲子：九月初八日。㊼贺州：州名，治所临贺，在今广西贺州。㊽政府：指宰相处理政务的政事

【原文】

十一月庚午[351]，万寿公主适[352]起居郎郑颢[353]。颢，絪[354]之孙，登进士第，为校书郎、右拾遗内供奉，以文雅著称。公主，上之爱女，故选颢尚之。有司循旧制，请用银装车，上曰："吾欲以俭约化天下，当自亲者始。"令依外命妇[355]以铜装车。诏公主执妇礼，皆如臣庶之法。戒以毋得轻夫族，毋得预时事[356]。又申以手诏曰："苟违吾戒，必有太平[357]、安乐[358]之祸！"颢弟颢，尝得危疾，上遣使视之，还，问："公主何在？"曰："在慈恩寺[359]观戏场。"上怒，叹曰："我怪士大夫家不欲与我家为婚，良有以也[360]！"亟命召公主入宫，立之阶下，不之视[361]。公主惧，涕泣谢罪。上责之曰："岂有小郎[362]病，不往省视，乃观戏乎！"遣归郑氏。由是终上之世，贵戚皆兢兢守礼法，如山东衣冠之族[363]。

壬午[364]，葬懿安皇后于景陵之侧。

以中书侍郎、同平章事韦琮为太子宾客、分司。

十二月，凤翔节度使崔珙奏破吐蕃，克清水[365]。清水先隶秦州[366]，诏以本州未复，权隶凤翔。

上见宪宗朝公卿子孙，多擢用之。刑部员外郎杜胜[367]次对，上问其家世，对曰："臣父黄裳[368]，首请宪宗监国。"即除给事中。翰林学士

堂。㊾黑山、乌岭之功：黑山指破回鹘，乌岭指平刘从谏。事并见本书上卷武宗会昌三年。㊿蒲、孟、岐三镇：即河中、河阳、凤翔三节度使。河中治所蒲州，河阳治所孟州，凤翔治所岐州，故简称蒲、孟、岐三镇。

【校记】

［17］人：据章钰校，十二行本、乙十一行本皆作“臣”。［18］《金镜》：据章钰校，孔天胤本下有“录”字，张敦仁《通鉴刊本识误》同。［19］第：原作“弟”。胡三省注云：“弟，与‘第’同。”据章钰校，孔天胤本作“第”，今从改。［20］左神武统军：“神”字原作“龙”。据章钰校，十二行本、乙十一行本皆作“神”，今据改。〖按〗《新唐书》卷一百七十一《石雄传》载雄“拜神武统军”，与十二行本合。

【语译】

十一月十四日庚午，万寿公主嫁给起居郎郑颢。郑颢是郑絪的孙子，进士及第，为校书郎、右拾遗内供奉，以文雅闻名。公主是宣宗的爱女，所以选择了郑颢，把公主嫁给他。有关部门按照旧规定，请求用银装饰的车辆，宣宗说：“我想用勤俭节约教化天下，应当从我最亲近的人开始做起。”命令依照外面有爵命的妇人一样用铜装饰的车子。又诏令公主执行妇人的礼仪时，都要依照一般臣民的法规。告诫她不得轻视丈夫家族中的人，不得参与政事。又用手诏申诫道：“假若违犯了我的告诫，一定会有太平公主、安乐公主那样的灾祸！”郑颢的弟弟郑颉曾得了重病，宣宗派人去看望他，使者返回，宣宗问：“公主在哪里？”回答说：“在慈恩寺看戏。”宣宗大怒，叹息说：“我奇怪士大夫不愿与我家结为婚姻，实在是有原因的啊！”立即命令召唤公主入宫，让她站在台阶下，不看她一眼。公主害怕，流着眼泪认罪。宣宗责备她说：“哪里有小郎病了，不去看望，竟去看戏啊！”随即派人送回郑家。由此，在宣宗在世时，贵戚们都谨慎遵守礼法，和山东衣冠之族一个样。

十一月二十六日壬午，把懿安皇后葬在景陵的旁边。

任命中书侍郎、同平章事韦琮为太子宾客、分司东都。

十二月，凤翔节度使崔珙上奏打败了吐蕃，攻下了清水县。清水县原来属于秦州，诏令说由于秦州还未收复，清水暂时归凤翔府管辖。

宣宗见到宪宗朝公卿的子孙，大多提拔任用他们。刑部员外郎杜胜是次对官，宣宗询问他的家世，杜胜回答说：“臣父黄裳，首先提出请宪宗监理国事。”立即任命

裴谂[369]，度之子也，上幸翰林，面除承旨[370]。

吐蕃论恐热遣其将莽罗急藏将兵二万略地西鄙[371]，尚婢婢遣其将拓跋怀光击之于南谷[372]，大破之，急藏降。

【段旨】

以上为第十三段，写唐宣宗严教公主守礼。

【注释】

㉛庚午：十一月十四日。㉜适：出嫁。㉝郑颢：尚宣宗女万寿公主，历任给事中、礼刑吏三部侍郎、河南尹。传见《旧唐书》卷一百五十九、《新唐书》卷一百六十五。㉞䌹：郑䌹（公元七五二至八二九年），字文明，郑州荥阳（今河南荥阳）人，宪宗朝宰相。与郑颢同传。㉟外命妇：宫外有封号的妇女。㊱毋得预时事：不得参与政事。㊲太平：即太平公主，唐高宗女，武则天所生。参与李隆基（玄宗）发动的宫廷政变，诛韦后及安乐公主，拥立唐睿宗。唐玄宗即位后，又欲废玄宗，谋泄，被赐死。传见《旧唐书》卷一百八十三、《新唐书》卷八十三。㊳安乐：即安乐公主，中宗女，韦

【原文】

三年（己巳，公元八四九年）

春，正月，上与宰相论元和[373]循吏[374]孰为第一，周墀曰："臣尝守土江西[375]，闻观察使韦丹[376]功德被于八州[377]，没四十年，老稚歌思，如丹尚存。"乙亥[378]，诏史馆修撰杜牧撰《丹遗爱碑》以纪之，仍擢其子河阳观察判官宙[379]为御史。

二月，吐蕃论恐热军于河州，尚婢婢军于河源军[380]。婢婢诸将欲击恐热，婢婢曰："不可。我军骤胜而轻敌，彼穷困而致死，战必不利。"诸将不从。婢婢知其必败，据河桥以待之。诸将果败，婢婢收余众，焚桥，归鄯州。

他为给事中。翰林学士裴谂是裴度的儿子，宣宗幸临翰林院，当面授予裴谂为翰林学士承旨。

吐蕃论恐热派他的将领莽罗急藏率领士兵二万人在西部边境攻城略地，尚婢婢派他的将领拓跋怀光在南谷攻打敌兵，把他们打得大败，莽罗急藏投降。

后所生。中宗神龙时开府置官属，权倾天下，后为李隆基所杀。传见《新唐书》卷八十三。㉟⑨慈恩寺：寺名，寺内建有大雁塔，在今陕西西安南郊。㊱⓪良有以也：的确有原因。㊱①不之视：不看她。㊱②小郎：俗称夫之弟为小郎。㊱③衣冠之族：即世族。㊱④壬午：十一月二十六日。㊱⑤清水：县名，县治在今甘肃清水县西。㊱⑥秦州：州名，治所成纪，在今甘肃秦安西北。㊱⑦杜胜：字斌卿，历任给事中、户部侍郎、判度支、天平节度使。传见《旧唐书》卷一百四十七、《新唐书》卷一百六十九。㊱⑧黄裳：杜黄裳（公元七三八至八〇八年），字遵素，京兆万年（今陕西西安）人，唐宪宗元和初宰相。与子杜胜同传。㊱⑨裴谂：名相裴度之子，官至刑部侍郎，封河东郡公。传见《旧唐书》卷一百七十、《新唐书》卷一百七十三。㊲⓪面除承旨：唐宣宗当面宣布加封裴谂为承旨官，以示恩宠。承旨，官名，翰林学士承旨的简称。翰林学士中资深德重者一人为承旨，为独承密命之意，贞元后，学士承旨多出任宰相。㊲①西鄙：唐西部边邑，这里指陇右道的渭州一带。㊲②南谷：地名，在今甘肃渭源西。

【语译】

三年（己巳，公元八四九年）

春，正月，宣宗和宰相讨论元和年间奉法守职的官吏谁是第一，周墀说："臣曾任职江西，听说观察使韦丹功德覆盖八州，没世四十年了，老人小孩都歌颂他思念他，好像韦丹还在世。"二十日乙亥，诏令史馆修撰杜牧撰写《丹遗爱碑》用来记录这件事，又提拔他的儿子河阳观察判官韦宙为御史。

二月，吐蕃论恐热的军队驻扎在河州，尚婢婢的军队驻扎在河源军。尚婢婢的将领们想进攻论恐热，尚婢婢说："不行。我军很快打了胜仗而有轻敌的思想，他们处于穷困之中一定会拼死抵抗，交战一定不利。"将领们不听从。尚婢婢知道将领们一定会失败，据守黄河桥等待他们。将领们果然失败，尚婢婢聚集败下阵来的士兵，把桥烧了，回到鄯州。

吐蕃秦、原、安乐[381]三州及石门等七关[382]来降。以太仆卿陆耽为宣谕使[383]，诏泾原、灵武、凤翔、邠宁、振武皆出兵应接[384]。

河东节度使王宰入朝，以货结权[21]幸，求以使相领宣武。刑部尚书、同平章事周墀上疏论之，宰遂还镇。驸马都尉韦让求为京兆尹，墀言京兆尹非才望不可为，让议竟寝。墀又谏上开边[385]，由是忤旨。夏，四月，以墀为东川节度使。以御史大夫崔铉为中书侍郎、同平章事，兵部侍郎、判户部魏扶同平章事。

癸巳[386]，卢龙奏节度使张仲武薨，军中立其子节度押牙直方[387]。

翰林学士郑颢言于上曰："周墀以直言入相，亦以直言罢相。"上深感悟。甲午[388]，墀入谢，加检校右仆射。

戊戌[389]，以张直方为卢龙留后。

五月，徐州军乱，逐节度使李廓[390]。廓，程之子也，在镇不治，右补阙郑鲁上言其状，且曰："臣恐新麦未登，徐师必乱，速命良帅，救此一方。"上未之省。徐州果乱，上思鲁言，擢为起居舍人。

以义成节度使卢弘止为武宁节度使。武宁士卒素骄，有银刀都[391]尤甚，屡逐主帅。弘止至镇，都虞候胡庆方复谋作乱。弘止诛之，抚循[392]其余，训以忠义，军府由是获安。

六月戊申[393]，以张直方为卢龙节度使。

泾原节度使康季荣取原州及石门、驿藏、木峡、制胜、六磐、石峡六关。秋，七月丁巳[394]，灵武节度使朱叔明取长乐州[395]。甲子[396]，邠宁节度使张君绪取萧关[397]。甲戌[398]，凤翔节度使李玭取秦州。诏邠宁节度权移军于宁州，以应接河西。

八月乙酉[399]，改长乐州为威州。

河、陇老幼千余人诣阙。己丑[400]，上御延喜门[401]楼见之，欢呼舞跃，解胡服，袭[402]冠带，观者皆呼万岁。诏"募百姓垦[22]辟三州、七关土田，五年不租税[403]；自今京城罪人应配流者皆配十处[404]；四道[405]将吏能于镇戍之地为[23]营田者，官给牛及种粮。温池[406]盐利可赡边陲，委度支制置。其三州、七关镇戍之卒，皆倍给衣粮，仍二年一代。道路建置堡栅，有商旅往来贩易[407]及戍卒子弟通传家信，关镇

吐蕃所占秦、原、安乐三州和石门等七关塞前来投降。任命太仆卿陆耽为宣谕使，诏令泾原、灵武、凤翔、邠宁、振武各镇都出兵接应。

河东节度使王宰来到朝廷，用财物交结有权势的宠臣，谋求以宰相官衔担任宣武节度使。刑部尚书、同平章事周墀上疏责备他，王宰于是返回镇所。驸马都尉韦让想当京兆尹，周墀说京兆尹不是有才能和声望的人不能担任，韦让任职的讨论便搁置了。周墀又谏阻宣宗经略河西，由此违背了宣宗的旨意。夏，四月，任命周墀为东川节度使。任命御史大夫崔铉为中书侍郎、同平章事，兵部侍郎、判户部魏扶为同平章事。

四月初九日癸巳，卢龙上奏节度使张仲武去世，军中拥立他的儿子节度使押牙张直方。

翰林学士郑颢对宣宗说："周墀由于敢讲直话入朝担任宰相，也是由于敢讲直话被罢免了宰相。"宣宗深切醒悟。四月初十日甲午，周墀入朝辞谢时，加上检校右仆射官衔。

四月十四日戊戌，任命张直方为卢龙留后。

五月，徐州的军队叛乱，赶走了节度使李廓。李廓是李程的儿子，他在镇政事治理得不好，右补阙郑鲁向宣宗讲过那里的情况，并且说："臣担心新麦还未收获，徐州军队就会叛乱，赶快派好的统帅去，挽救那个地方。"宣宗没有理会这件事。后来徐州军队果然叛乱，宣宗想到了郑鲁的话，提拔他为起居舍人。

任命义成节度使卢弘止为武宁节度使。武宁士卒向来骄恣，银刀都尤其厉害，多次赶走主帅。卢弘止到达镇所，都虞候胡庆方又图谋作乱。卢弘止把他杀了，安抚其他余党，用忠义思想训导他们，武宁军府由此才得到安定。

六月二十六日戊申，任命张直方为卢龙节度使。

泾原节度使康季荣收复了原州和石门、驿藏、木峡、制胜、六磐、石峡六关。秋，七月初六日丁巳，灵武节度使朱叔明收复了安乐州。十三日甲子，邠宁节度使张君绪收复了萧关。二十三日甲戌，凤翔节度使李玭收复秦州。诏令邠宁节度使暂时迁移军队到宁州，用来接应河西的战事。

八月初四日乙酉，改安乐州为威州。

河、陇老幼一千余人到达京城长安。八月初八日己丑，宣宗亲临延喜门城楼接见他们，他们欢呼雀跃，脱去胡服，穿上冠带汉服，围观的群众都高呼万岁。宣宗下诏"招募百姓开垦三州、七关田土，五年不收租税；从现在起应发配流放的京城罪人都到这十个地方去；泾原等四道将吏能在所镇守的地方屯田的，官府供给耕牛和种粮。温池县卖盐的收入可以用来赡养边区军民，交付度支处理安排。这三州、七关镇守的士卒，都要加倍发给衣服粮草，仍旧两年换防一次。在道路上修建碉堡栅寨，如有商人往来贸易和戍卒子弟传递家信，关镇不要留下来为难他们。在山南、

毋得留难。其山南、剑南边境有没蕃州县，亦令量力收复”。

冬，十月，改备边库为延资库。

西川节度使杜悰奏取维州。

闰十一月丁酉[408]，宰相以克复河、湟请上尊号。上曰：“宪宗常有志复河、湟[409]，以中原方用兵[410]，未遂而崩，今乃克成先志耳。其议加顺、宪二庙尊谥，以昭功烈。”

卢龙节度使张直方暴忍，喜游猎。军中将作乱，直方知之，托言出猎，遂举族逃归京师，军中推牙将周綝为留后。直方至京师，拜金吾大将军。

甲戌[411]，追上顺宗谥曰至德弘道大圣大安孝皇帝，宪宗谥曰昭文章武大圣至神孝皇帝，仍改题神主[412]。

己未[413]，崖州司户李德裕卒。

山南西道节度使郑涯奏取扶州[414]。

【段旨】

以上为第十四段，写唐室败吐蕃，收复河、湟部分地区。

【注释】

㊲㊂元和：唐宪宗年号（公元八〇六至八二〇年）。㊲㊃循吏：奉法守职的官吏。㊲㊄江西：江南西道的简称。㊲㊅韦丹：字文明，京兆万年（今陕西西安）人，官至江南西道观察使。在任上兴修水利，灌溉农田，教民盖瓦房等，很有政绩。传见《新唐书》卷一百九十七。㊲㊆八州：即江南西道所辖洪、江、鄂、岳、虔、吉、袁、抚八州。㊲㊇乙亥：正月二十日。㊲㊈宙：韦宙，官终岭南节度使。与父韦丹同传。㊳㊀河源军：军镇名，治所鄯城，在今青海西宁。㊳㊁原、安乐：皆州名。原州治所高平，在今宁夏固原。安乐州治所在今宁夏同心东北。㊳㊂七关：原州界内有石门、驿藏、制胜、石峡、木靖、木峡、六磐七关，在今宁夏同心以南，固原和隆德以西，甘肃泾川以北。㊳㊃宣谕使：官名，朝廷派遣的宣示皇帝旨意的专使。㊳㊄出兵应接：谓以武力接应三州七关来降，防备吐蕃来战。㊳㊅开边：胡注谓经略河西。㊳㊆癸巳：四月初九日。㊳㊇直方：张直方，卢龙节度

剑南两道边境没入吐蕃的州县，也命令他们衡量自身兵力情况收复失地”。

冬，十月，改备边库为延资库。

西川节度使杜悰上奏收复了维州。

闰十一月十七日丁酉，宰相们因收复了河、湟失地，请求给宣宗加上尊号。宣宗说：“宪宗常常有志收复河、湟，因为中原地区正在打仗，志向没有实现就去世了，现在才算完成了先人的遗志而已。你们讨论给顺宗、宪宗二庙追加谥号，用来昭示他们的功业。”

卢龙节度使张直方暴虐残忍，喜欢游猎。军中将要叛乱，张直方知道了，借口出去打猎，就带着全家人逃回京城，军中推举牙将周綝为留后。张直方到了京师，授职金吾大将军。

甲戌日，追加顺宗谥号称至德弘道大圣大安孝皇帝，宪宗谥号称昭文章武大圣至神孝皇帝，还把灵位上的字也改写了。

十二月初十日己未，崖州司户李德裕去世。

山南西道节度使郑涯上奏收复了扶州。

使张仲武之子。父死，袭节度使，后任金吾大将军。僖宗时，黄巢入长安，直方欲劫黄巢，被告发，族灭。传见《旧唐书》卷一百八十、《新唐书》卷二百十二。㊳甲午：四月初十日。㊴戊戌：四月十四日。㊵李廓：官至武宁节度使，以诗知名于当时。传见《旧唐书》卷一百六十七、《新唐书》卷一百三十一。㊶都：唐代军队的一种称号。㊷抚循：安抚。㊸戊申：六月二十六日。㊹丁巳：七月初六日。㊺长乐州：胡注：“‘长乐’当作‘安乐’。”㊻甲子：七月十三日。㊼萧关：关名，在今宁夏固原东南。㊽甲戌：七月二十三日。㊾乙酉：八月初四日。㊿己丑：八月初八日。(401)延喜门：门名，在皇城东北角。(402)袭：穿戴。(403)不租税：不缴纳租税。(404)十处：谓秦、原、安乐三州及石门等七关。(405)四道：即泾原、邠宁、灵武、凤翔。(406)温池：县名，县治在今宁夏盐池西南。(407)贩易：买卖交易。(408)丁酉：闰十一月十七日。(409)有志复河、湟：安史之乱，河、湟地区沦陷于吐蕃，宪宗志欲恢复。详见本书卷二百三十八元和五年。(410)中原方用兵：指唐宪宗先后讨伐成德，平定淮西、淄青，无力顾及河、湟之事。(411)甲戌：闰十一月辛巳朔，无甲戌，佐以《旧唐书》《唐会要》，追谥之事俱在十二月，是以“甲戌”之上当补“十二月”，即十二月二十五日。(412)改题神主：把神主旧谥改为新谥。神主，此指唐顺宗、唐宪宗的灵位。(413)己未：十二月初十日。〖按〗己未事不应列于甲戌之后，疑日次失序或干支有误。(414)扶州：州名，治所同昌，在今四川九寨沟东北。

【校记】

［21］权：据章钰校，十二行本、乙十一行本皆作“贵”。［22］垦：原误作“恳”。据章钰校，十二行本、乙十一行本、孔天胤本皆作“垦”，今据校正。［23］为：原无此字。据章钰校，十二行本、乙十一行本、孔天胤本皆有此字，今据补。

【研析】

本卷研析司马光论赏奸杀降、武宗灭佛、吴湘冤死案、宣宗即位四事。

第一，司马光论赏奸杀降。宪宗朝李愬平淮西，淮西大将董重质受李愬招降，李愬保其不死，宪宗欲杀之，李愬谏止。董重质在李愬帐下效力，后征入朝，授左神武军将军兼御史中丞，官终夏绥银宥节度使，司马光认为是赏奸。昭义大将郭谊杀主刘稹投降，被械送京师正法，司马光认为是杀降。赏奸与杀降，均处置失当，司马光给予批评。抽象论事，都是降将，一受赏，一被杀，像是不公。就事论事，要看具体环境。董重质之降，是李愬招降，当时董重质手握重兵，为避免董重质垂死挣扎，增加双方伤亡，李愬谕以大义，董重质单骑请降，是弃暗投明，诚心归降，其后报效朝廷，立功边陲。司马光称之为赏奸，完全是错误的定性。郭谊投降，是眼看大势已去，用欺诈手段惨杀刘稹全族，请降还要求朝廷授予节镇，实属卖主求荣，李德裕主张正法，没有不妥。郭谊请降，前线主将王宰没有保其不死，只是转奏。朝廷将计就计，诏令王宰带重兵入潞，用计抓捕郭谊，如同郭谊诈杀刘稹一样，以其人之道，还治其人之身。朝廷杀郭谊，采用军事手段，可称为诈计杀贼，不应属于杀降。司马光“杀降”的定性，也属不当。司马光认为，唐武宗应当效法汉光武帝，对于降人应当宽大，可以不杀，可以充军惩罚，既受其降而又杀之，与对待不降死拼的人就没有区别了。受降的最低限度应是许其不死，这个底线不保，谁还来投降？司马光如此处置降人的意见，还是可取的。

第二，武宗灭佛。中国历史上有三次灭佛，三个皇帝都带“武”字。北魏太武帝于公元四四六年灭佛，北周周武帝于公元五七四年灭佛，唐武宗于公元八四五年灭佛。宗教是人类的一种信仰，自有它存在的社会原因。中国儒学兴盛，抵制了宗教的传播。佛教在中国的传播，除了宗教自有原因外，另有两个因素。其一，是帝王信奉，希望他的野心得到佛祖保佑，许愿兴佛。如周武帝灭佛，杨坚许愿，他日得登大位，再燃香火。杨坚篡位成功，不遗余力兴佛。唐太宗、武则天信佛，是利用佛教为己所用。佛徒称唐太宗为当世活佛。武则天从《大云经》中找到了女人当皇帝的依据，自然兴佛。其二，战乱或苛政时代，劳苦大众为逃避兵役、徭役，罪徒为逃避刑法，遁入空门。佛教的泛滥，会导致国家流失人力、财赋，佛教太盛，势必遭抑制。周武帝灭佛，仅在北朝半壁江山，就毁寺庙四万多所，使三百多万名和尚还俗。武宗灭佛，史称“上恶僧尼耗蠹天下”，其次是道士赵归真进言。道教是本土宗教，宣扬成仙长生。帝王都想长生不死，信奉道教，自宪宗以来，包括武宗，都因服食金丹中毒短命，但长生不死的欲望迷了心窍，至死不悟。宗教斗争，此消彼长，灭佛的皇帝，全都信奉道教。唐武宗灭佛，留有余地，只是限制，不是全灭。长安、洛阳两京，各留四寺，每寺限僧三十人。地方州级行政，留一寺，分为三等，上等留僧二十人，中等十人，下等五人。整个国家之中，朝廷令行所到的地方，共毁寺庙四千六百余所，还俗僧尼二十六万余人，收良田数千万顷，奴婢十五万人。李德裕尤憎佛教，令幽州节度使张仲武在居庸关遮杀五台山逃僧，强令僧人还俗。

既然佛教有它自身存在的原因，又有野心家的许愿，单用政治手段是不可能禁佛的。唐武宗灭佛之时，身体已经大坏，其子年幼，武宗之弟光王李怡对皇位虎视眈眈，正在许愿兴佛。武宗灭佛后一年多死去，光王李怡果然即帝位，改名李忱，是为宣宗。宣宗即位，不久就罢李德裕相位，立即兴佛，寺庙僧尼又在全国泛滥起来。

第三，吴湘冤死案。这是一桩小小的恩怨而引起的冤死案，牵涉众多人臣倾轧沉浮，由此可见晚唐时朋党斗争的严重程度。武宗会昌五年（公元八四五年），淮南节度使李绅审理江都县令吴湘贪污补助出差官吏的程粮钱，又强娶了自己管辖下的平民颜悦之女为妻，判了死罪。吴湘是澧州人，吴武陵的侄儿。吴武陵与李德裕两人有个人恩怨。吴武陵进士登第，官至韶州刺史，因为贪污，李德裕为相，吴武陵遭贬官。吴湘兄吴汝纳，也进士及第，受吴武陵拖累长久没有升迁。吴湘案发时，吴汝纳任河南府永宁县尉。吴汝纳怀恨李德裕，就投靠李宗闵、杨嗣复朋党，造作谤言，攻击李德裕。牛党攻击李德裕勾结李绅罗织吴湘之罪，是冤案。谏官奏请复查，惊动朝廷。武宗派御史崔元藻、李稠为专使到江都复查吴湘案。二人回朝报告，吴湘贪污属实，强夺民女为妻不实，颜悦为衢州人，曾任青州牙官，其妻出身士族。李德裕借口二人只报告案情，没判定罪行，没有是非，将二人贬官。吴湘也不交司法重新审理，依照李绅的判决执行，吴湘被处死，吴湘妻儿被遣送回澧州。宣宗即位，李德裕被贬。永宁县尉吴汝纳上奏为其弟吴湘申冤，经过刑部、御史台、大理寺三司会审，崔元藻调查属实，吴湘有罪，罪不至死。崔元藻说实话无辜受到不公正贬官。制造吴湘冤狱的高官，除李德裕、李绅外，还有西川节度使李回、桂管观察使郑正，以及前淮南节度使一大批官员。这次三司复审的后台有三位宰相崔铉、白敏中、令狐绹卷入，他们是牛党的后继人。吴湘冤死案是典型的朋党之争，暴露了专制社会的司法黑暗，以及人治大于法治的危害。个人私恨、私欲膨胀，道德是非全都被冲毁。李德裕与吴武陵有私怨，凭着手中权力，波及其侄儿吴湘，没有道理。李绅因与李德裕同为翰林学士，结为同党就不问是非，轻罪重判，置人于死地。至于三司复按，惊动皇帝，诏制宣判，是白敏中等人的小题大做，欲借此置李党于死地。《旧唐书·宣宗纪》用大篇幅摘载吴湘案、审判实属罕见。李德裕、李绅皆贤达之士，专制权欲也扭曲了他们的人性。朋党的实质是争权，在权力面前没有道德是非，这是一个生动的案例。

第四，宣宗即位。宣宗李忱，宪宗第十三子，原名李怡，封光王，即位后改名李忱。宣宗即位时已三十七岁，完全在多数人的意料之外，十分偶然，但似乎又在意料之中，是冥冥中的必然。宣宗排行十三，前面诸多兄长，按宗法制，怎么也轮不上他。宪宗传位太子穆宗，穆宗传敬宗，此是父子相继。敬宗传文宗，文宗传武宗，此是兄终弟及。从穆宗到武宗，四任皇帝都在穆宗一系。武宗有五子，又有权势宰相李德裕相辅，按常理应由武宗之子来继承。按法理，按形势，李忱都不应做皇帝，结果却是花落李忱之手，实在是偶然又偶然。事后追思，李忱即位又在必然之中，是人谋与形势的必然结合。人谋，是指李忱长期韬晦谋算。李忱做梦都想当皇帝，能否实现这白日梦，他并没有把握。但李忱抱有一线希望、一种侥幸。他从小装痴装呆，做给皇帝和宦官看。文宗、武宗都看不上他，不以常礼相待，两位皇帝到十六宅与诸王宴集，总是逗引李忱说话取乐，戏称他为“光叔”。李忱等待机会，让宦官利用他的痴和对文宗、武宗的不满，破例拥立他做皇帝。形势，是指宦官专权皇帝。李忱的成功，正是晚唐时期宦官废立皇帝的产物。《旧唐书·宣宗纪》载，宣宗十余岁时曾经做梦乘龙上天，他对母后郑氏讲了梦境，母亲告诉他：“这事不能让别人知道，不要再说了。”从此，几十年的韬晦装傻，很不容易、很难得。可以说，宣宗创造了历史之最，也表现了他的城府、心计，以及坚毅。李忱监国之日就露出了庐山真面目，办事果决，有主见，有条理，人们这才恍然大悟。

卷第二百四十九　唐纪六十五

起上章敦牂（庚午，公元八五〇年），尽屠维单阏（己卯，公元八五九年），凡十年。

【题解】

本卷记事起公元八五〇年，迄公元八五九年，凡十年，当唐宣宗大中四年至大中十三年。唐宣宗在位十三年，本卷记事十年，基本上是宣宗一朝的政事。唐宣宗李忱是唐宪宗的第十三子，按常例他不可能继承帝位。由于李忱是一个有心计的人，从小就装傻，唐文宗、武宗都看不起他，宦官正好利用李忱的痴呆和对文、武二宗的不满，破例立他为帝。唐宣宗即位以后，果断处事，政由己出，宦官和朝官才知道唐宣宗的傻是伪装的。唐宣宗的精明和唐武宗留下的大好局面，使得宣宗一朝保持了十三年的太平，周边也平静。党项归服，吐蕃内战势衰，吐蕃酋长论恐热一支被灭，尚婢婢一支附唐，沙州防御使张义潮乘机收复瓜、伊、西等十一州，率领十一州来归。宣宗本可有一番作为，可惜他刚愎自用，又小

【原文】

宣宗元圣至明成武献文睿智章仁神聪懿道大孝皇帝下

大中四年（庚午，公元八五〇年）

春，正月庚辰朔[①]，赦天下。

二月，以秦州隶凤翔。

夏，四月庚戌[②]，以中书侍郎、同平章事马植为天平节度使。上之立也，左军中尉马元贽有力焉[③]，由是恩遇冠[④]诸宦者，植与之叙宗姓[⑤]。上赐元贽宝带，元贽以遗植，植服之以朝。上见而识之，植变色，不敢隐。明日，罢相，收植亲吏董侔，下御史台鞫之，尽得植与元贽交通之状，再贬常州刺史。

六月戊申[⑥]，兵部侍郎、同平章事魏扶薨，以户部尚书、判度支崔龟从[⑦]同平章事。

秋，八月，以白敏中判延资库。

卢龙节度使周綝薨，军中表请以押牙兼马步都知兵马使张允

心眼，为了报复唐文宗、唐武宗，就株连郭太后，说郭太后与宦官合谋害死唐宪宗，以此来表明自己是唐宪宗的合法继承人，而视唐穆宗为逆，穆宗诸子敬、文、武三宗自然也是逆。李德裕为武宗所信任，于是成了逆臣。因此宣宗施政，不问青红皂白，全部推翻会昌之政。李德裕废佛、淘汰冗官，宣宗也要反过来，大肆兴佛、增置冗官。唐宣宗信任的两个宰相，前期为白敏中，后期为令狐绹，两人只看宣宗脸色办事，令狐绹更是李宗闵的朋党，又依附宦官。由此可想，宣宗一朝的政治是如何的败坏了。宣宗又走唐文宗、武宗的老路，不听劝谏，求长生食金丹中毒而亡。宦官拥立了唐僖宗，唐政权又回到了宦官手中。

【语译】

宣宗元圣至明成武献文睿智章仁神聪懿道大孝皇帝下

大中四年（庚午，公元八五〇年）

春，正月初一日庚辰，大赦天下。

二月，把秦州隶属凤翔。

夏，四月初二日庚戌，任命中书侍郎、同平章事马植为天平节度使。宣宗即位，左军中尉马元贽出了大力，因此，宣宗对他的恩宠礼遇在宦官中最高，马植便和马元贽攀宗族关系。宣宗赏赐马元贽宝带，马元贽把它送给了马植，马植系着上朝。宣宗看到后认出了这条宝带，马植吓得脸色都变了，不敢隐瞒其事。第二天，马植被罢相，收捕马植的亲信官吏董侔，交给御史台审问，得到了马植与马元贽交往的全部情况，又把马植贬为常州刺史。

六月初二日戊申，兵部侍郎、同平章事魏扶去世，任命户部尚书、判度支崔龟从同平章事。

秋，八月，任命白敏中兼掌延资库。

卢龙节度使周綝去世，军中上表请求任命押牙兼马步都知兵马使张允伸为留后。

伸⑧为留后。九月丁酉⑨，从之。

党项为边患，发诸道兵讨之，连年无功，戍馈不已。右补阙孔温裕⑩上疏切谏，上怒，贬柳州司马。温裕，戣之子[1]也。

吐蕃论恐热遣僧莽罗蔺真将兵于鸡项关⑪南造桥，以击尚婢婢，军于白土岭⑫。婢婢遣其将尚铎罗榻藏将兵据临蕃军⑬以拒之，不利，复遣磨离罴子、烛卢巩力将兵据氂牛峡⑭以拒[2]之。巩力请按兵拒险，勿与战，以奇兵绝其粮道，使进不得战，退不得还，不过旬月，其众必溃。罴子不从。巩力曰："吾宁为不用之人，不为败军之将。"称疾，归鄯州。罴子逆战，败死。婢婢粮乏，留拓跋怀光守鄯州，帅部落三千余人就水草于甘州西。恐热闻婢婢弃鄯州，自将轻骑五千追之。至瓜州⑮，闻怀光守鄯州，遂大掠河西鄯、廓等八州⑯，杀其丁壮，劓刖⑰其羸老及妇人，以槊⑱贯婴儿为戏，焚其室庐，五千里间，赤地⑲殆尽。

冬，十月辛未⑳，以翰林学士承旨、兵部侍郎令狐绹同平章事。

十一月壬寅㉑，以翰林学士刘瑑㉒为京西招讨党项行营宣慰使。

以卢龙留后张允伸为节度使。

十二月，以凤翔节度使李业、河东节度使李拭并兼招讨党项使。

吏部侍郎孔温业㉓白执政求外官。白敏中谓同列曰："我辈须自点检，孔吏部不肯居朝廷矣。"温业，戣之弟子也。

【段旨】

以上为第一段，写党项犯边，吐蕃论恐热残虐鄯州。

【注释】

①庚辰朔：正月初一日。②庚戌：四月初二日。③马元贽有力焉：武宗病笃，马元贽为左神策军中尉，立光王（宣宗）为皇太叔，后遂即位。④冠：位居第一。⑤宗姓：同族同姓。⑥戊申：六月初二日。⑦崔龟从：字玄告，清河（今河北清河西北）人，唐文宗时任中书舍人、户部侍郎。唐宣宗大中四年（公元八五〇年）任宰相，大中六年罢相，为宣武节度使，撰《续唐历》三十卷。传见《旧唐书》卷一百七十六、《新唐书》卷一百六十。⑧张允伸（？至公元八七二年）：字逢昌，范阳（今河北涿州）人，官至卢龙节度使。在任二十三年，克勤克俭，军民相安，边境无事。传见《旧唐书》卷一百八十、《新唐书》

九月二十三日丁酉，答应了这一请求。

党项在边地为患，征发各道兵马征讨，连年没有功效，戍卒、馈饷不停地运往边地。右补阙孔温裕上疏恳切谏止，宣宗大怒，贬他为柳州司马。孔温裕是孔戣的儿子。

吐蕃论恐热派遣僧人莽罗蔺真率领军队在鸡项关南造桥，用来攻打尚婢婢，论恐热军驻守白土岭。尚婢婢派遣他的将领尚铎罗榻藏率军据守临蕃军以抵御论恐热，战事失利，尚婢婢又派磨离罴子、烛卢巩力领兵据守氂牛峡来抵抗敌军。烛卢巩力请求将军队据守在险要处，不和敌人作战，用奇兵断绝敌人的粮道，使他们进不能战，退不得还，不出一个月，他们的军队必定溃败。磨离罴子不听从。烛卢巩力说："我宁愿做不被任用的人，也不愿做败军之将。"就借口有病，回到鄯州。磨离罴子迎战，战败死去。尚婢婢缺乏粮食，就留下拓跋怀光守鄯州，自己带领部落三千余人到甘州以西有水草的地方驻扎。论恐热听说尚婢婢放弃了鄯州，亲自率领轻骑五千人追赶他。到达瓜州，听说拓跋怀光据守鄯州，于是就大肆抢掠河西鄯、廓等八州，杀死壮年男子，把衰弱的老人和妇女割去鼻子，砍掉双脚，用枪槊刺穿婴儿为乐，烧掉民众的房屋，方圆五千里内，几乎变成一无所有的空旷荒凉之地。

冬，十月二十七日辛未，任命翰林学士承旨、兵部侍郎令狐绹为同平章事。

十一月二十八日壬寅，任命翰林学士刘瑑为京西招讨党项行营宣慰使。

任命卢龙留后张允伸为节度使。

十二月，任命凤翔节度使李业、河东节度使李拭并兼招讨党项使。

吏部侍郎孔温业向宰相提出要求到外地任职。白敏中对同事说："我们这些人要自我检点，孔吏部不肯在朝廷任职了。"孔温业是孔戣弟弟的儿子。

卷二百十二。⑨ 丁酉：九月二十三日。⑩ 孔温裕：名士孔巢父之侄孙，历任京兆尹、天平节度使。传附《旧唐书》卷一百五十四、《新唐书》卷一百六十三《孔戣传》。⑪ 鸡项关：关名，在今青海循化撒拉族自治县东。⑫ 白土岭：地名，在今青海循化撒拉族自治县北黄河北岸。⑬ 临蕃军：军镇名，在今青海西宁西。⑭ 氂牛峡：地名，在临蕃军西北。⑮ 瓜州：州名，治所晋昌，在今甘肃瓜州东南。⑯ 八州：据《新唐书·吐蕃传下》有鄯、廓、瓜、肃、伊、西等州。廓州，治所化成，在今青海化隆回族自治县西。⑰ 劓刖：古代酷刑。割鼻曰劓，断足曰刖。⑱ 槊：古代的一种兵器，即长矛。⑲ 赤地：本谓灾荒严重，寸草不生。此指地上的东西被焚烧得一干二净。⑳ 辛未：十月二十七日。㉑ 壬寅：十一月二十八日。㉒ 刘瑑：字子全，彭城（今江苏徐州）人，高宗宰相刘仁轨五世孙，大中十一年（公元八五七年）任宰相。传见《旧唐书》卷一百七十七、《新唐书》卷一百八十二。㉓ 孔温业：孔戣之侄，历官吏部侍郎、太子宾客。传见《旧唐书》卷一百五十四、《新唐书》卷一百六十三。

【校记】

［1］戣之子：原作“戣之兄子”。据章钰校，十二行本、乙十一行本皆无“兄”字，今据删。〖按〗新、旧《唐书》之《孔戣传》均云孔温裕为孔戣之子。［2］拒：据章钰校，十二行本、乙十一行本、孔天胤本皆作“御”，张敦仁《通鉴刊本识误》同。

【原文】

五年（辛未，公元八五一年）

春，二月壬戌㉔［3］，天德军奏摄沙州㉕刺史张义潮㉖遣使来降。义潮，沙州人也，时吐蕃大乱，义潮阴结豪杰，谋自拔㉗归唐。一旦㉘，帅众被甲噪于州门，唐人皆应之，吐蕃守将［4］惊走，义潮遂摄州事，奉表来降。以义潮为沙州防御使。

以兵部侍郎裴休为盐铁转运使。休，肃㉙之子也。自太和㉚以来，岁运江、淮米不过四十万斛，吏卒侵盗沈没，舟达渭仓㉛者什不三四，大堕刘晏之法㉜。休穷究其弊，立漕法十条㉝，岁运米至渭仓者百二十万斛。

上颇知党项之反由边帅利其羊马，数欺夺之，或妄诛杀，党项不胜愤怨，故反，乃以右谏议大夫李福㉞为夏绥节度使。自是继选儒臣以代边帅之贪暴者，行日复面加戒励，党项由是遂安。福，石之弟也。

上以南山、平夏党项㉟久未平，颇厌用兵。崔铉建议，宜遣大臣镇抚。三月，以白敏中为司空、同平章事，充招讨党项行营都统㊱、制置㊲等使、南北两路供军使兼邠宁节度使。敏中请用裴度故事㊳，择廷臣为将佐，许之。夏，四月，以左谏议大夫孙景商为左庶子，充邠宁行军司马，知制诰蒋伸㊴为右庶子，充节度副使。伸，系之弟也。

初，上令白敏中为万寿公主选佳婿，敏中荐郑颢。时颢已婚卢氏，行至郑州，堂帖㊵追还，颢甚衔之，由是数毁敏中于上。敏中将赴镇，言于上曰：“郑颢不乐尚主，怨臣入骨髓。臣在政府，无如臣何，今臣出外，颢必中伤，臣死无日矣！”上曰：“朕知之久矣，卿何言之晚邪！”

【语译】

五年（辛未，公元八五一年）

春，二月十九日壬戌，天德军上奏说代理沙州刺史张义潮派遣使者前来投降。张义潮是沙州人，当时吐蕃大乱，张义潮暗中交结豪杰，图谋摆脱吐蕃统治归附唐朝。一天早晨，率领兵众穿上盔甲在州府门前喧闹，唐人都响应他，吐蕃守将受惊逃走，张义潮就代管州中政务，奉送奏表前来投降。任命张义潮为沙州防御使。

任命兵部侍郎裴休为盐铁转运使。裴休是裴肃的儿子。从太和年间以来，每年运输江、淮的粮米不过四十万斛，吏卒偷盗，河中沉没，抵达渭仓的粮米没有十分之三四，大大地毁坏了刘晏设立的漕运制度。裴休深度考察了其中的弊病，制定漕运法规十条，每年运到渭仓的粮米有一百二十万斛。

宣宗很了解党项的反叛是由于边帅贪图他们的羊和马，多次欺压掠夺他们，有时妄加诛杀，党项非常愤怒，所以造反，于是朝廷任命右谏议大夫李福为夏绥节度使。从这以后继续选派儒臣以取代边帅中贪暴的人，出发的时候，又当面加以劝诫勉励，党项由此安定下来。李福是李石的弟弟。

宣宗因南山、平夏党项长时间没有平定，很不愿再打仗了。崔铉建议，应当派遣大臣镇抚。三月，任命白敏中为司空、同平章事，充任招讨党项行营都统、制置等使、南北两路供军使兼邠宁节度使。白敏中请求采用裴度的旧例，选择朝臣为将佐，宣宗答应了。夏，四月，任命左谏议大夫孙景商为左庶子，充任邠宁行军司马，知制诰蒋伸为右庶子，充任节度副使。蒋伸是蒋系的弟弟。

当初，宣宗叫白敏中为万寿公主选择好夫婿，白敏中推荐郑颢。当时郑颢已与卢氏订了婚，走到郑州，被政事堂的帖子追回，郑颢非常怨恨白敏中，因此多次在宣宗面前诋毁白敏中。白敏中将要去邠宁镇上任，对宣宗说："郑颢不乐意娶公主为妻，对臣的怨恨深入骨髓。臣在政事堂，不能对臣怎么样，现在臣出任外职，郑颢必定中伤臣，臣的死期不会很久了！"宣宗说："朕知道这件事很久了，你为什么这么晚才说出来呢！"

命左右于禁中取小柽[41]函以授敏中曰："此皆郑郎谮卿之书也。朕若信之，岂任卿以至今日！"敏中归，置柽函于佛前，焚香事之。

敏中军于宁州，壬子[42]，定远城[43]使史元破党项九千余帐于三交谷[44]，敏中奏党项平。辛未[45]，诏："平夏党项，已就安帖。南山党项，闻出山者迫于饥寒，犹行钞掠，平夏不容，穷无所归，宜委李福存谕，于银、夏境内授以闲田。如能革心向化[46]，则抚如赤子。从前为恶，一切不问，或有抑屈[47]，听于本镇投牒自诉。若再犯疆埸[48]，或复入山林，不受教令，则诛讨无赦。将吏有功者甄奖[49]，死伤者优恤[50]，灵、夏、邠、鄜四道百姓给复三年，邻道量免[51]租税。向由边将贪鄙，致其怨叛，自今当更择廉良[52]抚之。若复致侵叛，当先罪边将，后讨寇虏。"

吐蕃论恐热残虐，所部多叛。拓跋怀光使人说诱之，其众或散归[53][5]部落，或降于怀光。恐热势孤，乃扬言于众曰："吾今入朝于唐，借兵五十万来诛不服者，然后以渭州为国城，请唐册我为赞普，谁敢不从！"五月，恐热入朝，上遣左丞李景让就礼宾院[54]问所欲。恐热气色骄倨[55]，语言荒诞，求为河渭节度使，上不许。召对三殿[56]，如常日胡客，劳赐遣还。恐热怏怏而去，复归落门川，聚其旧众，欲为边患。会久雨，乏食，众稍散，才有三百余人，奔于廓州。

六月，立皇子润为鄂王。

【段旨】

以上为第二段，写沙州刺史张义潮归唐，唐宣宗外放宰相白敏中镇抚党项，吐蕃论恐热势衰。

宣宗叫身边的人在禁中拿来小柳木盒子交给白敏中说："这里面都是郑颢诋毁你的书信。朕若是相信这些话，哪里会任用你到今天！"白敏中回到家里，把柳木盒子放在佛像前，焚香祀奉它。

白敏中驻扎在宁州，四月初十日壬子，定远城使史元在三交谷打败党项九千余帐，白敏中上奏说平定了党项。二十九日辛未，宣宗下诏说："平夏党项，已经安定平息。南山党项，听说从山中出来的人为饥寒所迫，还在进行抢掠，平夏不容留他们，走投无路，应当委派李福前去存问告谕，在银州、夏州境内把闲置的田土分给他们。如果他们能够洗心改过，归化朝廷，那么就应像对待赤子一样安抚他们。从前所做的坏事，一概不予追究，或者有什么冤屈，让他们在本镇投牒自我申诉。假若再侵犯边界，或者又进入山林，不接受朝廷的教令，那么就诛讨而不赦罪。有功劳的将吏分别功劳大小授奖，死伤的人优加抚恤，灵、夏、邠、鄜四道的百姓免除三年的赋税，相邻的各道酌量免除租税。过去由于边将贪财行暴，导致党项怨恨而叛乱，从今以后应当另择廉正贤良的人去抚循他们。要是再发生侵扰叛乱之事，应当首先将边将治罪，然后才去讨伐寇虏。"

吐蕃论恐热残暴凶虐，部下大多叛离。拓跋怀光使人劝说引诱他们，那些部众有的散归部落，有的投降了拓跋怀光。论恐热势力孤弱，就在众人中扬言说："我现在到唐朝去朝贡，借兵五十万人来诛讨不服从我的人，然后把渭州作为国家的都城，请求唐朝册封我为赞普，谁敢不服从我！"五月，论恐热到了京城，宣宗派遣左丞李景让到礼宾院询问他有什么要求。论恐热气色傲慢，话语荒唐，要求担任河渭节度使，宣宗没有答应。在三殿召见他，如同平常接见胡客，慰劳赏赐以后遣送回去。论恐热怏怏不乐地离去，又回到了落门川，聚集旧时的部众想在边境作乱，碰上久雨，缺乏粮食，部众逐渐散去，仅有三百余人，奔赴廓州。

六月，立皇子李润为鄂王。

【注释】

㉔壬戌：二月十九日。㉕沙州：州名，治所敦煌，在今甘肃敦煌西。㉖张义潮：沙州敦煌人，安史乱后，河西、陇右沦陷于吐蕃。大中五年（公元八五一年），义潮乘吐蕃内乱率众起义，占有瓜、沙等十一州，将这些州图籍献于朝廷，被任命为归义军节度使。㉗自拔：用自己力量从吐蕃统治下解脱出来。㉘一旦：一日；有一天。㉙肃：裴肃，唐德宗时官至浙东观察使。传附《旧唐书》卷一百七十七《裴休传》。㉚太和：唐文宗第一个年号（公元八二七至八三五年）。㉛渭仓：即渭桥仓，在今陕西西安东北渭河与灞河

交汇处。㉜刘晏之法：即根据江、汴、河、渭水力不同而采取分段运输的方法。用此法，每年漕运谷多达百余万石，无斗升沉覆。详见本书卷二百二十六德宗建中元年。㉝十条：具体条文已不可知，主要内容是：令沿河县令监督漕运，佣钱全归漕吏掌管，他官不得侵占。从此漕米悉数运至渭仓，更无沉舟之弊。㉞李福：文宗宰相李石之弟，官至山南东道节度使。传见《旧唐书》卷一百七十二、《新唐书》卷一百三十一。㉟南山、平夏党项：党项在夏州以北川泽的称平夏党项，在盐州以南山谷的称南山党项。㊱都统：官名，遇有出兵征伐之事，朝廷任命的总领各道兵马的统帅。㊲制置：制置使，官名，掌经营谋划边防军务，多以朝廷重臣或地方大吏充任。㊳裴度故事：裴度以宣慰处置使督师讨淮西时，自副使、司马、判官、书记皆从朝臣中选择。事见本书卷二百四十宪宗元和十二年。㊴蒋伸：字大直，宣宗初年给事中蒋系之弟，大中末年任宰相，懿宗时任刑部尚书，河中、宣武等节度使。传见《旧唐书》卷一百四十九、《新唐书》卷一百三十二。㊵堂帖：唐朝宰相所下判事文书，因由政事堂出，故称堂帖。㊶柽：木名，又

【原文】

进士孙樵上言："百姓男耕女织，不自温饱。而群僧安坐华屋，美衣精馔，率以十户不能养一僧。武宗愤其然，发十七万僧[57]，是天下一百七十万户始得苏息[58]也。陛下即位以来，修复废寺，天下斧斤之声至今不绝，度僧几复其旧矣。陛下纵不能如武宗除积弊，奈何兴之于已废乎！日者[59]陛下欲修国东门，谏官上言，遽为罢役。今所复之寺，岂若东门之急乎？所役之功[60]，岂若东门之劳[61]乎？愿早降明诏，僧未复者勿复，寺未修者勿修，庶几[62]百姓犹得以息肩也。"秋，七月，中书门下奏："陛下崇奉释氏，群下莫不奔走，恐财力有所不逮，因之生事扰人，望委所在长吏量加撙节[63]。所度僧亦委选择有行业[64]者，若容凶粗之人，则更非敬道也。乡村佛舍，请罢兵日修[65]。"从之。

八月，白敏中奏南山党项亦请降。时用兵岁久，国用颇乏，诏并赦南山党项，使之安业。

冬，十月乙卯[66]，中书门下奏："今边事已息，而州府诸寺尚未毕功，望且令成之。其大县远于州府者，听置一寺，其乡村毋得更置佛舍。"从之。

名西河柳。㊷壬子：四月初十日。㊸定远城：城名，在今宁夏平罗南。㊹三交谷：地名。胡注："在夏州界。"确切地址不详。㊺辛未：四月二十九日。㊻革心向化：洗心改过，归向教化。㊼抑屈：冤屈。㊽疆埸：疆界。㊾甄奖：选拔奖励。㊿优恤：从优抚恤。51量免：酌情减免。52廉良：指廉正贤良的边将。53散归：指论恐热之众离散回归部落。54礼宾院：官署名，朝廷接待属国宾客之地。55骄倨：傲慢。56三殿：殿名，即麟德殿。因一殿而有三面，故名。

【校记】

［3］二月壬戌：原作"正月壬戌"。据章钰校，十二行本、乙十一行本皆作"二月壬戌"，张瑛《通鉴校勘记》同，今据改。〖按〗是年正月甲戌朔，无壬戌。［4］将：据章钰校，十二行本、乙十一行本皆作"者"。［5］归：原作"居"。据章钰校，十二行本、乙十一行本、孔天胤本皆作"归"，张敦仁《通鉴刊本识误》同，今从改。〖按〗"归"字于义较长。

【语译】

进士孙樵上奏说："百姓男耕女织，自身不能得到温饱。而成群的僧侣安坐在华丽的屋子里，穿着漂亮的衣服，吃着精美的食品，大抵用十户人家的税收不能供养一个僧人。武宗愤恨这种情况，让十七万僧侣蓄发为民，这才使得全国一百七十万户平民得以休养生息。陛下即位以来，修复废寺，全国斧砍锯伐的声音至今不绝于耳，剃度的僧侣差不多恢复了以前的数量。陛下即使不能如武宗一样清除积弊，为什么还要使已经废弃的东西兴盛起来呢！往日陛下想整修国都的东门，有谏官上奏阻止，很快停止了工役。现在所要修复的寺庙，难道比修整东门更紧急吗？修复寺庙的劳作取得的功效，怎么比得上整修东门的劳绩？希望陛下早些颁下诏令，僧侣未恢复的不再恢复了，寺庙未修建的不再修建，或许百姓还能得到喘息的机会。"秋，七月，中书门下上奏说："陛下崇奉释氏，群臣下民没有不为了这件事而奔走效力的，恐怕财力应付不了，因而生事扰民，希望交代各个地方的长官酌情节制。所剃度的僧侣也由地方官选择有操行品德的人，要是允许凶暴粗鲁的人去为僧，那就有违敬奉佛道之旨意了。乡村中的佛舍，请求等到停止用兵以后再去修缮。"宣宗听从了。

八月，白敏中上奏说南山党项也请求投降。当时用兵已经多年，国家用度很困难，下诏一并赦免南山党项，使他们安居本业。

冬，十月十七日乙卯，中书门下上奏说："现在边疆战事已经平息，而各州府的寺庙还未全部修好，希望下令完成这一工作。那些离州府很远的大县，允许他们设置一处寺庙，那些乡村不能再建佛舍。"宣宗同意了。

戊辰[67]，以户部侍郎魏謩同平章事，仍判户部。时上春秋已高，未立太子，群臣莫敢言。謩入谢，因言："今海内无事，惟未建储副，使正人辅导，臣窃以为忧。"且泣。时人重之[68]。

蓬、果[69]群盗依阻鸡山[70]，寇掠三川[71]，以果州刺史王贽弘充三川行营都知兵马使以讨之。

制以党项既平，罢白敏中都统，但以司空、平章事充邠宁节度使。

张义潮发兵略定其旁瓜、伊[72]、西[73]、甘、肃、兰[74]、鄯、河、岷[75]、廓十州，遣其兄义泽奉十一州图籍入见，于是河、湟之地尽入于唐。十一月，置归义军于沙州，以义潮为节度使、十一州观察使，又以义潮判官曹义金为归义军长史。

以中书侍郎、同平章事崔龟从同平章事，充宣武节度使。

右羽林[76]统军张直方坐出猎累日不还宿卫，贬左骁卫将军。

【段旨】

以上为第三段，写唐宣宗佞佛，僧尼泛滥。写张义潮略定河西、湟水十一州之地，归唐为节度使。

【注释】

⑰ 发十七万僧：使十七万僧蓄发还俗。⑱ 苏息：休养生息。⑲ 日者：往日。⑳ 功：功效。㉑ 劳：劳绩，即辛勤劳作所取得之成效。㉒ 庶几：或许。㉓ 量加撙节：酌情节

【原文】

六年（壬申，公元八五二年）

春，二月，王贽弘讨鸡山贼，平之。

是时，山南西道节度使封敖奏巴南[77]妖贼言辞悖慢[78]，上怒甚。崔铉曰："此皆陛下赤子，迫于饥寒，盗弄陛下兵于溪谷间，不足辱大

十月三十日戊辰，任命户部侍郎魏謩同平章事，仍兼掌户部。当时宣宗年纪已经很大，未立太子，群臣没有人敢说这件事。魏謩进宫谢恩，因而向宣宗说："现在国家安定，只是没有确立太子，使正直的大臣加以辅导，臣私下感到很忧虑。"并且流下了泪。当时人们十分敬重魏謩。

蓬州和果州的群盗依靠着鸡山的险阻，抢掠三川，任命果州刺史王贽弘担任三川行营都知兵马使，讨伐他们。

宣宗下制书，认为党项已经平定，罢免白敏中都统的官衔，只以司空、平章事充任邠宁节度使。

张义潮发兵攻占了周边的瓜、伊、西、甘、肃、兰、鄯、河、岷、廓十州，派遣哥哥张义泽带着十一州地图册籍入朝拜见天子，于是河、湟地域全部归属唐朝。十一月，在沙州设置归义军，任命张义潮为节度使、十一州观察使，又任命张义潮的判官曹义金为归义军长史。

任命中书侍郎、同平章事崔龟从同平章事，充任宣武节度使。

右羽林统军张直方因为外出打猎，多日没有回来宿卫，贬为左骁卫将军。

制。㉔行业：操行品德。㉕罢兵日修：当时正值朝廷用兵以收复河、湟之地，故言俟罢兵以后再行修复乡村佛舍。㉖乙卯：十月十七日。㉗戊辰：十月三十日。㉘重之：敬重魏謩。因其能言他人所不敢言之事。㉙蓬、果：皆州名。蓬州，治所大寅，在今四川仪陇南。果州，治所南充，在今四川南充北。㉚鸡山：山名，在今仪陇、南充交界处。㉛三川：即剑南东川、西川及山南西道。㉜伊：州名，治所伊吾，在今新疆哈密。㉝西：州名，治所高昌，在今新疆吐鲁番东南。㉞兰：州名，治所子城，在今甘肃兰州。㉟岷：州名，治所溢乐，在今甘肃岷县。㊱羽林：军名，分左、右羽林军，置有大将军、统军、将军等官，掌统北衙禁兵，督摄仪仗。

【语译】

六年（壬申，公元八五二年）

春，二月，王贽弘讨伐鸡山叛贼，平定了他们。

这时，山南西道节度使封敖上奏说巴南妖贼言语悖逆傲慢，宣宗非常恼怒。崔铉说："这些人都是陛下的子民，为饥寒所迫，在溪谷间把玩从官府偷盗来的武器，

军，但遣一使者可平矣。”乃遣京兆少尹刘潼[79]诣果州招谕之。潼上言请不发兵攻讨，且曰：“今以日月之明[80]烛[81]愚迷之众，使之稽颡归命，其势甚易。所虑者武臣耻不战之功，议者责欲速之效耳。”潼至山中，盗弯弓待之。潼屏左右直前[82]曰：“我面受诏赦汝罪，使汝复为平人[83]。闻汝木弓射二百步，今我去汝十步，汝真欲反者，可射我！”贼皆投弓列拜[84]，请降。潼归馆，而王贽弘与中使似先义逸引兵已至山下，竟击灭之。

三月，敕先赐右卫大将军郑光鄠县及云阳庄[85]并免税役。中书门下奏，以为：“税役之法，天下皆同。陛下屡发德音，欲使中外画一[86]。今独免郑光，似稍乖前意。事虽至细，系体[87]则多。”敕曰：“朕以郑光元舅之尊贵，欲优异[88]令免征税，初不细思。况亲戚之间，人所难议，卿等苟非爱我，岂进嘉言！庶事能尽如斯，天下何忧不理！有始有卒，当共守之。并依所奏。”

夏，四月甲辰[89]，以邠宁节度使白敏中为西川节度使。

湖南奏，团练副使冯少端讨衡州贼帅邓裴，平之。

党项复扰边，上欲择可为邠宁帅者而难其人[90]。从容与翰林学士、中书舍人须昌毕諴[91]论边事，諴援古据今[92]，具陈方略。上悦曰：“吾方择帅，不意颇、牧[93]近在禁廷，卿其为朕行乎！”諴欣然奉命。上欲重其资履[94]，六月壬申[95]，先以諴为刑部侍郎，癸酉[96]，乃除邠宁节度使。

雍王渼[97]薨，追谥靖怀太子。

河东节度使李业纵吏民侵掠杂虏，又妄杀降者，由是北边扰动。闰月庚子[98]，以太子少师[99]卢钧为河东节度使。业内有所恃，人莫敢言，魏謩独请贬黜。上不许，但徙义成节度使。

卢钧奏度支郎中韦宙为副使。宙遍诣塞下，悉召酋长，谕以祸福；禁唐民毋得入虏境侵掠，犯者必死。杂虏由是遂安。

掌书记李璋[100]杖[101]一牙职，明日，牙将[102]百余人诉于钧。钧杖其为首者，谪戍外镇，余皆罚之，曰：“边镇百余人，无故横诉[103]，不可不抑。”璋，绛之子也。

八月甲子[104]，以礼部尚书裴休同平章事。

不值得派大军征讨，只要派遣一名使者就可以平定。”于是派遣京兆少尹刘潼前往果州招抚晓谕他们。刘潼上奏请求不要发兵攻讨，并且说：“现在用如同日月一样的光明去照耀愚昧迷蒙的群众，使他们磕头归顺朝廷，从形势方面看是很容易做到的。所忧虑的是武臣以不打仗而获得功劳为耻，议论的人却要求很快取得胜利。”刘潼到山中，盗贼弯弓以待。刘潼推开身边的随从径直上前说：“我当面接受皇上的诏令赦免你们的罪，使你们又成为一般平民。听说你们的木弓射程二百步，现在我离你们十步，你们真正想造反的话，可以射我！”叛贼都丢下弓箭依次叩拜，请求投降。刘潼回到客馆，而王贽弘与中使似先义逸带领军队已经到了山下，最后还是击灭了投降的人。

三月，敕命先赐给右卫大将军郑光鄠县与云阳两处庄园一并免除税役。中书门下上奏，认为：“纳税服役的规定，全国都一样。陛下屡次颁发诏令，想使朝廷内外统一法令。现在只单独免除郑光的税役，似乎和以前的旨意稍有违背。这件事情虽然很细小，但涉及的体制则是多方面的。”敕令说：“朕因为郑光是尊贵的元舅，想优待他而免去征税，起初没有仔细考虑。况且亲戚之间，人所难议，卿等若不是爱护我，哪里会向我说这样的好话！大小事如能都像这样，国家就不必担心治理不好！有始有终，大家都遵守法规。都依照你们所奏的执行。”

夏，四月初八日甲辰，任命邠宁节度使白敏中为西川节度使。

湖南上奏说，团练副使冯少端讨伐衡州贼帅邓裴，平定了他。

党项又侵扰边境，宣宗想选择能够担任邠宁镇统帅的人但难以找到合适的人选。闲谈时与翰林学士、中书舍人须昌人毕诚讨论边事，毕诚援引古事，根据今情，具体陈述计策谋略。宣宗高兴地说：“我正在挑选将帅，想不到廉颇、李牧就在宫禁之中，卿就替朕前去任职吧！”毕诚愉快地接受了诏命。宣宗想抬高他的资历，六月壬申日，先任命毕诚为刑部侍郎，癸酉日，就任命他为邠宁节度使。

雍王李渼去世，追谥靖怀太子。

河东节度使李业放纵吏民侵害抢掠杂虏，又随意杀死投降的人，由此北部边疆骚扰动荡。闰七月初六日庚子，任命太子少师卢钧为河东节度使。李业在朝廷内有靠山，人们不敢说话，只有魏謩请求贬黜他。宣宗没有答应，只是徙任义成节度使。

卢钧上奏以度支郎中韦宙为副使。韦宙走遍了塞下各个地方，把杂虏酋长都召集起来，向他们讲明祸福利害；发布禁令，唐朝的平民不能进入杂虏境内侵掠，违犯的人一定处死。杂虏因此安定下来。

掌书记李璋用杖责罚衙门中的一个官员，第二天，衙吏一百多人向卢钧告状。卢钧用杖刑处罚了领头的人，把他贬谪到外镇守边，其余的人也都受到惩罚，卢钧说：“边镇一百多人，无缘无故强行控诉，不能不抑制一下。”李璋是李绛的儿子。

八月初一日甲子，任命礼部尚书裴休为同平章事。

獠寇昌、资二州[105]。

冬，十月，邠宁节度使毕诚奏招谕党项皆降。

骁卫将军张直方坐以小过屡杀奴婢，贬恩州司户。

十一月，立宪宗子惴为棣王。

十二月，中书门下奏："度僧不精，则戒法[106]堕坏；造寺无节，则损费过多。请自今诸州准元敕[107]许置寺外，有胜地灵迹许修复，繁会[108]之县许置一院。严禁私度僧、尼，若官度僧、尼有阙，则择人补之，仍申祠部给牒。其欲远游寻师者，须有本州公验[109]。"从之。

【段旨】

以上为第四段，写边将王贽弘杀良冒功，邠宁节度使毕诚抚定党项，河东节度使卢钧用纪律抑制骄兵悍将。

【注释】

⑺巴南：巴水之南。此指今四川南充一带。⑻悖慢：违逆傲慢。⑼刘潼：字子固，曹州南华（今山东菏泽西北）人，代宗宰相、著名理财家刘晏侄孙，历官昭义、河东、剑南西川等节度使。传见《新唐书》卷一百四十九。⑽日月之明：谓圣上恩旨如日月之光明。⑾烛：照耀。⑿直前：径直往前。⒀平人：平民。⒁列拜：依次叩拜。⒂庄：庄园；田庄。⒃中外画一：朝廷内外标准一致。⒄系体：涉及体制。⒅优异：厚待异于众人。⒆甲辰：四月初八日。⒇难其人：谓难得适当人选。(91)毕诚：字存之，郓州须昌（今山东东平西北）人，唐宣宗时官至河东节度使，唐懿宗朝宰相。传见《旧唐书》

【原文】

七年（癸酉，公元八五三年）

春，正月戊申[110]，上祀圜丘，赦天下。

夏，四月丙寅[111]，敕："自今法司[112]处罪，用常行杖。杖脊一，折法杖十[113]，杖臀一，折笞五。使吏用法有常准。"

獠人侵扰昌、资二州。

冬，十月，邠宁节度使毕诚上奏说，招抚晓谕党项，他们都投降了。

骁卫将军张直方因为小的过错多次杀害奴婢，贬谪他为恩州司户。

十一月，立宪宗的儿子李惴为棣王。

十二月，中书门下上奏说："剃度的僧侣不优秀，那么戒法就要毁败；修造寺庙没有节制，那么耗费必然过多。请求从今日起，各州按照原来的敕命允许设置的寺庙以外，有名胜地方和出现过灵迹的地方准许修复，繁华都会的县准许设置一处寺院。严格禁止私下剃度僧、尼，如果官府剃度僧、尼尚有缺额，就挑选人员补充，仍旧申报祠部发给度牒。那些想远游寻师的和尚，必须持有本州发给的证明文件。"宣宗听从了。

卷一百七十七、《新唐书》卷一百八十三。⑫ 援古据今：援引古今之事作为例证。⑬ 颇、牧：廉颇和李牧，皆战国时赵国名将。廉颇以勇气闻名于诸侯，先后战胜齐、魏、燕等国。李牧防守赵国北境，匈奴不敢犯边。颇、牧合传，见《史记》卷八十一。⑭ 资履：资历。⑮ 六月壬申：六月丙寅朔，无壬申。壬申，七月初七日。⑯ 癸酉：七月初八日。⑰ 雍王渼：雍王李渼，唐宣宗子，会昌六年（公元八四六年）封。渼，《旧唐书》作"汉"。传见《旧唐书》卷一百七十五、《新唐书》卷八十一。⑱ 庚子：闰七月初六日。⑲ 太子少师：官名，掌辅导皇太子。唐时多为加官、赠官。⑳ 李璋：字重礼，唐宪宗宰相李绛之子，官至宣歙观察使。传见《旧唐书》卷一百六十四、《新唐书》卷一百五十二。㉑ 杖：用棍棒拷打。㉒ 牙将：衙吏。㉓ 横诉：强行控诉。㉔ 甲子：八月初一日。㉕ 昌、资二州：昌州，治所昌元，在今重庆市荣昌区西北。资州，治所盘石，在今四川资中北。㉖ 戒法：佛教戒律。㉗ 元敕：指大中元年敕。元，通"原"。㉘ 繁会：繁华都会；人物繁多，车船会集之地。㉙ 公验：官府所开具的证件。

【语译】

七年（癸酉，公元八五三年）

春，正月十七日戊申，宣宗到圜丘举行祭天仪式，大赦天下。

夏，四月初六日丙寅，敕令："从现在起，司法机关处罚罪人，用通常的杖刑。杖打脊背一下，折合常行杖臀十下，杖打臀部一下，折合用鞭子打五下。使官吏执行法规有一定的标准。"

冬，十二月，左补阙赵璘请罢来年元会⑭，止御宣政⑮。上以问宰相，对曰："元会大礼，不可罢，况天下无事。"上曰："近华州奏有贼光火劫⑯下邽⑰，关中少雪，皆朕之忧，何谓无事！虽宣政亦不可御也。"

上事郑太后甚谨，不居别宫，朝夕奉养。舅郑光历平卢、河中节度使，入朝[6]，上与之论为政，光应对鄙浅。上不悦，留为右羽林统军，使奉朝请⑱。太后数言其贫，上辄厚赐金帛，终不复任以民官⑲。

度支奏："自河、湟平，每岁天下所纳钱九百二十五万余缗，内五百五十万余缗租税，八十二万余缗榷酤⑳，二百七十八万余缗盐利。"

【段旨】

以上为第五段，写河、湟入唐，赋税稍增。

【注释】

⑩戊申：正月十七日。⑪丙寅：四月初六日。⑫法司：指掌司法刑狱的官署，如刑部、大理寺等。⑬折法杖十：杖刑是背、腿、臀分受的刑罚。现规定杖打脊背一下，折合杖臀十下。胡注："法杖，谓常行臀杖也。"⑭元会：皇帝元旦接受群臣朝见，亦称正

【原文】

八年（甲戌，公元八五四年）

春，正月丙戌朔㉑，日有食之。罢元会。

上自即位以来，治弑宪宗之党，宦官、外戚乃至东宫官属，诛窜甚众。虑人情不安，丙申㉒，诏："长庆之初，乱臣贼子，顷搜擿㉓余党，流窜已尽，其余族从㉔疏远者，一切不问。"

二月，中书门下奏，拾遗、补阙缺员，请更增补。上曰："谏官要在举职㉕，不必人多，如张道符、牛丛㉖、赵璘辈数人，使朕日闻所不

冬，十二月，左补阙赵璘请求停止举行来年的元旦朝会，只驾临宣政殿。宣宗就这件事向宰相征求意见，他们回答说："元旦的朝会是国家的重大礼仪，不能停止，何况现在天下无事。"宣宗说："近来华州上奏说有盗贼明火执仗抢劫下邽县，关中少雪，这都是我所担忧的，怎么说无事！虽然是宣政殿，也不能去了。"

宣宗侍奉郑太后很恭谨，不让她住在其他宫殿，早晚奉养。舅父郑光历任平卢、河中节度使，来京朝见时，宣宗和他谈论政事，郑光回答得鄙陋浅薄。宣宗很不高兴，便把他留下来担任右羽林统军，使他奉朝请。太后多次说郑光贫穷，宣宗每次厚赐金帛，始终不再任命他担任治民的官职。

度支上奏说："自从河、湟平定后，每年全国所缴纳的钱为九百二十五万余缗，其中五百五十万多缗是租税，八十二万多缗是酒税，二百七十八万多缗是盐税。"

旦朝会、正会。⑮ 止御宣政：只在宣政殿朝会。唐制，元会大礼在太极殿举行，仪式非常隆重。⑯ 光火劫：明火执仗抢劫。⑰ 下邽：县名，县治在今陕西渭南东北。⑱ 奉朝请：定期朝见皇帝，是对宗室、外戚的一种优礼。⑲ 不复任以民官：不再授以治民的官职。民官，治民之官。⑳ 榷酤：酒类专利。

【校记】

［6］入朝：原无此二字。据章钰校，十二行本、乙十一行本、孔天胤本皆有此二字，张敦仁《通鉴刊本识误》、张瑛《通鉴校勘记》同，今据补。

【语译】

八年（甲戌，公元八五四年）

春，正月初一日丙戌，发生日食。停止元旦朝会。

宣宗自从即位以来，处置谋杀宪宗的党徒，宦官、外戚以及东宫官属，诛杀和流放的人很多。担心引起人心浮动，正月十一日丙申，下诏说："长庆初年，乱臣贼子，近来搜捕他们的余党，流放发配已完，其余同族亲属和堂房亲属的人，一概不再追究。"

二月，中书门下上奏，拾遗、补阙官员又缺额，请求再增补。宣宗说："谏官重要的是称职，不一定要人员多，例如张道符、牛丛、赵璘等数人，使朕每天能听到

闻足矣。”从，僧孺之子也。

久之，从自司勋员外郎[127]出为睦州[128]刺史。入谢，上赐之紫[129]。从既谢，前言[130]曰：“臣所服绯[131]，刺史所借也。”上遽曰：“且赐绯。”上重惜服章[132]，有司常具绯、紫衣数袭[133]从行，以备赏赐，或半岁不用其一，故当时以绯、紫为荣。上重翰林学士，至于迁官，必校岁月[134]，以为不可以官爵私近臣也。

秋，九月丙戌[135]，以右散骑常侍高少逸为陕虢观察使。有敕使过硖石[136]，怒饼黑，鞭驿吏见血。少逸封其饼以进。敕使还，上责之曰：“深山中如此食岂易得！”谪配恭陵[137]。

立皇子洽为怀王，汭为昭王，汶为康王。

上猎于苑北，遇樵夫，问其县，曰：“泾阳人也。”“令为谁？”曰：“李行言。”“为政何如？”曰：“性执[138]。有强盗数人，军家[139]索之，竟不与，尽杀之。”上归，帖其名于寝殿之柱。冬，十月，行言除海州刺史。入谢，上赐之金紫。问曰：“卿知所以衣紫乎？”对曰：“不知。”上命取殿柱之帖示之。

上以甘露之变，惟李训、郑注当死，自余王涯、贾𫗧等无罪，诏皆雪其冤。

上召翰林学士韦澳，托以论诗，屏左右，与之语曰：“近日外间谓内侍[140]权势何如？”对曰：“陛下威断，非前朝之比。”上闭目摇首曰：“全未，全未！尚畏之在。卿谓策将安出？”对曰：“若与外廷议之，恐有太和之变[141]，不若就其中择有才识者与之谋。”上曰：“此乃末策。朕已试之矣[7]，自衣黄、衣绿至衣绯，皆感恩，才衣紫则相与为一[142]矣！”上又尝与令狐绹谋尽诛宦官。绹恐滥及无辜，密奏曰：“但有罪勿舍，有阙勿补，自然渐耗，至于尽矣。”宦者窃见其奏，由是益与朝士相恶，南北司如水火矣。

一些从别处听不到的话也就足够了。”牛丛是牛僧孺的儿子。

过了很久，牛丛从司勋员外郎调任睦州刺史。入朝谢恩时，宣宗赏赐给他紫衣。牛丛谢恩后，上前对宣宗说：“臣所穿的绯衣，还是在任刺史时借用的。”宣宗马上说：“暂且赐你绯衣。”宣宗十分珍惜象征品级的服饰，有关部门常常准备绯衣和紫衣数件随从宣宗出行，用来备做赏赐，有时半年也用不上一件，所以当时的官员把得到绯衣和紫衣看作很光荣的事。宣宗看重翰林学士，至于升迁官职，一定要查对任职时间，认为不应该把官爵私自给予亲近的臣子。

秋，九月初四日丙戌，任命右散骑常侍高少逸为陕虢观察使。有敕使经过硖石县，为驿站的饼子黑而生气，鞭打驿站吏役至流血。高少逸把黑饼子封装好进奏给宣宗。敕使回到朝廷，宣宗责备他说：“深山之中像这样的食物哪能轻易得到！”把他贬谪发配到恭陵。

立皇子李洽为怀王，李汭为昭王，李汶为康王。

宣宗狩猎苑北，碰上樵夫，询问是哪县人，樵夫回答说：“泾阳县人。”又问他：“县令是谁？”回答说：“李行言。”又问他：“官当得怎么样？”回答说：“性情固执。有几个强盗，北司诸军来索要，始终不给，把强盗都杀了。”宣宗回朝，把李行言的名字写下来，贴在寝殿的柱子上。冬，十月，李行言被任命为海州刺史。入朝向宣宗谢恩，宣宗赏赐他金鱼袋和紫衣。宣宗问他：“你知道为什么穿紫衣吗？”回答说：“不知道。”宣宗叫人取下寝殿柱子上的名帖给他看。

宣宗认为甘露之变，只有李训、郑注应当定死罪，其余的王涯、贾𫗧等人无罪，下诏都洗雪他们所遭受的冤枉。

宣宗召见翰林学士韦澳，借口品评诗章，屏退左右侍从，对韦澳说：“近来外面对内侍的权势有什么看法？”韦澳回答说：“陛下行使权威决断大事，不是前朝可比的。”宣宗闭目摇头说：“完全不是那么回事，完全不是那么回事！还畏惧着他们呢。你说说看有什么好计策？”回答说：“要是和外廷的大臣商议这件事，恐怕会发生太和年间那样的变乱，不如在宦官中选择有才识的人和他们谋划。”宣宗说：“这是下策。我已试探过了，从穿黄衣、绿衣到穿绯衣的，都感激朝廷的恩义，一穿上紫衣就结成团伙了！”宣宗又曾经与令狐绹谋划全部诛杀宦官。令狐绹担心范围太大了，会使无罪的人也遭殃，秘密上奏说：“只要他们犯了罪就不放过，宦官有缺员不补充，自然而然逐渐减少，以至消亡。”宦官私下里看到令狐绹的奏章，从此更加与朝廷士大夫为仇，南衙北司如同水火。

【段旨】

以上为第六段，写唐宣宗穷治弑宪宗之党，平反甘露之变的蒙冤者，意在谋诛宦官。

【注释】

[121] 丙戌朔：正月初一日。[122] 丙申：正月十一日。[123] 搜擿：搜捕揭发。[124] 族从：同族亲属和堂房亲属。[125] 举职：称职。[126] 牛丛：字表龄，唐穆宗、唐文宗两朝宰相牛僧孺之子，官至剑南西川节度使。传见《旧唐书》卷一百七十二、《新唐书》卷一百七十四。[127] 司勋员外郎：官名，司勋为吏部第三司，掌官员的勋级，其正、副长官为郎中、员外郎。[128] 睦州：州名，治所建德，在今浙江建德东北。[129] 赐之紫：谓拜为三品官。唐制，三品以上服紫衣。[130] 前言：谢恩之后，上前而言。[131] 服绯：四品官服绯。这里谓牛丛深知唐宣宗重惜官爵，不受三品而就四品。[132] 服章：表示官员品级的衣服

【原文】

九年（乙亥，公元八五五年）

春，正月甲申[143]，成德军奏节度使王元逵薨，军中立其子节度副使绍鼎[144]。癸卯[145]，以绍鼎为成德留后。

二月，以醴泉[146]令李君奭为怀州刺史。初，上校猎渭上[147]，有父老以十数，聚于佛祠。上问之，对曰："醴泉百姓也。县令李君奭有异政[148]，考满当罢[149]，诣府乞留，故此祈佛，冀谐所愿[150]耳。"及怀州刺史阙，上手笔除君奭，宰相莫之测。君奭入谢，上以此奖厉[151]，众始知之。

三月，诏邠宁节度使毕諴还邠州。先是，以河、湟初附，党项未平，移邠宁军于宁州。至是，南山、平夏党项[8]皆安，威、盐、武[152]三州军食足，故令还理所[153]。

夏，闰四月，诏以"州县差役不均，自今每县据人贫富及役轻重作差科[154]簿，送刺史检署[155]讫，锁[156]于令厅[157]，每有役事[158]委令[159]，据簿轮[9]差[160]"。

五月丙寅[161]，以王绍鼎为成德节度使。

上聪察[162]强记[163]，宫中厮役[164]给[165]洒扫者，皆能识[166]其姓名，才性所任[167]，呼召使令，无差误者。天下奏狱吏卒姓名，一览皆记之。度支

及装饰。⑬裘：衣一套称一袭。⑭校岁月：查对任职时间。唐制，限年蹑级，不得逾越。⑮丙戌：九月初四日。⑯硖石：县名，县治在今河南三门峡市陕州区东南。⑰谪配恭陵：贬谪发配去看守恭陵。恭陵，唐高宗太子李弘陵墓。弘早死，追谥孝敬皇帝。陵在今河南偃师南。⑱性执：个性固执，此指坚持原则。⑲军家：军方，此指北司宦官所掌的军队。⑳内侍：本为内侍省长官，此泛指宦官。㉑太和之变：即唐文宗太和八年（公元八三四年）的甘露之变。㉒相与为一：谓宦官从衣黄的流外官、衣绿的六七品官至衣绯的四五品官，皆知感谢圣恩；只要提升到衣紫的三品以上官，则与整个中官沆瀣一气。

【校记】

［7］朕已试之矣：原无此五字。据章钰校，十二行本、乙十一行本、孔天胤本皆有此五字，张敦仁《通鉴刊本识误》同，今据补。

【语译】

九年（乙亥，公元八五五年）

春，正月初四日甲申，成德军上奏说节度使王元逵去世，军队中拥立他的儿子节度副使王绍鼎。二十三日癸卯，任命王绍鼎为成德军留后。

二月，任命醴泉县县令李君奭为怀州刺史。当初，宣宗在渭水旁打猎，遇到十多位老年人，聚集在佛祠前。宣宗询问他们，回答说："是醴泉县的百姓。县令李君奭有优异的政绩，考课满期后就要离开，我们前往京兆府请求留下他，所以在这里向佛祈祷，希望能实现愿望。"等到怀州刺史空缺，宣宗手诏任命李君奭，宰相没有预想到。李君奭入朝谢恩，宣宗用父老说的话夸奖他、勉励他，大家才知道缘故。

三月，诏令邠宁节度使毕诚迁回邠州。此前，由于河、湟地区刚刚归附，党项没有平定，便把邠宁军的驻地迁到了宁州。到这时，南山、平夏党项都安稳了，威州、盐州和武州驻军粮食充足，所以叫他回到原来的治所。

夏，闰四月，颁布诏令认为，"州县差役不均，从现在起每县根据人的贫富情况和服役多少制成差科簿，送到州刺史那里审核签字以后，锁在县令的公堂内，每有徭役和朝廷分派下来的差役，根据差科簿轮流当差"。

五月十九日丙寅，任命王绍鼎为成德节度使。

宣宗明察秋毫，记忆力很强，宫中供职洒水扫地的仆人，他都能记住他们的姓名，以及这些人的才能和天赋所适宜担任的工作，每次叫他们干什么事，没有派错人的。全国奏报的狱事吏卒姓名，看一次都能记下来。度支奏说"渍污帛"，误把

奏“渍污帛”，误书“渍”为“清”，枢密承旨孙隐中谓上不之见，辄足成之[168]。及中书覆入[169]，上怒，推按[170]擅改章奏者罚谪之。

上密令翰林学士韦澳纂次[171]诸州境土风物及诸利害[172]为一书，自写而上之，虽子弟[173]不知也，号曰《处分语》[174]。它日，邓州[175]刺史薛弘宗入谢，出，谓澳曰：“上处分本州事惊人。”澳询之，皆《处分语》中事也。澳在翰林，上或遣中使宣旨草诏，事有不可者，澳辄曰：“兹事须降御札[176]，方敢施行。”淹留至旦[177]，上疏论之，上多从之。

秋，七月，浙东军乱，逐观察使李讷[178]。讷，逊[179]之弟子也，性卞急[180]，遇[181]将士不以礼，故乱作。

淮南饥，民多流亡，节度使杜悰荒[182]于游宴，政事不治。上闻之，甲午[183]，以门下侍郎、同平章事崔铉同平章事，充淮南节度使。丁酉[184]，以悰为太子太傅、分司。

九月乙亥[185]，贬李讷为朗州[186]刺史，监军王宗景杖四十，配恭陵。仍诏“自今戎臣[187]失律[188]，并坐监军”。以礼部侍郎沈询[189]为浙东观察使。询，传师[190]之子也。

冬，十一月，以吏部侍郎柳仲郢为兵部侍郎，充盐铁转运使。有闾阎医工[191]刘集因缘[192]交通禁中，上敕盐铁[193]补场官[194]。仲郢上言：“医工术精，宜补医官，若委务铜盐，何以课其殿最[195]！且场官贱品[196]，非特敕所宜亲[197]，臣未敢奉诏。”上遽批：“刘集宜赐绢百匹，遣之。”它日[198]，见仲郢，劳之曰：“卿论刘集事甚佳。”

上尝苦不能食，召医工梁新诊脉，治之数日，良已[199]。新因自陈求官，上不许，但敕盐铁使月给钱三十[10]缗而已。

右威卫大将军[200]康季荣前为泾原节度使，擅用官钱二百万缗。事觉，季荣请以家财偿之。上以季荣有开河、湟功，许之。给事中封还敕书，谏官亦上言，十二月庚辰[201]，贬季荣夔州[202]长史。

江西观察使郑祗德以其子颢尚主通显，固求散地。甲午[203]，以祗德为宾客[204]、分司。

“渍”字写成“清”字，枢密承旨孙隐中以为宣宗没有看出来，随即把缺笔添上了。等到奏章经过中书省再送到宫中，宣宗看了改添处大怒，追究擅自涂改章奏的人，加以定罪。

宣宗秘密命令翰林学士韦澳编写各州境内的土地和风俗名物以及各种利弊为一本书，亲自写成后呈上，哪怕是他的兄弟子侄们也不知道，名叫《处分语》。有一天，邓州刺史薛弘宗入朝谢恩，退出后，对韦澳说：“皇上处置安排本州事务，使人吃惊。”韦澳询问他皇上说些什么，方才知道都是《处分语》中记述的事。韦澳任翰林学士时，宣宗有时派遣中使叫他草拟诏书，如果有些事不应办的，韦澳就说：“这件事需要皇上发下手谕，才敢施行。”停留到第二天早上，就上疏评论那件事，宣宗大多听从韦澳的意见。

秋，七月，浙东军队叛乱，驱逐了观察使李讷。李讷是李逊弟弟的儿子，性情急躁，对将士们不以礼相待，所以发生了叛乱。

淮南发生饥荒，很多民众逃亡，节度使杜悰沉迷于游宴，不理政事。宣宗听说了这事，甲午日，任命门下侍郎、同平章事崔铉为同平章事，充任淮南节度使。丁酉日，任命杜悰为太子太傅、分司东都。

九月二十九日乙亥，贬李讷为朗州刺史，监军王宗景杖打四十，发配到恭陵。还下诏说“从现在起武将失职，连同监军也要受处罚”。任命礼部侍郎沈询为浙东观察使。沈询是沈传师的儿子。

冬，十一月，任命吏部侍郎柳仲郢为兵部侍郎，充任盐铁转运使。有一个民间医生刘集通过各种机会与禁中来往，宣宗敕令盐铁转运使补他为场官。柳仲郢上奏说：“医生的技术高明，就应当补为医官，如果给他一个铜场、盐场的小官，怎么考核他的政绩好坏呢！况且场官品级低下，不应该是皇帝特别敕命来亲自任命的，臣不敢奉诏办理此事。”宣宗见奏立即批示：“刘集应当赐绢百匹，打发他走。”异日，宣宗看到柳仲郢，慰勉他说：“卿论议刘集一事极好。”

宣宗曾经苦于不能进食，召来医工梁新诊脉，治疗了几天，确实痊愈了。梁新乘机自陈要求做官，宣宗没有答应，只命令盐铁转运使每月给他三十串钱罢了。

右威卫大将军康季荣从前担任泾原节度使，擅自使用官钱二百万缗。事件被发觉后，康季荣请求用家财偿还官钱。宣宗认为康季荣有收复河、湟地区之功，答应了。给事中把敕书退回，谏官也上奏谏阻，十二月初五日庚辰，贬康季荣为夔州长史。

江西观察使郑祗德因为他的儿子郑颢娶了公主而通达显贵，坚决请求担任闲散官职。十二月十九日甲午，任命郑祗德为太子宾客、分司东都。

【段旨】

以上为第七段，写唐宣宗强记，识人过目不忘，时时留心访求贤才，破格任用。

【注释】

⑭³甲申：正月初四日。⑭⁴绍鼎：王绍鼎，官至成德节度使。传见《旧唐书》卷一百四十二、《新唐书》卷二百十一。⑭⁵癸卯：正月二十三日。⑭⁶醴泉：县名，县治在今陕西礼泉北。⑭⁷渭上：渭水之滨。⑭⁸异政：优异政绩。⑭⁹考满当罢：唐制，凡居官必四考，以为升降。考满，谓四次考试合格。当罢，当免去现职，升任新职。⑮⁰冀谐所愿：希望如愿。⑮¹厉：同“励”。⑮²威、盐、武：皆州名。威州，治所在今宁夏同心东北。盐州，治所在今陕西定边。武州，治所萧关，在今宁夏同心东南。⑮³还理所：指邠宁节度使从宁州还治邠州。理所，即治所。⑮⁴差科：劳役和赋税的总称。⑮⁵检署：本谓对文书加封盖印，此为审查签字之意。⑮⁶锁：动词，锁住。⑮⁷令厅：县令的公堂。⑮⁸役事：徭役之事。⑮⁹委令：朝廷分派下来的差役令。⑯⁰轮差：轮流当差。⑯¹丙寅：五月十九日。⑯²聪察：明察。⑯³强记：记忆力强。⑯⁴厮役：指干粗杂活的仆人。⑯⁵给：供职。⑯⁶识：记住。⑯⁷才性所任：其才能和天赋所适宜担任的工作。⑯⁸足成之：将“清”字增添笔画而成“渍”字。⑯⁹覆入：皇帝将奏章交中书省复按后，再次上奏。⑰⁰推按：追究论罪。⑰¹纂次：编次。⑰²利害：利弊。⑰³子弟：指韦澳的兄弟子侄们。⑰⁴号曰《处分语》：书名叫《处分语》。处分，处理。⑰⁵邓州：州名，治所穰县，在今河南邓州。⑰⁶兹事须降御札：这件事关系重大，还须请示皇上发下手谕才能执行。此言乃韦澳为补正诏令之失而想出的托词。⑰⁷淹留至旦：停留到次日早晨。⑰⁸李讷：字敦正，官至

【原文】

十年（丙子，公元八五六年）

春，正月丁巳[205]，以御史大夫郑朗为工部尚书、同平章事。

上命裴休极言时事[206]，休请早建太子。上曰：“若建太子，则朕遂为闲人。”休不敢复言。二月丙戌[207]，休以疾辞位，不许。

三月辛亥[208]，诏以“回鹘有功于国[209]，世为婚姻[210]，称臣奉贡，北边无警[211]。会昌[212]中虏廷丧乱，可汗奔亡，属[213]奸臣[214]当轴[215]，遽加殄

华州刺史。传见《旧唐书》卷一百五十五、《新唐书》卷一百六十三。⑰⑨逊：李逊，字友道，唐宗室，仕于宪宗、穆宗二朝，官至忠武节度使。与李讷同传。⑱⓪下急：急躁。下，躁也。⑱①遇：对待。⑱②荒：沉迷、享乐过度。⑱③甲午：七月戊申朔，无甲午。甲午，八月十八日。⑱④丁酉：八月二十一日。⑱⑤乙亥：九月二十九日。⑱⑥朗州：州名，治所武陵，在今湖南常德。⑱⑦戎臣：武将。⑱⑧失律：本义为行军无纪律，此指不堪其任，即失职。⑱⑨沈询：字诚之，官至昭义节度使。传见《旧唐书》卷一百四十九、《新唐书》卷一百三十二。⑲⓪传师：沈传师（公元七六九至八二七年），字子言，苏州吴（今江苏苏州）人，历官翰林学士，中书舍人，湖南、江西等观察使。参与修撰《宪宗实录》。与其子沈询同传。⑲①闾阎医工：民间医生。⑲②因缘：机遇；机会。⑲③盐铁：指盐铁转运使。⑲④场官：官名，唐朝在铜、铁、盐等产地置场，以场官主其事。⑲⑤课其殿最：考核政绩优劣。⑲⑥场官贱品：场官是不入品级的末流小官。⑲⑦非特敕所宜亲：不是由皇帝发下特别诏命来亲自任命的。⑲⑧它日：异日。⑲⑨良已：确实痊愈。⑳⓪威卫大将军：官名，威卫属十六卫，分左右，掌宫禁宿卫，其长官有上将军、大将军、将军等。⑳①庚辰：十二月初五日。⑳②夔州：州名，治所奉节，在今重庆奉节。⑳③甲午：十二月十九日。⑳④宾客：即太子宾客。

【校记】

［8］党项：原无此二字。据章钰校，十二行本、乙十一行本、孔天胤本皆有此二字，张敦仁《通鉴刊本识误》同，今据补。［9］轮：原作“定”。据章钰校，十二行本、乙十一行本、孔天胤本皆作“轮”，张敦仁《通鉴刊本识误》同，今从改。［10］三十：原作“三千”。据章钰校，十二行本、乙十一行本、孔天胤本皆作“三十”，熊罗宿《胡刻资治通鉴校字记》同，今据改。

【语译】

十年（丙子，公元八五六年）

春，正月十三日丁巳，任命御史大夫郑朗为工部尚书、同平章事。

宣宗命裴休尽情对时事提意见，裴休请求早点确定太子。宣宗说：“假若立了太子，那么朕就成了闲人。”裴休不敢再说话了。二月十三日丙戌，裴休借口有病要求辞去职位，宣宗没有答应。

三月初八日辛亥，下诏说“回鹘对国家立有功劳，世代为婚，称臣进贡，北方边境安定无警。会昌年间虏廷发生变乱，可汗逃亡，那时恰值奸臣主政，急忙去消

灭。近有降者云，已厖历㉑⑯今为可汗，尚寓安西。俟其归复牙帐，当加册命”。

上以京兆久不理，夏，五月丁卯㉑⑰，以翰林学士、工部侍郎韦澳为京兆尹。澳为人公直，既视事，豪贵敛手㉑⑱。郑光庄吏㉑⑲恣横，为闾里患[11]，积年租税不入，澳执而械之。上于延英问澳，澳具奏其状。上曰："卿何以处之？"澳曰："欲置于法。"上曰："郑光甚爱之，何如？"对曰："陛下自内庭㉒⓪用臣为京兆，欲以清畿甸㉒①之积弊。若郑光庄吏积年为蠹㉒②，得宽重辟㉒③，是陛下之法独行于贫户耳[12]，臣未敢奉诏。"上曰："诚如此。但郑光殢我不置㉒④，卿与痛杖，贷㉒⑤其死，可乎？"对曰："臣不敢不奉诏，愿听臣且系之，俟征足租[13]乃释之。"上曰："灼然可㉒⑥。朕为郑光故桡㉒⑦卿法，殊以为愧。"澳归府，即杖之，督租数百斛足，乃以吏归光。

【段旨】

以上为第八段，写京兆尹韦澳严厉执法，敢惩治皇亲国舅郑光之庄吏。

【注释】

⑳⑤丁巳：正月十三日。⑳⑥极言时事：尽情说明当前的政事。⑳⑦丙戌：二月十三日。⑳⑧辛亥：三月初八日。⑳⑨有功于国：指回鹘助唐平定安史之乱。㉑⓪世为婚姻：谓回鹘世尚唐朝公主。㉑①无警：没有警报，表示安定无事。㉑②会昌：唐武宗年号（公元八四一至八四六年）。㉑③属：恰值。㉑④奸臣：指李德裕。㉑⑤当轴：喻官居要职，指主持国政。㉑⑥已厖历：即厖勒。其称可汗事见本书卷二百四十八大中二年。㉑⑦丁卯：五月二十五日。㉑⑧敛手：缩手；收敛。意谓不敢为所欲为。㉑⑨庄吏：为地主掌管田庄的人。㉒⓪自

【原文】

六月戊寅㉒⑧，以中书侍郎、同平章事裴休同平章事，充宣武节度使。

司农卿韦厪欲求夏州节度使㉒⑨，有术士知之，诣厪门曰："吾善

灭他们。近来有投降的人说，已厖历现在为可汗，还居住在安西。等他回到牙帐以后，应当对他加以册封”。

宣宗因为京兆地区长期没有治理好，夏，五月二十五日丁卯，任命翰林学士、工部侍郎韦澳为京兆尹。韦澳为人公正耿直，上任以后，豪门贵戚都收敛了。郑光庄园的官吏放纵横暴，为患乡里，多年来不缴纳租税，韦澳把他抓起来戴上刑具。宣宗在延英殿问韦澳，韦澳向宣宗奏报了具体情况。宣宗说："你如何处置他?"韦澳回答说："想按照法律惩办他。"宣宗说："郑光很受朕宠爱，怎么办?"韦澳回答说："陛下从内庭任用臣担任京兆尹，想用臣清除京城地区长期解决不了的弊端。假若郑光的庄吏累年为害，能够宽容他的大罪，那就是陛下定的法律只用于贫户而已，臣不敢奉行诏令。"宣宗说："你所言确有道理。但是郑光纠缠我不罢休，卿痛打他一顿，饶他一死，可以吗?"韦澳回答说："臣不敢不奉诏令，希望让臣暂时关押着，等到征收够了租税就释放他。"宣宗说："这样显然可行。朕为了郑光扰乱了你执法，感到很是惭愧。"韦澳回到府衙，立即痛打了庄吏，督促足额缴纳租税数百斛后，才把庄吏归还了郑光。

内庭：指从翰林学士擢为京兆尹。翰林学士院在内庭。㉑ 畿甸：京城地区。㉒ 积年为蠹：累年为害。㉓ 宽重辟：宽宥重罪。㉔ 殢我不置：对我纠缠不放。㉕ 贷：宽免；饶恕。㉖ 灼然可：明显可行。㉗ 桡：同"挠"，扰乱。

【校记】

［11］为闾里患：原无此四字。据章钰校，十二行本、乙十一行本、孔天胤本皆有此四字，张敦仁《通鉴刊本识误》、张瑛《通鉴校勘记》同，今据补。［12］耳：原无此字。据章钰校，十二行本、乙十一行本、孔天胤本皆有此字，张敦仁《通鉴刊本识误》同，今据补。［13］租：原无此字。据章钰校，十二行本、乙十一行本、孔天胤本皆有此字，张敦仁《通鉴刊本识误》同，今据补。

【语译】

六月初七日戊寅，任命中书侍郎、同平章事裴休为同平章事，充任宣武节度使。

司农卿韦厪想请求担任夏州节度使，有一个术士知道了这一情况，前往韦厪家

醮[230]星辰，求官无不如意。”廛信之，夜，设醮具于庭。术士曰：“请公自书官阶一通。”既得之，仰天大呼曰：“韦廛有异志，令我祭天。”廛举家拜泣曰：“愿山人赐百口之命！”家之货财珍玩尽与之。逻者[231]怪术士服鲜衣，执以为盗。术士急，乃曰：“韦廛令我祭天，我欲告之，彼以家财求我耳。”事上闻。秋，九月，上召廛面诘之，具知其冤，谓宰相曰：“韦廛城南甲族[232]，为奸人所诬，勿使狱吏辱之。”立[233]以术士付京兆，杖死，贬廛永州司马。

户部侍郎、判户部、驸马都尉郑颢营求[234]作相甚切，其父祗德闻之[14]，与书曰：“闻汝已判户部，是吾必死之年；又闻欲求宰相，是吾必死之日也。”颢惧，累表辞剧务[235]。冬，十月乙酉[236]，以颢为秘书监。

上遣使诣安西镇抚回鹘。使者至灵武，会回鹘可汗遣使入贡。十一月辛亥[237]，册拜为嗢禄登里罗汩没密施合俱录毗伽怀建可汗，以卫尉少卿王端章充使。

吏部尚书李景让上言：“穆宗乃陛下兄，敬宗、文宗、武宗乃兄之子。陛下拜兄尚可，拜侄可乎！是使陛下不得亲事七庙也，宜迁四主[238]出太庙，还代宗以下入庙[239]。”诏百官议其事，不决而止。时人以是薄景让[240]。

敕于灵感、会善二寺置戒坛，诸道[15]僧、尼应填阙者[241]委长老僧选择，给公凭[242]，赴两坛受戒，两京各选大德[243]十人主其事。有不堪者罢之，堪者给牒，遣归本州。不见戒坛公牒，毋得私容。仍先选旧僧、尼，旧僧、尼无堪者，乃选外人。

壬辰[244]，以户部侍郎、判户部崔慎由为工部尚书、同平章事。上每命相，左右无知者。前此一日，令枢密宣旨于学士院[245]，以兵部侍郎、判度支萧邺[246]同平章事。枢密使王归长、马公儒覆奏：“邺所判度支应罢否？”上以为归长等佑[247]之，即手书慎由名及新命付学士院，仍云“落判户部事”。邺，明[248]之八世孙也。

内园使[249]李敬寔遇郑朗不避马，朗奏之。上责敬寔，对曰：“供奉官例不避。”上曰：“汝衔敕命，横绝可也，岂得私出而不避宰相乎！”命剥色[250]，配南牙[251]。

里说："我善于向星辰设坛祈祷，乞求官位没有不如愿以偿的。"韦厪相信了他，夜间，在院子里设置了祭祀的醮坛。术士说："请你自己书写官阶一纸。"术士得到以后，仰天大声呼叫说："韦厪有反叛之心，让我祭天。"韦厪全家人哭泣叩拜说："希望山人不要断送我家百人的性命！"于是把家中的财物珍宝全都送给他。巡逻的人对术士穿着鲜丽的衣服感到奇怪，以为是盗贼，把他抓了起来。术士急了，便说："韦厪叫我祭天，我想向官府告发他，他们用家财来恳求我。"这件事上报了朝廷。秋，九月，宣宗召韦厪当面诘问他，全面了解了韦厪是冤枉的，对宰相说："韦厪是城南的大族，被奸邪之人所诬害，不要让狱吏侮辱他。"立即把术士交给京兆府，用杖刑处死，贬韦厪为永州司马。

户部侍郎、判户部、驸马都尉郑颢谋求担任宰相很迫切，他的父亲郑祗德听说了此事，给他写信说："听说你已经兼任户部长官，这是我必死之年；又听说你想求任宰相，这是我必死之日。"郑颢害怕了，多次上奏表要求辞去事务繁重的户部侍郎。冬，十月十五日乙酉，任命郑颢为秘书监。

宣宗派遣使者前往安西安抚回鹘。使者抵达灵武时，适逢回鹘可汗派使者入贡。十一月十二日辛亥，册封回鹘首领为嗢禄登里罗汩没密施合俱录毗伽怀建可汗，任命卫尉少卿王端章担任册封使者。

吏部尚书李景让上奏说："穆宗是陛下的哥哥，敬宗、文宗、武宗是陛下哥哥的儿子。陛下拜谒哥哥还可以，拜谒侄子可以吗！这样一来，使得陛下不能亲自侍奉七庙，所以应当把穆宗、敬宗、文宗、武宗四神主迁出太庙，迎还代宗以下各帝神主入庙。"诏令百官讨论这件事，没有结果，便停止了。当时的人因为这件事看不起李景让。

敕命在灵感、会善二寺设置戒坛，各道应当填补缺额的僧、尼，委托长老僧进行选择，发给公牒，到两坛去接受法戒，两京各选大德十人主持这件事。有不宜做僧、尼的人就免去，能胜任的人就发给度牒，打发回本州去。没有见到戒坛公牒，不得私自收容僧、尼。仍旧优先选择旧的僧、尼，旧僧、尼没有胜任的人时，就另外选取。

十二月二十三日壬辰，任命户部侍郎、判户部崔慎由为工部尚书、同平章事。宣宗每次任命宰相，身边的人没有知道的。在前一天，命令枢密使在学士院宣布旨意，任命兵部侍郎、判度支萧邺为同平章事。枢密使王归长、马公儒回奏说："萧邺兼任的度支一职是否罢免？"宣宗以为王归长等人庇护萧邺，随即亲自写上崔慎由的名字和新的任命诏书交给学士院，还说"罢去判户部职事"。萧邺是梁朝萧渊明的第八代子孙。

内园使李敬寔的车马遇到郑朗不回避，郑朗上奏了这件事。宣宗责备李敬寔，李敬寔回答说："供奉官照例是无须回避的。"宣宗说："你若是身带着敕命，横穿过道路是可以的，怎么能私自外出时不回避宰相呢！"命令削去官职，发配到南衙供役使。

【段旨】

以上为第九段，写唐宣宗明察，惩治奸巧术士，用人由己，抑制宦官。

【注释】

㉘戊寅：六月初七日。㉙夏州节度使：即夏绥节度使。治所夏州，故称。㉚醮：设坛祈祷。㉛逻者：巡逻之人。㉜韦曲城南甲族：当时韦、杜二族居京城之南，为两大豪族。时人语云："城南韦、杜，去天五尺。"甲族，世家大族。㉝立：立即。㉞营求：谋求。㉟剧务：繁重的事务，指户部之事。㊱乙酉：十月十五日。㊲辛亥：十一月十二日。㊳四主：指穆、敬、文、武四宗神主。㊴还代宗以下入庙：唐文宗去世，迁唐代宗而入庙，故有此议。㊵薄景让：鄙薄李景让阿谀唐宣宗而提出迁四主出太庙的主张。㊶僧、尼应填阙者：僧尼应补充

【原文】

十一年（丁丑，公元八五七年）

春，正月丙午[252]，以御史中丞兼尚书右丞夏侯孜[253]为户部侍郎、判户部事。先是，判户部有缺，京兆尹韦澳奏事，上欲以澳补之。辞曰："臣比年[254]心力衰耗，难以处繁剧，屡就陛下乞小镇[255]，圣恩未许。"上不悦。及归，其甥柳玭[256]尤[257]之。澳曰："主上不与宰辅佥议[258]，私欲用我，人必谓我以他歧[259]得之，何以自明！且尔知时事浸不佳乎[260]？由吾曹[261]贪名位所致耳。"丙辰[262]，以澳为河阳节度使。玭，仲郢之子也。

上欲幸华清宫，谏官论之甚切，上为之止。上乐闻规谏[263]，凡谏官论事、门下封驳[264]，苟合于理，多屈意从之；得大臣章疏，必焚香盥手[265]而读之。

二月辛巳[266]，以门下侍郎、同平章事魏謩同平章事，充西川节度使。謩为相，议事于上前，它相或委曲规讽，謩独正言[267]无所避，上每叹曰："謩绰[268]有祖风[269]，我心重之。"然竟以刚直为令狐绹所忌而出之。

岭南溪洞蛮屡为侵盗。夏，四月壬申[270]，以右千牛大将军宋涯为安南、邕管宣慰使。五月乙巳[271]，以涯为安南经略使。容州[272]军乱，逐经略使王球。六月癸巳[273]，以涯为容管经略使。

甲午[274]，立皇子灌为卫王，灊为广王。

缺额的。㉒公凭：即公牒，准予剃度出家的证书。㉓大德：高僧品级之称，指寺庙能持戒行，具有施教资格的大和尚。㉔壬辰：十二月二十三日。㉕学士院：官署名，为翰林学士供职之处。㉖萧邺：字启之，宣宗时官至宰相，懿宗朝任荆南、西川、河东等节度使。传见《新唐书》卷一百八十二。㉗佑：助；庇护。㉘明：萧明，即萧渊明，南朝梁人，封贞阳侯。唐避高祖李渊讳，故只称明。㉙内园使：官名，掌皇宫园圃种植之事。㉚剥色：指褫夺宦官内园使的衣冠品色，即革去官职。㉛配南牙：发配南衙服杂役。南牙即南衙。

【校记】

［14］闻之：原无此二字。据章钰校，十二行本、乙十一行本、孔天胤本皆有此二字，今据补。［15］诸道：原无此二字。据章钰校，十二行本、乙十一行本、孔天胤本皆有此二字，张敦仁《通鉴刊本识误》同，今据补。

【语译】

十一年（丁丑，公元八五七年）

春，正月初七日丙午，任命御史中丞兼尚书右丞夏侯孜为户部侍郎、判户部事。此前，判户部缺员，京兆尹韦澳上奏言事，宣宗想让韦澳补任此职。韦澳推辞说：“臣近年来心力衰减，难以居于繁剧之职，多次向陛下乞求一个小藩镇，圣恩没有允许。”宣宗不高兴。等到回家后，韦澳的外甥柳玭责怪他。韦澳说：“主上不和宰相众人商议，私自想任用我，人们一定会说我是从其他路径取得此官的，那时怎么说得明白！况且你知道现时政事渐渐不好了吗？这是由于我们这些人贪图名位所造成的啊。”十七日丙辰，任命韦澳为河阳节度使。柳玭是柳仲郢的儿子。

宣宗想去华清宫，谏官极力谏阻，宣宗因此作罢。宣宗乐于听到规劝进谏的话，凡是谏官论事、门下封驳，如果合乎道理，大多屈意听从；收到大臣的章表奏疏，一定焚香洗手后阅读。

二月十三日辛巳，任命门下侍郎、同平章事魏謩为同平章事，充任西川节度使。魏謩担任宰相时，在宣宗面前讨论政事，其他的宰相有时委婉地规劝讽谏，只有魏謩正言指出，无所回避，宣宗每每感叹说：“魏謩多有他高祖魏徵的风范，我内心很敬重他。”然而魏謩终究由于刚直被令狐绹所猜忌而出任外职。

岭南溪洞地方的蛮族多次侵扰为盗。夏，四月初五日壬申，任命右千牛大将军宋涯为安南、邕管宣慰使。五月初九日乙巳，任命宋涯为安南经略使。容州军队叛乱，赶走了经略使王球。六月二十七日癸巳，任命宋涯为容管经略使。

六月二十八日甲午，立皇子李灌为卫王，李滩为广王。

秋，七月庚子[275]，以兵部侍郎、判度支萧邺同平章事，仍判度支。

教坊[276]祝汉贞滑稽[277]敏给[278]，上或指物使之口占[279]，摹咏[280]有如宿构[281]，由是宠冠诸优。一日，在上前抵掌[282]诙谐，颇及外事。上正色[283]谓曰："我畜养尔曹[284]，正供戏笑耳，岂得辄预朝政邪！"自是疏之。会其子坐赃，杖死，流汉贞于天德军。

乐工[285]罗程善琵琶，自武宗朝已得幸。上素晓音律，尤有宠。程恃恩暴横，以睚眦[286]杀人，系京兆狱。诸乐工欲为之请，因上幸后苑奏乐，乃设虚坐，置琵琶，而罗拜[287]于庭，且泣。上问其故，对曰："罗程负陛下，万死，然臣等惜其天下绝艺，不复得奉宴游矣！"上曰："汝曹所惜者罗程艺，朕所惜者高祖、太宗法。"竟杖杀之。

【段旨】

以上为第十段，写韦澳不接受隆恩升官，唐宣宗不狎昵群小。

【注释】

㉜ 丙午：正月初七日。㉝ 夏侯孜：字好学，亳州谯（今安徽亳州）人，唐宣宗时任户部侍郎、兵部侍郎、盐铁转运使、同平章事，唐懿宗时为剑南西川、河中等节度使，官终太子少保、分司东都。传见《旧唐书》卷一百七十七、《新唐书》卷一百八十二。㉞ 比年：近年。㉟ 镇：指藩镇。㊱ 柳玭：历官给事中、御史大夫。为官廉洁正直，唐昭宗欲用为相，为宦官所阻。传见《旧唐书》卷一百六十五、《新唐书》卷一百六十三。㊲ 尤：责怪。㊳ 佥议：众议。㊴ 他歧：其他路径、门路。㊵ 且尔知时事浸不佳乎：

【原文】

八月，成德节度使王绍鼎薨。绍鼎沈湎[288]无度，好登楼弹射人以为乐，众欲逐之。会病薨，军中立其弟节度副使绍懿[289]。戊寅[290]，以绍懿为成德留后。

九月辛酉[291]，以太子太师卢钧同平章事，充山南西道节度使。

冬，十月己巳[292]，以秦成[293]防御使李承勋为泾原节度使。承勋，光

秋，七月初五日庚子，任命兵部侍郎、判度支萧邺为同平章事，仍判度支。

教坊祝汉贞滑稽敏捷，宣宗有时指着某件物体叫他随口为文，他描摹吟诵好像预先构思，因此他在优人中最受宠爱。有一天，祝汉贞在宣宗面前拍着手说笑话，内容多涉及外面的政事。宣宗脸色严正地对他说："我畜养你们这些人，只是供作戏笑而已，哪里能够随便干预朝廷政事呢！"从此疏远了祝汉贞。正巧他的儿子犯了贪赃罪，用杖刑处死，将祝汉贞流放到天德军。

乐人罗程善于弹琵琶，从武宗时起就已经得到宠幸。宣宗一向通晓音律，罗程尤其受宠。罗程仗着宣宗的恩宠而强暴蛮横，因为个人小小恩怨杀了人，关押在京兆府牢狱中。那些乐工们想为他向宣宗求情，借着宣宗到后苑听演奏音乐的机会，便设一个无人坐的位子，放上琵琶，在庭院中围着跪拜，还抽泣着。宣宗问他们缘故，他们回答说："罗程辜负了陛下，罪该万死，然而臣等可惜他的天下奇绝技艺，不能再奉侍宴游了！"宣宗说："你们所爱惜的是罗程的技艺，朕所爱惜的是高祖、太宗制定的国法。"最终用杖刑处死了罗程。

况且你知道当今政事渐渐不好了吗？时事，指当前政治。浸，逐渐。㉖①吾曹：我辈；我们。㉖②丙辰：正月十七日。㉖③规谏：以正言劝诫。㉖④封驳：认为皇帝所下诏令不当，封还并加以驳正。㉖⑤盥手：浇水洗手。㉖⑥辛巳：二月十三日。㉖⑦正言：合乎正道的直言。㉖⑧绰：多。㉖⑨有祖风：谓有其五世祖魏徵的刚正之风。㉗⓪壬申：四月初五日。㉗①乙巳：五月初九日。㉗②容州：州名，治所普宁，在今广西容县。㉗③癸巳：六月二十七日。㉗④甲午：六月二十八日。㉗⑤庚子：七月初五日。㉗⑥教坊：官署名，掌音乐教习、演出等事。有内教坊置于禁中，演奏雅乐；左右教坊置于京都，演奏俗乐。以中官为教坊使主其事。㉗⑦滑稽：言辞诙谐。㉗⑧敏给：敏捷。㉗⑨口占：不起草稿而随口成章。㉘⓪摹咏：描写吟诵。㉘①宿构：预先构思。㉘②抵掌：击掌。㉘③正色：脸色严正。㉘④尔曹：汝辈；你们。㉘⑤乐工：乐人。㉘⑥睚眦：怒目横视，喻小怨小忿。㉘⑦罗拜：围绕而拜。

【语译】

八月，成德节度使王绍鼎去世。王绍鼎沉湎于酒，没有节制，喜欢上楼弹射人取乐，大家想赶走他。适逢他病死了，军队中拥立他的弟弟节度副使王绍懿。十四日戊寅，任命王绍懿为成德军留后。

九月二十七日辛酉，任命太子太师卢钧为同平章事，充任山南西道节度使。

冬，十月初五日己巳，任命秦成防御使李承勋为泾原节度使。李承勋是李光弼

弼㉔之孙也。先是，吐蕃酋长尚延心以河、渭二州部落来降，拜武卫将军㉕。承勋利其羊马之富，诱之入凤林关㉖，居秦州之西。承勋与诸将谋执延心，诬云谋叛，尽掠其财，徙其众于荒远。延心知之，因承勋军宴，坐中谓承勋曰："河、渭二州，土旷人稀，因以饥疫，唐人多内徙三川㉗，吐蕃皆远遁于叠、宕㉘之西，二千里间，寂无人烟。延心欲入见天子，请尽帅部众分徙内地，为唐百姓，使西边永无扬尘㉙之警，其功亦不愧于张义潮矣。"承勋欲自有其功，犹豫未许。延心复曰："延心既入朝，部落内徙，但惜秦州无所复恃耳。"承勋与诸将相顾默然。明日，诸将言于承勋曰："明公首开营田[300]，置使府[301]，拥万兵，仰给度支，将士无战守之劳，有耕市[302]之利。若从延心之谋，则西陲无事，朝廷必罢使府，省戍兵，还以秦州隶凤翔[303]，吾属无所复望矣。"承勋以为然，即奏延心为河、渭都游弈使[304]，使统其众居之。

中书侍郎、同平章事郑朗以疾辞位。壬申[305]，以朗为太子太师。

上晚节[306]颇好神仙，遣中使迎道士轩辕集于罗浮山[307]。

王端章册立回鹘可汗，道为黑车子所塞，不至而还。辛卯[308]，贬端章贺州司马。

十一月壬寅[309]，以成德军留后王绍懿为节度使。

十二月，萧邺罢判度支。

【段旨】

以上为第十一段，写吐蕃首领尚延心归顺唐朝，智计挫败贪残边将。

【注释】

㉘沈湎：此谓沉溺于酒。㉙绍懿：王绍懿（？至公元八六六年），成德节度使王绍鼎弟。绍鼎死，立为留后。不久任节度使。传见《旧唐书》卷一百四十二、《新唐书》卷二百十一。㉚戊寅：八月十四日。㉛辛酉：九月二十七日。㉜己巳：十月初五日。㉝秦成：方镇名，大中三年（公元八四九年）置。治所秦州，在今甘肃秦安西北。㉞光弼：李光弼（公元七〇八至七六四年），唐朝名将，营州柳城（今辽宁朝阳）人，契丹族，曾任河东、朔方等节度使。平定安史之乱，战功卓著，升为天下兵马副元帅，先后封为赵

之孙。此前，吐蕃酋长尚延心带着河、渭二州所属的部落前来投降，被任命为武卫将军。李承勋贪图尚延心的大量羊马，便引诱他进入凤林关，居住在秦州的西面。李承勋和诸将策划抓捕尚延心，诬告他阴谋反叛，侵吞他的全部财产，把他的部众迁到荒远的地方。尚延心知道了这个阴谋，乘李承勋举行军宴，在座席上向李承勋说："河、渭二州，土旷人稀，加上饥荒和瘟疫，唐朝的汉人大多内迁到三川，吐蕃全都远逃叠、宕二州之西，二千里之间，荒无人烟。延心想入朝拜见天子，请求带领全部人马分别迁到内地各处去，做唐朝的臣民，使西边永无战争之警，这种功劳比起张义潮的来，也不会感到惭愧。"李承勋想自己获得这一份功劳，在犹豫中没有答应尚延心的要求。延心又说："延心投归朝廷以后，部落迁往内地，只可惜秦州再没有什么可依靠的了。"李承勋和其他的将领相互对视，默然无语。第二天，诸将对李承勋说："明公首开屯田，设置防御使府衙，拥有万名军众，粮饷有度支供给，将士没有打仗的劳苦，而有耕田互市的利益。如果依从尚延心的计划，那么西部边疆就没有战争了，朝廷一定会撤销防御使府衙，减少戍守的士兵，还会把秦州隶属凤翔，我们这些人就再没有什么希望了。"李承勋认为他们说得对，立即奏请任命尚延心为河、渭都游弈使，让他带领部众居住在河、渭地区。

中书侍郎、同平章事郑朗因病辞相位。十月初八日壬申，任命郑朗为太子太师。

宣宗晚年很是喜欢神仙之术，派遣中使去罗浮山接来道士轩辕集。

王端章前去册封回鹘可汗，道路被黑车子所阻断，没有到达回鹘驻地就返回来了。十月二十七日辛卯，贬谪王端章为贺州司马。

十一月初八日壬寅，任命成德军留后王绍懿为节度使。

十二月，免去了萧邺判度支的官职。

国公、临淮郡王、临淮王，绘像凌烟阁。传见《旧唐书》卷一百十、《新唐书》卷一百三十六。㉙⑤武卫将军：官名，武卫属南衙禁军十六卫，分左右，掌宫禁宿卫，其长官有上将军、大将军、将军等。㉙⑥凤林关：关名，在今甘肃临夏西北黄河南岸。㉙⑦三川：指平凉川、蔚茹川、落门川，在今宁夏南部和甘肃东南部。㉙⑧叠、宕：皆州名。叠州，治所合川，在今甘肃迭部。宕州，治所怀道，在今甘肃舟曲。㉙⑨扬尘：扬起尘土，喻战争。㉚⓪营田：屯田。㉚①使府：指秦成防御使府。㉚②耕市：耕指营田，市指与吐蕃互通贸易。㉚③还以秦州隶凤翔：秦州于唐武德二年（公元六一九年）置，宝应二年（公元七六三年）陷于吐蕃，大中三年收复，隶属凤翔节度使。不久，置秦成防御使，今还隶凤翔。㉚④游弈使：官名，掌管巡逻、侦察之事。㉚⑤壬申：十月初八日。㉚⑥晚节：晚年。㉚⑦罗浮山：山名，在今广东博罗西北。㉚⑧辛卯：十月二十七日。㉚⑨壬寅：十一月初八日。

【原文】

十二年（戊寅，公元八五八年）

春，正月，以康王傅、分司王式[310]为安南都护、经略使。式有才略，至交趾[311]，树芳[312]木为栅[313]，可支数十年。深堑其外，泄城中水，堑外植竹，寇不能冒[314]。选教士卒甚锐。顷之，南蛮[315]大至，屯锦田步[16]，去交趾半日程[316]。式意思安闲，遣译谕之[317]，中其要害，蛮一夕引去，遣人谢曰："我自执叛獠[318]耳，非为寇也。"安南都校[319]罗行恭久专府政，麾下精兵二千，都护中军才羸兵数百。式至，杖其背，黜于边徼[320]。

初，户部侍郎、判度支刘瑑为翰林学士，上器重之。时为河东节度使，手诏征入朝，瑑奏发[321]河东，外人始知之。戊午[322]，以瑑同平章事。瑑，仁轨[323]之五世孙也。

瑑与崔慎由议政于上前。慎由曰："惟当甄别[324]品流[325]，上酬万一[326]。"瑑曰："昔王夷甫[327]祖尚浮华，妄分流品，致中原丘墟[328]。今盛明之朝，当循名责实[329]，使百官各称其职，而遽以品流为先，臣未知致理之日！"慎由无以对。

轩辕集至长安，上召入禁中，问曰："长生可学乎？"对曰："王者屏欲[330]而崇德，则自然受大[17]遐福[331]，何处更求长生！"留数月，坚求还山，乃遣之。

二月甲子朔[332]，罢公卿朝拜光陵[333]及忌日行香[334]，悉移宫人于诸陵[335]。

戊辰[336]，以中书侍郎、同平章事崔慎由为东川节度使。

上欲御楼肆赦[337]，令狐绹曰："御楼所费甚广[338]，事须有名，且赦不可数[339]。"上不悦，曰："遣朕于何得名？"慎由曰："陛下未建储宫，四海属望[340]。若举此礼，虽郊祀亦可，况于御楼！"时上饵方士药，已觉躁渴，而外人未知，疑忌方深，闻之，俯首不复言。旬日，慎由罢相。

勃海王彝震卒。癸未[341]，立其弟虔晃为勃海王。

夏，四月，以右街使[342]、驸马都尉刘异为邠宁节度使。异尚安平公主，上妹也。

庚子[343]，岭南都将王令寰作乱，囚节度使杨发[344]。发，苏州人也。

【语译】

十二年（戊寅，公元八五八年）

春，正月，任命康王傅、分司王式为安南都护、经略使。王式有才干和谋略，到达交趾后，竖立棘木建成栅栏，可以使用数十年。挖深城外堑壕，以便城内的水流排出，堑壕外面栽竹，寇盗不能侵犯。挑选士卒，训练得很精锐。没有多久，南蛮大批队伍到来，屯驻锦田步，离交趾只有半天路程。王式心意安闲，派遣翻译人员晓谕蛮人，说中了蛮人的要害处，蛮人在一个晚上就全部退走了，并派人辞谢说："我们是抓捕反叛的獠人而已，不是来侵扰的。"安南都校罗行恭长期独掌都护府大权，部下有精兵二千人，都护府中军只有数百名老弱兵员。王式上任后，用棍棒击打他的脊背，把他贬黜到边境地区。

当初，户部侍郎、判度支刘瑑为翰林学士，宣宗很器重他。他任河东节度使时，宣宗亲手书诏征他入朝，刘瑑上奏说已从河东出发了，外人才知道调他的事。正月二十五日戊午，任命刘瑑为同平章事。刘瑑是刘仁轨的第五代孙。

刘瑑和崔慎由一同在宣宗面前讨论政事。崔慎由说："应当区别流品，皇上据此授予职位。"刘瑑说："从前晋代的王夷甫崇尚浮华，妄自划分流品，导致中国破败。现在是盛明的朝代，应当循名责实，使百官各称其职，而急忙以区别流品为首要任务，臣不晓得哪一天才能把国家治理好！"崔慎由无话对答。

轩辕集来到长安，宣宗把他召入禁中，问他道："长生不死能学到吗？"他回答说："帝王摒除嗜欲，崇尚德行，那么自然会得到长寿延年的大福气，还有哪里可求得长生不死！"轩辕集停留数月，坚决要求回罗浮山去，于是宣宗打发他走了。

二月初一日甲子，停止公卿大臣朝拜光陵以及忌日向穆宗上香，把以前的宫人全部调到陵园服侍。

二月初五日戊辰，任命中书侍郎、同平章事崔慎由为东川节度使。

宣宗打算登上城楼宣布大赦，令狐绹上奏说："登楼举行大赦仪式要花费很多的钱，这件事须有一定的名义，况且大赦不能频繁。"宣宗不高兴，说："让我用什么名义？"崔慎由说："陛下还没有立太子，天下注目。要是举行立太子的礼仪，哪怕是在城郊祭天都可以，何况是登城楼宣布大赦！"当时宣宗服食了方士的丹药，已经感到烦躁口渴，而旁人不知道，他正深处疑忌，听到崔慎由的话，低下头不再说话了。过了十来天，崔慎由被罢免了宰相。

勃海王彝震去世。二月二十日癸未，立他的弟弟虔晃为勃海王。

夏，四月，任命右街使、驸马都尉刘异为邠宁节度使。刘异娶了安平公主，安平公主是宣宗的妹妹。

四月初九日庚子，岭南都将王令寰作乱，囚禁了节度使杨发。杨发是苏州人。

戊申[345]，以兵部侍郎、盐铁转运使夏侯孜同平章事。

五月丙寅[346]，工部尚书、同平章事刘瑑薨。瑑病笃，犹手疏论事，上甚惜之。

以右金吾大将军李燧为岭南节度使。已命中使赐之节，给事中萧倣[347]封还制书。上方奏乐，不暇别召中使，使优人追之，节及燧门而返。倣，俛之从父弟也。

辛巳[348]，以泾原节度使李承勋为岭南节度使，发邻道兵讨乱者，平之。

是日，湖南军乱，都将石载顺等逐观察使韩悰，杀都押牙王桂直。悰待将士不以礼，故及于难。

六月丙申[349]，江西军乱，都将毛鹤逐观察使郑宪。

初，安南都护李涿为政贪暴，强市蛮中马牛，一头止与盐一斗，又杀蛮酋杜存诚。群蛮怨怒，导南诏侵盗边境。

峰州有林西原[350]，旧有防冬兵[351]六千。其旁七绾洞蛮，其酋长曰李由独，常助中国戍守，输租赋。知峰州者言于涿，请罢戍兵，专委由独防遏。于是由独势孤，不能自立。南诏拓东[352]节度使以书诱之，以甥妻其子，补拓东押牙，由独遂帅其众臣于南诏，自是安南始有蛮患。是月，蛮寇安南。

秋，七月丙寅[353]，宣州都将康全泰作乱，逐观察使郑薰[354]，薰奔扬州。

丁卯[355]，右补阙内供奉张潜上疏，以为："藩府代移[356]之际，皆奏仓库蓄积之数，以羡余多为课绩[357]，朝廷亦因而甄奖。窃惟藩府财赋，所出有常，苟非赋敛过差[358]，及停废将士，减削衣粮，则羡余何从而致？比来南方诸镇数有不宁，皆此故也。一朝有变，所蓄之财悉遭剽掠。又发兵致讨，费用百倍，然则朝廷竟有何利！乞自今藩府长吏，不增赋敛，不减粮赐，独节游宴，省浮费，能致羡余者，然后赏之。"上嘉纳之。

容管奏都虞候来正谋叛，经略使宋涯捕斩之。

初，忠武军精兵皆以黄冒[359]首，号黄头军。李承勋以百人定岭南，宋涯使麾下效其服装，亦定容州。

四月十七日戊申，任命兵部侍郎、盐铁转运使夏侯孜为同平章事。

五月初六日丙寅，工部尚书、同平章事刘瑑去世。刘瑑在病重时，还在亲手写奏疏讨论国事，宣宗非常痛惜他的去世。

任命右金吾大将军李燧为岭南节度使。已经命令中使赐给他符节，给事中萧倣把任命制书退回给宣宗。宣宗当时正在奏乐，没有空闲另外召唤中使，就派了一名乐工去追回所赐之符节，符节到了李燧的家门口被追回来了。萧倣是萧俛的堂兄弟。

五月二十一日辛巳，任命泾原节度使李承勋为岭南节度使，征发相邻各道的军队讨伐作乱的人，平定了叛乱。

这一天，湖南军队叛乱，都将石载顺等人赶走了观察使韩悰，杀死了都押牙王桂直。韩悰对将士不以礼相待，所以遭受了灾难。

六月初六日丙申，江西军队叛乱，都将毛鹤赶走了观察使郑宪。

当初，安南都护李涿为官贪鄙横暴，强迫购买蛮人的马和牛，一头牲畜只给一斗盐，又诛杀蛮人酋长杜存诚。群蛮既怨恨又愤怒，便引导南诏人侵犯边境。

峰州有个地方叫林西原，原来驻有防冬兵六千人。它旁边的七绾洞蛮人，酋长名李由独，经常帮助中国戍守，并缴纳租税。峰州地方官对李涿说，请撤掉林西原的戍兵，专门委任李由独防守。这样一来，李由独的势力孤单，不能自立。南诏拓东节度使写信诱惑李由独，把自己的外甥女嫁给李由独的儿子，并让他任拓东押牙官，李由独就带领他的部众臣服南诏，从此安南开始有了蛮人之患。这个月，蛮人侵扰安南。

秋，七月初七日丙寅，宣州都将康全泰作乱，驱逐了观察使郑薰，郑薰逃往扬州。

七月初八日丁卯，右补阙内供奉张潜上疏，认为：“藩镇使府在替代移交时，都奏报仓库储蓄的数量，把盈余的多少作为考课的成绩，朝廷也因此而分别给予奖赏。我私下想，藩镇的财赋，支出是有常数的，假若不是赋税收取过度，以及减少了将士的员额，或是减少克扣了将士的衣粮，那么盈余的部分又从何处得来呢？近来南方各镇频繁发生叛乱，都是由于这个原因。一旦发生变乱，储蓄的财物都遭到抢劫。又发兵去征讨，费用是盈余的百倍，这样一来朝廷又得到什么好处呢！请求从今天起，藩府的长官不增加赋税，不减少士兵衣粮，只节制游宴，减省浮华开支，能够有所盈余，然后才给以奖赏。”宣宗赞赏并且采纳了他的意见。

容管奏报说都虞候来正阴谋叛乱，经略使宋涯收捕并杀了他。

当初，忠武军的精锐部队都用黄帕裹头，号黄头军。李承勋用一百名黄头军平定了岭南叛乱，宋涯叫他的部下效仿黄头军的服装，也平定了容州叛乱。

安南有恶民，屡为乱，闻之，惊曰："黄头军渡海来[18]袭我矣！"相与夜围交趾城，鼓噪："愿送都护北归，我须此城御黄头军！"王式方食，或劝出避之。式曰："吾足一动，则城溃矣。"徐食毕，擐甲㊿，率左右登城，建大将旗，坐而责之，乱者反走。明日，悉捕诛之。有杜守澄者，自齐、梁以来㊿拥众据溪洞，不可制。式离间其亲党，守澄走死。安南饥乱相继，六年无上供㊿，军中无犒赏，式始修贡赋，飨将士。占城㊿、真腊㊿皆复通使。

【段旨】

以上为第十二段，写王式抚定安南，罗浮山道士轩辕集谏宣宗求长生。

【注释】

⑶⑩王式：王播之子，有威略，智勇双全。历任方镇，功勋卓著。传附新、旧《唐书·王播传》。⑶⑪交趾：县名，县治在今越南河内西北。⑶⑫芀：棘木。⑶⑬栅：栅寨。⑶⑭冒：犯。⑶⑮南蛮：指南诏。⑶⑯程：路程。唐制，凡陆行之程，马日行七十里，步行日五十里。⑶⑰遣译谕之：派出翻译向蛮人宣传。⑶⑱獠：少数民族名，分布在四川、广西一带。⑶⑲都校：掌兵官，相当于都将。⑶⑳边徼：边塞。㉜①发：出发；动身。㉜②戊午：正月二十五日。㉜③仁轨：刘仁轨，字正则，汴州尉氏（今河南尉氏）人，历仕太宗、高宗、则天三朝，官至文昌左相、同凤阁鸾台三品。传见《旧唐书》卷八十四、《新唐书》卷一百八。㉜④甄别：区别。㉜⑤品流：亦称流品，指出身门第、等级。㉜⑥上酬万一：皇上据此拜授职位。酬，指授官。万一，谦辞，侥幸。㉜⑦王夷甫：即西晋王衍，字夷甫，官至中书令、尚书令，身居宰辅，崇尚浮华，妄分官员清浊，酿成大祸，后被石勒杀死。传见《晋书》卷四十三。㉜⑧中原丘墟：指西晋败亡，中原地区成为废墟。㉜⑨循名责实：就其名而求其实，以考察官员是否名实相符。㉝⓪屏欲：去掉欲念。㉝①大遐福：指长寿延年的大福气。㉝②甲子朔：二月初一日。㉝③罢公卿朝拜光陵：唐宣宗以内常侍陈弘志弑宪宗之罪归于穆宗，故取消朝拜光陵及忌日行香。光陵，穆宗陵。㉝④忌日行香：于先帝去世之日至陵墓进香。㉝⑤移宫人于诸陵：诸帝去世，未生子女的宫人被派到陵园中供奉服侍，侍死如侍生。㉝⑥戊辰：二月初五日。㉝⑦御楼肆赦：登楼宣布大赦。当时常例，天子登丹凤门楼宣布大赦。㉝⑧所费甚广：唐制，凡御楼肆赦，六军十六卫皆有恩赏。㉝⑨数：

安南地方有刁民，多次作乱，听说容州有黄头军，刁民大惊，说:“黄头军要渡过海峡来袭击我们了!”他们一起在夜里包围了交趾城，鼓噪着说:“愿意护送都护回北方去，我们需要这座城池抵抗黄头军!”王式正在吃饭，有人劝王式出去躲避。王式说:“我的脚一动，那么本城就要溃散了。”慢慢吃完饭，披上铠甲，带领身边的人登上城楼，竖起大将旗，坐着责备叛乱的人，叛乱的人都转身逃走了。第二天，把叛乱的人都抓来杀了。有个叫杜守澄的人，其家族从齐、梁以来就率领部众占据溪洞，没有办法制服。王式离间他们的亲族党羽，杜守澄逃走后死了。安南地方饥荒和战乱连接不断，六年没有向朝廷交赋税，军队中也没有犒赏，王式上任后才向朝廷交贡赋，给将士发犒赏。占城和真腊又都恢复了与唐王朝的使者往来。

多次；频繁。㉞⓪属望：注目。㉞①癸未：二月二十日。㉞②街使：官名，分左右，掌巡察街道。㉞③庚子：四月初九日。㉞④杨发：字至之，同州冯翊（今陕西大荔）人，历任苏州刺史、福建观察使、岭南节度使，后贬婺州刺史。传见《旧唐书》卷一百七十七、《新唐书》卷一百八十四。㉞⑤戊申：四月十七日。㉞⑥丙寅：五月初六日。㉞⑦萧倣：字思道，穆宗宰相萧俛之从弟。唐宣宗时任谏议大夫、给事中。唐懿宗时任义成节度使，兵、吏二部尚书，官至宰相。传见《旧唐书》卷一百七十二、《新唐书》卷一百一。㉞⑧辛巳：五月二十一日。㉞⑨丙申：六月初六日。㉟⓪林西原：地名，位于峰州西，在今越南河内西北。㉟①防冬兵：越南夏季炎热，有瘴气。蛮人于冬时为寇，故置防冬兵。㉟②拓东：南诏方镇名，辖南诏东部地区，治所拓东城，在今云南昆明。㉟③丙寅：七月初七日。㉟④郑薰：字子溥，唐宣宗时任翰林学士、宣歙观察使。懿宗时任吏部侍郎、尚书左丞。传见《新唐书》卷一百七十七。㉟⑤丁卯：七月初八日。㉟⑥代移：交替；移交。㉟⑦课绩：即考绩。考核官吏工作成绩。㉟⑧过差：过度；过分。㉟⑨冒：蒙。㊱⓪擐甲：披甲。㊱①自齐、梁以来：谓杜守澄祖辈自南朝齐、梁以来，即不受管辖，官方亦无法控制。㊱②上供：向朝廷上交赋税。㊱③占城：国名，古称林邑，唐亦称环王。公元一九二年建立，十七世纪末灭亡。故地在今越南中部。㊱④真腊：国名，即柬埔寨。汉称扶南，明称甘孛智，万历后改称今名。

【校记】

［16］屯锦田步：原无此四字。据章钰校，十二行本、乙十一行本、孔天胤本皆有此四字，张敦仁《通鉴刊本识误》、张瑛《通鉴校勘记》同，今据补。［17］大：据章钰校，孔天胤本作“天”，张敦仁《通鉴刊本识误》同。［18］来：原作“求”。胡三省注云：“求，当作‘来’。”据章钰校，乙十一行本作“来”，今据改。

【原文】

淮南节度使崔铉奏已出兵讨宣州贼。八月甲午[365]，以铉兼宣歙[366]观察使。己亥[367]，以宋州刺史温璋[368]为宣州团练使。璋，造之子也。

河南、北，淮南大水，徐、泗水深五丈，漂没数万家。

冬，十月，建州[369]刺史于延陵入辞。上曰："建州去京师几何？"对曰："八千里。"上曰："卿到彼为政善恶，朕皆知之，勿谓其远！此阶前则万里也，卿知之乎？"延陵悸慑失绪[370]，上抚而遣之。到官，竟以不职[371]贬复州[372]司马。

令狐绹拟李远[373]杭州刺史。上曰："吾闻远诗云'长日惟消一局棋[374]'，安能理人！"绹曰："诗人托此为高兴耳，未必实然。"上曰："且令往试观之。"

上诏刺史毋得外徙[375]，必令至京师，面察其能否，然后除之。令狐绹尝徙其故人为邻州刺史，便道[376]之官。上见其谢上表[377]，以问绹，对曰："以其道近，省送迎耳。"上曰："朕以刺史多非其人，为百姓害，故欲一一见之，访问[378]其所施设[379]，知其优劣以行黜陟。而诏命既行，直[380]废格[381]不用，宰相可畏[19]有权！"时方寒，绹汗透重裘[382]。

上临朝，接对群臣如宾客，虽左右近习，未尝见其有惰容[383]。每宰相奏事，旁无一人立者，威严不可仰视。奏事毕，忽怡然[384]曰："可以闲语矣！"因问闾阎细事，或谈宫中游宴，无所不至。一刻[385]许，复整容[386]曰："卿辈善为之。朕常恐卿辈负朕，后日不复得再[20]相见。"乃起入宫。令狐绹谓人曰："吾十年秉政[387]，最承恩遇，然每延英奏事，未尝不汗沾衣也。"

初，山南东道节度使徐商[388]以封疆险阔，素多盗贼，选精兵数百人别置营训练，号捕盗将。及湖南逐帅，诏商讨之。商遣捕盗将二百人讨平之。

崔铉奏克宣州，斩康全泰及其党四百余人。

上以光禄卿[389]韦宙父丹有惠政于江西，以宙为江西观察使，发邻道兵以讨毛鹤。

【语译】

淮南节度使崔铉上奏说已经出兵讨伐宣州的叛贼。八月初六日甲午，任命崔铉兼宣歙观察使。十一日己亥，任命宋州刺史温璋为宣州团练使。温璋是温造的儿子。

黄河南、北和淮南发大水，徐州和泗州水深五丈，淹没了数万家。

冬，十月，建州刺史于延陵入宫辞谢宣宗。宣宗说："建州离京师有多远？"于延陵回答说："八千里。"宣宗说："你到那里为政好坏，朕都会知道，不要认为那个地方远！万里就像这阶前一样，你知道吗？"于延陵惊恐错乱，宣宗安抚后打发他上任去了。到任之后，最终以不称职被贬为复州司马。

令狐绹打算任用李远为杭州刺史。宣宗说："我听说李远有诗句云'长日惟消一局棋'，这样的人怎么能治理老百姓！"令狐绹说："诗人借此表达自己的兴致而已，不一定真是那样。"宣宗说："暂且派他去试试看。"

宣宗下诏刺史不能在外地直接徙任，一定要到京师来，当面考察他是否能干，然后才决定是不是任命他。令狐绹曾经调他的熟人为邻州的刺史，便走近道上任去了。宣宗看到了他向朝廷谢恩的奏表，因而询问令狐绹，令狐绹回答说："因为他离上任的地方很近，直接去了，省去了送迎而已。"宣宗说："我因为刺史大多不称职，为害百姓，所以想一个一个接见他们，询问他们到任后有什么措施，了解他们的好坏以决定是升迁还是降职。诏命已经颁布了，故意搁置而不执行，宰相的权力真是大得可怕！"当时天正寒，但令狐绹的汗湿透了几层厚的衣服。

宣宗上朝时，接待对答群臣如同宾客，哪怕是身边亲近的人，不曾看到过他有倦怠的面色。每当宰相奏事时，旁边一个站着的人也没有，威严的神态使人不敢抬头观看。奏事完毕，宣宗会一下子和颜悦色地说："可以说说闲话了！"接着询问民间琐细事情，或者是谈论宫中游宴，无所不至。大约一刻时辰，又整肃面容说："你们这些人好好当官。朕常常担心你们辜负我，以后我们不能再见面。"于是起身回宫。令狐绹对别人说："我担任宰相十年了，最受皇上恩遇，然而每次延英殿奏事，没有一次不是汗水沾湿内衫的。"

当初，山南东道节度使徐商由于管辖的地方险要而辽阔，向来盗贼很多，他挑选精兵数百人，另外设置一个军营进行训练，号称捕盗将。等到湖南叛军赶走观察使后，诏令徐商讨伐叛军。徐商派遣捕盗将二百人讨平了叛乱。

崔铉上奏说攻下了宣州，杀了康全泰和他的党羽四百多人。

宣宗因光禄卿韦宙的父亲韦丹在江西任职时有惠政，于是任命韦宙为江西观察使，征调邻道兵来讨伐毛鹤。

崔铉以宣州已平，辞宣歙观察使。十一月戊寅㊿[390]，以温璋为宣歙观察使。

兵部侍郎、判户部蒋伸从容言于上曰："近日官颇易得，人思徼幸。"上惊曰："如此则乱矣！"对曰："乱则未乱，但徼幸者多，乱亦非难。"上称叹再三。伸三[21]起，上三留之，曰："异日不复得独对卿[391]矣！"伸不谕[392]。十二月甲寅[393]，以伸同平章事。

韦宙奏克洪州，斩毛鹤及其党五百余人。宙过襄州，徐商遣都将韩季友帅捕盗将从行。宙至江州，季友请夜帅其众自陆道间行。比明，至洪州，州人不知，即日讨平之。宙奏留捕盗将二百人于江西，以季友为都虞候。

【段旨】

以上为第十三段，写唐宣宗威严风采，宰臣敬畏。写唐境不宁，叛乱不断，此起彼伏。

【注释】

㉟[365]甲午：八月初六日。[366]宣歙：方镇名，大历时从浙江西道析出宣、歙二州而置。治所宣州，在今安徽宣城市宣州区。[367]己亥：八月十一日。[368]温璋：唐文宗礼部尚书温造之子。懿宗时官至京兆尹，以直言敢谏贬振州司马，自缢而死。传见《旧唐书》卷一百六十五、《新唐书》卷九十一。[369]建州：州名，治所建安，在今福建建瓯。[370]悸慑失绪：惊慌恐惧，应对错乱。[371]不职：不称职。[372]复州：州名，治所竟陵，在今湖北天门。[373]李远：字求古，著有《龙纪圣异历》一卷、《李远诗集》一卷。《新唐书·艺文志四》著录。[374]棋：象棋、围棋等娱乐项目。[375]外徙：指在地方官任上除授。[376]便道：近道。[377]谢上表：唐制，外任官到任后须上表称谢，谓之谢上表。[378]访问：询问。[379]施设：措施；安排。[380]直：故意。[381]废格：搁置。[382]重裘：几层厚的皮衣。[383]惰容：面有

【原文】

十三年（己卯，公元八五九年）

春，正月戊午朔[394]，赦天下。

崔铉因为宣州已经平定，辞去宣歙观察使之职。十一月二十一日戊寅，任命温璋为宣歙观察使。

兵部侍郎、判户部蒋伸闲谈时对宣宗说："近来官职很容易获得，人们都想侥幸得到官位。"宣宗惊讶地说："这样一来就要引起动乱了！"蒋伸回答说："动乱还没有发生，但是侥幸获得官位的人多了，动乱也就不难发生了。"宣宗对蒋伸的话再三赞叹。蒋伸三次起身告退，宣宗三次留住他，并说："他日不能再单独和你谈话了！"蒋伸不明白宣宗的话。十二月二十七日甲寅，任命蒋伸为同平章事。

韦宙上奏说攻克了洪州，杀了毛鹤和他的同党五百多人。韦宙上任时经过襄州，徐商派都将韩季友率领捕盗将跟随他一道去。韦宙到达江州时，韩季友请求在夜里带领他的队伍从陆路抄近道前往。等到第二天早上，到达洪州，洪州人不知道，当天就把叛乱平定了。韦宙奏请将捕盗将二百人留在江西，任用韩季友为都虞候。

倦怠之色。㉞怡然：和颜悦色的样子。㉟一刻：指铜漏计时的一刻，约合现在时间的十五分钟。㊱整容：整肃面容。㊲十年秉政：令狐绹自大中四年至大中十三年（公元八五〇至八五九年）任宰相，整十年。㊳徐商：字义声，新郑（今河南新郑）人，唐宣宗时官至御史大夫。唐懿宗时任宰相，官终吏部尚书。传见《旧唐书》卷一百七十九、《新唐书》卷一百十三。㊴光禄卿：官名，光禄寺掌皇室酒醴膳馐之事，其长官为光禄卿、少卿。㊵戊寅：十一月二十一日。㊶不复得独对卿：唐制，宰相不单独见皇帝。此句意思是将任用蒋伸为相。㊷伸不谕：蒋伸未能明白皇帝将任用自己为相。㊸甲寅：十二月二十七日。

【校记】

［19］畏：严衍《通鉴补》改作"谓"。［20］再：原无此字。据章钰校，乙十一行本、孔天胤本皆有此字，张敦仁《通鉴刊本识误》同，今据补。［21］三：原无此字。据章钰校，十二行本、乙十一行本、孔天胤本皆有此字，今据补。

【语译】

十三年（己卯，公元八五九年）

春，正月初一日戊午，大赦天下。

三月，割河东云、蔚、朔三州隶大同军。

夏，四月辛卯[395]，以校书郎[396]于琮[397]为左拾遗内供奉。初，上欲以琮尚永福公主，既而中寝[398]，宰相请其故，上曰："朕近与此女子会食[399]，对朕辄折匕箸[400]。性情如是，岂可为士大夫妻。"乃更命琮尚广德公主。二公主皆上女。琮，敖之子也。

武宁节度使康季荣不恤士卒，士卒噪而逐之。上以左金吾大将军田牟尝镇徐州，有能名，复以为武宁节度使，一方遂安。贬季荣于岭南。

六月癸巳[401]，封宪宗子惕为彭王。

初，上长子郓王温无宠，居十六宅，余子皆居禁中。夔王滋，第三子也，上爱之，欲以为嗣，为其非次[402]，故久不建东宫[403]。

上饵医官李玄伯、道士虞紫芝、山人王乐药，疽发于背。八月，疽甚，宰相及朝臣[22]皆不得见。上密以夔王属枢密使王归长、马公儒、宣徽南院使王居方，使立之。三人及右军中尉王茂玄，皆上平日所厚也。独左军中尉王宗实素不同心，三人相与谋，出宗实为淮南监军。宗实已受敕于宣化门外，将自银台门出，左军副使亓元实谓宗实曰："圣人[404]不豫[405]逾月，中尉[406]止隔门起居，今日除改，未可辨也，何不见圣人而出？"宗实感寤，复入，诸门已踵[407]故事增人守捉[408]矣。亓元实翼导宗实直至寝殿，上已崩，东首环泣[409]矣。宗实叱归长等，责以矫诏，皆捧足乞命。乃遣宣徽北院使齐元简迎郓王。壬辰[410]，下诏立郓王为皇太子，权句当军国政事，仍更名漼。收归长、公儒、居方，皆杀之。癸巳[411]，宣遗制，以令狐绹摄冢宰。

宣宗性明察沈断[412]，用法无私，从谏如流，重惜官赏，恭谨节俭，惠爱民物。故大中之政，讫于唐亡，人思咏[413]之，谓之小太宗。

丙申[414]，懿宗即位。癸卯[415]，尊皇太后为太皇太后。以王宗实为骠骑上将军[416]。李玄伯、虞紫芝、王乐皆伏诛。

三月，划分河东镇的云、蔚、朔三州隶属于大同军。

夏，四月初五日辛卯，任命校书郎于琮为左拾遗内供奉。当初，宣宗想让于琮娶永福公主为妻，不久中途作罢，宰相询问宣宗原因，宣宗说："朕近日和她一起吃饭，她在我眼前动不动就折毁汤匙、筷子。性情这个样子，哪里能做士大夫的妻子。"于是改叫于琮娶广德公主。两位公主都是宣宗的女儿。于琮是于敖的儿子。

武宁节度使康季荣不体恤士卒，士卒鼓噪着把他赶走了。宣宗因为左金吾大将军田牟曾经担任徐州节度使，有能干的名声，所以再任命他为武宁节度使，那一带地方就安定下来了。把康季荣贬到岭南。

六月初九日癸巳，封宪宗的儿子李惕为彭王。

起初，宣宗的长子郓王李温不被宠爱，住在十六宅，其他的儿子都住在皇宫中。夔王李滋是宣宗的第三个儿子，宣宗喜爱他，想立他为太子，因按照次序他轮不上，所以宣宗长期没有确立太子。

宣宗吃了医官李玄伯、道士虞紫芝、山人王乐的药，背上长了毒疮。八月，毒疮严重了，宰相和朝廷官员都不能见到宣宗。宣宗秘密把夔王托付给枢密使王归长、马公儒、宣徽南院使王居方，要他们立夔王为太子。王归长等三人和右军中尉王茂玄，都是宣宗平日所厚待的人。只有左军中尉王宗实与他们向来不是一条心，王归长等三人一起谋划，把王宗实调出去做淮南监军。王宗实已经在宣化门外接到了敕命，将要从银台门出去，左军副使亓元实对王宗实说："皇上病了一个多月了，中尉只是隔着门询问起居情况，今天改授官职，还分不清是谁的主意，为何不看皇上以后再离开？"王宗实经提醒后明白了，再想入宫，各处的宫门已经按照过去的旧例增派人守卫了。亓元实保护引导王宗实径直进入宣宗的寝殿，宣宗已经去世，宫人们东向环绕哭泣。王宗实呵斥王归长等人，指斥他们假托诏命，王归长等人都抱着王宗实的脚乞求活命。于是派遣宣徽北院使齐元简迎接郓王。初九日壬辰，下诏立郓王为皇太子，暂时掌管军国政事，并改名漼。收捕王归长、马公儒、王居方，把他们都杀了。初十日癸巳，宣布遗制，任命令狐绹摄冢宰。

宣宗为人明察秋毫，深沉果断，用法无私，从谏如流，不轻易赏赐官位，恭谨节俭，惠爱民物。所以大中年间的政绩，一直到唐朝灭亡为止，人们思念它，歌颂它，说宣宗是小太宗。

八月十三日丙申，懿宗即皇帝位。二十日癸卯，尊皇太后为太皇太后。任命王宗实为骠骑上将军。李玄伯、虞紫芝、王乐都被处死。

【段旨】

以上为第十四段，写唐宣宗驾崩，左军中尉王宗实拥立唐懿宗即位。

【注释】

㊳㊹ 戊午朔：正月初一日。㊳㊺ 辛卯：四月初五日。㊳㊻ 校书郎：官名，唐于秘书省及弘文馆均置校书郎，掌校勘典籍，刊正错谬。㊳㊼ 于琮：懿宗时官至宰相。传见《旧唐书》卷一百四十九、《新唐书》卷一百四。㊳㊽ 中寝：中途停下，指终止婚事。㊳㊾ 会食：相聚而食，即一起吃饭。㊵⓪ 匕箸：匙和筷子。㊵① 癸巳：六月初九日。㊵② 非次：不符合排行顺

【原文】

九月，追尊上母晁昭容[417]为元昭皇太后。

加魏博节度使何弘敬兼中书令，幽州节度使张允伸同平章事。

冬，十月辛卯[418]，赦天下。

十一月戊午[419]，以门下侍郎、同平章事萧邺同平章事，充荆南节度使。

十二月甲申[420]，以翰林学士承旨、兵部侍郎杜审权[421]同平章事。审权，元颖之弟子也。

浙东[422]贼帅裘甫[423]攻陷象山[424]，官军屡败，明州城门昼闭，进逼剡县[425]，有众百人，浙东骚动。观察使郑祗德遣讨击副使[426]刘勍、副将范居植将兵三百，合台州军共讨之。

司空、门下侍郎、同平章事令狐绹执政岁久，忌胜己者，中外侧目，其子滈[427]颇招权受贿。宣宗既崩，言事者竞攻其短。丁酉[428]，以绹同平章事，充河中节度使。以前荆南节度使、同平章事白敏中守司徒兼门下侍郎、同平章事。

初，韦皋在西川，开青溪道以通群蛮，使由蜀入贡。又选群蛮子弟聚之成都，教以书数[429]，欲以慰悦羁縻[430]之，业成则去，复以他子弟继之。如是五十年，群蛮子弟学于成都者殆以千数，军府颇厌于禀

序，即按礼法，依次还轮不到李滋做皇太子。㊸不建东宫：谓不立太子。㊹圣人：谓宣宗。㊺不豫：天子有病的委婉说法。豫，快乐。㊻中尉：指王宗实。㊼踵：因袭。㊽守捉：守卫。㊾东首环泣：谓内侍诸人东向环绕哭泣。㊿壬辰：八月初九日。⑪癸巳：八月初十日。⑫沈断：深沉果断。⑬咏：歌颂赞美。⑭丙申：八月十三日。⑮癸卯：八月二十日。⑯骠骑上将军：官名，为武散官之首，非实职。

【校记】

［22］臣：原作“士”。据章钰校，十二行本、乙十一行本皆作“臣”，今从改。

【语译】

九月，追尊宣宗的生母晁昭容为元昭皇太后。

加任魏博节度使何弘敬兼中书令，幽州节度使张允伸为同平章事。

冬，十月初九日辛卯，大赦天下。

十一月初七日戊午，任命门下侍郎、同平章事萧邺为同平章事，充任荆南节度使。

十二月初三日甲申，任命翰林学士承旨、兵部侍郎杜审权同平章事。杜审权是杜元颖弟弟的儿子。

浙东盗贼的首领裘甫攻陷象山县，官军多次战败，明州城的城门白天关闭，裘甫进军逼近剡县，有部众百人，浙东地区动荡不安。观察使郑祗德派遣讨击副使刘勍、副将范居植带领三百名兵卒，与台州军一起讨伐裘甫军。

司空、门下侍郎、同平章事令狐绹担任宰相的年头很久，忌妒比自己强的人，朝廷内外的人都对他很不满，他的儿子令狐滈肆意揽权受贿。宣宗死了以后，朝廷谏官争着上书揭发令狐绹的过错。十二月十六日丁酉，任命令狐绹为同平章事，充任河中节度使。任命前荆南节度使、同平章事白敏中守司徒兼门下侍郎、同平章事。

当初，韦皋在西川任职时，开辟青溪道连通蛮族与内地，让蛮族通过蜀地向朝廷进贡。又挑选蛮族子弟聚集成都，教给他们文字、算术，想以此取得他们的欢心而笼络他们，学好了之后就让他们回去，又让其他人的子弟继续来学习。这样做了五十年，蛮族的子弟在成都学习过的大概数以千计，西川军府对供给学生粮食颇为

给㊆㊀。又，蛮使入贡，利于赐与，所从傔人㊿浸多。杜悰为西川节度使，奏请节减其数，诏从之。南诏丰祐怒，其贺冬使者留表付嶲州而还。又索习学子弟，移牒不逊，自是入贡不时，颇扰边境。会宣宗崩，遣中使告哀。时南诏丰祐适卒，子酋龙立，怒曰："我国亦有丧，朝廷不吊祭。又诏书乃赐故王。"遂置使者于外馆，礼遇甚薄。使者还，具以状闻。上以酋龙不遣使来告丧，又名近玄宗讳，遂不行册礼。酋龙乃自称皇帝，国号大礼，改元建极，遣兵陷播州。

【段旨】

以上为第十五段，写浙东裘甫叛乱，南诏交恶唐室。

【注释】

417 昭容：女官名，九嫔之一。昭容是妃嫔中的第二级。418 辛卯：十月初九日。419 戊午：十一月初七日。420 甲申：十二月初三日。421 杜审权：字殷衡，京兆杜陵（今陕西西安东南）人，唐穆宗宰相杜元颖之侄。唐宣宗朝历任礼部侍郎、河中节度使。唐懿宗朝任宰相，后为镇海、忠武等节度使。传见《旧唐书》卷一百七十七、《新唐书》卷九十六。422 浙东：浙江东道的简称。唐肃宗乾元元年（公元七五八年）置。治所越州，在今浙江绍兴。唐僖宗中和三年（公元八八三年）改称义胜军，光启三年（公元八八七年）又改称威胜军。唐昭宗乾宁三年（公元八九六年）改为镇东军。423 裘甫：即仇甫，浙东宁国（今安徽宁国）人，浙东起事民众首领。起事时跟随者才百人，先后占领象山、剡县、唐兴、上度、余姚等县，后有跟随者三万余人，起事半年后失败。424 象山：县名，县治在今浙江象山。425 剡县：县名，县治在今浙江嵊州。426 讨击副使：官名，对出征军官临时任命的官号。427 滈：令狐滈，令狐绹长子。居家未仕时，仗势骄纵，多行不法，时人称之"白衣天子"。后任长安尉、集贤校理、詹事府司直，为众所非，仕途不达。传见《旧唐书》卷一百七十二、《新唐书》卷一百六十六。428 丁酉：十二月十六日。429 书数：六艺的两种科目，文字和算术。430 羁縻：笼络。431 禀给：官府供给读书的生员以粮食。禀，同"廪"。432 傔人：侍从；副官。433 丰祐：南诏国王，长庆三年（公元八二三年）立。434 移牒：送来的文牒。435 不时：不按时。436 外馆：客舍。437 名近玄宗讳：唐玄宗名隆基，"龙"与"隆"同音。438 播州：州名，治所遵义，今贵州遵义。

厌烦。另外，蛮人使者入朝进贡时，贪图赏赐，所带领的侍从人员逐渐增多。杜悰担任西川节度使时，上奏请求减少蛮人的随从人员人数，诏令依从了。南诏王丰祐很生气，他派出的贺冬使者在中途留下贺表交给嶲州府就回去了。又索取在成都学习的子弟，送来的文牒言辞不逊，从这以后进贡不按规定时间，还时常侵扰边境。适逢宣宗去世，朝廷派遣中使去通告丧情。当时南诏丰祐恰巧去世，他的儿子酋龙继位，生气地说："我国也有丧事，朝廷不派使者吊祭。另外，诏书还是赐给前王的。"于是把告哀使者安置在外馆，礼仪待遇非常差。使者回到朝廷，将具体情况报告给了懿宗。懿宗认为酋龙不派使者来告丧，还有所用名字和玄宗的名字音近而犯讳，于是就不施行册封新王的礼仪。酋龙便自称皇帝，国号大礼，改年号为建极，派兵攻下了播州。

【研析】

本卷研析张义潮归唐，唐宣宗大中之治，唐宣宗明察识奸和宣宗的缺失。

第一，张义潮归唐。唐安史之乱，河、湟万里山河一夜之间沦陷于吐蕃。唐武宗时，吐蕃发生内乱，急剧衰落。宣宗大中二年（公元八四八年），沙州人张义潮乘机率汉民逐走吐蕃守将，夺取沙州。第二年，吐蕃所据秦、原、安乐三州七关守将降唐。三州七关千余人到京师阙下朝见唐宣宗，欢声雷动。士民当场脱去吐蕃胡服，换上唐朝衣冠，在场观众感动得高呼万岁。大中五年，张义潮收复河西伊、西、瓜、沙、肃、甘、河、兰、廓、鄯、岷等十一州，并献图于唐。至此，河、湟万里江山沦陷于吐蕃近一世纪后重回唐朝，张义潮毫无疑义是一位爱国英雄。吐蕃内乱的时势造就了英雄张义潮，但张义潮如割地自保，称王河西，唐王朝无可奈何。在藩镇割据称雄，唐王室焦头烂额之时，张义潮毅然归唐，并成为唐西疆屏障。敦煌石室遗书，人民文学出版社公元一九八四年出版《敦煌变文集》，其中《张义潮变文》记载，唐大中十一、大中十二年，张义潮率众打败吐谷浑和回鹘，使唐西北沿边地区免遭侵扰。乱世见真情，张义潮是爱国者的榜样。唐宣宗封张义潮为归义军节度使，用"归义"二字表彰他的爱国精神，加官为仆射、太保等职。

第二，唐宣宗大中之治。唐宣宗李忱是一个精明强干的人，几十年的韬晦受辱，使他冷眼旁观了许多弊端。宣宗也极为憎恶宦官，他借追究宪宗之死和平反甘露之变被滥杀的大臣，杀了一批宦官。内园使李敬寔途遇宰相郑朗不下马，郑朗上奏，宣宗斥责李敬寔，李敬寔回答说：依惯例。宣宗说：你受皇帝之命办公事可以不下马，办私事怎可以不下马！言外之意，办公事时代表皇帝行使职权，办私事时只是一个奴才，胆敢轻视朝官？宣宗命令李敬寔脱去官服，并将其发配到南衙做杂役。宣宗与宰相令狐绹谋诛全部宦官，令狐绹不敢揽这差事，以甘露之变为警戒，密奏宣宗，建议自然淘汰宦官，方法是有罪不赦，老死不补，一天天减少，自然耗尽。这个密奏被宦官看见，煽起了宦官敌视南衙的情绪，南北司的斗争又激烈起来。

第三，唐宣宗明察识奸。司农卿韦厪遭术士勒索诬陷，犯祭天灭族之罪，宣宗识破，杖杀术士，避免了一桩血案冤狱。宣宗时时留心访求贤才，破格提升。宣宗外出打猎，接近百姓，了解民情。得知汉阳县令李行言、醴泉县令李君奭深得老百姓拥戴，宣宗提升李行言为海州刺史、李君奭为怀州刺史。宣宗严格执法。宣宗之舅郑光的庄吏仗势横恣，多年不交租税，京兆尹韦澳将其抓捕归案，宣宗亲自出面说情，韦澳说：交足租税才放人。宣宗说：朕扰乱行法，很感惭愧。韦澳回府，痛打了国舅郑光的庄吏一顿，并使庄吏交足了欠租以后，才放走他。泾原节度使康季荣挪用官钱二百万缗，已调入京任右威卫大将军，事情败露，康季荣请求用家财来偿还赎罪。宣宗认为康季荣有开河、湟之功，允许了，谏官上奏谏争，康季荣被贬为夔州长史。宣宗不以私情滥赏官职。太医梁新曾治好了宣宗的病，要求封官，宣宗不答应，给了每月三十缗赏钱。宣宗一朝，没有兴大狱，政治保持平稳，河、湟归唐，岭南乱平，保持了十余年的太平。《旧唐书·宣宗纪》中载史臣评论，说宣宗“器识深远，久历艰难，备知人间疾苦”，称赞宣宗临驭“一之日权豪敛迹，二之日奸臣畏法，三之日阍寺詟气。由是刑政不滥，贤能效用，百揆四岳，穆若清风，十余年间，颂声载路”。史臣的评论，未免过誉。但宣宗毕竟延续了会昌政治的新气象，维护了唐室十余年的和平，是值得称道的。

第四，宣宗的缺失。宣宗也沾染了朋党积习。他怀恨文宗、武宗，也为了表明自己是唐宪宗的直接继承人，诬郭太后和唐穆宗母子与宦官同谋害死唐宪宗，则穆宗为逆，诸子敬宗、文宗、武宗自然为逆，那么李德裕就是逆臣，于是大反会昌之政，即使善政，也要推倒。武宗废佛，宣宗兴佛；武宗裁汰州县冗官一千多员，宣宗增设冗官。加之宣宗所任宰相，前期白敏中，后期令狐绹，均是李宗闵朋党，才能平庸，只对宣宗唯命是从，没有什么建树，唐政治腐败的大环境没有多大改变，即藩镇割据、宦官专皇权、朋党交争依然没有改变。大中之治只是暂时的平静，不过是晚唐大战乱直至唐亡的回光返照而已。

卷第二百五十　唐纪六十六

起上章执徐（庚辰，公元八六〇年），尽强圉大渊献（丁亥，公元八六七年），凡八年。

【题解】

本卷记事起公元八六〇年，迄公元八六七年，凡八年，当唐懿宗咸通元年至咸通八年。懿宗在位十四年，本卷载懿宗前期八年政事。懿宗李温为宣宗长子，无才无德，没有被宣宗立为太子，是靠宦官拥立为皇帝的。因此懿宗即位，宦官备受宠信，多次临幸诸寺，滥赏无节制。在宦官导使下，懿宗怠于政事，游宴无度，滥赐乐工为高官。懿宗又笃信佛法，求佛祖保佑，全国兴佛泛滥，僧尼剧增。懿宗还在宫中设讲坛，亲自手录梵夹，唱经开讲。此时唐朝政治已经大坏，宦官与朝官的矛盾急剧激化，宦官欲借拥立懿宗之功，大开杀戒，以朝官不拥立懿宗为名，诛杀宰臣。杜悰以利害开导枢密宦官，才避免了一场血腥的屠杀。上层统治阶级矛盾尖锐，下层社会各种矛盾更加激化，唐代社会处于大震荡的前夜。浙东裘甫起义就是大震荡的信号。朝廷任用智勇皆备的王式镇压了裘甫起义，唐王室获得了暂时的苟安。边患又起，安南叛乱，南诏乘机入侵。由于宦官当政，所用军镇将领无御敌之才，加之宦官监军掣肘，泱泱大唐竟屡遭败绩，西州、岭南受祸十余年。

【原文】

懿宗[①]昭圣恭惠孝皇帝上

咸通元年（庚辰，公元八六〇年）

春，正月乙卯[②]，浙东军与裘甫战于桐柏观[③]前，范居植死，刘勍仅以身免。乙丑[④]，甫帅其徒千余人陷剡县，开府库，募壮士，众至数千人，越州大恐。

时二浙[⑤]久安，人不习战，甲兵朽钝，见[⑥]卒不满三百。郑祗德更募新卒以益之，军吏受赂，率皆得孱弱[⑦]者。祗德遣子将[⑧]沈君纵、副将张公署、望海镇[⑨]将李珪将新卒五百击裘甫。二月辛卯[⑩]，与甫战于剡西。贼设伏于三溪[⑪]之南，而陈于三溪之北，壅溪上流，使可涉。既战，阳败走，官军追之，半涉，决壅，水大至，官军大败，三将皆死，官军几尽。

【语译】

懿宗昭圣恭惠孝皇帝上

咸通元年（庚辰，公元八六〇年）

春，正月初四日乙卯，浙东军和裘甫军在桐柏观前交战，范居植战死，刘勍只身逃脱。十四日乙丑，裘甫带领他的部众千余人攻下剡县，打开府库，招募壮士，部众达到数千人，越州大为恐慌。

当时浙东、浙西长久安宁，军人都不演习战斗，盔甲朽坏，兵器不锋利，现有的兵卒不到三百人。郑祇德再招募新兵来扩充，军官受贿，招来的大都是些孱弱的人。郑祇德派子将沈君纵、副将张公署、望海镇将李珪统领新招募的五百名士卒攻打裘甫。二月初十日辛卯，与裘甫在剡县以西交战。裘甫在三溪的南面布置埋伏，而在三溪的北面排列军阵，堵塞三溪上流，使得下流可以步行渡过。战斗开始以后，裘甫假装败走，官军追赶他们，在溪中走了一半，裘甫挖开了上流堵塞的堤坝，大水到来，官军大败，沈君纵等三将都战死，官军几乎全军覆没。

于是山海诸盗及他道无赖亡命之徒四面云集，众至三万，分为三十二队。其小帅有谋略者推刘暀⑫，勇力推刘庆、刘从简。群盗皆遥通书币，求属麾下。甫自称天下都知兵马使，改元[1]罗平，铸印曰天平，大聚资粮，购良工，治器械，声震中原。

丙申⑬，葬圣武献文孝皇帝于贞陵⑭，庙号宣宗。

丙午⑮，白敏中入朝，坠陛⑯，伤腰，肩舆以归。

郑祇德累表告急，且求救于邻道。浙西遣牙将凌茂贞将四百人、宣歙遣牙将白琮将三百人赴之。祇德始令屯郭门⑰及东小江⑱，寻复召还府中以自卫。祇德馈之，比度支常馈多十三倍，而宣、润⑲将士犹以为不足。宣、润将士请土军为导，以与贼战。诸将或称病，或阳坠马，其肯行者必先邀职级⑳，竟不果遣。贼游骑至平水东小江㉑，城中士民储舟裹粮，夜坐待旦，各谋逃溃。

朝廷知祇德懦怯，议选武将代之。夏侯孜㉒曰："浙东山海幽阻㉓，可以计取，难以力攻。西班㉔中无可语者。前安南都护王式㉕，虽儒家子，在安南威服华夷，名闻远近，可任也。"诸相皆以为然。遂以式为浙东[2]观察使，征祇德为宾客。

三月辛亥朔㉖，式入对，上问以讨贼方略。对曰："但得兵，贼必可破。"有宦官侍侧，曰："发兵，所费甚大。"式曰："臣为国家惜费则不然。兵多贼速破，其费省矣。若兵少不能胜贼，延引岁月，贼势益张，则江、淮群盗将蜂起应之。国家用度尽仰江、淮，若阻绝不通，则上自九庙，下及十军㉗，皆无以供给，其费岂可胜计哉！"上顾宦官曰："当与之兵。"乃诏发忠武、义成、淮南等诸道兵授之。

裘甫分兵掠衢、婺州㉘。婺州押牙房郅、散将㉙楼曾、衢州十将方景深将兵拒险，贼不得入。又分兵掠明州，明州之民相与谋曰："贼若入城，妻子皆为葅醢㉚，况货财，能保之乎！"乃自相帅㉛出财募勇士，治器械，树栅，浚沟，断桥，为固守之备。贼又遣兵掠台州，破唐兴㉜。己巳㉝，甫自将万余人掠上虞㉞，焚之。癸酉㉟，入余姚㊱，杀丞、尉，东破慈溪㊲，入奉化㊳，抵宁海㊴，杀其令而据之，分兵围象山，所

这样一来，山海之间各处的盗贼以及其他诸道的无赖亡命之徒从四面八方云集到此，部众达到三万人，分为三十二队。在他们的小帅中最有谋略的是刘暀，最有勇力的是刘庆、刘从简。外地的群盗都从遥远的地方送来书信和礼物，要求隶属裘甫部下。裘甫自称天下都知兵马使，改年号称罗平，铸的印称天平，大量屯聚财物和粮草，招来能工巧匠，制造器械，声震中原。

二月十五日丙申，将圣武献文孝皇帝葬在贞陵，庙号宣宗。

二月二十五日丙午，白敏中上朝，从台阶上跌下，伤了腰，被用肩舆抬回家。

郑祗德接连上表告急，并且向相邻的各道求救。浙西道派遣牙将凌茂贞带领四百人、宣歙道派遣牙将白琮带领三百人，前往救援。郑祗德开始时叫他们驻扎在城郭门和东小江，不久，又召回到府衙中用来保卫自己。郑祗德供应他们，比度支常规供应多十三倍，然而宣、润两道的将士还认为太少。宣、润两道将士请当地军队为向导，以便和叛贼作战。那些将领有的说有病，有的假装从马上掉下来，那些愿意前行的人又一定预先要求提升军职和勋级，最后派不出人来。叛贼的游骑到了平水镇东的小江，城里的士民准备了船和粮食，在夜里坐着等待天亮，各自谋划逃走。

朝廷知道郑祗德懦弱胆小，讨论挑选武将去代替他。夏侯孜说："浙东地方山海深险，可以用计谋取胜，难以用强力达成目的。朝廷武官中没有可用人选。从前担任安南都护的王式，虽然是儒家后代，但在安南时威服华夷，远近闻名，可以胜任郑祗德的职务。"其他宰相都认为是这样。于是任命王式为浙东观察使，征调郑祗德为太子宾客。

三月初一日辛亥，王式入朝问对，懿宗询问他讨贼的策略。王式回答说："只要有兵员，叛贼一定能打败。"有位宦官在懿宗旁边侍奉，说："调发军队，要花费很多钱财。"王式说："臣为国家爱惜费用却不是这么想的。士兵多，能很快打败叛贼，所需费用就节省了。假若士兵少，不能打败叛贼，拖延时间，叛贼的势力一天天扩大，那么江、淮一带的群盗将会蜂起响应他们。国家的用度全靠江、淮，要是江、淮地方阻断不通了，那么上从九庙，下至十军，都没有财物供给了，损失的财物难道可以计算得了吗！"懿宗回头对宦官说："应当给王式军队。"于是下诏调发忠武、义成、淮南等各道军队交给王式。

裘甫分兵掠夺衢州和婺州。婺州押牙房郅、散将楼曾、衢州十将方景深带领军队凭险抵御，叛贼攻不进去。又分兵抢掠明州，明州的民众一起谋划说："叛贼要是进了城，妻室儿女都要被剁成肉酱，何况财产货物，能保得住吗！"于是一个接一个拿出钱来招募勇士，修缮器械，树立栅栏，疏浚城沟，切断桥梁，做了坚守的准备。叛贼又派兵抢掠台州，攻下唐兴县。三月十九日己巳，裘甫亲自带领一万多人抢掠上虞县，把它烧掉了。二十三日癸酉，攻入余姚，杀了县丞和县尉，东进攻下慈溪县，进入奉化县，抵达宁海县，杀了县令而占据其城，分兵包围象山县。所经之处，

过俘其少壮，余老弱者蹂践杀之。

及王式除书[40]下，浙东人心稍安。裘甫方与其徒饮酒，闻之不乐。刘晅叹曰："有如此之众而策画未定，良可惜也！今朝廷遣王中丞[41]将兵来，闻其人智勇无敌，不四十日必至。兵马使宜急引兵取越州，凭城郭，据府库，遣兵五千守西陵[42]，循浙江[43]筑垒以拒之。大集舟舰，得间则长驱进取浙西，过大江[44]，掠扬州[45]货财以自实[46]，还修石头城[47]而守之，宣歙、江西必有响应者。遣刘从简以万人循海而南，袭取福建。如此，则国家贡赋之地尽入于我矣[48]。但恐子孙不能守耳，终吾身保无忧也。"甫曰："醉矣，明日议之。"晅以甫不用其言，怒，阳醉而出。有进士王辂在贼中，贼客之。辂说甫曰："如刘副使[49]之谋，乃孙权[50]所为也。彼乘天下大乱，故能据有江东[51]。今中国无事，此功未易成也。不如拥众据险自守，陆耕海渔，急则逃入海岛，此万全策也。"甫畏式，犹豫未决。

【段旨】

以上为第一段，写宰相夏侯孜荐王式讨裘甫。

【注释】

①懿宗：名温，即位后更名漼，唐宣宗长子，唐朝第十八任皇帝，公元八五九至八七三年在位。②乙卯：正月初四日。③桐柏观：观名，在今浙江天台西北桐柏山上。④乙丑：正月十四日。⑤二浙：浙江东、西两道。⑥见：同"现"。⑦孱弱：懦弱。⑧子将：官名，即小将。唐制，每军大将一人，副将二人，总管四人，子将八人。掌布列行阵、部署卒伍等。⑨望海镇：军镇名，隶属明州，在今浙江宁波市镇海区。⑩辛卯：二月初十日。⑪三溪：水名，即今浙江曹娥江上游剡溪、澄溪、新昌溪于嵊州西南汇合后的名称。⑫刘晅（？至公元八六〇年）：大中十三年（公元八五九年）随裘甫起事，后与官军作战，被俘死去。⑬丙申：二月十五日。⑭贞陵：唐宣宗陵，在今陕西泾阳西北仲山。⑮丙午：二月二十五日。⑯坠陛：从宫殿台阶跌下。⑰郭门：外城之门。⑱东小江：水名，为剡溪之下流，经今浙江嵊州、绍兴，过曹娥庙，故又名曹娥江，至杭州湾入海。⑲宣、润：宣谓宣歙，润指浙西。⑳先邀职级：战前要求

俘虏那些年轻力壮的人，其余老弱的人都被蹂践杀死了。

等到王式任职的诏书颁发后，浙东民众的情绪才稍稍安定下来。裘甫正和他的部众饮酒，听到这个消息很不高兴。刘晊叹息着说："有这么多的部众而计划尚未确定下来，真是可惜！现在朝廷派遣王式率军前来，听说这个人智勇无敌，不出四十天一定会赶到。兵马使应当赶快带领军队攻取越州，凭借城郭，占据府库，派五千人去防守西陵渡，沿浙江修筑堡垒来抵抗官兵。大量征集船舰，有机会就长驱直入攻取浙西，渡过长江，掠取扬州的财货来充实自己，回过头来修筑石头城据守，宣歙和江西一定有响应我们的人。派遣刘从简带领一万人沿海向南，袭取福建。这样，国家贡赋之地就都归我们所有了。只担心子孙不能持守而已，我们自己终身保证没有忧虑。"裘甫说："喝醉了，明天再讨论吧。"刘晊看到裘甫不听从他的建议，大怒，假装酒醉就退出来了。有位叫王辂的进士在叛贼中，叛贼用客礼对待他。王辂劝说裘甫："像刘副使的那种谋划，就是孙权所做的事。孙权乘天下大乱，所以能据有江东。现在中国安定，孙权那样的做法不易成功。不如拥众据险自守，在陆上种田，在海上打鱼，危急时就逃入海岛，这是万全之策。"裘甫畏惧王式，犹豫不决。

提升军职勋级。㉑平水东小江：平水镇东之小江。平水镇在绍兴东南，其东有一水，曰小江。㉒夏侯孜：时为宰相。㉓幽阻：幽深险阻。㉔西班：唐代朝会，文官排列于东，武官排列于西，故称武臣为西班。㉕王式：王播之子，以门荫入仕，擢贤良方正科，文武双全，既有吏才，又有军事才能。大中中为晋州刺史，转安南都护，平息安南动乱。历官浙东观察使，平定裘甫之乱，转武宁节度使，镇压徐州银刀兵变。官终左金吾大将军。式亦交通宦官，为时人诟病。传见《旧唐书》卷一百六十四、《新唐书》卷一百六十七。㉖辛亥朔：三月初一日。㉗十军：指左右羽林、龙武、神武、神威、神策十军。元和时撤神武、神威，以其士卒分隶左右神策，但仍保留十军之名。㉘婺州：州名，治所金华，在今浙江金华。㉙散将：无固定职守的衙将。㉚菹醢：一种把人剁成肉酱的酷刑。㉛相帅：一个接着一个。帅，同"率"。㉜唐兴：县名，县治在今浙江天台。㉝己巳：三月十九日。㉞上虞：县名，县治在今浙江上虞。㉟癸酉：三月二十三日。㊱余姚：县名，县治在今浙江余姚。㊲慈溪：县名，县治在今浙江慈溪市。㊳奉化：县名，县治在今浙江宁波市奉化区。㊴宁海：县名，县治在今宁海。㊵除书：任命官职的诏书。㊶王中丞：即王式。式时为检校御史中丞。㊷西陵：地名，即今浙江杭州市滨江区西兴街道。㊸浙江：水名，即今钱塘江，在今浙江。上游新安江，汇兰江后，流至杭州东南入海。㊹大江：指长江。㊺掠扬州：扬州为淮南节度使治所，江淮之都会。盐铁、度支之财物转运汇聚于此，故刘晊主张掠取。㊻自实：充实自己的军需。㊼石头城：城

名，在今江苏南京西清凉山上。城负山面江，南临秦淮河口，历来为交通要冲和军事重镇。㊽贡赋之地尽入于我矣：唐自中世以后，贡赋皆仰仗江南，故云。㊾刘副使：即刘晧。时被起事者推为天下都知兵马副使。㊿孙权（公元一八二至二五二年）：三国时吴国的建立者，黄龙元年（公元二二九年）称帝。传见《三国志》卷四十七。[51]江东：地区名，本指今芜湖、南京间长江以东地区。因三国东吴建都建业（今江苏南京），故又称其统治下的全部地区为江东。

【原文】

夏，四月，式行至柿口[52]，义成军不整，式欲斩其将，久乃释之，自是军所过若无人[53]。至西陵，裘甫遣使请降。式曰："是必无降心，直欲窥吾所为，且欲使吾骄怠耳。"乃谓使者曰："甫面缚以来，当免而[54]死。"

乙未[55]，式入越州。既交政，为郑祗德置酒，曰："式主军政，不可以饮，监军但与众宾尽醉。"迨[56]夜，继以烛，曰："式在此，贼安能妨人乐饮！"丙申[57]，饯祗德于远郊，复乐饮而归。于是始修军令，告馈饷不足者息矣，称疾卧家者起矣，先求迁职者默矣。

贼别帅洪师简、许会能帅所部降。式曰："汝降是也，当立效以自异[58]。"使帅其徒为前锋，与贼战有功，乃奏以官。

先是，贼谍入越州，军吏匿而饮食之。文武将吏往往潜与贼通，求城破之日免死及全妻子。或诈引贼将来降，实窥虚实，城中密谋屏语[59]，贼皆知之。式阴察知，悉捕索，斩之。刑将吏尤横猾[60]者，严门禁，无验者不得出入，警夜周密，贼始不知我所为矣。

式命诸县开仓廪以赈贫乏[61]。或曰："贼未灭，军食方急，不可散也。"式曰："非汝所知。"

官军少骑卒[62]，式曰："吐蕃、回鹘比[63]配[64]江、淮者，其人习险阻，便[65]鞍马，可用也。"举籍府中[66]，得骁健者百余人。虏久羁旅，

【校记】

[1] 改元：此二字下原有“曰”字。据章钰校，十二行本、乙十一行本、孔天胤本皆无此字，今据删。[2] 浙东：原无此二字。据章钰校，十二行本、乙十一行本、孔天胤本皆有此二字，张敦仁《通鉴刊本识误》同，今据补。

【语译】

夏，四月，王式行军到柿口，义成军不整齐，王式想杀了军队的将领，过了很久才释放了他，从此，军队经过的地方好像没有人经过一样。到达西陵时，裘甫派使者向王式请求投降。王式说：“这一定不是真心投降，只是想窥视我军的作为，并且想使我因此而骄傲懈怠而已。”于是对使者说：“裘甫反绑双手来投降我，可以免你一死。”

四月十五日乙未，王式进入越州。政事交接完毕后，为郑祇德设置酒宴，说：“我王式主持军政，不可以饮酒，监军只管与众位宾客尽情畅饮。”到夜晚，又点上蜡烛，并说：“我王式在这里，叛贼哪里能够妨碍大家欢乐饮酒！”十六日丙申，在远郊为郑祇德饯行，又欢乐地饮宴后才回来。于是开始整饬军令，诉说馈饷不足的人没有了，说有病卧床在家的人起来了，事先请求升职的人也不说话了。

叛贼别部的统帅洪师简、许会能带领部队投降。王式说：“你们投降是对的，应当立功以表示与他人不同。”派他们带领部下为前锋，和叛贼作战有功劳，才上奏朝廷，给他们授官职。

此前，叛贼的间谍进入越州，军官们把间谍隐藏起来，给他们饮食。文武官吏往往暗地和叛贼交往，寻求在城池被攻下后自己免死，以及保全妻子儿女。有人假装引贼将前来投降，实际上是窥探城中虚实，城里的秘密谋划和避开众人的言语，叛贼全能知道。王式暗中察觉了这些情况，把有关的人都抓捕起来，杀掉了他们。对将吏中特别横暴奸猾的人处以刑罚，严管门禁，无证件的人不能出入，夜间警戒特别周密，叛贼这才不了解官军的行动情况了。

王式命令各县打开仓库赈济贫困百姓。有人说：“叛贼没有消灭，正急需军粮，不能散发粮食。”王式说：“不是你们所能了解的。”

官军缺少骑兵，王式说：“近来发配到江、淮地方的吐蕃人和回鹘人，他们习惯于攀登险阻，善于骑马作战，可以任用他们。”把军府中的名册拿来，选到骁健的人

所部遇之无状㊅㊆，困餧㊅㊇甚。式既犒饮㊅㊈，又赒⑦⓪其父母妻子，皆泣拜欢⑦①呼，愿效死，悉以为骑卒，使骑将石宗本将之。凡在管内者，皆视此籍之⑦②，又奏得龙陂⑦③监马二百匹，于是骑兵足矣。

或请为烽燧⑦④，以诇贼远近众寡。式笑而不应。选懦卒，使乘健马，少与[3]之兵，以为候骑⑦⑤，众怪之，不敢问。

【段旨】

以上为第二段，写王式至浙东，用智计讨贼，开仓赈贫，不置烽燧，用懦卒乘健马为候骑。

【注释】

52 柿口：地名，今地不详，当在今浙江境内。53 所过若无人：所过之处秋毫无犯，像无人经过一样。54 而：尔；汝。55 乙未：四月十五日。56 迨：至。57 丙申：四月十六日。58 立效以自异：用立功的行动来表示与他人不同。立效，立功。59 屏语：避人而共语。60 横猾：横暴奸猾。61 赈贫乏：救济贫困的民众。62 骑卒：骑兵。63 比：近来。64 配：发配。指被俘的吐蕃人、回鹘人被发配服劳役。65 便：擅长。66 举籍府中：

【原文】

于是阅诸营见卒⑦⑥及土团子弟⑦⑦，得四千人，使导军分路讨贼。府下无守兵，更籍土团千人以补之。乃命宣歙将白琮、浙西将凌茂贞帅本军，北来将韩宗政等帅土团，合千人，石宗本帅骑兵为前锋，自上虞趋奉化，解象山之围，号东路军。又以义成将白宗建、忠武[4]将游君楚、淮南将万璘帅本军与台州唐兴军合，号南路军。令之曰："毋争险易⑦⑧，毋焚庐舍，毋杀平民以增首级。平民胁从者，募降之。得贼金帛，官无所问。俘获者，皆越人也，释之。"

癸卯⑦⑨，南路军拔贼沃州寨⑧⓪。甲辰⑧①，拔新昌寨⑧②，破贼将毛应天，进抵[5]唐兴。

一百多名。吐蕃人、回鹘人长久地被留在这边，所在的部队对他们不礼貌，困乏饥饿到了极点。王式犒赏饮酒后，又周济了他们的父母妻子，他们都流着泪拜谢并欢呼，愿意献出生命，王式把他们全部编为骑兵，使骑将石宗本率领他们。凡是在管辖以内各地的吐蕃人、回鹘人，都照越州这样征集登记，另外又奏请得到龙陂监马二百匹，这样一来，骑兵足够用了。

有人请求设置烽火台，以察知叛贼的远近和人数多少。王式笑而不答。他挑选懦弱的士卒，使他们乘着健壮的马匹，又少给他们武器，让他们担任侦察骑兵，众人感到奇怪，又不敢询问。

把分派到浙江东道观察府的吐蕃人、回鹘人登记册拿来选录。⑰无状：无礼貌。指被发配的吐蕃人、回鹘人遭到不公正的对待。⑱困馁：困乏饥饿。馁，同“馁”。⑲犒饮：犒赏饮酒，这里指以隆盛的宴会招待被举荐上来的吐蕃人、回鹘人。⑳赒：周济。㉑欢：欢呼；喧哗。㉒视此籍之：按照这个办法征集登记辖境内的吐蕃人、回鹘人。此，指优待措施，即犒饮其人，周济其家属。㉓龙陂：地名，在今河南郏县东南，唐置马监于此。㉔烽燧：即烽火。白天放烟叫烽，夜间举火曰燧。㉕候骑：侦察骑兵。

【校记】

［3］与：据章钰校，十二行本、乙十一行本、孔天胤本皆作“给”。

【语译】

于是检阅各营现有的士卒及地方乡丁，得到四千人，让他们为各军的先导，分路讨贼。府衙中没有守兵，改由新登记的乡丁一千人补充为守卫的队伍。于是命令宣歙将白琮、浙西将凌茂贞率领本军，北来将韩宗政等人率领乡丁，合在一起一千人，石宗本率领骑兵为前锋，从上虞奔赴奉化，解救象山之围，号称东路军。又命令义成将白宗建、忠武将游君楚、淮南将万璘率领本军和台州唐兴军会合，号称南路军。命令他们说：“不要争夺艰险或是容易的任务，不要焚烧房屋，不要屠杀平民用来增加报功的首级。平民被胁从的，劝募他们来降。获得叛贼的金钱绸帛，官府不要查问。俘获的是越州人，全部释放。”

四月二十三日癸卯，南路军攻取了敌人的沃州寨。二十四日甲辰，攻取了新昌寨，打败贼将毛应天，进抵唐兴县城。

白敏中三表辞位，上不许。右补阙王谱上疏，以为："陛下致理⑧之初，乃宰相尽心之日，不可暂阙。敏中自正月卧疾，今四月矣。陛下虽与它相坐语，未尝三刻，天下之事，陛下尝暇与之讲论乎？愿听敏中罢去，延访硕德⑧，以资⑧聪明。"己酉⑧，贬谱为阳翟⑧令。谱，珪⑧之六世孙也。五月庚戌朔⑧，给事中郑公舆封还贬谱敕书。上令宰相议之，宰相以为谱侵敏中，竟贬之。

辛亥⑨，浙东东路军破贼将孙马骑于宁海。戊午⑨，南路军大破贼将刘晅、毛应天于唐兴南谷⑨，斩应天。

先是，王式以兵少，奏更发忠武、义成军及请昭义军，诏从之。三道兵至越州，式命忠武将张茵将三百人屯唐兴，断贼南出之道。义成将高罗锐将三百人，益以台州土军，径趋宁海，攻贼巢穴。昭义将跌跌戣将四百人，益东路军，断贼入明州之道。

庚申⑨，南路军大破贼于海游镇⑨，贼入甬溪洞⑨。戊辰⑨，官军屯于洞口，贼出洞战，又破之。己巳⑨，高罗锐袭贼别帅刘平天寨，破之。自是诸军与贼十九战，贼连败。刘晅谓裘甫曰："向从吾谋入越州，宁有此困邪！"王辂等进士数人在贼中，皆衣绿，晅悉收[6]斩之，曰："乱我谋者，此青虫也！"

高罗锐克宁海，收其逃散之民，得七千余人。王式曰："贼窘且饥，必逃入海，入海则岁月间未可擒也。"命罗锐军海口⑨以拒之。又命望海镇将云思益、浙西将王克容将水军巡海澨⑨。思益等遇贼将刘从简[7]于宁海东，贼不虞水军遽至，皆弃船走山谷，得其船十七，尽焚之。式曰："贼无所逃矣，惟黄罕岭⑩可入剡，恨无兵以守之。虽然，亦成擒矣！"裘甫既失宁海，乃帅其徒屯南陈馆⑩下，众尚万余人。辛未⑩，东路军破贼将孙马骑于上疁村⑩。贼将王皋惧，请降。

壬申⑩，右拾遗内供奉薛调上言，以为："兵兴以来，赋敛无度，所在群盗，半是逃户，固须翦灭，亦可闵伤。望敕州县税外毋得科率⑩，仍敕长吏严加纠察。"从之。

袁王绅⑩薨。

戊寅⑩，浙东东路军大破裘甫于南陈馆，斩首数千级。贼委弃⑩缯

白敏中三次上表辞宰相职位，懿宗不答应。右补阙王谱上奏疏，认为："陛下使国家致治的初期，正是宰相尽心尽力的时候，是不能暂缺的。白敏中从正月卧病在床，到现在已经是四个月了。陛下虽然和其他宰相坐着谈话，也未曾有三刻钟，天下的大事，陛下曾有闲暇和他讨论吗？希望同意白敏中辞去宰相，延访具有崇高德望的人，辅助陛下治理朝政。"四月二十九日己酉，贬王谱为阳翟县令。王谱，是王珪的第六代孙。五月初一日庚戌，给事中郑公舆把贬谪王谱的敕书退还。懿宗叫宰相讨论这件事，宰相们认为王谱侵害了白敏中，最终还是贬谪了王谱。

五月初二日辛亥，浙东东路军在宁海打败贼将孙马骑。初九日戊午，南路军在唐兴南谷大败贼将刘暀、毛应天，杀了毛应天。

此前，王式认为兵太少，奏请再调发忠武军、义成军和昭义军，懿宗听从了。三道的军队到达越州，王式命令忠武军将领张茵带领三百人屯驻唐兴，截断叛贼向南出走的道路。义成军将领高罗锐带领三百人，加上台州的地方乡兵，直接奔赴宁海，进攻叛贼的老巢。昭义军将领跌跌戣带领四百人增援东路军，截断叛贼进入明州的道路。

五月十一日庚申，南路军在海游镇大败叛贼，叛贼进入甬溪洞。十九日戊辰，官军屯驻洞口，叛贼出洞作战，官军又打败了他们。二十日己巳，高罗锐袭击叛贼别部头领刘平天的营寨，打败了刘平天。从此，各路军与叛贼十九战，叛贼接连失败。刘暀对裘甫说："从前听从我的计谋进入越州，哪里会有今天这样的困境！"王辂等几个进士在叛贼中，都穿着绿色衣服，刘暀把他们都杀了，说："扰乱我们计谋的，就是这些青虫！"

高罗锐攻下宁海，搜集逃散的民众，得到七千多人。王式说："叛贼困窘，又饥饿，一定会逃向海中，进入海中，几个月或一年都不能擒获。"命令高罗锐驻扎在海口防止他们入海。又命令望海镇将云思益、浙西将领王克容带领水军在海边巡逻。云思益等人在宁海东遇到贼将刘从简，叛贼没有预料到水军突然到来，都丢掉船只逃进山谷，官军获得十七艘船，全烧毁了。王式说："叛贼没有地方可逃了，只有经过黄罕岭可以进入剡县，遗憾的是没有兵用来驻守那个地方。尽管这样，叛贼也是要被擒获的！"裘甫丢了宁海以后，就带领他的部下屯驻南陈馆下，部众还有一万多人。五月二十二日辛未，东路军在上畯村打败贼将孙马骑。贼将王皋害怕了，请求投降。

五月二十三日壬申，右拾遗内供奉薛调进言，认为："从发兵讨贼以来，征收赋税没有限度，各地的群盗，半数是逃税的人户，固然要消灭他们，但是他们也值得同情。希望敕令州县赋税以外不得征收赋税，再敕令地方长官严加纠察。"朝廷听从了。

袁王李绅去世。

五月二十九日戊寅，浙东东路军在南陈馆大败裘甫，斩首数千级。叛贼丢弃的

帛盈路，以缓追者。跌跌戣令士卒："敢顾者斩！"毋敢犯者。贼果自黄罕岭遁去，六月甲申⑩⑨，复入剡。诸军失甫，不知所在。义成将张茵在唐兴获俘，将苦之，俘曰："贼入剡矣。苟舍我，我请为军导。"从之。茵后甫一日至剡，壁其东南⑪⑩。府中闻甫入剡，复大恐。王式曰："贼来就擒耳！"命趣东、南两路军会于剡，辛卯⑪⑪，围之。贼城守甚坚，攻之，不能拔。诸将议绝溪水以渴之⑪⑫，贼知之，乃出战。三日，凡八十三战，贼虽败，官军亦疲。贼请降，诸将以[8]白式，式曰："贼欲少休耳，益谨备之，功垂成矣。"贼果复出，又三战。庚子⑪⑬夜，裘甫、刘晊、刘庆从百余人出降，遥与诸将语，离城数十步。官军疾趋，断其后，遂擒之。壬寅⑪⑭，甫等至越州，式腰斩晊、庆等二十余人，械甫送京师。

剡城犹未下，诸将已擒甫，不复设备。刘从简帅壮士五百突围走。诸将追至大兰山⑪⑮，从简据险自守。秋，七月丁巳⑪⑯，诸将共攻克之。台州刺史李师望募贼相捕斩之以自赎，所降数百人，得从简首，献之。

诸将还越，式大置酒，诸将乃请曰："某等生长军中，久更⑪⑰行陈⑪⑱，今年得从公破贼，然私⑪⑲有所不谕者，敢问公之始至，军食方急，而遽散以赈贫乏，何也？"式曰："此易知耳。贼聚谷以诱饥人，吾给之食，则彼不为盗矣，且诸县无守兵，贼至，则仓谷适足资之耳。"又问："不置烽燧，何也？"式曰："烽燧所以趣救兵也，兵尽行，城中无兵以继之，徒惊士民，使自溃乱耳。"又问："使懦卒为候骑而少给兵，何也？"式曰："彼勇卒操利兵⑫⑩，遇敌且不量力而斗；斗死，则贼至不知矣。"皆曰："非所及也！"

封宪宗子㤲为信王。

八月，裘甫至京师，斩于东市。加王式检校右散骑常侍，诸将官赏各有差。先是，上每以越盗为忧，夏侯孜曰："王式才有余，不日告捷矣。"孜与式书曰："公专以执裘甫为事，军须⑫⑪细大，此期⑫⑫悉力。"故式所奏求无不从，由是能成其功。

绸帛满地都是，想以此延缓追兵。跌跌戣命令士卒："谁敢去拿就杀谁！"没有人敢违反命令。叛贼果然从黄罕岭逃走了，六月初五日甲申，又进入剡县。各部队联系不到裘甫，不知道他在什么地方。义成军将领张茵在唐兴抓获俘虏，将要惩治他们，俘虏说："叛贼进入剡县了。如果放了我，我愿意做军中的向导。"张茵听从了。张茵比裘甫晚一天到达剡县，在城东南修筑营垒。使府中人听说裘甫进入剡县，又大为恐慌。王式说："叛贼是来就擒的！"下命令催促东、南两路军队会合于剡县，十二日辛卯，包围剡县。叛贼守卫城池非常坚固，官军进攻，未能攻下来。将领们商议截断溪水使城中无水喝，叛贼知道了这一情况，于是出城交战。三天，总共打了八十三仗，叛贼虽然失败了，但官兵也很疲劳。叛贼请求投降，将领们报告王式，王式说："叛贼想稍稍休息一下而已，应当更加谨慎地防备他们，大功即将告成了。"叛贼果然出战，又打了三仗。二十一日庚子晚上，裘甫、刘昛、刘庆带着一百多人出城投降，远远地和将领们讲话，离开城门数十步。官军迅速地跑过去，切断他们的后退之路，就擒获了他们。二十三日壬寅，裘甫等人被送到越州，王式腰斩了刘昛、刘庆等二十多人，给裘甫戴上刑械，把他送往京师。

剡城还没有攻下，诸将已经擒获了裘甫，对剡城不再防备。刘从简带领五百名壮士从城中突围逃走。诸将追到大兰山，刘从简占据险要地方守卫。秋，七月初九日丁巳，将领们一起攻下了大兰山。台州刺史李师望号召叛贼相互捕杀来立功赎罪，使数百人投降，得到刘从简的首级，献给了官府。

各军将领返回越州，王式大摆酒宴，将领们向王式请教说："我们这些人生长在军队中，久经战阵，今年能跟随王公打败叛贼，然而私下还有一些不明白的事，请问王公刚到时，军队粮食正紧张，您却立即将粮食散发用来赈济穷人，这是为什么？"王式说："这件事容易知晓。叛贼聚积粮食用来引诱饥饿的民众，我给他们粮食，那么他们就不会当盗贼了。况且各县没有守兵，叛贼到来，那么仓库中的粮食正好资助了叛贼。"他们又问："不设置烽燧，是为什么呢？"王式说："烽燧是为了催促救兵，现在军队全部走了，城里没有兵继踵其后，烽燧徒然惊扰士民，使自己溃乱而已。"他们又问："叫懦弱的士卒担任巡逻的骑兵，而少给兵器，这是为什么呢？"王式说："那些勇敢的士卒拿着锋利的兵器，遇到敌人将会不顾敌我力量而进行战斗；战死了，那么叛贼到来也就不知道了。"众将都说："您的智谋不是我们赶得上的啊！"

封宪宗的儿子李怄为信王。

八月，裘甫被押到京城，在东市斩首。加任王式检校右散骑常侍官衔，各位将领奖赏的官位各有差等。此前，懿宗每每为越州的盗贼担忧，夏侯孜说："王式讨平叛贼，才能有余，不用多久就会有捷报来了。"夏侯孜又给王式写信说："公一心一意以抓到裘甫作为主要任务，军需供应等大小之事，我们一定尽力办到。"所以对王式的请求没有不照办的，因此才能取得成功。

卫王灌⑫薨。

九月，白敏中五上表辞位。辛亥⑫，以敏中为司徒、中书令。

癸酉⑫[9]，右拾遗句容刘邺⑫上言："李德裕父子为相⑫，有声迹⑫功效，窜逐以来，血属将尽，生涯⑫已空，宜赐哀闵，赠以一官。"冬，十月丁亥⑬，敕复李德裕太子少保、卫国公，赠左仆射。

己亥⑬，以门下侍郎、同平章事夏侯孜同平章事，充西川节度使。以户部尚书、判度支毕诚为礼部尚书、同平章事。

安南都护李鄠复取播州。

十一月丁丑⑬，上祀圜丘，赦，改元。

十二月戊申⑬，安南土蛮引南诏兵合三万余人乘虚攻交趾，陷之。都护李鄠与监军奔武州。

【段旨】

以上为第三段，写王式平定浙东裘甫之乱。

【注释】

⑯阅诸营见卒：检阅各营的现有士卒。见，同"现"。⑰土团子弟：地方乡丁。⑱毋争险易：各路军队不得抢夺艰险或容易的任务。⑲癸卯：四月二十三日。⑳沃州寨：寨名，在今浙江新昌东。㉑甲辰：四月二十四日。㉒新昌寨：寨名，在今浙江新昌。㉓致理：致治。达到太平盛世。避唐高宗李治讳，改"治"为"理"。㉔硕德：具有崇高德望的人。㉕资：助。㉖己酉：四月二十九日。㉗阳翟：县名，县治在今河南禹州。㉘珪：王珪（公元五七一至六三九年），字叔玠，太原祁县（今山西祁县）人，唐太宗时历任谏议大夫、黄门侍郎、侍中、礼部尚书等。传见《旧唐书》卷七十、《新唐书》卷九十八。㉙庚戌朔：五月初一日。㉚辛亥：五月初二日。㉛戊午：五月初九日。㉜南谷：地名，在今浙江天台境内。㉝庚申：五月十一日。㉞海游镇：镇名，在今浙江宁海南。㉟甬溪洞：洞名，在今浙江宁海西南。㊱戊辰：五月十九日。㊲己巳：五月二十日。㊳海口：地名，在今浙江宁海三门湾出海处。㊴滋：水滨。⑩黄罕岭：山名，在今浙江宁波市奉化区西北。⑩南陈馆：地名，在今浙江宁海西南。⑩辛未：五月二十二日。⑩上畴村：地名，在今浙江宁海西北。⑩壬申：五月二十三日。⑩科率：科征，征

卫王李灌去世。

九月，白敏中五次上表辞职。初四日辛亥，任命白敏中为司徒、中书令。

九月二十六日癸酉，右拾遗句容人刘邺进言："李德裕父子任宰相时，有声名和功劳，被流放以来，血亲家属将死完，已无生计，应赐哀怜，赠给一个官职。"冬，十月十一日丁亥，敕命恢复李德裕太子少保、卫国公官爵，赠左仆射官职。

十月二十三日己亥，任命门下侍郎、同平章事夏侯孜为同平章事，充任西川节度使。任命户部尚书、判度支毕諴为礼部尚书、同平章事。

安南都护李鄠又收复了播州。

十一月初二日丁丑，懿宗举行祭祀圜丘大典，发布赦令，改换年号。

十二月初三日戊申，安南土蛮引来南诏兵共三万多人乘虚攻打交趾，把它攻下了。都护李鄠和监军逃往武州。

收赋税。⑯袁王绅：袁王李绅，唐顺宗第十九子。贞元二十一年（公元八〇五年）封。传见《旧唐书》卷一百五十、《新唐书》卷八十二。⑰戊寅：五月二十九日。⑱委弃：弃置；扔在一旁。⑲甲申：六月初五日。⑳壁其东南：在剡县东南修筑营垒。⑪辛卯：六月十二日。⑫绝溪水以渴之：胡注："剡城东南临溪，西北负山，城中多凿井以引山泉，非绝溪水所能渴，作史者乃北人臆说耳。"⑬庚子：六月二十一日。⑭壬寅：六月二十三日。⑮大兰山：山名，在今浙江宁波市奉化区西北。⑯丁巳：七月初九日。⑰更：经历。⑱行陈：战斗队列。此指行军作战。⑲私：私下；个人的心念。⑳彼勇卒操利兵：让那些勇于战斗的骑士配备上锐利的武器，便于战斗。候骑的职责是瞭望敌人，乘好马，用胆小的人为候骑，他们就会见敌而逃，以达到迅速报告敌情的目的。勇士乘劣马，只好战斗，此乃置之死地而后生之斗也。利兵，锐利的兵器。㉑军须：即军需。须，同"需"。㉒期：必。㉓卫王灌：卫王李灌，唐宣宗子。大中十一年（公元八五七年）封。传见《旧唐书》卷一百七十五、《新唐书》卷八十二。㉔辛亥：九月初四日。㉕癸酉：九月二十六日。㉖刘邺：字汉藩，润州句容（今江苏句容）人，唐懿宗朝官至宰相，唐僖宗时任淮南节度使。传见《旧唐书》卷一百七十七、《新唐书》卷一百八十三。㉗父子为相：李德裕父吉甫，唐宪宗朝宰相。德裕，唐文宗、唐武宗两朝宰相。李德裕有三子。长子李烨，任检校祠部员外郎、汴宋亳观察判官。大中二年，坐德裕事贬象州立山县尉。至是量移郴州郴县尉，后卒于桂阳。次子李幼，从李德裕殁于崖州。三子延古，未曾仕进。㉘声迹：名声和事迹。㉙生涯：生计。㉚丁亥：十月十一日。㉛己亥：十月二十三日。㉜丁丑：十一月初二日。㉝戊申：十二月初三日。

【校记】

［4］忠武：原脱“武”字。张敦仁《通鉴刊本识误》云脱“武”字。胡三省注云：“此时发忠武军从王式，史逸‘武’字也。”今据补。〖按〗下文屡言“忠武”“忠武将”，唯此文脱“武”字。［5］抵：原作“拔”。据章钰校，十二行本、乙十一行本、孔天胤本皆作“抵”，今据改。［6］收：原无此字。据章钰校，十二行本、乙十一行本、孔天胤本

【原文】

二年（辛巳，公元八六一年）

春，正月，诏发邕管及邻道兵救安南，击南蛮。

二月，以中书令白敏中兼中书令，充凤翔节度使，以左仆射、判度支杜悰兼门下侍郎、同平章事。

一日，两枢密使诣中书[134]，宣徽使[135]杨公庆继至，独揖悰受宣[136]。三相起[137]，避之西轩。公庆出斜封[138]文书以授悰，发之，乃宣宗大渐时[139]宦官[10]请郓王监国奏也。且曰：“当时宰相无名[140]者，当以反法处之。”悰反复读良久，曰：“圣主登极[141]，万方欣戴。今日此文书，非臣下所宜窥。”复封以授公庆，曰：“主上欲罪宰相，当于延英面示圣旨，明行诛谴[142]。”公庆去，悰复与两枢密坐，谓曰：“内外之臣，事犹一体，宰相、枢密共参国政。今主上新践阼[143]，未熟万机，资[144]内外裨补，固当以仁爱为先，刑杀为后，岂得遽赞成杀宰相事！若主上习以性成，则中尉、枢密权重禁闱[145]，岂得不自忧乎[146]！悰受恩六朝[147]，所望致君尧、舜，不欲朝廷以爱憎行法。”两枢密相顾默然，徐曰：“当具以公言白至尊。非公重德，无人及此。”惭悚[148]而退。三相复来见悰，微[149]请宣意，悰无言。三相惶怖[150]，乞存家族。悰曰：“勿为他虑。”既而寂然，无复宣命。及延英开[151]，上色甚悦。

是时士大夫深疾宦官，事有小相涉[152]，则众共弃之。建州进士叶京尝预宣武军宴，识监军之面。既而及第，在长安与同年[153]出游，遇之于涂[154]，马上相揖，因之谤议喧然，遂沈废[155]终身。其不相悦如此。

皆有此字，张敦仁《通鉴刊本识误》同，今据补。［7］刘从简：原无“从”字。据章钰校，孔天胤本有“从”字，张敦仁《通鉴刊本识误》同，今据补。〖按〗下文作“刘从简”，尚不脱“从”字。［8］以：原作“出”。据章钰校，十二行本、乙十一行本、孔天胤本皆作“以”，熊罗宿《胡刻资治通鉴校字记》同，今据改。［9］癸酉：原无此二字。据章钰校，十二行本、乙十一行本、孔天胤本皆有此二字，张敦仁《通鉴刊本识误》、张瑛《通鉴校勘记》同，今据补。

【语译】

二年（辛巳，公元八六一年）

春，正月，下诏调发邕管和邻道军队救援安南，攻打南蛮。

二月，任命中书令白敏中兼中书令，充凤翔节度使，任命左仆射、判度支杜悰兼门下侍郎、同平章事。

有一天，两位枢密使到中书省，宣徽使杨公庆相继到来，只向杜悰拜揖并叫他听受宣命。其他三相起身，到西轩去回避。杨公庆拿出斜封文书交给杜悰，打开后，原来是宣宗病危时宦官请求郓王监理国事的奏章。并且说：“当时宰相没有在上面签名的，当用反叛的罪名处罚他。”杜悰反复读了很久，说：“圣主登上皇位，天下欣喜拥护。现在这份文书，不是臣子们应当看的。”又封好交给杨公庆，并且说：“主上想加罪宰相，应当在延英殿当面宣布圣旨，公开进行诛谴。”杨公庆离去，杜悰又和两位枢密使坐着，对他们说：“朝廷内外的大臣，为国事效劳是一致的，宰相、枢密使共同参与国家政事。现在主上刚即帝位，对国家政务不熟悉，借助内外臣僚的辅佐，本当以仁爱为首，刑杀为后，怎么突然赞成杀戮宰相之事！倘若主上养成了随意杀大臣的习性，那么中尉、枢密使在禁闱中是权柄最大的人，岂能不为自己担忧吗！杜悰我受恩遇已有六朝了，所希望的是使君主如同尧、舜一样贤明，不愿看到朝廷凭爱憎滥用刑法。”两位枢密使互相看了一眼，默然无语，然后慢慢地说：“一定详细地把你的话报告给皇帝。不是你的大德，没有人会想到这里。”他们又惭愧又恐惧地回去了。三位宰相再来见杜悰，委婉地请求告知懿宗的旨意，杜悰没有说话。三相惶恐，乞求保全家族。杜悰说：“不要有其他的忧虑。”说完就不作声了，再没有其他宣布。等到开延英殿召对群臣，懿宗脸上很高兴。

当时，士大夫深恨宦官，事情只要与宦官稍有牵连，就被众人一起唾弃。建州进士叶京曾参加宣武军的宴会，认识了监军。不久进士及第，在长安和同年外出游玩，路上遇见监军，在马上相互揖拜，由于这件事大家纷纷对他批评指责，于是沉沦废弃终身。那种不兼容到了这种地步。

【段旨】

以上为第四段，写杜悰以大义责枢密宦官，避免了宰相冤死之祸。

【注释】

⑬④两枢密使诣中书：左右两枢密使来到中书省。枢密使分左右，宦官充任，执掌机要，介于皇帝与丞相之间，传上启下。⑬⑤宣徽使：官名，总领宫内诸司及三班内侍的名籍，后宦官之势日盛，宣徽使亦得参与机要。⑬⑥独揖悰受宣：谓杨公庆只对左仆射兼门下侍郎、同平章事杜悰行揖礼，让他接受诏命。⑬⑦三相起：指毕諴、杜审权、蒋伸三相起立回避。⑬⑧斜封：斜着封缄，以区别于外廷所下的正封文书。⑬⑨大渐时：病情渐重将死之时。⑭⑩当时宰相无名：谓请郓王监国的奏书上只有宦官具名，宰相没有具名，

【原文】

福王绾⑮⑥薨。

夏，六月癸丑⑮⑦，以盐州防御使王宽为安南经略使。时李鄠自武州收集土军⑮⑧，攻群蛮，复取安南。朝廷责其失守，贬儋州司户。鄠初至安南，杀蛮酋杜守澄，其宗党遂诱道⑮⑨群蛮陷交趾。朝廷以杜氏强盛，务在姑息，冀收其力用，乃赠守澄父存诚金吾将军，再举⑯⑩鄠杀守澄之罪，长流⑯①崖州。

秋，七月，南诏[11]攻邕州，陷之。先是，广⑯②、桂、容三道共发兵三千人戍邕州，三年一代。经略使段文楚⑯③请以三道衣粮自募土军以代之，朝廷许之，所募才得五百许人。文楚入为金吾将军，经略使李蒙利其阙额衣粮以自入，悉罢遣三道戍卒，止以所募兵戍[12]守左、右江⑯④，比旧什减七八，故蛮人乘虚入寇。时蒙已卒，经略使李弘源至镇才十日，无兵以御之。城陷，弘源与监军脱身奔峦州⑯⑤，二十余日，蛮去，乃还。弘源坐贬建州司户。文楚时为殿中监⑯⑥，复以为邕管经略使。至镇，城邑居人什不存一。文楚，秀实之孙也。

杜悰上言："南诏向化七十年⑯⑦，蜀中寝兵⑯⑧无事，群蛮率服⑯⑨。

现一律以逆反之罪论处。亦即要杜悰执行诛杀宰相的诏令。无名，没有署名。⑭登极：指懿宗即位。⑭明行诛谴：公开进行谴责。⑭新践阼：刚登基即位。⑭资：凭借；借助。⑭禁闱：宫禁；宫中。⑭不自忧乎：谓皇帝若杀重臣习以为性，则中尉、枢密亦将不免，岂能不担忧自己。⑭受恩六朝：杜悰历任唐宪宗、穆宗、敬宗、文宗、武宗、宣宗六朝。⑭惭悚：惭愧恐惧。⑭微：隐约。⑮惶怖：惊慌恐怖。⑮延英开：开延英殿召对宰相。⑮小相涉：略微涉及。⑮同年：科举同科考中的人，即同榜之士。⑮涂：同“途”。⑮沈废：沉沦弃置。

【校记】

［10］宦官：原无此二字。据章钰校，十二行本、乙十一行本、孔天胤本皆有此二字，张敦仁《通鉴刊本识误》、张瑛《通鉴校勘记》同，今据补。

【语译】

福王李绾去世。

夏，六月初十日癸丑，任命盐州防御使王宽为安南经略使。当时李鄠从武州召集本地士兵，进攻群蛮，又收复了安南。朝廷责备他失守土地，贬为儋州司户。李鄠初到安南，杀了南蛮酋长杜守澄，杜氏的宗党就引导群蛮攻陷交趾。朝廷认为杜氏强盛，尽量姑息他，希望他们能为朝廷所用，于是赠杜守澄的父亲杜存诚为金吾将军，又揭发李鄠杀杜守澄的罪过，将他长期流放崖州。

秋，七月，南诏攻打邕州，攻了下来。此前，广州、桂州、容州三道共同调派三千人戍守邕州，三年一轮换。经略使段文楚请求用三道戍兵的衣粮，自己招募当地士兵来代替戍卒，朝廷同意了，所募才得到五百人左右。段文楚回朝担任金吾将军后，经略使李蒙贪图那些缺额衣粮，据为己有，把三道的戍卒都打发走了，只用所募士兵戍守左、右江，比旧时兵卒减少了十分之七八，所以蛮人乘虚入侵。当时李蒙已经死了，经略使李弘源到镇才十天，没有兵士抵御蛮人。邕州城陷落，李弘源和监军逃脱出来跑往峦州，二十多天后，蛮人离去，才回到州城。李弘源因此被贬谪为建州司户。段文楚当时担任殿中监，又任命他为邕管经略使。段文楚到达邕州镇，城邑居民留居的不到十分之一。段文楚，是段秀实的孙子。

杜悰上奏说：“南诏归化七十年，蜀中息兵无战事，群蛮相率归服。现在西川兵

今西川兵食单寡，未可轻与之绝，且应遣使吊祭，晓谕清平官等以新王名犯庙讳⑰，故未行册命，待其更名谢恩，然后遣使册命，庶全大体⑱。”上从之。命左司郎中孟穆为吊祭使，未发，会南诏寇嶲州，攻邛崃关，穆遂不行。

冬，十月，以御史大夫郑涯为山南东道节度使。十一月，加同平章事。

【段旨】

以上为第五段，写安南叛乱，南诏兴兵攻唐。

【注释】

⑯福王绾：福王李绾，唐顺宗第十五子，唐宪宗同母弟。贞元二十一年（公元八〇五年）封。历任光禄勋、魏博节度大使、司空。传见《旧唐书》卷一百五十、《新唐书》卷八十二。⑰癸丑：六月初十日。⑱收集土军：招募当地人组成的军队。⑲道：同“导”。⑳举：揭发。㉑长流：长期流放。㉒广：即广州都督府，唐高宗永徽以后置，肃宗至德元载（公元七五六年）改为岭南节度使，治所广州，在今广东广州。㉓段文楚：唐代宗朝泾原节度使段秀实之孙，咸通末任云中防御使。李克用欲得云中，引兵攻打，遂被杀，沙陀之乱自此始。传见《新唐书》卷一百五十三。㉔左、右江：皆水名，即广

【原文】

三年（壬午，公元八六二年）

春，正月庚寅朔⑫，群臣上尊号曰睿文明圣孝德皇帝，赦天下。

以中书侍郎、同平章事蒋伸⑬同平章事，充河中节度使。

二月，棣王惴⑭薨。

南诏复寇安南，经略使王宽数来告急，朝廷以前湖南观察使蔡袭代之，仍发许、滑、徐、汴、荆、襄、潭、鄂等道兵合[13]三万人，授袭以御之。兵势既盛，蛮遂引去。邕管经略使段文楚坐变更旧制⑮，左迁威卫将军、分司。

食稀少，不能轻易和他们断绝关系，并且应当派遣使者前去吊祭，告诉清平官等，由于新王名字犯了先皇的庙讳，所以没有进行册命，等待新王改了名字谢恩，然后派使者来举行册命，这样差不多可以顾全大体。”懿宗听从了杜悰的意见。任命左司郎中孟穆为吊祭使，没有出发，碰上南诏侵犯嶲州，进攻邛崃关，孟穆便没有启程。

冬，十月，任命御史大夫郑涯为山南东道节度使。十一月，加同平章事。

西郁江上源之左、右二江，在今南宁西南汇合。⑯⁵ 峦州：州名，即唐初淳州。永贞元年（公元八〇五年）改名峦州。治所永定，在今广西横县西北。⑯⁶ 殿中监：官名，为殿中省长官，掌天子乘舆、服饰、饮食、医药等事。副长官为少监。⑯⁷ 南诏向化七十年：唐德宗贞元九年，云南王异牟寻请求归附唐朝，贞元十年册封异牟寻为南诏王，至咸通二年（公元八六一年）已六十七年。七十年，乃以整数言之。向化，归向教化。⑯⁸ 寝兵：息兵，即无战事。⑯⁹ 率服：相继归服。⑰⁰ 名犯庙讳：唐宣宗大中十三年（公元八五九年），南诏新王酋龙立。“龙”字与唐玄宗李隆基的“隆”字同音犯讳，故不册封酋龙。事见本书卷二百四十九宣宗大中十三年。庙讳，谓犯玄宗名讳，李隆基庙号玄宗。⑰¹ 庶全大体：这样做差不多可以顾全大体。

【校记】

［11］诏：据章钰校，十二行本、乙十一行本、孔天胤本皆作“蛮”。［12］戍：原无此字。据章钰校，十二行本、乙十一行本、孔天胤本皆有此字，今据补。

【语译】

三年（壬午，公元八六二年）

春，正月庚寅朔，群臣给懿宗上尊号称睿文明圣孝德皇帝，大赦天下。

任命中书侍郎、同平章事蒋伸为同平章事，充任河中节度使。

二月，棣王李惴去世。

南诏又侵扰安南，经略使王宽多次派人来朝廷告急，朝廷任命前湖南观察使蔡袭代替他，又调发许、滑、徐、汴、荆、襄、潭、鄂等八道的军队加起来三万人，交给蔡袭用以抵御南诏。因蔡袭已经兵力强大，蛮人就退走了。邕管经略使段文楚犯变更旧制之罪，降职为威卫将军、分司东都。

左庶子⑯蔡京性贪虐多诈，时相⑰以为有吏才，奏遣制置岭南事。三月，京还，奏事称旨⑱，复以京权知⑲太仆卿，充荆襄以南宣慰安抚使。

夏，四月己亥朔⑱，敕于两街四寺各置戒坛，度人三七日⑱。上奉佛太过，怠于政事，尝于咸泰殿筑坛为内寺尼⑱受戒，两街僧、尼皆入预。又于禁中设讲席，自唱经，手录梵夹⑱。又数幸诸寺，施与⑱无度⑱。吏部侍郎萧倣上疏，以为："玄祖⑱之道，慈俭为先，素王⑱之风，仁义为首，垂范⑱百代，必不可加。佛者⑱，弃位出家⑲，割爱中之至难⑲，取灭后之殊胜⑲，非帝王所宜慕也。愿陛下时开延英，接对四辅⑲，力求人瘼⑲，虔奉宗祧⑲。思缪⑲赏与滥刑，其殃必至；知胜残而去杀⑲，得福甚多。罢去讲筵⑲，躬勤政事。"上虽嘉奖，竟不能从。

【段旨】

以上为第六段，写宰相误荐奸人蔡京为荆襄以南宣慰安抚使，贻害无穷。写唐懿宗佞佛。

【注释】

⑰庚寅朔：应为庚午朔，正月初一日。《新唐书·懿宗纪》亦为"正月庚午，群臣上尊号"。《资治通鉴》误。⑰蒋伸：蒋乂之子，大中末官至宰相。传附新、旧《唐书·蒋乂传》。⑰棣王惴：棣王李惴，唐宪宗子，大中六年（公元八五二年）封。传见《旧唐书》卷一百七十五、《新唐书》卷八十二。⑰变更旧制：指募土军以代广、桂、容之戍军。⑰左庶子：官名，东宫官属，正四品上，掌侍从赞相，驳正启奏。⑰时相：当时的宰相。⑰称旨：符合皇帝的意旨。⑰权知：临时兼任。⑱己亥朔：四月初一日。⑱度人三七日：在二十一天内剃度士民为僧尼。士民出家须由官府批准，唐懿宗信佛，特准长安四寺在二十一天内剃度，不受法律限制。三七日，三个七天，共二十一日。⑱内寺尼：宫人受戒为尼，在宫中佛寺修行，称内寺尼。⑱手录梵夹：唐懿宗亲手抄写佛经。梵文佛经写于贝叶之上，重叠成书，以板作夹，用绳串结，故称梵夹。⑱施与：施舍。⑱无

左庶子蔡京性情贪婪暴虐，狡诈多端，当时的宰相认为他有为吏之才，上奏派遣他担任制置使去岭南处理边境军政大事。三月，蔡京回朝，报告处理政事情况符合皇帝的旨意，又任命他暂时兼任太仆卿，充当荆襄以南宣慰安抚使。

夏，四月初一日己亥，敕命在东、西两街的四处寺院各设戒坛，剃度僧人二十一天。懿宗信奉佛教过度，荒怠了政事，曾经在咸泰殿修建坛场为内寺尼受戒，两街的和尚、尼姑都入宫参与戒典。又在宫禁内设讲席，懿宗亲自诵唱经文，亲手抄写佛经。又多次到各个寺庙去，施舍无度。吏部侍郎萧倣上奏疏，认为："玄祖老子的道经，以慈悲俭约为首要内容，素王孔子的教导，以仁义为头等重要内容，是千秋万代的榜样，一定不能再增加其他东西。佛祖释迦牟尼，丢掉名位，抛弃家庭，割断人类爱欲中最难舍弃的亲情和富贵，追求死亡后绝妙的境地，这不是帝王应仰慕的。希望陛下时常打开延英殿，接见辅佐大臣讨论政事，尽力了解民众疾苦，虔诚地供奉宗庙。反思错误的奖赏和乱用刑罚，灾殃一定会到来；明了制服残暴之人使不为恶就可以不用刑杀，得到的福祉会更多。取消讲筵，亲自辛勤地处理政事。"懿宗虽然嘉奖萧倣，结果还是不能听从他的话。

度：无限度。⑱⑥玄祖：指老子。老子本为道家学派创始人，后被道教奉为始祖。⑱⑦素王：谓孔子。汉朝人以孔子为百代宗师，有帝王之德而无帝王之名，故尊为素王。素，空，指无爵位。⑱⑧垂范：给后人做榜样。⑱⑨佛者：佛教徒，此处指佛祖释迦牟尼。⑲⓪弃位出家：释迦牟尼原为古印度迦毗罗卫国净饭王长子，相传二十九岁时舍弃王子地位，出家修行。⑲①割爱中之至难：割舍了人类爱情中最难割舍的爱，指父母之爱和王子之贵。⑲②取灭后之殊胜：追求死后绝妙的境地。释迦牟尼认为佛死后受诸天神王的供养和后人的尊奉，殊荣无比。灭，即灭度，僧人称死亡为灭度。殊胜，绝妙的境地。⑲③四辅：相传古代天子有四名辅臣，其官名为前疑、右弼、左辅、后丞。⑲④人瘼：人民疾苦。⑲⑤虔奉宗祧：虔诚地供奉宗庙。祧，远祖之庙。⑲⑥缪：乱。⑲⑦胜残而去杀：制服残暴之人使不为恶，就可以不用刑杀。⑲⑧讲筵：讲席，此指僧尼讲经之所。

【校记】

［13］合：原误作"各"。胡三省注云："蜀本作'合三万人'。"据章钰校，十二行本、孔天胤本亦作"合"，当是，今据校正。

【原文】

岭南旧分五管，广、桂、邕、容、安南，皆隶岭南节度使。蔡京奏请分岭南为两道节度，从之。五月，敕以广州为东道，邕州为西道，又割桂管龚⑲⑨、象二州，容管藤、严⑳⓪二州隶邕管。寻以岭南节度使韦宙为东道节度使，以蔡京为西道节度使。

蔡袭将诸道兵在安南，蔡京忌之，恐其立功，奏称："南蛮远遁，边徼无虞⑳①，武夫邀功，妄占戍兵⑳②，虚费馈运。盖以荒陬⑳③路远，难于覆验⑳④，故得肆其奸诈。请罢戍兵，各还本道。"朝廷从之。袭累奏群蛮伺隙日久，不可无备，乞留戍兵五千人，不听。袭以蛮寇必至，交趾兵食皆阙，谋力两穷，作十必死状⑳⑤申中书⑳⑥。时相信京之言，终不之省。

秋，七月，徐州军乱，逐节度使温璋。

初，王智兴既得徐州，募勇悍之士二千人，号银刀、雕旗、门枪、挟马等七军，常以三百余人自卫，露刃坐于两庑夹幕之下，每月一更⑳⑦。其后节度使多儒臣，其兵浸骄，小不如意，一夫大呼，其众皆和⑳⑧之，节度使辄自后门逃去。前节度使田牟至⑳⑨与之杂坐饮酒，把臂拊背，或为之执板唱歌。犒赐之费，日以万计，风雨寒暑，复加劳来㉑⓪，犹时喧哗，邀求不已。牟薨，璋代之。骄兵素闻璋性严，惮之。璋开怀㉑①慰抚，而骄兵终怀猜忌，赐酒食皆不历口㉑②，一旦，竟聚噪而逐之。朝廷知璋无辜，乙亥㉑③，以璋为邠宁节度使，以浙东观察使王式为武宁节度使。

以前西川节度使、同平章事夏侯孜为左仆射、同平章事。

忠武、义成两军从王式讨裘甫者犹在浙东，诏式帅以赴徐州，骄兵闻之，甚惧。八月，式至大彭馆㉑④，始出迎谒。式视事三日，飨两镇将士，遣还㉑⑤。既[14]擐甲执兵，命围骄兵，尽杀之，银刀都将邵泽等数千人皆死。甲子㉑⑥，敕以徐州先隶淄青㉑⑦道，李洧㉑⑧自归，始置徐海使额。及张建封㉑⑨以威名宠任，特帖濠、泗二州。当时本以控扼淄青、

【语译】

岭南地区过去分为五管，即广州、桂州、邕州、容州和安南，都隶属于岭南节度使。蔡京奏请分岭南为两道节度，朝廷听从了。五月，敕命以广州为东道，邕州为西道，又划分桂管的龚、象二州和容管的藤、严二州隶属于邕管。不久，任命岭南节度使韦宙为东道节度使，蔡京为西道节度使。

蔡袭统领各道的军队在安南，蔡京很忌妒他，担心他建立功业，于是上奏说："南蛮远逃，边境无忧，武将想求得功劳，虚报戍守的军队，白白耗费国家粮饷。大概是认为荒凉路远，很难进行审查检验，所以能够放心大胆地搞欺诈勾当。请求撤销戍兵，各自返回本道。"朝廷采纳了蔡京的意见。蔡袭多次上奏说，群蛮窥伺时机已经很久，不能没有防备，乞求留下五千名戍兵，朝廷不答应。蔡袭认为蛮人一定会来侵扰，交趾的军队、粮食都缺乏，谋略和实力两方面都已穷尽，于是写了一份十种必死的申诉文书呈报中书省。当时的宰相听信了蔡京的话，最终对蔡袭的文书不予理睬。

秋，七月，徐州军叛乱，赶走了节度使温璋。

当初，王智兴担任徐州节度使以后，招募了勇敢强悍的士卒二千人，号为银刀、雕旗、门枪、挟马等七军，经常用三百多人自卫，坐在两边走廊夹幕之下，露出刀锋，每月轮换一次。在他以后担任节度使的多是儒学之士，那些士兵渐渐骄傲起来，稍不如意，一人大呼，其余的士众就附和他，节度使就从后门逃走。温璋的前任节度使田牟以至于和士兵们杂坐在一起饮酒，拉着手臂，拍着背肩，有时还为他们执板唱歌。犒赏的经费，日以万计，刮风下雨、寒冷暑热，还要另加慰劳，即使如此，还不时喧闹，要求没完没了。田牟死后，温璋代理他的职位。骄兵素闻温璋个性严厉，害怕他。温璋推诚慰抚他们，而骄兵始终心怀猜疑，赏赐的酒食都不入口，一天，竟然聚众喧噪把温璋赶走了。朝廷知道温璋没有过错，七月初八日乙亥，任命温璋为邠宁节度使，任命浙东观察使王式为武宁节度使。

任命前西川节度使、同平章事夏侯孜为左仆射、同平章事。

忠武、义成两军中跟从王式讨伐裘甫的部队还在浙东，诏令王式带领他们赶往徐州，骄兵听到这一消息，非常恐惧。八月，王式到达徐州城外的大彭馆，骄兵才出城迎接拜见。王式接任后的第三天，宴请两镇将士，让他们回去。在他们穿上铠甲拿起武器后，命令他们包围骄兵，把骄兵们全部杀了，银刀都将邵泽等数千人都被杀死。二十八日甲子，敕命因徐州原先隶属淄青道，李洧自动归附朝廷后，才设置徐海观察使这个职位。待到张建封由于威名被宠信重用，又特地将濠、泗两州划归徐州。当时的本意，是想依靠徐州来控制淄青、光蔡两道，而自从两道的寇孽消除，

光蔡㉒⓪，自寇孽消弭，而武宁一道职为乱阶。今改为徐州团练使，隶兖海节度，复以濠州归淮南道，更于宿州置宿泗都团练观察使，留将士三[15]千人守徐州，余皆分隶兖、宿。且以王式为武宁节度使兼徐、泗、濠、宿制置使。委式与监军杨玄质分配将士赴诸道讫，然后将忠武、义成两道兵至汴滑㉒①，各遣归本道，身诣京师。其银刀等军逃匿将士，听一月内自首，一切勿问。

【段旨】

以上为第七段，写王式镇压徐州乱兵。

【注释】

⑲⑨龚：州名，治所平南，在今广西平南。⑳⓪藤、严：皆州名。藤州治所镡津，在今广西藤县东北。严州治所来宾，在今广西来宾东南。⑳①边徼无虞：边境无忧。⑳②妄占戍兵：虚报戍守士兵。占，占名，指入编兵员。⑳③荒陬：荒远地区。⑳④覆验：审查检验。⑳⑤状：文书。⑳⑥申中书：向中书省呈报。⑳⑦更：替换。⑳⑧和：应和；附和。⑳⑨至：以至于。㉑⓪劳来：慰劳。㉑①开怀：诚心，真心诚意。怀，心意。㉑②历口：经口；入口。㉑③乙亥：七月初八日。㉑④大彭馆：地名，在今江苏徐州城外。㉑⑤飨两镇将士二句：王式宴请忠武、义成两镇将士，乃以聚宴为名部署两镇兵诛杀银刀兵。飨，设宴款待人。㉑⑥甲子：八月二十八日。㉑⑦淄青：方镇名，唐肃宗宝应元年（公元七六二年）置。治所青州，在今山东青州。同年，原治营州的平卢节度使南迁青州，遂号淄青平卢节度

【原文】

岭南西道节度使蔡京为政苛惨，设炮烙㉒②之刑，阖境㉒③怨之，遂为邕州军士所逐，奔藤州，诈为敕书及攻讨使印，募乡丁及旁侧土军以攻邕州。众既乌合，动辄溃败，往依桂州。桂州人怨其分裂㉒④，不纳。京无所自容，敕贬崖州司户，不肯之官，还至零陵㉒⑤，敕赐自尽。以桂管观察使郑愚为岭南西道节度使。

徐州武宁军就成了主要祸乱的根源。现在改为徐州团练使，隶属于兖海节度使管辖，又将濠州归还淮南道，另在宿州设置宿泗都团练观察使，留下将士三千人守卫徐州，其余的人都分别归属兖海和宿泗两道。暂时任命王式为武宁节度使兼徐、泗、濠、宿制置使。委派王式与监军杨玄质分遣将士前往各道，事毕，然后带领忠武、义成两道兵士到汴州和滑州，把他们各自遣归本道，然后亲自到京师来。银刀等军逃走躲藏起来的将士，让他们在一个月内自首，一律不再追究。

使。㉘李洧：淄青节度使李正己堂叔父。正己任为徐州刺史。建中二年（公元七八一年），正己死，子纳叛，洧率州归顺朝廷，乃置徐海观察使，以洧任使职。传见《旧唐书》卷一百二十四、《新唐书》卷一百四十八。㉙张建封（公元七三五至八〇〇年）：唐德宗建中、兴元之际任寿州刺史、濠寿庐三州观察使。抗拒李希烈叛军有功，威望益重。朝廷以徐州咽喉要地，乃任为徐泗濠节度使。传见《旧唐书》卷一百四十、《新唐书》卷一百五十八。㉚光蔡：方镇名。大历十四年（公元七七九年）以淮宁军改置，治所蔡州，在今河南汝南县。贞元十四年（公元七九八年）号彰义军。㉛汴滑：方镇名，乾元二年（公元七五九年）置，治所滑州，在今河南滑县东。上元二年（公元七六一年）废。此处沿用旧名。

【校记】

［14］既：原作“镇”，属上句读。据章钰校，十二行本、乙十一行本、孔天胤本皆作“既”，今据改。张敦仁《通鉴刊本识误》云：“‘还’下衍‘镇’字，脱‘既’字。”［15］三：据章钰校，十二行本、乙十一行本、孔天胤本皆作“二”，张敦仁《通鉴刊本识误》同。

【语译】

岭南西道节度使蔡京为政苛刻残酷，设置炮烙的刑罚，整个辖区内都怨恨他，于是被邕州军士赶走，逃往藤州，假造敕书和攻讨使印章，招募乡丁和近旁本地士兵用来进攻邕州。他带领的是乌合之众，刚一作战就溃败了，前往依靠桂州。桂州人怨恨蔡京分裂了桂州的疆土，不接纳他。蔡京无地安身，敕命贬谪他为崖州司户，他不肯赴职，回到零陵，敕命他自杀。任命桂管观察使郑愚为岭南西道节度使。

冬，十月丙申朔[226]，立皇子佾为魏王，侹为凉王，佶为蜀王。

十一月，立顺宗子缉为蕲王，宪宗子愤为荣王。

南诏帅群蛮五万寇安南，都护蔡袭告急。敕发荆南、湖南两道兵二千，桂管义征子弟[227]三千，诣邕州受郑愚节度。

岭南东道节度使韦宙奏："蛮寇必向邕州，若不先保护，遽欲远征，恐蛮于后乘虚扼绝饷道。"乃敕蔡袭屯海门[228]，郑愚分兵备御。十二月，袭又求益兵，敕山南东道发弩手千人赴之。时南诏已围交趾，袭婴城固守，救兵不得至。

翼王綅[229]薨。

是岁，嗢末始入贡。嗢末者，吐蕃之奴号也。吐蕃每发兵，其富室多以奴从，往往一家至十数人，由是吐蕃之众多。及论恐热作乱，奴多无主，遂相纠合为部落，散在甘、肃、瓜、沙、河、渭、岷、廓、叠、宕之间，吐蕃微弱者反依附之。

【段旨】

以上为第八段，写岭南变乱，南诏乘机入寇。

【注释】

㉒ 炮烙：原为殷纣王所用的酷刑。用炭烧热铜柱，令人爬行其上，堕下即落入炭中

【原文】

四年（癸未，公元八六三年）

春，正月庚午[230]，上祀圜丘，赦天下。

是日，南诏陷交趾，蔡袭左右皆尽，徒步力战，身集十矢，欲趣监军船，船已离岸，遂溺海死。幕僚樊绰携其印浮渡江[231]。荆南、江西、鄂岳、襄州将士四百余人，走至城东水际，荆南虞候元惟德等谓

冬，十月初一日丙申，立皇子李佾为魏王，李侹为凉王，李佶为蜀王。

十一月，立顺宗子李缉为蕲王，宪宗子李愤为荣王。

南诏率领群蛮五万人侵犯安南，都护蔡袭向朝廷告急。懿宗敕命调发荆南和湖南两道的士兵二千人，桂管应募从军的子弟三千人，到邕州接受郑愚指挥。

岭南东道节度使韦宙上奏说："蛮人一定向邕州进攻，如果不预先保护，马上想远征，恐怕蛮人随后乘虚断绝粮道。"于是朝廷敕命蔡袭屯驻海门，郑愚分兵准备防御。十二月，蔡袭又请求增加援兵，敕命山南东道调发弓弩手一千人前往。当时南诏已经包围了交趾城，蔡袭环城固守，救兵不能到达城里。

翼王李綽去世。

这一年，嗢末开始向朝廷进贡。嗢末是吐蕃中奴仆的名号。吐蕃每次发兵时，那些富有人家多带着奴仆跟从，往往一家多达十几人，这样一来吐蕃的军队中人数就增多了。到论恐热作乱时，奴仆多数没有了主人，于是奴仆就结合起来成为部落，散居在甘、肃、瓜、沙、河、渭、岷、廓、叠、宕等州之间，吐蕃中卑微无力的人反而去依附这些部落。

烧死。㉓阖境：全境。㉔分裂：指割桂管藤、严二州隶岭南西道。㉕零陵：县名，县治在今湖南永州市零陵区。㉖丙申朔：十月初一日。㉗义征子弟：指应募从军的人。㉘屯海门：即令蔡袭弃交趾，退屯海门。然诏书到时，袭已被困，遂死于交趾。㉙翼王綽：翼王李綽，又名绰，唐顺宗子，贞元二十一年（公元八〇五年）封。传见《旧唐书》卷一百五十、《新唐书》卷八十二。

【语译】

四年（癸未，公元八六三年）

春，正月初七日庚午，懿宗到圜丘祭天，大赦天下。

这一天，南诏攻下了交趾，蔡袭身边的随从都战死了，他徒步力战，身上被射中十箭，想赶往监军的船，船已离开了海岸，于是溺死在海里。幕僚樊绰带着他的大印浮海渡江而归。荆南、江西、鄂岳、襄州四道将士四百余人，逃到城东水边，

众曰:“吾辈无船，入水则死，不若还向城与蛮斗，人以一身易二蛮，亦为有利。”遂还向城，入东罗门[232]。蛮不为备，惟德等纵兵杀蛮二千余人。逮夜，蛮将杨思缙始自子城出救之，惟德等皆死。南诏两陷交趾，所杀虏且十五万人。留兵二万，使思缙据交趾城，溪洞夷獠无远近皆降之。诏诸道兵赴安南者悉召还，分保岭南东[16]、西道。

上游宴无节，左拾遗刘蜕上疏曰:“今西凉[233]筑城，应接[234]未决于与夺[235]，南蛮侵轶[236]，干戈悉在于道涂，旬月以来，不为无事。陛下不形忧闵以示远近，则何以责其死力！望节娱游，以待远人乂安，未晚[237]。”弗听。

二月甲午朔[238]，上历[239]拜十六陵[240]。

置天雄军[241]于秦州，以成、河、渭三州隶焉，以前左金吾将军王晏实[242]为天雄观察使。

三月，归义节度使张义潮奏自将蕃、汉兵七千克复凉州。

南蛮寇左、右江，浸逼邕州。郑愚惧，自言儒臣无将略，请任武臣。朝廷召义武节度使康承训[243]诣阙，欲使之代愚，仍诏选军校数人、士卒数百人自随。

中书侍郎、同平章事毕諴以同列多徇私不法，称疾辞位。夏，四月，罢为兵部尚书。

庚戌[244]，群盗入徐州，杀官吏，刺史曹庆讨平之。

康承训至京师，以为岭南西道节度使，发荆、襄、洪、鄂四道[245]兵万人与之俱。

五月戊辰[246]，以翰林学士承旨、兵部侍郎杨收[247]同平章事。收，发之弟也。与左军中尉杨玄价叙同宗相结，故得为相。

乙亥[248]，废容管，隶岭南西道，以供军食[17]。复以龚、象二州隶桂管。

戊子[249]，以门下侍郎、同平章事杜审权同平章事，充镇海节度使。

六月，废安南都护府，置行交州于海门镇[250]，以右监门将军[251]宋戎为行交州刺史，以康承训兼领安南及诸军行营。

闰月[252]，以门下侍郎、同平章事杜悰同平章事，充凤翔节度使，以兵部侍郎、判度支河南曹确[253]同平章事。

荆南道虞候元惟德等对众人说："我们没有船，入水就死了，不如回头到城下和蛮人交战，每人用一个人换两个蛮人，也是划得来的。"于是回头奔向城下，进入东罗门。蛮人未作防备，元惟德等放纵士兵杀死蛮兵二千余人。到夜晚，蛮将杨思缙才从子城出来救援蛮兵，元惟德等都战死了。南诏两次攻下交趾，杀伤和俘虏将近十五万人。留下二万士兵，命杨思缙据守交趾城，溪洞夷獠不论远近都投降了他。朝廷诏命把赴安南的各道士兵都召回来，分别保卫岭南东、西道。

懿宗游宴没有节制，左拾遗刘蜕上疏说："现在在西凉筑城的事，如何对待，还没有决定可否，南蛮侵犯，各地战争正在进行，近月以来，不是没有发生大事。陛下不表现出忧伤的态度给远近看，那么用什么理由去要求将士们拼命战斗！希望陛下节制娱乐游玩，等到远方民众安定了，再游乐也不晚。"懿宗不听从。

二月初一日甲午，懿宗一一拜谒了十六座祖陵。

在秦州设置天雄军，将成、河、渭三州隶属于它，任命前左金吾将军王晏实为天雄军观察使。

三月，归义节度使张义潮上奏说，他亲自带蕃、汉兵七千人收复了凉州。

南蛮侵扰左、右江，渐渐逼近了邕州。郑愚害怕了，说自己是文臣，没有武将的谋略，请求朝廷任用武将。朝廷召义武节度使康承训到京师，想让他接替郑愚，还诏令他在镇内选军校数人、士卒数百人跟随自己。

中书侍郎、同平章事毕诚因为同时在位的人大多徇私法，借口有病要求辞职。夏，四月，免职，任命为兵部尚书。

四月十八日庚戌，群盗进入徐州，杀戮官吏，刺史曹庆讨伐并平定了他们。

康承训到京师，被任命为岭南西道节度使，调发荆南、襄州、洪州、鄂岳四道兵共一万人和他一同前往。

五月初六日戊辰，任命翰林学士承旨、兵部侍郎杨收同平章事。杨收，是杨发的弟弟。杨收和左军中尉杨玄价攀同宗关系相交结，所以得以为相。

五月十三日乙亥，撤销容管，将其隶属岭南西道，来为军队提供粮食。又把龚、象二州隶属于桂管。

五月二十六日戊子，任命门下侍郎、同平章事杜审权为同平章事，充任镇海节度使。

六月，撤销安南都护府，在海门镇侨置交州治所，任命右监门将军宋戎为行交州刺史，由康承训兼领安南及诸军行营。

闰六月，任命门下侍郎、同平章事杜悰为同平章事，充任凤翔节度使，任命兵部侍郎、判度支河南人曹确为同平章事。

【段旨】

以上为第九段，写官军在岭南失利，朝廷重新调整岭南行政建制。写唐懿宗游宴无节。

【注释】

㉚庚午：正月初七日。㉛渡江：渡马门江，在今广西博白西南。㉜东罗门：安南罗城东门。罗城，城墙外加建的小城，以加强防守。㉝西凉：即凉州，治所姑臧，在今甘肃武威。㉞应接：呼应；对待。㉟与夺：放弃或进取。谓谋在西凉筑城，而朝廷对西凉的取舍，尚在犹豫之中。㊱侵轶：侵犯；突袭。轶，突犯。㊲望节娱游三句：此下三句意谓希望陛下节制娱乐游戏，等到边远地区太平无事之后，再行游乐，并不为晚。远人，指西北吐蕃、南方南诏。乂安，太平无事。㊳甲午朔：二月初一日。㊴历：遍；一一。㊵十六陵：高祖献陵、太宗昭陵、高宗乾陵、中宗定陵、睿宗桥陵、玄宗泰陵、肃宗建陵、代宗元陵、德宗崇陵、顺宗丰陵、宪宗景陵、穆宗光陵、敬宗庄陵、文宗章陵、武宗端陵、宣宗贞陵。㊶天雄军：方镇名，大历八年（公元七七三年）赐魏博天雄军。大历十年田承嗣攻取相卫节度使辖地，遂削去军号。咸通五年（公元八六四年）于秦州置天雄军。天祐元年（公元九〇四年）复魏博天雄军号，秦州不再称天雄军。㊷王

【原文】

秋，七月辛卯朔㉞，日有食之。

复置安南都护府于行交州，以宋戎为经略使，发山东兵万人镇之。时诸道兵援安南者屯聚岭南，江西、湖南[18]馈运者皆泝湘江㉟入澪渠㊱、漓水㊲，劳费艰涩㊳，诸军乏食。润州人陈磻石上言，请造千斛大舟，自福建运米泛海，不一月至广州。从之，军食以足。然有司以和雇㊴为名，夺商人舟，委其货于岸侧，舟入海或遇风涛没溺，有司囚系纲吏㊵、舟人，使偿其米，人颇苦之。

八月，岭南东道节度使韦宙奏，蛮寇[19]必向邕州，请分兵屯容、藤州。

夔王滋㊶薨。

敕以阁门使㊷吴德应等为馆驿使㊸。台谏㊹上言："故事，御史巡

晏实：文宗宣武节度使王智兴之孙，武宗河中节度使王宰之子，官至天雄节度使。传见《新唐书》卷一百七十二。㉔③康承训：字敬辞，灵州（今宁夏灵武西南）人，历任义武、岭南西道、义成等节度使，官终左千牛卫大将军。传见《新唐书》卷一百四十八。㉔④庚戌：四月十八日。㉔⑤荆、襄、洪、鄂四道：即荆南、山南东道、江南西道、武昌四节度使。㉔⑥戊辰：五月初六日。㉔⑦杨收：字藏之，累官至兵部侍郎、宰相。后流驩州，赐死。咸通十二年得昭雪。传见《旧唐书》卷一百七十七、《新唐书》卷一百八十四。㉔⑧乙亥：五月十三日。㉔⑨戊子：五月二十六日。㉕⓪置行交州于海门镇：在海门镇设置交州治所，署理交州事务。行，侨置。㉕①右监门将军：官名，左右监门卫属禁军十六卫，掌宫门禁卫及门籍，其长官有上将军、大将军、将军等。㉕②闰月：指闰六月。㉕③曹确：字刚中，河南（今河南洛阳）人，累官至中书侍郎、宰相，终河中节度使。为官廉洁，有雅望。传见《旧唐书》卷一百七十七、《新唐书》卷一百八十一。

【校记】

［16］东：原无此字。据章钰校，十二行本、乙十一行本皆有此字，张敦仁《通鉴刊本识误》同，今据补。［17］以供军食：原无此四字。据章钰校，十二行本、乙十一行本、孔天胤本皆有此四字，张敦仁《通鉴刊本识误》、张瑛《通鉴校勘记》同，今据补。

【语译】

秋，七月初一日辛卯，发生日食。

重新在交州设置安南都护府，任命宋戎为经略使，调发山东各地兵一万人镇守。当时入援安南的各道士兵屯聚在岭南地区，江西、湖南运送粮饷的人都沿着湘江逆流而上到达澪渠，再入漓水，辛劳靡费，艰难阻滞，各路军队缺乏粮食。润州人陈磻石上奏说，请制造能装载一千石粮的大船，从福建运米经海路，不用一个月就可抵达广州。朝廷照办了，军队的粮食得到满足。然而有关官员用官府出钱雇用为名，夺取商人的船只，把他们的货物抛弃在岸边，运粮船进入海中有时遇上风浪沉没，有关官员便将押运的官吏和船夫囚禁起来，要他们赔偿损失，人们对运粮差事感到十分痛苦。

八月，岭南东道节度使韦宙上奏说，蛮寇一定兵向邕州，请求分兵屯驻容州和藤州。

夔王李滋去世。

敕命阁门使吴德应等为馆驿使。台谏官进言："旧例，御史担任巡驿使，不应当

驿，不应忽以内臣[20]代之。”上谕以敕命已行，不可复改。左拾遗刘蜕上言：“昔楚子县陈[265]，得申叔一言而复封之；太宗发卒修乾元殿[266]，闻张玄素[267]谏，即日罢之。自古明君所尚者，从谏如流，岂有已行而不改！且敕自陛下出之，自陛下改之，何为不可！”弗听。

黠戛斯遣其臣合伊难支表求经籍及每年遣使走马请历[268]，又欲讨回鹘，使安西以来悉归唐，不许。

冬，十月甲戌[269]，以长安[270]尉、集贤校理[271]令狐滈为左拾遗。乙亥[272]，左拾遗刘蜕上言：“滈专家[273]无子弟之法，布衣行公相之权。”起居郎张云言：“滈父绹用李涿为安南，致南蛮至今为梗[274]，由滈纳贿，陷父于恶[275]。”十一月丁酉[276]，云复上言：“滈，父绹执政之时，人号‘白衣宰相[277]’。”滈亦上表引避，乃改詹事府司直[278]。

辛巳[279]，废宿泗观察使，复以徐州为观察府，以濠、泗隶焉。

十二月，南诏寇西川。

昭义节度使沈询奴归秦与询侍婢通，询欲杀之，未果。乙酉[280]，归秦结牙将作乱，攻府第，杀询。

【段旨】

以上为第十段，写唐懿宗宠信宦官，令狐绹受讥弹。

【注释】

[254]辛卯朔：七月初一日。[255]湘江：水名，与漓水同发源于广西兴安海阳山，称漓湘；至县北分流东北入湖南，至零陵与潇水汇合称潇湘；至衡阳与蒸水汇合称蒸湘。[256]澪渠：渠名，即灵渠，秦史禄开凿，是沟通湘、漓二水的著名水利工程，在广西兴安境内。[257]漓水：水名，即今漓江。在广西兴安与湘水分流向西南，经桂林，至梧州。[258]艰涩：指道路艰难阻滞。[259]和雇：官府出钱雇用。[260]纲吏：押运大宗粮食、货物的官吏。[261]夔王滋：夔王李滋，唐宣宗第三子，会昌六年（公元八四六年）封。传见《旧唐书》卷一百七十五、《新唐书》卷八十二。[262]阁门使：官名，掌供奉朝会，赞引亲王、百官、蕃客相见，纠弹失仪。以宦官担任。[263]馆驿使：官名，掌管客舍、驿站事务。唐中期两京以御史巡视、主持其事。[264]台谏：台指御史台官员，有侍御史、殿中侍御史、

忽然由宦官代替这个职务。”懿宗告谕说敕命已经发布，不能再改变。左拾遗刘蜕进言：“从前楚庄王把陈国作为楚县，得到申叔的一句谏言就恢复了陈国；太宗调发士卒修建乾元殿，听到了张玄素的谏言，当天就停止修建。自古以来英明的君主所尊尚的是从谏如流，哪里有已经执行了而不改变的！况且敕令是陛下发出的，由陛下改变它，有什么不可以！”懿宗没有听从。

黠戛斯派遣他的使臣合伊难支上表，索求经籍和每年遣使者乘快马请赐的年历，又想讨伐回鹘，使安西以东的地方全部归属唐朝，朝廷没有答应。

冬，十月十五日甲戌，任命长安尉、集贤校理令狐滈为左拾遗。十六日乙亥，左拾遗刘蜕进言：“令狐滈治家对子弟没有法度，布衣小吏竟然行使公相的大权。”起居郎张云进言：“令狐滈的父亲令狐绹任用李涿为安南都护，致使南蛮至今为患，这是由于令狐滈收受了贿赂，使他父亲蒙受坏名声。”十一月初八日丁酉，张云又进言：“令狐滈的父亲令狐绹为相执政时，人们号称他是‘白衣宰相’。”令狐滈也上奏表要求退避，于是改任太子詹事府司直。

十二月二十三日辛巳，撤销宿泗观察使，又恢复徐州为观察府，把濠州和泗州隶属于它。

十二月，南诏寇掠西川。

昭义节度使沈询的家奴归秦和沈询的侍婢通奸，沈询想杀掉他，未能杀成。十二月二十七日乙酉，归秦勾结牙将作乱，攻打节度使府，杀死了沈询。

监察御史等，掌纠察。谏指谏院官员，有谏议大夫、拾遗、补阙等，掌规谏。㉖⑤楚子县陈：陈大夫夏征舒弑其君，楚庄王入陈讨伐叛乱，杀夏征舒，而将陈国置为楚县。楚大夫申叔时认为讨叛是义举，而将陈国置为楚县是贪其富，为不义。楚庄王于是重新封立陈国。楚子，楚国始封为子爵，故称。㉖⑥太宗发卒修乾元殿：唐太宗欲修乾元殿，给事中张玄素以修宫殿非今日之急务，不可袭亡隋之弊为理由而加以反对，太宗当即接受谏言。事见本书卷一百九十三唐太宗贞观四年。㉖⑦张玄素（？至公元六六四年）：历官给事中、邓州刺史，以直言敢谏闻名。传见《旧唐书》卷七十五、《新唐书》卷一百三。㉖⑧请历：少数民族无历法，每年遣使向汉朝廷请求当年历书。㉖⑨甲戌：十月十五日。㉗⓪长安：县名，县治在今陕西西安。㉗①集贤校理：官名，掌集贤殿书院经籍的校理。㉗②乙亥：十月十六日。㉗③专家：治家。㉗④梗：阻碍，引申为祸害。㉗⑤由滈纳赂二句：指令狐滈接受李涿贿赂，使其父令狐绹违法作恶，任用李涿为安南都护。㉗⑥丁酉：十一月初八日。㉗⑦白衣宰相：备位充数的宰相。白衣，素衣，喻绹为平头百姓。㉗⑧詹事府司直：官名，太子属官，掌弹劾东宫官员不法，正七品上。㉗⑨辛巳：十二月二十三日。㉘⓪乙酉：十二月二十七日。

【校记】

［18］江西、湖南：此四字原重，显系衍文。胡三省注云："此四字衍。"今据胡注删。［19］寇：原无此字。据章钰校，十二行本、乙十一行本、孔天胤本皆有此字，张敦仁《通鉴刊本识误》同，今据补。［20］臣：原作"人"。据章钰校，十二行本、乙十一行本皆作"臣"，今据改。

【原文】

五年（甲申，公元八六四年）

春，正月，以京兆尹李蠙为昭义节度使，取归秦心肝以祭沈询。

淮南节度使令狐绹为其子滈讼冤。贬张云兴元少尹，刘蜕华阴㉘令。敕曰："虽嘉蹇谔㉘之忠，难逃疏易㉘之责。"

丙午㉘，西川奏，南诏寇巂州，刺史喻士珍破之，获千余人㉘，诏发右神策兵五千及诸道兵戍之。忠武大将颜庆复请筑新安、遏戎［21］二城㉘，从之。

以容管经略使张茵兼句当交州事㉘，益海门镇兵满二万五千人，令茵进取安南。

二月己巳㉘，以刑部尚书、盐铁转运使李福同平章事，充西川节度使。

甲申㉘，前西川节度使萧邺左迁山南西道观察使。

三月丁酉㉙，彗星出于娄㉙，长三尺。己亥㉙，司天监㉙奏："按《星经》㉙，是名含誉㉙，瑞星㉙也。"上大喜。"请宣示中外，编诸史策。"从之。

康承训至邕州，蛮寇益炽，诏发许、滑、青、汴、兖、郓、宣、润八道兵以授之。承训不设斥候，南诏帅群蛮近㉙六万寇邕州，将入境，承训乃遣六道兵凡万人拒之，以獠为导，绐之。敌至，不设备，五道兵八千人皆没，惟天平军㉙后一日至，得免。承训闻之，惶怖不知所为。节度副使李行素帅众治壕栅，甫㉙毕，蛮军已合围。留四日，治攻具，将就㉚，诸将请夜分道斫蛮营，承训不许。有天平小校㉚再三

【语译】

五年（甲申，公元八六四年）

春，正月，任命京兆尹李蠙为昭义节度使，取出归秦的心肝用来祭祀沈询。

淮南节度使令狐绹替他的儿子令狐滈申诉冤情。贬张云为兴元府少尹，贬刘蜕为华阴县令。敕令说："虽然正直敢言值得称赞，但是轻率指斥人的责任也是难以逃避的。"

正月十九日丙午，西川节度使上奏说，南诏侵犯巂州，刺史喻士珍打败了敌人，俘获一千多人，下诏调发右神策军五千人和各道兵防守巂州。忠武军大将颜庆复请求修筑新安、遏戎两城，朝廷听从了。

任命容管经略使张茵兼职管理交州的政事，增加海门镇的驻防军队达到二万五千人，命令张茵进兵攻取安南。

二月十二日己巳，任命刑部尚书、盐铁转运使李福为同平章事，充西川节度使。

二月二十七日甲申，前西川节度使萧邺降调山南西道观察使。

三月十一日丁酉，彗星出现在娄宿旁，长三尺。十三日己亥，司天监奏言："根据《星经》，此星名含誉，是祥瑞之星。"懿宗大为高兴。司天监又奏言："请宣示中外，著之于史册。"懿宗答应了。

康承训到邕州，蛮人的寇掠更加频繁，朝廷下诏调发许、滑、青、汴、兖、郓、宣、润八道的军队交给他。康承训不设哨兵，南诏带领群蛮近六万人侵犯邕州，将要进入州境，康承训派六道兵共一万人抗击蛮人，用獠人为向导，獠人欺骗了他。敌人到了，仍不设防备，五道兵八千人都被消灭，只有天平军因晚一天到达，得免于难。康承训听到这一消息，惊慌恐惧不知怎么办。节度副使李行素带领众人修治城壕和栅栏，刚完工，蛮军已经合围州城。停留四天，准备攻城器具，将要完成，守城各将领请求在晚上分头袭击蛮营，康承训不同意。有一名天平小校再三力争，

力争，乃许之。小校将勇士三百，夜缒而出，散烧蛮营，斩首五百余级。蛮大惊，间一日，解围去。承训乃遣诸军数千追之，所杀虏不满三百级，皆溪獠[302]胁从者。承训腾奏[303]告捷，云大破蛮贼，中外皆贺。

夏，四月，以兵部侍郎、判户部萧寘同平章事。寘，复[304]之孙也。

加康承训检校右仆射，赏破蛮之功也。自余奏功受赏者，皆承训子弟亲昵[305]，烧营小[22]校不迁一级。由是军中怨怒，声流道路。

五月，敕："徐州土风[306]雄劲，甲士精强。比因罢节[307]，颇多逃匿。宜令徐泗团练使选募军士三千人赴邕州防戍，待岭外事宁，即与代归。"

秋，七月，西川奏两林鬼主邀南诏蛮，败之，杀获甚众。保塞城[308]使杜守连不从南诏，帅众诣黎州降。

岭南东道节度使韦宙具知康承训所为，以书白宰相。承训亦自疑惧，累表辞疾。乃以承训为右武卫大将军[309]、分司，以容管经略使张茵为岭南西道节度使，复以容管四州别为经略使[310]。

时南诏知邕州空竭，不复入寇，茵久之不敢进军取安南。夏侯孜荐骁卫将军高骈[311]代之，乃以骈为安南都护、本管经略招讨使，茵所将兵悉以授之。骈，崇文[312]之孙也，世在禁军。骈颇读书，好谈今古，两军[313]宦官多誉之，累迁右神策都虞候。党项叛，将禁兵万人戍长武[314]，屡有功，迁秦州防御使，复有功，故委以安南。

冬，十一月，以门下侍郎、同平章事夏侯孜同平章事，充河东节度使。

壬寅[315]，以翰林学士承旨、兵部侍郎路岩[316]同平章事，时年三十六。

【段旨】

以上为第十一段，写康承训御南诏，谎报军情，朝廷庆功。

康承训方才答应了。小校带领勇士三百名，晚上从城上缒吊而出，分散烧毁蛮人营帐，杀了五百多名蛮人。蛮人大惊，隔了一天，撤除包围离去。康承训于是派遣各路军队数千人追赶蛮兵，杀伤和俘虏的不足三百人，都是被胁迫跟从的溪洞獠人。康承训飞速告捷，说是大破蛮贼，朝廷内外的官员全都祝贺。

夏，四月，任命兵部侍郎、判户部萧寘同平章事。萧寘是萧复的孙子。

加任康承训检校右仆射，奖赏他打败蛮人的功劳。其余在奏文中报了功而受到奖赏的人，都是康承训的子弟或亲近之人，烧毁蛮营的小校没有迁升一级。因此军中既怨恨又愤怒，不满情绪到处传播。

五月，敕令："徐州地方民风雄劲，甲士精强。近来因为撤销了节度使，很多士兵逃亡躲藏起来了。应当令徐泗团练使选募军士三千人前往邕州戍守，等到岭南战事平息，即取代他们回来。"

秋，七月，西川节度使上奏说，两林部落的大鬼主拦截南诏，打败了它，杀戮和俘获了很多人。保塞城使杜守连不服从南诏，带领徒众到黎州投降官军。

岭南东道节度使韦宙详细了解康承训的所作所为，写信告诉了宰相。康承训自己也疑虑恐惧，多次上表说有病请求辞职。于是朝廷任命康承训为右武卫大将军、分司东都，任命容管经略使张茵为岭南西道节度使，又把容管四个州另设经略使。

当时南诏知道邕州贫穷空乏，就不再入侵，张茵很久也不敢进军夺取安南。夏侯孜荐举骁卫将军高骈取代张茵，于是任命高骈为安南都护、本管经略招讨使，张茵所带领的军队全部交给高骈。高骈是高崇文的孙子，世代身在禁军。高骈很喜欢读书，爱好谈古论今，左、右神策军的宦官多半夸奖他，累迁右神策军都虞候。党项叛乱时，高骈带领禁军一万人戍守长武，屡次立功，升迁为秦州防御使，又立了功劳，所以被委任为安南都护。

冬，十一月，任命门下侍郎、同平章事夏侯孜为同平章事，充任河东节度使。

十九日壬寅，任命翰林学士承旨、兵部侍郎路岩为同平章事，时年三十六岁。

【注释】

㉘华阴：县名，县治在今陕西华阴。㉘蹇谔：正直敢言。蹇，同"謇"，正直。㉘疏易：疏忽简率，此指轻率地指责人。㉘丙午：正月十九日。㉘获千余人：胡注："观明年喻士珍以贪狯而失守，则此捷虚张功状也。"㉘新安、遏戎二城：胡注："筑于巂州界。"㉘兼句当交州事：兼职办理交州事务。㉘己巳：二月十二日。㉘甲申：二月二十七日。㉙丁酉：三月十一日。㉙彗星出于娄：彗星出现在西方娄宿。娄，星名，二十八宿之一，西方白虎七宿的第二宿。㉙己亥：三月十三日。㉙司天监：官名，司天台掌观

察天象、稽定历数，隶秘书省，其长官有监、少监。㉙《星经》：记载星象之书。新、旧《唐书》著录有《石氏星经簿赞》一卷。㉕含誉：星名，瑞星之一。㉖瑞星：古代天文学家所谓吉祥之星。瑞星、妖星、客星、流星统称杂星。㉗近：将近。㉘天平军：即八道兵之郓兵。㉙甫：方；才。㉚就：成。㉛小校：官名，军队的低级官吏。㉜溪獠：居住在山间溪洞的獠族人。㉝腾奏：驿递奏章。㉞复：萧复（公元七三二至七八八年），字履初，唐玄宗朝太子太师萧嵩之孙。唐德宗时官至吏部尚书、同平章事。传见《旧唐书》卷一百二十五、《新唐书》卷一百一。㉟亲昵：亲近，此指亲近之人。㊱土风：地方风俗习尚。㊲罢节：指咸通三年（公元八六二年）撤销武宁节度使，改为徐州团练使。㊳保塞城：城名，在今四川冕宁。㊴右武卫大将军：官名，武卫属禁军十六卫，分左右，掌宫禁宿卫，有上将军、大将军、将军等武官。㊵容管四州别为经略使：《新唐书·方镇表》，咸通元年，废容管，以所管十一州隶邕管，未几复置。而《旧唐书·地理志》载容管领十州。疑容管"四州"，应为"十州"。㊶高骈：字千里，幽州（治今北京）

【原文】

六年（乙酉，公元八六五年）

春，正月丁巳[317]，始以懿安皇后[318]配飨宪宗室。时王皞复为礼院检讨官，更申前议[319]，朝廷竟从之。

诸道进私白[320]者，闽中为多，故宦官多闽人。福建观察使杜宣猷每寒食遣吏分祭其先垄[321]，宦官德之。庚申[322]，以宣猷为宣歙观察使，时人谓之"敕使墓户[323]"。

三月，中书侍郎、同平章事萧寘薨。

夏，四月，以前东川节度使高璩[324]为兵部侍郎、同平章事。璩，元裕之子也。

杨收建议，以"蛮寇积年未平，两河兵戍岭南冒瘴雾物故[325]者什六七，请于江西积粟，募强弩三万人，以应接岭南，道近便，仍建节以重其权"。从之。五月辛丑[326]，置镇南军[327]于洪州。

巂州刺史喻士珍贪狯[328]，掠两林蛮以易金。南诏复寇巂州，两林蛮开门纳之，南诏尽杀戍卒，士珍降之。

壬寅[329]，以桂管观察使严譔[330]为镇南节度使。譔，震[331]之从孙也。

六月，高璩薨。

人，累官至天平、剑南西川、荆南、浙西、淮南等节度使，后为所部叛将杀死。传见《旧唐书》卷一百八十二、《新唐书》卷二百二十四下。⑫ 崇文：高崇文（公元七四六至八〇九年），唐宪宗时任剑南东川、西川、邠宁节度使，封南平郡王。传见《旧唐书》卷一百五十一、《新唐书》卷一百七十。⑬ 两军：指左、右神策军。⑭ 长武：城名，在今陕西长武西北泾河南岸。唐于此置戍兵。⑮ 壬寅：十一月十九日。⑯ 路岩：字鲁瞻，魏州冠氏（今山东冠县）人，咸通五年为宰相，后徙剑南西川节度使。因纵容属下亲吏多行不法，免官，赐死。传见《旧唐书》卷一百七十七、《新唐书》卷一百八十四。

【校记】

［21］戎：原作"戍"。据章钰校，十二行本、乙十一行本皆作"戎"，张敦仁《通鉴刊本识误》、熊罗宿《胡刻资治通鉴校字记》同，今据改。［22］小：原作"将"。据章钰校，十二行本、乙十一行本、孔天胤本皆作"小"，张敦仁《通鉴刊本识误》同，今据改。

【语译】

六年（乙酉，公元八六五年）

春，正月丁巳日，开始把懿安皇后配飨宪宗的庙室。当时王皞又当了礼院检讨官，再次提出从前的建议，朝廷最终听从了王皞的建议。

各道进献私自阉割的男子，福建地方最多，所以宦官多为福建人。福建观察使杜宣猷在每年寒食节时派官吏分头祭祀宦官们祖先的坟墓，宦官们很感激他。二月初九日庚申，任命杜宣猷为宣歙观察使，当时人称他为"敕使墓户"。

三月，中书侍郎、同平章事萧寘去世。

夏，四月，任命前东川节度使高璩为兵部侍郎、同平章事。高璩是高元裕的儿子。

杨收建议，认为"蛮人多年没有平定，戍守岭南的两河兵遭受瘴雾之气的十人中就有六七人死亡，请求在江西囤积粮食，招募弓弩手三万人，用以支援岭南，道路既近又方便，还可设置节度使以加重江西的权力"。朝廷同意了。五月二十一日辛丑，在洪州设置镇南军。

嶲州刺史喻士珍贪婪狡诈，抢掠两林部落的蛮人来换取金钱。南诏再次寇掠嶲州，两林蛮人打开城门迎入南诏兵，南诏兵把戍卒都杀死了，喻士珍投降了南诏。

五月二十二日壬寅，任命桂管观察使严譔为镇南节度使。严譔是严震的侄孙。

六月，高璩去世。

以御史大夫徐商为兵部侍郎、同平章事。

秋，七月，立皇子侃为郢王，俨为普王。

高骈治兵于海门，未进。监军李维周恶骈，欲去之，屡趣骈使进军。骈以五千人先济㉜，约维周发兵应援。骈既行，维周拥余众，不发一卒以继之。九月，骈至南定㉝。峰州蛮众近五万，方获田㉞，骈掩击，大破之，收其所获以食军㉟。

冬，十二月壬子㊱，太皇太后郑氏㊲崩。

【段旨】

以上为第十二段，写岭南战事，朝廷所用非人，宦官监军掣肘，官军无功。

【注释】

⑰丁巳：正月癸未朔，无丁巳。丁巳，二月初六日。⑱懿安皇后：即宪宗贵妃郭氏，郭子仪孙女，大中二年（公元八四八年）崩。⑲更申前议：即以郭后合葬景陵，神主配宪宗室。事见本书卷二百四十八唐宣宗大中二年。⑳私白：亦称私白身，即私自阉身的男子。㉑先垄：祖先的坟茔。㉒庚申：二月初九日。㉓敕使墓户：时人讥讽杜宣猷的绰号，意为受皇帝诏令替宦官们看守墓户。㉔高璩：字莹之，渤海（今河北南皮东北）人，唐宣宗朝吏部尚书高元裕之子。咸通五年（公元八六四年）任宰相，月余去世。传

【原文】

七年（丙戌，公元八六六年）

春，二月，归义节度使张义潮奏北庭回鹘固俊克西州㊳、北庭、轮台㊴、清镇㊵等城。

论恐热寓居廓州，纠合旁侧诸部，欲为边患，皆不从。所向尽为仇敌，无所自[23]容㊶。仇人以告拓跋怀光于鄯州，怀光引兵击破之。

三月戊寅㊷，以河东节度使刘潼为西川节度使。初，南诏围巂州，东蛮浪稽部㊸竭力助之，遂屠其城。卑笼部㊹怨南诏杀其父兄，导忠武戍兵袭浪稽，灭之，南诏由是怨唐。

南诏遣清平官㊺董成等诣成都，节度使李福盛仪卫㊻以见之。故

任命御史大夫徐商为兵部侍郎、同平章事。

秋，七月，册立皇子李侃为郢王，李俨为普王。

高骈在海门镇训练军队，没有进兵安南。监军李维周厌恶高骈，想把他赶走，多次催促高骈进兵。高骈带领五千人先渡江，约定李维周随后发兵接应支援。高骈出发以后，李维周拥有其余部众，不发一卒继踵其后。九月，高骈到达南定县。峰州蛮人将近五万人，正收获庄稼，高骈突然袭击，大败蛮人，收取了他们的粮食以供军粮。

冬，十二月初五日壬子，太皇太后郑氏去世。

见《旧唐书》卷一百七十一、《新唐书》卷一百七十七。㉕物故：亡故；去世。㉖辛丑：五月二十一日。㉗镇南军：方镇名。咸通六年升江南西道团练观察使为镇南军节度使。治所洪州，在今江西南昌。㉘贪狯：贪婪狡诈。㉙壬寅：五月二十二日。㉚严譔：严震之堂孙，官至江西节度使。宰相杨收有罪，严譔受株连，赐死。传见《新唐书》卷一百五十八。㉛震：严震（公元七二四至七九九年），字遐闻，梓州盐亭（今四川盐亭）人，官至山南西道节度使、兴元尹。朱泚反，德宗逃难至梁州，震护驾有功，封冯翊郡王。传见《旧唐书》卷一百十七、《新唐书》卷一百五十八。㉜济：指自海门镇渡海，经北部湾入红河而至南定。㉝南定：县名，县治在今越南河内东北。㉞获田：在田地里收割庄稼。㉟食军：供军队食用。㊱壬子：十二月初五日。㊲太皇太后郑氏：郑氏本宪宗懿安皇后郭氏侍女，生宣宗。懿宗即位，尊为太皇太后。

【语译】

七年（丙戌，公元八六六年）

春，二月，归义节度使张义潮上奏说，北庭回鹘固俊攻下西州、北庭、轮台、清镇等城。

论恐热寄居廓州，纠合旁边各个部落，企图危害边地，其他各部落都不听从。所往各部，全是仇敌，无处容身。论恐热的仇人在鄯州把这一情况告诉了拓跋怀光，拓跋怀光带领军队打败了论恐热。

三月初二日戊寅，任命河东节度使刘潼为西川节度使。当初，南诏包围巂州，东蛮浪稽部竭力帮助南诏，于是对巂州屠城。卑笼部怨恨南诏杀了他们的父兄，就引导忠武军的戍兵袭击浪稽部，消灭了他们，南诏由此仇恨唐朝。

南诏派遣清平官董成等人前往成都，节度使李福陈列盛大的仪卫接见他。按照

事，南诏使见节度使，拜伏于庭。成等曰："骠信㉞⑦已应天顺人㉞⑧，我见节度使当抗礼㉞⑨。"传言往返，自旦至日中不决。将士皆愤怒，福乃命捽㉟⓪而殴之，因械系于狱。刘潼至镇，释之，奏遣还国。诏召成等至京师，见于别殿，厚赐，劳而遣之。

成德节度使王绍懿在镇十年，为政宽简，军民便之。疾病，召兄绍鼎之子都知兵马使景崇㉟①而告之曰："吾兄以汝之幼，以军政授我。汝今[24]长矣，我复以军政归汝，努力为之，上忠朝廷，下和邻藩，勿坠㉟②吾兄之业，汝之功也。"言竟㉟③而薨。

闰月，吐蕃寇邠宁，节度使薛弘宗拒却之。

夏，四月辛巳㉟④[25]，贬前西川节度使李福为蕲王傅。

五月，葬孝明皇后㉟⑤于景陵之侧，主祔别庙㉟⑥。

六月，魏博节度使何弘敬薨，军中立其子左司马全皞㉟⑦为留后。

以王景崇为成德留后。

南诏酋龙遣善阐㉟⑧节度使杨缉思[26]助安南节度使段酋迁守交趾，以范昵些为安南都统，赵诺眉为扶邪㉟⑨都统。监陈㊱⓪敕使韦仲宰将七千人至峰州，高骈得以益其军，进击南诏，屡破之。捷奏至海门，李维周皆匿之，数月无声问㊱①。上怪之，以问维周，维周奏骈驻军峰州，玩寇㊱②[27]不进。上怒，以右武卫将军王晏权代骈镇安南，召骈诣阙，欲重贬之。晏权，智兴之从子也。是月，骈大破南诏蛮于交趾，杀获甚众，遂围交趾城。

【段旨】

以上为第十三段，写岭南监军李维周瞒上欺下，几败大事。

【注释】

㉝⑧克西州：大中五年（公元八五一年）张义潮以十一州图籍入唐，西州已在其中。今云克西州，盖当时虽得其图籍，其地仍为吐蕃所占。西州，治前庭，即今新疆吐鲁番。㉝⑨轮台：县名，县治在今新疆乌鲁木齐市米东区境。㉞⓪清镇：即清海镇，在北庭都护府西七百里，今新疆玛纳斯河之西。㉞①无所自容：没有自己容身之地。㉞②戊寅：三月初二日。㉞③东蛮浪稽部：南蛮诸部落之一，亦称浪稽蛮，在戎州（今四川宜宾）之北。㉞④卑笼部：南蛮诸

旧例，南诏的使者拜见节度使，要在中庭行拜伏礼。董成等人说："我们的国君已应天顺人称帝了，我见节度使应当用对等的礼仪。"彼此来回传话，从早上到中午都没有决定下来。将士们都很愤怒，李福于是命令把董成等人揪住打了一顿，接着戴上刑具囚系监狱。刘潼到达西川后，释放了他们，上奏遣送他们回国。朝廷下诏叫董成等人到京师，在别殿接见了他们，又重加赏赐，慰劳以后遣送他们回国。

成德节度使王绍懿在镇任职十年，为政宽缓简约，军民方便。他病重的时候，叫来哥哥王绍鼎的儿子都知兵马使王景崇，告诉他说："我兄长因为你年纪小，把军政大权交给了我。你今天长大了，我再把军政大权归还给你，努力干，对上忠于朝廷，对下和睦邻藩，不要丧失我哥哥的功业，这就是你的功劳。"说完话就去世了。

闰三月，吐蕃寇掠邠宁地区，节度使薛弘宗把他们打退了。

夏，四月初七日辛巳，贬谪前西川节度使李福为蕲王傅。

五月，将孝明皇后葬在景陵的旁边，神主安置在别的庙堂。

六月，魏博节度使何弘敬去世，军中拥立他的儿子左司马何全皞为留后。

任命王景崇为成德留后。

南诏酋龙派遣善阐节度使杨缉思帮助安南节度使段酋迁守卫交趾，任命范昵些为安南都统，赵诺眉为扶邪都统。监阵敕使韦仲宰带领七千人到达峰州，使高骈的军队得到增援，于是进军攻打南诏，多次打败南诏军。报捷的文书送到海门，李维周都把它藏了起来，朝廷几个月得不到战事消息。懿宗感到奇怪，就询问李维周，李维周上奏说高骈的军队驻扎在峰州，轻视敌人，不肯进军。懿宗大怒，任命右武卫将军王晏权代替高骈镇守安南，召高骈前往京城，打算对他重加贬谪。王晏权，是王智兴的侄子。这个月，高骈在交趾大败南诏兵，杀戮、俘获颇多，于是包围了交趾城。

部落之一，在雅州（今四川雅安）之西。㉟ 清平官：南诏官名，掌辅佐国王决定政事，犹唐之宰相。㊱ 盛仪卫：陈列盛大的仪仗卫士队伍。㊲ 骠信：夷语国君。南诏自元和三年（公元八〇八年）寻阁劝即位以来，即自称骠信。㊳ 应天顺人：应天命顺人愿，即称帝之意。㊴ 抗礼：平礼。㊵ 捽：揪。㊶ 景崇：王景崇，字孟安，成德节度使王绍鼎之子。绍鼎死，弟绍懿继任。绍懿死，侄景崇继任，封常山王。传见《旧唐书》卷二百四十二、《新唐书》卷二百十一。㊷ 坠：丧失。㊸ 竟：尽；终。㊹ 辛巳：四月初七日。㊺ 孝明皇后：即太皇太后郑氏，谥曰孝明，唐宣宗之母。㊻ 主祔别庙：郑氏为宪宗侧室，故神主祔于别庙。㊼ 全皞：何全皞，官至魏博节度使，后为乱军所害。传见《旧唐书》卷一百八十一、《新唐书》卷二百十。㊽ 善阐：方镇名，治所南诏善阐府，在今云南昆明。㊾ 扶邪：县名。胡注："属罗伏州。"在今越南海万南。㊿ 陈：同"阵"。(361) 声问：音信。(362) 玩寇：轻敌。

【校记】

［23］自：原无此字。据章钰校，十二行本、乙十一行本、孔天胤本皆有此字，今据补。［24］汝今：据章钰校，十二行本、乙十一行本二字互倒。［25］辛巳：原无此二

【原文】

秋，七月，以何全皞为魏博留后。

冬，十月甲申[363]，以门下侍郎、同平章事杨收为宣歙观察使。收性侈靡，门吏僮奴多倚为奸利。杨玄价兄弟受方镇之赂，屡有请托，收不能尽从。玄价怒，以为叛己，故出之。

拓跋怀光以五百骑入廓州，生擒论恐热，先刖[364]其足，数[365]而斩之，传首京师。其部众东奔秦州，尚延心邀击，破之，悉奏迁于岭南。吐蕃自是衰绝，乞离胡[366]君臣不知所终。

高骈围交趾十余日，蛮困蹙甚，城且下，会得王晏权牒，已与李维周将大军发海门，骈即以军事授韦仲宰，与麾下百余人北归。先是，仲宰遣小使王惠赞、骈遣小校曾衮入告[367]交趾之捷。至海中，望见旌旗东来，问游船[368]，云新经略使与监军也。二人谋曰："维周必夺表留我。"乃匿于岛间。维周过，即驰诣京师。上得奏，大喜，即加骈检校工部尚书，复镇安南。骈至海门而还。

王晏权暗懦[369]，动禀李维周之命[370]。维周凶贪，诸将不为之用，遂解重围，蛮遁去者太半。骈至，复督励将士攻城，遂克之，杀段酋迁及土蛮为南诏乡导[371]者朱道古，斩首三万余级，南诏遁去。骈又破土蛮附南诏者二洞，诛其酋长，土蛮帅众归附者万七千人。

十一月壬子[372]，赦天下。诏安南、邕州、西川诸军各保疆域，勿复进攻南诏，委刘潼晓谕，如能更修旧好，一切不问。

置静海军于安南，以高骈为节度使。自李涿侵扰群蛮[373]［28］，为安南患殆将十年，至是始平。骈筑安南城，周[374]三千步[375]，造屋四十余万间。

字。据章钰校，十二行本、乙十一行本、孔天胤本皆有此二字，张敦仁《通鉴刊本识误》同，今据补。[26]杨缉思：原脱“思”字。据章钰校，十二行本、乙十一行本、孔天胤本皆有“思”字，张敦仁《通鉴刊本识误》同，皆与《新唐书·南蛮传》合，今据补。[27]寇：据章钰校，十二行本、乙十一行本皆作“军”。

【语译】

秋，七月，任命何全皞为魏博镇留后。

冬，十月十三日甲申，任命门下侍郎、同平章事杨收为宣歙观察使。杨收本性奢侈，门下的属吏和奴仆多依仗他的势力为奸逐利。宦官杨玄价兄弟接受方镇的贿赂，多次请托杨收办事，杨收不能全部依从。杨玄价大怒，认为杨收背叛了自己，所以把他调出了朝廷。

拓跋怀光率领五百名骑兵攻入廓州，活捉了论恐热，先斩断他的脚，历数他的罪过，把他杀了，传送首级到京师。论恐热的部众向东逃往秦州，尚延心拦击，把他们打败了，向朝廷奏闻后把他们全部迁移到岭南地区。吐蕃从此衰绝，乞离胡君臣也不知道下落。

高骈包围交趾十多天，蛮人困迫到了极点，城池就要攻下，正好收到王晏权的文牒，说是已与李维周带领大军从海门启程了，高骈随即把军中之事交给韦仲宰，自己和部下百余人向北回朝。此前，韦仲宰派小使王惠赞、高骈派小校曾衮到朝廷去报告交趾的胜利消息。到了海上，看见竖有旌旗的大船从东边开来，询问巡逻船上的人，他们说那是新任经略使和监军。二人商议说：“李维周一定会夺取报捷表并扣留我们。”于是隐藏在海岛中。李维周过去了，二人立刻飞快赶往京师。懿宗得到报捷奏表，大为高兴，当即给高骈加检校工部尚书的官衔，仍然镇守安南。高骈到达海门又返回交趾。

王晏权昏庸懦弱，行动都听从李维周的命令。而李维周凶暴贪鄙，诸将都不愿为他出力，于是解除了对交趾的重重包围，蛮人逃走的有一大半。高骈到来，又督促勉励将士攻城，于是攻下了交趾，杀了段酋迁以及为南诏当向导的土蛮朱道古，斩首三万余级，南诏人逃走了。高骈又攻下依附南诏的土蛮两洞，杀了酋长，土蛮率领部众归附的有一万七千人。

十一月十一日壬子，大赦天下。诏令安南、邕州、西川各部军队各保疆域，不要再进攻南诏，委派刘潼告谕南诏，如果能够再修旧好，一切不予追究。

在安南设置静海军，任命高骈为节度使。自从李涿侵扰群蛮以来，造成安南的祸患大约将近十年，到这时才平定。高骈修筑安南城，周围三千步，建造房屋四十多万间。

十二月，黠戛斯遣将军乙支连几入贡，奏遣鞍马迎册立使㊼及请亥年㊽历日。

以成德留后王景崇为节度使。

上好音乐宴游，殿前供奉乐工常近五百人，每月宴设㊾不减十余，水陆皆备㊿，听乐观优，不知厌倦，赐与动及千缗。曲江、昆明、灞浐⑳、南宫㉛、北苑㉜、昭应㉝、咸阳，所欲游幸即行，不待供置，有司常具音乐、饮食、幄帟㉞，诸王立马以备陪从。每行幸，内外诸司扈从㉟者[29]十余万人，所费不可胜纪。

【段旨】

以上为第十四段，写高骈败南诏，安南十年之患得以平定。

【注释】

㉓甲申：十月十三日。㉔刖：断足之刑。㉕数：数说其罪。㉖乞离胡：吐蕃达磨赞普之妃綝氏之侄。达磨死，乞离胡被立为赞普。事见本书卷二百四十六唐武宗会昌二年。㉗入告：入朝禀告。㉘游船：游弈之船，即巡逻船。㉙暗懦：昏庸懦弱。㉚动禀李维周之命：行动都得听从李维周的命令。㉛乡导：即向导。乡，同“向”。㉜壬子：十一月十一日。㉝侵扰群蛮：事见本书卷二百四十九唐宣宗大中十二年。㉞周：周围。㉟步：长度单位，一步等于五尺。㊱册立使：官名，唐周边少数民族政权及邻国，

【原文】

八年（丁亥，公元八六七年）

春，正月，以魏博留后何全皞为节度使。

二月，归义节度使张义潮入朝，以为右神武统军，命其族子㊱淮深守归义。

自安南至邕、广，海路多潜石㊲覆舟。静海节度使高骈募工凿之，漕运无滞。

十二月，黠戛斯派遣将军乙支连几进京纳贡，奏请派遣马匹迎接册立使，以及请求亥年的日历。

任命成德镇留后王景崇为节度使。

懿宗爱好音乐宴游，殿前供奉的乐工常常接近五百人，每月设宴不少于十多次，水陆食品一应俱备，听音乐，看演戏，不知厌倦，赏赐动辄达到一千缗。曲江池、昆明池、灞水、浐水、南宫、北苑、昭应、咸阳，要是想去游玩，立即启行，不用等到供给的东西准备好，有关官吏要经常准备好音乐、饮食、帷帐，诸王站在马旁以备陪从。每次到一个地方去，内外各有关部门随从的有十多万人，所花费的钱财无法计算。

与唐友好，请求册封。朝廷派遣使臣宣布册命，称册立使。㊼亥年：当年为丙戌。亥年指明年。㊽宴设：宫中置宴。㊾水陆皆备：宴席上水陆食品一应俱备。㊿灞浐：皆水名。灞水，即今陕西渭河支流灞河。浐水，即今灞河支流浐河。二水皆流经长安附近。(381)南宫：即兴庆宫。在皇城东南，故名。(382)北苑：禁苑。在皇城之北，故名。(383)昭应：县名，县治在今陕西西安市临潼区。城南有华清池。(384)幄帟：幄，帐篷。帟，帐中座上承尘的平幕。(385)扈从：随从；侍从。

【校记】

［28］群蛮：原作“安南”。据章钰校，十二行本、乙十一行本、孔天胤本皆作“群蛮”，张敦仁《通鉴刊本识误》、张瑛《通鉴校勘记》同，今据改。［29］者：据章钰校，十二行本、乙十一行本皆无此字。

【语译】

八年（丁亥，公元八六七年）

春，正月，任命魏博留后何全皞为节度使。

二月，归义节度使张义潮来到朝廷，被任命为右神武统军，命令他的族子张淮深据守归义军。

从安南到邕州、广州，海路中多暗礁撞翻船只。静海节度使高骈招募工匠凿去暗礁，运粮的海船才畅通无阻。

西川近边六姓蛮[388]常持两端[389]，无寇则称效顺，有寇必为前锋。卑笼部独尽心于唐，与群蛮为仇，朝廷赐姓李，除为刺史。节度使刘潼遣将将兵助之，讨六姓蛮，焚其部落，斩首五千余级。

乐工李可及善为新声，三月，上以可及为左威卫将军。曹确谏曰："太宗定文武官六百余员，谓房玄龄曰：'朕以待天下贤士，工商杂流[390]，不可处也。'太和中，文宗欲以乐工尉迟璋为王府率[391]，拾遗窦洵直谏，即改光州[392]长史。乞以两朝故事，别除可及官。"不从。

夏，四月，上不豫，群臣希[393]进见。

五月丙辰[394]，疏理天下系囚，非巨蠹不可赦者，皆递降一等[395]。

秋，七月壬寅[396]，蕲王缉[397]薨。

怀州民诉旱[398]，刺史刘仁规揭榜禁之[399]。民怒，相与作乱，逐仁规，仁规逃匿村舍。民入州宅[400]，掠其家赀，登楼击鼓，久之乃定。

甲子[401]，以兵部侍郎、充诸道盐铁转运等使、驸马都尉于琮同平章事。

宣歙观察使杨收过华岳庙[402]，施[403]衣物，使巫祈祷，县令诬以为收罪。右拾遗韦保衡[404]复言，收前为相，除严譔江西节度使，受钱百万。又置造船务，人讼其侵隐[405]。八月庚寅[406]，贬收端州司马。

九月，上疾瘳。

冬，十二月，信王憓[407]薨。

加岭南东道节度使韦宙同平章事。

【段旨】

以上为第十五段，写唐懿宗荒淫，滥授乐工高官。

【注释】

㊱族子：同族兄弟之子。㊲潜石：没于水中之石，即暗礁。㊳六姓蛮：蒙蛮、夷蛮、讹蛮、狼蛮、勿邓蛮、白蛮。㊴持两端：谓脚踏两条船。㊵杂流：指士流以外出身的人。㊶王府率：亲王府的官员有率，掌侍卫。㊷光州：州名，治所定城，在今河南潢川。㊸希：同"稀"。㊹丙辰：五月十八日。㊺递降一等：依次减罪一等。㊻壬寅：七月

西川靠近边境的六姓蛮族常常脚踏两条船，没有边寇的时候就说是效顺朝廷，有边寇进犯时就给其当先锋。只有卑笼部对唐朝尽心竭力归顺，和群蛮成为仇敌，朝廷赐给他们的部落姓李，任命他们的首领为刺史。西川节度使刘潼派遣将领带兵帮助他们讨伐六姓蛮，焚烧了六姓蛮的部落，杀了五千多人。

乐工李可及善于创制新的歌曲，三月，懿宗任命李可及为左威卫将军。曹确上谏说："太宗制定文武官六百多个员额，对房玄龄说：'朕把这些官位等待给予天下的贤士，工商杂流之人，不应给他们这些职位。'太和年间，文宗想让乐工尉迟璋为王府率官，拾遗窦洵正直进谏，随即改为光州长史。请按照两朝的旧例，另外任命李可及的官职。"懿宗不听从。

夏，四月，懿宗生了病，群臣很少能进见。

五月十八日丙辰，清理全国被关押的囚徒，不是犯了大罪不能赦免的人，都依次减罪一等。

秋，七月初五日壬寅，蕲王李缉去世。

怀州民众向官府诉说旱情，刺史刘仁规贴出布告禁止民众诉说。民众愤怒了，联合发起变乱，赶走了刘仁规，刘仁规逃到乡村中躲藏起来。民众冲进州刺史的府宅，抢走刘仁规的家财，又登楼击鼓，很久才平定下来。

七月二十七日甲子，任命兵部侍郎、充诸道盐铁转运等使、驸马都尉于琮为同平章事。

宣歙观察使杨收经过华岳庙时，布施衣物，让巫祝祈祷，华阴县令诬陷说这是杨收的罪过。右拾遗韦保衡又上奏说，杨收此前任宰相，任命严譔为江西节度使，得到贿赂一百万钱。又在设置造船事务中，有人揭发他侵占隐瞒公家钱财。八月二十四日庚寅，贬谪杨收为端州司马。

九月，懿宗的病痊愈了。

冬，十二月，信王李憪去世。

加给岭南东道节度使韦宙同平章事官衔。

初五日。㊴薪王缉：蕲王李缉，唐顺宗第二十二子，咸通二年（公元八六一年）封。传见《旧唐书》卷一百五十、《新唐书》卷八十二。㊳诉旱：向官府诉说旱情，以求减免租税。㊴揭榜禁之：张贴布告禁止诉灾。㊵州宅：州刺史的府宅。㊶甲子：七月二十七日。㊷华岳庙：庙名，在今陕西华阴。㊸施：施舍。㊹韦保衡：字蕴用，京兆（今陕西西安）人，以驸马都尉擢为宰相。罢逐宰相杨收、路岩，权倾天下，后被赐死。传见《新唐书》卷一百八十四。㊺侵隐：侵吞隐瞒公款。㊻庚寅：八月二十四日。㊼信王憪：信王李憪，唐宪宗子，公元八六〇年封。传见《旧唐书》卷一百七十五、《新唐书》卷八十二。

【研析】

本卷研析裘甫起义、王式用兵、杜悰不奉诏枉诛宰相三件事。

第一，裘甫起义。政治昏暗、赋税繁苛、战乱不断，使得人民大众处于水深火热之中，这些就是促成唐末农民大起义的社会条件。唐宣宗大中十三年（公元八五九年），浙东裘甫起义，规模不大，时间短，但它吹响了农民大起义的号角，虽然失败了，意义却十分重大。唐王朝的大崩溃就是从这一年开始的。

唐朝自甘露事变之后，“天下事皆决于北司”（《资治通鉴》卷二百四十五）。宦官掌控朝政，皇帝终日游宴，不理朝政。唐懿宗更是一个佞佛著名的皇帝，他为了迎佛骨，下令“广造浮图、宝帐、香轝、幡花、幢盖以迎之，皆饰以金玉、锦绣、珠翠。自京城至寺三百里间，道路车马，昼夜不绝”（《资治通鉴》卷二百五十二）。唐末官僚贪污，土地高度集中。《三水小牍》记载，河南许州长葛县令严郜，罢官之后，在当地兼并“良田万顷”，大置庄园。小小县令如此，可见官吏贪赃之一斑。两税法实行不久，由于钱重物轻，老百姓的负担加重一倍。藩镇割据，朝廷用兵，苛税繁重，两税之外，有盐、酒、茶、漆、竹、木、金、银、蔬菜、水果、木炭、食粮、布绢、牲畜等，几乎无物不税。唐政府还以“和籴”“和市”的名目，低于市价强买百姓的食粮和布绢、炭等物，有时就是公然抢掠，白居易写《卖炭翁》一诗生动地反映了宫市宦官强买物品的情形。地方官僚、地主、豪绅凭借权势，还把他们应交的赋税摊派到农民头上，有的十分田地，才税二三，有的豪富“全免科差”。唐文宗太和二年（公元八二八年），贤良方正刘蕡在科举对策中就指出说：黎民百姓“处处流散，饥者不得食，寒者不得衣”，“官乱人贫，盗贼并起，土崩之势，忧在旦夕”。懿宗时，翰林学士刘允章在《直谏书》中更具体指陈时弊，说当时国有九破，民有八苦。九破是：终年聚兵、蛮夷炽兴、权豪奢僭、大将不朝、广造佛寺、赂贿公行、长吏残暴、赋役不等、食粮人多而赋税人少。八苦是：官吏苛刻、私债征夺、赋税繁多、所由乞敛、替逃人科差、冤屈不得申理、冻无衣无食、病不得医死不得葬。国有九破，说明统治秩序无法维持；民有八苦，说明黎民无法生存，农民大起义的条件成熟了，王仙芝、黄巢应运而生。

安史之乱，破坏了黄河流域的经济；藩镇割据，朝廷在北方广大的地区征不了赋税，江淮地区成了唐王朝的生命线，民众不堪重负，加之这一地区军事薄弱，所以农民起义首先在浙东爆发。裘甫起义时，不过一百多人，第二年，咸通元年（公元八六〇年），有众一千多人，起义军攻破剡县，浙东道以及别道的饥民纷纷来归附，众骤增至三万人，还有不少小股起义的民帅来联络，请求做部属。裘甫自称为天下都知兵马使，刘暀为副使，自建年号为罗平，铸印曰天平，表示建立公平社会。裘甫分兵攻越、衢、婺、明、台等州，夺得许多县城，多次打败浙东的官军。起义军没有乘胜扩大战果，裘甫不听副使刘晊夺取越州为根据地，分兵北上渡江攻扬州，取石头城，扰乱唐王朝的生命线以保长期作战的建议，而是固守攻下的几个县城，等待官军来攻。这一消极战法，使裘甫起义只经历八个月就失败了，甚为可惜。

第二，王式用兵。文吏王式善用兵，是一位足智多谋、不可多得的儒将。裘甫起义，浙东观察使郑祗德无能，官军接连败北，不断上奏朝廷告急。宰相夏侯孜推荐王式为浙东观察使，王式带兵入浙平叛。王式冷静地估计形势，认为官军取胜，必须集中优势兵力，后勤要有保障。王式对懿宗说："军队多，能很快平定叛乱，所需费用才节省。如果军队少，拖的时间长，不仅花钱多，还会带来很大风险。万一官军失败，叛军控制了江淮，国家就危险了。"懿宗和宰相们都赞同。朝廷抽调出忠武、义成、淮南等各道官军交给王式统领，夏侯孜向王式担保充足供应。王式信心百倍地率众出征。

王式领兵进入攻战区域，严明纪律，秋毫不犯，肃清间谍，开仓赈济贫民。王式部将说：现在军粮很紧张，不能散发粮食。王式说：你们不懂。王式很重视当地的民团，称为土团。王式把所有的精兵都集中起来参战，只用民团驻守县城。不设置烽火，让胆小的人骑着马充当侦探，不给他们配备齐全武器。众人十分不解。裘甫有骑兵，王式招募当地的吐蕃人和回鹘人组成骑兵。一切准备停当，王式分路向起义军发起进攻。起义军前后十九战均遭失败，最后收缩剡县死守。三天之中，双方战斗八十三次，城中妇女也都起来参战，用瓦片石块打击官军。起义军尽管作战英勇，终因寡不敌众而遭失败。王式严令诸将，不准杀俘，不准屠杀平民，不以缴获敌人战利品报功，如果不去追击敌人而去抢夺敌人丢弃的物资，不但无功，还要杀头。裘甫在一次战斗中失利，就丢弃军资诱使王式的军队去争抢，自己好逃窜，结果没有达到目的。

诸将在庆功会上向王式请教打胜仗的原因。将领们说：我们打过多年的仗，这次追随王公，私下不明白王公的许多布置。刚来时，军粮严紧，王公却开仓赈济穷人，出战不置烽火台，用胆小的人侦察敌情，最后却打了胜仗，我们真是搞不懂。王式说：这道理很容易明白。贼人多是因为穷才没饭吃。官军粮食紧张，军力也不够，守城的部队很弱小，要是守不住，贼人占领了县城，开仓赈贫，这样一来，反叛的人就更多。官军开仓赈贫，就得了人心。设置烽火台，是为了催促救兵。如今守城兵少，没救兵可调，燃烽火，不但无益，反而惊扰士民。如果用勇敢的人乘着快马侦察，他们发现敌人就想投入战斗，反而误了情报。诸将佩服地说：您的智谋，我们赶不上。

王式是晚唐不可多得的优秀将领。从官方立场看，王式镇压裘甫起义是讨伐叛贼。用兵用将，要的是优秀人才。咸通三年（公元八六二年），王式为徐州节度使，残酷地镇压银刀兵的叛乱，尽诛乱兵二千多人，尽管血腥，却表现了一个优秀军人的刚毅。此后，再没有见王式建功。新、旧《唐书》本传只有一句交代。《旧唐书·刘煦传》载："徐方平定，天子嘉之。后累历方任，卒。"《新唐书·刘煦传》说："终左金吾大将军。"其后王仙芝、黄巢之起，为何不见王式身影，是懿宗刻忌功臣，还是朋党排斥，史籍缺载，不可妄测。国家用人之际，良将不能建功，是政治极端腐败的必然。王式未尽其才，使人叹惋！

第三，杜悰不奉诏枉诛宰相。杜悰，字永裕，德宗朝宰相杜佑次子。悰以门荫入仕，任太子司议郎，尚宪宗岐阳公主，加银青光禄大夫、殿中监、驸马都尉。历仕宪、穆、敬、文、武、宣六代皇帝，官至宰相。新、旧《唐书》与其父杜佑合传，事见《旧唐书》卷一百四十七、《新唐书》卷一百六十六。唐宣宗长子郓王李温，无宠，居十六宅。第三子夔王李滋，宣宗爱之，居大明宫内院，欲以为嗣，因非嫡子，所以不立太子。宣宗临终，遗诏枢密使王归长、马公儒立夔王李滋。左军中尉王宗实发动宫廷政变，拥立郓王李温为帝，是为懿宗，改名李漼，杀两枢密及夔王李滋。当时南北司矛盾很深，水火不容。北司宦官想借皇帝废立事件诛杀宰相。咸通二年（公元八六一年）二月某一天，宫中两枢密与宣徽使杨公庆突然造访中书省，要宰相杜悰单独接诏，内容是懿宗责令杜悰上奏，以其他宰相大臣没有联名立懿宗为帝，以反叛罪论处。如果罪名成立，其他三相将遭到灭族。其他三相为毕諴、杜审权、蒋伸。懿宗之立，本来就是宦官一手操纵，宰相并未与事，如何署名，这是一桩政治大冤案。杜悰机智应对。首先他义正词严抗旨，封还懿宗手诏，让杨公庆退回懿宗，称按制度，诛大臣要皇帝在延英殿召见大臣讨论，明正典刑。杨公庆走后，杜悰耐心地做两枢密的工作，称如果引导皇帝随便开杀戒，今日诛宰相，明日就可能诛枢密。两枢密醒悟，回宫禀报懿宗，懿宗很高兴。皇帝也不愿意轻开杀戒，懿宗是受制于宦官的。新、旧《唐书·杜悰传》都记载杜悰为人厚道，但无多大能力，不进贤才，没干什么大事。但从不奉诏枉诛宰相这一事件来看，杜悰是一个很有原则性，也很有智慧的贤人。他冒着杀头风险，几句话化解了一场政治大屠杀，可以说是有勇有谋。他之所以没做出多少大事，是因处在危乱之世，明哲保身，也是"大雅"风范。孔子就说过："邦有道，危言危行；邦无道，危行言逊。"（《论语·宪问》）《诗经·烝民》曰："既明且哲，以保其身。"杜悰的行为进止，是符合这些标准的。